# Vorwort

Der Fiebertraktat *Fevres* begegnete mir erstmals im Rahmen eines Seminars an der Freien Universität Berlin. Einer der Höhepunkte des Seminars über romanische Texte in hebräischer Graphie war der Besuch der Staatsbibliothek zu Berlin – Preußischer Kulturbesitz, bei dem uns verschiedene Handschriften aus dem Archiv der Orientabteilung, darunter die altfranzösische Fieberschrift, präsentiert wurden. Dies war der Anstoß für meine Staatsexamensarbeit, in der ich mich daraufhin mit dem *Fevres*-Manuskript beschäftigte. Meine Abschlussarbeit wiederum war der Ausgangspunkt und die motivierende Basis für die vorliegende Dissertation.

Diese Arbeit wurde während meiner Tätigkeit als wissenschaftliche Mitarbeiterin am Institut für Romanische Philologie der Freien Universität Berlin und am Seminar für Romanische Philologie der Georg-August-Universität Göttingen unter der Betreuung von Prof. Dr. Guido Mensching angefertigt. Im September 2015 wurde sie von der Philosophischen Fakultät der Georg-August-Universität Göttingen als Dissertation angenommen; im Januar 2016 habe ich die Schrift verteidigt.

Die Erstellung der Arbeit, die hier in leicht überarbeiteter Form vorliegt, wäre ohne die Unterstützung vieler Personen nicht möglich gewesen. Auch wenn es zu viele sind, um sie namentlich zu nennen, gebührt ihnen allen mein tief empfundener, herzlicher Dank. Ausdrücklich und in allererster Linie möchte ich meinem Doktorvater und Erstgutachter Prof. Dr. Guido Mensching danken, der mir überhaupt erst den Zugang zur faszinierenden Welt der jüdisch-romanischen Texte eröffnet hat und der mich zu aller Zeit außergewöhnlich unterstützt hat: durch zahllose konstruktive und schöpferische Gespräche, fachkundige und kritische Hinweise, originelle und unkonventionelle Anregungen sowie insbesondere durch seine persönlichen, stets ermutigenden und bestärkenden Worte. Herzlich danken möchte ich ebenfalls Prof. Dr. Cyril Aslanov von der Hebrew University of Jerusalem, dem Zweitgutachter der Dissertation, dessen umfassende Gelehrtheit mich beeindruckt und mir neue Horizonte eröffnet hat. Mein großer Dank gilt außerdem den weiteren Mitgliedern der Prüfungskommission, Prof. Dr. Uta Helfrich, Prof. Dr. Birgit Schädlich und Dr. Frank Savelsberg.

Für seinen wertvollen und unerlässlichen fachlichen Rat in allen Bereichen der jüdischen mittelalterlichen Medizin und Texttradition sowie der semitistischen Editionsphilologie möchte ich Prof. Dr. Gerrit Bos, der zu jeder Zeit ansprechbar und hilfsbereit war, meine tiefe Verbundenheit und meinen außerordentlichen Dank aussprechen.

https://doi.org/10.1515/9783110490039-203

Auch der unschätzbare Beistand meines langjährigen Kollegen Dr. Frank Savelsberg hat wesentlich zur Fertigstellung der Dissertation beigetragen. Seine außerordentlich kompetente Unterstützung in kritisch-konstruktiven Diskussionen über inhaltliche Aspekte und seine unermüdliche, persönliche Motivation durfte ich in meiner Berliner Zeit fast täglich erfahren. Meinen Dank an ihn kann ich nicht nachdrücklich genug aussprechen.

Dr. Raphaela Veit danke ich herzlich für ihre Ratschläge und Gespräche über Constantinus Africanus und ihre wertvolle Hilfestellung bei der Lektüre der lateinischen Handschriften. Jessica Kley und Veronika Roth gebührt mein umfassender Dank für die Beantwortung unzähliger Fragen zum Hebräischen und Arabischen sowie ihre großartige Hilfsbereitschaft bei der Edition und Übersetzung der hebräischen Handschriften. In meinen Dank schließe ich zudem zahlreiche weitere Kollegen und Freunde ein. Ausdrücklich nennen möchte ich an dieser Stelle Dr. Olga Kellert, Anja Weingart und Mailyn Lübke für inspirierende Gespräche, fachliche Diskussionen und freundschaftlichen, anregenden Zuspruch. Ich möchte weiterhin Britta Gemmeke, Richard Praetorius, Jan Thiele und Rachelie Hefter herzlich danken, die als studentische Mitarbeiter unerlässliche Arbeit durch ihre Mithilfe bei Abschriften, Nachschlagearbeiten in Wörterbüchern und Beschaffung von Literatur geleistet haben.

Darüber hinaus bin ich der Staatsbibliothek zu Berlin – Preußischer Kulturbesitz, insbesondere der Orientabteilung, zu großem Dank für die Bereitstellung von Farbdigitalisaten und Papierkopien der Handschrift or. oct. 512 verpflichtet. Mein Dank gilt ebenso der freundlichen Genehmigung für den Abdruck von Manuskriptseiten im Anhang dieser Arbeit. Auch das mir entgegengebrachte Vertrauen bei der Einsichtnahme in das Originalmanuskript weiß ich sehr zu schätzen.

Hinter all dem stand immer meine Familie, ohne deren Rückhalt diese Arbeit nie hätte vollendet werden können. Dass ich in jeder Hinsicht stets auf meine Eltern Sigrid und Dr. Eberhard Zwink zählen konnte und immer wieder ermutigenden Zuspruch von ihnen erfahren habe, ist unschätzbar wertvoll. Ich danke euch von ganzem Herzen. Auch meine Schwiegereltern Birgit und Wolfgang Diemer haben einen nicht unerheblichen Anteil an meiner Arbeit: Danke euch für euren zuverlässigen Beistand, auf den ich, nicht nur bei Engpässen, stets bauen konnte. Das größte Verdienst um die Vollendung dieser Arbeit haben jedoch mein Mann Dr. Tobias Diemer und unsere beiden Kinder Marlen Ariane und Malte Bela. Ihr wart mein unermüdlicher Antrieb – euch möchte ich diese Arbeit widmen.

Im September 2016
Julia Zwink

# Abkürzungsverzeichnis

| | |
|---|---|
| abl. | Ablativ |
| acc. | Akkusativ |
| adj. | Adjektiv |
| adv. | Adverb |
| ahd. | althochdeutsch |
| altfrz. | altfranzösisch |
| altkat. | altkatalanisch |
| altlütt. | in der alten Mundart von Lüttich |
| altnord. | altnordisch |
| altokzit. | altokzitanisch |
| altpik. | altpikardisch |
| altsp. | altspanisch |
| altwallon. | altwallonisch |
| anfrk. | altniederfränkisch |
| angl.-nor. | anglonormannisch |
| arab. | arabisch |
| belg. | belgisch |
| breton. | bretonisch |
| Bsp. | Beispiel |
| burgund. | burgundisch |
| bspw. | beispielsweise |
| bzw. | beziehungsweise |
| ca. | circa |
| cap. | Kapitel |
| cf. | vergleiche |
| champagn. | champagnisch |
| cond. | Konditional |
| conj. | Konjunktion |
| col. | Kolumne |
| dat. | Dativ |
| em. ed. | Emendation durch den Editor |
| et al. | und andere |
| etw. | etwas |
| etc. | und so weiter |
| evtl. | eventuell |
| f | femininum |
| f. | Folio |
| ff. | Folios |
| Fn. | Fußnote |
| fränk. | fränkisch |
| frpr. | frankoprovenzalisch |
| frz. | französisch |
| fut. | Futur |
| gall. | gallisch |
| gaskogn. | gaskognisch |

https://doi.org/10.1515/9783110490039-204

| | |
|---|---|
| gen. | Genitiv |
| germ. | germanisch |
| gest. | gestorben |
| ggf. | gegebenenfalls |
| gr. | griechisch |
| hap. leg. | Hapax legomenon |
| hdauph. | Dialekt des Haut-Dauphiné |
| hebr. | hebräisch |
| i.e. | das heißt |
| ibid. | an derselben Stelle |
| imp. | Imperativ |
| impf. | Imperfekt |
| ind. | Indikativ |
| indecl. | undeklinierbar |
| indef. | Indefinit- |
| insbes. | insbesondere |
| Jh. | Jahrhundert |
| jmd. | jemand(en) |
| languedoc. | languedokisch |
| lat. | (klassisch) lateinisch |
| loc. | räumlich |
| lothr. | lothringisch |
| m | maskulinum |
| mfrz. | mittelfranzösisch |
| mgr. | mittelgriechisch |
| mhd. | mittelhochdeutsch |
| mlat. | mittellateinisch |
| Ms. | Manuskript |
| Mss | Manuskripte |
| n | neutrum |
| nfrz. | neufranzösisch |
| nom. | Nominativ |
| nördl. | nördlich |
| num. | Zahlwort |
| o. g. | oben genannt |
| okzit. | okzitanisch |
| part. | Partizip |
| pass. | Passiv |
| perf. | Perfekt |
| pers. | persisch |
| pikard. | pikardisch |
| pl. | Plural |
| praep. | Präposition |
| praes. | Präsens |
| pron. | Pronomen |
| prov. | provenzalisch |
| qc. | quelque chose |
| qn. | quelqu'un |

| | |
|---|---|
| röm. | römisch |
| sanskr. | sanskritisch |
| s. | folgende Seite |
| sg. | Singular |
| splat. | spätlateinisch |
| ss. | folgende Seiten |
| subj. | subjonctif |
| subst. | Substantiv |
| südl. | südlich |
| s. v. | unter dem Eintrag |
| tempor. | zeitlich |
| u. a. | unter anderem; und andere |
| u. ä. | und ähnliche |
| u. v. m. | und viele mehr |
| v. impers. | unpersönliches Verb |
| v. intr. | intransitives Verb |
| vlat. | vulgärlateinisch |
| v. refl. | reflexives Verb |
| v. tr. | transitives Verb |
| wallon. | wallonisch |
| z. B. | zum Beispiel |

# 1 Einleitung

## 1.1 Vorbemerkungen

Die vorliegende Arbeit behandelt einen wenig bekannten Aspekt der französischen Sprachgeschichte, nämlich die Abfassung altfranzösischer Texte in hebräischer Schrift. Dies wird anhand der Edition ausgewählter Teile des umfangreichen Fiebertraktats *Fevres* illustriert, der von einem unbekannten Autor jüdischer Herkunft gegen Ende der altfranzösischen Epoche verfasst wurde. Die hier vorgenommene Teiledition und Analyse dieses Texts erlaubt eine Einführung in die Thematik der Wiedergabe des Altfranzösischen im hebräischen Schriftsystem und führt neue Forschungsergebnisse zu Tage, die den bisherigen Kenntnisstand auf diesem Gebiet erweitert. Eine besondere Schwierigkeit besteht darin, dass es sich bei dem hier behandelten Text um einen medizinischen Fachtext handelt, so dass die vorliegende Arbeit auch in den Bereich des mittelalterlichen romanischen Fachschrifttums vordringt und sich als Beitrag zu diesem Forschungsbereich versteht. Dies wird im Folgenden als erstes erläutert, bevor wir uns der Thematik des Altfranzösischen in hebräischer Graphie zuwenden.

Fachsprachliche Texte des Mittelalters finden in der historischen romanischen Sprachwissenschaft kaum Beachtung (cf. Pöckl 1990, 272). Während sich in der Germanistik in der Nachfolge des Standardwerks über die Fachliteratur des Mittelalters von Gerhard Eis (1967) weitere umfangreiche, überblicksartige und fachspezifische Studien anschlossen,[1] sind derartige Arbeiten sowohl innerhalb der Sprachwissenschaft der romanischen Länder als auch in der deutschen Romanistik nur vereinzelt verfasst worden (cf. Kalverkämper 2001, 368, 392).[2] Dieses Defizit wird auch von Flinzner (2006, 2223) im Hinblick auf die Französistik betont: «Die Fachsprachen bieten ein bis heute nahezu unerforschtes Terrain in der französischen Sprachgeschichte». Der Fokus der historischen Sprachwissenschaft liegt nach wie vor auf literarischen Schriften (cf. Flinzner 2006, 2223; Kalverkämper 2001, 368). Zu der Zeit, als sich Verschriftlichungen der Volkssprache in romanischem Sprachgebiet herausbildeten, waren jedoch gerade fachliche Abfassungen diejenigen Texte, die weitaus am meisten gelesen und verbreitet wurden – und zwar über Ständegrenzen hin-

1 Cf. etwa Assion (1973); Haage (1983) u. a.; Wolf (1987); Habermann (2001) (zur Frühen Neuzeit); Haage/Wegner (2007) und speziell zur medizinischen Fachsprache im Deutschen Eis (1971); Riecke (2004).

2 Beispiele hierfür sind etwa die Sammelbände Mensching/Röntgen (1995); Frank et al. (1997); Ducos (2012), die jeweils Artikel zu einzelnen Aspekten vereinen.

https://doi.org/10.1515/9783110490039-001

weg, während die höfische Dichtung den Adelskreisen vorbehalten blieb. Sachtexte illustrieren den Übergang vom mündlichen zum schriftlichen Sprachgebrauch besonders deutlich (cf. Kalverkämper 2001, 368; Eis 1967, 55; Bäuml 1968), sodass «[die mittelalterliche Sach- oder Fachprosa] ein zukünftig vertieftes Interesse der Fachlinguistik [verdient]» (Kalverkämper 2001, 368). Mit Flinzner lässt sich damit das Desideratum formulieren, dass «die zahlreichen in den Bibliotheken vergrabenen Schätze naturwissenschaftlicher und technischer Fachtexte aus mehreren Jahrhunderten nach und nach einer sorgfältigen Edition und v. a. auch detaillierten linguistischen Analysen unterzogen» (Flinzner 2006, 2223) werden müssen, um einerseits die Entwicklung der einzelnen romanischen Fachsprachen detaillierter zu beleuchten und andererseits den Anteil der Fachtexte an der Verschriftlichungstradition der Vernakulärsprachen zu ermessen.

Die vorliegende Arbeit will einen Beitrag zur Erfüllung dieses Desideratums im Bereich der medizinischen Fachsprache des Altfranzösischen leisten. Dabei verfolgt sie drei zentrale Ziele: Erstens erfolgt die Edition von ca. 54 Seiten (entsprechend 27 Folios) eines altfranzösischen, *Fevres* genannten Fiebertraktats, der um das Jahr 1300[3] in hebräischer Graphie geschrieben wurde und dessen Handschrift – wahrscheinlich als Autograph (cf. 1.3.4) – in der Staatsbibliothek zu Berlin – Preußischer Kulturbesitz unter der Sigle Ms. or. oct. 512 – aufbewahrt wird (cap. 2). Die Bezeichnung *Fevres* ist seit der Erfassung von Teileditionen des Traktats durch den *Dictionnaire étymologique de l'ancien français* (DEAF) üblich (cf. DEAFBiblél s. v. *FevresK* – *FevresS*). Zweitens wird der durch die Edition zugänglich gemachte Wortschatz in nach Sprachen geordneten Glossaren (cap. 3) – Altfranzösisch, Lateinisch/Griechisch und andere (Altokzitanisch, Mittelhochdeutsch, Hebräisch) – erfasst und im Hinblick auf Bedeutung, Beleglage und sprachliche (phonetische oder grafische) Besonderheiten hin analysiert. Die Analyse fokussiert dabei altfranzösische Fachtermini der Medizin. Drittens wird der Edition eine umfassende Einleitung vorangestellt (cap. 1), die sich schwerpunktmäßig mit historischen, quellenkundlichen, dialektologischen und fachterminologischen Analysen des medizinisch-botanisch-pharmakologischen Wortschatzes auseinandersetzt. Über die genannten Ziele hinausgehend wird stets die Tatsache berücksichtigt, dass es sich um einen in hebräischen Buchstaben geschriebenen altfranzösischen Text handelt. Dieser Eigenart sind auch spezielle Abschnitte gewidmet, in denen der bisherige diesbezügliche Forschungsstand überprüft und präzisiert bzw. erweitert wird. Durch die Arbeit wird weiterhin deutlich, dass im Bereich der

3 Zur Datierung des Texts cf. 1.1.4, 1.2.1, 1.3.3 und 1.5.

Medizin ein intensiver und ergiebiger christlich-jüdischer Sprach- und Kulturkontakt bestand.

Die bisher vorliegenden Teileditionen von *Fevres* durch Katzenellenbogen (1933) und Kiwitt (2001), die auch historische und sprachwissenschaftliche Untersuchungen beinhalten (cf. 1.1.1), werden hier hinsichtlich folgender neuer Aspekte erweitert: *Fevres* wird in zwei ausführlich beschriebenen Texttraditionen situiert. Zum einen handelt es sich dabei um französische Texte in hebräischer Graphie (1.1.3.2), und zum anderen um medizinische Fachtexte in hippokratisch-galenischer Tradition (1.1.4). Weiterhin werden Textvergleiche mit möglichen Quellen durchgeführt, wobei zwei lateinische Handschriften und ein frühneuzeitlicher Druck sowie zwei hebräische Handschriften erstmals – auszugsweise – ediert und übersetzt wurden.[4] In diesem Zusammenhang konnte auch ein Text als Vorlage für einen bestimmten Abschnitt identifiziert werden, für den die Quelle bislang unbekannt war. Zudem wird zum ersten Mal der Versuch unternommen, *Fevres* in ein Stemma einzuordnen (1.2). Einen deutlichen Ausbau erfährt auch die Beschreibung des Kodex und des Schriftbildes, die hier detailliert ausgearbeitet wurde und Ungenauigkeiten in der Darstellung Kiwitts glätten konnte (cf. 1.3). Ein Novum stellt weiterhin die Untersuchung des medizinischen Fachwortschatzes und seine Klassifizierung im Sinne einer Lehnworttheorie dar, die für hiesige Zwecke speziell modifiziert wurde (1.6). Die Edition (cap. 2) umfasst hier, im Gegensatz zu den bisherigen Ausgaben, vier Arbeitsschritte:

1. eine Abschrift des in hebräischen Buchstaben codierten Texts,
2. eine Transliteration[5] desselben in einem auf lateinischen Majuskeln und Minuskeln basierenden System (cf. 1.4),
3. ein hypothetischer altfranzösischer Lesetext,
4. eine Übersetzung ins Deutsche.

Das Glossar in cap. 3 erfasst nahezu alle in den edierten Textabschnitten vorkommenden Wörter, Wortformen und Varianten in hebräischer Graphie mit

---

4 Die Edition und Übersetzung der hebräischen Handschriften erfolgte durch Prof. Dr. Gerrit Bos, Jessica Kley und Veronika Roth, denen ich an dieser Stelle meinen großen Dank aussprechen möchte.

5 Im Einklang mit Aslanov (2013, 48s.) wird unter einer *Transliteration* die Äquivalentsetzung von Buchstaben eines bestimmten Alphabets (hier: des hebräischen) mit Buchstaben eines anderen Alphabets (hier: des lateinischen) und/oder mit Diakritika verstanden. Mit *Transkription* hingegen ist eine «reproduction of the text as it was supposed to be pronounced» (Aslanov 2013, 48s.) gemeint. Synonym zu *Transkription* wird *Repräsentation* (von Phonen) verwendet. Cf. 1.4 zum Übergang der Bereiche *Transliteration* – *Transkription*.

ihrer Transliteration und erschließt daraus jeweils ein Lemma; ferner werden die Belegstellen aller *tokens* angegeben.[6]

*Fevres* wurde wahrscheinlich zu Beginn des 14. Jahrhunderts im Grenzgebiet Lothringen – Champagne – Burgund von einem anonymen Verfasser in altfranzösischer Sprache, jedoch in hebräischer Graphie geschrieben. Da das einzige vorliegende Manuskript dieses Texts, der nach antiker Tradition die Symptome, Ursachen und Therapien verschiedener Fieberkrankheiten behandelt, unter anderem am Anfang und Ende durch einen Brand beschädigt wurde, ist der Name des Autors nicht mehr zu identifizieren. Mit großer Sicherheit handelt es sich jedoch um einen jüdischen Arzt, der selbst praktizierte (cf. 1.1.4.3). Die Tatsache, dass er Jude war, scheint nicht nur aufgrund der Verwendung der hebräischen Schrift und der Bezugnahme auf mehrere hebräische Quellen – darunter die am häufigsten herangezogene, eine hebräische Übersetzung des *Kitāb al-ḥummayāt*[7] («Buch der Fieber») des Isḥāq ibn Sulaymān al-Isrā'īlī (latinisiert: Isaac Israeli, cf. 1.2.2) – sehr nahezuliegen. Auch inhaltliche Aspekte wie die Übersetzung von Datumsangaben ins Hebräische (z. B. «le tens de ver, c'est *LTQWPT NYSN*[8] ['Wendepunkt des Monats Nisan, i.e. Frühlingsäquinoktium um den 20. März']», f. 240v9–10) oder die Rezeptzutat «poisons à ecale d'eve corante» (f. 176r6) – nach jüdischem Speisegesetz dürfen nur Fische mit Flossen und Schuppen verzehrt werden (cf. Leviticus 11, 9–11; Deuterononium 14, 9–10) – verweisen auf seine Herkunft aus dem jüdischen Kulturkreis.

Das Phänomen Französisch in hebräischer Graphie, oftmals auch «Judenfranzösisch» oder «Judaeo-Französisch» genannt,[9] ist bislang insgesamt nur unsystematisch und selektiv erforscht worden; dies liegt sicherlich auch an der geringen Anzahl der überlieferten Texte, die oftmals nur aus Fragmenten oder aus einzelnen isolierten Wörtern in einem hebräischen Matrixtext bestehen (ca. 100, cf. Sala 1998, 387). Das Französische steht damit im Gegensatz etwa zum Judenspanischen,[10] das durch eine Vielzahl von Texten (ca. 6000) und Studien bekannt ist (cf. Sala 1998, 380). Untersucht wurden hinsichtlich des Französi-

---

6 Zu weiteren Neuerungen der vorliegenden Arbeit cf. 1.1.1.

7 Die Transliteration der arabischen Buchstaben orientiert sich an der DIN-Norm 31635 von 1982 (cf. die Adaption von Brockelmann et al. 1935 auf http://transliteration.eki.ee/pdf/Arabic_2.2.pdf [letzter Abruf: 14. 02. 2017]).

8 Zur Transliteration der hebräischen Buchstaben cf. 1.4.

9 Zur Diskussion des Begriffs des «Judenfranzösischen» cf. 1.1.3.3.

10 Beim Judenspanischen handelt es sich um eine eigene Sprache oder um eine Varietät, die sich auf verschiedenen Ebenen des Sprachsystems vom Standardspanischen unterscheidet; sie ist in zwei Ausprägungen bekannt, nämlich dem volkssprachlichen *Djudezmo* und der literarischen Übersetzungsmethode *Ladino* (cf. Sala 1998, 375).

schen in hebräischer Graphie in erster Linie religiöse Texte wie die Bibel- und Talmudglossen des Gerschom[11] aus Metz (10. Jh.) oder die Rashi-Glossen aus dem 11. Jahrhundert (Troyes), die u. a. von Darmesteter (1872) und Blondheim (1925, 1937, u. a.) ediert wurden, aber auch literarische Texte, die Blondheim (1927) unter dem Titel *Poèmes judéo-français du moyen-âge* herausgegeben hat (cf. 1.1.3). Medizinfachsprachliche Texte hingegen sind abgesehen von *Fevres* gänzlich unbekannt.

Dies und die Tatsache, dass es sich bei *Fevres* um den längsten altfranzösischen Text in hebräischer Graphie überhaupt handelt, machen den Traktat zu einem außerordentlich interessanten Forschungsgegenstand, der auf mehreren Ebenen zu neuen Erkenntnissen führt und vermeintlich Bekanntes in neuem Licht erscheinen lässt: Auf phonetischer Ebene ist davon auszugehen, dass ein Schriftzeugnis, das sich nicht an etablierten Schreibkonventionen orientiert, wie dies für die sonst bekannten altfranzösischen Texte aus dem relevanten Zeitraum gilt, die mithilfe des lateinischen Alphabets verschriftlicht wurden, auf authentischere Weise die Aussprache des Dialekts wiedergeben, in dem sie verfasst wurden. Dies gilt beispielsweise für die Repräsentation von finalem oder vorkonsonatischem *s*, das in *Fevres* meist fehlt, wohingegen es in zeitgenössischen Texten, die in lateinischer Graphie verfasst wurden, (noch) steht. Auch auf prosodischer Ebene verspricht die hebräische Graphie des Französischen neue Einsichten, über die in der bisherigen Literatur keine eindeutige Meinung besteht: Es kann bspw. vermutet werden, dass das Altfranzösische zu dieser Zeit noch Wortakzent besaß, da finale Silben oftmals durch gedoppelte Buchstaben, wie etwa zwei Yod, markiert sind (cf. 1.4.2).

Des Weiteren ist die Tatsache, dass hier ein Fachtext der Medizin in der Volkssprache Französisch und nicht auf Lateinisch oder Hebräisch vorliegt, an sich bereits als eine Besonderheit zu werten, da die bevorzugte Fachsprache der Medizin in Westeuropa zu der betreffenden Zeit sonst Latein oder – in von Juden verfassten Texten – Hebräisch war und aus dem Altfranzösischen generell nur vereinzelte medizinische Texte bekannt sind, die überdies ausschließlich praktischer Natur sind, wie etwa chirurgische Texte, Diätvorschriften oder Rezeptsammlungen (cf. 1.6). Auf lexikalischer Ebene kann *Fevres* so unter Beweis stellen, dass das Französische im Mittelalter bereits großes fachsprachliches Potenzial hatte, indem es zahlreiche französische Termini, die die sonst

11 Die Transliteration der hebräischen (Eigen-)Namen und Termini orientiert sich an der 2006 veröffentlichten DIN-Norm 31636 (cf. Albrecht/Heuberger 2005), die im Einklang mit der im angelsächsischen Bibliothekswesen üblichen Umschrift nach den Standards der ALA-LC (American Library Association – Library of Congress) steht (cf. http://www.loc.gov/catdir/cpso/roman.html [letzter Abruf: 14. 02. 2017]).

üblichen lateinischen ersetzen, aufweist. Dieser Aspekt ist insbesondere für die historische (medizinfachsprachliche) Lexikographie von großer Bedeutung, da es sich in vielen Fällen um Erstbelege handelt, die gegenüber den Standardlexika wie dem *Französischen etymologischen Wörterbuch* (FEW) oder dem *Altfranzösischen Wörterbuch* von Tobler-Lommatzsch (TL) oftmals um Jahrzehnte oder gar Jahrhunderte vordatiert werden können.[12] Die Edition weiterer Passagen ermöglicht die Erfassung neuen sprachlichen Materials, das das Bild von der altfranzösischen Schriftsprache als reiner Literatur- und Verwaltungssprache, das bis heute noch verbreitet ist, revidieren wird.

### 1.1.1 Die Handschrift Berlin SBPK Ms. or. oct. 512 und ihre Bearbeitung

Die Handschrift trat erstmals um 1890 zutage, als sie dem Bibliothekar der Königlichen Bibliothek zu Berlin, Moritz Steinschneider, «vom Hrn. Buchhändler J. Kauffmann in Frankfurt a. M. zur Constatierung des Inhalts zugesendet» wurde (Steinschneider 1894, 399). Steinschneider nahm damit die erste heute rekonstruierbare Durchsicht der Handschrift vor, bei der er deren Sprache als Altfranzösisch identifizierte, ihren Aufbau grob nachvollzog und die Hauptquellen des Traktats ermittelte. Weiterhin setzt er die Vertreibung der Juden aus Frankreich im Jahr 1306 als *terminus post quem non* fest, «nach welchem [...] kein Jude Veranlassung zur Abfassung einer Schrift in französischer Sprache haben konnte» (Steinschneider 1894, 402).[13] Zudem betont er, dass das Manuskript «in Hinsicht auf die Geschichte der Medicin, die Culturgeschichte und die französische Sprache Beachtung verdient» (Steinschneider 1894, 399). Er weist weiterhin darauf hin, dass «die grösseren Partien [...] in Reimversen [schließen]» (Steinschneider 1897, 85), und erwähnt, er habe einige Verse dieser Reime an den Oberrealschullehrer Josef Oesterreicher in Czernowitz geschickt. Dieser transliterierte die von Steinschneider edierten Auszüge (ohne Angabe der Folios[14]) sowie ein Stück Prosa (ff. 304v–306r). Der daraus entstandene altfranzösische Text ist jedoch nicht konsistent und zum Teil fehlerhaft; so steht etwa *disenterie* für *D'əŠeNṬiYRiY'aH*[15] (cf. Oesterreicher 1896, 8g).[16]

12 Der sich aktuell in Arbeit befindliche DEAF (*Dictionnaire etymologique de l'ancien français*) berücksichtigt die sukzessiven (Teil-)Editionen von *Fevres* (cf. 1.1.1).

13 Zur Kritik dieser Aussage cf. jedoch 1.1.3.1, 1.1.4.3.

14 Die Reime befinden sich auf ff. 35r, 35v, 40r, 60v, 182v, 191r, 238r, 245r, 253v und 333r (cf. Zaun 2002b, 274).

15 Einzelheiten der Transkription, i.e., die Wiedergabe von hebräischen durch lateinische Buchstaben bzw. durch Diakritika, werden in 1.4 erläutert.

16 Weitere Fehler wurden durch Kiwitt (2001, 9) festgestellt.

Die Bearbeitung von knapp zehn Seiten durch Oesterreicher (1896) ist damit die erste bekannte Edition (Transliteration) von *Fevres*.

Es mag erstaunen, dass *Fevres* trotz der Würdigung durch Steinschneider in der nachfolgenden Zeit kaum Beachtung fand. Erst über dreißig Jahre später wurde die Handschrift erneut Gegenstand wissenschaftlicher Untersuchung: Im Rahmen seiner Masterarbeit fertigte Hymen Saye in den USA ein altfranzösisch-englisches Glossar über den gesamten Wortschatz, der ausschließlich in einer Transliteration präsentiert wird, von *Fevres* an (Saye 1931). Allerdings muten einerseits die Semantisierungen ohne Belegangaben in Lexika und ohne Kontext willkürlich an; zudem wird nicht präzisiert, anhand welcher Konventionen die Transliteration in lateinische Buchstaben erfolgt. Schließlich sind Fehler in Lemmatisierung und Semantisierung zu konstatieren.[17] Dennoch konnte Saye brauchbare erste Hinweise zur Identifizierung von Termini liefern. Zudem erkannte er einige Vorlagen von *Fevres* (Saye 1931, 2ss.). Die Arbeiten von Oesterreicher und Saye fanden Eingang in die *Recherches Lexicografiques* von Raphael Levy (1932).

Sayes Glossar war wahrscheinlich Lucie Katzenellenbogen nicht bekannt, die kurz darauf, auf Anregung durch Levy (cf. Katzenellenbogen 1933, 48), mit einer Edition (nur Transliteration) von 15 Folios (ff. 254r–269r) nebst einer detaillierten Erfassung der Gliederung und der meisten Quellen des Traktats sowie einer Untersuchung des sprachlichen Materials bei Ernst Gamillscheg in Berlin promovierte (Katzenellenbogen 1933). Katzenellenbogen kam u. a. zu dem Ergebnis, dass der Text in einem ostfranzösischen Gebiet anzusiedeln sei und aufgrund der jüngsten Quelle nicht früher als 1277, jedoch vor der ersten Vertreibung der Juden aus Frankreich im Jahre 1306 (Katzenellenbogen 1933, 11) verfasst worden sein müsste. Im *Trésor de la langue juive* wertet Levy (1964) auch die Arbeit Katzenellenbogens aus. 1972 findet der Traktat im *Grundriss der romanischen Literaturen des Mittelalters* Erwähnung (cf. Nave 1972, 234).

17 Vorzunehmende Korrekturen bei Bedeutungsinterpretationen in Saye (1931) sind z. B. (zur Argumentation und weiteren Korrekturen im *Altfranzösischen* bzw. *Lateinischen Glossar* cf. 3.2 bzw. 3.3): *chaos*, 'warm' (52) → 'Kalk'; *chaonvér*, 'camphor' (52) → 'Hanf'; *dotebélemént*, 'doubtfully' (71) → *tot belement*, 'ganz allmählich'; *espodi*, 'kind of spice' (89) → 'Zinkoxyd'; *redoner*, 'to return' (197) → *redonder*, 'im Überfluss vorhanden sein'; *rerure*, 'ashes' (200) → 'Spähne'; *retrénemént*, 'contradiction' (202) → 'Verstopfung'; *trénchur*, 'colic, gripes' (236) → 'Heftigkeit'; *trobleté*, 'unsettled conditions' (238) → 'Ausfällung'; *turis* zu *taurus*, 'root of a tree' (239) → zu *tus*, 'Harz des Weihrauchbusches'; u. a.m. Von Saye (19s., «Unknown words») nicht zu interpretieren waren *émétér* → *et meter en a; èpnil* → *et penil*; *pén afrike*; *vénée* → *vigne*; *ties*; alle Lexeme konnten hier identifiziert werden (cf. 3.2). Folgende Wörter fehlen bei Saye: *rusement*, *bonheur*, *envisier*, *mes que*, *opresion*, *tenter*, *tete soris*, *roset*, adj., *violete*, f, 'Veilchen', *ver*, *(lapis) agapis*, *lactucella*, *aforcer* in der Bed. 'sich bemühen'.

In jüngerer Zeit widmete sich Marc Kiwitt in seiner Magisterarbeit, die in einer überarbeiteten und erweiterten Fassung publiziert wurde (Kiwitt 2001), der Edition (Transliteration und altfranzösischer Text in lateinischer Graphie) von weiteren zwanzig Folios (ff. 19v–20v, 39v–40r, 79r–86r, 180r–182r, 215r–220v, 222r, 223v–224r, 225v, 245v–248v und 333r–333v) und führt diese durch eine fundierte Analyse der Graphie, der sprachlichen Merkmale und durch einen Quellenvergleich der von ihm bearbeiteten Textabschnitte ein. Seine Ergebnisse bestätigen im Wesentlichen die Erkenntnisse Katzenellenbogens, wobei er das Zeitfenster insofern noch weiter eingrenzt, als er den *Terminus post quem* auf 1280 festlegt – noch wahrscheinlicher sei ein Entstehungszeitpunkt nach ca. 1290 (cf. Kiwitt 2001, 52). Im Anhang erfasst er den Wortschatz der edierten Passagen in Glossaren (für selten belegte medizinische Termini) und Wortregistern.[18] Stephanie Zaun (in Vorb.) hat eine Dissertation begonnen, in der sie all diejenigen Abschnitte ediert, denen eine lateinische Quelle zugrunde liegt, und in der sie sich verstärkt kulturellen Hintergründen widmen wird, wie es Steinschneider (cf. supra) angeregt hatte (cf. Zaun 2002b). Auch die Lebensgeschichte und das Schicksal Lucie Katzenellenbogens ist Forschungsinteresse von Zaun (cf. Zaun 2003). Im Rahmen der Ausstellung *Kitwe-Jad – Jüdische Handschriften* der Staatsbibliothek zu Berlin – Preußischer Kulturbesitz im Juli 2002 wurde der Kodex gezeigt und im Ausstellungskatalog ebenfalls durch Zaun präsentiert (cf. Zaun 2002a). Die Arbeiten von Katzenellenbogen, Kiwitt und Zaun (2002b) werden auf der Internetseite *www.jewish-languages.org/judeo-french.html*[19] in die dortige Bibliographie aufgenommen.

Die altfranzösischen Lexika konnten *Fevres* bisher nur teilweise berücksichtigen. TL wertet ab dem 3. Band (1938) die Dissertation von Katzenellenbogen aus; das FEW bezog die *Fevres* betreffenden Daten nur indirekt über TL. Der DEAF und DEAFél, soweit erschienen, nehmen die Arbeiten von Oesterreicher, Saye, Katzenellenbogen und Kiwitt mit auf. Dort wird die Handschrift zudem auf ca. 1300 datiert und in Lothringen lokalisiert (DEAFBiblél s. v. *FevresK*).

### 1.1.2 Aufbau der Arbeit

Die Arbeit ist im Einzelnen wie folgt aufgebaut. Die Einleitung (cap. 1) dient der Situierung von *Fevres* einerseits in den Traditionen des Fachsprachendiskurses der Medizin und in der französischer Texte in hebräischer Graphie allge-

18 Die Glossare und Wortregister enthalten keine Darstellung der Lexeme in hebräischer Graphie oder in Transliteration.
19 Letzter Zugriff am 13. 08. 2015.

mein sowie andererseits auf sprachwissenschaftlicher Ebene der diachronen und diatopischen Einordnung und beleuchtet dabei die im Folgenden genannten Aspekte. Zunächst wird *Fevres* in der Tradition der mittelalterlichen medizinischen Fachliteratur situiert (1.1.1), wobei der Transfer heilkundlichen Wissens von der griechisch-römischen Antike über dessen Bewahrung durch syrische, persische und arabische Autoren bis hin zur Übermittlung in den Mittelmeerraum durch lateinisch, hebräisch und volkssprachlich schreibende Autoren und Übersetzer nachgezeichnet werden soll; die Situation von Juden und jüdischen Ärzten im mittelalterlichen Frankreich findet dabei angemessene Beachtung. Da medizinische Wissenschaftsgeschichte in den bisherigen Auseinandersetzungen mit *Fevres* kaum berücksichtigt wurde, dient dieses Unterkapitel als Grundlage für das hiesige Verständnis des Kompendiums. Die spezifische Textgeschichte von *Fevres* wird sodann gesondert skizziert und für die zu edierenden Abschnitte quellenkundlich analysiert (1.2). Hierzu werden auch lateinische und hebräische Übersetzungen des *Kitāb al-ḥummayāt* (*Liber febrium*, «Buch der Fieber») des Isaac Israeli zum Vergleich mit *Fevres* herangezogen, die höchstwahrscheinlich die Quelle für einen Teil der zu edierenden Passagen darstellen und die bislang noch nicht als solche identifiziert wurden (cf. Katzenellenbogen 1933, 8). Es handelt sich erstens um die lateinische Übersetzung durch Constantinus Africanus, die anhand zweier Handschriften (Vendôme 174 [= Ven] und Erfurt Q 187 [= E]) und dem Druck Lyon (1515) [= L], dessen Text sehr große Ähnlichkeiten mit den ältesten Handschriften aufweist (cf. Veit 2003, 215), untersucht wird.[20] Berücksichtigt wurden zweitens zwei hebräische Übersetzungen. Die eine ist eine Übersetzung aus dem genannten lateinischen Text des Constantin, die auf eine Version des um 1200 in der Provence wirkenden «Do'eg ha-Edomi» (cf. 1.2) zurückgeht; sie ist nur in einem Manuskript (Vatikan ebr. 363 [= Va]) erhalten. Bei dem zweiten hebräischen Text (vorliegend z. B. in Paris 1127 [= P]) handelt es sich um eine direkte (anonyme) Übersetzung aus dem arabischen Original. In 1.2.3 wird der Aufbau von *Fevres* skizziert und dieser mit anderen Fieberschriften verglichen; offensichtlich durchbricht der Autor in einigen Details tradierte Schemata, indem er die Reihenfolge der abgehandelten Fieberarten verändert und eigene Passagen hinzufügt (cf. Katzenellenbogen 1933, 12). Dieser Sachverhalt spricht dafür – im Einklang mit der oben angedeuteten äußeren Form (cf. 1.3) –, dass der Traktat als praktisches Handbuch gedacht ist, das probate Anwendungen bewahren und weitergeben möchte. Die zu edierenden Passagen werden sodann in den Gesamtaufbau von *Fevres* eingeordnet.

---

**20** Der lateinische Text ist – teilweise fragmentarisch – in über 50 Mss und zwei frühneuzeitlichen Drucken erhalten (cf. 1.2.2; Veit 2003, 198ss.).

Bisher nur unzureichend beschrieben wurde die Gestalt und Machart des Kodex durch Kiwitt (2001, 11–15), dem die Handschrift nur als Mikrofilm zugänglich war. Diese Tatsache führte an einigen Stellen zu Missinterpretationen, die mithilfe der Betrachtung des Originalmanuskripts vor Ort behoben werden konnten. Neben der Kodexanalyse wird in 1.3 eine Beschreibung des Schriftbildes erfolgen, die zeigt, dass die Charakteristika der Hand für eine Niederschrift gegen Ende des 13./Anfang des 14. Jahrhunderts sprechen. Da auch die Analyse der sprachlichen Merkmale auf eine Abfassung in demselben Zeitraum hindeutet und keine weiteren (früheren) Versionen des Texts bekannt sind, kann dieser Sachverhalt möglicherweise als Indiz für ein Autograph gedeutet werden.

Von der äußeren Gestalt der Graphie geht 1.4 zum Inventar der Grapheme in *Fevres* über (Konsonanten- und Punktierungsschema) und beschreibt die lautliche Repräsentation des Altfranzösischen. Hierbei beruft sich die Betrachtung zum großen Teil auf die Ergebnisse Kiwitts (2001, 18–25), bestätigt und/oder korrigiert bzw. ergänzt sie. Anschließend wird das Transliterationssystem erläutert, mit dem in der Edition gearbeitet wird und das weitgehend dem in Bos/Mensching et al. (2011, 4s.) dargestellten entspricht: Mit dem Ziel einer zugänglicheren Lesbarkeit und der Möglichkeit des Nachvollziehens der hebräischen Graphie auch für Leser, die des hebräischen Alphabets nicht mächtig sind, wird bei diesem System jedem hebräischen Konsonantenzeichen eine bestimmte lateinische Majuskel (und/oder ein Diakritikum) und jedem hebräischen Vokalzeichen eine bestimmte lateinische Minuskel zugeordnet. Dadurch wird gewährleistet, dass auch im transliterierten Text alle Informationen des hebräischen Texts gegenwärtig sind und dieser gleichzeitig von Lesern, die über keine Kenntnisse des hebräischen Alphabets verfügen, rekonstruiert werden kann. In dieser Hinsicht grenzt sich das in dieser Arbeit verwendete Transliterationssystem bewusst vom demjenigen ab, das Kiwitt (2001, 25ss.), Katzenellenbogen und Saye verwenden. Kiwitt bedient sich des Umschriftsystems, das in semitistischen Arbeiten üblich ist (cf. Moscati 1980), das jedoch für romanische Texte in hebräischer Graphie in gewissen Hinsichten irreführend ist und daher als weniger geeignet angesehen wird.[21]

Die Identifizierung der altfranzösischen Varietät des Traktats ist Gegenstand von 1.5. Auch hierbei kann grundlegend auf Katzenellenbogen (1933, 13–23) und Kiwitt (2001, 28–39) zurückgegriffen werden, die sprachliche Eigenheiten des Texts als typisch für ostfranzösische Dialekte, insbesondere champagnisch-burgundische Mundarten (Kiwitt 2001, 55, 57), erkannt haben. Im Wesentlichen können die Ergebnisse bestätigt werden. Revidierungen sind im

21 Zu Details cf. 1.4.3.

Hinblick auf die stärkere Berücksichtigung von lothringischen Einflüssen vorzunehmen. Zudem konnten – entgegen der von Kiwitt (2001, 55) aufgestellten These, es seien keine Okzitanismen in *Fevres* vorhanden – mehrere Lexeme ausgemacht werden, die offensichtlich doch dem Sprachraum der *langue d'oc* zuzurechnen sind. Die von Katzenellenbogen (1933, 17) und Kiwitt (2001, 35) festgestellte völlige Aufgabe des Zwei-Kasus-Systems ist erneut zu prüfen, da für die im Rahmen dieser Arbeit zu edierenden Abschnitte doch vereinzelte Reste gefunden werden konnten. Zu den bisherigen Untersuchungen zu ergänzen ist auf phonologischer und prosodischer Ebene eine systematischere Analyse von finalem und vorkonsonantischem [s], die in dieser Arbeit geleistet wird. Bislang nicht betrachtet wurde die eventuelle Repräsentation von altfranzösischem Wortakzent, auf den vermutlich aus der Dopplung von Yod in finaler Silbe erschlossen werden kann (z. B. *DeYṬReYN<u>PReYYŠ</u>* für *detrenprez*, f. 160v15).

Das abschließende Unterkapitel der Einleitung (1.6) ist dem spezifischen medizinischen Fachwortschatz von *Fevres* gewidmet. Hierin wird das Potenzial des Altfranzösischen als Medizinfachsprache unter Beweis gestellt, indem diverse Methoden und Techniken gezeigt werden, die der Autor anwandte, um den bei der Übersetzung ins Altfranzösische entstehenden Bedarf an lexikalischem Material zu kompensieren. Grob gesprochen sind dies die folgenden drei – noch weiter zu unterteilenden – Kategorien: Terminologisierung gemeinsprachlicher Wörter, äußere und innere Entlehnung. Eine derartig detaillierte und systematische Übersicht wurde bisher noch nicht geleistet.

Das Kernstück dieser Arbeit stellt die Edition und Übersetzung der Folios 100v13–102r14, 157v8–180r10 und 239r5–240v25 (27 Folios bzw. 54 Seiten) in cap. 2 dar. Der Editionsprozess erfolgte in vier Schritten: Zunächst wurde das Manuskript diplomatisch in hebräischer Graphie transkribiert.[22] Der zweite Schritt besteht in der Transliteration des Hebräischen in einen für Romanisten leichter lesbaren Text, dessen Graphie auf dem lateinischen Alphabet, gemäß den in 1.4.3 erläuterten Prinzipien folgend, basiert. Schritt zwei beinhaltet also keine interpretative Leistung vonseiten der Editorin, sondern ist lediglich eine Technik, die eine leichter lesbare Version für Leser, denen das hebräische Alphabet weniger vertraut ist, generiert. Eine Herausforderung stellt anschließend Schritt drei dar, bei dem ein hypothetischer altfranzösischer Text rekons-

22 Die Reihenfolge der Schritte entspricht derjenigen der Manuskriptbearbeitung durch die Editorin. Da die vorliegende Arbeit voraussichtlich jedoch primär von Romanisten gelesen wird, die mit dem hebräischen Alphabet nicht unbedingt vertraut sind, erscheinen in cap. 2 auf der oberen Hälte der Seite der altfranzösische Lesetext (Schritt drei) und die deutsche Übersetzung (Schritt vier) (cf. 1.7).

truiert wird, wie er eventuell hätte geschrieben werden können, wenn der Autor das lateinische und nicht das hebräische Alphabet zur Verschriftlichung seines Werkes verwendet hätte.[23] Dieses Unterfangen gestaltet sich oftmals als heikel und bedarf großer Vorsicht, da erstens das hebräische und das lateinische Alphabet nicht grundsätzlich aufeinander abbildbar sind und zweitens das Französische zahlreiche Phoneme aufweist, die im Hebräischen nicht vorhanden sind. Für die entsprechenden Laute (bspw. Diphthonge oder [œ], [ø], [ʎ], [ɲ]) musste sich der Schreiber für eine Transkription entscheiden, die einer Konvention und weitgehend Vorbildern entbehrte. Es ist für die Editorin dann abzuwägen, ob bspw. *-Wu-* in *QRWuẒ* dialektales [u] bzw. [y] oder französisches [œ] wiedergibt, im hypothetischen altfranzösischen Text also *crus* oder *creus* zu notieren ist. Im Endeffekt ist es unvermeidbar, dass bestimmte Interpretationen auf willkürliche (jedoch innerhalb eines Textes konsistente) Präferenzen der Editorin beruhen (cf. Kiwitt 2015, 225). Schließlich wird in Schritt vier der altfranzösische Text ins Deutsche übersetzt.

Den dritten großen Abschnitt der Arbeit bilden in cap. 3 drei Glossare, die nach Sprachen aufgeteilt werden, i.e., erstens ein altfranzösisches Glossar, zweitens ein lateinisches und griechisches Glossar und drittens ein Glossar anderer Sprachen (Altokzitanisch, Mittelhochdeutsch, Hebräisch). Dabei werden – in der Reihenfolge des lateinischen Alphabets – alle Substantive, Verben, Adjektive und Adverbien (mit Ausnahme der häufigen Temporal-, Lokal- und Kausaladverbien) durch die Konsultation ausgewählter Nachschlagewerke erfasst.[24] Die Glossare dienen erstens der Semantisierung des altfranzösischen, lateinischen, griechischen, altokzitanischen, mittelhochdeutschen und hebräischen Wortschatzes und bilden dadurch die Grundlage der Übersetzung in cap. 2. Zweitens wird jedes Wort auf seine Beleglage hin untersucht, wobei zu konstatieren ist, dass *Fevres* zahlreiche Erstbelege für das Französische enthält, sei es im Hinblick auf die Bedeutung, sei es für die generelle Existenz eines Lexems (cf. auch 1.6). Drittens werden bezüglich des altfranzösischen Wortschatzes dialektale und phonetische Besonderheiten herausgearbeitet. Die Glossare legen besonderes Augenmerk auf fachsprachliche Termini der Medizin (u. a. Pharmazie, Botanik, Anatomie) und leisten dadurch einen wesentlichen Beitrag zur Revidierung der Geschichte der französischen medizinischen Fachterminologie. Die Glossare werden schließlich durch ein «Register der häufig vorkommenden Wörter und Wortformen» sowie ein «Eigennamen-, Ortsnamen und Werkverzeichnis» ergänzt.

---

**23** Zu der diffizilen Interpretationsleistung bei diesem – notwendigen – Arbeitsschritt («transposition en une graphie latine courante»), cf. Kiwitt (2015, 224s.).

**24** Detailliert zur Auswahl der Wörterbücher und anderer Quellen cf. 3.1.

### 1.1.3 Die Texttradition

#### 1.1.3.1 Historischer Kontext: Jüdisches Leben im Gebiet der *langue d'oïl* bis ins 14. Jahrhundert

Eine gesicherte Rekonstruktion des Beginns jüdischen Lebens in Nordfrankreich muss aufgrund des Mangels an geschichtlichen Zeugnissen in weiten Teilen im Dunkeln bleiben. Klar ist nur, dass die römische Provinz Gallien kein Immigrationsgebiet für Juden war, die nach der Zerstörung des zweiten Tempels im Jahr 70 n. Chr. aus Palästina flohen.[25] Hinweise auf umfassendere jüdische Ansiedlungen sind ab dem 5. Jahrhundert bekannt, wie etwa die Dekrete gegen Juden und Heiden durch die Kaiser Theodosius II. und Valentian III. an den Präfekten Galliens (cf. Benbassa 1999, 3s.; Schwarzfuchs 1975, 11; Graetz 1853–1875, II,3,13; Chazan 2006, 131; JE s. v. «France»; Depping 1834, 45) bezeugen. Ab dem 6. Jahrhundert hatte die jüdische Bevölkerung so weit zugenommen, dass in mehreren Städten (z. B. Orléans, Paris) größere Gemeinden mit Synagogen entstanden. Zwar wissen wir von mehreren Konzilen, die Einschränkungen im alltäglichen Leben erließen; Juden konnten dennoch unter der christlichen Herrschaft sowohl ihre religiösen Praktiken als auch ihre Berufe frei ausüben. Laut der Überlieferung war die Beziehung zu ihren christlichen Mitbürgern im Großen und Ganzen friedlich und durch regen ökonomischen Austausch gekennzeichnet (cf. Benbassa 1999, 7–12, 32).

Im Laufe der folgenden Jahrhunderte ist zunächst ein Rückgang der jüdischen Bevölkerung zu verzeichnen; ein Hauptgrund hierfür ist die – später wieder aufgehobene – Verfügung durch den Merowingerkönig Dagobert (7. Jh.), sich entweder christlich taufen zu lassen oder das Land zu verlassen (cf. Schwarzfuchs 1975, 17; Depping 1834, 49). Die Zeit unter karolingischer Herrschaft wird hingegen wieder als «Golden Age» durch Benbassa (1999, 7) hervorgehoben, in der die jüdische Bevölkerung stetig wuchs: «Tout semble indiquer que la paix carolingienne a attiré un nombre toujours croissant de Juifs dans l'Empire» (Schwarzfuchs 1975, 21). Auf der Karte in Dieckhoff (2007, 148), die die größeren jüdischen Gemeinden im Mittelalter zeigt, fällt auf, dass sich diese im Sprachgebiet der *langue d'oïl* vor allem in der Île-de-France, in der Champagne, in Lothringen und im Elsass sowie nördlich und südlich der Flüsse Seine und Loire häufen. Besonders augenscheinlich ist die starke Ansammlung jüdischer Niederlassungen in Südfrankreich, v. a. an der Mittelmeerküste. Die-

25 Das Exil zweier Mitglieder der Familie des Herodes nach Vienne im Jahre 6 n. Chr. bzw. nach Lyon im Jahre 39 ist die erste geschichtlich bezeugte Anwesenheit von Juden in Frankreich, «mais il ne semble pas que la suite dont ils étaient très probablement accompagnés s'y soit enracinée» (Schwarzfuchs 1975, 11).

se Tendenz kann bereits ab dem 11. Jahrhundert beobachtet werden: Aus dem arabisch besetzten Spanien flohen Juden unter den repressiven Berberdynastien der Almoraviden und Almohaden[26] vor allem nach Katalonien, in den Languedoc und die Provence (cf. Barkai 1998, 13). Ab dem 14. Jahrhundert sollte sich die jüdische Besiedlung in der Provence zusätzlich durch die Flucht zahlreicher Juden aus Gebieten der Verfolgung unter französischer Krone intensivieren, zu der neben weiten Teilen Nordfrankreichs nach den Albigenserkreuzzügen auch der Languedoc zählte (cf. infra; cf. Schwarzfuchs 1975, 90–92; Kukenheim 1963, 19). Wenn auch die languedokischen Juden dasselbe Schicksal wie das der nordfranzösischen Gemeinden erlitten, so darf nicht vergessen werden, dass sich das soziale und kulturelle Leben in beiden Regionen grundlegend unterschied; die südfranzösischen Juden waren vornehmlich vom Denken und der Kultur des Mittelmeers beeinflusst: «L'Espagne, ou même l'Egypte, leur étaient plus proches que la Champagne ou la Rhenanie. Ils étaient résoluement tournés vers le Sud» (Schwarzfuchs 1975, 90–91). Die aschkenasischen Juden aus Nordfrankreich orientierten sich hingegen tendenziell nach Osten; v. a. in Richtung Rheinland mit den drei Städten Speyer, Worms, Mainz, die bedeutende jüdische Gemeinden aufwiesen (cf. Preißler 2012).

Für die jüdische Bevölkerung verliefen die Geschicke bis ins Spätmittelalter zeitlich und räumlich wechselhaft. Die Auflösung des Karolingerreiches brachte eine regionale Zersplitterung Nordfrankreichs mit sich: «La France était divisée, et l'autorité royale symbolique. [...] L'histoire des Juifs de France devint donc pour un certain temps l'histoire des Juifs des différentes régions et principautés de la France» (Schwarzfuchs 1975, 34). Jüdische Schicksale schwankten zwischen besonderem Ansehen und Privilegien etwa unter Ludwig dem Frommen (814–833) (cf. Depping 1834, 52) bis hin zu sich durch den Geist der Kreuzzüge vermehrten Judenverfolgungen mit Massakern im 11. Jahrhundert, etwa in Rouen und Limoges (cf. JE s. v. «France»). Eine einschneidende Krise erfuhren die Juden im Jahre 1182, als sie durch Philip Augustus aus Frankreich vertrieben wurden. 17 Jahre später sollten sie dann wieder zurückgerufen werden. Das zweite und folgenreichere Exil der Juden erfolgte 1306 unter Philip IV., genannt der Schöne (1285–1314). Man «verbot ihnen bei Todesstrafe dahin zurückzukehren, und konfiszierte ihr ganzes Vermögen, mit einziger Ausnahme ihrer Kleider und des nöthigen Reisegeldes» (Depping 1834, 187).[27]

---

26 Berber-Dynastien, die im 12.–13. Jahrhundert in Nordafrika und al-Andalus herrschten (cf. LexMA 1, 447–449).

27 Die Zahl der vertriebenen Juden wird auf 100.000–150.000 geschätzt (cf. Jordan 2008, 241); die genauen Beweggründe des Königs bleiben im Dunkeln: «[We] have no chroniclers' reports glossing an official text that at least otherwise would have puported to tell us why the crown acted in the manner it did» (Jordan 2008, 245; cf. auch Einbinder 2008, 228); Depping (1834, 188s.) vermutet Habsucht des Königs.

Zwar wurde es den Juden 1315 durch Ludwig X. erlaubt, sich in ihrer ehemaligen Heimat erneut niederzulassen, doch galt dieses Edikt nur für zwölf Jahre und blieb damit ohne wesentliche Auswirkungen (cf. Benbassa 1999, 21; Depping 1834, 202; JE s. v. «France»): Mit dem fatalen Jahr 1306 war die jüdische Gemeinschaft unter französischer Krone nachhaltig traumatisiert und konnte nur stellenweise wieder erweckt werden, und wenn, dann waren die Rückkehrer zahlreichen Anfeindungen ausgesetzt (cf. Einbinder 2008, 230). Für den Pestausbruch von 1348 wurden, wie in fast allen europäischen Ländern, die Juden mit der Beschuldigung der Brunnen- und Quellenvergiftung verantwortlich gemacht; die Rachsucht der Bevölkerung führte zu unzähligen Judenpogromen. Mit besonderer Härte und nachhaltigen Sanktionen sollte schließlich die Exilierung von 1394 unter Karl VI. vollzogen werden, «[who] decreed as an irrevocable law and statute that thenceforth no Jew should dwell in his domains» (JE s. v. «France»); sie beendete das jüdische Leben unter französischer Herrschaft für Jahrhunderte.

#### 1.1.3.2 Französische Texte in hebräischer Graphie

Trotz der insbesondere im Hoch- und Spätmittelalter immer wiederkehrenden massiven Unterdrückung von Juden und Anfeindungen vonseiten der christlichen Bevölkerung fand im Alltag dennoch ein reger wirtschaftlicher, wissenschaftlicher und kultureller Austausch zwischen den Angehörigen beider Gruppen statt, und so ist es nicht verwunderlich, dass die Vernetzung sich auch auf sprachlicher Ebene niederschlug. Es gilt heute als allgemeiner Konsens, dass Juden und Christen in Frankreich dieselbe Sprache, i.e. dieselbe lateinische Varietät bzw. dieselben altfranzösischen Dialekte, sprachen. Die Existenz eines sogenannten «Jüdisch-Französischen», also einer Sprache, die ausschließlich von Juden gesprochen wurde und sich durch seine Ableitung aus einer den Juden eigenen Varietät des Lateinischen vom mittelalterlichen Französischen von Nicht-Juden unterschied (cf. Weinreich 1973–4, 104),[28] wird somit bestritten (cf. hierzu genauer unter Punkt 1.1.3.3).

Im Hinblick auf die Verschriftlichung des Altfranzösischen zogen jüdische Autoren jedoch das hebräische Alphabet vor. Diese Transkription folgte, wie bekanntlich die Transkription durch lateinische Buchstaben auch, keinen festgesetzten orthographischen Regeln, sondern wurde durch die Autoren relativ frei umgesetzt. Eine Schwierigkeit bestand stets in der Repräsentation von altfranzösischen Lauten, die im Hebräischen genuin nicht vorkommen und für die das hebräische Alphabet keine konventionalisierten Buchstaben zur Verfü-

28 Überblicksartikel über das Phänomen «Jüdisch-Französisch» sind Sala (1998) und Banitt/Aslanov (2007).

gung stellt (cf. ausführlich zu diesem Thema 1.4).[29] Die Schwierigkeiten des Schreibers bei der Verschriftlichung können u. a. eindrücklich daran abgelesen werden, dass ein und dasselbe Wort in unterschiedlicher Weise transkribiert wird, oft sogar innerhalb einer Zeile. Trotz einer fehlenden verbindlichen Orthographie lassen sich die altfranzösischen Texte in hebräischer Graphie auf eine gewisse Transkriptionstradition zurückführen, deren Ursprung bis ins 10. Jahrhundert reicht und die maßgeblich durch den bekanntesten Autor solcher Texte, Rabbi Solomon ben Isaac aus Troyes (1040–1105), besser unter dem Akronym Rashi bekannt, geprägt wurden. Rashi, geboren in Troyes, studierte bei Rabbi Jacob ben Jaka und Rabbi Isaac ben Judah in Mainz sowie bei Rabbi Isaac ben Eleazar ha-Levi in Worms und gründete anschließend in seiner Geburtsstadt um 1070 eine Talmudschule (*Yeshiva*), die zahlreiche berühmte Schüler hervorbrachte, etwa Simḥah ben Samuel aus Vitry (cf. Rothkoff et al. 2007, 101). Im Rahmen seiner Lehrtätigkeit trat er als einflussreicher Kommentator fast aller Bücher der Bibel und von Traktaten des Babylonischen Talmuds[30] hervor.[31] Seine Bibel- und Talmudkommentare aus dem späten 11. Jahrhundert enthalten sogenannte *le'azim*, Glossen in der Volkssprache Altfranzösisch, die es zum Ziel hatten, schwierige und veraltete Wörter zu erläutern (Darmesteter 1872, 147–158; Kiwitt 2015, 219). Diese in den hebräischen Fließtext eingearbeiteten Glossen wurden oft durch die Zusätze *be-la'az* ('in der Volkssprache') oder *she-qorin* ('das heißt') gekennzeichnet (cf. Fudeman 2010, 103; Kearney 2010, 36).[32] Darmesteter zählte 967 biblische und 2190 talmudische Glossen bei Rashi (cf. Darmesteter 1872, 155).

Glossen gelten als die älteste bekannte Gattung altfranzösischer Texte in hebräischer Graphie. Wenn Rashi auch der bekannteste Verfasser der *le'azim* war, so ist er wohl nicht der älteste. Lange Zeit hielt man Rashis Vorläufer Gershom ben Judah Me'or ha-Golah (960 Metz–1028 Mainz), Leiter einer *Yeshi-*

29 Dieselbe Schwierigkeit bestand selbstverständlich auch für die Verschriftlichung des Altfranzösischen durch lateinische Buchstaben; hier konnten sich die Autoren jedoch an etablierteren Konventionen orientieren.

30 Der Talmud umfasst zwei Teile bzw. Schichten: Die Mischna, die «mündliche Torah», eine zunächst mündlich überlieferte Sammlung von Religionsgesetzen, die nach der Zerstörung des Jerusalemer Tempels 70 n. Chr. im 1. und 2. Jh. niedergeschrieben wurde, wird in den folgenden Jahrhunderten durch die erläuternde Gemara kommentiert und diskutiert. Je nach Abfassungsort unterscheidet man zwei Arten der Gemara: die palästinische und die deutlich umfangreichere babylonische; entsprechend ist vom palästinischen bzw. babylonischen Talmud die Rede. Der Talmud selbst wiederum wurde und wird noch immer durch Schriftgelehrte kommentiert (cf. Wald 2007, 470ss.).

31 Die Kommentare des Rashi sind bis heute in jeder Talmudausgabe enthalten.

32 Editionen der Rashi-Glossen finden sich in Penkower (2003, 2009); Banitt (1985); Darmesteter/Blondheim (1929) [= DB]; Darmesteter (1909).

*va* in Mainz und eventuell Autor von Talmudkommentaren, Responsaliteratur sowie von Gedichten (cf. Eidelberg/Derovan 2007, 552),[33] für den Urheber von ca. 130 unter seinem Namen überlieferten altfranzösischer Glossen. Höchstwahrscheinlich geht nur eine Minderzahl auf Gershom selbst zurück; die übrigen bestehen aus einer Sammlung anonymer Autoren vom 10. bis zum beginnenden 12. Jahrhundert. Da jedoch Rashi selbst eine der Glossen in Gershoms Namen zitiert und die *le'azim* in die Tradition der *poterim*[34] stellt, dürfte hierin die Ursache für die fälschliche Urheberzuschreibung liegen (cf. Fudeman 2010, 104).[35]

Aus dem 11./12. Jahrhundert, einer blühenden Periode jüdischer Kultur in Frankreich (cf. Sala 1998, 386), ist weiterhin Joseph ben Simeon Ḳara (1055?–1130?) bekannt, eventuell ein Schüler Rashis, der ebenfalls aus Troyes stammte. Gegen Ende des 11. /Anfang des 12. Jahrhunderts verfasste er Bibelkommentare, die zahlreiche altfranzösische Glossen enthalten, teilweise sogar Übersetzungen ganzer Bibelsätzen ins Französische (cf. Fudeman 2006a, 148; JE s. v. «Ḳara, Joseph ben Simeon»).[36] Die sprachlichen Eigenschaften von Karas Glossen konnte Fudeman (2006a, 156) als champagnisch identifizieren; Aslanov (2000, 443) sieht auch lothringische Einflüsse. Um 1200 kompilierte Simḥah ben Samuel aus Vitry (Marne) den berühmten *Vitry Maḥzor*, eine Sammlung von Gebeten, liturgischen Gedichten (*piyyutim*) und rituellen Anweisungen für den Jahresablauf (*maḥzor*),[37] der 178 altfranzösische Glossen beinhaltet (cf. JE s. v. «Simḥah b. Samuel of Vitry»; Fudeman 2010, 104; Goldschmidt 2007, 366–367).[38] Weitere bekannte Autoren dieser Gattung sind Samuel ben Meir, genannt Rashbam, ein Enkel Rashis (* Ramerupt, ca. 1080–1158), Eliézer de Beaugency (12. Jh.) und Joseph Beḥor Shor (Orléans, 12. Jh.) (cf. Kiwitt 2015, 220).

Die zweite Gattung altfranzösischer Texte in hebräischer Graphie, die das umfangreichste Korpus dieser Texte umfasst, besteht in biblischen Glossaren

33 Zur zweifelhaften Autorschaft der Kommentare zu bestimmten Talmudtraktaten cf. Eidelberg/Derovan (2007, 552).

34 *Poterim* waren jüdische Gelehrte in Frankreich, die für die volkssprachliche schulische Grundausbildung zuständig waren und die hebräische Wörter der Bibel in die Muttersprache übersetzten; cf. hierzu ausführlich Banitt (1966).

35 Eine Edition der Glossen befindet sich Brandin (1901a, 1901b, 1901c).

36 Die Glossen sind bisher nur zu einem geringen Teil ediert, und zwar in Ahrend (1978, Kommentar zu Hiob); Aslanov (2000, Kommentar zu Ezechiel); Fudeman (2006, Kommentar zu Jesaiah).

37 Die in Hurwitz (1896–1897) vorgelegte Edition ist leider unkritisch und basiert nur auf einem der vier bekannten Manuskripte (British Museum Cod. Add. Nos. 27,200 und 27,201).

38 Cf. weiterhin Fudeman (2010,155–156) zu einer fast vollständige Auflistung aller derzeit bekannten und erhaltenen hebräischen Texte aus dem 11. bis 14. Jh., die altfranzösische Glossen beinhalten.

(cf. Kiwitt 2010, 118; Kiwitt 2015, 220). Glossare – in der im Kontext der historischen Textsorten zu verstehenden Bedeutung – zeichnen sich dadurch aus, dass sie – gewissermaßen als ein Vorläufer unserer geläufigen zweisprachigen Wörterbücher – einem hebräischen Wort oder teilweise einem ganzen Satz eine volkssprachliche Entsprechung gegenüberstellen. Glossare stehen isoliert von dem Text, dessen Vokabular sie übersetzen, und erscheinen somit als Appendix. Strukturell sind sie oft dreispaltig organisiert: «Ces glossaires pourraient être [...] disposés en trois colonnes contenant la première le mot hébreu, la seconde la traduction française et la dernière le commentaire ou la citation du même mot dans une autre passage» (Darmesteter 1872, 163). Darmesteter gibt in dem zitierten Überblicksartikel eine detaillierte Beschreibung von sieben Glossaren (cf. Darmesteter 1872, 163–172);[39] mittlerweile wissen wir um die (ehemalige) Existenz von zehn größeren Glossaren[40] und zehn kleineren bzw. Glossarfragmenten (cf. die Auflistung in Fudeman 2010, 156–157). Die meisten Glossare wurden – abgesehen von dem ältesten, das bereits 1189 vollendet wurde[41] – im 13. und 14. Jahrhundert kopiert; die Originale müssen entsprechend älter sein. Gemäß Banitt/Aslanov (2007, 545) zeugen die teilweise sehr umfangreichen Bibelglossare von einer «continuous translation of the Bible into French as taught in Jewish schools and houses of study». Die Blütezeit der Glossare war das 13. und 14. Jahrhundert, und ab diesem Zeitpunkt wird die gestärkte Rolle der Volkssprache durch die Struktur der Glossare deutlich: Während in den älteren rabbinischen Bibel- und Talmudkommentaren Erläuterungen des religiösen Texts – auf hebräisch – von zentraler Bedeutung und die Präsenz von französischen Glossen fakultativ war, rückt nun der Stellenwert der französischen Übersetzung in den Mittelpunkt: «[L]es gloses françaises deviennent l'élément central, tandis que des commentaires qui iraient au delà d'un simple renvoi à d'autres passages bibliques sont relativement rares» (Kiwitt 2010, 118).

Die beiden umfangreichsten und bedeutendsten Glossare sind der *Glossaire de Bâle*, der gleichzeitig auch als der älteste Vertreter dieser Gattung gilt (Beginn des 13. Jhs.) und der *Glossaire de Leipzig*, die beide durch Banitt herausgegeben und kommentiert wurden (Banitt 1972; 1995–2005). Der *Glossaire de Bâle*, der 1162 Einträge umfasst, ist sprachlich in der Champagne zu verorten (cf. DEAFBiblél s. v. «GlBâleB»).[42] Der *Glossaire de Leipzig* ist zeitlich auf das

39 Basel Ms. A III 39 und 23; Leipzig Ms. 1099; Oxford Bodl. Or. 135; Paris Ms. hébr. 301; Paris Ms. hébr. 302; Parma Cod. 2780; Parma Cod. 2924 (moderne Signaturen).

40 Zusätzlich zu den oben genannten: Paris Ms. hébr. 1243; Turin A IV 13; Turin A IV 35. Die beiden Handschriften aus Turin wurden durch einen Bibliotheksbrand zerstört.

41 London, Ms. Valmadonna I.

42 Kiwitt (2001) zieht in seiner Bearbeitung von *Fevres* das *Glossaire de Bâle* als Vergleichstext im Hinblick auf Transkription und dialektale Merkmale heran.

Ende des 13. Jahrhunderts zu datieren; sprachliche Eigenheiten weisen auf eine normannische Herkunft hin (cf. DEAFBiblél s. v. «GlLeipzigBa»). Zu den kleineren biblischen Glossaren zählt etwa das in Ms. Parma 2342 tradierte, im 13. Jahrhundert kopierte Glossar mit 24 Namen unreiner Tiere, zumeist von Vögeln, die Leviticus (11, 13–19, 29–30) und Deuteronomium (14, 12–18) entnommen sind. Den hebräischen Bezeichnungen werden altfranzösische Übersetzungen sowie (volks-)etymologische Erklärungen der hebräischen Termini gegenübergestellt. Das Glossar wurde von Bos/Mensching/Zwink (2009) und – nahezu zeitgleich – von Fudeman (2010, 110–115) ediert und kommentiert. Weitere hebräisch-französische Glossare waren Gegenstand jüngster Studien von Kiwitt (2010; 2012d; 2013; cf. DEAFBiblél s. v. «GlBNhébr301K$^{O}$»). Eine neuere Übersicht über erhaltene und verlorene Glossarhandschriften mit kurzer Beschreibung im Hinblick auf Datierung, Entstehungsort und Umfang sowie mit dem Hinweis auf eine eventuelle Edition befindet sich in Kiwitt (2010, 119); hinzuzufügen ist die Edition und Kommentierung der Handschrift Paris Ms. hébr. 301 (= GlBNhébr301 im DEAF) durch Kiwitt (2013). Erwähnenswert sind schließlich medizinisch-botanische Glossare, die charakteristisch für Südfrankreich und damit für okzitanischsprachiges Gebiet sind. Sie enthalten jedoch zum Teil auch vereinzelte altfranzösische lexikalische Elemente.[43]

Neben den beschriebenen religiösen und liturgischen Texten entstehen in Nordfrankreich ab dem 13. Jahrhundert auch säkulare Schriften; hierbei soll zwischen literarischen auf der einen und fachsprachlichen Werken auf der anderen Seite unterschieden werden. Unter den literarischen Texten ist die *Élégie de Troyes*, die das Pogrom von 1288 thematisiert, der bekannteste und sicherlich interessanteste Text. Die Geschichte der Verbrennung von dreizehn Juden auf dem Scheiterhaufen – aufgrund der Beschuldigung eines fingierten Ritualmordes –, darunter der angesehene Gelehrte Isaac Chatelain, seine schwangere Frau und seine beide Söhne, war Gegenstand dreier zeitgenössischer Gedichte (zwei verfasst durch Salomon Simḥa, eines von Meïr ben Eliav) und zweier Elegien – eine auf Hebräisch, eine auf Altfranzösisch –, deren beider Autor um 1300 Jacob ben Judah aus Lothringen war. Die altfranzösische, siebzehn Strophen umfassende Elegie in hebräischer Graphie weckte das Interesse mehrerer Forscher.[44] Die erste Edition nahm Darmesteter (1874) vor; neuere Studien gehen etwa auf Fudeman (2008) zurück, die neben einer Edition, einem gut lesbaren altfranzösischen Text und einer Übersetzung ins Englische auch einen

43 Zahlreiche derartige Glossare wurden durch Gerrit Bos zutage gefördert und durch Bos, Mensching und weitere herausgegeben; cf. z. B. Bos/Mensching (2005); Mensching (2006); Mensching (2009); Bos/Hussein/Mensching/Savelsbeg (2011); Köhler/Mensching (2013).

44 Im Einzelnen sind dies Darmester (1874, 1881); Blondheim (1927,18–20); Einbinder (1999); Kiwitt (2003); Fudeman (2008); Aslanov (2015).

Kommentar und eine kleinere linguistische Analyse der dialektalen Merkmale liefern. Ihre linguistischen Untersuchungen führen sie zur der Feststellung, dass der Text lothringische, champagnische und burgundische Züge enthält (cf. Fudeman 2008, 195). Zuletzt veröffentlichte Aslanov (2015) einen Artikel, dessen Schwerpunkt auf einem literarischen Zugang zur Elegie liegt.

Von einer anderen Art der literarischen Texte, den Hochzeitsgedichten, kennen wir zwei Beispiele. Das ältere, in dem sich hebräische mit französischen Versen abwechseln, beginnt mit den Worten *El giv'at ha-levona* («Auf den Weihrauchhügel»). Das in demselben Kodex wie der *Maḥzor Vitry* erhaltene, aber von einer anderen Hand kopierte, Manuskript wurde zum ersten Mal von Blondheim (1926; 1927, 36–47) ediert und kommentiert; später erneut durch Fudeman (2006b) mit einigen Korrekturen und einer ausführlichen Interpretation. Der Text entstand im 13. Jahrhundert und lässt sich aufgrund der zum Großteil fehlenden Punktierung nur schwerlich eindeutig einem bestimmten Dialekt zuordnen; Blondheim (1927, 2) identifiziert jedoch einige Varianten von Lexemen, die auf eine ostfranzösische Herkunft hinweisen. Aus dem 14. Jahrhundert stammt das mit den Worten *'Uri liqra'ti yafah* ('Steh auf, komm zu mir, du Schöne') eingeleitete Gedicht (Kopie der Handschrift aus dem 15. Jahrhundert; cf. Fudeman 2010, 131s.), das erstmals durch Fudeman (2010, 159–173) ediert und sprachlich analysiert wurde. Auch hier alternieren hebräische und französische Verse, wobei die französischen Passagen im lothringischen Dialekt verfasst wurden, «as are all the other independent Jewish poetic works in Old French published so far. This suggests that Lorraine was a major center of Jewish verse in French» (Fudeman 2010, 160).

Säkulare fachsprachliche bzw. Sachtexte umfassen eine Vielzahl verschiedener Themengebiete. Zu dieser Gattung gehört der in dieser Arbeit thematisierte Fiebertraktat *Fevres*, der längste altfranzösische Text in hebräischer Graphie überhaupt, der sich auf eine Gesamtlänge von 385 *recto* und *verso* beschriebenen Folios erstreckt. Als medizinische Abhandlung steht *Fevres* innerhalb der französischen Texte in hebräischer Graphie einzigartig da. Daneben sind kleinere medizinische Rezepte bekannt, die jedoch – je nach Art der Glossen – nur einzelne, in den hebräischen Text eingestreute französische Wörter beinhalten. Der Grund für die Verwendung eines volkssprachlichen Terminus liegt in der Abwesenheit des erforderlichen Wortes im Hebräischen: «A specific item from the vernacular culture must be given a vernacular name, because no Hebrew word describes it unambiguously» (Fudeman 2010, 107). Zwei dieser Rezepte, die zwei bzw. sieben Zeilen lang sind und ein bzw. zwei volkssprachliche Termini enthalten, sind in Fudeman (2010, 107) ediert und übersetzt.

Ein längerer Sachtext, der strukturell insofern vergleichbar aufgebaut ist, als einzelne volkssprachliche Termini in den sonst hebräischen Text eingefügt wurden, ist das um 1200 von dem in England oder in Nordfrankreich (cf. Bos/

Zwink 2010, 2) lebenden Berechiah ben Natronai ha-Nakdan verfasste Lapidarium *Ko'aḥ ha-avanim* («Die Kraft der Steine»). Die französischen Termini, die oftmals dem anglonormannischen Dialekt zugeordnet werden können, geben – gewissermaßen als Titel – die Namen der 72 Steine wieder, die dann einzeln im Hinblick auf Aussehen, Vorkommen und heilende bzw. magische Eigenschaften beschrieben werden. In diese Beschreibungen selbst sind weitere französische Namen von Pflanzen, Tieren und Heilmitteln eingebunden. Eine Edition mit englischer Übersetzung wurde durch Gerrit Bos, die sprachliche Analyse der altfranzösischen Termini sowie eine Quellenstudie durch die Autorin angefertigt (Bos/Zwink 2010). Andere fachsprachliche Texte sind kürzer, cf. etwa ein Kontenverzeichnis aus Vesoul im Franche-Comté, herausgegeben durch Loeb (1884) als «Deux livres de commerce du commencement du XIV^e^ siècle».

Der Niedergang der Ära französischer Texte in hebräischer Graphie beginnt im 14. Jahrhundert (cf. Sala 1998, 386). Das Exil von 1306 setzte eine einschneidende Zäsur in das jüdische Leben in Frankreich; Juden flohen daraufhin in Gebiete, die nicht dem Hoheitsgebiet der französischen Krone unterstanden. Zufluchtsorte für die Vertriebenen waren, sofern sie nicht auf der Flucht Hunger und Krankheiten zum Opfer gefallen waren (cf. Depping 1834, 187; Einbinder 2008, 228), Flandern, Lothringen (Lotharingien),[45] das Rheinland, der Dauphiné, die Savoyen, die Provence, Italien und Teile Spaniens sowie Nordafrika (cf. Jordan 2008, 250; Dieckhoff 2007, 151; Benbassa 1999, 20). An ihren neuen Wohnsitzen blieben Juden dann zunächst weiterhin als Autoren französischsprachiger Texte tätig. Nur so ist zu erklären, dass die Kopie des jüngsten hebraico-französischen Textes (ein Kochrezept für das Gericht *ḥaroset*, in dem einige Zutaten in französischer Sprache erscheinen) aus dem Jahr 1470 stammt; sie entstand in Norditalien (cf. Fudeman 2010, 12).[46] Andere Texte aus dem 14. Jahrhundert sind ebenfalls Gebieten zuzuordnen, in denen Juden der Verfolgung durch die französische Krone entkommen konnten: «French-speaking Jews continued to copy and perhaps even produce Hebraico-French glosses and texts in their post-expulsion homes until Hebraico-French textual production waned and died with the death of the expulsion generation or soon after» (Fudeman 2010, 12). Relevanz für den in dieser Arbeit zu untersuchenden Fiebertraktat, der, sprachlichen Merkmalen nach zu urteilen (cf. 1.5), nach 1300 in Ostfrankreich entstanden sein muss, erhält also die Tatsache, dass Lothringen und das Elsass erst mit dem Westfälischen Frieden 1648 dem französischen Königreich zufiel und noch Rückzugsgebiet für Juden für zweieinhalb Jahrhun-

---

**45** Lotharingien gehörte politisch zum Heiligen Römischen Reich und wird linguistisch in ein germanisch- und ein romanischsprachiges Gebiet aufgeteilt.

**46** Editon in Fudeman (2010, 108).

derte nach dem Exil und darüber hinaus blieb (cf. Dieckhoff 2007, 154; Cahen 2007, 193s.; Blumenkranz/Catane 2007, 6). Generell ist zu konstatieren, dass die meisten französischen Schriften in hebräischer Graphie aus lothringischem Gebiet, stammen: «In fact, the number of Hebraico-French texts in the Lorraine dialect (Lotharingian) is significant enough to win for Lorraine the title of Hebraico-French textual center» (Fudeman 2010, 10s.). Ob dies an der besonders hohen Textproduktivität der dort ansässigen Juden lag oder ob es glücklichen Umständen zu verdanken ist, dass gerade aus dieser Region viele Handschriften erhalten sind, lässt sich nicht beantworten.

#### 1.1.3.3 Gibt es ein «Jüdisch-Französisch»?

Bisher wurde davon ausgegangen, dass die französischen Texte in hebräischer Graphie derselben sprachlichen Varietät zuzuordnen sind wie die Texte in lateinischer, die in derselben Region zu derselben Zeit entstanden sind, sich also durch die Verwendung eines anderen Alphabets keine diachronischen, diatopischen oder sonstige Differenzen ergeben. Dies scheint auf den ersten Blick nahezu selbstverständlich. Dennoch wurde in der Vergangenheit von einigen Wissenschaftlern, besonders zu Beginn des letzten Jahrhunderts, die Theorie eines eigenständigen «Jüdisch-Französischen» etabliert und mit unterschiedlichen Schwerpunkten ausgebaut.

Tatsächlich muss vor dem Hintergrund, dass Juden erbwörtliche Lexeme und Entlehnungen – bedingt durch den oft erzwungenen Ortswechsel – über Jahrhunderte relativ stabil innerhalb ihrer Gemeinschaft mit sich führten, die diachronische Problematik neu betrachtet werden. Kukenheim (1963, 102) stellt fest: «Ces emprunts témoignent d'une tradition linguistique ininterrompue depuis l'Antiquité». Diese Annahme setzt jedoch voraus, dass französische Juden eine mehr oder weniger isolierte Gemeinschaft ohne regen sprachlichen Austausch mit ihren christlichen und heidnischen Mitbürgern pflegten. Aus historischer Sicht ist dies für das mittelalterliche Frankreich nicht zutreffend:

> Die nordfranzösischen Juden des Mittelalters lebten weder (im Gegensatz etwa zu den Judezmo-sprachigen, sephardischen Juden im Osmanischen Reich und in Nordafrika) in einer Diglossiesituation,[47] noch waren sie (anders als z. B. die deutschen und osteuropäischen Juden etwa ab dem 14. Jh.) von ihrer Umgebung isoliert. Vielmehr standen sie in engem Kontakt zur christlichen Bevölkerung und waren weitgehend in die französische Gesellschaft integriert (Kiwitt 2001, 56).

47 Cf. weiter unten zu einer anderen Auffassung und damit der Befürwortung einer Diglossiesituation der französischen Juden durch Fudeman (2010).

Diese Feststellung kann durch linguistische Beobachtungen wie etwa den bei Rashi nachzuweisenden zeitgenössischen Entlehnungen aus dem Lateinischen, Deutschen, Slawischen, Okzitanischen und Arabischen untermauert werden (cf. Kukenheim 1963, 103), sodass derartige diachronische Argumente für eine eigene archaisierende jüdisch-französische Varietät zugunsten von synchronischen gegen ihre Existenz ihre Überzeugungskraft nicht aufrechterhalten werden können.

Diachronische Aspekte einer anderen Art jedoch spielen durchaus ein Rolle, und zwar, wenn sie in Kombination mit diaphasischen und diamesischen betrachtet werden:[48] Im Gegensatz zu christlichen altfranzösischen Schriften, die fast immer einer gelehrten oder halbgelehrten Sprachvarietät angehören und damit den Sprachzustand um mindestens ein halbes Jahrhundert versetzt wiedergeben, bedienen sich französische Texte in hebräischer Graphie eines alltagssprachlicheren Registers: «Comme les Juifs fréquentaient plutôt les pauvres que la haute société et les milieux littéraires, les gloses ne présentent que des mots pris dans la langue de tous les jours, que nous saisissons sur le vif» (Kukenheim 1963, 103). Laut Fudeman sind alle französischen Texte in hebräischer Graphie durch einen oralen Charakter gekennzeichnet (cf. hierzu auch Sala 1998, 387). Im Gegensatz zu Kiwitt (cf. obiges Zitat) spricht Fudeman gerade doch von einer Diglossiesituation, jedoch in dem Sinne eines «stable and widespread use of two or more distinct codes (styles, dialects, languages) in a culture, each with specific functions» (Fudeman 2010, 20), wobei das Hebräische die höhere und prestigereiche, das Französische die niedrigere, alltagssprachliche Varietät darstelle. Damit einhergehend fand das Hebräische, das eine literarische Tradition hat und im schulischen Kontext erworben wurde, diaphasisch seinen Gebrauch in religiösen und formalen Kontexten und wurde in diamesischer Hinsicht in erster Linie geschrieben. Das Französische hingegen wurde qua seiner Position als niedere Varietät in der Diglossiesituation für informelle und alltagssprachliche Belange verwendet (cf. Fudeman 2010, 20ss.) und gehörte diamesisch gesehen zur gesprochenen Sprache.

Dies schließt jedoch die Möglichkeit nicht aus, dass auch Texte des gesprochenen Registers aufgeschrieben werden.[49] Besonders anschaulich ist der orale Charakter französischer Texte durch die in 1.1.3.2 vorgestellten Hochzeitsgedichte exemplifiziert (cf. Fudeman 2010, 132); Fudeman geht jedoch noch weiter und sieht alle französischen Texte – auch Glossen und Glossare aus dem

---

48 Grundlegend zur Diasystematik cf. Weinreich (1954) sowie Coseriu (1980).

49 Zur Unterscheidung zwischen der strikten Dichotomie *phonischer – graphischer code* und dem Kontinuum innerhalb der Polarität *gesprochene – geschriebene Sprache* cf. Koch/Oesterreicher (1985, 17; 1990).

religiösen Bereich – als Zeugnis der gesprochenen Sprache an, da sie Grundlage der mündlichen Diskussion und Kommentierung der zu erläuternden Textstellen waren (cf. Fudeman 2010, 22, 57). Für *Fevres*, eine ca. 770 Seiten umfassende und in weiten Teilen theoretische Abhandlung über Fieber, darf diese Uneingeschränktheit der Mündlichkeit in Zweifel gezogen werden. Auch wenn an vielen Stellen die 1. pers. sg. verwendet wird und der Leser oft direkt adressiert wird, und so Kommunikationsbedingungen mit Merkmalen der Nähesprache wie *Dialog*, *Vertrautheit der Partner*, *Affektivität* hergestellt werden,[50] sind doch weite Teile des Traktats mit Eigenschaften der Distanzsprache (*Monolog*, *Reflektiertheit*, *Objektivität*) ausgestattet (cf. Fig. 3 in Koch/Oesterreicher 1985, 23). *Fevres* ist als medizinischer Fachtext anzusehen, wie durch die lexikalische Analyse in 1.6. deutlich wird. Hieraus resultierende entsprechende Versprachlichungsstrategien wie große *Informationsdichte*, *Komplexität*, *Planung* (cf. Koch/Oesterreicher 1985, 23) und nicht zuletzt Fachtermini, die sich insbesondere an den theoretischen Textpassagen ablesen lassen,[51] sind eindeutige Merkmale der Distanzsprache. *Fevres* bewegt sich also auf dem Kontinuum *gesprochen* (Nähesprache) – *geschrieben* (Distanzsprache), indem der Traktat abschnittsweise Charakteristika der Kommunikationsbedingungen und Versprachlichungsstrategien beider Register aufweist.

Unterscheiden sich nun aber französische Texte in hebräischer Graphie von denen in lateinischer Graphie im Hinblick auf das Sprachsystem? Oder genauer: Gibt es ein sogenanntes »Jüdisch-Französisch, also eine eigene Varietät oder gar eigene Sprache der jüdischen Bevölkerung Frankreichs während des Mittelalters, die sich vom Französischen der Christen und Heiden durch seine Ableitung aus einer den Juden eigenen Varietät des Lateinischen abgrenzen lässt? Die heute vorherrschende Meinung in der Forschungsliteratur seit den 1960er-Jahren, die sich im Wesentlichen an die Erkenntnisse von Banitts Artikel «Une langue fantôme: Le judéo-français» anlehnt (Banitt 1963), verneint diese Frage und spiegelt sich in folgendem Zitat wider:

> The mother tongue of the Jews in France during the Middle Ages was what is now called Old French. It was identical with the language spoken by the other inhabitants of the region with whom they lived in close contact. The Latin which they originally spoke underwent the same evolution and the same geographical diversification: [...]. They spoke it

50 Bspw. «totevoies le vos dirai-je prenez orge mondé ...» (f. 161r14–15); «mes vos en gardez de ovrer de cette cure de trocisci de arsenic car ele est perileuse ...» (f. 163r23–163v1); «donc le vos dis que cele ictiricia ...» (f. 169v15).

51 Cf. etwa die Textorganisationen der Art «Il [i.e., das *sputum*] est parti en tres maners ...» (f. 100v17–18); «... ectiricia qui est fete de la maladie do fel ele vent par cinque maneres» (f. 167v12–13).

at home, in the market, at the synagogue, and at school. Rabbinical discussions were conducted in Old French, and it was sometimes even the language of prayer (Banitt/ Aslanov 2007, 545).

Doch zunächst zurück: Der Terminus des «Jüdisch-Französischen» erscheint erstmals 1896 bei Oesterreicher; das Konzept wird in der Folge unter anderem von Blondheim (1910; 1923a, 1923b; 1923c; 1924; 1925), Levy (1932 = RLJ; 1940; 1960; 1964), Birnbaum ([3]1997 [1974]) und Weinreich (1955–1956; 1973) vertreten. Auch das FEW verwendet die Kennzeichnung «judfr.» für bestimmte sprachliche Varianten von Wörtern, die zum großen Teil den Arbeiten von Blondheim und Levy entnommen sind.[52] Blondheim (1924, 579ss.) stellt fest, dass sich die französischen Juden im Mittelalter im alltäglichen Kontakt mit ihren nicht-jüdischen Nachbarn zwar sicherlich einer «langue plus normale» (Blondheim 1924, 579) bedient hätten; ihre schriftlichen Texte, die nur zur Kommunikation untereinander bestimmt waren, wiesen jedoch spezifische sprachliche Züge auf. Diese seien in erster Linie auf lexikalischer Ebene Vulgarismen, Archaismen und hebräische Lehnübersetzungen. Auf syntaktischer Ebene seien ebenso Hebraismen festzustellen (cf. Blondheim 1924, 580; cf. weiter unten). Das sprachliche Material, das Blondheim zu diesen Schlussfolgerungen führt, ist in seinen Aufsätzen (1910, 1923a–c) zusammengetragen. Die partikuläre Sprache der Juden sieht Blondheim (1924, 580) sozial und religiös begründet: «Les Juifs avaient un parler vulgaire, parce qu'ils vivaient généralement à l'écart des classes cultivées. Ils se servaient d'archaïsmes, parce que les conditions de leur enseignement, tout religieux, les y contraignent» Blondheim (1924, 580).

Wenn sich auch in neuerer Zeit vereinzelte Stimmen nach wie vor für ein «Jüdisch-Französisch» plädieren (cf. infra), erhielt die Position gegen die Existenz einer solchen Sprache mit Banitt (1963) entscheidende und bis heute wegweisende Argumente. In seinem oben genannten Artikel kritisiert er vor allem Blondheims methodisches Vorgehen: Zur Rekonstruktion von «judenfranzösischen» Lexemen zog er Texte aus mehreren romanischen Sprachen (Französisch, Okzitanisch, Katalanisch, Spanisch, Portugiesisch und Italienisch) heran, die aus dem 11. bis 17. Jahrhundert stammen, «sans les avoir, au préalable, examinés historiquement, et sans se demander si les concordances relevées ne sont pas plutôt dues à la primauté d'une d'entre ces six langues» (Banitt 1963,

52 Das FEW folgt hier den zweifelhaften Interpretationen von Lexemen von Blondheim und andere Verfechter des «Judenfranzösischen», die als «judfr.» Varianten angeführt werden. Dass es sich bei den durch Blondheim gewählten Lemmata oftmals um okzitanische oder katalanische Varianten handelt, wurde dabei nicht erkannt. Zur Diskussion dieser Problematik cf. Mensching/Bos (2011); Mensching (2015). Zu einzelnen Details cf. infra.

260). Schließlich kommt er durch die detaillierte Untersuchung der lexikalischen Arbeiten von Blondheim und Levy zu dem Schluss: «Abandonnons [...] toute idée préconçue d'un parler particulier aux Juifs de France», und weiter unten «Il n'y a [...] pas de pénétration hétérogène, ni dans le système phonétique, ni dans le système morphologique. [...] Abordons [...] les documents en question comme toute autre document ancien français» (Banitt 1963, 292). Nur ein geringer Teil des dort als «jüdisch-französisch» markierten Vokabulars scheint sich ausschließlich in französischen Texten in hebräischer Graphie verorten zu lassen. Dies kann sich sowohl auf ein Lexem in seiner Gesamtheit (*signifiant* und *signifié*) beziehen als auch lediglich auf die spezifische Bedeutung, die ein Lexem in diesen Texten annimmt und die von der Bedeutung des Lexems in Texten in lateinischer Graphie abweicht (nur *signifié*).

In der zweiten Hälfte des vergangenen Jahrhunderts sprachen sich nach wie vor Birnbaum ($^{3}$1997) und Weinreich (2008 [Übersetzung von Weinreich 1973]) für das Jüdisch-Französische als eine eigenständige Sprache aus. Während Birnbaum stärker die sozio-kulturelle Eigenständigkeit der jüdischen Bevölkerung in der Diaspora betont, sowie die Tatsache, dass allein die Verschriftlichung durch ein abweichendes Alphabet eine Rechtfertigung für die Annahme einer eigenen Sprache («Zarfatisch»)[53] sei (cf. Kiwitt 2001, 54), macht Weinreich ein linguistisches Argument geltend: Das Jüdisch-Französische («Westloezisch»)[54] leite sich, wie alle «judaeo-romanischen» Sprachen, aus einer eigenen jüdischen Varietät des Lateinischen ab, das Elemente des Aramäischen und Griechischen aufweise (cf. Kramer 1993, 6), ein Relikt aus der römischen Kaiserzeit, als die Juden in Palästina, Syrien und anderen Gebieten im Orient aramäisch und im europäischen, sonst lateinischsprachigen Okzident (einschließlich der Stadt Rom) bis ins 4. Jahrhundert Griechisch sprachen (cf. Kramer 1993, 2ss.; Blondheim 1925, XXII). Vor allem in den westlichen römischen Provinzen muss jedoch aufgrund der relativ dünnen jüdischen Bevölkerungsschicht die Motivation zur sprachlichen Assimilation so stark gewesen sein, dass die Juden das Vulgärlatein ihrer Umgebung übernahmen. Kramer (1993, 8) weist daher bereits aus sozio-historischen Gründen die Existenz eines «distinkten jüdischen Vulgärlateins» zurück:

> [D]ie soziolinguistischen Voraussetzungen zur Ausbildung einer lateinischen Sondersprache [waren] schlichtweg nicht gegeben [...]: In Rom konnte es bis zum 4. Jh. schon deswe-

---

53 Cf. den hebräischen Namen *tsarfat* (צרפת) für 'Frankreich'.

54 Im biblischen Hebräisch bedeutet *lo'ez* (לעז) 'in einer fremden Sprache sprechend' (cf. Kramer 1993, 6, Fn. 26). Der Bedeutungsumfang wurde später auf die romanischen Volkssprachen eingeengt; «we may speak of Loezic as the Jewish correlates of the Romance languages» (Weinreich 1955–1956, 408).

> gen kein Judenlatein geben, weil die Juden sich des Griechischen bedienten, und in den Provinzen des Westens konnte sich kein Judenlatein herausbilden, weil es keine kompakten Siedlungskerne gab. Die Juden, die zum Lateinischen übergingen, erlernten notwendigerweise die Sprachform ihrer heidnischen oder christlichen Umgebung. (Kramer 1993, 8)

Die Befürworter eines eigenständigen «Jüdisch-Französisch» sind heute in der Minderzahl; zu nennen sind etwa Paul Wexler, der die Bezeichnung «Tsarfatic» (cf. supra «Zarfatisch») für das den französischen Juden angeblich eigene Idiom verwendet (Wexler 1977, 171). Die Mehrzahl derjenigen Wissenschaftler, die sich heute mit französischen Texten in hebräischer Graphie befassen, betrachten das sprachliche Material als Zeugnis des Altfranzösischen, das dieselben dialektalen Eigenheiten aufweist wie die Skripta in lateinischer Graphie der entsprechenden Region Frankreichs. Zu nennen sind bspw. Fudemann (2006; 2010); Kiwitt (2001; 2003; 2008; 2010; 2012b; 2012d; 2013; cf. jedoch infra); Kramer (1993); Bos/Mensching/Zwink (2009); Zaun (2002b). Denn Juden im mittelalterlichen Frankreich sprachen so, wie es ihre nicht-jüdischen Nachbarn taten – Normannisch in der Normandie, Champagnisch in der Champagne, Picardisch in der Picardie, usw.

Eine mittlere Position nimmt Aslanov ein. In seiner lexikalischen und syntaktischen Analyse der Bibelglossen von Rabbi Joseph Kara und Rabbi Éliézer de Beaugency kommt er zu dem Schluss, dass textsortengebunden von einer jüdisch-französischen Sprache gesprochen werden müsse, die die hebräische Syntax in einer Lehnübersetzung wiedergebe: «La glose judéo-française apparaît [...] conditionnée dans sa structure syntaxique par le moule syntaxique de la phrase hébraïque qu'elle traduit» (Aslanov 2000, 440s.) Aslanov spricht sich für die Differenzierung zwischen einer gesprochenen «judéo-langue vernaculaire» und einer geschriebenen «judéo-langue calque» aus, im Anklang an die Unterscheidung zwischen den beiden Varietäten Ladino und Djudezmo des Judenspanischen nach Haïm Vidal Séphiha (cf. Aslanov 2000, 441).[55] Kiwitt (2008) stellt – vereinzelte – lexikalische Besonderheiten des Französischen in hebräischer Graphie fest. In einer Untersuchung eines wechselseitigen sprachlichen Transfers von hebräisch-französischen Bibelglossaren und von Juden verfasster Wissenschaftsprosa kommt er zu dem Schluss, dass «d'une part, les traducteurs de textes profanes puisaient leur connaissance de l'hébreu dans l'enseignement biblique traditionnel. De l'autre part, il est légitime de supposer que les glossaires bibliques [...] étaient utilisés aussi comme outils pour la tra-

---

55 «Le judéo-espagnol calque ou ladino résulte de la traduction mot-à-mot des textes liturgiques et bibliques hébreux, et, dans une moindre mesure, araméens, en un espagnol qui semble remonter au XIII$^{e}$ siècle» (Séphiha 1974, 160s.); zu textbasierten Studien des Ladino cf. Séphiha (1979).

duction des textes non-bibliques de l'hébreu en français» (Kiwitt 2008, 78). Ein lexikalisches Beispiel ist u. a. das auch in *Fevres* vorkommende Verb *amermer* ('schwächen', cf. 3.2), das in Texten in lateinischer Graphie nur für die Regionen Poitou und Terre Sainte[56] belegt ist, für die Regionen Ostfrankreichs und die Normandie jedoch auch in hebräisch-französischen Bibelglossaren.[57]

Die sprachlichen Eigenschaften von *Fevres* bekräftigen zum großen Teil die Position der Gegner einer jüdisch-französischen Sondersprache (cf. 1.5). Im Hinblick auf Morphologie und Syntax kann die nahezu vollständige Sprachkonvergenz von *Fevres* mit diachronisch und diatopisch vergleichbaren altfranzösischen Texten in lateinischer Graphie beobachtet werden. Aussagen über phonetische Eigenheiten könnten theoretisch für alte Sprachstufen grundsätzlich angezweifelt werden, doch scheinen zumindest keine negativen Evidenzen für eine abweichende Aussprache des Französischen, das von Juden gesprochen wurde, vom Französischen, das ihre christlichen Nachbarn sprachen, vorzuliegen.

In folgenden Punkten müssen jedoch Unterschiede zwischen *Fevres* und vergleichbaren lateinischen Texten vorgenommen werden: Auf syntaktischer Ebene lässt sich in *Fevres* die oft auftauchende Verwendung des sogenannten *status constructus* zur Wiedergabe einer Genitivrelation beobachten, die sich eventuell als Imitation der im Hebräischen üblichen Konstruktion deuten lässt. Der Gebrauch des präpositionslosen *status constructus* geht über den Anwendungsbereich im Altfranzösischen hinaus, das als Genitivattribut nur Personen zulässt.[58] In *Fevres* sind jedoch auch Ausdrücke wie «asens balaustias» (אַשֵׁינְץ בַּאלַאוֹשְׁטִיאַשׁ – *'aŠeYNẒ Ba'La'WoŠṬiY'aŠ*, f. 159r22) für «Essenz von Granatapfelblüten» anzutreffen, in denen das Objekt des Genitivs eine Sache ist. Darüber hinausgehend lässt sich jedoch mit Kukenheim (1963, 104s.) von einer «conformité absolue avec la syntaxe courante» sprechen, durch die französische Texte in hebräischer Graphie gekennzeichnet sind.

Die Beobachtungen Kukenheims hinsichtlich morpho-phonologischer Besonderheiten lassen sich durch *Fevres* bestätigen: Französische Werke in hebräischer Graphie, deren Schreibkonventionen sich nicht an christlichen Texten in lateinischer Graphie orientierten, geben auf unmittelbarere Weise die damalige Aussprache wieder. In *Fevres* ist z. B. konsequent der Schwund von vorkonsonantischem *s*- zu beobachten (etwa in אֵיקוֹרְצְא – *'eYQWoRẒə'*, f. 160v13,

56 Schweizer Region im Kanton Vaud.

57 Zu weiteren Angaben cf. im *Altfranzösischen Glossar* (3.2) s. v. *amermer*.

58 Zur präpositionslosen Angabe der Genitivbeziehung, die Verwandtschafts-, Bündnis- oder Possessivverhältnisse anzeigt, cf. Foulet (1963, 4ss.). Cf. ferner die Belegstellen «[...] qui tant atendi la venue *Nostre Seignor*» (*Queste del Saint Graal* 86,22) oder «[...] il ot aconté le trespassement de Galaad et la mort *Perceval*» (*Mort Artu* 2,5), jeweils zitiert nach Moignet (2002, 307).

u. a., für **ecorce* statt *escorce*, 'Rinde'), das in Texten in lateinischer Graphie aus derselben Zeit noch erscheint. Die sich näher an der Aussprache orientierende Transkription hat damit auch Auswirkungen auf die morphologische Darstellung: «[L]es textes judéo-français prouvent que le système flexionnel s'est perdu de bonne heure dans le parler populaire» (Sala 1998, 387). So wird bspw. das Pluralmorphem *s* bei *maladies* in טוֹטֵייץ מַאלַאדִיאָה – *ṬWoṬeYYẒ Ma'La'DiY'əH* (f. 179v21), für *totes maladie*, nicht repräsentiert. Der Verlust der Flexion wird jedoch nicht konsequent zum Ausdruck gebracht; vielmehr stellt er die Ausnahme dar. Auch dies könnte als Argument für den eher distanzsprachlichen Charakter von *Fevres* sein, dessen Autor mit der Tradition französischsprachiger Texte in lateinischer Graphie vertraut war.

Die Konstatierung der Sprachkonvergenz von Texten in hebräischer und lateinischer Graphie muss am stärksten in lexikalischer Hinsicht eingeschränkt werden: Auch in *Fevres* treten Lexeme auf, die ausschließlich in französischen Texten in hebräischer Graphie belegt sind. Auffällig ist etwa **serpile* (שֶׁרְפִּילְא – *ŠeRPiYLə'*, f. 164r14), 'Kriechtier', das nur in Texten jüdischer Autoren erscheint, und zwar zuerst in der altfranzösischen Übersetzung der astrologischen Werke des Abraham ben Meir ibn Esra (*serpille*, belegt durch Gdf 7, 395c), die 1273–1274 in Flandern entstanden ist (cf. Kiwitt 2012a, 158), das andere Mal in *Fevres*; hieraus wurde es über RLJ (734) durch TL (9, 543 *serpille* und FEW *id.*) erfasst. Blondheims Konstrukt eines partikulären «Judenfranzösischen» baut jedoch in weiten Teilen auf der Tatsache auf, dass languedokische Bibelglossen als Hauptquelle für hebräisch-französische Bibelglossare verwendet wurden (cf. Blondheim 1923a–c; Darmesteter/Blondheim 1929). Banitt konnte in erwähntem Artikel zeigen, dass es sich bei zahlreichen Lexemen nicht um etwaige «judenfranzösische» Wörter, sondern um Okzitanismen handelt (cf. Banitt 1963, 260ss.). Auch Kiwitt (2001, 55) stellt fest: «[Die] Häufigkeit okzitanischer Lehnwörter in den jüdisch-französischen Bibelglossaren [ist] kein tatsächliches sprachliches Merkmal des ‹Judenfranzösischen› [...], sondern [liegt] allein in der Verwendung okzitanischer Bibelglossare als Quellen begründet». Dass sich zahlreiche «judfr.» Varianten aus dem FEW als Okzitanismen interpretieren lassen, legten auch Mensching (2015, 251s.) und Mensching/Bos (2011) mehrfach dar.[59] Bestimmte, wenn auch wenige Lexeme in *Fevres* sind ebenfalls Okzitanismen. Zu nennen sind folgende Beispiele:[60] **acitos*

---

59 Wie Mensching zeigte, wählten Darmester/Blondheim (1929) bei dem Versuch, die Originalversion der Rashi-Glossen aufgrund der Berücksichtigung einer Vielzahl von Manuskripten zu rekonstruieren, häufig ausgerechnet Okzitanismen als Lemmata, sodass «l'idée d'une édition critique a conduit donc en dernière instance au fait qu'un mot [gezeigt anhand von *faisol*] très probablement occitan figure dans le FEW [8, 373] comme judéo-français!» (Mensching 2015, 251).
60 Zu Referenzen cf. 3.2, 3.4.1.

(אַשִׁיטוֹץ – *'aŠiYṬWoẒ*, f. 157r22), ‘sauer’, ist als *acetos* im Altokzitanischen belegt, während altfranzösisch *acetos* spezifisch ‘aus Essig’ bedeutet. *Bleda* (בְּלֵידַא – *BLeYDa'*, f. 172v13), ‘Mangold’, ist altokzitanisch und steht gegenüber altfranzösischem *blete*, das in *Fevres* an anderer Stelle auftritt (בְּלֵיטֵי – *BLeYṬeY*, f. 170r11). *Coliandre* (קוֹלִיאַנְדְרְא – *QWoLiY'aNDRə'*, f. 170v13), ‘Koriander’, ist ebenfalls ein Okzitanismus, der altokzitanischen Glossen in hebräischer Graphie entstammt (Blondheim 1923, 38; Blondheim 1925, 38, Nr. 39); das altfranzösische Wort lautet hingegen *coriandre*. **Ecrachaz* (אֶקְרַאקָץ – *'eQRa'ČaẒ*, f. 100v14, u. a.), ‘Auswurf, Sputum’, ist nur in *Fevres* belegt und wird in FEW (*écrachat*, 2–2, 1268a) und RLJ (*id.*, 335) als «jüdisch-französische» Variante aufgenommen; auch dieses Wort steht okzitanischen Varianten nahe; im Altfranzösischen ist der gängige Terminus hingegen *crachat* (TL 2, 1008) oder *crachet* (AND2 OE) (cf. 3.4).

FEW und Levy (1932 [= RLJ]; 1960; 1964) führen weiterhin ihrer Ansicht nach «jüdisch-französische» Wörter auf (cf. supra), deren hebräische Graphie zwar höchstwahrscheinlich dieselbe Lautform transkribiert wie die entsprechenden Lexeme in lateinischer Graphie, also denselben *signifiant* haben, jedoch eine andere Semantik aufweisen und sich somit hinsichtlich ihres *signifié* unterscheiden. Diese Beobachtung trifft größtenteils nicht auf den Wortschatz in *Fevres* zu. Das adjektivisch gebrauchte part. praes. *abondant* (אַבוֹנְדַאנְט – *'aBWoNDa'NṬ*, f. 175v7), ‘im Überfluss vorhanden’, erscheint hier in der auch sonst belegten Bedeutung und nicht in der für das in FEW als «judfr.» gekennzeichnete Verb *avonder* angegebenen Bedeutung ‘suffire’ (cf. FEW 24, 59b). Der Fall, dass Lexeme aus *Fevres* eine spezielle Semantik aufweisen, die nur für französische Texte in hebräischer Graphie belegt ist, ist vereinzelt festzustellen: Dies gilt etwa für die Termini *governe* (גוֹבֵרְנְא – *GWoVeRNə'*, f. 160r9, u. a.) und *vision* (בִּיזִיאוֹן – *ViYZiY'WoN*, f. 164r19, u. a.), die hier ‘Nahrung, Versorgung’ (RLJ 493) bzw. ‘äußere Erscheinung’ (RLJ 812) bedeuten und nicht, wie in anderen altfranzösischen Texten, ‘Verwaltung, Obhut’ (TL 4, 482) bzw. ‘Erscheinung, Sehen’ (TL 11, 561–562). Folgt man der Argumentation Kiwitts (2008; 2012d), so gehören diese Lexeme zu einem «registre lexical qui est particulier à la variété d’ancien français documentée dans les glossaires hébreux-français et qui caractérise la tradition discursive de l’enseignement biblique juif en langue vernaculaire» (Kiwitt 2012d, 131).

Für *Fevres* kann man insgesamt feststellen, dass das Werk in allen Bereichen des Sprachsystems keine «jüdisch-französischen» Besonderheiten erkennen lässt; nur für das Lexikon müssen vereinzelte Abweichungen angenommen werden. Dies deckt sich mit den Ergebnissen Kiwitts (2001, 28–39, 56s.). Aus diesem Grund wird auch der Begriff des «Jüdisch-Französischen» abgelehnt, der fest mit der Annahme einer jüdischen Sondersprache konnotiert ist.

Es wird dagegen entweder von «Französisch in hebräischer Graphie» oder, in derselben Bedeutung, von «Hebräisch-Französisch», das lediglich auf die Verwendung des hebräischen Alphabets hinweisen soll, die Rede sein (so u. a. auch Fudeman 2010, 5).

### 1.1.4 Die Entwicklung der Medizin im Mittelalter

#### 1.1.4.1 Tradition der medizinischen Lehren von der Antike bis ins Mittelalter

«La médecine est probablement aussi ancienne que la société humaine» (Bariéty/Coury 1971, 7). Aus der Zeit vor dem 11. Jahrhundert v. Chr. sind jedoch aus West- und Mitteleuropa so gut wie keine Dokumente über medizinisches Handeln überliefert (cf. SGeMed 2, 767); die Geburt der (niedergeschriebenen) europäischen Heilkunst liegt vielmehr in den südöstlichen Mittelmeerländern. Schriftliche Nachweise über medizinische Praktiken liegen uns ab ca. 3000 v. Chr. aus Ägypten vor; sie zeugen in erster Linie von religiösen Vorstellungen, die die Tätigkeiten des Arztes bestimmen. Ob ein Menschen krank oder gesund ist, oder ob ein Volk von einer Epidemie heimgesucht wurde, lag nach damaliger Ansicht in der Hand der Götter. Ärztliche Praxis bestand demnach in kultischen Handlungen in Tempeln und wurde durch Priester ausgeführt. Die «theurgische Medizin» (Eckart 2005, 5) war bis in das antike Griechenland hinein kennzeichnend für die Heilkunst; sie gipfelte dort in der Verehrung des Gottes Asklepios, die sich seit dem 5. Jahrhundert v. Chr. in ganz Griechenland, ausgehend von Epidauros, verbreitete und an fast 500 kultischen Orten ausgeübt wurde. Auch in Rom wurde der Heilgott unter dem Namen Aesculapius im 3. Jahrhundert v. Chr. eingeführt (cf. Riha 2013, 23; Bruchhausen/Schott 2008, 20; Leven 2008, 17).

Parallel zu den religiösen Kulten formierten sich im antiken Griechenland rationale, naturphilosophische Erklärungsansätze für das Verstehen von Leben, Krankheit und Tod. Die Vorsokratiker mit ihrer Suche nach dem Urstoff für alles Seiende[61] schufen das geistige Fundament für mehrere medizinische Schulen. Den größten Einfluss übte dabei Empedokles von Agrigent (5. Jh. v. Chr.) aus, der als Fundament des Lebens das Zusammenspiel der vier Elemente Feuer, Wasser, Luft und Erde ansah und das grundlegende Prinzip des Denkens in Gegensatzpaaren vertrat. Große Relevanz kommt zudem dem bereits im 6. Jahrhundert v. Chr. lebenden Pythagoras zu, dessen Idee von Wärme und Körpersäften (Galle, Blut, Schleim) als lebenskonstituierende Elemente ein fundamentales Konzept für die Schule des Urvaters der abendländischen Medizin,

---

**61** Zu den jeweils favorisierten Stoffen der einzelnen Philosophen cf. Riha (2013, 24).

Hippokrates von Kos (ca. 460–360 v. Chr.),[62] bereitstellte (cf. Riha 2013, 25). Zusammen mit den Gegensatzpaaren warm–kalt und feucht–trocken, deren Grundgedanke dem Philosophen Alkmaion von Kroton (ebenfalls 6. Jh.) zugeschrieben wird, schuf Hippokrates ein gesamtheitliches «naturwissenschaftliches» Medizinkonzept, an dessen Basis die sogenannte Humoralpathologie oder Vier-Säfte-Lehre steht, die in ihrer späteren Modifikation durch Galen von Pergamon (129–200 n. Chr.)[63] bis in das 19. Jahrhundert als maßgebliches Leitkonstrukt der europäischen Konzeption von Krankheit und Gesundheit gelten sollte (cf. Bruchhausen/Schott 2008, 30). Der entscheidende Unterschied zur theurgischen Medizin besteht prinzipiell in der Überzeugung, dass Krankheit keine göttliche, sondern stets eine natürliche Ursache hat, die entweder durch Reflexion theoretisch erschlossen oder auch physiologisch-experimentell und durch Beobachtung rational nachvollziehbar gemacht werden kann (cf. Krug 1985, 51; Eckart 2005, 14ss.).

Hippokrates ist jedoch nicht nur der theoretische Wegbereiter der naturwissenschaftlichen und damit letztlich modernen Medizin. Auch die Tatsache, dass heilkundliches Wissen niedergeschrieben und somit dessen Bewahrung und Weitergabe an nachfolgende Generationen ermöglicht wird, wird ebenso maßgeblich dem griechischen Arzt zugeschrieben.[64] Die weitreichende Bedeutung der Verschriftlichung des Wissens unterstreicht Krug (1985, 43): «Die Auswirkung dieses Schrittes auf den weiteren Gang der Heilkunst kann gar nicht überschätzt werden. Seit der Zeit des Hippokrates ist die Medizin eine schrei-

---

**62** Über Hippokrates' Leben ist nicht viel Gesichertes erhalten. Er wird bei Platon (*Protagoras* 311b–f; *Phaidros* 270c) und Aristoteles (*Politik* 1326a15) als berühmter Arzt erwähnt; zahlreiche Legenden über Heldentaten wurden ihm durch viel spätere Biografen zugeschrieben (cf. Leven 2008, 18f; Riha 2013, 25).

**63** Galen war Wanderarzt in Griechenland, Kleinasien und Ägypten und später Gladiatorenarzt in Pergamon. Mitte des 2. Jhs. ließ er sich als Arzt in Rom nieder, «wo er aus der Oberschicht Zulauf erhielt, jedoch bei den Kollegen durch seine großspurige Art unbeliebt war» (Riha 2013, 29). Große Bekanntheit verschuf er sich durch die durch öffentliche Sezierungen von Tieren. Schließlich war er bis zu seinem Tod Leibarzt des Kaisers Mark Aurel (cf. Bruchhausen/Schott 2008, 27; Jankrift 2003, 8; Nutton 1996, 62). Galen werden werden ca. 330 medizinische Werke zugeschrieben, die er auf Griechisch verfasste (cf. Riha 2013, 28; Jankrift 2003, 8).

**64** Unabhängig davon sind heute gleichwohl die Hippokrates zugeordneten Schriften, also das aus etwa 60 verschiedenen Texten des 4. und 5. Jhs. bestehende *Corpus Hippocraticum*, allesamt als unecht erwiesen. «Die Zuweisung medizinischer Schriften an Hippokrates ist nur durch Hypothesen zu erklären, durch Quellenzeugnisse nicht zu rekonstruieren» (Leven 2008, 19; cf. auch Nutton 1996, 58). Es gilt vielmehr als wahrscheinlich, dass in der Bibliothek von Alexandria «zahlreiche anonyme medizinische Fachtexte gesammelt [wurden], die gemeinsam unter den Autorennamen jenes Arztes gestellt wurden, über den man [...] aus den Schriften Platons und Aristoteles' nur wußte, daß er der bedeutendste Vertreter seines Berufsstandes gewesen war» (Leven 2008, 20).

bende Wissenschaft, die ihren Stoff festhalten, sammeln und vergleichen kann». Demaitre (2013, 2) verweist in diesem Zusammenhang weiterhin auf die Garantie der Kontinuität durch niedergeschriebenes Wissen. Verschriftliches Wissen kann jedoch nicht nur in der eigenen Gesellschaft von einer Generation in die nächste tradiert, i.e. gelehrt und gelernt, sowie gleichzeitig erweitert und verbessert, sondern kann auch in Form von Übersetzungen in andere Sprach- und Kulturgemeinschaften transferiert werden. Verschriftliches Wissen ist damit weiterhin die Voraussetzung für einen fruchtbaren interkulturellen Austausch, der dem medizinischen Fortschritt dient (cf. Zwink 2011, 390). Somit kommt der Medizin im antiken Griechenland nicht nur aufgrund ihrer empirischen Methodik, sondern auch ihrer auf Schriftlichkeit basierenden theoretischen Bestrebungen erstmals der Status einer Wissenschaft zu (cf. Leven 2008, 22).

Bei der Überlieferung der antiken griechischen Medizinschriften gelangt Byzanz zu einer entscheidenden Rolle: «Während im westlichen Abendland die griechische Sprachkompetenz [...] mit dem Untergang Roms verschwand, verstand sich das oströmische Reich (395–1453) als Erbe und Bewahrer dieser Tradition» (Riha 2013, 33). Als herausragend zu nennen sind die byzantinischen Kompilatoren Oribasios aus Pergamon (4. Jh. n. Chr.), Aetios von Amida (5./6. Jh.), Alexander von Tralleis (6. Jh.) und Paulos von Aegina (7. Jh.) sowie die arabischen Enzyklopädisten ʿAlī ibn al-ʿAbbās al-Maǧūsī (Haly Abbas, gest. ca. 990) und Abū ʿAlī al-Ḥusayn ibn ʿAbdullāh ibn Sīnā (Avicenna, 980–1037). Als medizinisches Standardwerk galt später der von Avicenna kompilierte und von Gerhard von Cremona ins Lateinische übersetzte *Canon medicinae* (cf. Eckart 2005, 60). Vom 10. bis ins 12. Jahrhundert wirkten und schrieben arabische Ärzte vor allem auf der iberischen Halbinsel, zu deren bekanntesten Abū ’l-Qāsim Ḫalaf ibn al-ʿAbbās az-Zahrāwī (Albucasis, 936–1013), der auch ein eigenes, innovatives Werk über Augenchirurgie schrieb (cf. Nutton 1996, 69), und Abū ’l-Walīd Muḥammad ibn Aḥmad ibn Rušd (Averroes, 1126–1198) zählen. Auch Abū ʿImrān Mūsā ibn ʿUbaydallāh Maymūn al-Qurṭubī (hebräisch: Moshe ben Maimon, gräzisiert: Maimonides; 1138 Córdoba – 1204 Kairo; cf. infra), der nach dem Exil seiner Familie schließlich in Ägypten lebte und wirkte, stammte ursprünglich aus Córdoba.[65] Erwähnenswert ist hierbei, dass Letzterer sowie auch viele andere berühmte aus al-Andalus stammende medizinische Autoren Juden waren.

Bis ins 11./12. Jahrhundert war das Arabische innerhalb der muslimischen Welt, die sich im Mittelalter vom heutigen Pakistan über den Nahen Osten und

---

65 Editionen der medizinischen Schriften mit englischer Übersetzung wurden z. B. durch Gerrit Bos angefertigt (Bos 2002; 2004; 2007; 2008; 2009; 2011; 2012; 2014; 2015a); weitere befinden sich in Vorbereitung.

Nordafrika bis hin nach al-Andalus erstreckte, aufgrund seines Potenzials, sowohl literarische als auch wissenschaftliche komplexe Sachverhalte differenziert ausdrücken zu können, unangefochtene *lingua franca*: «Arabic developed into a powerful linguistic tool, able to express the most subtle and complicated philosophical, medical, and scientific ideas. For centuries, the scientific discourse in the Muslim world [...] took place in Arabic» (Pormann/Savage-Smith 2007, 33–35; cf. auch SGeMed 2, 757). Auch die in der Diaspora lebenden Juden nahmen in muslimischen Ländern das Arabische als Verkehrs- und Umgangssprache an, während das Hebräische religiösen Inhalten vorbehalten blieb (cf. Freudenthal 2011, 13s.). Hierzu Shatzmiller (1994, 13): «The Jewish doctors of the Islamic world, of course, had no linguistic obstacles to separate them from the necessary books. Arabic, the language of science, was their language and provided them with indirect access to the Greek medical classics in translation». Moses Maimonides beispielsweise schrieb seine philosophischen und medizinischen Werke auf Arabisch;[66] für seine religiösen Texte verwendete er die Sprache der Bibel und der Mischna (cf. Barkai 1998, 9).

Bereits um 900 entstand im süditalienischen Salerno eine laikale[67] Kooperation zur Pflege der hippokratischen Medizin. Diese formierte sich als *Civitas Hippocratica* im 10. Jahrhundert zur ersten sogenannten Medizinschule, die

---

**66** In hebräischer Graphie.

**67** Parallel zur Entwicklung in al-Andalus wurde im Abendland bereits ab dem 5. Jahrhundert in Klöstern und Kathedralschulen damit begonnen, die antiken Medizinschriften zu kopieren, zu übersetzen und vor dem Hintergrund christlicher Vorstellungen zu interpretieren. Hierbei ist neben Cassiodor (485–580) und Isidor von Sevilla (560–636) besonders Benedikt von Nursia (480–550) zu nennen, der durch die von ihm erhobene *Regula Benedicti* seine Mönchsgemeinde dazu anhielt, die Fürsorge für Kranke, Schwache und Arme nach dem Gebot christlicher Nächstenliebe in ihrem Einflussbereich zu übernehmen. Die Schriften der Hildegard von Bingen (1098–1179) integrieren in die antike Tradition auch Überlieferungen der Volksmedizin (cf. Eckart 2005, 57; Bruchhausen/Schott 2008, 51). Die Konzile von Clermont und Tours im Jahre 1130 bzw. 1163 setzten später dem medizinischen Wirken von Klerikern ein Ende. Dies betraf vor allem den Teil der Heilkunst, der sich notgedrungen mit Blut beschäftigen musste – die Chirurgie. Das Prinzip *Ecclesia abhorret a sanguine* einerseits, aber andererseits auch die Tatsache, dass ein chirurgisch praktizierender Arzt stets Gefahr läuft, für den Tod eines Menschen verantwortlich gemacht werden zu können, führten dazu, dass die Ausübung medizinischer Tätigkeiten durch Geistliche endgültig verboten wurde (cf. Eckart 2005, 58; SGeMed 2, 761). Dieses Praxisverbot für Kleriker hatte zwei Auswirkungen: Zum einen entstand eine vorher unbekannte scharfe Trennung zwischen der praktischen Chirurgie und der theoretischen, inneren Medizin. Damit waren zugleich zwei ärztliche Professionen entstanden: Die Chirurgie entwickelte sich zunehmend zu einem Handwerksberuf, während die theoretische Medizin durch den akademisch gebildeten Arzt repräsentiert wurde. Zum anderen verlagerten sich heilkundliche Tätigkeiten mehr und mehr in weltliche Hände (cf. Eckart 2005, 64; Jankrift 2003, 30).

über Jahrhunderte hinweg eine große Anziehungskraft auf medizinisch Gelehrte der gesamten Mittelmeerregion ausübte. Sie verstand sich mehr oder weniger als «Hüterin des antiken Heilwissens» (Jankrift 2003, 41); in ihr verschmolz griechische, syrische, ägyptische und jüdische Fachkenntnis zur theoretischen und praktischen Grundlage ärztlichen Handelns (cf. Dahan 1990, 335). Auf der theoretischen Seite bestand das große Verdienst der salernitanischen Schule darin, dass sich eine breite Übersetzertätigkeit entfaltete. Vor allem der in die Geschichte unter dem Namen Constantinus Africanus eingegangene Gelehrte (geb. ca. 1020 in Carthago, gest. 1087 in Montecassino) bemühte sich um die Wiederbelebung antiker Traditionen, indem er wichtige Kompendien der arabischen Medizin ins Lateinische übertrug.[68] Es handelte sich hierbei größtenteils um die galenische Medizin, die arabische Ärzte bewahrt hatten. Durch diese «tertiäre Rezeption» (Eckart 2005, 58) antiker medizinischer Autoren schuf Constantinus Africanus zugleich eine lateinische medizinische Fachsprache (cf. auch 1.6.1). Zu seinen wichtigsten Übersetzungen gehören der *Liber pantegni*[69] des Haly Abbas und der *Zād al-musāfir wa-qūt al-ḥāḍir* von Ibn al-Ǧazzār,[70] der später als *Viaticum peregrinantis* oder kurz *Viaticum* bezeichnet wurde[71] (cf. Goltz 1976, 47ss.; Zwink 2011, 392s.). Über zwei Jahrhunderte später dienten diese beiden Werke als zwei der Quellen für *Fevres*.

Ein weiteres medizinisches Zentrum, in dem man sich in erster Linie Übersetzungen zuwandte, entwickelte sich im 12. Jahrhundert im zentralspanischen Toledo; hier übersetzte bspw. Gerhard von Cremona den *Canon* des Avicenna (cf. supra). Ende des 12. Jahrhunderts – noch vor der Gründung der dortigen Universitäten (cf. infra) – entstand eine Medizinschule im südfranzösischen Montpellier, die beispielsweise Petrus Hispanus, den späteren Papst Johannes XXI. (gestorben 1276) hervorbrachte (cf. Eckart 2005, 60s.). Sein Werk *Thesaurus pauperum* stellt ebenfalls eine Vorlage (die jüngste) für *Fevres* dar.

Mit dem beginnenden 13. Jahrhundert bildeten sich in Paris (1200) und Montpellier (1220) – in letzterem Falle erwachsen aus der o. g. Medizinschule –

68 Ausführlich zu Constantins Leben und Werk sowie dessen wechselhaftes Ansehen in der Forschungsgeschichte cf. Veit (2003, 32–52); Demaitre (2013, 11s.).

69 Später auch als *Liber regius* oder *Regalis dispositio* bezeichnet (cf. Goltz 1976, 47).

70 Editionen der Bücher 6 und 7 des *Zād al-musāfir* wurden in Bos (1997; 2000; 2015b) mit englischer Übersetzung publiziert, darunter das Buch über Fieber (Buch 6). Eine Edition der hebräischen Übersetzung durch Moses ibn Tibbon (*Ṣedat ha-derakhim;* Buch 7, cap. 7–30) ist ebenfalls in Bos (2015b) erschienen; die Analyse der im hebräischen Text enthaltenen altokzitanischen medizinischen Termini wird in Bos/Mensching/Zwink (in Vorb.) [= ṢhD] erscheinen; cf. auch Zwink (2011); Mensching/Zwink (2014).

71 Der Name rührt daher, dass das kleine Handbuch sowohl für den Arzt als auch für den auf Reisen Erkrankten bestimmt war, der keinen Zugang zu medizinischer Versorgung hatte und sich selbst behelfen musste.

die ersten Universitäten Frankreichs, die aus den zunftartigen Verbindungen *Universitates magistrorum et scolarium* (SGeMed 2, 761) entstanden. Die Medizin zählte als eine der vier Fakultäten[72] zu den ersten Fächern in Paris (ab 1213); in Montpellier bestand zunächst ausschließlich eine medizinische Fakultät. Montpellier mit seinem bedeutendsten Meister Arnaldus aus Villanova florierte besonders im 13. Jahrhundert und hatte auch eine große Anziehungskraft auf jüdische Gelehrte. Auch wenn diese dort weder studieren noch lehren durften, waren Juden der medizinischen Fakultät dennoch eine unentbehrliche Hilfe, indem sie zahlreiche Werke aus dem Arabischen übersetzten (cf. Shatzmiller 1994, 27s.). Inhaltlich blieb die Medizin der antiken hippokratisch-galenischen Lehre verpflichtet und vertrat demzufolge die Humoralpathologie als maßgebliches Krankheitskonzept mit entsprechender Diagnostik (Pulslehre, Uroskopie) und Therapie (Evakuationen und Heilmittel nach der Signaturenlehre). Mit der Aufnahme des Faches Medizin in die universitäre Lehre wurde die Trennung zwischen *theoria* und *practica* auch institutionell vollzogen (cf. auch 1.1.4.3). Die Medizin erfuhr damit eine Erhöhung von einer ehedem rein handwerklichen *ars mechanica* zu einer geachteten wissenschaftlichen Theorie mit entsprechendem Fachschrifttum (cf. 1.6.1). Gelesen wurden das *Corpus Hippocraticum*, die Werke Galens sowie ausgewählte Abschnitte aus den Schriften des Isaac Israeli, Abū Bakr Muḥammad ibn Zakarīyā ar-Rāzī (latinisiert: Rhazes),[73] Avicenna und des Abū Zayd Ḥunain ibn Isḥāq al-ʿIbādī (latinisiert: Johannitius; cf. 1.1.4.2, 1.2.1). Die genannten Texte bildeten auch die Basis der *Articella*, der «Einführungs- und Prüfungsschrift an den Universitäten» (Jankrift 2003, 48). Methodisch orientierte sie sich an der scholastischen Methode der Wissensvermittlung; dies bedeutete, dass «Autoritätsbefangenheit, Dogmatisierung und syllogistische Spitzfindigkeiten [...] an die Stelle der fortschrittlichen Ansätze der frühen Medizinschulen von Salerno und Montpellier [traten]», so Eckart (2005, 61; cf. ausführlich zur scholastischen Medizin Jacquart 1996). Im Vordergrund standen somit die theoretische *disputatio* einer medizinisch-philosophischen Fragestellung und die Auseinandersetzung mit Autoritäten; eigene empirische Forschungen und somit Weiterentwicklungen des Wissensstandes blieben außen vor.[74] Trotz der stark theoretischen Ausrichtung der universitären Lehre der Medizin war das Ziel der Ausbildung die ärztliche Praxis. Zudem gehörte die eigene parallele heilkundliche Tätigkeit für die

---

**72** Neben Theologie, Kirchenrecht und den allgemeinbildenden *Artes liberales* (cf. SGeMed 2, 761).

**73** Gest. ca. 923(?) in Teheran (cf. Ruska 1922, 26).

**74** Zur langwährenden Autoritätentradition cf. ausführlich auch Demaitre (2013, 6ss.).

Professoren der Medizin zu einer willkommenen zusätzlichen Einnahmequelle (cf. Bruchhausen/Schott 2008, 56).

#### 1.1.4.2 Die antik-mittelalterliche Konzeption von Gesundheit und Krankheit nach Galen

Um einen inhaltlichen Zugang zu den edierten Texten in cap. 2 zu ermöglichen, soll im folgenden Exkurs die im Okzident herrschende antik-mittelalterliche Lehre von Gesundheit und Krankheit des Menschen beschrieben werden, die ihre Anfänge bei Hippokrates nahm, bei Galen weiterentwickelt und im arabischen und lateinischen Mittelalter systematisiert wurde (cf. 1.1.4.1). Seit dem Ende der Talmudischen Ära (ca. 6. Jahrhundert n. Chr.; cf. Muntner 2007, 722) wurden keine originär jüdischen Lehren im Sinne einer biblischen und talmudischen Medizin mehr vorangetrieben. Die jüdische Rezeption und Kontribution zur medizinischen Wissenschaft entsprach je nach räumlicher Umgebung der arabischen bzw. westeuropäischen Wissenschaft (cf. Freudenthal 2011, 13ss.); Juden bestimmten diese wesentlich durch umfassende Übersetzertätigkeiten aus dem Arabischen ins Hebräische und in die Volkssprachen (cf. 1.1.4.3). Auf eine gesonderte Betrachtung einer jüdischen medizinischen Wissenschaft wird daher verzichtet.

Dieses Unterkapitel gibt dabei einen allgemeinen, zusammenfassenden Überblick über den mittelalterlichen Krankheitsbegriff der Humoralpathologie; die in *Fevres* behandelten Fieberkrankheiten werden erst 1.2.3 detaillierter gesondert besprochen. Das theoretische Fundament der galenisch-hippokratischen Krankheitslehre galt in Europa über Jahrhunderte hinweg – teilweise bis in das 19. Jahrhundert hinein – als maßgeblich für die alltägliche Diätetik und Therapiemaßnahmen im Krankheitsfall (cf. u. a. Bruchhausen/Schott 2008, 30; Schmitt 2003, 9). Auch die Quelltexte von *Fevres* stammen durchweg aus salernitanischer Tradition; biblische und talmudische Einflüsse sind, mit Ausnahme von der Erwähnung allgemeiner religiöser Speisegesetze und der Nennung von Daten nach dem jüdischen Kalender (cf. 1.1; 3.4.3) in *Fevres* völlig außen vor gelassen.

Die Lehre von der *medicina* teilte sich gemäß der salernitanischen Konzeption zunächst in die beiden Bereiche *theorica* und *practica* (cf. u. a. Schmitt 2013, 43ss.; LexMA 7, 141);[75] die Medizin gehörte damit sowohl dem Bereich der Wissenschaft (*scientia*) als auch des Handwerks (*ars mechanica*) an (cf. 1.6.1):

75 So das *Incipit* der *Isagoge* des Johannitius (cf. infra): «Incipiunt hysagoge Joannitii in medicina. Medicina dividitur in duas partes: scilicet in theoricam et practicam. Quarum theorica in tria dividitur scilicet in contemlationem rerum naturalium et non naturalium et earum que sunt contra naturam [...]» (*Hysagoge Joannitii*, Pavia 1506, f. 2r).

**MEDICINA**

| **scientia** | **ars mechanica** |
|---|---|
| **theoretica** | **practica** |
| sanitas<br>neutralitas<br>aegritudo | conservatio sanitatis<br>praeservatio<br>curatio |
| res naturales<br>res non naturales<br>res praeter naturam | regimen sanitatis<br>materia medica<br>chirurgia |

**Abbildung 1:** Scholastisches Modell der Medizin (nach Schmitt 2003, 11)[76]

Auf theoretischer Seite befasste sich die Medizin zunächst mit gesundheitlichen Grundzuständen des Menschen, wobei die Übergänge zwischen den Polen Gesundheit (*sanitas*), Krankheit (*aegritudo*) und der neutralen Zwischenstufe *neutralitas* fließend waren. Mit *neutralitas* ist derjenige Zustand gemeint, der weder als gesund noch als krank bezeichnet werden kann. So ist es möglich, dass ein oder mehrere Glieder beeinträchtigt sind, der sonstige Mensch jedoch gesund ist. *Sanitas* und *aegritudo* können also in demselben Organismus aufeinandertreffen (cf. Schmitt 2013, 51).

Die jeweilige Verfassung des Menschen wurde wesentlich durch den Einfluss der drei Bereiche *res naturales*, *res non naturales* und *res praeter naturam* bestimmt. Die *res naturales* konstituieren die individuelle Natur eines jeden Menschen, i.e. seine Physiologie und Anatomie, die in ihrer Form von der Natur gegeben sind und durch den Menschen nicht gesteuert werden können. Im Einzelnen sind dies (cf. Schmitt 2003, 13; Schmitt 2013, 44; Klemm 2013, 29ss.; LexMA 7, 750s.):

1. *elementa* (Feuer, Luft, Wasser, Erde in den Qualitäten warm – kalt; feucht – trocken)
2. *complexiones* (Mischverhältnisse der *elementa* und der *humores*)
3. *humores* (die vier Körpersäfte Blut, Schleim, gelbe Galle, schwarze Galle in ihren spezifischen Qualitäten)
4. *membra* (die Körperteile: Glieder, Organe und Gefäße)

76 Ein noch weiter differenziertes Modell ist Schmitt (2013, 57) zu entnehmen.

5. *virtutes* (im Körper wirkende Kräfte)
6. *operationes* oder *actiones* (die Wirkungen der *virtutes*)
7. *spiritus* (hauchartige Substanzen, die zwischen *virtutes* und *actiones* vermitteln)

Die für den Gesundheits- bzw. Krankheitszustand des Menschen einflussreichsten Vertreter der *res naturales* sind die vier Körpersäfte (*humores*, Nr. 3.) Blut, Schleim, gelbe (oder auch rote) und schwarze Galle. Sie werden in der mittelalterlichen lateinischen Literatur gewöhnlich mit *sanguis, flegma, c(h)olera (rubea)* und *melancolia* bezeichnet (cf. Goltz 1976, 100). Hippokrates nahm an, dass es sich hierbei um tatsächlich im Körper vorkommende Substanzen handelt, wobei sich insbesondere die schwarze Galle aus heutiger Sicht kaum mit einem realen Stoff des Körpers identifizieren lässt. Insofern sollten die vier Körpersäfte eher als hypothetische Prinzipien oder «explanatory devices» (Demaitre 2013, 16) verstanden werden. Jedem Individuum ist dabei ein ganz bestimmtes Mischverhältnis der Säfte eigen (*complexio*, Nr. 2). Durch das Überwiegen eines bestimmten Körpersaftes erhält der Mensch eines der vier menschlichen Grundtemperamente (Choleriker, Sanguiniker, Phlegmatiker, Melancholiker). Die auf der Lehre von den Körpersäften beruhende sogenannte Humoralpathologie bildete die Grundlage der theoretischen Medizin im Abendland für viele Jahrhunderte (cf. Klemm 2013, 34). Bereits vor Galen wurden die Kardinalsäfte mit anderen Viererschemata kombiniert: Man ordnete ihnen die vier Jahreszeiten, die vier Elemente (*elementa*, Nr. 1.) und die vier Grundqualitäten des Warmen und Kalten sowie des Feuchten und Trockenen zu. Galen ergänzte diese Schemata u. a. um die vier Kardinalorgane Herz, Gehirn, Leber und Milz (siehe infra), die durch bestimmte *humores* gebildet werden und in denen die Säfte im Wesentlichen angesiedelt sind, und die Lebensabschnitte eines Menschen (cf. Jankrift 2003, 8; Bruchhausen/Schott 2008, 30s.)[77]

Die *membra* (Nr. 4), also die Glieder, Organe und Gefäße des Körpers, konnten in verschiedene Klassifikationssysteme eingeteilt werden (cf. Siraisi 2014, 28). Die Grundsystematik unterscheidet zunächst zwischen den primären *membra principalia*[78] und den sekundären *membra officialia* (Lunge, Magen,

---

77 Zu teilweise weiterhin hinzugefügten Viereschemata cf. O'Boyle (1999, 85).

78 Im Mittelalter variierte die Zuordnung der Organe zu den *membra principalia* immer wieder (cf. Reynolds 1999, 258). Während Leber, Herz und Gehirn ihren festen Platz innehatten, werden statt der Milz oft auch die Hoden genannt (z. B. im *Isagoge* des Johannitius; cf. Schmitt 2013, 44; Kanders/Oskamp 2014, 45). Reynolds (1999, 258) erläutert die Funktion der Kardinalorgane gemäß Albertus Magnus (in *De generatione et corruptione*, I.3.8): «The principal members are so-called because they are the sources (*principia*) of the vital influence. Spirit and and heat come from the heart through the arteries; nutriment comes from the liver through the

Darm, Urin- und Gallenblase u. a.), die Erstere bei der Erfüllung ihrer Funktionen unterstützen. Eine weitere Einteilung bestand in der Unterscheidung zwischen *membra similia* (oder *simplicia*, etwa Knochen, Knorpel, Bänder, Nerven, Arterien, Venen u. a.), die aus einem homogenen Material bestehen, und den aus verschiedenartigen Materialien zusammengesetzten *membra composita* (z. B. Kopf, Hände u. a.) (cf. Siraisi 2014, 28).

Um die lebensnotwendigen Vorgänge im menschlichen Körper aufrechtzuerhalten, wohnen dem Organismus bestimmte Kräfte inne (*virtutes*, Nr. 5.), die den Stoffwechsel und die Reinigung des Körpers steuern: «An attractive power within the body drew the food inward; the retentive power kept it from escaping [...]; the digestive faculty regulated the cooking, while the expulsive faculty assured the disposal of superfluities and waste» (Demaitre 2013, 16). Leben erhält ein Organismus jedoch erst durch das unsichtbare Pneuma (πνεῦμα, lateinisch *spiritus*, Nr. 7.). Mit Pneuma meinte man nicht nur den immateriellen Geist eines Menschen, «*pneuma* signifies a wide range of power, [...]. *Spiritus* propelled the essential actions of the body in three forms, each with a seat in one of the noble organs» (Demaitre 2013, 20). Unter *actiones* (Nr. 6.) sind also die physiologischen Vorgänge zu verstehen – etwa Verdauung, Ausscheidung etc. –, die durch die *virtutes* vorangetrieben werden. Der Informationsaustausch zwischen diesen beiden *res* geschieht durch die *spiritus*.

Neben den durch den Menschen nicht beeinflussbaren, innerlichen *res naturales* bestimmen sechs *res non naturales* die Befindlichkeit des Individuums. Dies sind äußerliche Bedingungen, die teilweise durch den Menschen steuerbar sind. Ihr Zusammenspiel muss durch das Individuum geregelt und geordnet werden, damit seine Gesundheit erhalten bzw. ggf. wiedererlangt werden kann. Es handelt sich dabei um (cf. Schmitt 2003, 13ss.; Schmitt 2013, 45ss.; LexMA 7, 751s.):

1. *aer* (Luft als Sammelbegriff für klimatische und geografische Umwelt. *Aer* umfasst u. a. Temperatur, Feuchtigkeit, das saisonale Klima, die Windverhältnisse und die geografische Lage)
2. *cibus et potus* (Speise und Trank. Unter Berücksichtigung der Qualitäten warm – kalt und trocken – feucht werden die Nahrungsmittel in schlechte und gute, schwere und leichte, feine und grobe Lebensmittel klassifiziert)
3. *motus et quies* (Bewegung und Ruhe; Auswirkungen von übermäßiger oder maßvoller Bewegung)

veins; and both the power of sensation and the motor commands (*sensus et motus*) come from the brain through the nerves».

4. *somnus et vigilia* (Schlafen und Wachen. Schlaf ermöglicht die Erholung des Gehirns und treibt die Verdauung voran; Wachen hingegen stärkt die Sinnestätigkeiten und Motorik)
5. *repletio et evacutio* (Füllung und Entleerung. Regulierung der Körperausscheidungen wie Stuhl, Winde, Urin, Menstruationsblut, Auswurf, Erbrechen; hierunter fallen auch das Purgieren und der Aderlass, ferner das Baden, das den Körper von überflüssigen Säften befreit)
6. *accidentia animi* (Gemütsbewegungen. Die Gesundheit wird nicht unwesentlich durch die Affekte *ira* (Zorn), *gaudium* (Freude), *angustia* (Angst), *timor* (Furcht), *tristitia* (Traurigkeit) und *verecundia* (Scham) beeinflusst. Es gilt, diese maßvoll zuzulassen bzw. zu regulieren).

Schmitt (2013, 48) fasst zusammen: «Die ‹res non naturales› setzen die ‹res naturales› voraus. Die ‹res non naturales› sind offenbar eine komplexe Gesamtheit von Grundgegebenheiten, die teils von der Umwelt des Menschen her auf diesen zukommen [...], teils seine Grundtätigkeiten umschreiben [...]».

Schließlich bestimmt die dritte Klasse der *res*, die *res praeter* (auch: *contra, extra*) *naturam*, die Konstitution des Menschen. Hiermit sind, gemäß des medizinischen Einführungsbuchs *Isagoge Galieni* des Johannitius, das in einer hebräischen Version auch eine der Quellen für *Fevres* ist,[79] die gegen die Natur des Organismus gerichteten Krankheiten mit ihren Ursachen und Symptomen gemeint. Die *morbi* oder auch *aegritudines* werden in ein komplexes System unterschiedlicher Klassen und Subklassen aufgeteilt, deren Beschreibung im Einzelnen an dieser Stelle zu weit führen würde. Hervorzuheben ist jedoch die Klassifizierung der Krankheiten in das bekannte Viererschema der *morbi ex caliditate procedentes, morbi frigidi, morbi sicci* und der *morbi humidi*. Die Ursache einer Krankheit liegt laut Johannitius immer in der Veränderung der *res naturales* begründet, die aus einem bestimmten Einfluss der *res non naturales* hervorgeht. *Morbi frigidi* entstehen demnach bspw. durch die Kälte des Schnees, ein Übermaß an Nahrung, das die natürliche Körperwärme unterdrückt, oder auch zu viel Bewegung, die durch das folgende Schwitzen das Gleichgewicht der Säfte stört (cf. Schmitt 2013, 49s.). *Morbi ex caliditate*, wie etwa das Fieber (cf. 1.2.3), folgen bspw. aus zu starker Sonnenhitze oder durch ein Übermaß an bestimmten Körpersäften, die dann zu faulen beginnen (cf. Veit 2003, 64; Anschütz 1919, 15ss.).

---

79 Der von Johannitius verfasste *Kitāb al-mudḫal fī 'ṭ-ṭibb* wurde von Constantinus Africanus unter dem Titel *Isagoge in artem parvam Galieni* ins Lateinische übersetzt; zu den Quellen von *Fevres* cf. 1.2.1.

Auf dieser theoretischen Grundlage entstand ein – an dieser Stelle nicht in Einzelheiten darzustellendes – komplexes Erklärungsmodell von Leben, Gesundheit und Krankheit: Gesundheit liegt dann vor, wenn die Mischung der Körpersäfte (κρᾶσις, lateinisch *complexio*) ausgewogen ist, also bei einer *harmonia*/ἁρμονία oder *eukrasia*/εὐκρασία (cf. Goltz 1976, 102; Jankrifft 2003, 8; Veit 2003, 63; Demaitre 2013, 17). Aus der Harmonie der Körpersäfte folgt ein insgesamt ordnungsgemäßes Zusammenspiel der *res naturales* und damit ein gesunder, in seiner Gesamtheit störungsfrei funktionierender Körper. Voraussetzung für die *eukrasia* sind die entsprechend günstig ausgerichteten sechs *res non naturales*. Krankheit hingegen entwickelt sich demzufolge dann, wenn die *complexio* gestört ist, also eine *dyskrasia* (δυσκρασία) vorhanden ist. Diese wiederum entsteht durch die negativen Einflüsse der *res praeter naturam*. Die Erkenntnis der Ursachen der einzelnen Krankheiten ist Aufgabe des Arztes, dem verschiedene Methoden zur Diagnose zur Verfügung stehen, z. B. die Beobachtung der Körpertemperatur, des Pulses und des Urins (cf. Bruchhausen/Schott 2008, 30s.). Aus den Ursachen wiederum leiten sich dann u. a. die zu ergreifenden Therapiemaßnahmen ab, die auf die Wiederherstellung der *harmonia* abzielen bzw. der die *harmonia* erhaltenden Prophylaxe.

Damit befinden wir uns bereits mitten auf der der praktischen Seite der *medicina*, die gemäß der *Pantegni* des Constantinus Africanus der *theorica* untergeordnet ist.[80] Die Bereiche der *practica* leiten sich aus den entsprechenden der *theorica* ab (cf. supra, Abbildung (1); Schmitt 2003, 13). Den drei möglichen Zuständen des menschlichen Organismus *sanitas, neutralitas* und *aegritudo* stehen die drei Ziele ärztlichen Handelns gegenüber: Oberstes Ziel ist die Erhaltung der Gesundheit (*conservatio sanitatis*); es folgen die Krankheitsvorbeugung (*praeservatio*) und letztlich die Therapie (*curatio*). Drei Methoden führen zu diesen drei Zielen: Die Erhaltung der Gesundheit wird durch das *regimen sanitatis* (oder *diaeta*) im Sinne einer «gesunde[n] Lebensführung auf der Grundlage einer Regulierung der *sex res non naturales*» (Schmitt 2003, 13) erreicht.[81] An zweiter Stelle steht die *materia medica*, also die Therapie durch Heilmittel. Schließlich folgt die *chirurgia*, die u. a. für die Ableitung überschüssiger und schädlicher Körpersäfte durch die Evakuationsmethoden Aderlass, Schröpfen, Abführen, Erbrechen, Niesen zuständig war (cf. Bruchhausen/Schott 2008, 31; Eckart 2005, 62f).

---

**80** Der *Liber pantegni* ist eine der Quellen für *Fevres*. Er ist eine Übersetzung des *Kitāb al-malakī* von Haly Abbas und gliedert sich in die zwei Teile *Theorica* und *Practica* (cf. zu weiteren Details 1.2.1).

**81** Zu Bedeutungsumfang und Funktionsbereichen der *Diaeta* cf. Schmitt (2003, 10).

#### 1.1.4.3 Medizin der Juden im Mittelalter

Juden waren seit Beginn ihrer Geschichte äußerst aufgeschlossen für medizinische Herausforderungen und ambitioniert in der Fortentwicklung heilkundlichen Wissens, wie Muntner (2007, 720) betont: «They have always been solicitous in their care for the sick and held the medical profession in great esteem». Und Shatzmiller (1994, 1) bemerkt über die Zeit ab 1250, «[...], one can hardly find a Jewish community that did not count at least one medical doctor among its members. Next to moneylending, medicine seems to have been the most preponderant profession among Jews».

Auch der Autor von *Fevres* war selbst praktizierender Arzt, wie der Handschrift zu entnehmen ist:

> Je ne suz mie acotumé de faire totes ces medicines, mais je vois la voie generale de li faire seigner. (f. 189v, ed. Katzenellenbogen 1933, 10)

Ein weiterer Hinweis auf die ärztliche Tätigkeit des Autors findet sich auch in den im Rahmen der vorliegenden Arbeit edierten Textstücke:[82]

> <quant> je les ai totes les medecines si est prins ceci. (f. 159r17)

Es ist auffällig, dass im mittelalterlichen europäischen Westen der jüdische Anteil am Berufsstand des Arztes besonders hoch war. Speziell für Frankreich konstatiert Benbassa (1999), dass die Juden sowohl im Norden als auch im Süden sich in außerordentlichem Maße der Medizin verschrieben hätten und dass ihr diesbezügliches Können herausragend war. Jüdische Ärzte standen sogar in so hohem Ansehen, dass sie häufig als Leibärzte an die christlichen europäischen Höfe gerufen wurden; die Päpste und französischen Könige hatten – auch bis weit nach dem jüdischen Exil – bis ins 16. Jahrhundert hinein jüdische Leibärzte (cf. Depping 1834, 87). Eine Karte in Jacquart (1981, Anhang, Karte V) zeigt die Verteilung jüdischer Ärzte in Frankreich zwischen 1100 und 1500; eine stark erhöhte Häufung ist vor allem an der Mittelmeerküste ersichtlich. Auch im Osten Frankreichs waren proportional deutlich mehr jüdische Mediziner tätig als im Norden und Westen, wo sich offensichtlich so gut wie keine jüdischen Ärzte niedergelassen hatten.

Shatzmiller erklärt den überproportionalen Anteil jüdischer Ärzte vor allem mit soziologischen Gegebenheiten. Indem sich die professionelle praktische Heilkunst immer mehr zu einer Dienstleistung entwickelte, die nicht mehr nur dem Adel und Klerus vorbehalten war – Shatzmiller (1994, 2) spricht von

**82** Hier wird nur die interpretative Textversion zitiert; cf. zu Edition, Transliteration und Übersetzung cap. 2.

einer «medicalization of the medieval society» –, erhöhte sich der Bedarf an Ärzten beträchtlich. Aus christlichen Reihen konnte dieser Nachfrage bei Weitem nicht entsprochen werden. Dies lag einerseits an der abwehrenden Haltung der Kirche gegenüber der «blutigen Profession» (cf. supra) und andererseits an den immensen Kosten, die für ein Medizinstudium aufzubringen waren (cf. Shatzmiller 1994, 7ss.; Bruchhausen/Schott 2008, 31).

Bezüglich der regen ärztlichen Tätigkeit der Juden weist Muntner (2007, 725) noch auf einen anderen Aspekt hin: «Jews [...] regarded the medical profession as a spiritual vocation comparatible with the career of a rabbi». Da jedoch der Verdienst des Lebensunterhalts durch das Studium und die Lehre des Wortes Gottes als unethisch angesehen waren, stellte für viele die Ergreifung des Ärzteberufes eine moralisch legitime Alternative dar. Zudem war Juden ab dem 13. Jahrhundert in Frankreich der Zugang zu vielen Berufen des Handwerks oder des gesetzlichen Handels untersagt; die Ausübung der medizinischen Praxis jedoch blieb davon unberührt (cf. Musall 2004, 92; Muntner 2007, 720).

Ein Hindernis für Juden, sich der Ärzteprofession zu verschreiben, war zunächst die Tatsache, dass im späten Mittelalter die meisten Universitäten Juden den Zugang verwehrten (cf. Aslanov 2013, 57). Zwar tauchen im Umfeld von Montpellier immer wieder jüdische Namen auf – bspw. Shem Tov ben Isaac aus Tortosa –, doch stellt Shatzmiller (1994, 27) fest: «Although their names are engraved in marble at the entry to the university, Ernest Wickersheimer[83] has shown conclusively that none of these claims [...] has any substantiation in the medieval documents». Kein Text belege demnach, dass auch nur ein jüdischer Gelehrter sich aktiv am universitären Leben in Montpellier beteiligt habe. Gleichwohl muss davon ausgegangen werden, dass es eine fruchtbare Zusammenarbeit zwischen Juden und christlichen Professoren gegeben haben muss: Jüdische Gelehrte lieferten Übersetzungen medizinischer Schriften aus dem Arabischen ins Lateinische an die Universität (cf. supra; Shatzmiller 1994, 27s.; Muntner 2007, 724).[84]

Die tatsächliche Ausbildung jüdischer Ärzte musste also außerhalb der christlichen Universitäten geschehen. Dies geschah vornehmlich in privatem, familiärem Rahmen; die Existenz eigener jüdischer Medizinschulen hingegen wird von Shatzmiller für unwahrscheinlich gehalten (cf. 1994, 22ss.). Mit der privaten Unterweisung ging auch die Notwendigkeit einher, an das medizini-

**83** Cf. Wickersheimer (1927), revidiert und korrigiert in ders. (1959).

**84** Zu den jüdischen Übersetzungen aus dem Arabischen und Lateinischen ins Hebräische cf. infra.

sche Wissen zu gelangen. Der Bedarf an eigenem Schrifttum führte zur Entfaltung einer umfangreichen Übersetzungstätigkeit von arabischen und lateinischen Texten ins Hebräische, das von nun an als «language of study» (Shatzmiller 1994, 35) fungierte.[85] Der Ausbau einer eigenen jüdischen medizinischen Bibliothek wurde mit großem Eifer vorangetrieben; das Ziel der Ausbildung bestand in der Ablegung einer Prüfung, die die Voraussetzung für den Erhalt der erforderlichen *licentia practicandi*[86] war: «The books had to be chosen purposefully and with care so as to include all works mandated by examination boards for a legitimate medical education» (Shatzmiller 1994, 36). Zu den curricularen Autoren zählten in Frankreich u. a. Galen, Johannitius, Avicenna und Isaac Israeli. In Spanien war die Beherrschung der Wissenschafts- und gleichzeitig Verkehrssprache Arabisch und damit der Zugang zum notwendigen medizinischen Wissen gegeben. Im christlichen Westen, wo die Wissenschaftssprache das den Juden verhasste Latein – welches jedoch offnsichtlich doch von einigen wenigen Juden beherrscht wurde – und die Verkehrssprache die Volkssprache war, stellte sich die Situation anders dar: Hier war man hinsichtlich der Wissenschaften auf hebräische oder, wie an *Fevres* zu sehen, auf volkssprachliche Übersetzungen der arabischen und lateinischen Texte angewiesen. Die Entwicklung der jüdischen Übersetzertätigkeit nahm ihren Anfang im 12. Jahrhundert (mit Blüte im 13. Jahrhundert) in Südfrankreich, das den durch die Almohaden aus Spanien vertriebenen Juden als Exil diente. Medizinische Werke wurden zuächst aus dem Arabischen, später vermehrt auch aus dem Lateinischen übersetzt (cf. Freudenthal 2011, 13ss.).[87] Der Autor von *Fevres* war dem Arabischen nicht mächtig; seine Quelltexte waren hebräisch oder lateinisch (cf. 1.2).

Es ist nicht bekannt, in welchem Rahmen der Autor von *Fevres* seine Ausbildung absolviert hat. Wahrscheinlich geschah dies in Italien, wo für Juden ein generell empfänglicheres Klima herrschte. An den Universitäten Bologna, Padua, Pavia und Perugia waren sie zu Studium und Lehre zugelassen, ebenso

---

**85** Welche Herausforderungen im Zuge dieser Übersetzungswelle an das Hebräische als neue medizinische Fachsprache gestellt wurden, ist u. a. in Bos (2011; 2013) detailliert ausgeführt.

**86** «By the turn of the fourteenth century, and in many instances even before 1250, doctors had to obtain a license (*licentia practicandi*) in order to practice. [...] The civil authorities saw it as their duty to ensure that only qualified individuals who had passed the appropriate examinations became members of the profession» (Shatzmiller 1994, 14).

**87** Hervozuheben sind diesbezüglich die in Südfrankreich wirkende Familie der Tibboniden, zu deren Werken u. a. die Übersetzung der Maimonides-Schriften und die des o. g. *Zād al-musāfir* zählen (cf. Bos, 2015b), oder die des in Marseille praktizierenden Shem Tov ben Isaac (etwa der *Kitāb at-taṣrīf* des Albucassis); cf. Bos et al. (2011).

an der Schule von Salerno (cf. Muntner 2007, 725, 728; Shatzmiller 1994, 32ss.). Den Hinweis auf seinen Aufenthalt in Italien entnehmen wir *Fevres* selbst: Er erwähnt, dass er die Schule des jüdischen Arztes Hillel ben Samuel im südwestlich von Ravenna gelegenen Forlì besucht habe:

> [A carte]ine une podre que un metre philosophos [... gra]nt fisicien, l'en apeleit par non [...]Durant de Genove,[88] si me l'aprint [...]re o je etoie as ecoles de [...]t metre Hillel de Forlin.[89] (f. 220v, ed. Kiwitt 2001, 83ss.)

Hillel ben Samuel lebte zunächst in Capua, später in Ferrara und gründete dann um das Jahr 1280 die genannte Schule in Forlì (cf. Sermoneta 2007, 113; Milano/Francesconi 2007, 129). Hierdurch lässt sich ein gesicherter *Terminus post quem* für die Entstehung von *Fevres* angeben, «wobei ein Entstehungszeitpunkt nach ca. 1290 wahrscheinlich ist» (Kiwitt 2001, 52). Es kann ferner nicht ausgeschlossen werden, dass das Werk außerhalb Frankreichs im Exil nach 1306 verfasst wurde. Denkbar ist beispielsweise, dass der Autor nach Italien ausgewandert ist und erst dort als Autor tätig wurde. Von Bedeutung ist in diesem Zusammenhang die Tatsache, dass einige Pergamentlagen mit großer Wahrscheinlichkeit italienischer Herkunft sind (cf. 1.3). In diesem Fall wäre jedoch zu bedenken, dass der Autor die Abfassung eines französischen Texts möglicherweise nicht als sinnvoll erachtet hätte, musste er doch nach dem Exilerlass davon ausgehen, nie wieder nach Frankreich zurückkehren zu können.

Aufgrund der Quellen des Fiebertraktats (cf. 1.2.1) wird deutlich, dass der Autor in erster Linie den medizinischen Überzeugungen des hippokratisch-galenischen Lehrgebäudes folgt, das, wie oben beschrieben, an den westlichen Universitäten und Medizinschulen des Abendlands vermittelt wurde. Der Einfluss des biblischen und talmudischen Gesetzes, der generell nur noch bis ins 5. Jahrhundert auf die jüdische Medizin ausgeprägt und spätestens mit dem Ende der talmudischen Ära im 6. Jahrhundert nicht mehr vorhanden war (cf. Muntner 2007, 720),[90] ist in *Fevres* vollständig zurückgetreten. Aus diesem Grund wird *Fevres* inhaltlich wie ein medizinischer Fachtext verstanden (cf 1.1.4.2), der der in Westeuropa herrschenden salernitanischen Lehrmeinung konsequent folgt.

**88** Es konnte bisher nicht geklärt werden, wer der Arzt Durant de Genove war (cf. Kiwitt 2001, 52).

**89** Eckige Klammern bedeuten Rekonstruktionen durch den Editor, cf. 1.7.

**90** Cf. z. B. auch den Abschnitt über Fieber in Preuss (1928, 182ss.).

## 1.2 Entstehung und Aufbau von *Fevres*

### 1.2.1 Die Quellen des Kompendiums

Wie in 1.1.4.2 und 1.1.4.3 dargelegt, folgt *Fevres* der im mittelalterlichen Abendland gängigen Konzeption von Krankheit und Gesundheit, i.e. der hippokratisch-galenischen Lehre. Die Beschreibung des Krankheitsbildes anhand der Patientensymptome, die Erklärung der Krankheitsursachen und die davon abhängigen Therapiemaßnahmen lassen sich auf Quellen zurückführen, die in der Tradition der salernitanischen Medizinschule und ihrer Nachfolger stehen. Oft nennt der Verfasser von *Fevres* explizit die Namen seiner Quellen, deren Angaben gemäß Katzenellenbogen (19333, 5ss.) in weiten Teilen richtig sind. Katzenellenbogen (1933, 7ss.) eruierte für viele Abschnitte von *Fevres* die Vorlagen, jedoch nicht für alle. In der vorliegenden Arbeit konnte für ff. 156v–163v die bisher bestehende Unklarheit (cf. Katzenellenbogen 1933, 8) aufgelöst und die Quelle identifiziert werden (cf. 1.2.2).

Der Text, der am häufigsten als Vorlage diente, ist der ursprünglich auf Arabisch verfasste *Kitāb al-ḥummayāt* ('Buch der Fieber') des Isaac Israeli (cf. aus der ersten Hälfte des 10. Jahrhunderts, der wesentlich auf den Schriften Galens und Hippokrates' beruht (cf. Veit 2003, 20).[91] Alle in cap. 2 edierten Textpassagen gründen ebenfalls mehr oder weniger direkt auf diesem Text. Der Autor selbst gibt an einer Stelle in *Fevres* an, diesen in einer hebräischen Übersetzung herangezogen zu haben:

> Ore metrai la cure de Isac si
> com son livre m'aprent,
> La cuit mon cuer e mon savoir i pent,
> Si com j'ai o livre de sen **en ebri**[92] trové,
> etudié e quis e mon tres[93] ben eprové.
> (f. 238v25–239r4, ed. Katzenellenbogen 1933, 6)

Es gab mindestens zwei mittelalterliche Übersetzungen des *Buchs der Fieber* ins Hebräische, die beide unter dem Titel *Sefer ha-qadaḥot* überliefert sind (cf. Steinschneider 1893, 760–761).[94] Die ältere Übersetzung ist die eines gewis-

---

**91** Eine umfassende Beschreibung und Teiledition des *Kitāb al-ḥummayāt* sowie dessen lateinischer und spanischer Übersetzung findet sich in Veit (2003).

**92** Hervorhebung durch die Verfasserin.

**93** In der Handschrift steht טְרֵי – *ṬReY*, also eigentlich «tre» (f. 239r4).

**94** Zu den Abhängigkeiten der Übersetzungen und Überlieferungen das Stemma cf. 1.2.2.5.

sen «Do'eg ha-Edomi»,[95] ein Anonymus, der in Südfrankreich (Languedoc) in den Jahren 1197–1199 zahlreiche medizinische Werke aus dem Lateinischen – zumeist Übersetzungen des Constantinus Africanus – ins Hebräische übertrug (cf. Ferre/Martínez Delgado 2015, 53; Aslanov 2013a, 45; Aslanov 2013b, 69ss.; Freudenthal 2011, 100s.; Freudenthal 2013; Ferre/Veit 2009, 316; Barkai 1998, 26; Steinschneider 1893, 761). Der *Liber febrium* selbst ist eine lateinische Übersetzung aus dem Arabischen durch Constantin aus seiner späteren Schaffensperiode, wobei das genaue Abfassungsdatum unbekannt ist (cf. Veit 2003, 61s.; Ferre/Veit 2009, 314). Constantin glich bei seiner Übertragung den Text «an die westliche Gebrauchssituation» an (Veit 2003, 61s.) und nahm sowohl Kürzungen und Auslassungen als auch Ergänzungen gegenüber dem arabischen Original vor (cf. Veit 2003, 190s.).[96] Die auf dem Constantin-Text beruhende hebräische Übersetzung ist in einem einzigen, im 14. oder 15. Jahrhundert angefertigten Manuskript – Ms. ebr. 363 der Bibliotheca Apostolica Vaticana – tradiert; ihre provenzalische Herkunft belegen einzelne altokzitanische medizinische Termini (cf. Ferre/Veit 2009, 316). Der hebräische Text ist in seiner Übersetzung der Vorlage sehr treu, wie bspw. Ferre/Veit (2009, 321) feststellen: «The Hebrew text clearly follows the Latin, including omissions and interpolation, proving that this Hebrew version is based on the Latin translation».

Die zweite und jüngere hebräische Übersetzung (aus dem 13. Jahrhundert) erfolgte direkt aus dem Arabischen und ist in sechs Handschriften erhalten,[97] wobei sich zwei Traditionslinien herausstellen lassen: Die eine mit der Leithandschrift Ms. Paris BNF héb. 1127 ist älter und sehr originalgetreu; die zweite enthält Hinzufügungen (cf. Ferre/Martínez Delgado 2015, 53; Ferre/Veit 2009, 324). Auch hierin erscheinen altokzitanische Termini der Medizin (cf. Ferre/Martínez Delgado 2015, 61, 63; Ferre/Veit 2009, 316, 331).[98]

Ferner wurde das Buch der Fieber zu einem späteren Zeitpunkt (Ende des 14. Jahrhunderts) als *Tratado de las fiebres* ins Spanische übersetzt (cf. Ferre/Veit 2009, 314). Editionen liegen durch Llamas (1945) und Richards (1984) vor.

---

95 Der Beiname deutet darauf hin, dass der Autor zum Christentum konvertiert ist. Im Zusammenhang mit seiner Taufe lernte er – sonst für Juden unüblich – Latein und erklärte es zu seinem Lebensziel, möglichst viele lateinische medizinische Schriften anderen Juden zugänglich zu machen (cf. Freudenthal 2013, 110; Steinschneider 1893, 712s.; Kiwitt 2001, 46).

96 Konkrete Textgenüberstellungen von arabischem Original und zwei westlichen Übersetzungen (i.e., der lateinischen des Constantin und einer anonymen spanischen aus dem ausgehenden 14. Jh.) unterbreitet Veit (2003, insbes. 63–189).

97 Paris, BNF, héb. 1126, 1127, 1179; München, Bayerische Staatsbibliothek, Hebr. 293; London, British Library, OR 10742; Sankt Petersburg, Institut für Orientalische Studien, B 92.

98 Ferre bereitet derzeit eine kritische Edition des hebräischen Texts vor.

Aus oben zitiertem Vers könnte man schließen, dass der Autor von *Fevres* für alle Passagen, die auf das *Buch der Fieber* zurückgehen, die hebräische Übersetzung des Werkes verwendet hat; dies ist jedoch eventuell zu voreilig. Dagegen spricht, dass die ausdrückliche Erwähnung der Isaac-Schrift «en ebri» (f. 239r3) erst so weit hinten, i.e. nach ungefähr zwei Dritteln des Gesamtwerks von *Fevres* erscheint, obwohl das *Buch der Fieber* bereits an zahlreichen Stellen vor dem Zitat zweifellos als Quelle ausgemacht werden konnte. Vielmehr wäre in Erwägung zu ziehen, ob der Vers so zu interpretieren ist, dass der hebräische Text speziell für die hier angekündigte «cure» (f. 239r3) als Vorlage gedient hat. Es handelt sich hierbei übrigens um die Behandlung der *Quartana*, die auch Teil der vorliegenden Edition ist (f. 239r5–240v25). In den nachfolgenden Unterkapiteln (1.2.2.1–1.2.2.4) wird anhand ausgewählter Textstücke untersucht werden, welche Quelle – der lateinische oder der hebräische Text – *Fevres* am nächsten kommt und somit als Vorlage gedient haben könnte.

Weitere Textquellen, aus denen sich das Kompendium in weitaus geringerem Umfang speist, werden im Folgenden kurz beschrieben. Hebräische Vorlagen sind (cf. Katzenellenbogen 1933, 5ss.):

- der ursprünglich arabische *Kitāb al-manṣūrī fī 'ṭ-ṭibb*[99] des Rhazes in der Übersetzung durch Shem Ṭov ben Isaac aus Tortosa aus dem Jahr 1264 (cf. Steinschneider 1893, 724s.);
- das *Pirkei Mosheh [ba-refu'ah]*, i.e. die *Aphorismen* des Moses Maimonides in der Übersetzung aus dem Arabischen durch Zeraḥyah ben Isaac ben She'altiel Ḥen[100] aus dem Jahr 1277;[101]
- die *Isagoge in artem parvam Galieni*, eine Übersetzung des arabischen *Kitāb al-mudḫal fī 'ṭ-ṭibb* des Johannitius, 808–873), dessen eine Version[102] durch Moses ibn Tibbon als *Mabo el meleket ha-refu'ah* ('Einführung in das Handwerk der Medizin') übersetzt wurde (cf. Steinschneider 1893, 710s.);
- der *Sefer le-ḥazeq et bedeq ha-bayit* ('Buch über die Verbesserung der Pflege des Hauses'). Es handelt sich hierbei wieder um eine Übersetzung des sogenannten «Do'eg ha-Edomi» aus den Jahren 1197–1199 (cf. Barkai 1998,

**99** Unter dem Titel *Ad Almansorem* oder *Liber almansorius* durch Gerhard von Cremona 1175 ins Lateinische übersetzt (cf. Steinschneider 1893, 724s.).

**100** Eine Edition des hebräischen Texts wird derzeit durch Gerrit Bos (in Vorb.) angefertigt. Zeraḥyah war Zeitgenosse des Hillel ben Samuel aus Verona, mit dem er sich kontrovers über die Interpretation Maimonides' *Aphorismen* austauschte (cf. Bos in Vorb., *Introduction*).

**101** Da Katzenellenbogen (1933, 6) die hebräische Übersetzung der *Aphorismi* des Maimonides als die jüngste Quelle von *Fevres* ausmachen konnte, setzte sie das Jahr 1277 als *Terminus post quem* für den Traktat fest.

**102** Zu den einzelnen Versionen cf. O'Boyle (1998, 83s.).

225). Die Schrift beschreibt verschiedene Körperteile, deren mögliche Erkrankungen und die zu ergreifenden Therapiemaßnahmen;[103]
- *She'ar Yashub*, ein sonst unbekannter Titel

Quellen, die in lateinischer Übersetzung verwendet wurden, sind (cf. Katzenellenbogen 1933, 5ss; Kiwitt 2001, 45):
- der im späten 11. Jahrhundert von Constantinus Africanus als *Viaticum Peregrinantis* übersetzte *Zād al-musāfir wa-qūt al-ḥāḍir* des Ibn al-Ǧazzār;[104]
- die ursprünglich als *Kitāb al-malakī* von Haly Abbas im 10. Jahrhundert verfasste und unter dem Titel *Liber pantegni* ebenfalls durch Constantin[105] übersetzte, «detaillierteste und umfassendste Darstellung der Theorie der Gesundheit und Gesunderhaltung» (Schmitt 2003, 13);
- die eigenständige *Practica brevis*[106] des salernitanischen Arztes Johannes Platearius II. (Mitte des 12. Jahrhunderts)[107] sowie
- der *Thesaurus pauperum* des Petrus Hispanus, dem späteren Papst Johannes XXI., von ca. 1270, eine Rezeptsammlung, die auf die Bedürfnisse der Armen zugeschnitten ist.

### 1.2.2 Die Quellen der edierten Abschnitte mit ausgewählten Textvergleichen

In diesem Abschnitt werden Auszüge aus der in cap. 2 vorliegenden Edition potenziellen Textvorlagen gegenübergestellt, um möglicherweise die tatsächli-

---

**103** Die Quellschrift selbst konnte noch nicht identifiziert werden; Barkai (1998, 25) bringt Constantins *Practica* vor; Steinschneider (1893, 821) nennt eine Kompilation aus Werken des Matthaeus Platearius, Constantin und Alexander von Tralles, die in Ms. München, Bayerische Staatsbibliothek 275[8] vorliegt.

**104** Zu Editionen und Texttraditionen dieses Werkes cf. die Referenzen in 1.1.4.

**105** Höchstwahrscheinlich wurde die Übersetzung des Constantin im zweiten Teil des *Pantegni*, der *Practica*, durch Arbeiten seines Schüler Johannes Afflatius ergänzt (cf. Schmitt 2013, 67). Der *Pantegni* erscheint erstmals gedruckt 1515 in Lyon und ist hierbei in das Gesamtwerk des Isaac Israeli mit aufgenommen (*Omnia opera Ysaac*).

**106** Bislang ist noch keine moderne Edition des lateinischen Texts erschienen. Hunt (1994) legt eine Edition der anglonormannischen Übersetzung von ca. 1250 vor. Inhaltlich steht das Werk in der Tradition der in Salerno kursierenden Schriften, ist aber eine selbstständige Auswahl und Abwandlung der Vorläufer (cf. Diepgen 1911, 9, zitiert in Hunt 1994, 150).

**107** De Renzi (1857, 240ss.) unternimmt in seiner *Storia documentata della scuola medica di Salerno* den Versuch, die Personen, die den Namen *Platearius* tragen, in eine familiäre Ordnung zu bringen. De Renzi schreibt Johannes Platearius II., Sohn des Johannes Platearius I. und Bruder des ebenfalls schreibenden Matthaeus Platearius, dessen gleichnamiger Sohn übrigens der Autor des bekannten *Circa instans* ist, die Werke *Practica brevis* und *De egritudinum*

che Quelle für *Fevres* für diese Stellen zu eruieren. Das *Buch der Fieber* konnte bereits durch Katzenellenbogen (1933, 8s.) als Textvorlage für die folgenden in dieser Arbeit edierten Abschnitte von *Fevres* festgestellt werden:

**Tabelle (1)**

| ***Fevres*** | | ***Liber febrium***[108] | |
|---|---|---|---|
| ff. 100v13–102r14 | *De ecrachaz* | Buch IV, 9 | *De sputo* |
| ff. 163v9–180r10 | *Ictiricia* | Buch IV, 17[109] | *De yctericia* |
| ff. 239r5–240v25 | *L'ede et le consuel Isac à la cartene* | Buch V, 14 | *De febre quartana et eius cura* |

Eine Einschränkung ist für das *Ictericia*-Kapitel in *Fevres* vorzunehmen: Hier sind zusätzliche Textpassagen eingeschoben, die nicht auf das *Buch der Fieber* – weder in der hebräischen noch in der lateinischen Version – zurückgehen. Es handelt sich dabei um ff. 167r12–167v10 sowie 172r21–180r10. Die Quelle für diese Abschnitte bleibt unbekannt.[110] Eventuell könnte es von Bedeutung sein, dass auf f. 177v mehrere mittelhochdeutsche Wörter im *Fevres*-Text erscheinen. Diese könnten zwar auch eigene Hinzufügungen des Autors sein oder aber ein nicht näher bestimmbarer Hinweis auf eine Quelle aus dem deutschen Sprachraum.

Für den edierten Abschnitt *Fevres* ff. 156v8–163v9, der Rezepte gegen Durchfallerkrankungen (*fluxus ventris*) enthält, konnte in der bisherigen Forschung keine Quelle ermittelt werden. Ein Vergleich mit dem Kapitel *De sincopi* des *Liber febrium* (Buch IV, 16) ergab jedoch, dass einige Rezepte und auch die abschließende Anekdote über Galen von dort übernommen wurden. Es mag verwundern, dass der Autor von *Fevres* Rezepte, die im *Buch der Fieber* gegen Ohnmachtsanfälle angeführt werden, in die Behandlungsanweisungen gegen

*curatione* zu (cf. De Renzi 1857, 240ss.). Seine aktive Zeit wird durch Hunt (1994, 149) auf die Jahre 1120–1150 eingegrenzt.

**108** Es wird hier auf den Titel und die Kapitelüberschriften der Constantin-Übersetzung *Liber febrium* referiert; damit soll diese Textversion jedoch noch nicht als eindeutige und endgültige Textquelle vorweggenommen werden (cf. 1.2.2.11–2.2.4).

**109** Katzenellenbogen (1933, 8) gibt für den Abschnitt *De yctericia* Buch IV, 18 an; 17 bezieht sich auf die Einteilung des Druckes L. Die hier untersuchten lateinischen Mss Vendôme und Erfurt (cf. infra) enthalten keine expliziten Kapitelnummerierungen.

**110** Für den direkt anschließenden Text (ff. 180r9–182r24), konnte Kiwitt (2001, 73–76) ebenfalls keine vollständigen Quellen ausmachen; lediglich das Rezept auf ff. 181r23–181v2 geht auf cap. 10,2 der *Practica brevis* des Platearius zurück (cf. Kiwitt 2001, 47).

Durchfallerkrankungen aufnimmt. Diese Tatsache erklärt wahrscheinlich auch, weshalb die Textabschnitte bisher noch nicht als Vorlage für die *Fluxus ventris*-Rezepte in *Fevres* in Betracht gezogen wurden. Die Rezepte gegen Ohnmacht enthalten jedoch in erster Linie darmevakuierende Therapiemaßnahmen, die sich dadurch erklären, dass im *Buch der Fieber* angenommen wird, die Ohnmacht habe ihre Ursache in der Überhitzung der Körpersäfte («Mutatio comple-xionis de frigore in calorem generat sincopim,» L, CCXVIIv, col. A) sowie u. a. in einem unnatürlichen und Schmerzen verursachendem Verbleib von Schwarzer Galle im Darm («Si materia fuerit in intestinis: sentiunt ibi dolorem *et* punctionem *et* torsionem: si cholerica fuerit materia: aut sit cum grauitate *et* inflat[i]one si fuerit melancolica,» L, f. CCXVIIv, col. A–B). Es folgen mehrere Rezepte zur Schmerzlinderung und zur Entleerung des Darmes, die der Autor von *Fevres* offensichtlich auch als geeignet für Therapie von *fluxus ventris* (als Hyperonym zu *desentiria* und *lientiria*) ansah. In den das Kapitel abschließenden Zeilen (ff. 163r22–163v9) werden die voranstehenden Rezepte sowie die Galen-Anekdote explizit als zu *fluxus ventris* gehörig genannt. Dabei ist *fluxus ventris* eine Begleiterscheinung (*accidens*) des akuten Faulfiebers, der Synocha (cf. 1.2.3.2).

Im Einzelnen können die folgenden *Fevres*-Passagen auf das *Buch der Fieber* – hier: bezogen auf den *Liber febrium* nach L – zurückgeführt werden; für die übrigen Textstücke, die eine Hinzufügung zum Constantin-Text sind, bleibt die Quelle nach wie vor ungeklärt:

**Tabelle (2)**

| ***Fevres*** | | ***Liber febrium*** |
|---|---|---|
| ff. 156v8–158r8 | Rezepte zur Entspannung und Entleerung des Darms | ff. CCXVIIv, col. B, l.52–CCXVIIIr, col. A, l.51 |
| ff. 158r8–162r10 | Rezepte gegen *desentiria* und *lientiria* | fehlt |
| ff. 162r10–163r22 | Anekdote über Galen | ff. CCXVIIIr, col. A, l.51–CCXVIIIr, col. B, l.11 |
| ff. 163r221–163v9 | «Si define la cure desentiria et de lientiria ...» (f. 163v1–2); Einordnung als *accident* des akuten Faulfieber (Synocha) | fehlt |

Dass das *Buch der Fieber* als Quelle für die in dieser Arbeit edierten Passagen gedient hat, ist offensichtlich. Es soll nun im Folgenden untersucht werden, ob es möglich ist, die Frage zu klären, auf welche Texttradition genau der französische Autor zurückgriff. Dazu sollen beispielhafte Textausschnitte aus *Fevres* möglichen Quellen in einer tabellarischen Synopse gegenübergestellt werden. Konkret werden die nachstehenden Texte als mögliche Quellen untersucht, die in Kopie (Microfiche oder elektronischer Scan) gesichtet wurden:

1. *Liber febrium*, lateinische Übersetzung des arabischen *Kitāb al-ḥummayāt*, gemäß Vendôme, Bibliothèque municipale, Ms. 174 [= Ven]. Diese Handschrift aus dem 12. Jahrhundert zählt zu ältesten Überlieferungen und ist wahrscheinlich in Montpellier entstanden (cf. Veit 2003, 209, 217);
2. *Liber febrium* gemäß Erfurt, Bibliotheca Ampolonia, Ms. Q 187 [= E]. Das Ms. wurde im 13./14. Jahrhundert in Frankreich kopiert (cf. Veit 2003, 202, 217);
3. *Liber febrium*, gemäß des frühneuzeitlichen Druckes Lyon (1515) [= L], dessen Text die meisten Übereinstimmungen mit den ältesten handschriftlichen Überlieferungen aufweist (cf. Veit 2003, 215);
4. *Sefer ha-qadaḥot*, hebräische Übersetzung des lateinischen *Liber febrium* durch «Do'eg» nach Vatican, Ms. ebr. 363 [= Va]. Es handelt sich hierbei um die einzige Handschrift der lateinisch-hebräischen Traditionslinie (cf. supra);
5. *Sefer ha-qadaḥot*, hebräische Übersetzung des arabischen *Kitāb al-ḥummayāt*, gemäß Paris, Ms. hébr. 1127 [= P]. Diese Version ist eine der zwei Handschriften derjenigen Traditionslinie, die dem arabischen Original am wortgetreuesten folgt (cf. Ferre/Veit 2009, 331).

Für die Belange dieser Arbeit musste notgedrungen eine starke Reduzierung der zu untersuchenden Handschriften vorgenommen werden. Bei der Auswahl der lateinischen Texte, die in insgesamt 52 Mss, fünf Fragmenten und zwei Drucken aus dem 16. Jahrhundert vorliegen (cf. Veit 2003, 198–213), wurden zwei Handschriften ausgewählt, die einen Frankreichbezug aufweisen. Eine Abhängigkeit zwischen den Handschriften konnte in der Forschung bisher nicht nachgezeichnet werden; ebensowenig war es möglich eine Leithandschrift zu identifizieren (cf. Veit 2003, 213), sodass in dieser Hinsicht keine Evidenzen für eine zu treffende Auswahl der zu betrachtenden Mss vorliegen. Hinsichtlich der frühen Drucke musste zwangsläufig auf Lyon (1515) zurückgegriffen werden, da nur dieser – im Gegensatz zum Druck Venedig (1576) – die Abhandlung IV enthält. Eine Synopse wird für folgende Textabschnitte durchgeführt:

- *De ecrachaz*, ff. 100v131–02r14 (1.2.2.1),
- *Emplastrum à l'estomac*, f. 157r1–18 (1.2.2.2),
- *La cause de ictiricia*, ff. 168r7–169r11 (1.2.2.3),
- *L'ede et le consel Isac à la cartene*, ff. 239r52–40v25 (1.2.2.4).

Die Gegenüberstellungen sind tabellarisch dargestellt und so aufgebaut, dass sich die möglichen Quellen um den *Fevres*-Text herum gruppieren. Eingangs stehen nebeneinander die Texte der älteren, lateinischen Mss sowie des frühneuzeitlichen Drucks (Punkt a) in provisorischer Edition. Es folgt in der Mitte der Wortlaut von *Fevres*, und zwar um der besseren Lesbarkeit willen in seiner hypothetischen Form, die sich aus dem dritten Schritt der vierstufigen Edition (cf. 1.7) ergibt (Punkt b). Wie bereits in 1.1.2 erläutert, ist diese Textversion rein hypothetisch und stellt eine potenzielle Verschriftlichung des Wortlautes dar, wie er hätte dargestellt werden können, hätte sich der Autor nicht des hebräischen, sondern des lateinischen Alphabets bedient.[111] Abschließend werden die provisorischen Editionen der beiden hebräischen Handschriften synoptisch mit einer deutschen Übersetzung präsentiert (Punkt c). Gemeinsamkeiten und Unterschiede zwischen den Texten von *Fevres* und denen der möglichen Quellen werden jeweils im Anschluss selektiv beschrieben (Punkt d). Hierbei wird so vorgegangen, dass je möglicher Vorlage die Parallelen zu *Fevres* aufgelistet werden, die in Abgrenzung zu den übrigen Quellen stehen und sich so von diesen unterscheiden.

Da sich, wie zu sehen sein wird, bereits nach den ersten Textvergleichen bestimmte Quellen sicher ausschließen lassen, werden diese dann in den nachfolgenden Gegenüberstellungen nicht mehr berücksichtigt.

**111** Zu den Schwierigkeiten, mit denen ein Herausgeber bei diesem Schritt konfrontiert ist, und die notwendigen Kompromisse bei deren Lösung cf. 1.4.

### 1.2.2.1 Textvergleiche für den Abschnitt *Fevres*, ff. 100v13–102r14 (*De ecrachaz*)

#### a1) Editionen der lateinischen Handschriften Ven und E und des Druckes L[112] – Teil I

| **Ven, ff. 78r30–78r38**<br>(Liber IV, Kap. ix)<br>[Übersetzung aus dem Arab.] | **L, ff. CCXVr, col. A, l. 47–59–col. B, l. 8**<br>(Liber IV, Kap. ix)<br>[Übersetzung aus dem Arab.] | **E, ff. 78r col. A, Z. 37 ff.**<br>(Liber IV, Kap. ix)<br>[Übersetzung aus dem Arab.] |
|---|---|---|
| Spvtvm cum secreatu seu cum reiectione exiens tripliciter (31) dividitur. aut est laudabile. et salutis significatiuum. aut (32) inlaudabile et timoris indicatiuum. aut aut mediocre. Lauda- (33) -bile est: est paruum album lene iunctum facile exiens sine putore. (34) nullam spiritui faciens angustiam. Quo egrediente patiens sentit (35) levitatem. maxime si exierit in .iii. aut in .iiii. diem. Quare si in (36) prima aut secunda exierit: licet non sit malum. melius tamen esset si in (37) .iiii. aut et .iii. fuerit egressum. Hi enim dies sunt nunciativi. *Et* in (38) ipsis natura co*m*plet digestione*m* *et* secu*m* coctione*m*. | **De sputo laudabili et illaudabili et me- (48) -diocri. Capitulum ix.**<br>(49) Sputum cum screatu seu cum reiectione exiens (50) tripliciter diuiditur: aut est laudabile et salutis (51) significatiuum: aut illaudabile et timoris indicati- (52) -uum: aut mediocre. Laudabile est paruum album: (53) lene iunctum facile exiens sine putore: nullam (54) spiritui faciens angustiam: quo egrediente patiens sentit le- (55) -uitatem: maxime si exierit tertio vel quarto die: quare si in pri- (56) -ma aut secunda exierit: licet non sit malum: melius tamen esset (57) si in quarta die aut tertia fuerit egressum. Hi enim dies sunt (58) nunciatiui *et* in ipsis natura complet digestionem *et* facit co- (59) -ctionem. | **S**putu*m* ... screatu ...<br>(38) reiecti*o*ne exiens ... pti an e*st* laudabil ... salu<br>(39) ... *aut* illaudabile ... timore*m* inuit an medio-<br>...<br>...<br>...<br>... *nicht lesbar*<br>...<br>...<br>(45) ... *in* ipsis natura co*m*plet dig*estionem* *et* facit coc*tione*m |

112 Alle in Kap. 1.2.2 zitierten lateinischen und hebräischen Edition sind provisorisch.

### b1) Hypothetischer Text von *Fevres*, gemäß Edition in Kap. 2 – Teil I

| ***Fevres*, ff. 100v13–101r11** |
| --- |
| **De ecrachaz bon et non bon** (14) et meluein ni bon ni maveis. Ecrachaz (15) qui it aveque tos et bote hors celi est (16) apelé escrachement o il le bote hors (17) par acune overagne. Il est parti en (18) tres maners. O il est bon; si (19) renovele seneté. O il n'est mie (20) bon si nos anseigne dotance. O il (21) est meluein. Le bon il est petit blanc (101r1) et cler et est joint ensenble et it ben (2) ligerement sant nule flereur mavoise. Et si ne (3) fet mie detrece à l'eprit. Et quant il (4) it le malade s'alige. Et plus tot se (5) il isoit à terze o à quart. Car se (6) il isoit à primer o à segont coment (7) que il ne soit mavois il fut melur se (8) il isit à terze o à quarte. Por ce car (9) en ceux renovelent meurison et en eux nature (10) meurit et ausi en ces jors s'apert meurison (11) en lies de le orine. |

## a2) Editionen der lateinischen Handschriften Ven und E und des Druckes L – Teil II

| **Ven, ff. 78r38–78v7**<br>(Liber IV, Kap. ix)<br>[Übersetzung aus dem Arab.] | **L, ff. CCXVr, col. A, l. 59–69–col. B, l. 8**<br>(Liber IV, Kap. ix)<br>[Übersetzung aus dem Arab.] | **E, ff. 78r col. B, l. 1–10**<br>(Liber IV, Kap. ix)<br>[Übersetzung aus dem Arab.] |
|---|---|---|
| *Et* sputu*m* meli*us* (39) si p*ostqua*m fu*e*rit coctu*m* exierit qua*m* prius. Quia si ante coctione*m* egredit*ur* (78v1) sig*nifica*t naturam illud odio habe*re* *et* contentiva*m* virtute*m* ei n*on* d*omi*nari. Si aut*em* sputu*m* quarta*m* (2) transierit die*m*. *et* in .vii. apparuerit. fut*ur*am sig*nifica*t salute*m* *esse* in loco seu t*em*poris. (3) Significatio salutis. q*ua*re bene coctu*m* atq*ue* digestu*m*. Tarditas salutis. q*uare* cu*m* mora- (4) -tu*m* fuerat sputu*m* usq*ue* in .vii. duo sig*nificat*. aut duricia*m* materiei nat*ure* actio*nem* in (5) obediente*m*. *Aut* uirtutis digestiue defectione*m* coctione*m* in quarta die co*m*plere (6) nequeuntis. Ergo quantomagis sign*um* coctionis fuerit initio morbi ... (7) tanto citissima*m* indicat salute*m*. | Et sputu*m* melius est si postq*uam* fuerit coctum exierit (60) q*uam* prius: q*uare* si ante coctionem egreditur: significat naturam (61) odio illud habere: *et* contentiua*m* virtutem ei non dominari. (62) Si aute*m* sputum quartam transierit diem: *et* in .vij. apparue- (63) -rit futuram significat salutem esse in longo te*m*pore. Signifi- (64) -catio salutis est: q*uare* est bene coctum atq*ue* digestu*m*. Tarditas (65) salutis: q*uare* cum moratum fuerat sputu*m* usq*ue* in .vij. die*m* duo si- (66) -gnificat: aut duricie*m* materiei nature actione*m* n*o*n obedientem: (67) aut virtutis digestiue defectione*m* coctioni in quarta die co*m*- (68) -plere nequeuntis: ergo quantomagis signum coctio*n*is fue- (69) -rit in initio morbi: tanto citissima*m* indicat salutem: | sputu*m* melius est si p*ost*qua*m* fuerit coctu*m* exierit q*uam* prius q*uare* (2) si an*te* coctio*nem* egreditur sig*nificat* natura*m* odio habere *et* (3) retentiva*m* virtute*m* n*on* dominari ei. Si aut*em* sputu*m* x (4) die*m* tra*n*sierit *et* i*n* vii apparuerit futura*m* sign*ifica*t esse salute*m* (5) i*n* longo tempore. Sign*ifica*tio salutis q*uare est* bene coctu*m* atque di- (6) -gestu*m* tarditas salutis q*uare cum* moratu*m* fuerat sputu*m* *usq*ue (7) i*n* vii duo sig*nificat*: an duriciem m*ateriei* nature actio*nem* *non* obedi- (8) -ente*m*, *aut* uirtutis digestiue defectio*nem* coctioni i*n* iiii di- (9) -e *com*plere nequeuntis *ergo* qua*n*to mag*is* sig*num* coctionis fuer... (10) i*n* *in*itio morbi ... tanto citissima*m* *in*dicat salute*m* |

## b2) Hypothetischer Text von *Fevres*, gemäß Edition in Kap. 2 – Teil II

| ***Fevres*, ff. 101r11–101v15** |
|---|
| Et l'ecrachaz il (12) vaut mes quant il ecomence à iter (13) apres la meurison que devant. Quant il (14) it devant la meurison il nos enseigne (15) que la nature depite celi ecrachaz et la (16) vertu retentive c'est à dire la vertu qui (17) retent il n'est mie potant ele si (18) ne la peut retenir tant que ele soit (19) meure. Mes se l'ecrachaz pase (20) le quarte jor que il ne jete point joc (21) à seteme et il s'apirt à seteme (101v1) il nos enseigne venat à l'onzeme jor que c'est le lu et (2) le termine qui est à termine à senté por ce que (3) adonc il est par nature meiur et meus (4) digeste. Sachez la senté se tarze (5) à venir par le tarzement de jeter l'ecrachaz qui (6) se tarze à jeter joc à seteme jor. (7) Et ce tarzement si nos motre dos choses il (8) nos motrent o que la matire est dure que (9) ele n'est mie declinant à euvre naturée. (10) O par la vertu digestiva qui est faillie que (11) ele ne peut parfere la digestion que (12) la meurison au quarte jor. Por ce le vos di (13) tant come enseigne est aparisant de digestion (14) an li comencement de la maladie tant plus (15) tot est la senté hatant à venir. |

### a3) Editionen der lateinischen Handschriften Ven und E und des Druckes L – Teil III

| **Ven, ff. 78v7–15**<br>(Liber IV, Kap. ix)<br>[Übersetzung aus dem Arab.] | **L, ff. CCXVr, col. A, l. 59–69–col. B, l. 8**<br>(Liber IV, Kap. ix)<br>[Übersetzung aus dem Arab.] | **E, ff. 78r col. B, l. 10–12**<br>(Liber IV, Kap. ix)<br>[Übersetzung aus dem Arab.] |
|---|---|---|
| *Et* quantu*m* ab initio elongabit*ur* tantu*m* tar- (8) -ditate*m* salutis innuit. Quia natura neces- *se est* tantu*m* h*abeat* temp*us* a die nuntia- (9) -tiua usq*ue* ad crisin quantu*m* fuerat ab initio morbi usq*ue* ad die*m* nuntiatiua*m*. (10) Illau- dabile sputu*m* timoris significatiuu*m* *est* .viri- de. liuidu*m*. uenetu*m*. nigru*m*. (11) Hi eni*m* sputi colores ostend*unt*. aut sanguinis ustio- ne*m* *et* col*ere* rubee ustione*m*. (12) aut extinc- tione*m* caloris naturalis. Que differ*unt* *inter* se. Quia sputu*m* *quod est* de (13) incensione [...] col*ere* rubee. primu*m* fuerat uiride. po*st*q*uam* mutat*ur* in uenetu*m* (14) dein*de* nigru*m*. Hoc aut*em* sputu*m* *quod* natu*ralis* caloris sig*nificat* extinctione*m*. primu*m* *est* colu*m*- (15) –binu*m*. po*st* uenetu*m*. deinde mutat in nigru*m*. | *et* quantu*m* (70) ab initio elongabitur tantam tardi- tatem innuet salutis: q*uare* (71) natura necesse est tantu*m* habeat te*m*pus a die nunciatiua usq*ue* (72) ad crisim quantum fuerat ab initio morbi usq*ue* ad diem nun- (73) -ciatiuam. Illaudabile vero sputum timoris significatiuum (col. B, l. 1) est viride liui- dum venetu*m* nigrum. Hi e*n*i*m* sputi colores oste*n*- (2) -dunt: aut sanguinis adustionem et cho*lere* ru- bee adustionem: (3) aut extinctione*m* caloris natu- ralis. Que differunt inter se: q*uare* (4) sputum q*uo*d est de incensione factum sanguinis: aut cholere (5) rubea. primu*m* fuerat viride postq*uam* mutatur in venetum: deinde (6) nigru*m*. Hoc autem sputu*m* quod caloris naturalis significat (7) extinctione*m*: primum est columbinu*m*: post venetu*m*: deinde mu- (8) -tatur in nigru*m*. | *et* (11) qua*n*to ab i*n*itio elo*n*gabit*ur* tanto salu- tis inuit tardita- (12) -tem q*uare* natura neces- *se est* ... |

### b3) Hypothetischer Text von *Fevres*, gemäß Edition in Kap. 2 – Teil III

| ***Fevres*, ff. 101v15–102r14** |
|---|
| Et (16) tant plus s'aloigne de l'ecomencement (17) de la maladie la digestion tant plus est (18) la senté tarzant à venir. Car il (19) le convent et meter en a [à] la nature (20) de avoir epace et termine do jor qui porte (21) novele joc à jor de crisi come il y a (22) d'epace do l'ecomencemente. (23) De la maladie joque à jor de la novele (102r1) l'ecrachaz qui n'est mie bon et qui motre dotance (2) et paor c'est le verte et le pers et le blo c'est (3) le pers et le cler car les colors qui (4) sont tel en l'ecrachaz si motrent o sanc ars (5) et colera. O il motre que la chalur naturé (6) si est eteinte. Et comente le porons (7) quenoiter ces deux. Il a deferance (8) enter eux. Car l'ecrachaz qui est de la grande (9) ardur do sancgue et de colera il est primer verte (10) et apres se change apres o à blo o à (11) noir colur. Et l'ecrachaz qui nos enseigne (12) que la naturée chalur est eteinte si est en (13) l'ecomencement colericis c'est jaune et pus est (14) blao o ende o apres se chaunge à noir. |

## c1) Edition und Übersetzung der hebräischen Handschrift Va[113] – Teil I

| **Va 14v, l. 5–10**<br>[Übersetzung aus dem Lat.] | **Übersetzung** |
|---|---|
| מרוק טוב ואין טוב ובינוני רוק היוצא עם הדחוי הוא הנקרא אשקראקאמנט או עם | **Über gutes, nicht gutes und mittleres Sputum**. Sputum, das hinausgeht mit dem Ausstoßen, genannt ’ŠQR’Q’MNṬ, oder durch |
| (6) פעולת איזה דבר נחלק לשלשה או שהוא טוב ומבשר בריאות | (6) etwas Aktivität, wird in drei [Arten] unterteilt. Entweder es ist gut und verheißt Gesundheit |
| (7) או אין טוב ומורה פחד או בינוני טוב הוא בהיותו קטן לבן וצח ומחובר ויוצא בנקל בלא בואשה. ואינו | (7) oder es ist nicht gut und erregt Furcht oder es ist mittel. Das gute ist klein, weiß und klar und verbunden und tritt leicht aus ohne zu verfaulen. |
| (8) עושה מצוק אל הרוח ובצאתו קל החולה. ויותר אם יוצא בג' או בד'. כי אם יצא בא' או בב' אע"פ שאינו רע | (8) Und es drückt nicht auf die Seele und wenn es austritt ist der Kranke erleichtert. Und umso mehr, wenn es am dritten oder vierten [Tag] austritt. Denn wenn es am ersten oder zweiten [Tag] austritt, obwohl das nicht schlecht ist, |
| (9) יותר היה טוב אם יצא בג' או בד' בעבור כי אלה הם מבשרים ובהם התולדת משלים בשול גם בשול | (9) ist es besser, wenn es am dritten oder vierten [Tag] austritt, denn diese sind die anzeigenden [Tage] und an ihnen vollendet die Natur die Reifung, auch die Reifung |
| (10) השמרים. | (10) des Sediments. |

113 Edition und Übersetzung: Gerrit Bos und Jessica Kley.

### d1) Hypothetischer Text von *Fevres*, gemäß Edition in Kap. 2 – Teil I

| ***Fevres*, ff. 100v13–101r11** |
|---|
| **De ecrachaz bon et non bon** (14) et meluein ni bon ni maveis. Ecrachaz (15) qui it aveque tos et bote hors ce li est (16) apelé escrachement o il le bote hors (17) par acune overagne. Il est parti en (18) tres maners. O il est bon; si (19) renovele seneté. O il n'est mie (20) bon si nos anseigne dotance. O il (21) est meluein. Le bon il est petit blanc (101r1) et cler et est joint ensenble et it ben (2) ligerement sant nule flereur mavoise. Et si ne (3) fet mie detrece à l'eprit. Et quant il (4) it le malade s'alige. Et plus tot se (5) il isoit à terze o à quart. Car se (6) il isoit à primer o à segont coment (7) que il ne soit mavois il fut melur se (8) il isit à terze o à quarte. Por ce car (9) en ceux renovelent meurison et en eux nature (10) meurit et ausi en ces jors s'apert meurison (11) en lies de le orine. |

## c2) Edition und Übersetzung der hebräischen Handschrift Va – Teil II

| **Va 14v, l. 10–15**[114]<br>[Übersetzung aus dem Lat.] | **Übersetzung** |
|---|---|
| והרוק הוא טוב אם יצא אחר בשול מאשר אם יצא קודם. כי אם יצא לפני בשול יורה שהתולדת | Das Sputum ist besser, wenn es nach der Reifung austritt als wenn es vorher austritt. Denn wenn es vor der Reifung austritt, zeigt es an, dass die Natur |
| (11) מאס הדבר ההוא והכח המחזיק אינו מושל בו. אך אם הרוק יעבור יום ד' ויראה בו יורה בריאות באה | (11) diese Sache abstößt und dass die zurückhaltende Kraft nicht darüber herrscht. Aber wenn das Sputum den vierten Tag überdauert und sich an ihm zeigt, zeigt seine Ankunft Genesung an |
| (12) במקום הגבול המועד לבריאות בעבור שהוא מבושל היטב ומעוכל. ועכוב הבריאות הוא כי בהתעכב | (12) am Ort der Krise, der der Zeitpunkt für die Genesung ist, denn es ist gut gereift und verarbeitet. Eine Verspätung der Genesung ist gegeben, wenn |
| (13) ברוק עד יום ז' יראה שני דברים או קושי הטבע שאינו נכנע לפעולת התולדת או הכח הבשול שהוא | (13) das Sputum sich bis zum siebten Tag verspätet. Sie zeigt zwei Dinge: entweder die Härte der Substanz, die sich nicht der natürlichen Kraft beugt, oder die verarbeitende Kraft, die |
| (14) אפס שאינו יכול להשלים הבשול ביום ד'. א"כ כל עוד שיתראה אות הבשול בתחלת החלי ושכן אליו כל עוד | (14) versiegt ist, so dass sie die Reifung am vierten Tag nicht vollenden kann. Wenn dem so ist, je mehr ein Anzeichen von Verarbeitung sichtbar ist zu Beginn der Krankheit, desto |
| (15) יראה בריאות יותר ממהר. | (15) schneller zeigt sich die Genesung. |

114 Edition und Übersetzung: Gerrit Bos und Jessica Kley.

### d2) Hypothetischer Text von *Fevres*, gemäß Edition in Kap. 2 – Teil II

| ***Fevres*, ff. 101r11–101v15** |
| --- |
| Et l'ecrachaz il (12) vaut mes quant il ecomence à iter (13) apres la meurison que devant. Quant il (14) it devant la meurison il nos enseigne (15) que la nature depite celi ecrachaz et la (16) vertu retentive c'est à dire la vertu qui (17) retent il n'est mie potant ele si (18) ne la peut retenir tant que ele soit (19) meure. Mes se l'ecrachaz pase (20) le quarte jor que il ne jete point joc (21) à seteme et il s'apirt à seteme (101v1) il nos enseigne venat à l'onzeme jor que c'est le leu et (2) le termine qui est à termine à senté por ce que (3) adonc il est par nature meiur et meus (4) digeste. Sachez la senté se tarze (5) à venir par le tarzement de jeter l'ecrachaz qui (6) se tarze à jeter joc à seteme jor. (7) Et ce tarzement si nos motre dos choses il (8) nos motrent o que la matire est dure que (9) ele n'est mie declinant à euvre naturée. (10) O par la vertu digestiva qui est faillie que (11) ele ne peut parfere la digestion que (12) la meurison au quarte jor. Por ce le vos di (13) tant come enseigne est aparisant de digestion (14) an li comencement de la maladie tant plus (15) tot est la senté hatant à venir. |

### c3) Edition und Übersetzung der hebräischen Handschrift Va – Teil III

| **Va 14v, l. 15–21**<br>[Übersetzung aus dem Lat.] | **Übersetzung** |
|---|---|
| וכל עוד שיתרחק מתחלת החלי כל עוד יראה עכוב הבריאות כי הכרח הוא | Und je mehr sie entfernt ist vom Beginn der Krankheit, desto mehr zeigt sich eine Verzögerung der Genesung. Denn es ist eine Notwendigkeit |
| (16) וצורך שיהיה אל התולדת שהות זמן מיום[115] הבשורה עד יום הקרישים בשיעור שהות תחלת החלי עד | (16) und ein Erfordernis, dass die Natur eine zeitliche Verzögerung hat vom Tag des Anzeichens bis zum Tag der Krise, in dem Maße des Zeitraums vom Beginn der Krankheit bis |
| (17) יום הבשורה. והרוק האין טוב והמורה פחד הוא הירוק ובתכלת ומצבע וִינִיסִיאֶנְק זהו תכלת בהיר | (17) zum Tag des Anzeichens. Das Sputum, das nicht gut ist und das Furcht erregt, ist das grüne und das blaue und das von der Farbe WiYNiYSiY'eNQ, welches hellblau |
| (18) ושחור. כי הצבעים האלה ברוק יראו או חרוך הדם והאדומה או כבוי החום התולדי ואלה מתרחקים | (18) und schwarz ist. Denn diese Farben im Sputum zeigen entweder verbranntes Blut und gelbe Galle oder das Verlöschen der natürlichen Wärme. Und diese halten wir |
| (19) ביניהם. כי הרוק שהוא משריפת דם והאדומה היה מתחלה ירוק ואחר כן נחלף בצבע וניסיאן ואחר כן | (19) auseinander. Denn das Sputum, das vom Verbrennen des Blutes und der gelben Galle herrührt, ist zuerst grün und danach verändert es sich zur Farbe WNYSY'N und daraufhin |
| (20) בשחור. והרוק המורה כבוי החום התולדי הוא בתחלה כֹולֻובינום. ואחר כן ויניסיאנק ואחר כן נחלף | (20) zu schwarz. Und das Sputum, das das Verlöschen der natürlichen Wärme anzeigt, ist zu Beginn KoWLuWBYNWM und danach WYNYSY'NQ und danach verändert es sich |
| (21) בשחור.החלי עד | (21) zu schwarz. |

**115** Cf. hierzu Bos (2013, 2–172): «בְּשָׂרָה: ימי הבשורה = Arab. الأيّام المنذرة (cf. CG 169, l. 5) 'the days of warning; the indicator days'; cf. 13: ויקראו אלו הימים שיראו בם אותם האותות ימי הבשורה וימי המבט ('The days in which those signs can be seen that are called ‹the days of warning› and ‹the days to be watched›'). Hebrew ימי הבשורה features in BM 647 in the singular יום בשורה in an attestation from the anonymous Hebrew translation of Isaac Israeli's *Book of Fevers*. Ben Yehuda explains the term as ‹the change occurring in the condition of a patient indicating the beginning of his cure.› To this one should add that such a day may also indicate a deteoriation of the illness».

### d3) Hypothetischer Text von *Fevres*, gemäß Edition in Kap. 2 – Teil III

| ***Fevres*, ff. 101v15–102r14** |
| --- |
| Et (16) tant plus s'aloigne de l'ecomencement (17) de la maladie la digestion tant plus est (18) la senté tarzant à venir. Car il (19) le convent et meter en a [à] la nature (20) de avoer epace et termine do jor qui porte (21) novele joc à jor de crisi come il y a (22) d'epace do l'ecomencemente. (23) De la maladie joque à jor de la novele (102r1) l'ecrachaz qui n'est mie bon et qui motre dotance(2) et paur c'est le verte et le pers et le blo c'est (3) le pers et le cler car les colors qui (4) sont tel en l'ecrachaz si motrent o sanc ars (5) et colera. O il motre que la chalur naturé (6) si est eteinte. Et comente le porons (7) quenoiter ces deux. Il a deferance (8) enter eux. Car l'ecrachaz qui est de la grande (9) ardur do sancgue et de colera il est primer verte (10) et apres se change apres o à blo o à (11) noir colur. Et l'ecrachaz qui nos enseigne (12) que la naturée chalur est eteinte si est en (13) l'ecomencement colericis c'est jaune et pus est (14) blao o ende o apres se chaunge à noir. |

## e1) Edition und Übersetzung der hebräischen Handschrift P[116]

| P 67r, l.15–32<br>[Übersetzung aus dem Arab.] | Übersetzung |
|---|---|
| (16) המאמר ברקיקה טובה והרקיקה המגונה והבינונית ביניהם | **Traktat über guten, schlechten und mittelmäßigen Auswurf** |
| אמנם הרקיקה בכלל הוא רוק עולה (17) מארון החזה ממותר המתילד בו או בריאה או במכסה המבדיל. והרוק (18) יחלק חלוקה: ראשונה על שני[117] פנים האחד מהם רוק ההוה בפה תמיד (19) בטבע והאחר יהיה גם כן על שני פנים. האחד מהם הרוק ההוה (20) מן הלחות הנמשכות אל הפה והחך והשני הרוק העולה מארון החזה בכֻח (21) ובשעול ממותרים מתילדים בחזה או או בריאה או במכסה (22) המבדיל. וזה המין ממנו הוא המכוון לדבר עליו בזה המקום והוא (23) על שלשה מינים. הכֻח הטוב המורה על שלמות בריאות ויקרא (24) כֻח. וממנו הכֻח המגונה המורה של הפחד ונק' רע. וממנו (25) בינוני ביניהם מורה על קושי החולי ורעתו מבלתי שיורה מהר על (26) בריאות מבוארת ולא על פחד גוזר והטוב ממנו מה שהוא (27) מעט לבן רך קל להתקבץ החלקים ממהר לצאת בשעילה או בשתי (28) שעילות מבלתי שיהיה ריח נמאס. ולא התחדש בנשימה צרות ולא (29) כבדות ונמצא בעליו לצאתו מנוחה וקלות ובלבד שיהיה צאתו בתחלת (30) החולי ר"ל ביום השלישי או הרביעי. כי צאתו ביום השני והראשון (31) אע"פ שאינו מגונה אבל צאתו בשלישי או ברביעי יותר טוב הרבה (32) מפני שהם ימי הוראה ובהם ישקיט הטבע להשלים | Auswurf ist im allgemeinen Sputum, das aus dem Brustkorb aufsteigt, aus dem Überfluss, der sich in ihm bildet oder in der Lunge oder im Bauchfell.<br>Auswurf wird unterschieden: Die erste Unterscheidung (geschieht) auf zwei Arten: Die erste von ihnen ist der Auswurf, der von Natur aus immer im Mund existiert. Die andere hat ebenfalls zwei Formen: Die erste von ihnen ist der Auswurf, der aus den Säften besteht, die zum Mund und Gaumen gezogen werden und die zweite ist der Auswurf, der aus dem Brustkorb aufsteigt beim Keuchen und beim Husten [und besteht aus] dem Überfluss, der sich in der Brust bildet oder in der Lunge oder im Bauchfell. Und das ist die Art, von der wir sprechen wollen an dieser Stelle; und es gibt drei verschiedene Arten davon: Der gute Schleim, der auf die Unversehrtheit der Lunge hin deutet und Schleim genannt wird. Der schlechte Schleim ist ein Anlass zur Sorge und wird als schlecht bezeichnet. Und der mittelmäßige, der dazwischen liegt, ist ein Hinweis auf die Schwere der Krankheit und ihre Bösartigkeit, ohne hinzudeuten auf eine schnelle, klare Heilung oder auf sehr große Sorge.<br>Der gute ist ein wenig weiß und zart; seine Bestandteile vereinigen sich leicht, um schnell bei (ein-) oder zweimal Husten herauszugehen, ohne einen abstoßenden Geruch zu haben. Und es entsteht keine Atemnot. Der Patient empfindet Beruhigung und Erleichterung wenn es herauskommt, insbesondere, wenn es beim Anfang der Krankheit passiert, am dritten oder vierten Tag. Denn es ist zwar nicht schlecht, wenn es herauskommt am ersten oder zweiten Tag, |

116 Edition und Übersetzung: Gerrit Bos und Jessica Kley.
117 שני: Korrektur auf dem Rand

<table>
<tr><th>P 67v, l.1–22<br>[Übersetzung aus dem Arab.]</th><th>Übersetzung</th></tr>
<tr><td dir="rtl">(67v1) בישול השמרים ושלמות עכולם כי אין ביכולתה<br>להשלים עכולם בפחות (2) מג' ימ' אוד' והראות הרקיקה<br>אחר הבישול יותר טוב מהראותה (3) קודם הבישול כי<br>הראותה קודם הבישול מורה על הכריחו לטבע (4)<br>וכבדו עליו. ואם יתאחר הראות הרקיקה ותעבור הרביעי<br>או השביעי (5) תורה בבריאות רחוקה. אמנם הראותו<br>לבריאות הוא לשלמות (6) ותמות עכולו. אמנם הוראתו<br>על אורך הזמן ורוחק הבריאות כי (7) התאחר הראותו<br>אל היום השביעי מורה על שני ענינים אם עובי (8)<br>החומר ורוחק ענותו(?) או ללאות הכח המבשל משלמות<br>הבישול ביום (9) הרביעי. הנה כמה שאמ' מופת מבואר<br>על שמופתי הבישול כל (10) אשר יקדימו מתחלת החולי<br>יהיה הניקיון יותר קרוב וכל אשר יתאחרו (11) יהיה<br>הניקיון יותר רחוק. כי הטבע צריך שתעמוד בעשות<br>מופתי (12) הניקיון בשיעור מה שעמדה בעשות מופתי<br>ההוראה שאם נראו (13) מופתי ההוראה בזמן מועט יורו<br>על דקות החומר וקרבת הניקיון (14) וכשיראו מופתי<br>ההוראה בזמן ארוך יורו על עובי החומר ורוחק (15)<br>הניקיון. ואמנם הכֵח המגונה המורה על הפחד הכח<br>(16) הירוק והחשוך במראהו או במראה תכלת והשחור<br>שהם מורים (17) אם על שריפת הדם וקליית המרירה<br>האדומה או על מות החום (18) היסודי וקרבתו אל הכבוי<br>וההפשט בין שני המינים כי המורה על (19) שריפת הדם<br>וקליית המרירה האדומה יהיה בתחלתו ירוק ואחר (20)<br>כן יהפך אל מראה התכלת והשחרות. ואשר יורה על<br>מות החום (21) היסודי וקרבתו אל הכיבוי יהיה בתחלתו<br>כמראה העופרת חשוך (22) המראה ואחר כן יהפך אל<br>השחרות.</td><td>aber doch ist der dritte und vierte Tag viel besser, weil sie die Tage der Krise [der Krankheit] sind, bis zu denen die Natur Zeit hat, um das Kochen und Verzehren der Abfallstoffe zu vollenden.<br>Denn sie vermag nicht sie zu verzehren in weniger als drei oder vier [Tagen]. Das Erscheinen des Auswurfs nach dem Kochen ist besser als das Erscheinen vor dem Kochen, denn sein Erscheinen vor dem Kochen deutet darauf hin, dass er [der Auswurf] die Natur überwältigt und überlastet; und wenn sich das Erscheinen des Auswurfs verspätet und den vierten oder den siebten (Tag) überdauert, deutet es darauf hin, dass die Zeit der Genesung fern ist.<br>Die Anzeichen von Gesundheit sind die Vollendung seiner Verarbeitung. Die Anzeichen von langer Dauer und Ferne der Gesundheit sind die Verspätung seiner Erscheinung am siebten Tag, [denn dieses] deutet auf zwei Dinge: entweder die Dicke des Stoffs und die Ferne seiner [Auflösung] oder die Erschöpfung der verdauenden Kraft von der Vollendung der Reifung(?) am vierten Tag. Es ist ein deutliches Zeichen gegeben: Wenn die Zeichen der Kochung früher kommen, d. h., vom Anfang der Krankheit an, ist die Krise näher; und je später sie kommen, desto später kommt die Krise. Denn die Natur muss die Zeichen der Krise selber herstellen in demselben Maße wie die Zeichen, die auf die Krise hindeuten. Wenn die prognostischen Zeichen innerhalb von kurzer Zeit sichtbar werden, weisen sie auf die Dünnflüssigkeit der [krankmachenden] Materie und die Nähe der Krise hin, aber wenn sie erst nach langer Zeit sichtbar werden, weisen sie hin auf die Dickflüssigkeit der Materie und die Ferne der Krise hin. Der schlechte Schleim, der auf Angst hindeutet, ist der grüne, dunkle Schleim oder der violette, schwarze Schleim. Sie deuten hin auf die Verbrennung des Blutes und Röstung der gelben Galle oder das Absterben der natürlichen Wärme und die Nähe ihres Verlöschens. Der Unterschied zwischen beide Arten [des Schleimes] ist, dass der Schleim, der auf die Verbrennung des Blutes und Röstung der gelben Galle hinweist, am Anfang grün ist und dann violet und schwarz wird, weil der Schleim, der auf das Absterben und Auslöschen der natürlichen Wärme hinweist, am Anfang bleifarbig und dunkel ist, und dann schwarz wird.</td></tr>
</table>

### f) Selektive Parallelen und Divergenzen zwischen den potenziellen Vorlagen und *Fevres*

In der folgenden Tabelle (3) werden ausgewählte inhaltliche Informationen aus *Fevres* aufgelistet (Punkte 1.–8.). Mit «+» oder «–» wird in den Spalten daneben gekennzeichnet, ob die entsprechende Information in den Texten von Ven, L, E, Va und P ebenfalls vorhanden ist oder nicht. Ein «?» bedeutet, dass die relevante Textstelle entweder nicht lesbar war oder dass die Interpretation des Textes unsicher ist.

**Tabelle (3)**

| | *Fevres* | Ven | L | E | Va | P |
|---|---|---|---|---|---|---|
| 1. | Überschrift «De ecrachaz bon et non bon et meluein» (f. 100v13–14) | – | + | – | + | + |
| ► 2. | «est apelé escrachement o il bote hors par acune overagne» (f. 100v15–17) | – | – | – | + | – |
| 3. | «Le bon il est petit blanc **et cler** et est joint ensenble» (f. 100v21–101r1) | – | – | ? | + | – |
| ► 4. | «et ausi en ces jors s'apert meurison en lies (de le orine)» (f. 101r10–11) | – | – | – | + | – |
| 5. | «s'apirt au seteme» (f. 101r21) | + | + | + | – | + |
| 6. | «à l'onzeme jor» (f. 101v1) | – | – | – | – | – |
| ► 7. | «que c'est le lu et le termine» (f. 101v1–2) | – | – | – | + | – |
| 8. | «qui est de la grande ardur **do sancgue**» (f. 102r8–9) | – | + | ? | + | ? |

### g) Erläuterungen

Die Werte in Tabelle (3) zeigen deutlich, dass der *Fevres*-Text die weitaus meisten Kongruenzen mit der hebräischen Handschrift Va aufweist. Bei den Punkten 2., 4. und 7. – wahrscheinlich auch 3. – enthält Va als einziger Text mit *Fevres* übereinstimmende Passagen. Drei Punkte sollen im Folgenden detaillierter besprochen werden.

1.) Punkt 2. ist in zweifacher Hinsicht auffällig. Hier lesen wir erstens ein im hebräischen Text eingebettetes romanisches Wort, das sich in seiner Transkription mit derjenigen in *Fevres* deckt: Als Erläuterung für das hebräische רוק ('Sputum' f. 14b, l.5) schreibt der Autor אשקראקאמנט – *'ŠQR'Q'MNṬ* für *escrachement*; cf. אֶשְׁקְרַאקָאְמֵינְט – *'eŠQRa' Čə' MeYNṬ* in *Fevres* (f. 100v16). Die hebräische Übersetzung des *Liber febrium* beinhaltet aufgrund seiner Entstehung in Südfrankreich zahlreiche altokzitanische Termini der Medizin (cf. 1.2.1); im Altokzitanischen scheint jedoch **escrac(h)ament* ein Hapax legomenon zu sein.[118] Im Französischen ist der Terminus gemäß den Wörterbüchern erst seit ca. 1330 belegt.[119] Wir nehmen daher an, dass die beiden vorliegenden Texte in hebräischer Graphie die ersten schriftlichen Nachweise liefern. Die auffällige grafische Übereinstimmung zwischen der Variante in der hebräischen Übersetzung und der in *Fevres* und die sonst außerhalb der Überlieferungslinie mangelhafte Dokumentation des Wortes könnten als Hinweis auf einen Zusammenhang zwischen beiden Texten gedeutet werden. Zweitens sind die explizite Terminuserläuterung sowie die darauffolgende Aussage («il bote hors par acune ovrane») neben *Fevres* lediglich noch in Ms. Va vorhanden.

2.) In einem größeren Kontext erscheint der Text aus Punkt 7. in Tabelle (3) (in Tabelle 4 fett markiert). Der lateinische Text wird repräsentativ durch L zitiert, da sich hier die Mss nicht von dem Druck unterscheiden; die Texte der hebräischen Mss werden, um der für Romanisten leichteren Lesbarkeit willen, in der deutschen Übersetzung wiedergegeben:

**Tabelle (4)**

| ***Fevres*, f. 101r19–101v6** | **L, f. CCXVr, col. A** | **Va, f. 14v** | **P, f. 67r** |
|---|---|---|---|
| Mes se l'ecrachaz pase le quarte jor | Si aute*m* sputum quartam transierit diem: | Aber wenn das Sputum den vierten Tag überdauert | wenn sich das Erscheinen des Auswurfs verspätet und den vierten |
| que il ne jete point joc à seteme | | | oder den siebten (Tag) überdauert, |
| et il s'apirt à seteme | *et* in .vij. apparuerit | | |
| il nos ensene venat à l'onzeme jor **que c'est le lu et le termine** qui est à termine à senté por ce que adonc il est par nature meur et meus digeste. | | [...] zeigt seine Ankunft Genesung am Ort der Krise, der der Zeitpunkt für die Genesung ist, denn es ist gut gereift und verarbeitet. | |
| Sachez la senté se tarce à venir par l'etarcement de jeter l'ecrachaz qui se tarce à jeter joc à seteme jor. | futuram significat salutem esse in longo te*m*pore. | Eine Verspätung der Genesung ist gegeben, wenn das Sputum sich bis zum siebten Tag verspätet. | deutet es darauf hin, dass die Genesung fern ist. Das Erscheinen der Gesundheit geht zurück auf die Vollendung der Verarbeitung. Ihr Erscheinen nach langer Zeit und die Ferne der Gesundheit, [...] |

**118** LR (1–2, 505b): *escracar* 'cracher'; TdF (1, 663a): *crachamen* 'crachement'; TdF (1, 1005a): *escrachadisso* 'crachement fréquent'. Das Wort ist auch in anderen romanischen Sprachen in dieser Form nicht belegt.

**119** Cf. im *Altfranzösischen Glossar* (3.2) für Referenzen.

Die grafische Parallelsetzung inhaltlicher Entsprechungen macht zunächst deutlich, dass *Fevres* relativ ausführlich ist. Dies geschieht durch Hinzufügungen, die in Tabelle (4) unterstrichen dargestellt sind. Diese Hinzufügungen sind entweder erläuternd (bspw. «que il ne jete poent», Absatz 2 in Tabelle 4) oder liefern zusätzliche inhaltliche Informationen, wie etwa «à l'onzeme jor» (Punkt 6. in Tabelle 3 und 4. Absatz in Tabelle 4). Erläuternde Hinzufügungen stammen eventuell vom Übersetzer selbst; solche waren unter mittelalterlichen Übersetzern durchaus üblich (cf. auch Veit 2003, 190). Inhaltliche Zusätze könnten ebenfalls auf den Autor selbst zurückgehen; denkbar ist aber auch die Vorlage einer weiteren, hier unbekannten Quelle.

3.) Eine andere Beobachtung legt allerdings nahe, dass der Text aus Ms. Va nicht als alleinige Quelle in Betracht zu ziehen ist. Die Aussage «et il s'apirt a seteme» (Punkt 5. aus Tabelle 3 bzw. Absatz 3 in Tabelle 4) findet Entsprechungen in den lateinischen Mss, aber auch in der hebräischen Handschrift P. Das Wissen um den 'siebten Tag' ist zwar auch in Va präsent (cf. Absatz 5); an dieser Stelle (Absatz 5) wiederholt sich *Fevres*. Die Parallelität zu den lateinischen Texten in Absatz 3 ist aber so ausgeprägt, dass nicht davon ausgegangen werden kann, dass der Text aus Ms. Va als Quelle gedient hat und *Fevres* zufälligerweise an besagter Stelle mit dem Constantin-Text übereinstimmt. Alternativ, und eben doch zugunsten einer hebräischen Textvorlage in der Tradition des Constantin-Texts, wäre in Betracht zu ziehen, dass diese Stelle im Text Va fehlt, jedoch in der Kopie, die dem Verfasser von *Fevres* vorlag, präsent war.

Die ausgeprägtesten Divergenzen sind zum hebräischen Ms. Paris festzustellen. Neben den in Tabelle (3) aufgelisteten Abweichungen zeigt sich vor allem bei der Edition/Übersetzung des Texts unter 1.2.2.1e), dass P weitaus detailreicher beschreibt. Beispielhaft ist hier der das Kapitel einleitende Abschnitt zu nennen, der bei Constantin und in der gesamten weiteren Traditionslinie fehlt. Dass Constantin mit seinen Vorlagen oftmals großzügig verfuhr, wurde bereits gesagt (cf. 1.2.1). Die direkt auf dem arabischen Originaltext basierende hebräische Übersetzung, deren Text in P erhalten ist, blieb dagegen ihrer Quelle getreuer.

Insgesamt ist festzuhalten, dass sich kein eindeutiges Bild über die Vorlage von *Fevres* aus den präsentierten Vergleichen ableiten lässt. Zwar sind die meisten Übereinstimmungen mit dem hebräischen Text in Ms. Va gegeben. Die Gemeinsamkeit mit den lateinischen Handschriften (Punkt 5.) und das Auftreten von Teilen, die in keiner der vorliegenden Handschriften Parallelen aufweisen, verlangen Textvergleiche von weiteren Stellen aus dem Buch der Fieber.

### 1.2.2.2 Textvergleiche für den Abschnitt *Fevres*, f. 157r1–18 (*Emplastrum à l'estomaque*)

#### a1) Editionen der lateinischen Handschriften Ven und E und des Druckes L – Teil I

| **Ven, ff. 83r35–39**<br>(Liber IV, Kap. ix)<br>[Übersetzung aus dem Arab.] | **L, ff. CCXVIIv, col. B, l. 61–66**<br>(Liber IV, Kap. ix)<br>[Übersetzung aus dem Arab.] | **E, f. 82v col. A, l. 15–29**<br>(Liber IV, Kap. ix)<br>[Übersetzung aus dem Arab.] |
|---|---|---|
| Catapl*asme*mus stom*achum* ex (36) *ho* cataple*asmam*ate. ol*e*um mirtinu*m*. flores vitiu*m*. salices. pira. mala. panis (37) affricanus. | Cathaplasmem*us* stomachu*m* ex catha- (62) -plasmate. q*uod* *recipe* oleu*m* mirtinu*m* flores vitiu*m* salicu*m* pira mala pa- (63) -nem aphricanum | catapla*smemus* (16) stom*achum* ex *ho* catapa*s*-*ma*te. q*uod* *recipe* olei mirtini flores viti- (17) -*um* salices pira panis affricani. panis affrani sic (18) *con*ficitur p*ulue*rem simile ... p*ulue*rem pollinis a repi... (19) oleo modico re... ... ibi puluerem masticis (20) *et* ... cotian*us* *et* fac i*n* mat... pla... (21) ... longu*m* et latissi (22) coctu*m* ... (23) modio ... diliget coq... con... (24) ...adiutu*m* i*n* sto*macho* (25) q*uod* modificat ... aut finietur |
| cam*phoram*. *cum* equali pond*ere* *cum* aq*ua* ro*sata* tem*perata*. sto*macho* inponat*ur*. Utat*ur* (38) *ho* elact*uario*. Re*cipe* citonio*rum* purgato*rum* interius *et* ext*erius* *libram* .i. malo*rum* *et* piro*rum* (39) mundato*rum* .an*a* lib*ram* *dimidiam*. | camphora*m* cum equali pondere cum aqua (64) ro*sata* tem*pera* stomacho i*m*ponat*ur*. Utatur ho electuario. Re*cipe* cito- (65) -niorum purgatorum interius *et* exterius lib*ram* .j. malorum pi- (66) -rorum mundatorum .ana. lib*ram* *dimidiam*. | ... cam*pho*- (26) -... croci equale pondur h... *cum* aq*ua* ro*sata* tem*perata* sto*macho* *im*- (27) -ponatur utatur *ho* electuario. q*uod* *recipe* citonio*rum* *purga*- (28) -to*rum* interius *et* ext*erius* *libram*(?) malo*rum* *et* piro*rum* mundato*rum* a- (29) -n*a* *libram* *dimidiam*(?) |

## b1) Hypothetischer Text von *Fevres*, gemäß Edition in Kap. 2 – Teil II

| *Fevres*, f. 157r1–7 |
|---|
| (1) **Emplastrum** à l'estomaque: prenez ule (2) de mertile, fleurs de vigne, sace, (3) pomes egres pein afrique canfora merlé avecque eve (4) de roses et mis sur l'estomaque. Si li poöns (5) fere letuaure. Prenez des coins mondés (6) dedens et dehors une livre. Pomes et poires (7) mondées dedens et dehors une demi livre, |

## a2) Vorläufige Editionen der lateinischen Handschriften Ven und E und des Druckes L – Teil II

| **Ven, ff. 83r39–83v4**<br>(Liber IV, Kap. ix)<br>[Übersetzung aus dem Arab.] | **L, ff. CCXVIIv, col. B, l. 66–72**<br>(Liber IV, Kap. ix)<br>[Übersetzung aus dem Arab.] | **E, f. 82v col. A, l. 29–34**<br>(Liber IV, Kap. ix)<br>[Übersetzung aus dem Arab.] |
|---|---|---|
| coquant*ur* cu*m* aqua rosata. dein*de* pisten*tur* ut fia*n*t (83v1) quasi medulla serruppi rosati lib*ras* .ii. om*n*ia insimul coquant*ur* donec inspissari (2) incipiat. dein*de* pulu*er*is berberis .*drachmas* .ii. *et* spodii .*drachmam* .i. addito *et* dato *drachmas* .iii. *aut* .iiii. (3) cum serruppo uuar*um* agresti*um* ... [...] *Et* si egestio fu*er*it quasi lotura carnis (4) q*uod* sign*i*ficat contentua*m* uirtute*m* q*ue est* in epate esse defecta*m*. | Coquantur cum aqua ro*sata* dein- (67) -de pistentur vt fiant quasi medulla sirupi ro*sati* lib*ras* .ij. omnia in- (68) -simul cum aqua ro*sata* coquantur donec inspissari incipiant. (69) Deinde pul*ueris* berberis .d*rachmas* .ij. spodii *drachmam* .j. addito et dato .*drachmas* .iij. aut (70) iiij. cum siropo vuarum agrestium: aut mal*orum* gra*natorum et* aqua. Et (71) si egestio fuerit quasi lotura carnis: sig*nifica*t contentiuam vir- (72) -tutem que est in epate esse defectam. | coq*uan*tur *cum* aq*ua* ro*sata* dein*de* pistentur ut fiant (30) quasi medulla sirupi rosata *libras* ii omnia coq*uan*tur si- (31) -mul donec inspissari incipiant dein*de* puluis *ber*beris *drachmas* (32) ii. spodii .*drachmam*. i. addito *et drachmas*. iii. *cum* sirupo uuar*um* (33) agresti*um* *et* aq*ua* q*uod* si eg*esti*o fu*e*rit quasi lotura carnis si- (34) -fi*cat* con*tentiva* nature q*ue* *est* in epate esse defe*ct*am. |

**b2) Hypothetischer Text von *Fevres*, gemäß Edition in Kap. 2 – Teil II**

| ***Fevres*, f. 157r7–18** |
| --- |
| si (8) les bolez en eve rose, apres si le pilez tant (9) qui sont ben mol et pus si prenez dues livres (10) de sirop roget si bolez tot ensenble joc il (11) soiet epeis et pues si metrons dues dragmes (12) de berberis et quatre de espodi et pus si en (13) donez à malade tres dragmes o demi once (14) avecque sirop violes savages et eve. (15) Et quant la digestion it do malade si (16) come eve o char freche a eté lavé, ce (17) nos enseigne que la vertu retentive qui est au foie (18) est faillie. |

## c1) Editionen und Übersetzungen der hebräischen Handschriften Va und P – Teil I

| **Va, f. 16v48–51**[120]<br>[Übersetzung aus dem Lat.] | **Übersetzung** | **P, f. 82r16–22**[121]<br>[Übersetzung aus dem Arab.] | **Übersetzung** |
|---|---|---|---|
| (48) תחבושת<br>(49) אל איסטו'. שמן הדס רחי גפנים. ערבה. פרש. תפוחים. פת אפריקא. קמפורא.<br>(50) משקל שוה ומזוג במי רדים ישים על האיסטו' .. וירגיל המרקחת הזה. חבושים מנוקים<br>(51) מבית ומחוץ ליט תפוחים פרש מנוקים מבית ומחוץ חצי ליט'. | (48) Umschlag<br>(49) für den Magen: Öl der Myrte, Blüten des Weins, Weide, Birne, Äpfel, Afrika-Brot, Kampfer.<br>(50) Zu gleichen Teilen und gemischt mit Rosenwasser wird <er> auf den Magen gelegt. Und man wendet an diese Latwerge: Quitten, gereinigt<br>(51) von innen und von außen – ein Pfund, Äpfel, Birnen, gereinigt von innen und von außen – ein halbes Pfund. | ... ויןשם על<br>(17) האסטומ' תחבושת עשויה ממי[122] ההדס ופרח הגפן והערבה והאגסים<br>(18) והתפוחים והביסקווי המרוקק ומעט מכפור וזעפרן. יולש במי וורדים<br>(19) ויושם על האסטומ'. ועשה להם זאת המרקחת. ותארה. ילקח<br>(20) בשר הספרגל המנוקה מקליפתו ופנימו ליט' ובשר התפוחים המנוקים<br>(21) מקליפתם ופנימם. ובשר האגסים המנוקים מקליפתם ופנימם מ"א חצי<br>(22) ליט' | Und man lege auf den Magen einen Umschlag gemacht aus Myrtenöl und der Weinblüte und der Bachweide und Birnen und Äpfel und zerbröseltem Zwieback und ein wenig Kampfer und Safran. Man knete es in Rosenwasser und lege es auf den Magen. Und man bereite ihnen diese Medizin; hier die Beschreibung: Man nehme ein Pfund von dem von seiner Schale und seinem Inneren gereinigten Fruchtfleisch der Quitte und das Fruchtfleisch von ihren Schalen und Inneren gereinigten Äpfeln. Und von ihren Schalen und Inneren gereinigten Birnen, je ein halbes Pfund, |

120 Edition und Übersetzung: Gerrit Bos und Jessica Kley.
121 Edition und Übersetzung: Gerrit Bos und Rachelie Hefter.
122 Marginalie: שמן.

### d1) Hypothetischer Text von *Fevres*, gemäß Edition in Kap. 2 – Teil I

| *Fevres*, f. 157r1–7 |
|---|
| (1) **Emplastrum** à l'estomac: prenez ule (2) de mertille, fleurs de vigne, sace, (3) pomes egres pein afrique canfora merlé avecque eve (4) de roses et mis sur l'estomac. Si li poöns (5) fere letuaure. Prenez des coins mondés (6) dedens et dehors une livre. Pomes et poires (7) mondées dedens et dehors une demi livre, |

## c2) Editionen und Übersetzungen der hebräischen Handschriften Va und P – Teil II

| **Va, f. 16v51–55**<br>[Übersetzung aus dem Lat.] | **Übersetzung** | **P, f. 82r22–28**<br>[Übersetzung aus dem Arab.] | **Übersetzung** |
|---|---|---|---|
| יבושלו במי ורדים. ואחר<br>(52) כן יכתשו עד היותם כמו מוח ומאישרוב רושד ב' ליט' יבושל הכל יחד עד שיתעבה ונאבק<br>(53) עוד אבק ברבריש ב' אוק'. אשפודי אוק'. ונתן ממנו ג' אוק' אוד' אישרוב העשוי מן ויאולש<br>(54) מדבריות ומים. ואם התוצאות תהיינה כמו רחיצת בשר יורה שהכח המחזיק שהוא<br>(55) בכבד אפס. | Sie werden gekocht in Rosenwasser und danach<br>(52) zerstoßen, bis sie sind wie Mark und von Rosen-Sirup zwei Pfund; das Ganze wird zusammen gekocht, bis es sich verdickt, und<br>(53) wir stäuben dort hinein Pulver von der Berberitze – zwei Unzen, Spodium – eine Unze. Und man gibt davon drei Unzen oder vier mit Sirup, hergestellt von<br>(54) wilden Veilchen und Wasser. Und wenn die Ausscheidungen sind wie ein Bad von Fleisch, weist es darauf hin, dass die zurückhaltende Kraft, die<br>(55) in der Leber ist, versiegt ist. | יבושל זה במי הוורדים עד שיתעכל וידק וילקח מן הסוקרי הקשה<br>(23) שני ליט' ויושם על האש במים. ויבושל עד שיהיה כדבש ויושם עליו<br>(24) בשר הספרגל והאגסים והתפוחים: ויתנועע תמיד על אש רכה עד<br>(25) שיתבשל. ויקח מן הברברי ב' אונ'. ומן האפודיאו א' אונ' ישחק זה<br>(26) ויולש בו ויאצר וישתה ממנו ג' זוזים או ד' במשקה בוסר ומים קרים.<br>(27) ושם היה השלשול דומה ברחיצה הבשר הרך יורה זה על<br>(28) חלשת הכח המחזיק אשר בכבד. | koche dies in Rosenwasser bis es sich auflöst und dünnflüssiger wird und nimm von hartem Zucker[123] zwei Pfund und stelle es auf das Feuer in Wasser. Und koche es bis es wie Honig sei und füge das Fruchtfleisch der Quitte hinzu und der Birnen und der Äpfel und schwenke es immer auf niedrigem Feuer bis es kocht. und man nehme von der Berberitze zwei Unzen. Und von Spodium eine Unze, zerdrücke dies und knete es damit und lagere es und trinke davon drei Zuzim oder vier mit dem Saft unreifer Trauben und kaltem Wasser; und wenn der Durchfall weichem Fleisch ähnelt, das gewaschen wurde, weist dies darauf hin, dass die haltende Kraft in der Leber geschwächt ist. |

123 Eventuell *Kandis*?

### d2) Hypothetischer Text von *Fevres*, gemäß Edition in Kap. 2 – Teil II

| ***Fevres*, f. 157r7–18** |
| --- |
| si (8) les bolez en eve rose, apres si le pilez tant (9) qui sont ben mol et pus si prenez dues livres (10) de sirop roget si bolez tot ensenble joc il (11) soit epeis et pues si metrons dues dragmes (12) de berberis et quatre de espodi et pus si en (13) donez à malade tres dragmes o demi once (14) avecque sirop violes savages et eve. (15) Et quant la digestion it do malade si (16) come eve o char freche a eté lavé, ce (17) nos enseigne que la vertu retentive qui est au foie (18) est faillie. |

**e) Selektive Parallelen und Divergenzen zwischen den potenziellen Vorlagen und *Fevres***

Der Vergleich zwischen den Rezepten für das *emplastrum* ist hinsichtlich der Übereinstimmungen und Unterschiede zwischen den Rezeptzutaten, deren Bezeichnungen, den Rezeptanweisungen und den Maßeinheiten von Interesse. Daher werden in folgender Tabelle (5) die konkreten Lexeme oder inhaltliche Informationen einander gegenübergestellt bzw. ihr Fehlen durch ein «–» gekennzeichnet.

**Tabelle (5)**

| | *Fevres* | Ven | L | E | Va | P |
|---|---|---|---|---|---|---|
| 1. | prenez (157r1, 5, ...) | – | recipe (62)[124] | recipe (16)[125] | – | – |
| 2. | pomes egres (157r3) | mala (36)[126] | Mala | – | 'Äpfel' (49)[127] | 'Äpfel' (18)[128] |
| 3. | pein afrique (157r3) | panis affricanus (36–37) | panem aphricanum (62–63) | panis affricani[129] (17) | פת אפריקא – *PT 'PRYQ'* (49) | ביסקווי – *BYSQWWY* (18) |
| 4. | poires mondées dedens et dehors (157r6–7) | pirorum mundatorum (38–39) | pirorum mundatorum (65–66) | pirorum mundatorum (28) | 'Birnen, gereinigt von innen und von außen' (50–51) | 'Von ihren Schalen und vom Inneren gereinigte Birnen' (19–20) |
| 5. | sirop roget (157r10) | serruppi rosati (1) | sirupi rosati (67) | sirupi rosata [*sic*] (30) | 'Rosensirup'– אישרוב רוישד[130] (52) | 'Zucker' (22) |

124 Die Stellenangaben in dieser Spalte beziehen sich auf die Zeilen auf f. CCXVIIv, col. B.
125 Die Stellenangaben in dieser Spalte beziehen sich auf die Zeilen auf f. 82v, col. A.
126 Die Stellenangaben in dieser Spalte beziehen sich auf die Zeilen auf f. 83r (Z. 35–39) bzw. auf f. 83v (Z. 1–4).
127 Die Stellenangaben in dieser Spalte beziehen sich auf die Zeilen auf f. 16v.
128 Die Stellenangaben in dieser Spalte beziehen sich auf die Zeilen auf f. 89r.
129 Ms.: «panis affricani. panis affrani [*sic*]».
130 Man beachte das altokzit. Adjektiv *rosat* (רוישד – *RWŠD*), 'mit Rosen versehen, Rosen-' (LR 5, 114a), das auf eine Anfertigung der Kopie in Südfrankreich hindeutet (cf. Ferre/Veit 2009, 316).

**Tabelle (5)** (fortgesetzt)

| | *Fevres* | Ven | L | E | Va | P |
|---|---|---|---|---|---|---|
| 6. | espodi ('*eŠPWoDiY*) (157r12) | spodii (2) | spodii (69) | spodii (32) | אשפודי – '*ŠPWDY* (53) | אפודיאו – '*PWDY'W* (25) |
| 7a. | dragmes (157r11) | drachmas, drachmam (2) | drachmas, drachmam (69) | drachmas, drachmam (31, 32) | 'Unzen' (53) | 'Unzen' (25) |
| 7b. | dragmes, once (157r13) | drachmas (2) | drachmas (69) | drachmas (32) | 'Unzen' (53) | 'Zuzim' (26) |
| 8. | sirop violes savages (157r14) | serruppo uuarum agrestium (3) | siropo vuarum agrestium aut malorum granatorum (69) | sirupo uuarum agrestium (32–33) | 'Sirup, hergestellt von wilden Veilchen' (53–54) | 'saures Getränk' (26) |

## f) Erläuterungen

Das Rezept für den Bauchumschlag bestätigt die unter 1.2.2.1 getroffenen Beobachtungen teilweise: Zwischen den beiden lateinischen Texten Ms. Va und L, *Fevres* und dem hebräischen Text aus Ms. Va lassen sich, wie im vorangegangenen Stellenvergleich oft nur geringfügige Abweichungen voneinander feststellen; die Abhängigkeit dieser drei Übersetzungen wird somit erneut untermauert. Die größten Abweichungen hingegen ergeben sich erneut zum Text aus Ms. P. In den folgenden – beispielhaft ausgesuchten – Punkten stimmen die lateinischen Texte, *Fevres* und Ms. Va, überein und grenzen sich gleichzeitig von P ab:

1.) Die Rezeptzutat *Zwieback* (Punkt 3.) wird in *Fevres*, Ven, L, E und Va mit Formen des salernitanischen Ausdruckes *panis aphricanus* (lateinische Mss) bzw. dessen Lehnübertragungen frz. *pein afrique* (*PeYYN 'aFRiYQə'*, *Fevres*) und hebr. פת אפרייקא – *PT 'PRYQ'* (Ms. Va), beide wörtlich 'Afrika-Brot', wiedergegeben.[131] Die Verwendung des sonst selten belegten Ausdrucks spricht zunächst für eine Abhängigkeit dieser Texte untereinander. In P erscheint dagegen die romanische Variante ביסקווי – *BYSQWWY*, die wahrscheinlich altokzitanisch (oder katalanisch) **bescui*, 'Zwieback' (FEW 2-2, 1164b *bescuit*; DECLC 2, 1020b *id.*), hier ohne finales [t], wiedergibt.[132]

131 Zu weiterer Diskussion cf. 1.6.5.2.

132 Zu okzitanischen Elementen in den hebräischen Handschriften cf. Ferre/Veit (2009, 316).

4.) P nennt als weitere Rezeptzutaten זעפרן ('Safran'), die in *Fevres*, Ven, L, E und Va fehlen.

5.) *Fevres*, Ven, L, E und Va lassen *Rosensirup* verwenden, während P *Zucker* zusetzen lässt (Punkt 5.).

Wenngleich *Fevres*, die lateinischen Mss und Va mehrere Parallelen aufweisen, durch die sie sich von P abgrenzen, so muss eine klare Ausnahme für die lateinische Übersetzung in Ms. E gemacht werden, die eine zusätzliche eingeschobene Passage beinhaltet: In f. 82v col. A., l. 17–25 erscheinen weitere Inhaltsstoffe und die Anweisung für einen weiteren Bauchumschlag. Da dieser Teil auch in der hebräischen Handschrift P fehlt – diese stimmt an besagter Stelle mit den übrigen Mss überein –, wird davon ausgegangen, dass es sich bei dem eingeschobenen Rezept um einen eigenen Zusatz des Autors oder um die Einarbeitung einer weiteren unbekannten Quelle handelt. Da der Autor von *Fevres* diesen Teil nicht übersetzt hat, sondern der Textlinie der Mss Ven, L und Va folgt, kommen diese als mögliche Vorlagen in die engere Auswahl. In Ms. E fehlt überdies das Simplex *Äpfel* (Punkt 2. in Tabelle 5). Die Handschrift wird für die folgenden Textvergleiche nicht mehr herangezogen. Dasselbe gilt für Ms. P, das sich erneut als diejenige Handschrift erwiesen hat, deren Text stark von demjenigen von *Fevres* divergiert. Es stellt sich nun die Frage, ob bereits unter den in der Auswahl verbleibenden Textvorlagen Tendenzen abzulesen sind. In Tabelle (5) können folgende Punkte ausgemacht werden, die für eine nähere Verwandtschaft zwischen *Fevres* und den lateinischen Quellen sprechen:

1.) Bei der Anweisung des Vorgehens leiten *Fevres* und L – zudem E, das jedoch bereits ausgeschlossen wurde – explizit die Rezeptzubereitung mit «prenez» (*Fevres*) bzw. «recipe» (L) ein (Punkt 1.). Die Aufzählung der Zutaten erfolgt in Va (und in P) ohne besagte Einleitung.

2.) Die Maßeinheiten konvergieren in den lateinischen Texten und *Fevres*: Sie geben an entsprechenden Stellen die Quantitäten der *Simplicia* in der Einheit *Drachme* wieder (Punkt 7a); abweichend davon nennt Va die Mengenangaben in der Einheit *Unze*.[133] Unter Punkt 8b ist zwar zu sehen, dass in *Fevres* «demi once» (f. 157r13) anstelle von «drachmas [...] .iiij.» (L, ebenso die lateinischen Mss) erscheint; dies entspricht aber derselben Menge. Va hingegen nennt an dieser Stelle 'vier Unzen', also etwa die achtfache Menge.[134]

Auf der anderen Seite lassen sich Parallelen zwischen *Fevres* und Va feststellen, die gleichzeitig eine Diskrepanz zu den lateinischen darstellen. In

---

**133** Acht Drachmen entsprechen einer Unze, zwölf Unzen einem Pfund. Der Zuz deckt sich in etwa mit der Menge einer Drachme (≈ 3,7 g; cf. Glossare in 3; Veit 2003, 180).

**134** Abschreibefehler bei Mengenangaben sind häufig (cf. Veit 2003, 186s.).

Tabelle (5) sind in dieser Hinsicht die Punkte 4. und 8. von Interesse: Die Präzisierung der Reinigung der Früchte ‹von innen und von außen›[135] erscheint neben *Fevres* nur in den hebräischen Mss (Punkt 4.). Unter Punkt 8. ist abzulesen, dass *Fevres* und Va den *Sirup wilder Veilchen* anwenden lassen; Ven, L und E – im Übrigen auch P! – nennen den *Sirup wilder Weintrauben.*[136]

Abschließend lässt sich kein klares Urteil fällen. Zwar können die in dieser Arbeit gesichteten potenziellen Quellen auf die Texte des lateinischen Druckes L und der hebräischen Hs Va reduziert werden. Von diesen beiden kann jedoch keine Vorlage als die endgültige erkannt werden, da *Fevres* Parallelen und Divergenzen zu beiden aufweist. In dem nun folgenden letzten Textvergleich wird eine Stelle aus *Fevres* denen aus L und Va gegenübergestellt, um eventuell weitere Anhaltspunkte zu erhalten.

---

**135** Dass damit das Entfernen der Schale und des Kerngehäuses gemeint ist, erfahren wir durch das hebräische Ms. P.

**136** Mit der Alternative *von Granatäpfeln* in L.

### 1.2.2.3 Textvergleiche für den Abschnitt *Fevres*, ff. 168r7–169r11 (*La cause de ictiricia*)

#### a) Vorläufige Transkription des Druckes L und hypothetischer Text von *Fevres*, gemäß Edition in Kap. 2

| **L, f. CCXVIIIv, col. A, l. 18–42**<br>(Liber IV, cap. ix)<br>[Übersetzung aus dem Arab.] | ***Fevres*, ff. 168r7–169r11** |
|---|---|
| (18) Item ca*usa* yctericie q*ue* fit propter epar q*ui*nq*ue* modis fit. [...] | (7) Uncores la cause (8) de ictiricia que se fet au foie (9) ele vent par cinque maneres. [...] |
| (28) **Tertio** est de vi*r*tutis expulsiue defectio*n*e q*uae* manet in (29) epate non pote*n*s a se ad fel choleram expellere: vnde pe*r*ma- (30) -nens in epate augmentatur: *et* mixta cu*m* sanguine exteriora (31) corpo*r*is tingit: exit t*u*nc egestio *et* vrina naturaliter. Color etia*m* (32) huius ycter*i*cie est clarus: quia sanguis est digestus *et* pur- (33) -gat*us* ab vtraq*ue* *cholera* et phleg- (43) -mate. [...] | (168v7) **La terze** cause si est de la fate (8) de vertu polsative quant ele demeure au (9) foie le foie ne peut enchacer de li (10) la colera au fel et quant ele demeure au foie (11) ele se monteplie et se mele aveque (12) le sanc et teine tot le cors à dehors. (13) Et uncore quant la grant orine et (14) la petite orine si veit naturement (15) et la jaunice si est uncore etent (16) en un point et le sanc est digeste (17) et mondé de tote fleume et colera. [...] |
| (36) **Qui*n*to** de oppilatione vie q*uae* ducit *choleram* ad stomachu*m*. (37) vn*de* no*n* pot*e*st ab epate ad splene*m* fluere. coadunata igit*ur* in epa- (38) -te cum sanguine iuncta tingit cutem. Preterea nigra ycteri- (39) -cia fit aliqua*n*do propter defectione*m* virtutis appetitiue (40) est in splene *et* cu*m* deficiat fecem sanguinis trahere ad se: qu*i*b*us* (41) in sanguine pe*r*manentib*us*: sanguis turba*n*t. *et* superficie*m* cutis (42) denigrat. | (22) **Le cinqueme** si (23) est (169r1) oplacion c'est etopement en la voie par o (2) la colera veit en l'estomaque. Donc sachez (3) quant cele colera est ensenble au foie (4) et ele se ajoste aveque le sancgue (5) ele teint le cuir por ce est le ictiricia (6) noire par la defaut de vertu apetativa (7) de manger qui est en l'eplen quant il faut (8) desacher à li le lies et le troble do sancgue (9) donc demeurent il au sancgue si devent (10) le sancgue troble et noir et nercit à dehors (11) le cors. |

**b) Edition und Übersetzung der hebräischen Handschrift Va und hypothetischer Text von *Fevres*, gemäß Edition in Kap. 2.**

| **Va, f. 17v26–39**[137]<br>[Übersetzung aus dem Lat.] | **Übersetzung** | ***Fevres*, ff. 168r7–169r11** |
|---|---|---|
| (26) ועוד סבת איקטריסיא העשויה בכבד (27) בחמישה ענינים. [...] | (26) Und weiter kann die Gelbsucht, die in der Leber entsteht, verursacht werden (27) durch fünf Dinge. [...] | (7) Uncores la cause (8) de ictiricia que se fet au foie (9) ele vent par cinque maneres. [...] |
| (32) **השלישי** הוא מאפיסת הכח הדוחה אשר בהשארו (33) בכבד אינו יכול לדחות מעליו האדומה אל המרה ובהשארה בכבד נוספת ומתערבת עם הדם ותצבע (34) חיצוני הגוף. ועוד בצאת התוצאות והשתן בענין תולדי וצבע ההדרוקן[138] הזה הוא בהיר בעבור (35) שהדם מעוכל ונטהר מכל ליחה אדומה ולבנה. [...] | (32) **Das dritte** ist das Versiegen der austreibenden Kraft, die, wenn sie (33) in der Leber bleibt, die gelbe <Galle> nicht von sich zur Galle<nblase> abzustoßen vermag, und wenn sie in der Leber bleibt, vermehrt sie sich und mischt sich mit dem Blut und färbt (34) das Äußere des Körpers. Und wenn das Austreten des Stuhls und des Urins auf natürliche Weise geschieht und die Farbe dieser Gelbsucht klar ist, (35) [dann,] weil das Blut verdaut und von aller gelber Galle und Schleim gereinigt ist. [...] | (168v7) **La terze** cause si est de la fate (8) de vertu polsative quant ele demeure au (9) foie le foie ne peut enchacer de li (10) la colera au fel et quant ele demeure au foie (11) ele se monteplie et se mele aveque (12) le sanc et teine tot le cors à dehors. (13) Et uncore quant la grant orine et (14) la petite orine si veit naturement (15) et la jaunice si est uncore etent (16) en un point et le sanc est digeste (17) et mondé de tote fleume et colera [...] |
| (36) **החמישי** מסתימת הדרך (37) המביא האדומה אל האסט' אם כן בהתאספה בכבד ומחוברת אל הדם יצבע העור ועל כן תהיה איקטריסיא (38) שחורה מפני אפיסת הכח החפץ לאכול שהוא בטחול בהיותו אפס | (36) **Das fünfte**: von der Verstopfung des Weges (37) auf dem die gelbe <Galle> zum Magen kommt. Wenn sie sich in der Leber ansammelt und sich mit dem Blut vermischt, färbt sie die Haut. Und daher ist die Gelbsucht (38) schwarz: Wegen des Versiegens der Kraft des Verlangens zu verarbeiten, die in | (22) **Le cinqueme** si (23) est (169r1) oplacion c'est etopement en la voie par o (2) la colera veit en l'estomaque. Donc sachez (3) quant cele colera est ensenble au foie (4) et ele se ajoste aveque le sancgue (5) ele teint le cuir por ce est le ictiricia (6) noire par la defaut de vertu apetativa (7) de manger qui est |

137 Transkription und Übersetzung: Jessica Kley.

138 Kopistenfehler. הדרוקן ('Wassersucht') müsste zugunsten von ירקון ('Gelbsucht') emendiert werden (G. Bos).

(fortgesetzt)

| **Va, f. 17v26–39**<br>[Übersetzung aus dem Lat.] | **Übersetzung** | ***Fevres*, ff. 168r7–169r11** |
|---|---|---|
| למשוך לעצמו שמרי הדם אשר (39) בהשארם בדם יהיה בלול וישחיר חיצוני הגוף [...] | der Milz ist, wenn sie aufgehört hat zu sich zu ziehen die Sedimente des Blutes; (39) durch ihr Verbleiben im Blut wird es vermischt und färbt das Äußere des Körpers schwarz. | en l'eplen quant il faut (8) desacher à li le lies et le troble do sancgue (9) donc demeurent il au sancgue si devent (10) le sancgue troble et noir et nersit à dehors (11) le cors. |

#### c) Selektive Parallelen und Divergenzen zwischen den potenziellen Vorlagen und *Fevres*

Der Textvergleich dieser medizintheoretischen Passage zeigt, dass hier kaum Divergenzen zwischen den Quellentexten und *Fevres* festzustellen sind. Eine Auffälligkeit bezieht sich auf den lateinischen Druck L, die in f. CCXVIIIv, col. A, l. 37 die zusätzliche Information

(1) vn*de* no*n* pot*es*t ab epate ad splene*m* fluere

erhält, die in *Fevres* und Va nicht vorhanden ist. *Fevres* enthält zum Teil kleinere erläuternde Worteinschübe, die mit ziemlicher Sicherheit auf den Autor selbst zurückgehen, z. B.

(2) en un point (f. 168v16).

Erwähnenswert im Hinblick auf eine Textverwandtschaft ist eventuell noch der sonst in der altfranzösischen Literatur nicht dokumentierte Terminus **vertu apetativa de manger* in *Fevres* (f. 169r6–7), der ein *calque* des hebräischen כח החפץ לאכול, wörtlich: 'Kraft des Verlangens zu verarbeiten' (f. 17v38), zu sein scheint. Im lateinischen Constantin-Text lesen wir hier in L *virtutis appetitiue* (f. CCXVIIIv, col. A, l. 39), 'appetitive, verlangende Kraft'. An anderer Stelle in *Fevres* (f. 169v14) steht wiederum *vertu apetitive* ohne «de manger» (cf. s. v. *vertu* im *Altfranzösischen Glossar*, 3.2.). Die (bilinguale) Lehnformung **vertu apetativa de manger* (cf. 1.6.5.3.) kann als Hinweis für eine Abhängigkeit von *Fevres* vom hebräischen Text in Ms. Va gedeutet werden.

Zusammenfassend können für den Textvergleich dieses Abschnittes über die Ursachen von Gelbsucht mehr Argumente für den hebräischen Text als Vorlage für *Fevres* ermittelt werden.

### 1.2.2.4 Textvergleiche für den Abschnitt *Fevres*, ff. 239r5–240v25 (*L'ede et le consel Isac à la cartene*)

#### a) Edition des Druckes L und hypothetischer Text von *Fevres*, gemäß Edition in Kap. 2

| **L, f. CCXXIV, col. A, l. 21–67**<br>(Liber V, cap. xiiij)<br>[Übersetzung aus dem Arab.] | ***Fevres*, ff. 239r5–240v25** |
|---|---|
| (21) **De febre quartana *et* eius cura**. Cap*itulum* .xiiij.<br>(22) Quartana febris q*ue* fit de materia grossa *et* dura (23) vt perfecte curet op*us* medicu*m* inuestigare *et* consi- (24) -derare cura*m* ei*us* *et* conuidere q*ua*ttuor res: qua*rum* vna (25) est: in initio no*n* det re*m* nimiu*m* calefactiua*m* ne cale- (26) -faciat materia*m* *et* inde due febres generent: vna (27) videl*icet* interpolata *et* diuturna: *et* alia acuta *et* co*n*tinua: quib*us* (28) virt*us* patie*n*tis deficiat *et* ipse infirmus subeat p*er*iculu*m*. natura (29) e*u*m no*n* ta*n*te v*ir*tutis est vt possit morbi acume*m* eius *cum* *com*plixitate (30) tolerare. | (5) **Veci l'ede et le consuel Isac à la cartene.** (6) Por ce que la carteine est fete de matire dure et grose (7) por ce doit le fusicien le consuel trover et enquere (8) par avis et s'aviser de quatre choses. Li une (9) si est do primer en le comencemet l'en ne doit (10) li doner nule choses trope chaudes car par ce poret (11) la matire etre echafée otre nature si (12) engendroit en ce malade dues fevres. Li une (13) fevre si sera enterpolata c'est entermelé de (14) plusurs omurs et sera longue. Et la segonde (15) si sera contenue et ague et par ce degatroit (16) la vertue et se amenroit le malade à peril de mort. (17) Car la nature n'est pas de si grant vertu que ele (18) puse sofrir la maladie qui est ague et la lonjur (19) de li. |
| Sec*und*a ne det frigida ne co*n*gele*n*t *et* materia*m* coagu- (31) -le*n*t. vn*de* indure*n*t *et* more*n*t ad digere*n*du*m*: fiat q*ua* *causa* plixi morbi et (32) eius pessimitatis. | Et le segont si est nos ne deens doner (20) nules choses froides qui il ne font la matire (21) trop grose si se cailleroit par la froideur de la (22) medecine ce seroit cause et rusement (23) de digestion et cete cause fet longe maladie et (24) mavaise et perileuse durement. |
| Tertia ne consumat aut debile faciat cor- (33) -pus cu*m* subtilitate diete *et* abstine*n*tia: q*ue* *causa* faciat mutare pa- (34) -tiente*m* ad ethica*m* *et* phthysim. | (239v1) La terze si est tele que il ne detruce le cors par (2) viandes froides et sotives c'est à dire se (3) il avoit carteine longe il se voroit (4) tenir à ligere diete et à froide la matire (5) devenroit grose par la fredeur que ele ne poroit (6) etre meure et par la menue diete que il (7) tent si etroitement si se change la maladie (8) tant que il chet en itique et en tisis. |

| | |
|---|---|
| Quarta ne co*n*fundat corpus cu*m* (35) pharmacia *et* maxime in initio morbi prius*quam* materia morbi (36) eliquet*ur*: *et* fit inobedie*n*s actioni nature. S*ed* op*us* medicu*m* ma- (37) -gnu*m* habere studiu*m* in sua actio*n*e vt det re*m* maturante*m* *et* dige- (38) -rente*m* *et* cito eijciente*m*: *et* conueniet[139] purgare cathamodicu*m* ma- (39) -teria*m* cu*m* leui vomitu: studeat etia*m* in regimine *et* co*n*fortatione (40) splenis *et* epatis: *quare* epar generat sanguine*m* *et* mu*n*dificat eu*m*. (41) Q*uia* si defecerit eu*m* *quod* no*n* purificauerit: permanet co*m*mixt*us* cu*m* (42) putridis humoribus: vn*de* ipse putresit *et* ince*n*ditur: Sple*n* aute*m* (43) *qui* trahit fece*m* *et* turbiditate*m* sanguinis si defecerit per*m*anens (44) fex in sanguine corru*m*pit: vnu*m* ide*m* sanguis putresit *et* ince*n*dit. | (9) La quarte reson si est itele que il (10) ne detruce le cors par medecines laxatives (11) et pus tot se doit il garder que il ne li (12) done en l'ecomencement de la maladie avant (13) que la matire soit fluant et avant que ele (14) soit declineant à l'euvre naturée. (15) Et nos volons aviser en cete fevre de li doner (16) choses atendrisans et maturatives (17) et hatives à iter do cors. Si li donrons (18) sovent ligere vamite à jor de la sese à matin (19) ausi nos volons traveler mont à meter (20) consuil à foie et à l'eplen à le dieter (21) et à le conforter. Car le foie si norit sanc (22) et il le purge si le monde et se il (23) est feble et defalaine il donc ne le peut (24) monder par sa feblece se li sanc qui mavois (25) est si demeure au foie si se merle avecque (26) omeurs pories par quoi il meimes porit (240r) et devent ars et brulé et change nature do tot (2) en mavoité. Asi vos motre je de l'eplen (3) quant il est defalant et feble de à li trere (4) le lies do sanc et demeure la lie au sanc si (5) detruet la sanc et devent troble donc porit (6) le sanc si ça s'arte et se art par cete (7) reson que j'ai dit. |
| (45) Hac de ca*usa* vtilissima huius febris hec est curatio vt *dent* oxi- (46) -zaccara cu*m* apozimate radicu*m* *et* herbar*um* *et* sirupo absinth. tro- (47) -ciscus de eupatorio *et* scolope*n*dri*o*. *et* de reubarbaro. Op*us* etia*m* ne (48) trocisci in initio dent ne desicce*n*t hu*m*iditate*m* materie: *et* indu- (49) -re*n*t ad obedie*n*du*m* nature: s*ed* co*n*uenit dare post*quam* materia fue- (50) -rit maturata. Abstinea*n*t a pullis gallinaceis starnis[140] p*er*dicib*us* (51) per tres hebdomadas initiatis febribus ne cu*m* vnctuosita- (52) -te carnis calefiat *et* vrat feb*ris*. *quare* vnctuosum in feb*ris*. est quasi (53) oleu*m* i*n* lucerna. Q*uare* si materia no*n* fuerit maturata p*er* illas tres (54) septimas abstinentia*m* habea*n*t vs*quam* ad .xl. dies: si virtus patie*n*- (55) -tiu*m* pati valeat. | **Le consuel qui** (8) mues vauret à cete fevre (9) ce seroit de li doner. Oxizacra avecque (10) une decoccion qui est fete des racines des (11) erbes avecs sirop de apsention. Et (12) trocisci d'eupatori. Et d'escolopendrée. (13) Et si li metez rebarbe. Mes (14) en l'ecomencement de la maladie ne li donez (15) par quoi ne sechisent l'omeur devenra la matire (16) dure et pesante à etre decliné à la nature. (17) Mes nos li donrons apres que la matire (18) est digeste. Si li defendromes des poles (19) et des pertris et des atres osias à manger (20) quatre semenes par quoi le fevre ne s'echaufe (21) et la matire devenra arse. Et se la (22) matire n'est digeste en les quatre semenes (23) si li defendromes que il se garde des cars (24) desus dites juc à quarante jors la (25) vertu est si bone et si forte que il le puse (26) sofrir. |

**139** *conueniet*: em. ed.; L: *ingeniet*.
**140** Für *sturnis*.

(fortgesetzt)

| **L, f. CCXXIV, col. A, l. 21–67**<br>(Liber V, cap. xiiij)<br>[Übersetzung aus dem Arab.] | ***Fevres*, ff. 239r5–240v25** |
|---|---|
| Et q*uare* hec feb*ris* de *humorum* inc*ensio*ne gnat*ur* .i. sa*n*gui- (56) -nis phlegmatis *et* cholere rubee op*us* discerni de ho*rum* quo hu- (57) -moru*m* fit gnata vt cure*n*t put(?) op*us*: vn*um* inu-estige*n*t vtru*m* an*te* ha*n*c (58) febre*m* fuerit sanguinole*n*ta feb-*ris* aut sanguinei morbi: aut co*m*- (59) -plexioni infirmi dominet sanguis *et* vene ei*us* sint plene pul- (60) -sus latus spissus vrina rubea *et* spissa *et* in ore eius dulcis sa- (61) -por te*m*p*us* ver aer calid*us*. *et* humid*um*. somn*us* patie*n*tis grauis sitis (62) parua patie*n*s ma*n*suetus *et* pacificus: intelligimus e*u*m fieri de (63) sanguis ince*n*sio*ne*. | (240v1) Por ce que cete fevre est norie de l'ardeur des omeurs (2) de sanc et de fleume et de colera nos volons enquere de quele (3) chose et de quele omeur ele est norie et nos (4) enqueromes en de quele manere comente. Je le vos (5) dirai se la fevre est de sanc que le malade est (6) sanguin o que sanc est potant à la conplesion do malade (7) donc est les conduis sont plein et le pos est large (8) et epeis. Et l'orine est roge et epese. Et le (9) boche est doce. Et le tens chaut c'est le tens (10) de ver c'est *LTQWPT NYSN* et l'aer est chaut et (11) moite. Et le dormir do malade est pesante (12) et la soef de li est petite. Et le malade si (13) se men-tent coiement. Et quant sont trovés (14) totes ces enseignes donc por certein que ele (15) est fete de l'ardur do sanc. |
| Q*uare* si ha*n*c feb*ris* tertiana an*te*cesserit aliusve cho- (64) -leri-cus morb*us* *et* patie*n*s fuerit iuuenis macile*n*tus cholericus (65) pulsus acutus *et* velox vrina rufa *et* ignea sitis nimia et vigi- (66)- lie iracu*n*dus *et* intolerabilis te*m*pus etas *et* aer *et* regio calida et (67) sicca: intellegimus ea*m* esse de incensione chole-*re* rub*e*. | Et se (16) fevre terce s'est avancie devant que cete (17) carteine venit o atre omeur chaude et le (18) malade est ensarté et sec et si est colrics (19) et le pus est ague trenchant et hatif (20) et l'orine est rose et enflanbée. Et (21) la soef est grande et fort. Et ne dort point. (22) Si est mont irus et coroçus. Et le (23) tens d'esté. Et l'aer et la contrée (24) et le pais son sec. Tonc devez savoer (25) que cete carteine est engendrée de colera. |

### b) Edition und Übersetzung der hebräischen Handschrift Va und hypothetischer Text von *Fevres*

| **Va, f. 25r27–53**[141] [Übersetzung aus dem Lat.] | **Übersetzung von Va** | ***Fevres*, ff. 239r5–240v25** |
|---|---|---|
| (27) מעזר הרביעית: בעבור שהרביעית נעשת בטבע גס וקשה (28) יאות אל הרופא לחפש עזרתה ולראות ארבעה דברים האחד אשר (29) בתחלה לא ינתנו דברים חמים מאד כדי שלא יתחרר הטבע ונולדות שם שתי קדחות. | (27) Von der Heilung [lit.: Hilfe] der Quartana: Weil Quartana durch Materie von grober und harter Natur entsteht, (28) muss der Arzt Heilung dagegen suchen und vier Dinge beachten. Das eine ist, (29) dass am Anfang keine sehr heißen Dinge gegeben werden, damit sich die Natur (des Patienten) nicht erhitzt und dort zwei Fieber entstehen. | (5) **Veci l'ede et le consuel Isac à la cartene.** (6) Por ce que la carteine est fete de matire dure et grose (7) por ce doit le fusicien le consuel trover et enquere (8) par avis et s'aviser de quatre choses. Li une (9) si est do primer en le comencemet l'en ne doit (10) li doner nule choses trope chaudes car par ce poret (11) la matire etre echafée otre nature si (12) engendroit en ce malade dues fevres. Li une (13) fevre si sera enterpolata c'est entermelé de (14) plusurs omurs et sera longue. Et la segonde (15) si sera contenue et ague et par ce degatroit (16) la vertue et se amenroit le malade à peril de mort. (17) Car la nature n'est pas de si grant vertu que ele (18) puse sofrir la maladie qui est ague et la lonjur (19) de li. |
| האחת (30) אינטר פולטא זהו מעורבת וארוכה והאחרת אין מפסקת ומחדדת זהו טנטיטאה ובהם יבלה (31) הכח ויבא החלה לסכנה כי התולדת אינו מכח גדול שיוכל סבול חדוד החולי ואריכותו | Das eine ist (30) *interpolata* ('YNṬR PWLṬ'), d. h. gemischt und lang, und das andere ist ununterbrochen und scharf, d. h. ṬNṬYṬ'H, und durch sie nutzt sich die (31) Kraft ab, und der Kranke kommt in Gefahr, denn die Natur (des Patienten) hat nicht [so viel] an großer Kraft, dass sie die Schärfe und Länge der Krankheit ertragen könnte. | |
| השני (32) שלא יתן דברים קרים פן יקפיאו ויקרישו הטבע מאשר יתעכב לבשל ונעשה סבה מחולי (33) ארוך ורע מאד. | Das zweite ist, (32) dass er keine kalten Dinge gibt, damit sie nicht die Natur (des Patienten) erfrieren und erstarren lassen, wodurch sie daran gehindert wird, [die Körpersäfte] zu kochen, und es entsteht der Grund einer (33) langen und sehr schlimmen Krankheit. | Et le segont si est nos ne deens doner (20) nules choses froides qui il ne font la matire (21) trop grose si se cailleroit par la froideur de la (22) medecine ce seroit cause et rusement (23) de digestion et cete cause fet longe maladie et (24) mavaise et perileuse durement. |

141 Edition und Übersetzung: Gerrit Bos und Veronika Roth.

(fortgesetzt)

| Va, f. 25r27–53<br>[Übersetzung aus dem Lat.] | Übersetzung von Va | *Fevres*, ff. 239r5–240v25 |
|---|---|---|
| השלישי שלא יחבל וישחית הגוף במאכלים דקים ובשמור רב תהיה סבה (34) להחליף החולה באתיקא ובטישים. | Das dritte ist, dass man den Körper nicht schädigt und zerstört durch dünne Lebensmittel und durch lange Abstinenz damit kein Grund entsteht, (34) damit [der Fieber des] Patienten sich nicht in hektischem Fieber verwandelt und er nicht an phtysis erkrankt. | (239v1) La terze si est tele que il ne detruce le cors par (2) viandes froides et sotives c'est à dire se (3) il avoit carteine longe il se voroit (4) tenir à ligere diete et à froide la matire (5) devenroit grose par la fredeur que ele ne poroit (6) etre meure et par la menue diete que il (7) tent si etroitement si se change la maladie (8) tant que il chet en itique et en tisis. |
| הרביעי שלא יחבל וישחית הגוף עם כבוסים ויותר בתחלת (35) החולי בטרם שיהיה טבע החולי נזול ושיהיה נכנע אל התולדת. ויאות לעיין מאד בפעולת (36) הקדחת הזאת אשר דברים מרככים ומבשלים וממהרים לצאת ינתנו אלא אשר (37) יגרשו הטבע מעט מעט בקיא נקל גם יאות להשתדל מאד במסעד הכבד והטחול ובחזוקם (38) כי הכבד מוליד דם ומטהר אותו אך אם יהיה אפס ולא יטהרנו ישאר מעורב עם ליחות בלויות (39) ו<י>אשר יבלה הוא עצמו ויהיה נשרף וחרוך. ואם הטחול אפס שהוא מושך שמרי הדם ומשחית (40) כלכולו אז יבלה הדם ויתחרך ובסבה | Das vierte ist, dass man den Körper nicht schädigt und zerstört mit Purgiermitteln am Anfang (35) der Krankheit, bevor die Materie der Krankheit flüssig ist und sich der Natur unterwirft. Man sollte in der Behandlung [lit.: Handlung] (36) dieses Fiebers genau darauf achten Medikamente zu geben, die weich und reif machen und die schnell abgeführt werden; man soll das geben (37) was die Materie langsam heraus treibt durch leichtes Erbrechen. Man sollte sich auch sehr bemühen um die richtige Nahrung der Leber und um ihre Stärkung, (38) denn die Leber bringt Blut hervor und reinigt es, aber wenn sie schwach wird, bleibt es gemischt mit den verfaulten Körpersäften (39) und es verfault und wird verbrannt und versengt. Und wenn die Milz, die die Ablagerungen des Blutes anzieht und deren Erhaltung zerstört, schwach wird, (40) dann verfault das Blut und verbrennt. | (9) La quarte reson si est itele que il (10) ne detruce le cors par medecines laxatives (11) et pus tot se doit il garder que il ne li (12) done en l'ecomencement de la maladie avant (13) que la matire soit fluant et avant que ele (14) soit declineant à l'oevre naturée. (15) Et nos volons aviser en cete fevre de li doner (16) choses atendrisans et maturatives (17) et hatives à iter do cors. Si li donrons (18) sovent ligere vamite à jor de la sese à matin (19) ausi nos volons traveler mont à meter (20) consuil à foie et à l'eplen à le dieter (21) et à le confor-ter. Car le foie si norit sanc (22) et il le purge si le monde et se il (23) est feble et defalaine il donc ne le peut (24) monder par sa feblece se li sanc qui mavois (25) est si demeure au foie si se merle avecque (26) omeurs pories par quoi il meimes porit (240r) et devent ars et brulé et change nature do tot (2) en mavoité. Asi vos motre je de l'eplen (3) quant il est defalant et feble de à li trere (4) le lies do sanc et demeure la lie au sanc si (5) detruet la sanc et devent troble donc porit (6) le sanc si ça s'arte et se art par cete (7) reson que j'ai dit. |

| | | |
|---|---|---|
| הזאת יהיה העזר המועיל יותר אל הקדחת הזאת להנתן (41) אוקשי זכרא עם בשול העשוי משרשי העשבים ועם אישרוב אישנץ גם טרוסיד (42) דאבפאטורי. ויין קולופינדולא ורינברבר ואולם בתחלה לא יאותו להנתן בעבור שלא יבשל (43) לחות הטבע ויקשיהו להכנע אל התולדת אך יאותו להנתן אחרי שהטבע יהיה מבושל וימנעו (44) מתרנוגלים קטנים ו<אב>סטרראי(?) ופרדיץ ד שבועות פן במשיחת הבשר תתחרר הקדחת (45) ותתחרך.ואם הטבע לא יהיה מבושל באותם הל שבועות ימנעו וישמרו מכל זה עד ארבעים (46) יום אם הכח יכול לסבול. | Und aus diesem Grund ist die nützlichste Therapie gegen dieses Fieber, dass gegeben wird (41) Oxysaccharum (’WQŠY ZKR’) mit einem Absud der aus den Wurzeln von Kräutern gemacht ist und mit Sirup aus Absinth (’YŠNẒ), auch eine Trochsike (ṬRWSYD) (42) aus Eupatorium (D’BP’ṬWRY). Und Wein aus QoWLWPeYNDuWLa’ und Rhabarber (RYNBRBR), aber am sollte es nich am Anfang geben, damit es nicht die Feuchtigkeit der *materia* austrocknet (43) und sie [die materia] verhärtet, und damit sie sich der Natur (TWLDT) unterwirft, aber man sollte es geben nachdem die Materie reif ist. Sie [die Kranken] sollten sich (44) kleiner Hühner, Sprehen und Rebhühner (PRDYẒ) vier Wochen lang enthalten, damit nicht durch die Fettigkeit des Fleisches das Fieber erhitzt wird (45) und verbrennt. [...] Wenn die Materie in diesen 30 [*sic*] Wochen nicht reif wird, sollen sie sich enthalten und sich hüten vor all diesem bis 40 (46) Tage, wenn die Kraft es ertragen kann. | **Le consuel qui** (8) mues vauret à cete fevre (9) ce seroit de li doner. Oxizacra avecque (10) une decoccion qui est fete des racines des (11) erbes avecs sirop de apsention. Et (12) trocisci d’eupatori. Et d’escolopendrée. (13) Et si li metez rebarbe. Mes (14) en l’ecomencement de la maladie ne li donez (15) par quoi ne sechisent l’omeur devenra la matire (16) dure et pesante à etre decliné à la nature. (17) Mes nos li donrons apres que la matire (18) est digeste. Si li defendromes des poles (19) et des pertris et des atres osias à manger (20) quatre semenes par quoi le fevre ne s’echaufe (21) et la matire devenra arse. Et se la (22) matire n’est digeste en les quatre semenes (23) si li defendromes que il se garde des cars (24) desus dites juc à quarante jors la (25) vertu est si bone et si forte que il le puse (26) sofrir. |
| ובעבור כי זאת הקדחת נולדת ממוקד ליחות זהו מדם ומלבנה (47) ומאדומה יאות לברר מאיזו ליחה מכל אלה נולדת ונחפש באיזה ענין כי אם הקדחת (48) הזאת תהיה מדם אז החולי מדם אודם מושל וחבור החולה ומקוריו מלאים גם הדפק רחב (49) ועבה והשתן אדום ועבה ובפיהו טעם | Weil dieses Fieber aus dem Feuer der Körpersäfte entsteht, d. h. aus Blut, aus Schleim (47) und aus Galle sollte man klären, aus welchem Körpersaft es entsteht, und untersuchen wodurch, denn wenn dieses Fieber (48) aus Blut entsteht, dann ist die sanguinische Krankheit (?) [...] vorherrschend, und seine Venen sind voll, auch der Puls ist ‘breit’ (49) und dick, und der Urin ist rot und dick, und in seinem Mund ist süßer Geschmack, und die Zeit ist Frühling, d. h. | (240v1) Por ce que cete fevre est norie de l’ardeur des omeurs (2) de sanc et de fleume et de colera nos volons enquere de quele (3) chose et de quele omeur ele est norie et nos (4) enqueromes en de quele manere comente. Je le vos (5) dirai se la fevre est de sanc que le malade est (6) sanguin o que sanc est potant à la conplesion do malade (7) donc est les conduis sont plein et le pos est large (8) et epeis. Et l’orine est roge et epese. Et le (9) boche est doce. Et le tens chaut c’est |

(fortgesetzt)

| **Va, f. 25r27–53** [Übersetzung aus dem Lat.] | **Übersetzung von Va** | ***Fevres*, ff. 239r5–240v25** |
|---|---|---|
| מתוק והעת הוא חום זהו וֵיר. והאויר הוא חם ולח (50) ושינת החולה כבדה והצמאון מזער והחולה עומד בתמידות ושקט אז נתבונן כי היא <...> (51) ממוקד הדם. | *ver* (WeYR). Und die Luft ist heiß und feucht, (50) und der Schlaf des Kranken ist schwer und der Durst wenig, und der Kranke ist gleichmutig und ruhig, dann erkennen wir, dass sie <...> (51) vom Feuer des Blutes <...>. | le tens (10) de ver c'est *LTQWPT NYSN* et l'aer est chaut et (11) moite. Et le dormir do malade est pesante (12) et la soif de li est petite. Et le malade si (13) se mentent coiement. Et quant sont trovés (14) totes ces enseignes donc por certein que ele (15) est fete de l'ardur do sanc. |
| ואם קדחת שלישית קודמת לאלה או ליחה אחרת חמה והסובל יהיה בחור רזה <...> (52) האדומה והדפק מחודד ומהיר והשתן צהוב ואישי והצמאון רב מאד ותעורות והוא <...> (53) והעת קיץ והאויר גם המחוז חם ויבש אז נתבונן שהיא מיקדת האדומה. | Und wenn Tertiana-Fieber diesen vorausgeht, oder ein anderer heißer Körpersaft, und der Patient ist ein magerer junger Mann (52) [und die Galle ist dominant] und der Puls ist scharf und schnell, und der Urin ist rötlich und feurig, und der Durst ist sehr groß und er [leidet an Schlaflosigkeit?] und ist <...> (53) und die Zeit ist Sommer, und die Luft und auch die Region sind heiß und trocken, dann erkennen wir, dass es vom Brand der Galle kommt. | Et se (16) fevre terce s'est avancie devant que cete (17) carteine venit o atre omeur chaude et le (18) malade est ensarté et sec et si est colrics (19) et le pus est ague trenchant et hatif (20) et l'orine est rose et enflanbée. Et (21) la soif est grande et fort. Et ne dort point. (22) Si est mont irus et coroçus. Et le (23) tens d'esté. Et l'aer et la contrée (24) et le pais son sec. Tonc devez savoir (25) que cete carteine est engendrée de colera. |

### c) Selektive Parallelen und Divergenzen zwischen den potenziellen Vorlagen und *Fevres*

Für den letzten hier zu untersuchenden Textabschnitt – eine medizintheoretische Stelle, die auch eine kurze Therapieanweisung mit Zutaten enthält – zeigt der Vergleich dieselben Tendenzen wie die vorangegangenen gegenübergestellten Passagen. Das bedeutet: Sowohl die potenzielle lateinische Vorlage (wieder im Text nach L) als auch die hebräische (im Text nach Va) stimmen zum großen Teil mit dem *Fevres*-Text überein. Unterschiede ergeben sich in kleinem, aber eventuell doch aussagekräftigem Ausmaß, die Rückschlüsse auf eine mögliche Textabhängigkeit ziehen lassen.

Hiervon unabhängig ist zunächst jedoch die oft zu beobachtende Divergenz zwischen *Fevres* und den beiden Vorlagetexten, die darin besteht, dass der Autor von *Fevres* eigene Erweiterungen in den Text einfügt, die keine Parallele im lateinischen oder hebräischen Text haben. Teilweise handelt es sich dabei um die Erläuterung eines lateinischen Fachterminus (Bsp. 3). In Bsp. (9) liegt eine Übersetzung ins Hebräische vor, die sich auffälligerweise im möglichen hebräischen Quelltext nicht findet. Eigene Zusätze des Autors sind bspw.:

(3) [si sera enterpolata] c'est entermelé de plusurs omurs (f. 239r13–14)

(4) à peril de mort (f. 239r16)

(5) par la froidur de la medecine (f. 239r21–22)

(6) à jor de le la sese à matin (f. 239v18)

(7) et change nature do tot en mavosité (240r1–2)

(8) et se art par cete reson que j'ai dit (f. 240r6–7)

(9) [c'est le tens de ver] c'est *LTQWPT NYSN* ('Frühjahrsäquinoktium') (f. 240v9–10)

(10) Et quand sont trovés totes ces ensenes donc por certen (f. 240v13–14)

Beim Vergleich der drei Texte sind Stellen auszumachen, die dafür sprechen, dass *Fevres* von keinem der hier untersuchten Texte direkt abhängt. Zu nennen ist erstens ein Abschnitt, der aufgrund seines Umfangs und seines inhaltlichen Gehaltes nicht mehr als eigener Zusatz des Autors gewertet werden kann, sondern der offensichtlich auf eine andere, unbekannte Quelle zurückgeht. Es handelt sich dabei um den Einschub

(11) c'est à dire se il avoit carteine longe il se voroit tenir à ligere diete et à froide la matire devenroit grose par la fredeur que ele ne poroit etre meure et par la menue diete que il tent si etroitement (f. 239v2–7),

der keine Entsprechung in den anderen beiden untersuchten Texten hat. Zweitens sind Parallen zwischen L und Va zu sehen, die *Fevres* nicht aufweist. Diese sind bspw.

(12a) *et* conueniet purgare cathamodicu*m* materia*m* cu*m* leui vomitu (L, f. CCXXIV, col. A, l.38–39)

(12b) «man soll das geben, was die Materie langsam heraustreibt durch leichtes Erbrechen» (Va 25r36–37).

*Fevres* hingegen empfiehlt hier nur «si li donrons sovent ligere vamite» (f. 239v17–18). Weitere Informationen, die L und Va enthalten und die in *Fevres* abweichen bzw. fehlen (Hervorhebung durch Unterstreichung), sind:

(13a) abstinea*n*t a pullis gallinaceis starnis p*er*dicib*us* per tres hebdomadas (L, f. CCXXIV, col. A, l.50)

(13b) «Sie [die Kranken] sollten sich kleiner Hühner, Sprehen und Rebhühner (*PRDYẒ*) vier Wochen lang enthalten» (Va, f. 25r43–44)

(13c) Si li defendromes des poles et des pertris et des atres osias à manger quatre semenes (*Fevres*, f. 240r18–20)

(14a) ne cu*m* vnctuositate carnis calefiat *et* vrat feb*ris* (L, f. CCXXIV, col. A, l.51–52)

(14b) «damit nicht durch die Fettigkeit des Fleisches das Fieber erhitzt wird und verbrennt» (Va, f. 25r44–45)

(14c) par quoi le fevre ne s'echaufe et la matire devenra arse (*Fevres*, f. 240r20).

Während die bisher genannten Aspekte weder für eine größere Nähe von *Fevres* zu L noch zu Va sprechen, so lassen sich bei den folgenden inhaltlichen Punkten eindeutig stärkere Parallelen zwischen *Fevres* und Va als zwischen *Fevres* und L ziehen:

(15a) que ele puse sofrir la maladie qui est ague et la lonjur de li (*Fevres*, f. 239r17–19)

(15b) «dass sie die Schärfe und Länge der Krankheit ertragen könnte» (Va, f. 25r31)

(15c) vt possit morbi acume*m* eius *cum com*plixitate tolerare (L, f. CCXXIV, col. A, l.29–30)

(16a) que il ne detruce le cors par medecines laxatives (*Fevres*, f. 239v9–10)

(16b) «dass man den Körper nicht schädigt und zerstört mit Purgiermitteln» (Va, f. 25r34)

(16c) ne co*n*fundat corpus cu*m* pharmacia (L, f. CCXXIV, col. A, l.34–35)

(17a) et devent ars et brulé (*Fevres*, f. 240r1)

(17b) «und wird verbrannt und versengt» (Va, f. 25r39)

(17c) *et* ince*n*ditur (L, f. CCXXIV, col. A, l.42)

(18a) Si li defendromes [...] à manger quatre semenes (*Fevres*, f. 240r18–20)

(18b) «Sie [die Kranken] sollten sich [...] vier Wochen lang enthalten» (Va, f. 25r43–44)

(18c) Abstinea*nt* [...] per tres hebdomadas (L, f. CCXXIV, col. A, l.50–51)

(19a) o atre omeur chaude (*Fevres*, f. 240v17)

(19b) «oder ein anderer heißer Körpersaft» (Va, f. 25r51)

(19c) aliusve cholericus morb*us* (L, f. CCXXIV, col. A, l.63–64)

Weiterhin scheint der folgende Sachverhalt für eine größere Nähe von *Fevres* zu Va zu sprechen: Bei der Übersetzung des hebräischen Texts aus dem Lateinischen hat der Autor die Stelle «vtru*m* an*te* ha*n*c febre*m* fuerit sanguinole*n*ta feb*ris* aut sanguinei morbi: aut co*m*plexioni infirmi dominet sanguis» (L, f. CCXXIV, col. A, l.57–59) missverständlich wiedergegeben: «wenn dieses Fieber aus Blut entsteht, dann ist die sanguinische Krankheit (?) [...] vorherrschend» (Va, f. 25r47–48). Bei der Abfassung von *Fevres* fand dann eine inhaltliche Reduktion statt, die die Unverständlichkeit des hebräischen Texts umgeht: «se la fevre est de sanc que le malade est sanguin o que sanc est potant à la conplesion do malade» (*Fevres*, f. 240v5–6).

Abschließend ist noch Stelle erwähnenswert, die, entgegen der Gesamttendenz dieses Textvergleichs, eine Parallele von *Fevres* mit L und gleichzeitig eine Abgrenzung zu Va zeigt: Bei der Rezeptzutat

(20) trocisi [...] d'escolopendrée (*Fevres*, f. 240r12)

stimmt *Fevres* mit L überein (trociscus de [...] scolope*ndrio*, f. L, f. CCXXIV, col. A, l.47), wohingegen Va «Wein aus *QoWLWPeYNDuWLa'*» (f. 25r42) nennt.

Zusammenfassend können für diesen Textvergleich folgende Beobachtungen gemacht werden: Erstens diente höchstwahrscheinlich keiner der beiden

Texte, deren Kopie bzw. Druck uns jetzt zur Verfügung stehen, als unmittelbare Quelle; die Beispiele (11) bis (14c) sprechen für die Unabhängigkeit von *Fevres* von beiden möglichen Quelltexten. Zweitens muss eine deutlich größere Nähe zum hebräischen Text als zu L festgestellt werden (cf. Bspe 15a–19c). Drittens darf der lateinische Text nicht völlig außen vor gelassen werden, da Bsp. (20) eine Parallele zwischen *Fevres* und L zeigt, die gleichzeitig eine Abgrenzung zu Va darstellt.

#### 1.2.2.5 Ergebnisse der Quellenvergleiche

Die vorangegangenen Textvergleiche konnten keine eindeutige Textversion des *Liber febrium* zutage fördern, die als sichere Quelle für die untersuchten Passagen gelten kann. Sicher auszuschließen ist hingegen der hebräische Text aus Ms. Paris (Pa), der eine direkte Übersetzung des arabischen *Kitāb al-ḥummayāt* des Isaac Israeli wiedergibt. *Fevres* basiert vielmehr auf der älteren, parallelen Traditionslinie, die sich auf die salernitanische Übersetzung des arabischen Werks durch Constantinus Africanus ins Lateinische gründet. Der gegenüber dem Original teilweise stark gekürzte, andererseits aber auch erweiterte und an die Gegebenheiten des mittleren bis westlichen Mittelmeerraumes angepasste lateinische Text bildete den Anfang der Verbreitung der Schrift im Abendland. Der hierauf beruhende *Sefer ha-qadaḥot* weist nur wenige Abweichungen gegenüber dem *Liber febrium* des Constantin auf (cf. 1.2.1). Aus diesem Grund war zu erwarten, dass sich Hinweise auf eine engere Verwandtschaft mit *Fevres* nur in kleinerem Umfang ausmachen lassen können.

Bei den vorgestellten Vergleichen wurden sowohl Kongruenzen zwischen *Fevres* und *Liber febrium* mit gleichzeitiger Divergenz zum *Sefer ha-qadaḥot* erfasst als auch Fälle des umgekehrten Verhältnisses. Quantifizierend kann von einer überwiegenden Anzahl der Fälle gesprochen werden, in denen sich *Fevres* und der hebräische Text gemeinsam gegenüber dem lateinischen Text abgrenzen. Diese Beobachtung geht konform mit der Aussage des Autors von *Fevres*, er habe eine hebräische Textvorlage zur Hand gehabt.[142] Dem entgegen konnten Textstellen ausgemacht werden, in denen der lateinische Text und *Fevres* Parallelen zeigen, die in Abweichung zum hebräischen Wortlaut stehen. Ein weiteres Argument gegen die Vorlage von Va ist der hohe Anteil an lateinischen Fremdwörtern, assimilierten Lehnwörtern (cf. 1.6.4.2) und sogar von ganzen lateinischen Sätzen in *Fevres*.

All dies lässt den Schluss zu, dass keiner der beiden Texte eine direkte Vorlage für *Fevres* war, sondern dass vielmehr davon auszugehen ist, dass dem Autor eine dritte, bisher unbekannte Quelle zur Verfügung gestanden haben

---

142 Zu einer eventuellen Einschränkung der Gültigkeit dieser Aussage cf. 1.2.1.

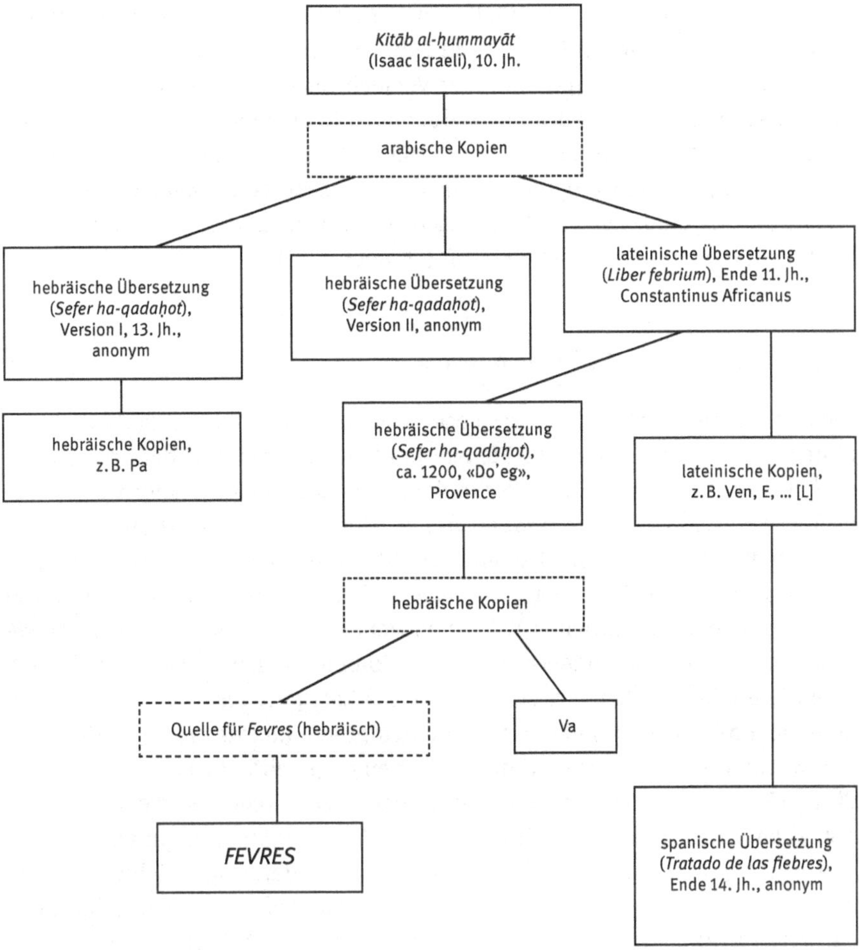


**Abbildung 2**

muss (cf. Zwink 2013, 200). Diese unbekannte Quelle stand zweifellos in der Texttradition des salernitanischen *Liber febrium*, war vermutlich hebräisch (gemäß der Aussage des Autors, cf. 1.2.1) und stand offensichtlich dem Text aus Va sehr nahe. Eventuell handelt es sich um eine ältere Version aus genannter Traditionslinie, die eine noch engere Verbindung zum lateinischen Original des Constantinus Africanus hatte.[143] Diese Hypothese würde sowohl die Parallelen

143 Eine andere denkbare Möglichkeit wäre die Vorlage von *zwei* Textversionen, also einer hebräischen *und* einer lateinischen Übersetzung.

zu beiden hier untersuchten möglichen Vorlagetexten als auch eventuell die Existenz von lateinischen Fremd- und Lehnwörtern erklären.[144]

Vor diesem Hintergrund kann der Versuch unternommen werden, die altfranzösische Übersetzung des Buchs der Fieber in ein Stemma einzuordnen (cf. Abbildung 2), das Übersetzungen und eventuelle Kopien des Buchs der Fieber berücksichtigt. Dabei werden die in diesem Abschnitt gewonnenen Erkenntnisse mit den Ergebnissen von Veit (2003); Ferre/Veit (2009, 312ss.) und Ferre/ Martínez Delgado (2015, 53) verknüpft (cf. auch 1.2.1).

### 1.2.3 Der inhaltliche Aufbau von Fevres

Die Kapitelüberschriften in *Fevres* bezeichnen die im Mittelalter herkömmliche Einteilung der Fieberarten. Die Fieberarten konstituieren eine der drei Kategorien, anhand derer man ein Fieber in der Antike und im Mittelalter klassifizierte. Diese Klassifizierungen wurden durch Hippokrates bzw. Galen begründet und durch Salerno in den Okzident tradiert. Neben der wichtigsten Kategorie *Fieberart* wurde zweitens der *Grad* festgestellt, in dem die Körperwärme des Patienten von der natürlichen Wärme abwich, und drittens, ob es sich um *einfaches* oder *komplexes* Fieber, i.e., eine Kombination aus mehreren Fieberarten, handelte (cf. Demaitre 2013, 37ss.). Die Kategorie *Fieberart* (sog. Primärkrankheiten), für die jeweils bestimmte Symptome (*accidentia*) spezifisch waren, wurde weiterhin in zwei Unterkategorien aufgeteilt:[145] 1.) *chronisch* (*periodica*, 40 Tage und länger andauernd) oder *akut* (*acuta*, kurze Dauer, mit schnellem Anstieg und Abfall); 2.) *kontinuierlich* (*continua*), dann war der Verlauf gleichmäßig, i.e., es gab keine starken oder anfallartigen Schwankungen (z. B. *ephemera, synocha, causon*), oder *intermittierend* (*interpolata*), dann war der Verlauf durch Krankheitsschübe (*intermittentes*), die mit Phasen der Gesundheit wechselten (*remittentes*), gekennzeichnet (z. B. *quotidiana, tertiana, quartana*; hierdurch wird das Intervall der remittierenden Phase angegeben) (cf. Demaitre 2013, 39s.; Anschütz 1919, 19ss.).

Das Wesen des Fiebers unterlag in der Antike und im Mittelalter gänzlich anderen Auffassungen, als es in unserem heutigen Verständnis gängig ist. Der fundamentale Unterschied ist, dass Fieber, anders als heute, nicht als Symptom, sondern als eigene Krankheit mit ihren eigenen Symptomen (*accidentia*) verstanden wurde. Fieberkrankheiten war gemein, dass ihnen «a basic mal-

144 Lateinische Fremd- und Lehnwörter können auch auf das Wissen und die Vertrautheit mit der lateinischen Fachterminologie des Autors von *Fevres* selbst zurückzuführen sein.
145 Cf. zur Erläuterung der Fieberarten 1.2.3.1.

function of the cooking process [i.e., ], in which 'the natural warmth [lat. *calor naturalis*, Anm. Verf.] turned into fiery heat'» zugrunde lag (Demaitre 2013, 37). Der unnatürliche Anstieg der Körperwärme hatte bei den Autoren unterschiedliche Ursachen, die bei den einzelnen antiken und mittelalterlichen Autoren oft beträchtlich variieren (cf. ausführlich Anschütz 1919, 19ss.). Für Hippokrates bspw. lag die Ursache von Fieber in der Überhitzung der Galle, für Galen im Herzen; dies wiederum lag an der Verstopfung der Blutkanäle (cf. Anschütz 1919, 13; Veit 2003, 64). Die Äbtissin Hildegard von Bingen (1098–1179) sieht die Gründe für das Auftreten von Fieber in zu langem Schlafen, übermäßigem Essen oder Müßiggang, aber auch in zu großer Hitze der Luft, zu viel Wasser oder Schleim im Körper (cf. Reier 1987, 83). Gemäß dem *Buch der Fieber* entsteht Fieber, weil einer der vier Körpersäfte oder das Pneuma sich erhitzen (cf. 1.1.4.2); dies hat die Fäulnis der Säfte zur Folge und löst sodann Fieber aus, wobei sich die Hitze durch das Pneuma im gesamten Körper verteilt (cf. Veit 2003, 73).

#### 1.2.3.1 Die Grobgliederung

Mittelalterliche Schriften über Fieberkrankheiten (cf. 1.2.1) organisierten ihren inhaltlichen Aufbau anhand der Fieberarten; die Reihenfolge der Kapitel orientierte sich oft an den Ursachen bzw. am Entstehungspunkt der Fieber.[146] Auch *Fevres* richtet sich in seinem Aufbau prinzipiell nach einer systematischen Gliederung der Fieberarten gemäß ihren Ursachen.[147] Auf ff. 333r21–333v13 gibt der Autor eine Art Zwischenbilanz seines Werkes, die einen Überblick über den bereits behandelten und im Folgenden zu behandelnden Inhalt umfasst:

> Nos avons parlé et mis en letre totes les fevres que l'en apele effimera, qui venent en l'esprit. Aprés avons mis en letre totes les fevres qui venent en les omeurs, que l'en apele fevre potrifacta, *peruš* porie en omeurs. Et aprés si veus parler de fevre qui vent en les membres forz que l'en apele Itica. (ed. Kiwitt 2001, 91)

Die folgende Tabelle (6) gibt einen Überblick über die besprochenen Fieberarten mit ihren jeweiligen Symptomen.[148] Fett gedruckt erscheinen hier die Primär-

---

**146** Siehe etwa die Synopse der Kapitel in den Fieberschriften von Galen (*De febrium differentiis*), Avicenna (*Canon medicinae*, IV) und Bernard de Gordon (*Lilium medicinae*, I) in Demaitre (2013, 42), die eine unterschiedliche Anordnung der Kapitel zeigt.

**147** Der Aufbau der gesamten Handschrift mit all ihren Unterkapiteln ist bereits bei Katzenellenbogen (1933, 7ss.) ausführlich dargestellt (cf. auch Kiwitt 2001, 45ss.). Katzenellenbogen führt zudem für jedes einzelne Kapitel und Unterkapitel die dazugehörigen Quellen an, sofern sie diese eruieren konnte. Aus diesem Grunde wurde an dieser Stelle auf eine erneute detailgenaue Aufzählung der einzelnen Kapitel mit ihren jeweiligen Quellen verzichtet.

**148** Die Gliederung ist in Anlehnung an Kiwitt 45 und Katzenellenbogen 7ss. dargestellt; sie wurde mit dem Manuskript abgeglichen und zum Teil verbessert.

krankheiten; im Normaldruck sind die Sekundärkrankheiten dargestellten, die jeweils im Zusammenhang mit der entsprechenden Primärkrankheit auftreten können. Die Kapitel, aus denen Abschnitte ediert wurden (siehe cap. 2), sind unterstrichen:

**Tabelle (6)**

| | | | |
|---|---|---|---|
| ff. 1–9 | **Ephemera**[149] | ff. 154–163 | Fluxus ventris |
| ff. 10–15 | **Interpolata** | ff. 163–182 | Ictericia II |
| ff. 15–23 | **Quotidiana**[150] | ff. 182–191 | Squinantia |
| ff. 23–40 | **Tertiana**[151] | ff. 191–208 | Phrenesis |
| ff. 40–48 | **Causon**[152] **I** | ff. 208–248 | **Quartana**[153] |
| ff. 48–86 | Exkurs: Krisen und Krankheitsstadien | ff. 249–254 | **Apileus und leparius**[154] |
| ff. 86–92 | **Causon II** | ff. 254–287 | verschiedene Fieber |
| ff. 92–100 | **Synocha**[155] **und causon I** | ff. 287–293 | **Putrefacta**[156] |
| ff. 100–111 | Sputum, Todesursachen | ff. 293–325 | verschiedene **komplexe Fieber** |
| ff. 111–121 | Pleuresis | ff. 325–333 | Röteln und Masern |
| ff. 122–127 | Exkurs: verschiedene Krankheiten | ff. 333–343 | Exkurs: Körpersäfte |
| ff. 127–141 | **Synocha und causon II** | ff. 343–357 | **Hectica**[157] |
| ff. 141–153 | Ictericia I | ab f. 357 | ??? |

149 Von griechisch ἐφήμερος, ‘für den Tag, einen Tag dauernd’ (kontinierliches Fieber); Bezeichnung für das Eintagsfieber (cf. Veit 2003, 78).

150 Täglich wiederkehrende Fieberanfälle, die mit einer bestimmten Form der Malaria identifiziert werden (intermittierendes Fieber).

151 Alle drei Tage auftretende Fieberanfälle, Form der Malaria (intermittierendes Fieber).

152 *Causon* (von griechisch καύσων, ‘Glut’), das «verbrennende Fieber», ist durch seinen besonders heftigen und hitzigen Verlauf gekennzeichnet (cf. Veit 2003, 95) (kontinuierliches Fieber).

153 Alle vier Tage auftrende Fieberanfälle, nach heutiger Ansicht eine Form der Malaria (intermittierendes Fieber).

154 Es ist umstritten, welche Krankheiten mit den zwei Fieberarten *apileus* und *liparia* beschrieben werden.

155 *Synocha* (von griechisch σύνοχος, ‘zusammenhaltend’) ist eine bestimmte Erscheinungsform des Faulfiebers, das gemäß dem *Buch der Fieber* durch die Fäulnis des Blutes entsteht. Es handelt sich um ein gleichmäßig hohes Fieber, bei dem pathologisch die Brustorgane betroffen sind (cf. Veit 2003, 104) (kontinuierliches Fieber).

156 Faulfieber, die durch die faulige Zersetzung der Säfte hervorgerufen werden (cf. Veit 2003, 103).

157 Das «hektische Fieber» (von griechisch ἑκτικός), das in Antike und Mittelalter synonym zu *phthisis* (φθίσις) gebraucht wurde, bezeichnete verschiedene Arten auszehrender Krankheiten. Heute wird mit diesem Krankheitsbild die chronische Tuberkulose («Schwindsucht») in Verbindung gebracht (cf. Veit 2003, 83).

Vor dem überlieferten Text stand ursprünglich noch mindestens ein weiteres Kapitel, das aufgrund der Brandbeschädigung der Handschrift verloren und unbekannt ist. Wahrscheinlich handelte es sich dabei um eine generelle theoretische Einführung, wie wir sie aus dem *Buch der Fieber* und anderen Fieberschriften, etwa von Galen, Avicenna oder Bernard de Gordon, kennen (cf. Veit 2003, 71ss.; Demaitre 2013, 42). Wie dem Zitat aus der Edition Kiwitts zu entnehmen ist (cf. supra), unterliegt *Fevres* insgesamt einer groben Dreiteilung, die sich an den Ursachen der Fieberkrankheit orientiert und die auch die anderen genannten Schriften aufweisen: Der Autor beginnt mit der *ephemera*, die ihre Ursache in der Überhitzung des *pneuma* (*spiritus*) hat. Es folgen die *putrefactae* (Faulfieber), die durch krankhafte Veränderungen der Körpersäfte (*humores*) entstehen. Abschließend wird die *hectica* behandelt, die in den *membra* ihren Anfang nimmt. Den weitausgrößten Umfang nimmt dabei die Behandlung der Faulfieber ein, denen eine Vielzahl an Fieberarten zugerechnet wird; sie können kontinuierlich oder intermittierend sein.

Die *ephemera*, die zu den kontinuierlichen Fiebern gehört, hat ihre Grundursache in der Überhitzung des *pneuma*; Auslöser hierfür sind jedoch äußerlicher Art, wie Hitze, Kälte, Überanstrengung, Verdauungsstörungen u. a. (cf. auch Anschütz 1919, 13).

Nun zu den Faulfiebern, die durch die Zersetzung und Fäulnis der *humores* hervorgerufen werden. Fäulnis der Säfte kann durch drei Ursachen entstehen: Überfluss (*multitudo*), Zähflüssigkeit (*viscositas*) oder ihr Abschluss (*opilatio*), wenn bestimmte Poren verstopft sind und sie so an ihrem Fließen hindern; «Säfte, die nicht flüssig bleiben, werden faul» (Anschütz 1919, 23). Zunächst werden in *Fevres* zwei Fieberarten der *interpolata* (*quotidiana, tertiana*) besprochen, bevor ein langer Abschnitt Fiebern gewidmet ist, die zu den kontinuierlichen gehören (*causon, synocha*). *Causon* etwa entsteht durch ein Übermaß an gelber Galle oder aufgrund ihrer Verderbtheit; *synocha* hat ihre Ursache in der Überhitzung oder Verunreinigung des Blutes,[158] die *quotidiana* liegt in der Veränderung des *phlegma* begründet (cf. auch Demaitre 2013, 43, Anschütz 1919, 22). Es folgt die *quartana*, die durch eine Kombination aus verdorbener schwarzer Galle, herbstlicher Jahreszeit, melancholischer Konstitution des Patienten, Überanstrengung und anderem hervorgerufen wird (cf. Demaitre 2013, 43); sie ist ein intermittierendes Fieber. *Apileus* und *leparius*, zwei Fieberarten, die mit keinem heute bekannten Krankheitsbild in Verbindung gebracht werden können, haben ebenfalls ihre Ursachen in den Körpersäften: *Apileus* entsteht durch dicken und zähen Schleim (*phlegma*), der das Körperinnere erhitzt und

**158** «[...] nos avons devisé des deus fevres dont l'une vent de cholera: cele est apelee causon. Et l'atre si est apelee sinocha, et est norie de sanc» (f. 333v8–10, ed. Kiwitt 2001, 91).

das Äußere abkühlt; bei *leparius* dagegen, ausgelöst durch Schleim und schwarze Galle, ist das Innere unterkühlt, das Äußere erhitzt (cf. Veit 2003, 105; Pabst 2002, 373, Fn. 585). Anschließend werden weitere Faulfieber besprochen, die sich alle aus der Verderbtheit verschiedener Körpersäfte ergeben.

Die *hectica* schließlich entstehen durch die Erkrankung der *membra* (cf. 1.1.4.2), genauer des Herzens und der Blutgefäße; Auslöser sind dabei «all things that steadily dry, heat, and inflame the heart», wie etwa «excessive sadness, worry, anger, toil, the exhaustion of the body or mind, and incarceration: briefly, everything that weakens the body» (Demaitre 2013, 43s.). In der Antike und im Mittelalter verstand man unter *hectica* oder *phthisis* jegliche Arten auszeherender und schwächender Krankheiten; heute erkennen wir in der damaligen Beschreibung die Tuberkulose («Schwindsucht») wieder (cf. Veit 2003, 84; Demaitre 2013, 43).

Der restliche Text ist nicht überliefert. Andere antike und mittelalterliche Fieberschriften (cf. 1.2.1; Demaitre 2013, 42) besprechen im Anschluss an die *hectica* noch die pestartigen Fieber, die in *Fevres* in die unter den «verschiedenen komplexen Fieberarten» (f. 322v–325v) abgehandelt werden. Evenetuell werden sie auf den verbleibenden knapp 30 Folios erneut (nach anderen Quellen?) aufgenommen.

#### 1.2.3.2 Die Krankheiten der edierten Abschnitte

##### 1. *Ecrachaz* (*sputum*) (ff. 100v13–102r14)

*Ecrachaz*[159] bezeichnet den Auswurf (*sputum*) bei Husten. Das Sputum-Kapitel erscheint in *Fevres*, wie in der Vorlage des *Liber febrium*, unter der Beschreibung derjenigen Krankheiten, die unter dem akuten Fieber der *synocha* auftreten können (darunter fällt z. B. auch die *pleuresis*). Dabei tritt das akute Fieber *synocha* «sine putridine» auf und wird auch «inflativa» genannt (L IV, 8). Der *ecrachaz* kann sich in drei verschiedenen Varianten zeigen: *ecrachaz bon*, *ecrachaz non bon* und *ecrachaz meluein* (cf. 3.2, *Altfranzösisches Glossar*), wobei sich diese anhand der Farbe des abgehusteten Schleims erkennen lassen. Der Arzt muss während des Krankheitsverlaufs genau die Krankheitstage beachten, an denen sich Veränderungen im Zustand des Patienten ergeben (Allgemeinzustand, Tage der Krise, Veränderung in der Farbe des Schleims, Farbe und Konsistenz des Urins usw.), um die Zeichen für den weiteren Verlauf richtig deuten und entsprechende Maßnahmen einleiten zu können.

---

159 אֵיקְרַאקַ̄אץ (*’eYQRa’Ča’Ẓ*, 100v13) – **ecrachaz*

### 2. *Flux do venter* (*fluxus ventris*) (ff. 156v81–63v9)

Die Durchfallerkrankung *flux do venter*[160] erscheint, neben anderen Sekundärkrankheiten wie *ictiricia* (Gelbsucht, cf. Abschnitt 3), *squinantia* (eine Halskrankheit, cf. Goltz 1976, 110) und *phrenesis* (eine Nervenkrankheit, cf. Goltz 1976, 136 und 139), ebenfalls als *accidens* der Fieberart *synocha*. Das Erscheinungsbild des *accidens* ist nicht Gegenstand der vorliegenden Edition,[161] die ausschließlich Rezepte enthält. Das Hyperonym *fluxus ventris* kennt traditionellerweise in der salernitanischen Literatur die drei Unterarten *desentiria*, *lientiria* und *diarria* (cf. 3.3, *Lateinisches Glossar*),[162] deren Spezifika und Unterschiede etwa in Goltz (1976, 117) beschrieben werden. In *Fevres* differiert die Einteilung der Krankheiten insofern, als *flux do venter* als Synonym zu *diarria* verstanden wird.[163] Die Beschwerden der gravierenden *desentiria* sowie ihre Abgrenzung zu *lienteria* sind bspw. bei Platearius beschrieben.[164] Die einfache *diarria* wird in der *Collectio Salernitana* so definiert: «Diarria est simplex fluxus ventris cum operati cibi emissione et absque sanguinea ventris egestione» (Renzi 1853, 5–272). Ferner ist auch die im *Antidotarium Nicolai* genannte *colica passion* in *Fevres* erwähnt (קוֹלִיקַא פַּצִיאוֹן - *QWoLiYQa’PaẒiY’WoN*, f. 160v19), die die Symptome der Blähungen und Bauchkrämpfe bezeichnet (cf. 3.2, *Altfranzösisches Glossar*).

### 3. *Ictiricia* (ff. 163v9–180r10)

Die Besprechung der *ictiricia*[165] (Gelbsucht) folgt direkt im Anschluss an die des *flux do venter*; *ictiricia* ist ebenfalls eine Sekundärkrankheit des Akutfiebers *synocha*. Die Ursache der *icitiricia* liegt grundsätzlich in der Vermischung von schwarzer Galle und Blut (cf. f. 164r3–4). Auch hier sind wieder zahlreiche

---

**160** פְּלֻוקְשׁ דוֹבֵינְטֵר (*FLuQS DWo VeNṬeR*, 158r15) – *flux do venter*.

**161** Zu erwarten in Zaun (in Vorb.).

**162** דֵישֶׁנְטִירִיאַ (*DeYŠeNṬiYRiY’a*, 158v6) – *desentiria*; דִיאַרִיאַ (*DiY’aRiY’a*, 160v12) – *diaria*; לִיאֶנְטִירִיאַה (*LiY’eNṬiYRiY’aH*, 158r16) – *lientiria*.

**163** «Sirop enconter flux do venter que l’on apele diaria [...]» (f. 158r15–16).

**164** «Dissenterie si est flux del ventrail quant les boiaus sont escorchiez ou oveques unes egestions plaines de sanc. Si est dite dissenteria a discendendo, car en ceste espece de menoison sont les boiaus escorchiez. Et si avient a la fie de colre naturale et a la fie non naturale, sicome de colre prassine ou de colre erugineuse ou de melancolie innaturale arse et a la fie de sausefleume et a la fie dou vice del foie» (Platearius, ed. Hunt 1994, 220); «lienteria si est flux dou ventrail oveques une lenité de l’estomac et des boiaus quant li boivres et li mangiers s’en ist trestot desore [...]. Et si vient de dissenterie que l’en a eu devant et de aposteme de l’estomac ou de la plaie des boiaus. De fleume viscoseuse vient ele en tel maniere» (Platearius, ed. Hunt 1994, 223).

**165** אִיקְטִירִיצִיאָה-(*’iYQṬiYRiYẒiY’aH*, f. 163v9) – *icitiricia*.

Unterarten der Krankheit zu unterscheiden, die verschiedene Ursachen haben und die der Arzt anhand diverser Anzeichen eruieren muss. Eine erste Klassifizierung der Krankheit liegt in ihren Auslösern begründet: Äußerliche Faktoren (z. B. Schlangenbiss, giftige Getränke, zu viel und zu heißes Essen), die das Blut erhitzen, stehen innerlichen gegenüber. Die *ictiricia*, die aufgrund innerer Auslöser entsteht, wird wieder in weitere Varianten aufgeteilt. Ihnen ist gemein, dass der Körper nicht fähig ist, die Abbauprodukte (*lies*) der *colera* zu beseitigen bzw. nach draußen zu transportieren und so den Körper zu reinigen. Sind die Kanäle des Körpers und die Poren verstopft, sammelt sich die verfaulte *colera* unter der Haut und verfärbt diese (cf. ff. 164v13ss.). Gelbsucht kann auch aufgrund von organischer Störungen entstehen, insbesondere der Schwächung der Leber und der Gallenblase, die ihre Funktionen (Reinigung der *colera*) nicht mehr erfüllen können und eine unnatürliche Säftemischung herbeiführen (cf. ff. 165v11ss.). Vermischen sich schwarze Galle und Blut in der Leber, so führt auch dies zu einer Verfärbung der Haut (cf. ff. 169r3ss.). Ab f. 169v beginnt die Anweisung der Therapie, wobei die unterschiedlichen Gelbsuchtarten berücksichtigt werden müssen.

**4. *Carteine* (*quartana*) (ff. 239r5–240v259)**

Das Viertagefieber *carteine*,[166] eine Fieberart, die mit einer Form der Malaria identifiziert werden kann (cf. Veit 2003, 104s.), bei der das Fieber in einem viertägigen Abstand immer wiederkehrt, gehört nach saleritanischer Ansicht zu den intermittierenden Fieberarten, wobei auch eine kontinuierliche Form bekannt ist (cf. ff. 239r12ss.). Während die intermittierende Art sehr langwierig ist, ist die kontinuierliche Form akut und endet meist mit dem Tod. Verantwortlich für beide Formen ist eine Zähflüssigkeit der *materia*, weshalb dem Patienten keine kalten Speisen gegeben werden dürfen, die die Zähflüssigkeit noch erhöhen (cf. ff. 239r19ss.). Ziel der Therapie der *carteine* ist es, die *materia* wieder flüssig und geschmeidig zu machen («declinant à l'oevre naturée», f. 239v14), damit sie sich den natürlichen Prozessen des Körpers unterwerfen kann.

## 1.3 Beschreibung des Manuskripts

Die Beschreibung des Manuskripts[167] (Kodex und Schriftbild) erfolgt hier in größerem Umfang und versteht sich als Ergänzung und Korrektur der Ergebnisse in

**166** קַרְטֵיֵינְא (*QaRṬeYeYNə'*, 239r6) – *carteine*.
**167** Siehe die im Anhang abgebildeten Manuskriptseiten.

Kiwitt (2001, 11ss.). Einen ersten, skizzenhaften Überblick gibt Steinschneider (1894, 399); Katzenellenbogen (1933, 5) beschränkt sich auf drei kurze Sätze; Zwink (2006, 250s.) gibt weitere Basisinformationen. Kiwitt, der nur auf eine Mikrofilmreproduktion zurückgreifen konnte, liefert zwar eine eingehende, aber unvollständige Darstellung der Handschrift, die zudem in einzelnen Details fehlerhaft ist. Die äußeren Merkmale des Kodex im Hinblick auf Einband, Beschaffenheit des Pergaments und Buchschnitt, die bei Kiwitt fehlen, sind bisher am detailliertesten in Zaun (2002a, 275–277) beschrieben worden.[168] Zaun verweist an dieser Stelle auch auf das Ziel eines solchen Unterfangens, das in Zeiten der elektronischen Reproduktionsmöglichkeiten[169] über den Dokumentations- und Identifikationszweck einer Handschrift hinausgeht: Durch die Darstellung externer Eigenschaften könnten Schlussfolgerungen über die Funktion des Schriftstückes gezogen werden, da, gemäß Honemann (1999, 546), gewisse Inhalte mit gewissen äußeren Formen korrespondierten, welche wiederum Folgerungen für den pragmatischen Nutzen des Werkes erlaubten.[170] Die Betonung dieser Abhängigkeit stellt gerade für die Kommunikationsintention von *Fevres* weitere Argumente zur Verfügung, auf die weiter unten eingegangen wird.[171]

Die nachstehende Beschreibung berücksichtigt des Weiteren die von Beit-Arié geforderten Fragestellungen, die an ein mittelalterliches hebräisches Manuskript zu richten sind, i.e.: 1. Isolierung von paläografischen Einheiten, 2. Isolierung unterschiedlicher Hände einer paläografischen Einheit, 3. Definition des Schrifttypus, 4. Lokalisierung und 5. Datierung (cf. Beit-Arié 1993, 11).

## 1.3.1 Der Kodex

### 1.3.1.1 Der Kodex von außen: Einband und Buchschnitt

Der Kodex, der von der Verfasserin mehrfach im Original betrachtet werden konnte, wird unter der Sigle Ms. or. oct. 512 in der Staatsbibliothek zu Berlin –

168 Ein knappes Resümee der Manuskriptbeschreibung erschien bereits in Zwink (2006, 250s.).

169 Bzgl. französischer Texte siehe etwa die ständig wachsende Datenbank *Gallica* der Bibliothèque nationale de France (http://gallica.bnf.fr), die speziell medizinische Werke versammelnde Seite der Bibliothèques interuniversitaires de médecine Paris (http://www.bium.univ-paris5.fr/histmed/medica.htm) sowie die elektronische Bereitstellung von Handschriften weiterer zahlreicher Bibliotheken.

170 Eine systematische Untersuchung dieses Zusammenhanges fehlt bislang für die Buchtypen des Mittelalters und der Frühen Neuzeit (cf. Honemann 1999, 546).

171 Der Zusammenhang zwischen Form und pragmatischer Intention besteht natürlich nur für diejenigen Merkmale der Handschrift, die bereits bei der Produktion des Manuskripts anzutreffen sind. Dies bezieht sich sowohl auf die Anfertigung der Urschrift als auch auf eventuelle Kopien, nicht jedoch auf Bearbeitungen durch spätere Besitzer wie z. B. Bibliotheken.

Preußischer Kulturbesitz in der Orientabteilung aufbewahrt. Ein Stempel auf dem hinteren fliegenden Blatt gibt Auskunft über das Aufnahmejahr 1893.[172] In diesem Zusammenhang wurde der Kodex wahrscheinlich auch in dunkles, rotbraunes, auf Holz gespanntes Leder neu eingebunden, das am Buchrücken bereits verblasst ist und dort eine hellbräunliche Farbe angenommen hat. Am unteren Bereich des Rückens ist die o. g. auf Leder geprägte goldene Sigle angebracht; darüber sind noch Reste einer ehemaligen Sigle mit dem Schriftzug «Hebr.» zu erkennen. Den aus lateinischer Schreibrichtung betrachtet vorderen Buchdeckel schmückt in der Mitte das goldene Wappen der Königlich-preußischen Bibliothek zu Berlin mit Adler, Krone und Blumenornament. Die Maße des Deckels betragen 16,3 × 12 cm; der Rücken ist 7,5 cm breit und weist sechs Querschläge auf. Der Kodex ist damit relativ klein und kompakt. Die Folios werden vorne und hinten durch einen braun-beige-schwarzen Vorsatz und ein papiernes fliegendes Blatt geschützt.

#### 1.3.1.2 Der Kodex von innen: die Pergamentfolios

Der Kodex besteht aus 385 ungefähr 15 × 11 cm großen Pergamentfolios, die damit zu den kleineren Exemplaren ihrer Art zählen (cf. Sirat 2002, 118). Am Anfang und Ende fehlen einige Blätter vollständig. Auf diese Tatsache ist es mit Sicherheit auch zurückzuführen, dass Hinweise auf den Verfasser des Werkes fehlen. Dies sowie die schwarzbraun verfärbten Seitenränder deuten auf eine Beschädigung «durch Brand und andere Umstände» hin, wie Steinschneider (1897, 85) in seinem *Verzeichniss der Hebræischen Handschriften* bemerkt. Da der Buchschnitt eine glatte Kante aufweist und die Blätter gleich groß sind, sind diese wohl nach dem Brand neu geschnitten worden. Auf der Unterseite des Buches wurde beim Zuschnitt ein kleines Rechteck – «eine Art Lesezeichen» (Zaun 2002a, 276) – von etwa 5 × 10 mm stehen gelassen, das den Leser zum einzigen figürlichen Ornament des Textes auf f. 59v führt. Dies stellt ein Mischwesen mit einem Tierkörper und menschlichem Kopf dar, steht jedoch in keinem Zusammenhang mit dem Text auf dieser Seite. Da die Tinte, mit der das Ornament gezeichnet wurde, blasser als der sich auf der Seite befindliche Text ist, ist anzunehmen, dass Verzierung und Text zu unterschiedlichen Zeitpunkten angebracht wurden.

Die Folios sind teilweise stark beschädigt: Neben intensiven Gebrauchsspuren an den oberen Ecken sind zahlreiche dunkle Flecken erkennbar, die vermuten lassen, dass die Handschrift mit Wasser in Berührung kam. Die deutlichsten Spuren hinterließ jedoch besagter Brand, wie folgende Zustandsbe-

172 Zum Erwerb der Handschrift cf. auch Steinschneider (1894, 399).

schreibung (ab f. 1[173] beginnend) zeigt: Von den noch erhaltenen Folios (cf. 1.3.1.1) sind ff. 1 und 2 durch den Brand so dunkel verfärbt, dass sie fast nicht mehr lesbar sind. Ff. 7 und 8 sind zu einem großen Teil diagonal herausgeschnitten worden. Ff. 76, 115 und 170 waren bereits vor der Beschriftung schadhaft, wie der die Lücke aussparende Textfluss zeigt (cf. Anhang 4). Lesbarkeit und Vollständigkeit des Texts sind dadurch jedoch nicht beeinträchtigt. Von ff. 134–146 und ff. 215–221 wurden Partien *nach* der Beschreibung herausgeschnitten.[174] Ab f. 342 bis zum Ende der Handschrift sind alle Blätter durch den Brand schadhaft. Die fehlenden Partien werden von Folio zu Folio immer größer, bis zum Ende hin nur noch Bruchstücke des Manuskripts vorzufinden sind. Diese Fragmente wurden bei einer Restauration mithilfe von Papier so aufgefüllt, dass wieder eine volle Seite der üblichen Größe entstand.[175] Während sich eine nur mäßige Beeinträchtigung der Lesbarkeit bei ff. 342 bis 359 ergibt, sind die restlichen Blätter stark beschädigt. Nicht mit Papier angefüllt wurden die ff. 361 bis 365.

Die Beschaffenheit des Pergaments selbst ist von gemischter Qualität. Dicke und Härte der einzelnen Blätter variieren ziemlich stark. Es finden sich genähte Narben, geflickte und ungeflickte Löcher und fehlende Ecken (cf. Anhang 3), die schon vor der Beschriftung existiert haben müssen, da sie vom Textfluss umgangen werden.[176] An einigen Stellen sind noch Reste von Tierhaar erkennbar. All diese Merkmale weisen auf eher minderwertiges Pergament hin, wie Sirat (2002) zu entnehmen ist. Mittelalterliche europäische Kodizes von hoher Qualität weisen sich durch dünnes, flexibles, in der (möglichst hellen) Farbe kaum variierendes Pergament aus, bei dem sich dank entsprechender Bearbeitung Haut- und Haarseite so gut wie nicht voneinander unterscheiden lassen (cf. Sirat 2002, 105s.). Auch die Existenz von Löchern deutet auf eine niedrige Güteklasse (cf. Anhang 3): «Holes [...] are mainly seen in parchments of inferior quality. A fine manuscript will not have holes» (Sirat 2002, 106).

Die Farbe der Tinte ist ebenfalls von unterschiedlicher Qualität. Sie reicht von einem dunklen Schwarzbraun bis hin zu einem äußerst blassen Hellbraun,

---

**173** Mit Sicherheit überflüssigerweise soll daran erinnert werden, dass ein hebräischer Kodex nach rechts aufgeschlagen wird und der vordere Buchdeckel damit derjenige ist, der bei einem abendländischen der hintere ist..

**174** Kiwitt (2001, 11) ist insofern zu korrigieren, als die Betrachtung von ff. 76, 115 und 170 gesondert von ff. 134–146 und ff. 215–221 erfolgen muss, i.e., die Unvollständigkeit der Folios *vor* bzw. *nach* der Beschriftung ist zu berücksichtigen.

**175** Diese Beobachtung konnte nur anhand der Originalhandschrift getroffen werden, sie fehlt daher Kiwitt.

**176** Z. B. ff. 160 und 161.

das z. B. auf den ff. 31 und 32 nur noch schwer zu erkennen ist. Auf f. 33 wurde wieder mit einem dunkleren Braun begonnen. Zumeist besteht die Tintenfarbe aus einem mittleren Braun. Auch die Kapitelüberschriften und das einzige Ornament sind mit derselben Tinte ausgeführt worden. Überschriften oder der Beginn von Unterabschnitten sind durch eine Vergrößerung und eine Andersartigkeit der Schrift (Quadratschrift gegenüber der sonst verwendeten Semikursive, cf. 1.3.3) kenntlich gemacht, nicht jedoch etwa durch Illustrationen. Oft finden sich am Rand, i.e. außerhalb der den Textspiegel begrenzenden Seitenlinien (cf. 1.3.2), Notizen oder Textergänzungen (cf. Anhang 4). Da diese dieselbe Tintenfarbe und Handschrift wie der Haupttext aufweisen, ist davon auszugehen, dass der Verfasser sie selbst angebracht hat. Im Text selbst finden sich hin und wieder Tintenflecke, die auch die Lesbarkeit einzelner Wörter beeinträchtigen.

#### 1.3.1.3 Die Pergamentlagen

Das Manuskript besteht aus insgesamt aus 45 Pergamentlagen. Die Anzahl von Doppelblättern, die zu diesen Verbunden geheftet sind, schwankt dabei (cf. Tabelle 7): Es finden sich 4 Ternios, 26 Quaternios, 9 Quinternios, 2 Sexternios und 4 unvollständige Lagen mit einer ungeraden Blattanzahl. Teilweise hat der Schreiber das erste Wort der folgenden Lage als sog. Reklamant auf den unteren Rand des letzten vorhergehenden Blattes geschrieben, das dort mit einer punktierten Linie umrahmt oder auch anders verziert[177] und nicht vokalisiert ist,[178] hält diese Methode aber nicht durchgängig ein (cf. Anhänge 1–2). Reklamanten waren bei hebräischen Handschriften aller Regionen seit frühester Zeit üblich (cf. Beit-Arie 1981, 51). Durch den Neuzuschnitt nach dem Brand sind von einigen Reklamanten nur noch punktierte Linien sichtbar; der Reklamant selbst fehlt. Tabelle (7) gibt Aufschluss über die Zusammensetzung des Kodex durch Pergamentlagen:

**177** F. 146v enthält bspw. ein Blumenornament um den Reklamanten.

**178** Z. B. אימפלשטרום (*'YMPLŠṬRWM*) auf dem unteren Rand von f. 156v und als erstes Wort auf f. 157r1: אֵימְפְלַשְׁטרוֹם (*'eYMPLaŠṬRWoM*). Zur Vokalisierung cf. 1.4.3.2.

**Tabelle (7)**

| Beginn einer neuen Lage | Zahl der Einzel-/ Doppel-blätter | Art der Lage | Vorange-gangener Reklamant | Beginn einer neuen Lage | Zahl der Einzel-/ Doppel-blätter | Art der Lage | Vorange-gangener Reklamant |
|---|---|---|---|---|---|---|---|
| f. 1 | 10/5 | Quinternio | – | f. 202 | 10/5 | Quinternio | ja |
| f. 11 | **5** | ? | – | f. 212 | 10/5 | Quinternio | ja |
| f. 16 | **9** | ? | – | f. 222 | 10/5 | Quinternio | ja |
| f. 25 | 8/4 | Quaternio | ja | f. 232 | 10/5 | Quinternio | ja |
| f. 33 | 8/4 | Quaternio | ja | f. 242 | 8/4 | Quaternio | ja |
| f. 41 | 8/4 | Quaternio | ja | f. 250 | 8/4 | Quaternio | ja |
| f. 49 | 6/3 | Ternio | ja | f. 258 | 8/4 | Quaternio | ja |
| f. 55 | 8/4 | Quaternio | – | f. 266 | 6/3 | Ternio | – |
| f. 63 | 12/6 | Sexternio | ja | f. 272 | 8/4 | Quaternio | ja |
| f. 75 | 8/4 | Quaternio | ja | f. 280 | 8/4 | Quaternio | ja |
| f. 83 | 8/4 | Quaternio | ja | f. 288 | 8/4 | Quaternio | ja |
| f. 91 | 6/3 | Ternio | ja | f. 296 | 8/4 | Quaternio | ja |
| f. 97 | 8/4 | Quaternio | ja | f. 304 | 8/4 | Quaternio | ja |
| f. 105 | 8/4 | Quaternio | ja | f. 312 | 8/4 | Quaternio | ja |
| f. 113 | 8/4 | Quaternio | ja | f. 320 | 8/4 | Quaternio | ja |
| f. 121 | 8/4 | Quaternio | ja | f. 328 | 8/4 | Quaternio | ja |
| f. 129 | 10/5 | Quinternio | ja | f. 336 | 8/4 | Quaternio | ja |
| f. 139 | 8/4 | Quaternio | ja | f. 344 | 8/4 | Quaternio | ja |
| f. 147 | 10/5 | Quinternio | ja | f. 352 | 8/4 | Quaternio | ja |
| f. 157 | 8/4 | Quaternio | ja | f. 360 | **9** | ? | – |
| f. 165 | 10/5 | Quinternio | ja | f. 369 | 6/3 | Ternio | – |
| f. 177 | 12/6 | Sexternio | ja | f. 375 | 10/5 | Quinternio | – |
| f. 189 | **13** | ? | ja | (bis f. 385) | | | |

Aufgrund der in Tabelle (7) festgehaltenen Ergebnisse können folgende Beobachtungen in Kiwitt (2001, 12s.) ergänzt bzw. korrigiert werden:

1. Statt der von Kiwitt angenommenen acht Doppelblätter ab f. 33 sind ein Quaternio und ein weiterer ab f. 41 zu erkennen: Erstens ist auf f. 40v ein Reklamant zu sehen, und zweitens lässt die Bindung auf eine neue Lage schließen. Da Octoniones sehr selten sind, zieht Kiwitt auch die Möglichkeit von zwei Quaterniones in Erwägung.
2. Für f. 60 gibt Kiwitt den Beginn einer neuen Pergamentlage an und begründet dies mit dem Vorhandensein eines Reklamanten. Auf f. 59v handelt es sich jedoch nicht um eine Vorwegnahme des ersten Wortes der nächsten Lage, sondern um oben beschriebene Illustration. Diese weist keine Buchstaben auf (die auch nicht abgeschnitten sein können, da das Ornament vollständig sichtbar ist) und befindet sich zudem am unteren

*äußeren* und nicht *inneren* Rand, wie es sonst für Reklamanten üblich ist.[179] Die nächste Lage nach f. 49 beginnt bei f. 55. Dort ist zwar kein Reklamant angebracht bzw. ist dieser nicht mehr zu erkennen, da am unteren Rand der Seite ein Teil fehlt (weshalb der Neubeginn einer Lage wohl von Kiwitt übersehen wurde), jedoch lässt die Bindung des Kodex eindeutig den Abschluss der Lage bei f. 54 erkennen. Ein zweiter Hinweis auf eine neue Lage ist die andersartige Beschaffenheit des Pergaments. Handelte es sich vorher um relativ festes Pergament, bestehen die Folios zwischen ff. 55 und 62 aus einem sehr weichen und dünnen Material.

3. Kiwitt gibt für f. 75 eine neue Lage an, die jedoch bereits ab f. 63 beginnt: Zum einen befindet sich auf f. 62v ein Reklamant, zum zweiten wird wieder durch die Art des Pergaments und die Bindung deutlich, dass mit f. 62 eine Lage endet. Damit löst sich auch das Problem, das sich für Kiwitt mit dem Lagenbeginn bei ff. 49, 60 und 75 stellt. Die Anzahl von 11 und 15 Einzelblättern bei Kiwitt muss zugunsten von Obigem korrigiert werden.
4. Ab f. 266 nimmt Kiwitt einen Septenio an, den er aber selbst für unwahrscheinlich hält, da «Lagen aus sieben oder acht Doppelblättern [...] äußerst selten und für reine Pergamentkodizes überhaupt nicht bezeugt [sind], sondern ausschließlich in Papierkodizes und gemischten Papier-/Pergamentkodizes verwendet» wurden (Kiwitt 2001, 12).[180] Er vermutet hier, wie auch unter 1., zwei Lagen. Dies kann nun bestätigt werden. Statt eines Septenio sind ein Ternio und ein Quaternio festzustellen. Aufgrund des fehlenden Reklamanten ist dies nicht sofort zu sehen, doch weisen wieder die Bindung und die sich verändernde Pergamentbeschaffenheit auf eine neue Lage hin.

Die Korrekturen sind allesamt auf die Konsultation der Handschrift im Original zurückzuführen, die die Feststellung der Heftung und das Ertasten der sich verändernden Pergamentqualität ermöglichte. Zwar konnten so einige der bei Kiwitt bereits festgestellten Probleme gelöst werden; Unklarheiten bleiben aber bei denjenigen Lagen bestehen, die sich aus einer ungeraden Anzahl von Einzelblättern zusammensetzen (Lagen ab ff. 11, 16, 189 und 360). Während bei den neun Folios ab f. 360 deutlich erkennbar ist, dass das letzte Blatt des ursprünglichen Quinternio herausgeschnitten wurde, ist auch in den anderen drei Fällen anzunehmen, dass ein Blatt nachträglich entfernt oder eingefügt wurde. So kann für den Anfang des Kodex angenommen werden, dass es sich

179 Zwar war es im aschkenasischen Bereich verbreitet, Reklamanten mit tierähnlichen Zeichnungen zu verzieren (cf. Beit-Arie 1981, 54), doch sind hier keine Buchstaben vorhanden.
180 Cf. auch Beit-Arie (1981, 46s.).

ab f. 11 ursprünglich um einen Ternio handelte, dem ein Blatt verloren ging. Für alle Lagen mit einer ungeraden Zahl an Folios ist anzumerken, dass die Zusammenstellung bereits vor der Beschriftung bestanden haben müssen, wie es die inhaltliche Kontinuität des Texts zeigt.

Ungewöhnlich ist die Existenz von fünf Ternios (ab ff. 11, 49, 91, 266, 369), da diese Zusammensetzung nur in einigen sephardischen Manuskripten nachgewiesen werden kann (cf. Beit-Arie 1981, 43; Kiwitt 2001, 13). Wahrscheinlich fehlt diesen Lagen ein Doppelblatt. Die übrigen Lagen bestehen entweder aus den im aschkenasischen Kulturkreis üblichen Quaternios[181] oder aus einigen Quinternios. Letztere sind für dieses Gebiet eigentlich nicht bekannt, sondern waren fast ausschließlich in Italien gebräuchlich; cf. Sirat (2002, 120): «If quinions are typical for the Orient and Italy, quaternions indicate Ashkenaz». Auch Beit-Arie (1981, 45) bemerkt: «When one finds an unlocalized manuscript written in an *Ashkenazic* hand, which has 5 sheets in a quire, one should assume that it was produced in Italy». Die Verbindung mit einer möglichen italienischen Provenienz könnte für die nähere Identifikation des anonymen Autors von *Fevres* eine Rolle spielen: Es gilt wie bereits erwähnt als gesichert, dass er mindestens einen Teil seiner Ausbildung im norditalienischen Forlì an der Schule des Hillel ben Samuel absolviert hat (cf. 1.1.4.3).

Eine zu den Reklamanten zusätzliche hebräische Paginierung fehlt der Handschrift. Bei den arabischen, mit Bleistift angebrachten Ziffern am oberen äußeren Eck jedes Folios handelt es sich um eine moderne Seitennummerierung, die erkennbar nach dem Brand angebracht wurde.

### 1.3.2 Die Seitengestaltung

Der Textspiegel nimmt auf jedem der Folios eine Fläche von etwa 8 × 12 cm ein; pro Seite sind 20 bis 28 Zeilen – durchschnittlich 24 – in einer Spalte untergebracht. Zeilenlinierungen fehlen; lediglich das Textfeld ist mit zwei horizontalen und zwei vertikalen Seitenlinien begrenzt (cf. Anhang 3). Das einfache Linierungsschema entspricht in der Klassifizierung von Dukan (1988, 77) dem Typus A, wie Kiwitt feststellt. Eine hierauf basierende Zuordnung des geografischen Ursprungs des Kodex – gemäß Dukan spräche der Typus A am ehesten für eine italienische Herkunft – lässt Kiwitt jedoch aufgrund der zu geringen Anzahl der von Dukan untersuchten Manuskripte nicht gelten (cf. Kiwitt 2001, 14s.).

---

**181** «Apart from some very few exceptions this is the common composition of quires in *Ashkenaz* from the earliest manuscripts upon to the end of the Middle Ages» (Beit-Arie 1981, 43).

Schreiber des Hebräischen waren im Allgemeinen bemüht, den linken Textrand einheitlich zu halten, wie Beit-Arie (1981, 87) erläutert: «Apart from aesthetical motivations and the influence of non-Jewish, namely Arabic, calligraphy and bookmaking, this striking marginal neatness is probably rooted in old Halakhaic rules and practices of writing the ritual Pentateuch Scroll». Da im Hebräischen die Wörter üblicherweise nicht getrennt werden, gab es im Wesentlichen zwei Möglichkeiten, dem ästhetischen Postulat zu entsprechen. Zum einen konnte man die Querstriche gewisser Buchstaben am Ende einer Zeile so weit in die Breite ziehen, bis sie die Zeile zum Abschluss brachten. Es handelt sich dabei hauptsächlich um die Buchstaben Aleph, Lamed, Mem und Resh; hiervon macht der Schreiber von *Fevres* allerdings kaum Gebrauch. Die zweite Möglichkeit ist diejenige, die in *Fevres* in erster Linie Anwendung findet: Das letzte Wort einer Zeile wird nur begonnen, bis zum Zeilenende fortgesetzt und dann unvollständig abgebrochen. Diese Füllbuchstaben bleiben in *Fevres* stets unpunktiert. In der folgenden Zeile wird das Wort dann vollständig und punktiert ausgeschrieben.[182] Der Schreiber von *Fevres* wendet diese Fülltechnik auch vor einem Seiten- und Lagenumbruch an. Die beiden beschriebenen Methoden der Vereinheitlichung des linken Seitenrandes waren in allen Regionen verbreitet (cf. Beit-Arie 1981, 88). Trotz dieser auch hier ausgeschöpften Möglichkeiten ist für *Fevres* anzumerken, dass sich in weiten Teilen der linke Rand unregelmäßig gestaltet und der Schreiber oft nicht ganz bis zur begrenzenden Seitenlinie fortfährt oder darüber hinausgeht (cf. auch Anhang 3).[183] Durch das Fehlen von Zeilenlinien geschieht es oft, dass Schriftzeilen schräg nach unten abfallen.

### 1.3.3 Das Schriftbild

Der Kodex enthält nur *Fevres* als einziges Werk, wie – neben inhaltlichen Gesichtspunkten – auch an dem auf allen Folios einheitlichen Schriftbild zu erkennen ist. Er stellt somit eine kodikologische Einheit dar (cf. Beit-Arié 1993, 11). Die Handschrift ist insgesamt sehr gut lesbar. Die Brandbeschädigung wirkt sich nur am Anfang und am Ende des Kodex auf die Lesbarkeit aus. Unleserliche Stellen, etwa aufgrund dunkler Flecken oder starken Verblassens der Tinte, sind nur ausnahmsweise vorhanden. Der Konsonantentext ist, abgesehen von (den seltenen) hebräischen Wörtern, Reklamanten und Füllbuchstaben

**182** Z. B. קוורט - *QWWRṬ* (f.156v21) und nachfolgendes קוֻורְטְארוֹן - *QWWaRṬ'RWoN* (f. 156v22); cf. Anhang 1.

**183** Cf. z. B. f. 161r und im Gegensatz dazu etwa die Abbildung des aschkenasischen Ms. Paris, Bibliothèque Nationale héb. 44, f. 131v in Beit-Arie (1981, 90).

(cf. infra), vollständig punktiert.[184] Im Manuskript lassen sich zwei unterschiedliche Schrifttypen erkennen: Eine größere Quadratschrift ist den Überschriften von Kapiteln und Unterkapiteln (z. B. Beginn eines Rezepts) vorbehalten (cf. 1.3.3.1), während sich der Haupttext durch eine kleinere, einheitliche aschkenasische Kursive auszeichnet (cf. 1.3.3.2). Bisherige Manuskriptbeschreibungen äußern sich abweichend über die Charakterisierung der Schriftarten: Steinschneider spricht – ohne Differenzierung von Überschrift und Fließtext – von einer «rabbin[ischen] Schrift» (Steinschneider 1897, 85; cf. auch Steinschneider 1894, 399); Katzenellenbogen (1933, 5, Fn. 1) verweist bei ihrer Beschreibung kritiklos auf Steinschneider. Kiwitt (2001, 15s.) schließt sich ebenfalls Steinschneider an und bezeichnet die Schriftart des Fließtexts als «kurrente Semikursive» (Kiwitt 2001, 15), wobei dieser Terminus als gleichbedeutend mit «rabbinische Schrift» zu verstehen ist.[185] Auch Zaun (2002a, 278) spricht von einer «Semikursiven». Ein Vergleich der Schrifttype des Fließtexts mit den Abbildungen 28, 29 und 30 (französische Semikursiven aus den 12.–15. Jh.) in Birnbaum (2007, 725) zeigt jedoch, dass die Semikursiven stets, vor allem diejenige aus dem Jahr 1301 (Abbildung 29), viel enger geschrieben sind und einen gleichmäßigeren, kalligrafischen Gesamteindruck hinterlassen. Dies liegt darin begründet, dass die ursprüngliche Kursive «was sometimes used as a book hand when, of course, more care was taken with the writing. But this did not involve an approximation to the square; it led to elaboration and ornamentality of a different kind, and thus to the shaping of a new style, the mashait script» (Birnbaum 2007, 718).[186]

Der aschkenasische Schrifttypus war – neben England, Zentral- und Osteuropa (einschließlich Deutschland) – in Nord- und Zentralfrankreich verbreitet. Charakteristik und Duktus der aschkensischen Schrift ähneln der engen Textura lateinischer Handschriften (cf. Beit-Arié 1993, 15s.).

#### 1.3.3.1 Die Quadratschrift

Die einen neuen Abschnitt anzeigende Quadratschrift ist in *Fevres* in zwei verschiedenen Erscheinungsbildern anzutreffen; in den bisherigen Manuskriptbeschreibungen wurden diese jedoch nicht differenziert:[187] Typ A (cf. Anhang

---

184 Zur Darstellung der Vokalwerte durch das tiberische Punktierungssystem cf. 1.4.2.

185 Kiwitt weist darauf hin, dass die Bezeichnungen «Rabbinische» oder «Rashi-Schrift» nicht ganz korrekt seien, da diese Schrifttypen auch von anderen Schreibern verwendet wurden (cf. auch Birnbaum 2007, 718). Bei Birnbaum (1971, I–299) wird die Semikursive «mashait» genannt; diese Terminologie setzte sich jedoch nicht durch.

186 Cf. die im Anhang abgebildeten Manuskriptseiten.

187 Während Kiwitt (2001, 16) mit «Quadratschrift» nur die hier als «Typ A» bezeichnete Art meint und Typ B und den Fließtext in einem abhandelt – wobei hier doch deutliche Unter-

5, Z. 5–7) ist mit einer dickeren Feder geschrieben als der übrige Text, ist deutlich größer und durch breite Linien, die im senkrechten Verlauf schmaler ausfallen, und Serifen gekennzeichnet. Die Punktierungen sind hingegen mit der dünneren Feder gesetzt, mit der auch der Haupttext geschrieben wurde. Typ B (cf. z. B. Anhang 1, Z. 16, 18) besitzt im Wesentlichen dieselben Merkmale wie Typ A, ist jedoch kleiner und mit einer schmaleren Feder geschrieben, wahrscheinlich mit derselben wie mit der des Haupttexts. Zudem sind bei Typ B einige markante Eigenschaften weitaus weniger auffällig als bei Typ A. Dies betrifft bspw. die ausgeprägten Serifen bei zahlreichen Buchstaben, die in Form eines Fischschwanzes[188] auslaufen. Weiterhin fällt eine gebrochene senkrechte Linie, etwa bei Bet, Dalet, Waw, Zayin, Mem oder Pe (cf. Yardeni 1997, 227), ins Auge – auch hier bei Typ A viel deutlicher als bei Typ B. Das bedeutet, dass der Schreiber seine Feder für diese Linie zweimal ansetzt, wobei eine dünne, unregelmäßige «Bruchstelle» entsteht.[189] Der Mittelstrich des Shin ist nicht ganz bis zur Basis durchgezogen (cf. auch Kiwitt 2001, 16ss.). Ähnlichkeiten mit diesen Manuskripten weisen auch die Buchstaben Aleph und Tsade auf. Hier ist zu beobachten, dass die rechte obere Linie sehr dünn zur Basis hin ausläuft oder diese kaum berührt.

Ein Vergleich mit aschkenasischen Handschriften aus Frankreich von 1296 und 1303[190] zeigt, dass *Fevres* mit ihnen die genannten Besonderheiten teilt. Die Vermutung, dass die Handschrift aus demselben Kulturkreis und ungefähr aus dieser Zeit stammt, liegt nahe (cf. Kiwitt 2001, 18).[191]

#### 1.3.3.2 Die Kursive

Der kursive Fließtext zeichnet sich durch eine gleichmäßige Liniendicke und Serifenlosigkeit bei den meisten Buchstaben aus. Stil und Duktus sind einheit-

---

schiede zu machen sind, man betrachte nur einmal den Buchstaben Aleph –, versteht Zaun (2002a, 278) unter «Quadratschrift» nur den Typ B; auf Typ A geht sie überhaupt nicht ein.

**188** «Fish-tail» (Yardeni 1997, 230).

**189** Die Tendenz zur unterbrochenen Linienführung lässt sich ab dem 13. Jh. im aschkenasischen Kulturraum häufig beobachten. Yardeni (1997, 227) macht hierfür den Einfluss des in lateinischen Handschriften herrschenden gotischen Stils geltend, dessen gebrochene Lettern mit rautenförmigen oder gewellten Linien typisch und in der Zeit vorherrschend waren. Der Einfluss der gotischen Textura ist auch in breiten horizontalen und schmalen vertikalen Linien sichtbar.

**190** Ein Detail der Handschrift von 1303 (Paris; Abraham ben Jakob) und stilisierte Buchstaben der Handschrift von 1296 sind in Yardeni (1997, 230s.) abgebildet.

**191** Kiwitt (2001, 17) erkennt zudem mit den Handschriften Ms. B.N. hébr. 34 (Nordfrankreich, ca. 1300), Ms. B.N. hébr. 36 (Pontarlier, 1300), Ms. B.N. hébr. 712 (Frankreich, ca. 1270–1280) vergleichbare Merkmale.

lich. Dies weist darauf hin, dass der gesamte Text von einem einzigen Schreiber angefertigt worden ist (cf. Kiwitt 2001, 15; Beit-Arié 1993, 11), wenn auch die Größe der einzelnen Buchstaben von Seite zu Seite teilweise erheblich variiert. Die Handschrift ist durchgängig punktiert; lediglich hebräische Wörter und diejenigen, die abgekürzt nur zum Auffüllen einer Zeile bestimmt sind, bleiben ohne Vokalisierung. Die Punktation stammt ebenfalls vom Schreiber selbst. Dies lässt sich zum einen an der Intensität der Tintenfarbe erkennen, die mit der des Konsonantentexts übereinstimmt. Zum anderen weisen die Konsonanten dieselbe Federstrichbreite wie die der Punktation auf. Ein weiteres Indiz für die Punktation durch den Schreiber ist die nahezu durchgängige Vokalisierung.

Auch die Kursive des Fließtexts ist, wie die Quadratschrift der Überschriften, dem aschkenasischen Raum aus der zweiten Hälfte des 13. oder beginnenden 14. Jahrhunderts zuzuordnen, wie ein Vergleich mit deutschen Manuskripten aus den Jahren 1255, 1284, 1315 (alle aus Köln, cf. Birnbaum 1971, I–305),[192] 1266[193] und 1343[194] sowie mit einem nordfranzösischen von 1280[195] zeigt. Die Schrifttypen auf beiden Seiten des Rheins ähnelten sich stark und sind oft kaum voneinander zu trennen (cf. Birnbaum 1971, I–300).[196] Ähnlichkeiten und Übereinstimmungen zwischen *Fevres* und den Vergleichshandschriften zeigen sich vor allem bei den folgenden Buchstaben:

Aleph (cf. z. B. Anhang 3, Z. 2, אֵן) ist nicht wie in der Quadratschrift durch eine von links oben nach rechts unten verlaufende diagonale Basis gekennzeichnet, sondern ähnelt eher einem lateinischen <K>; häufig sind der linke und der rechte Teil des Buchstaben voneinander getrennt. Beim Gimel (cf. z. B. Anhang 3, Z. 5, גֻומִי) ist auffällig, dass das untere Ende des rechten Fußes nach links gezogen ist, während sich der hoch angesetzte linke Fuß nahezu waagerecht nach links erstreckt. Dalet und Resh sind oft nur schwer voneinander zu trennen (cf. z. B. Anhang 3, Z. 5, דְרַכְמָא). Die untere Linie des Tet und Shin weisen die Eigenart auf, dass sie fast horizontal verlaufen. Der linke Strich ist jeweils neu angesetzt; er ist gerade und vertikal. Der Mittelstrich des Shin

192 Cf. die Abbildungen 353, 354 und 355 in Birnbaum (1971, II).

193 Ms. aus Köln; cf. Abbildung 29 in Birnbaum (2007, 705).

194 Abbildung des Manuskripts bei Yardeni (1997, 232s.).

195 Cf. die Abbildung 330 in Birnbaum (1971, II).

196 Die enge Verwandtschaft der beiden Schrifttypen resultiert aus der durch Expulsionen geprägten schicksalhaften Verbindung zwischen französischem und deutschem Judentum: Die Schrift folgt dem Weg «taken by many of of the Zarphatic exiles upon their expulsion from France, and so turn eastwards», so Birnbaum (1971, I–300), der weiter ausführt: «This fact proves that Ashkenazic Jewry must, at least in the main, have been descended from tha Zarphatic group» (1971, I–299, Fn. 2).

hat nur die Form eines Punktes, der nicht bis an die Basis reicht (für Tet cf. Anhang 3, Z. 3, טְרוֹצִּיצִּי; für Shin z. B. Anhang 3, Z. 6, שִׁי). Das Lamed lässt kaum einen Bauch erkennen, sondern stellt eher eine gebrochene, weit nach oben gezogene Linie dar (cf. z. B. Anhang 3, Z. 9, לִי), die oft mit einem nach links schwingenden Bogen beginnt; letztere Eigenheit war lediglich bei der Kölner Handschrift von 1266 zu beobachten. Mediales Mem ist unten weit offen (cf. z. B. Anhang 3, Z. 5, גֻּומִּי). Das mediale Nun hat eine ausgeprägte untere horizontale Linie, während eine obere kaum auszumachen ist (cf. z. B. Anhang 3, Z. 5, קוֹלִיאַנְדְּרִי); das Schluss-Nun ist nur ein einfacher, sich unter die Grundlinie erstreckender Strich (cf. z. B. Anhang 3, Z. 17, שֵׁמֶן). Beim medialen Pe zeigt sich die Auffälligkeit, dass der mittlere Strich oft bis fast an die untere Basis reicht (cf. z. B. Anhang 3, Z. 6, אֱנפוֹדְרָא). Das Qof zeigt eine relativ kurze linke Linie und einen schrägen, in die Horizontale tendierenden oberen Balken; dies gilt bei *Fevres* allerdings nur, wenn der Buchstabe am Anfang oder in der Mitte eines Wortes steht (cf. z. B. Anhang 3, Z. 5, קוֹלִיאַנְדְּרִי).

Auf ff. 28v–219r befindet sich eine Randnotiz, die von einer anderen Hand später hinzugefügt wurde. Die aschkenasische Kursive teilt Merkmale mit Handschriften aus dem nordfranzösischen Raum und stammt wahrscheinlich aus dem 14. Jahrhundert.[197]

### 1.3.3.3 Weitere Zeichen

In der Handschrift erscheinen zudem folgende Zeichen:

1. Als Satztrenner fungieren zwei Punkte auf der oberen Grundlinie: ¨ (cf. z. B. Anhang 2, Z. 4).
2. Ein einzelner, etwas tiefer gesetzter Punkt (·) stellt eine Art Komma dar. Er tritt vornehmlich bei Aufzählungen, bspw. von Rezeptzutaten, auf.
3. Ein singuläres Zeichen befindet sich auf f. 158v11:

**Abbildung 3:** Detail aus f. 158v11

197 Für eine detaillierteren Beschreibung sowie zur zeitlichen und geografischen Einordnung der Randnotiz cf. Kiwitt (2001, 16ss.).

Hierbei handelt es sich höchstwahrscheinlich um eine Abbreviatur für die Apothekermaßeinheit *Unze*, die auch in spanischen mittelalterlichen Handschriften häufig anzutreffen ist, wie Abbildung (4) zeigt:

**Abbildung 4:** Apothekersymbol für 'Unze' (aus: Mackenzie/Burrus 1986, 13)

Auch in Cappelli (1928, 410b) wird das Unzensymbol ähnlich wie ʒ abgebildet, hier jedoch ohne die mediale horizontale Trennung des Zeichens.[198]

4. Vereinzelt befinden sich hebräische Zahlzeichen im Text, die gemäß hebräischem Usus in Buchstaben dargestellt sind:[199] Auf f. 177r16 ist über den eigentlichen Text einmal ein א (Aleph), das den Zahlenwert 1 besitzt, und einmal ein ב (Bet) mit dem Wert 2 geschrieben. Da es sich an dieser Stelle um die die Aufzählung von Rezeptzutaten handelt, erscheint die Interpretation als Zahlzeichen plausibel. Eindeutige hebräische Zahlzeichen erscheinen auf f. 171v–172r: Hier werden ה̇, ד̇, ג̇, ב̇ und ז̇[200] als Zahlenwerte 2, 3, 4, 5 und 7 der Maßeinheit *drachma* verwendet. In *Fevres* werden Zahlen sonst als französische Wörter ausgeschrieben (cf. 3.5).

### 1.3.4 Ergebnisse der Manuskriptbeschreibung

Fasst man die Ergebnisse der Manuskriptbeschreibung zusammen, lassen sich gewisse Rückschlüsse auf den Ursprung von *Fevres* ziehen. Eine eindeutige Identifizierung des Autors und/oder des Schreibers ist zwar nach wie vor nicht möglich, doch können aufgrund der Merkmale des Kodex eine lokale und chro-

198 Da das Zeichen in *Fevres* neben der Trennung auch einen horizontalen Querstrich erkennen lässt, wäre zudem eine alternative Interpretation als arabische Bruchzahl ½ oder ⅔ denkbar. Für diesen Hinweis danke ich ich Gerrit Bos. Zur Darstellung der arabischen Zahlen 1, 2 und 3 cf. Cappelli (1928, 422ss.).

199 Den hebräischen Buchstaben ist jeweils ein Zahlenwert zugeordnet, also Aleph – א – 1, Bet – ב – 2, Gimel – ג – 3, etc. Ab Jod – י – 10 erhalten die Buchstaben Zahlenwerte der Zehner, ab Qof – ק – Werte der Hunderter. Zur Zuordnung von Zahlenwerten zu den hebräischen Buchstaben cf. Kramer/Kowallik (1994, 69).

200 Die Zahlenwerte sind jeweils durch einen Punkt verziert.

nologische Eingrenzung vorgenommen werden. Dabei ist stets im Hinblick auf die Datierung mit Beit-Arié (1993, 35s.) zu bedenken, dass «dating undated manuscripts is particularly hindered by the conservatism of handwritings».[201] Die erzielten Resultate können daher lediglich als Tendenz, nicht jedoch einer eindeutigen und eng begrenzten zeitlichen Einordnung dienen. Die Hand des Manuskripts ist eindeutig aschkenasischen Ursprungs und teilt vorrangig Merkmale mit Handschriften aus Nordfrankreich aus dem Zeitraum des ausgehenden 13. bis 14. Jahrhunderts.

Interessant ist hierbei, dass im Kontrast zu der einheitlichen aschkenasischen Hand im Kodex verschiedene Arten von Pergamentlagen aus unterschiedlichen Kulturkreisen auszumachen sind, die in unterschiedlichen Regionen hergestellt wurden, davon neun (von 45 Lagen) Quinternionen, die nur in Italien verbreitet waren. Es ist demnach anzunehmen, dass der Schreiber die im aschkensischen Raum üblichen 26 Quaternionen mit nach Italien brachte und das Manuskript auf diesen sowie in unregelmäßigem Wechsel mit den italienischen Quinternionen verfasste und dann zum Kodex verband. Die divergierenden kodikologischen und paläografischen Ergebnisse hinsichtlich ihres Ursprungsortes sind nämlich gemäß Beit-Arié (1993, 35) wie folgt zu interpretieren: «Whenever all or a part of the codicological techniques do not correspond with the area in which the type of script is normally used, one should assume that the manuscript was produced in the area where these techniques were practiced, and the script would reflect merely the origin of the scribe». Umgekehrt ist jedoch ebenso denkbar, dass der Schreiber die Lagen aus fünf Doppelblättern in Italien erstand, sie mit den Quaternionen kombinierte und zum Kodex zusammenfasste. Dies könnte vor allem dann eine plausible Interpretation sein, wenn man die Handschrift als Autograph betrachtet: Der Autor erwähnt, er habe die Schule von Hillel ben Samuel im norditalienischen Forlì besucht (cf. f. 220v; 1.1.4.3; Kiwitt 2001, 13). Für eine Betrachtung des Manuskripts als Autograph spricht, dass erstens keine anderen Kopien von *Fevres* bekannt sind (cf. Steinschneider 1894, 399; Steinschneider 1897, 85a) und dass zweitens das Schriftbild mit dem Schrifttypus der Region und des Zeitraumes übereinstimmt, der für Abfassungsort und zeit ermittelt werden konnte (cf. Kiwitt 2001, 15).

Abschließend soll auf Honemann (1999) zurückgegriffen und der Versuch unternommen werden, von der äußeren Beschaffenheit des Kodex Rückschlüsse auf die pragmatische Intention des Werkes zu ziehen. Für dieses Unterfangen muss natürlich von *Fevres* als einem Autograph ausgegangen werden. Insge-

**201** Bei Pergamentkodizes entfallen Datierungshilfen wie etwa Wasserzeichen, die oftmals in Papiermanuskripten vorzufinden sind (cf. Beit-Arié 1993, 37ss.).

samt kann festgehalten werden, dass die Handschrift einen weniger hochwertigen Eindruck hinterlässt. Die geringe Qualität des Pergaments, die uneinheitliche Blattanzahl der einzelnen Lagen, die stark schwankende Intensität der Tinte, die farblich nicht variiert, die Flecken, die zahlreichen Randnotizen, die unregelmäßige, i.e. in der Größe schwankende Beschriftung, die schräg nach unten abfallenden Zeilen, das Nicht-Einhalten des linken Seitenrandes und nicht zuletzt das Fehlen fast jeglicher Ornamente sind Hinweise dafür, dass der Kodex kein bibliophiles Kleinod darstellte. Vielmehr ist anzunehmen, dass das Buch eher als alltäglicher Gebrauchsgegenstand, als *Vademecum*, verwendet wurde (cf. Zaun 2002a, 277). Dafür spricht zudem das kleine, kompakte Format des Bandes. Diese Beobachtungen lassen sich mit dem Inhalt des Werkes ebenfalls zumindest teilweise in Einklang bringen. Neben medizintheoretischen Passagen finden sich zahlreiche, die in der täglichen Praxis Handlungsanweisungen für den Arzt bieten, sei es in Form von Rezepten oder in Form eines diagnostischen Leitfadens. Die Gebrauchsintention ist jedoch noch kein hinreichendes Kriterium für einen Text aus dem mündlichen Register, den Fudeman (2010, 57) allen volkssprachlichen Texten in hebräischer Graphie zuspricht. Die Zurückweisung der oralen Eigenschaft für *Fevres* (cf. 1.1.3.3) wird auch durch die Erkenntnisse dieser Untersuchung nicht unterminiert: Auch Rezepte und praktische Handlungsanweisungen werden fachsprachlich-schriftlich festgehalten und tradiert.

## 1.4 Die Graphie in *Fevres* und ihre Transliteration

### 1.4.1 Die hebräische Schrift

Das hebräische Alphabet ist in seinem Ursprung, wie fast alle Buchstabenschriften, auf das phönizische – oder besser: kanaanäische – Alphabet zurückzuführen, dessen erste Zeugnisse ab 1800 v. Chr. in Frühformen belegt sind.[202] Wie alle Schriftsysteme semitischer Sprachen – das Hebräische zählt zu den nordwestsemitischen Sprachen – ist auch das hebräische von rechts nach links zu lesen und verfügt genuin nur über Konsonantenzeichen. Bis ins 10. Jahrhundert v. Chr. wurden nur konsonantische Lautwerte notiert; erst gegen Ende des Jahrhunderts konnten mit gewissen Konsonanten (sogenannte *matres lectionis*) auch lange Vokale bezeichnet werden: zunächst nur durch He (ה), Waw (ו) und Jod (י); später kam Aleph (א) hinzu. Nach einer gewissen Zeit (um

202 Die Informationen des historischen Überblicks speisen sich aus Naveh et al. (2007, 689–728) und Kramer/Kowallik (1994, IXff).

ca. 200 v. Chr.) hatte sich die Repräsentation von [aː] durch א, von [oː] und [uː] durch ו, von [eː] und [iː] durch י und von auslautendem [aː] durch ה herausgebildet. Die Notierung der sogenannten linearen Vokalisierung blieb jedoch stets fakultativ (sogenannte Plene-Schreibung mit *matres lectionis* vs. Defektiv-Schreibung ohne *matres lectionis*), und die Buchstaben behielten parallel dazu ihren konsonantischen Lautwert. Das Risiko ambiger Lesarten, das man ursprünglich durch die Vokalisation minimieren wollte, blieb damit weiterhin bestehen.

Ab der Zeit um das 2. Jahrhundert n. Chr. begann das Hebräische als Muttersprache zu verschwinden, und von da an fiel den gelehrten Rabbinern die Aufgabe der Bewahrung der korrekten Aussprache des Hebräischen zu, allein mithilfe der mündlichen Tradition. Da der Buchstabenbestand des Bibeltexts als heilig und damit unveränderbar galt – eine Verfeinerung der linearen Vokalisation bspw. entfiel damit –, bediente man sich eines diakritischen Hilfsmittels zur Erinnerung an die richtige Aussprache: Ein System aus Punkten und Linien unter den Buchstaben zeigte die Vokalwerte an, die nach dem entsprechenden Konsonanten zu sprechen waren. Mit der Einführung der tiberischen Punktierung[203] im 7. Jahrhundert n. Chr. wurde nicht gleichzeitig die lineare Vokalisierung abgelöst; beide Systeme bestanden gleichzeitig nebeneinander, sodass sich die Möglichkeiten der Verschriftlichung ein- und desselben Wortes noch weiter vervielfachten. Das Punktierungssystem wurde in erster Linie in sakralen, aber auch poetischen Texte angewendet; prosaische Texte wurden linear vokalisiert.

Die hebräische Schrift, die ursprünglich von den Aramäern übernommen worden war, wurde schon immer auch zur Verschriftlichung anderer Sprachen außerhalb des Hebräischen gebraucht. Nach der Vertreibung der Juden aus Palästina (also nach der Zerstörung des zweiten Tempels durch die Römer 70 n. Chr.) brachten Juden ihre Schrift mit in die Diaspora und begannen, die örtlichen Sprachen mit ihrer Schrift darzustellen. Es ist daher nicht verwunderlich, dass wir Textzeugnisse zahlreicher Sprachen in hebräischer Graphie besitzen (bspw. Arabisch,[204] Griechisch,[205] Spanisch,[206] Katalanisch,[207] Okzita-

**203** Benannt nach ihren Erfindern, drei Gelehrte aus Tiberias, einer Gelehrtenstadt im Jordantal.
**204** Cf. z. B. Halkin/Lazarus-Yafeh (2007); Blau (1999).
**205** Cf. z. B. Dalven/Aslanov (2007); Aslanov (1999; 2012).
**206** Das Judenspanische hatte bekanntermaßen einen anderen Status als die übrigen hier genannten Sprachen: Es wurde auch nach 1492 von den aus Spanien vertriebenen Juden gesprochen, die sich v. a. im östlichen Mittelmeergebiet niederließen. Das Judenspanische ist in zwei Varietäten bekannt: dem literarischen *Ladino*, das eher einer Technik zur Übersetzung der Bibel gleichkommt, und dem volkssprachlichen *Djudezmo*, das auch dialektale Unterschiede aufweist. Beide Sprachformen unterscheiden sich linguistisch stark vom Standardspanischen (cf. Sala 1998, 375ss.; Séphiha 1974, 1979; Busse 1991); cf. auch 1.1.3.3.
**207** Cf. z. B. Mensching/Savelsberg (2004); Mensching/Bos (2011).

nisch,[208] Französisch,[209] Italienisch,[210] Lateinisch,[211] Deutsch bzw. Jiddisch[212]), die von Juden gesprochen bzw. geschrieben wurden.

Die Geschichte altfranzösischer Texte in hebräischer Graphie wurde bereits unter 1.1.3.2 dargestellt. Die spezifische Graphie von *Fevres*, die in diesem Abschnitt genauer untersucht werden soll, steht in deren Tradition und ist aus dieser heraus zu verstehen. Die Repräsentation der einzelnen Phoneme, die im Folgenden dargelegt werden soll, wird daher mit der anderer jüdischer Skriptae verglichen, insbesondere mit den Rashi-Glossen (cf. DB).

### 1.4.2 Die Repräsentation des Altfranzösischen durch hebräische Konsonanten und ihre Vokalisierung in *Fevres*

Katzenellenbogen (1933, 24ss.) und Kiwitt (2001, 18ss.) widmeten sich bereits mit eingehenden Untersuchungen der Repräsentation altfranzösischer Phone durch hebräische Buchstaben in *Fevres*. Das folgende Unterkapitel wird zunächst die Beobachtungen bestätigen und mit weiteren Beispielen untermauern, soll aber auch Ergänzungen und teilweise Revidierungen vornehmen.[213]

Vorab ist festzuhalten, dass die im Folgenden dargestellte Analyse keine exakten Aussagen über eine Graphie zulässt, die ein eindeutiges Verhältnis zwischen Phonem und Graphem beinhaltet. Mit Meisenburg (1996) soll betont werden, dass konsequente Isomorphien zwischen Lautung und Schreibung bei historischen Schriftsystemen kaum möglich sind und dass Graphem-Phonem-Korrespondenzen in unterschiedlichem Ausmaß ambig sein können (cf. Meisenburg 1996, 22s.). Eine besondere Zuspitzung erfährt diese generelle Problematik dadurch, dass es eine nur schwach ausgeprägte Tradition für das hebräische Alphabet gibt, Grapheme für diejenigen Phoneme anzuwenden, die nicht zum Phoneminventar des Hebräischen gehören.[214] Betroffen sind bspw. die alt-

208 Cf. z. B. das berühmte Esther-Gedicht (Milner Silberstein 1973) sowie die Existenz zahlreicher medizinisch-botanischer Termini in sog. Synonymenlisten (mehrsprachigen Glossaren) (cf. insbesondere Bos/Hussein/Mensching/Savelsberg 2011 (= ShS-1); zu weiteren Referenzen cf. 1.1.3.2) und hebräischen Übersetzungen aus Südfrankreich mit eingebetteten altokzitanischen Fachtermini (cf. z. B. Bos 2015b; Bos et al. in Vorb.).

209 Cf. ausführlich und zu Referenzen 1.1.3.2, 1.1.3.3.

210 Cf. z. B. Sermoneta/Aslanov (2007); Bos/Mensching (2015).

211 Cf. z. B. Aslanov (2013).

212 Cf. z. B. Weinreich (2007).

213 Vereinzelte neue Aspekte wurden bereits ansatzweise in Zwink (2006, 251ss.) besprochen.

214 Dieselbe Problematik ergab sich selbstverständlich auch für die Verschriftlichung des Altfranzösischen durch lateinische Buchstaben; hier konnten die Schreiber jedoch auf eine weitaus länger bestehende umfassendere Graphietradition und Konvention zurückgreifen.

französischen palatalen Konsonanten /ʎ/, /ɲ/, /ʃ/, die Vokale /ø/, /œ/, /y/, alle Nasalvokale sowie Diphthonge; auch Affrikaten sind dem Hebräischen unbekannt.[215] Bezüglich der Transkription lateinischer Wörter sind bspw. Diphthonge, Nasalvokale, das Phonem /χ/ oder der Nexus /ks/ betroffen. Der Schreiber muss daher notgedrungen auf Buchstaben bzw. Buchstabenkombinationen ausweichen, was wiederum zur Folge hat, dass dieselben hebräischen Buchstaben(kombinationen) unterschiedliche altfranzösische und lateinische Laute repräsentieren müssen. Ferner ist aufgrund einer mangelnden verbindlichen Orthographie die Schreibung in *Fevres* nicht konsequent, i.e., dieselben Lexeme werden oft in divergierender Graphie wiedergegeben. In diesem Fall repräsentieren zwei unterschiedliche hebräische Grapheme dasselbe altfranzösische bzw. lateinische Phonem.[216] Auf einen weiteren Punkt macht uns Kiwitt (2001, 18) aufmerksam: In *Fevres* wird «in einigen Fällen die entsprechende Orthographie in lateinischer Schrift (oder eine ältere, einen früheren Lautstand widerspiegelnde jüdisch-französische Graphie) imitiert»; dies könnte etwa bei der Repräsentation von Diphthongen und Nasalen zutreffen.[217] In diesen Fällen wird deutlich, dass sich die beiden Systeme *Transkription* und *Transliteration* überschneiden.[218] All diese Vorbehalte sind verantwortlich dafür, dass im Folgenden nur Tendenzen der Graphie und keine uneingeschränkt gültigen Gesetzmäßigkeiten aufgezeigt werden können. Die folgenden Abschnitte gehen gemäß der Buchstabenreihenfolge des hebräischen Alphabets vor und besprechen insbesondere diejenigen Konsonanten, die ambig sind oder sonstige Besonderheiten bei der Transkription derjenigen Phoneme aufweisen, über die das Hebräische nicht verfügt. Die Vokalisierungszeichen werden zusammen mit den Konsonanten besprochen, die durch sie punktiert werden. Die im Folgenden aufgeführten Beispiele beziehen sich vorrangig auf die Transkription des Altfranzösischen.

1. Aleph (א) dient punktiert als *mater lectionis* (cf. 1.4.1) für wortinternes [a] und [ə], vereinzelt auch für [e] (cf. Kiwitt 2001, 21). Die Punktierung für [a] erfolgt durch Patach (◌ַ) oder Qamez (◌ָ), wobei Qamez nur in lateinischen Wörtern für auslautendes [a] auftritt. Es steht zudem, wie in den Rashi-

215 Affrikaten existierten jedoch höchstwahrscheinlich zur Abfassungszeit im Dialekt des Schreibers nicht mehr und sind daher in *Fevres* nicht repräsentiert (cf. 1.5.2).

216 Beispielsweise steht für altfrz. *prenez* פְּרֵינֵייש – *PReYNeYYŠ* (f. 156v8) und פְּרֵינֵייץ – *PReYNeYYṢ* (f. 157r5).

217 So wird der Diphthong /wɛ/, der sich in den zentralen und östlichen Dialekten bereits im 13. Jh. aus /oi̯/ entwickelt hat, teilweise durch archaisierendes וֹיי (*WoYY*) transkribiert (z. B. נוֹייְרא – *NWoYYRə'* (167r20) für *noire*).

218 Diese Beobachtung machte auch Aslanov für mittellateinische Texte in hebräischer Graphie (cf. Aslanov (2013, 48s.).

Glossen, stets vor wortinitalem und finalem Vokal und zur Kennzeichnung eines Hiats:[219]

(1a) אַרְטְא – *'aRṬə'* (165r14) → *arte*

(1b) אישטילא – *'YŠṬYL'* (DB 428a) → *estele*

(1c) מַאלַאדְא – *Ma'La'Də'* (162r11) → *malade*

(1d) אִיקְטִירִיצִיאָה – *'iYQṬiYRiYẒiY'aH* (163v9) → *ictericia*

(1e) לְאאַגְ̄א – *Lə''aĞə'* (171r3) → *le age*

(1f) פְּלַאאְה – *PLa''əH* (160r3) → *plae*

In Verbindung mit durch Cholem punktiertes Waw (*Cholem magnum*), also אוֹ (*'Wo*), sowie durch doppeltes, mit Patach punktiertes Aleph in der Kombination mit *Cholem magnum*, also אַאוֹ, (*'a'Wo*), wird die lateinische Schreibung ⟨au⟩ imitiert und [o] transkribiert:

(2a) אוֹ – *'Wo* (158r3, u. v. m.) → *au*

(2b) הַאוֹט – *Ha'WoṬ* (158r2) → *haut*

(2c) אַאוֹשִׁי – *'a'WoŠiY'* (160r3) → *ausi*

(2d) אַאוֹטְרְא – *'a'WoṬRə'* (160v10) → *autre*

Auch in den Rashi-Glossen wird lateinisches ⟨au⟩ durch או (*'W*) wiedergegeben, z. B. אורפימנט – *'WRPYMNṬ* (*aurpiment*, DB 754a).

2. Bet (ב) ohne Raphe[220] bezeichnet [b], mit Raphe (בֿ) steht es für [v] (cf. Kiwitt 2001, 19):

(3a) בוֹק – *BWoQ* (161v2) → *boc*

(3b) בֵֿירְטוּ – *VeYRṬWu* (101r16) → *vertu*

219 Die Kennzeichnung eines Hiates durch Alef stellt auch Aslanov (2013, 49s.) für mittellateinische Texte in hebräischer Graphie fest; ebenso Mensching (2015, 241) für altokzitanische Texte.

220 Das Diakritikum Raphe ist ein horizontaler Strich über den Konsonanten Bet, Gimel, Dalet, Kaf und Pe (in romanischen Texten; im Hebräischen steht der Raphe in anderer Funktion auch über Taw und He). Er zeigt er die frikative (vs. plosive) Aussprache an (cf. Kramer/Kowallik 1994, 65); cf. die Erläuterungen im Folgenden unter den jeweiligen Buchstaben.

Im Gegensatz zu *Fevres* steht in den Rashi-Glossen kein Raphe zur Kennzeichnung der frikativen Aussprache [v]:

(4) ביבייר - *BYBYYR* (DB 1063a) → *vivier*

3. Gimel (ג) ohne Raphe bezeichnet [g], mit Raphe (גֿ) [ʒ] (cf. Kiwitt 2001, 19). Aufgrund des Abfassungszeitpunkts von *Fevres*, der in Anbetracht externer Faktoren frühestens gegen Ende des 13. Jahrhunderts liegen kann (cf. 1.1.3, 1.5.2), ist davon auszugehen, dass גֿ den Frikativ [ʒ] darstellt, der sich aus [ʤ] entwickelt hat: Der Verlust der initialen dentalen Komponente der altfranzösischen Affrikate («dentale Implosion», Rheinfelder 1963, 164) setzte um 1200 ein und war im Laufe des 13. Jahrhunderts abgeschlossen (cf. Fouché 1961, 3–780; Pope 1934, 93s.). Diese Beobachtung gilt für alle drei Affikaten des Altfranzösischen, i.e., [ʤ] > [ʒ], [ʦ] > [s] und [ʧ] > [ʃ] (cf. zur jeweiligen Transkription infra).

(5a) גַארִירַא - *Ga'RiRa'* (178v4) → *garira* [g-]

(5b) גְֿאזִיר - *Ǧə'ZiYR* (173v14) → *gesir* [ʒ-]

(5c) גֿוֹיינְט - *ǦWoYYNṬ* (101r1) → *joint* [ʒ-]

(5d) לַרְגְֿא - *LaRǦə'* (240v7) → *large* [-ʒ-]

In den Rashi-Glossen repräsentiert Gimel ohne Raphe sowohl [g] als auch – hier aufgrund des Abfassungszeitpunktes im 11. Jahrhundert – [ʤ]:

(6) גירופלי - *GYRWPLY* (DB 542) → *girofle* [ʤ-]

In Texten anderer romanischer Sprachen in hebräischer Graphie kann mit Diakritikum versehenes Gimel [ʤ] repräsentieren, bspw. im altokzitanischen Glossar ShS-1 (= Bos/Hussein/Mensching/Savelsberg 2011), das Mitte des 13. Jahrhunderts in der Provence fertiggestellt wurde:

(7) ג'רופלי - *ǦRWPLY* (ShS-1, Bet 1-P) → altokzitanisch *girofle* [ʤ-]

In judenspanischen Texten kann der Raphe auf Gimel die Affrikaten [ʧ] und [ʤ], aber vereinzelt auch den Frikativ [ʒ] repräsentieren (cf. Minervini 1992, 1–28).

4. He (ה) steht am Wortanfang für [h],[221] als *mater lectionis* von [ə] im Wortauslaut bei femininen Substantiven und Adjektiven (Partizipien), sofern ein Vokal vorausgeht (cf. Kiwitt 2001, 21):

(8a) הַאַטִיףֿ – *H'aṬiYF* (240v19) → *hatif*

(8b) הוֹרְץ̇ – *HWoRẒ* (160r5) → *hors*

(8c) דְאהוֹרְץ̇ – *Də'HWoRẒ* (157r6) → *dehors*

(8d) פֵּרְצֵיאְה – *PeRẒeY'əH* (177v12) → *percée*

(8e) שֵׁיקִֿיאְה – *ŠeYČiY'əH* (156v10, u. a.) → *sechie*

(8f) דְאמִיאְה – *Də'MiY'əH* (156v9) → *demie*

(8g) פְּלַאייאְה – *PLa'YY'əH* (160r5) → *plaie*

Dieselben Verwendungen sind auch in den Rashi-Glossen vorzufinden:

(9a) הילמא – *HYLM'* (DB 580b) → *helme*

(9b) אורטיאה – *'WRṬY'H* (DB 754bis, a) → *ortie*

Es ist interessant zu konstatieren, dass initiales oder intervokalisches He in *Fevres* ausschließlich [h] (*h aspiré*) transkribiert. Rein graphisches <h>, das in lateinischer Graphie etwa in altfranzösisch *homme*, 'Mann' (FEW 4, 453b), erscheint, bleibt stets unrepräsentiert.[222]

5. Waw (ו) dient, wie in den Rashi-Glossen, als Konsonant für [v] und stellt damit eine Alternative zu בֿ dar (cf. Kiwitt 2001, 22):

(10a) וִיאוֹלֵייש – *WiY'WoLeYYŠ* (170v5, u. v. m.) → *violes*

(10b) ויולא – *WYWL'* (DB 1060b) → *viole*

Als *mater lectionis* kann Waw, wie in den Rashi-Glossen, die Phone [o], [ɔ], [œ], [ø], [u] oder [y] repräsentieren. Dabei liegt in *Fevres* fast ausnahmslos eine

221 Die Aussprache des germanischen *h aspiré* ([h-]) hielt sich am längsten (bis ca. 16. Jahrhundert) im Osten des Gebietes der *langue d'oïl*. Heute besteht [h] teilweise noch im Süden und Osten Walloniens (cf. Pierret 1994, 167; Berschin et al. 2008, 106, 176).

222 Weitere Wörter mit initialem oder intervokalischem *h aspiré* sind bspw. הַאוֹט – *Ha'WoṬ* (*haut*, f. 157v19); הוֹלֵינְדֵר – *HWoLeYNDeR* (mhd. *holender*, f. 177v8); הוֻמֵייר – *HWuMeYYR* (*humer*, f. 177r20). Dagegen stehen bspw. אוֹמְא – *'WoMə'* (f. 162r11) für *ome (homme)* oder אוֹמֻור – *'WoMuWR* (f. 174r6) für **omeur* (*humeur*).

Vokalisierung durch Punktierung vor. Punktiert durch Cholem (*Cholem magnum*, וֹ – *Wo*) wird [o] oder [ɔ] bezeichnet, in Einzelfällen auch [ø].

(11a) בוֹטְא – *BWoṬə'* (100v15, u. a.) → *(il) bote*

(11b) קוֹטוֹמְא – *QWoṬWoMə'* (171r4) →**cotome*

(11c) אֲקרוֹפֵיר – *'aQRWoPeYR* (DB 3) → *acroper*

(11d) פוֹ אֲה פוֹ – *PWo 'aH PWo* (166r–18) → *peu à peu*

Ein durch Qibbuz vokalisiertes Waw (ֻו – *uW*) steht für (französisches) [y] (Bsp. 12a) oder (lateinisches) [u] (Bsp. 12f) sowie für (französisches) [œ] oder [ø] (Bsp. 12h). Oft oszilliert der Gebrauch zwischen diesem und dem im Hebräischen ungebräuchlichen וִ (Transkription: *Wu*) (Bspe 12b, 12g), das wahrscheinlich eine Erfindung des Verfassers ist (cf. Katzenellenbogen 1933, 30). Ein Kontrast zwischen beiden Punktierungsarten scheint bezüglich der Aussprache wenig ausgeprägt gewesen zu sein: Zwar lässt sich eine leicht stärkere Tendenz zugunsten von וִ (*Wu*) als Repräsentant von [ø]/[œ] ausmachen; oft erscheinen sie jedoch unterschiedslos und sind sogar im gleichen Lexem (Bspe. 12c–d) vorzufinden.

Auch bei lateinischen Wörtern, die in lateinischer Graphie ⟨eu⟩ aufweisen, ist ֻו (*uW*) (Bspe 12j–k) vorzufinden. Wahrscheinlich ist diese Schreibung als Analogie zu französischem ⟨eu⟩ zu deuten (Imitation der lateinischen Graphie, cf. supra), das [ø] gesprochen wurde.

Beide Arten der Vokalisierung sind bei Rashi nicht anzutreffen; hier steht einfaches Waw für [y]. Auch andere altfranzösische Texte unterscheiden sich diesbezüglich: «the Latin *u*, becoming the French [ü], was written ֻ » (Banitt/Aslanov 2007, 545).

(12a) דֵינַאטֻורֵיאְה – *DeYNa'ṬuWReY'əH* (174r20) → *denaturée*

(12b) דֵטְרוִצְא – *DeṬRWuẒə'* (239v1) → *(il) detruce*

(12c) סוִמַק – *SWuMaQ* (157r22) → *sumac*

(12d) סֻומַק – *SuWMaQ* (157v12, u. v. m.) → *sumac*

(12e) אונטורא – *'WNṬWR'* (DB 78a) → *aventure*

(12f) צֵירֻוקַא – *ẒeYRuWQa'* (159v3) → *ceruca*

(12g) צֵירוִזַא – *ẒeYRWuZa'* (161r22) → *cerusa*

(12h) דְאמֻּורְא - *Də'MuWRə'* (161r19) → *(il) demeure*

(12i) דְאלִישִׁיאוּש - *Də'LiYŠiY'WuŠ* (177r2) → *delicieus*

(12j) פְּלֻּומַא - *FLWuMa'* (166r22) → *fleuma*

(12k) אֻופַּטוֹרִיאוֹם - *'uWPaṬWoRiY'WoM* (172v8, u. a.) → *eupatorium*

*Cholem magnum* in Verbindung mit einem mit Zere punktierten Doppeljod (וֹיֵי – *WoYeY*) bezeichnet [wɛ]. In den Rashi-Glossen erscheint dieser Diphthong ebenfalls als von Doppeljod gefolgtem Waw; hier jedoch unpunktiert.

(13a) אַמֵנְרוֹיֵיט - *'aMeNRWoYeYṬ* (239r16) → *amenroit*

(13b) מויילִיר - *MWYYLYR* (DB 715) → *moillier*[223]

*Cholem magnum* in Verbindung mit einem mit Zere oder Schwa punktierten Doppeljod sowie folgendem Nun (וֹיְין – *WoYeYN*) bezeichnet [wẽn]:

(14) קוֹיְינְץ - *QWoYəYNẒ* (157r5, u. a.) → *coins*

Waw wird ferner mit Shureq punktiert (וּ – *Wu*)[224] und transkribiert dann, ähnlich wie וֻ (*Wu*) oder ֻו (*uW*), [y]. וּ steht in *Fevres* immer wortfinal.

(15a) פוּ - *FWu* (157v5, u. v. m.) → *fu*

(15b) לוּ - *LWu* (101v1, u. v. m.) → *lu*

(15c) מְינוּ - *MəYNWu* (178v9) → *menu*

(15d) נוּ - *NWu* (177v13) → *nu*

(15e) טוּ - *ṬWu* (179v20) → *tu*

(15f) בֵּרְטוּ - *VeRṬWu* (162v5, u. a.)

Die Endung *-um* lateinischer Wörter (Nominativ Neutrum/Akkusativ Maskulinum und Neutrum) erscheint als וֹם- (*-WoM*):

223 Transkription gemäß DB.

224 Im Hebräischen bezeichnet Shureq [ū] und steht in Opposition zu Qibbuz, das [ŭ] anzeigt (cf. Kramer/Kowallik 1994, 54).

(16a) אַמִידוֹם – *'aMiYDWoM* (156v9, u. a.) → *amidum*

(16b) אַפְּצֵינְטִיאוֹם – *'aPẒeYNṬiY'WoM* (171v6, u. a.) → **apsentium*

(16c) אֻופַּטוֹרִיאוֹם – *'uWPaṬWoRiY'WoM* (172v8, u. a.) → *eupatorium*

Die Transkription scheint konservativ zu sein, da davon auszugehen ist, dass finales lateinisches [m] längst geschwunden ist und nur noch durch die Nasalierung des Endsilbenvokals Reste bewahrt hat (Aussprache: [õ]) (cf. Rheinfelder 1963, 142s., 289). Dies wird auch durch die vereinzelte Transkription der Endung durch einfaches Cholem magnus ohne finales Mem deutlich; diese Transkription von lateinischem <um> ist auch in anderen Texten in hebräischer Graphie, etwa im *Sefer ha-Shimmush* (cf. Bos et al. 2001, 46), zu lesen (cf. Bsp. 17b):

(17a) קְרוֹקוֹ – *QRWoQWo* (170r16, u. a.) → *crocum*

(17b) קרפובלשמו – *QRPWBLŠMW* (ShS-1, Gimel 4) → *carpobalsamum*, 'Frucht des Balsambaumes'

Bei der Erstellung des hypothetischen altfranzösischen Lesetextes wird in diesen Fällen die lateinisch-konservative Graphie *um* beibehalten. In den Rashi-Glossen steht an dieser Position die unpunktierte Endung ום- (-*WM*), z. B.

(18) אגרום – *'GRWM* (DB 18c) → interpretiert als *aigrum*

6. Zajin (ז) transkribiert fast immer [z], Shin (ש) kann für [s] oder [z] stehen; Samech (ס) und Zade (צ) repräsentieren [s] (cf. Kiwitt 2001, 20), wobei Zade vornehmlich wortfinal (ץ) auftritt (z. B. Pluralmorphem der Nomina, Personalendung im Plural). Samech kommt nur in lateinischen und hebräischen Wörtern sowie in Lehnwörtern vor.

(19a) רוֹזֵייש – *RWoZeYYŠ* (156v20, u. v. m.) → *roses*

(19b) רוֹשֵׁש – *RWoŠeŠ* (157v1, u. a.) → *roses*

(19c) רוֹזֵייץ – *RoZeYYẒ* (161r10) → *roses*

(19d) שַׁאבַֿאגֵייץ – *Ša'Va'ĞeYYẒ* (157v17) → *savages*

(19e) דְטְרֵינְפְּרֵייץ – *DṬReYNPReYYẒ* (171r21) → *detrenprez*

(19f) אוֹקְשִׁי פְֿנִיסִיאַה – *'WoQŠiY FNiYSiY'aH* (170r4, u. a.) → *oxifenicia*

(19g) סוּמַק – *SWuMaQ* (157r22) → *sumac*

Zu beachten ist, dass analog zu [ʤ] > [ʒ] auch die Affrikate [ʦ] zum Abfassungszeitpunkt von *Fevres* bereits zu [s] geworden ist (cf. zu Erläuterungen unter 3.). Auch dieses [s] kann durch Shin (ש), Samech (ס) oder Zade (צ) dargestellt werden:[225]

(20a) סֵיטְרִין – *SeYṬRiYN* (163r16) → *cetrin* [setrĩ]
vs. älteres Altfranzösisch: [ʦetrĩn]

(20b) שֵׁיטְא – *ŠeYṬə'* (157r18) → *cete* [setə]
vs. älteres Altfranzösisch: [ʦetə]

(20c) לַנְצְלֵיאְה – *LaNẒLeY'əH* (178v7) → *lancelé* [lãsəle]
vs. älteres Altfranzösisch: [lãnʦəle]

Bei latinisierten Wörtern aus dem Griechischen kann initiales Shin (ש) den Nexus [ps-] (griechisch ψ-) repräsentieren, wie es auch in anderen lateinischen Texten in hebräischer Graphie zu beobachten ist:

(21a) שִׁילְיאוֹם – *ŠiYLiY'WoM* (158r8, u. a.) → *psilium* (von gr. ψύλλιον)

(21b) שיליום – *ŠYLYWM* (ṢhD, Shin 1) → *psilium*

7. Jod (י) steht als Konsonant für den Frikativ [ʒ], der aus der Affrikate [ʤ] entstanden ist (cf. unter 3., Erläuterungen zu Gimel; cf. Kiwitt 2001, 22); hierfür spricht die Transkription desselben Phonems sowohl durch Jod als auch durch Gimel mit Raphe (גֿ – *Ğ*) (Bspe 22a–b). Dieselbe konsonantische Verwendungsweise ist auch in den Rashi-Glossen – hier aufgrund des früheren Abfassungszeitpunktes noch zur Darstellung von [ʤ] – festzustellen:[226]

(22a) אֵנְיֵינְדְרֵיאְה – *'eNYeYNDReY'əH* (240v25) → *engendré*

(22b) אֵנגֵֿינְדְרְא – *'eNĞeYNDRə'* (167r5, u. a.) → *engendre*

(22c) ילונסיאה – *YLWNSY'H* (DB 594a) → *jaloncie*

(22d) גלניצה – *GLNYẒH* (DB 594a) → *jaloncie*

(22e) יֻוּבַרְבְּרְא – *YuWBaRBə'* (175r22, u. a.) → *jubarbe*

(22f) יוֹנְקְ – *YWoNQ* (DB 613) → *jonc*

225 Zur alternativen Repräsentation von kastilischem [s] < [ś] und galloromanischem [s] < [ʦ] durch Samech oder Shin cf. Aslanov (2013, 46s.); Mensching (2015, 242s.).

226 Zur Darstellung von altfrz. [ʤ]cf. auch Banitt/Aslanov (2007, 545): «the Latin *j*, Old French [dzh] [*sic*], was transcribed by ׳ with a diacritical mark until the 13th century».

Als *mater lectionis* transkribiert mit Zere punktiertes Jod [e] (Bsp. 23a) oder [ɛ] (Bsp. 23c); mit Chireq vokalisiertes Jod steht für [i] (Bsp. 23e), was der hebräischen Aussprache entspricht (cf. Kramer/Kowallik 1994, 52). Die Unterscheidung, die im Hebräischen zwischen Zere für [e] und Segol (ֶ) für [ɛ] gemacht wird, entfällt, wie auch in den Rashi-Glossen. Zwar erscheint ein einziges Mal ein mit Segol vokalisiertes Jod in den edierten Abschnitten: נֵיישֶׁינְט – *NeYYŠeYNṬ* (f. 165r22) für **neisent*. Die Aussprache unterscheidet sich dabei aber höchstwahrscheinlich nicht von mit Zere punktiertem Jod.

(23a) גֵ̃יטֵר - *ĞeYṬeR* (101v6) → *jeter* [-e-]

(23b) פוֹרְצֵילא - *PWoRẒeYL'* (DB 506a) → *forcele* [-e-]

(23c) גֵ̃יטְא - *ĞeYṬə'* (101r20) → *(il) jete* [-ɛ-]

(23d) פֵילְא - *PeYLə'* (DB 787f) → *pele* [-ɛ-]

(23e) לִיאְה - *LiY'əH* (240r4) → *lie*

Die Graphemkombination von Doppeljod, das durch Zere vokalisiert ist (ֵיי – *eYY*), kann den Diphthong [ei̯] repräsentieren, wie wir es auch in den Rashi-Glossen vorfinden (dort unpunktiert):

(24a) אֵיידֵייר - *'eYYDeYYR* (169v21, u. a.) → *eider*

(24b) טֵיינְט - *ṬeYYNṬ* (166r1, u. a.) → *teint*

(24c) טְרֵייש - *ṬReYYŠ* (157v4, u. a.) → *treis*

(24d) פרייש - *PRYYŠ* (DB 519) → *freis*

(24e) פריישא - *PRYYŠ'* (DB 854a) → *pres[s]e*

In manchen Fällen scheint jedoch die Betonung[227] der Silbe ausschlaggebend für die Markierung mit *-eYY-* zu sein, wie die Bspe 25a–e deutlich machen:

(25a) דֵיזֵיירְץ - *DeYZeYYRẒ* (163v25) → *deserts* [də'sers]

(25b) נוֹבֵיילְא - *NWoVeYYLə'* (101v21, u. a.) → *novele* [no'velə]

(25c) דְטְרֵינְפְּרֵייץ - *DṬReYNPReYYẒ* (171r21) → *detrenprez* [dətrẽ'pres]

227 Bis zum 16. Jh. existierte im Französischen ein Wortakzent: Lexeme waren stets oxyton bzw. paroxyton bei Wörtern, deren finaler Vokal ein /ə/ war (cf. Klausenburger 1970, 17).

(25d) דְרַאפֵּייל - *DRa'PeYYL* (178r10, u. a.) → *drapel* [dra'pel]

(25e) פֵּרְשֵׁייר - *PeRŠeYYR* (158r4) → *percer* [per'ser]

Wenn aus etymologischen Gründen keine Diphthonge vorliegen können, liegt es nahe, anzunehmen, dass *-eYY-* betonte Silben anzeigt. Folgen wir dieser Hypothese, so müssen wir davon ausgehen, dass *Fevres* zu einem Zeitpunkt abgefasst wurde, zu dem das Französische noch Wortakzent besaß.

Oftmals erscheint Jod, das mit Zere oder mit Chireq alternierend bzw. in Abweichung zum Franzischen vokalisiert wird. Dies spricht für eine wenig ausgeprägte Unterscheidung in der Artikulation des geschlossenen Vokals [i] und des halbgeschlossenen Vokals [e].

(26a) מִירַאבְלַאנַש - *MiYRa'BLa'NaŠ* (171r9) → **mirablanas*

(26b) מֵירַאבְלַאנַש - *MeYRa'BLa'NaŠ* (171v4) → **merablanas*

(26c) צִילִידוֹיְינְא - *ZiYLiYDWoYəYNə'* (178r15) → **cilidoine*
cf. altfranzösisch *celidoine*

Auch vor Nasal ist die Oszillation zwischen der Vokalisierung mit Zere und Chireq anzutreffen; die Aussprache von [ẽ] und [ĩ] scheint sich in *Fevres* anzunähern:

(27a) אֵינְדִיבְא - *'eYNDiYVə'* (173r4) → *endive*

(27b) אִינְדִיבְא - *'iYNDiYVə'* (173r6) → *indive*

(27c) מִינְטְא - *MiYNṬə'* (174r15) → *minte*

(27d) מֵנְטֵי - *MeNṬeY* (158r22) → *mente*

8. Kaf (כ) dient ohne Raphe als [k], mit Raphe (כֿ) als [χ] (cf. Kiwitt 2001, 19s.). Kaf erscheint in *Fevres* nur selten und tritt ausschließlich in aus dem Griechischen und Arabischen entlehnten Lexemen auf. Kaf mit Raphe kommt nur in griechischen und (aus dem Griechischen entlehnten) lateinischen Lexemen vor. Bei *DRaKMə'* (*dragme*, Bsp. 28a) scheint Kaf den stimmhaften Velar [g] zu transkribieren; wahrscheinlich liegt hier eine Analogie in der Graphie zu lateinischem *drachma* vor (Bsp. 28b).

(28a) דְרַכְמְא - *DRaKMə'* (159r15, u. v. m.) → (frz.) *dragme*
von lat. DRACHMA / gr. δραχμή

(28b) דְרַכְמַש - *DRaKMaŠ* (158v9, u. v. m.) → (lat.) *drachmas*
von gr. δραχμή

(28c) לֵיסְטוֹמַאכְא – *LeYSṬWoMa'Kə'* (157r1, u. v. m.) → *l'estomaque*
von lat. STOMACHUS / gr. στόμαχος

(28d) שִׁינוֹכַּא – *ŠiYNWoḲa'* (158v6, u. a.) → (lat.) *sinocha*
von gr. συνοχή

(28e) סֻוכֵר – *SuWKeR* (158v23, u. a.) → **suker*
von arab. *sukkar*

(27f) כַאנְפּוֹר – *Ka'NFWoR* (159r14) → *canfor*
von arab. *kāfūr*

Bei Rashi übernimmt Kaf (immer ohne Raphe) die Wiedergabe des Lautes [ʧ] und konkurriert in seiner Verwendung mit Qof (ק), z. B.

(29a) כבילייא – *KBYLYY'* (DB 203c) → *cheville*

(29b) קבלייא – *QBLYY'* (DB 203c) → *cheville*

9. Lamed (ל) bezeichnet sowohl [l] als auch das nicht zum Phoneminventar des Hebräischen gehörende [ʎ], wobei die Transkription von [ʎ] im Text nicht anhand eines Diakritikums kenntlich gemacht wird (cf. Kiwitt 2001, 21). Nach Lamed, das [ʎ] wiedergibt, steht dafür teilweise, jedoch nicht regelmäßig ein Jod. Die zwischen vorhandenem und nicht vorhandenem Jod nach Lamed oszillierende Repräsentationsmethode ist auch in den Rashi-Glossen zu finden:

(30a) לֵינְטִילֵייש – *LeYNṬiYLeYYŠ* (161r15, u. a.) → *lentilles*

(30b) פַּאלַאנְצְא – *Fa'La'NẒə'* (166r14, u. a.) → *faillance*

(30c) קבלייא – *QBLYY'* (DB 203c) → *cheville*

(30d) קבילא – *QBYL'* (DB 203c) → *cheville*

10. Nun (נ, ן) repräsentiert sowohl [n] als auch das im Hebräischen nicht vorhandene französische Phon [ɲ] (cf. Kiwitt 2001, 21). Analog zu Lamed wird auch hier die Palatalisierung nicht durch ein Diakritikum ausgedrückt. Eine Umgebung des Nun durch Jod ist ebenfalls nicht durchgängig festzustellen.

(31a) קַאטֵאיינֵייש – *Qa'Ṭe'YYNeYYŠ* (157v3) → **cateignes*

(31b) אֵנְשֵׁיינֵייש – *'eNŠeYYNeYYŠ* (240v14) → *enseignes*

(31c) רֵינְא – *ReYNə'* (165r12) → *regne*

In den Rashi-Glossen wird [ɲ] hingegen fast immer mit Nun + (Doppel-)Jod wiedergegeben:

(32a) קנפנייא – *QNPNYY'* (DB 186a)→ *chanpagne*

(32b) קשטנייש – *QŠṬNYYŠ* (DB 192a) → *chastaignes*

Die Transkription französischer Nasalvokale schwankt zwischen präsentem und nicht präsentem nachfolgenden Nun. Ein Unterschied in der Aussprache bestand höchstwahrscheinlich nicht; dies lässt sich an der unterschiedlichen Transkription ein- und desselben Wortes ablesen, wie die folgenden Beispiele zeigen.

(33a) קוֹנְבֵ֯יינרוֹיֵיט – *QWoNVeYYNRWoYeYṬ* (161r13) → **convenroit*

(33b) קוֹבֵ֯ינְט – *QWoVeYNṬ* (101v19) → **convent*

(33c) אֵנְשֵׁיינֵייץ – *'eNŠeYYNeYYẒ* (169v17) → *enseignes*

(33d) אֵישֵׁיינֵייץ – *'eYŠeYYNeYYẒ* (169v9, u. a.) → *enseignes*

(33e) שַׁאנְקְא – *Ša'NQə'* (102r9, u. a.) → *sanque*

(32f) שַׁאקְא – *Ša'Qə'* (159r8, u. a.) → *sanque*

Die fehlende Repräsentation von *-n-* nach Nasalvokal ist auch in anderen altfranzösischen Texten in hebräischer Graphie anzutreffen. In den Rashi-Glossen finden sich bspw. Transkriptionsalternanzen zwischen dargestelltem und fehlendem Nun nach Nasalvokal:

(34a) איגלנטר – *'YGLNṬR* (DB 14) → *aiglentier*

(34b) איגלטיר – *'YGLṬYR* (DB 14) → *aiglentier*

Die Transkription des Nasalkonsonanten nach Nasalvokal alterniert zwischen Nun und Mem, insbesondere vor bilabialen Plosiven; auch an Positionen, an denen etymologisch *-m-* zu erwarten wäre, erscheint, rein graphisch bedingt zur Darstellung des Nasal, oft ein Nun:

(35a) אַלאַטְא אַקַ֯אנְבְרְא – *'aL'aṬə''aČa'NBRə'* (161r11–12) → *(il) alate à *chanbre*

(35b) קוֹנְפַאנִיאְה – *QWoNPa'NiY'əH* (168r18) → **conpagnie*

(35c) דֵיטְרֵינְפְּרֵייץ – *DeYṬReYNPReYYẒ* (157v21, u. a.) → **detrenprez*

11. Pe (פ) bezeichnet ohne Raphe [p]; mit Raphe (פֿ) wird die frikative Artikulation [f] angezeigt (cf. Kiwitt 2001, 19):

(36a) פְּאטְיטְא – *Pə'ṬiYṬə'* (240v12) → *petite*

(36b) פֿוֹרְט – *FWoRṬ* (169v20, u. a.) → *fort*

In den Rashi-Glossen ist kein Gebrauch des Raphe über Pe anzutreffen. Hier steht Pe auch für [f]:

(37) פורמא – *PWRM'* (DB 514a) → *forme*

12. Qof (ק) repräsentiert ohne Raphe [k], mit Raphe (קֿ) [ʃ] (cf. Kiwitt 2001, 20). Wie unter 3. (Erläuterungen zu Gimel) beschrieben, existierten zum Abfassungszeitpunkt von *Fevres* im Altfranzösischen keine Affrikaten mehr; [ʧ] ist also in jeder Position zu [ʃ] geworden.

(38a) קוֹלִיאַנְדְרְא – *QWoLiY'aNDRə'* (170v13) → *coliandre*

(38b) קֿאְמִין – *Čə'MiYN* (160r8) → *chemin* [ʃəmĩ]
vs. älteres Altfranzösisch: [ʧəmĩn]

(38c) קָֿאר – *Ča'R* (168r2) → [ʃar]
vs. älteres Altfranzösisch: [ʧar]

Dieselbe Verwendung von Qof mit und ohne Raphe erscheint auch in den Rashi-Glossen, wenn auch nicht konsequent. Das heißt: Dort kann auch unmarkiertes Qof eine frikative Aussprache anzeigen, die zur Abfassungszeit noch als Affrikate [ʧ] artikuliert wurde:[228]

(39a) ברוקֿא – *BRWČ'* (DB 145a) → *broche*

(39b) קמברא – *QMBR'* (DB 185) → *chambre*

Bei lateinischen Wörtern repräsentiert Qof in finaler Position [-ks] (Graphie: <-x>). Dieselbe Lauttranskription ist auch in ṢhD sowie in den von Ferre (1991, 99) untersuchten lateinischen Texten in hebräischer Graphie anzutreffen:

228 Die Wiedergabe von altfranzösischem [ʧ] beschreiben Banitt/Aslanov (2007, 545) wie folgt: «The Latin *k*, when pronounced *tš* in Old French, was still rendered by ק, a diacritical mark showing the new value: קֿ; [...]».

(40a) מַשְׁטִיק - *MaŠṬiYQ* (174r12) → *mastix*

(40b) משתיק - *MŠTYQ* (Ferre 1991, 99; ṢhD, Mem 10) → *mastix*

(40c) אשטורק - *'ŠṬWRQ* (Ferre 1991, 99; ṢhD, Aleph 22a) → *estorax*

(40d) אפופונק - *'PWPWNQ* (ṢhD, Aleph 23) → *opoponax*

13. Der Liquidlaut [r] wird durch Resh (ר) transkribiert. Nach Obstruenten (*muta cum liquida*) erscheint [-rə] häufig in der Metathese [-er] (cf. auch Katzenellenbogen 1933, 15).

(41a) בוייבֵר - *BWoYYVeR* (161r9, u. a.) → **boiver*
vs. altfranzösisch *boivre*

(41b) אֵינטֵרמֵילֵיאְה - *'eYNṬeRMeYLeY'əH* (239r13) → **entermelée*
vs. altfranzösisch *entremeslée*

(41c) בֵינְטֵר - *VeNṬeR* (158r15) → **venter*
vs. altfranzösisch *ventre*

Da dieses Phänomen weder ein dialektales noch ein epochales Sprachmerkmal zu sein scheint und auch sonst in keinem vergleichbaren französischen Text ausfindig gemacht werden konnte, wird es als graphische Besonderheit behandelt. In altokzitanischen und mittellateinischen Texten in hebräischer Graphie ist ein ähnliches Phänomen zu beobachten: Zwischen *muta cum liquida* wird häufig ein epenthetischer Vokal eingefügt, «in order to faciliate the pronounciation» (Aslanov 2013, 54),[229] wobei der ursprüngliche Vokal in der Graphie daraufhin auch wegfallen kann (cf. Mensching 2015, 243).[230] Entsprechend könnte man annehmen, dass auch in *Fevres* die Artikulation des Nexus Obstruent + Liquid durch einen epenthetischen Vokal erleichtert werden soll[231] und dann der ursprüngliche (gedoppelte) Vokal nicht geschrieben wird.

Die übrigen Konsonanten weisen keine größeren Schwierigkeiten auf und weichen in ihrer Funktion nicht von der in den Rashi-Glossen ab. So steht Dalet

**229** Z. B. פולור (*PWLWR*) für altokzit. *flor*, 'Blüte' (cf. Mensching 2015, 243) bzw. קורושטאם (*QWRWŠṬ'M*) für lat. *crustam* acc., 'Kruste' (cf. Aslanov 2013, 54).

**230** In ShS-1 (Alef 19) erscheint die Variante פורנא (*PWRN'*), wohl eine Reduktion von *פורונא (**PWRWN'*) für altokzit. *pruna*, 'Pflaume'.

**231** In den semitischen Sprachen ist der Nexus Obstruent + Liquid phonologisch nicht zugelassen (cf. Mensching 2015, 243; Silberstein 1973, 103s.).

(ד) für [d],[232] Tet (ט) für [t], Mem (מ, ם) für [m], und Resh (ר) für [r]. Die Buchstaben Chet (ח) und Ajin (ע) kommen in den edierten *Fevres*-Abschnitten nicht vor.

14. Schwa (ְ◌) tritt in *Fevres* häufig auf und übernimmt zwei Funktionen: Erstens zeigt es die lautliche Verbindung von zwei Konsonanten an und bliebt dann in der Artikulation stumm (cf. Kiwitt 2001, 24). Dieser Fall entspricht ungefähr dem des hebräischen *Schwa quiescens*, das am Ende einer geschlossenen Silbe, deren Folgesilbe einen konsonantischen onset besitzt, den Silbenschluss anzeigt (cf. Wiznitzer 1996, 16; Kramer/Kowallik 1994, 55; Morag 2007, 560). In *Fevres* steht konsonantenverbindendes Schwa aber auch innerhalb einer Silbe, z. B. bei einem Silbenkopf, der aus *muta cum liquida* besteht. Zweitens kann es für den französischen *Schwa*-Laut [ə] stehen;[233] in diesem Fall wird es meist von einem Aleph als *mater lectionis* gestützt, der aber auch fehlen kann; dann muss der Editor über die Interpretation der Repräsentation entscheiden.

(42a) גְרֵישֵׁשׁ – *GReYŠəŠ* (173v20) → *greses*

(42b) גְרֵישְׁא דְאגְלִינְא – *GReYŠə'Də'GLiYNə'* (173v17) → *grese de geline*

Die unterstützende Darstellung von [ə] durch eine *mater lectionis* ist in den Rashi-Glossen nicht anzutreffen und stellt überhaupt eine Neuerung gegenüber anderen, älteren jüdisch-französischen Texten dar (cf. Kiwitt 2001, 24). So punktiert Rashi im Falle von [ə] den vorhergehenden Konsonanten wie etwa in

(43) יוֹטֵלְשׁ – *YWoṬeLəŠ* (DB 615) → *joteles*.

Zusammenfassend kann festgehalten werden, dass sich, abgesehen von manchen Einzelphänomenen, die Graphie von *Fevres* an bestehenden Konventionen orientiert, wie wir sie etwa den Rashi-Glossen oder dem *Glossaire de Bâle* entnehmen. Bei einigen Aspekten ist der Schreiber gegenüber der Rashi-Tradition innovativ, z. B.

232 Im Gegensatz zu Joseph Karas Glossen, wo *t* insbesondere bei Verbendungen nach Vokal durch Dalet (ד) wiedergegeben wird und dadurch eine frikative Aussprache anzeigt (cf. Aslanov 2000, 438).

233 Letzterer Fall ist nicht mit dem des hebräischen *Schwa mobile* zu verwechseln, das am Wort- und Silbenanfang steht und mit unterschiedlichen Vokalwerten realisiert wird (cf. Morag 2007, 560).

- ausnahmslose Vokalisierung
- Repäsentation von [ə] durch eine *mater lectionis*
- keine explizite Unterscheidung zwischen [n] und [ɲ] sowie zwischen [l] und [ʎ] etwa durch ein Jod in der Umgebung
- konsequente Verwendung des Raphe zur Darstellung von Frikativen
- Verwendung des sonst unbekannten Buchstabens ֻו (Transkription: *Wu*; cf. 1.4.3.2).

### 1.4.3 Transliteration

Die hebräischen Konsonanten und Vokalzeichen werden nach den folgenden Konventionen transliteriert, die sich, mit leichter Abweichung, an Bos/Mensching et al. (2011, 5) orientieren. Dabei werden alle Zeichen, die der hebräische Text aufweist, durch ihnen zugeordnete lateinische Buchstaben bzw. Diakritika wiedergegeben, um einen äquivalenten Text ohne Informationsverlust zu erhalten. Die einzige Abweichung hiervon betrifft das Schwa, das nur dann transliteriert wird, wenn es mit einer *mater lectionis* steht; das bedeutet umgekehrt, dass *Schwa quiescens* nicht wiedergegeben wird. Das in der Semitistik übliche Transliterationssystem (cf. Moscati 1980), das bspw. Kiwitt (2001, 25ss.; cf. auch Kiwitt 2015, 222ss.) verwendet, wurde bewusst nicht gewählt. Gemäß jenem entfällt die Transliteration von *matres lectionis* (Aleph für *a* und *ə*, Yod für *e* und *i* sowie Waw für *o* und *u*); sie werden stattdessen durch Querstriche über dem Vokal gekennzeichnet. Für den romanistischen Leser ist dies irreführend, da Querstriche über Vokalen üblicherweise Länge anzeigen, die hier aber nicht gemeint ist. Zudem kann auf diese Weise eine abweichende Verwendung von *matres lectionis* nicht kenntlich gemacht werden. Weiterhin wird bei Kiwitt Aleph nicht transliteriert, wenn es zwischen am Wortanfang vor Vokal oder im Wortinnern zwischen zwei Vokalen steht. Die Bezeichnung des vokalischen Anlauts ist jedoch sinnvoll, um bspw. die Interpretation von initialem Yod zu erleichtern, das als [i]/[e] (*mit* initialem Aleph) oder als [ʒ] (*ohne* initiales Aleph) gelesen werden kann (cf. 1.4.2). Im Einzelnen sind die in 1.4.3.1 und 1.4.3.2 abgebildeten Tabellen maßgeblich.

#### 1.4.3.1 Hebräische Konsonanten

Die mit Raphe gekennzeichneten Buchstaben בֿ, גֿ, פֿ und קֿ transkribieren Frikative – versus Plosive, die ohne Raphe stehen –; sie werden entsprechend gekennzeichnet in der Transliteration wiedergegeben. ח und ע kommen in dem edierten Textabschnitt nicht vor.

Tabelle (8)

| Konsonant | Name | Transliteration (Majuskel) | IPA |
|---|---|---|---|
| א | Aleph | ' | [ʔ], [–] |
| ב | Bet | B | [b] |
| בֿ | Wet | V | [v] |
| ג | Gimel | G | [g] |
| גֿ | Gimel (mit Raphe) | Ǧ | [ʒ] |
| ד | Dalet | D | [d] |
| ה | He | H | [h], [–] |
| ו | Waw | W | [w], [v] |
| ז | Zajin | Z | [z] |
| ח | Chet | Ḥ | [χ] |
| ט | Tet | Ṭ | [t] |
| י | Jod | Y | [ʒ], [–] |
| כ, ך | Kaf | K | [k] |
| כֿ | Chaf | Ķ | [χ] |
| ל | Lamed | L | [l], [ʎ] |
| מ, ם | Mem | M | [m] |
| נ, ן | Nun | N | [n], [ŋ] |
| ס | Samech | S | [s] |
| ע | Ajin | ʿ | [–] |
| פ, ף | Pe | P | [p] |
| פֿ | Fe | F | [f] |
| צ, ץ | Zade | Ẓ | [s] |
| ק | Qof | Q | [k] |
| קֿ | Qof (mit Raphe) | Č | [ʃ] |
| ר | Resh | R | [ʁ] |
| ש | Shin | Š | [s], [z] |
| ת | Taw | T | [t] |

Den hebräischen Vokalzeichen werden die folgenden lateinischen Buchstaben zugeordnet. Während die Konsonanten in Majuskeln transliteriert werden, erhalten die Vokalzeichen Minuskeln:

### 1.4.3.2 Vokalzeichen (Punktierung)

**Tabelle (9)**

| Vokalzeichen | Name | Transliteration (Minuskel) | IPA |
|---|---|---|---|
| ◌ַ | Patach | a | [a] |
| ◌ָ | Qamez | a | [a] |
| ◌ֵ | Zere | e | [e], [ɛ] |
| ◌ִ | Chireq | i | [i] |
| וֹ | Cholem magnum | Wo | [o], [ɔ] |
| ◌ֻ | Qibbuz | u | [u], [y], [œ], [ø] |
| ו | (*Wu*)[234] | Wu | [u], [y], [œ], [ø] |
| ◌ְ | Schwa | ə | [ə] |

Die übrigen hebräischen Punktationszeichen (◌ֶ, ◌ֲ, ◌ֳ, ◌ֱ) treten in *Fevres* im Einklang mit den Rashi-Glossen nicht auf.

## 1.5 Sprachliche Merkmale zur Lokalisierung und Datierung von *Fevres*

Auf eine umfassende und vollständige Gesamtdarstellung der Sprache in *Fevres* muss hier verzichtet werden; ein Überblick (Lautlehre, Formenlehre, Syntax) ist in Katzenellenbogen (1933, 13ss.) gegeben. Kiwitt stellt – im Ergebnis in Übereinstimmung mit Katzenellenbogen – im Anschluss an seine sprachliche Analyse fest, «daß der Text seinen Ursprung in der südwestlichen Champagne (oder möglicherweise im nördlichen Burgund) hat» (2001, 39) und datiert ihn auf das Ende des 13. oder den Anfang des 14. Jahrhunderts. In der vorliegenden Untersuchung sind daher nur diejenigen sprachlichen Kriterien von Interesse, die diese Lokalisierung und Datierung des Texts unterstützen oder sie widerlegen. In diesem Abschnitt werden erstens dialektale Eigenarten des Textes im Gegensatz zum Franzischen herausgearbeitet, um den Entstehungsort einzugrenzen (1.5.1). Zweitens werden Merkmale betrachtet, die eine Einordnung in eine bestimmte zeitliche Sprachstufe erlauben (1.5.2).

234 Das Zeichen ו (*Wu*) erscheint nicht außerhalb von *Fevres* und ist eventuell eine Erfindung des Verfassers (cf. Zaun 2002b, 283; Katzenellenbogen 1933, 30).

Dabei wird stets vorausgesetzt, dass die Sprache in *Fevres* Merkmale aufweist, die im Wesentlichen gemäß diatopischer und dichronischer Variation des Französischen zu untersuchen sind.[235] Es wird also nicht davon ausgegangen, dass der Text, wie bereits in 1.1.3.3 dargelegt, ein Zeugnis einer sogenannten «jüdisch-französischen» Sprache ist, also einer Sprache, die ausschließlich von Juden gesprochen wurde und die sich vom mittelalterlichen Französischen von Nicht-Juden unterschied. So sehr auch dafür plädiert wird, dass an die Beschreibung der Sprache von *Fevres* im Hinblick auf ihre Phonologie, Morphologie, Syntax und größtenteils ihre Lexik theoretisch diejenigen Maßstäbe zu stellen sind, die auch für Untersuchungen von altfranzösischen Texten in lateinischer Graphie gelten, so ist stets zu bedenken, dass wir für die Analyse von grammatischen Merkmalen Vergleiche mit Studien vornehmen müssen, die auf altfranzösischem Sprachmaterial beruhen, das ausnahmslos – wenn nicht explizit anders angegeben – Schriftzeugnissen in lateinischer Graphie mit all ihren Konventionen und Tendenzen, die nicht auf unseren Text übertragbar sind, entnommen ist. Wie bereits in 1.1.3.3 und 1.4 dargestellt, geben hebraico-französische Texte in unmittelbarer Weise die tatsächliche Aussprache des Autors wieder, da ihm kaum Orientierungsmöglichkeiten an gelehrt tradierten Gepflogenheiten der Verschriftlichung zur Verfügung standen. Dies mag auf den ersten Blick als Vorteil erscheinen, stellt sich bei genauerer Betrachtung jedoch als erschwerendes Moment heraus, wenn man sich die dadurch entstehende mangelnde Vergleichbarkeit mit Texten in lateinischer Graphie vor Augen hält. So wurde bereits erwähnt, dass Letztere aufgrund ihrer Situierung in gelehrtem Kontext einen um ca. 50 Jahre versetzten Sprachzustand abbilden (cf. 1.1.3.3). Dies gilt in verstärktem Maße in Bezug auf Texte aus der Zeit des späteren Mittelalters, in der auch *Fevres* entstanden ist: Ab der zweiten Hälfte des 12. Jahrhunderts neigen die regionalen Schriftsprachen zum Dialekt des politisch zentralen Franzien; diatopische Charakteristiken nivellieren sich sukzessive. Bereits bei dem champagnischen Autor Chrétien de Troyes etwa treten nur wenige Besonderheiten gegenüber dem Franzischen auf. Der Prozess der Franzisierung verlief regional unterschiedlich und korrelierte mit dem sich ausdehnenden Einfluss der französischen Krone: Während die Champagne relativ früh franzisiert wurde (13. Jahrhundert), hielten sich eigenständige regionale Schriftsprachen in den Randgebieten wie Lothringen, Wallonien und Pikardie deutlich länger (cf. Berschin et al. 2008, 207ss.; Pope 1934, 33ss.; Vossler 1929, 21; Brunot 1905, 329).[236]

---

**235** Auf Ausnahmen wurde in 1.1.3.3 eingegangen; cf. ebenfalls bestimmte Lexeme im *Altfranzösischen Glossar* (3.2).

**236** Ferner ist die Dynamik der Beeinflussung durch andere Dialekte nicht zu unterschätzen: «Altfranzösische Sprachdenkmäler [geben] nur ausnahmsweise einen einheitlichen Dialekt

Die Aussagekraft einer dialektalen und diachronischen Analyse ist weiterhin deshalb limitiert, weil die Interpretation gewisser Lautrepräsentationen durch hebräische Buchstaben unterschiedliche Lesarten zulässt (cf. 1.4). Durch eine andere Auslegung derselben Graphie können teilweise völlig abweichende Rückschlüsse auf die lokale und zeitliche Einordnung des Texts gezogen werden.

Schließlich gilt es zu bedenken, dass es sich bei *Fevres* um einen fachsprachlichen Text handelt. Durch den hohen Anteil an Fremd- und Lehnwörtern, die diese Textsorte naturgemäß enthält (cf. 1.6.4), haben wir es mit zahlreichen Lexemen zu tun, die nicht dem Sprachwandel des erbwortschatzlichem Wortguts unterlagen und die sich somit einem zwingenden Rückschuss auf die Textherkunft entziehen.

### 1.5.1 Hinweise auf die Textherkunft

Trotz der angedeuteten Problematik einer eindeutigen Lokalisierung von altfranzösischen Texten lassen sich in *Fevres* gewisse dialektale Eigenarten erkennen, die überproportional häufig auftreten und damit eine gewisse diatopische Eingrenzung erlauben. Katzenellenbogen (1933, 13ss.) und Kiwitt (2001, 28f)[237] wiesen aufgrund von zahlreichen Belegen eine ostfranzösische Provenienz des Texts bereits nach.[238] Kiwitt (2001, 34) plädiert speziell für eine champagnisch-burgundische Herkunft des Texts, schließt aber eine lothringische nicht völlig aus. Durch hier vorzubringende Argumentationen müssen diatopische Eigenarten von *Fevres* eventuell neu bewertet werden: *Fevres* könnte durchaus aus dem «Hebraico-French textual center» Lothringen (Fudeman 2010, 10s.) stammen.

#### 1.5.1.1 Auffälligkeiten im Vokalsystem

1. Unabhängig von seiner Entstehung ist statt franzischem [jɛ] und [je] – aus betontem vlat. [ɛ] in offener und geschlossener Silbe (cf. Bork 1998, 28; Rheinfelder 1963, 27) oder aus betontem [a] in offener Silbe nach Palatal (cf. Bork

wieder» (Vossler 1929, 15), was u. a. durch gewisse Moden, aber auch durch den Einfluss der Schreiber zu erklären ist (cf. Picoche/Marchello-Nizia 1994, 20s.; Berschin et al. 2008, 206).

237 Ein Kritikpunkt betrifft die Darstellungsmethode bei Kiwitt (2001, 28ss.): Die als Belege dienenden Sprachbeipiele werden dort nur in normalisierter, lateinischer Schreibweise des Altfranzösischen abgebildet; es fehlen Belege durch die hebräsche Transkription und/oder Transliteration.

238 Roques (2006, 269) sieht in gewissen Phänomenen eine südwestfranzösische Textherunft belegt; dies ist ebenfalls zu überprüfen.

1998, 28; Rheinfelder 1963, 91) – in *Fevres* stets [ɛ] bzw. [e] zu lesen (cf. Kiwitt 2001, 28f; Katzenellenbogen 1933, 13).

(1a) קַֿאנְגֵֿיר – *Ča'NĞeYR* (165v10) → *changer*
vs. franzisch *changier*

(1b) קוֹבֵֿינְט – *QWoVeYNṬ* (f. 101v19) → **convent*
vs. franzisch *convient*

(1c) פֵֿיל – *FeYL* (165v13, u. v. m.) /
פֵֿייל – *FeYYL* (166r7, u. v. m.) → *fel*
vs. franzisch *fiel*

(1d) פֵֿיבְֿרְא – *FeYVRə'* (159r2, u. v. m.) → *fevre*
vs. franzisch *fievre*

(1e) פֵּי – *PeY* (179r1) → *pe* /
פֵּייץ – *PeYYẒ* (176r4) → *pes*
vs. franzisch *pié(s)*

(1f) פֵּירְשֵׁר – *PeYRŠeR* (166r9) /
פֵּרְשֵׁייר – *PeRŠeYYR* (158r4) → *percer*
vs. franzisch *percier*

Analog hierzu verhalten sich die altfranzösischen Suffixe *-ieme* und *-ier*/*-iere*, die zu *-eme* bzw. *-er*/*-ere* monophthongiert sind (cf. Kiwitt 2001, 29):

(2a) לִיגֵֿירְא – *LiYĞeYRə'* (239v4, u. a.) → *ligere* /
לִיגֵֿייר – *LiYĞeYYR* (169v12) → *liger*
vs. franzisch *legier(e)*

(2b) מַאנֵירְא – *Ma'NeYRə'* (168v1, 180r6) → *manere*
vs. franzisch *maniere*

(2c) מֵיטֵר – *MeYṬeR* (101v19, u. a.) → **meter*
vs. franzisch *mestier*

(2d) לוֹנְזֵיימְא – *LWoNZeYYMə'* (101v1) → **l'onzeme*
vs. franzisch *l'onzieme*

Ebenso ist die altfranzösische Endung *-itié* zu *-ité* reduziert (vgl. Kiwitt 2001, 29):

(3a) מַאבֿוֹייטֵי – *Ma'VWoYYṬeY* (240r2) → **mavoité*
vs. franzisch *malvaistié*

(3b) מֹויֵיטֵי - *MWoYYṬeY* (161v1, u. a.) → **moité*
vs. franzisch *moitié*

Von besonderem Interesse ist jedoch die Monophthongierung von [jɛ]/[je] zu [i], die gemäß Pope (1934, 193) typisch für ostfranzösische Dialekte ist; cf.:

(4a) מַאנִירְא - *Ma'NiYRə'* (167v24) → **manire*
vs. franzisch *maniere*

(4b) מַאטִירְא - *Ma'ṬiYRə'* (101v8, u. v. m.) → **matire*
vs. franzisch *matiere*

(4c) שֵׁיקִיר - *ŠeYČYiR* (f. 159v25, 179r4) → *sechir*[239]
vs. franzisch *sechier*

Wie in 1.4.2 beschrieben, schwankt, aufgrund des sich nur geringfügig unterscheidenden Öffnungsgrades des Mundes, die Schreibung häufig zwischen *-e-* und *-i-*, so dass eventuell angenommen werden kann, dass an vielen Stellen, an denen *-e-* zu lesen ist, ostfranzösisches [i] gemeint ist.

Diese Reduktion von Diphthongen ist eine der markantesten Besonderheiten in *Fevres*. Sie tritt in Texten in lateinischer Graphie am häufigsten in Texten aus dem Westen und Südwesten (cf. Brunot 1905, 324; Pope 1934, 193; Dees 1980, 154, Karte 142 «denier(s)», u. a.), aber auch, wie im Falle der Monophthongierung [jɛ]/[je] > [i] (cf. Bspe (3)), in Texten aus Ostfrankreich auf. Da zudem, wie im Folgenden zu sehen sein wird, der Großteil der sprachlichen Merkmale gegen eine westfranzösische Herkunft spricht, ist im Falle von [jɛ]/[je] > [ɛ]/[e] eventuell der Erklärung Katzenellenbogens (1933, 13) zu folgen: Da [e]/[ɛ] in diesen Positionen häufig auch in der Graphemfolge *eYY* erscheint (cf. Bspe 1c, 1e, 2f), vermutet sie eine Entwicklung von *ie* über *ee* zu einfachem *e* mit daraus resultierender Unsicherheit bei der Transkription. Auffällig in diesem Zusammenhang ist die Tatsache, dass auch im *Glossaire de Bâle* (13. Jh., Troyes) [iɛ] stets zu [ɛ] reduziert ist; z. B. אֲרֵיירץ (*'aReYYRẒ – *arrers*), לַאמִיטֵיי (*La'MiYṬeYY – *amité*) (cf. GlBâleA, 74).

2. Aus vulgärlateinisch [e] in freier Stellung entstand über [ei̯] im ausgehend vom pikardischen Sprachraum bereits im 10. Jahrhundert der Diphthong [oi̯], der sich von dort ausgehend in das Franzische und das Champagnisch-Lothringische ab dem 12. Jahrhundert ausbreitete (cf. Pfister 1973, 244ss.). Im Westen und in der Normandie tritt der Wandel nicht ein (cf. Rheinfelder

**239** Weitere Verben mit Konjugationswechsel *-er* > *-ir* sind in 1.5.1.3 dargestellt.

1963, 20). In *Fevres* lesen wir hierfür zumeist וֹיי (*WoYY*) oder häufiger וֹיֵי (*WoYeY*), womit wahrscheinlich der Diphthong [oi̯] > [wɛ] wiedergegeben wird (cf. 1.4.2), der sich allgemein ab dem 13. Jahrhundert entwickelt hat. Erst im 14. Jahrhundert lässt sich die Ausbildung zu [wa] beobachten (cf. Rheinfelder 1963, 20), welches in *Fevres* in dieser Position vermutlich nirgends zu lesen ist.

(5a) בוֹייבְֿרְא – *BWoYYVRə'* (172r19, u. a.) → *boivre*

(5b) נוֹייְרְא – *NWoYYRə'* (167r20) → *noire* /
נוֹיֵיר – *NWoYeYR* (102r11, u. a.) → *noir* ([nwɛr]?)

(5c) אֵישַׁאבֿוֹיֵיר – *Ša'VWoYeYR* (164r18) → *savoir* ([savwɛr]?)

In Einzelfällen scheint die Lautentwicklung auf den ersten Blick bei [ei̯] stehengeblieben zu sein.

(6a) פֵֿייבְּלְא – *FeYYBLə'* (162r23) → *feible*
vs. franzisch *foible*

(6b) טְרֵייש – *ṬReYYŠ* (157v4, u. a.) → *treis*
vs. franzisch *trois*

(6c) שֵׁייר – *ŠeYYR* (158v12) → *seir*
vs. franzisch *soir*

Dies sowie die unter 1. beschriebene Reduktion der Diphthonge [jɛ]/ [je] zu [ɛ]|/[e] könnten in der Tat dazu führen, den Text im Westen zu verorten,[240] wie Roques (2006, 269) es anregt. Es ist jedoch festzuhalten, dass erstens die für eine ostfranzösische Textherkunft sprechenden sprachlichen Merkmale in ihrer Anzahl überwiegen und zweitens die für den Westen sonst typischen Merkmale in *Fevres* nicht anzutreffen sind.[241] Die Anzahl der Fälle ist insgesamt im Verhältnis zu oben beschriebener Entwicklung zu [oi̯] gering.

Kiwitt (2001, 30) plädiert in den Fällen der Beispiele (6a–c) für eine Interpretation der Transkription *eYY* als [ɛ] und erklärt das Phänomen als «sekundäre Reduktion von [wɛ] zu [ɛ]». Dieses Merkmal belegen Schwan/Behrens

**240** Im Westen und in der Normandie entfiel der Lautwandel [ei̯] > [oi̯] (cf. Rheinfelder 1963, 20). Die westlichen Scriptae zeigen hierfür Schreibungen wie <ei>, <ay>, <e>, etc. (cf. Dees 1980, 158, Karte 146 «droit»).

**241** Etwa das Ausbleiben des Bartsch'schen Gesetzes, i.e., [a] wird in offener Silbe nach Palatal nicht zu [jɛ], wie sonst in der *langue d'oïl* (cf. Brunot 1905, 324; Rheinfelder 1963, 91), Schwund von [n] vor [s], Erhalt des intervokalischen [g] (cf. Brunot 1905, 324s.).

(1931, 123) unter anderem auch für das Burgundische;[242] es tritt beispielsweise in einer Urkunde der Côte-d'Or aus dem Jahre 1275 auf.

3. Das betonte vulgärlateinische [o] in geschlossener Silbe wurde in der *langue d'oïl* normalerweise zu [u] (cf. Rheinfelder 1963, 26; Bork 1998, 28). Diese Entwicklung zeigte sich zuerst im Normannischen (11. Jahrhundert) und trat im Pikardischen und Franzischen ab dem 12. Jahrhundert ein (cf. Fouché 1952, II-208). Den Karten von Dees (1980, 8s., Karten 89a–b «tout») ist zu entnehmen, dass vulgärlateinisches **tottu* zuletzt in den westlichen Scriptae mit der Graphie <ou>, die den Laut [u] anzeigt, erscheint. In *Fevres* hingegen ist [o] erhalten (cf. auch Kiwitt 2001, 31s.), cf.

(7) טוֹטֵיישׁ – *ṬWoṬeYYŠ* (161r18, u. a.) → *totes*

Für das Burgundische ist ebenfalls *tot* belegt (cf. Gossen 1967, 298; Burguy 1869, 195).

4. Der franzische Diphthong [yi̯] vor Palatalkonsonant ist in *Fevres* oftmals zu [y] reduziert:[243]

(8a) קוֹנדְוּט – *QWoNDWuṬ* (165v2, u. a.) → *condut*
vs. franzisch *conduit*

(8b) נֻוט – *NuWṬ* (160v6, u. a.) → *nut*
vs. franzisch *nuit*

(8c) אֻולְא – *'uWLə'* (f. 172v13, u. v. m.) → *ule*
vs. franzisch *uile*

Dieses Phänomen ist typisch für ostfranzösische Dialekte (cf. Rheinfelder 1963, 99). Gossen (1967, 298) und Taverdet (1995, 376) bezeugen die charakteristische Graphie <u> statt <ui> für ostburgundische Skriptae. FEW (7, 213a) gibt ferner ein modernes lothringisches [ny] an (FEW 7, 341b) sowie für die (moderne) Variante *ule* den Herkunftsort Verdun (Lothringen).

5. Bezüglich der nebentonigen Vokale ist eine Verschiebung von *e* zu *a* vor Nasal und dem Liquiden *r* festzustellen bei

242 «*ei* verschiedener Provenienz bleibt oder wird zu *e* monophthongiert statt zu *oi* fortzuschreiten» (Schwan/Behrens 1931, 123).

243 Ausnahmen in *Fevres* sind etwa קוֹנְדְוּיְיֵט – *QWoNDWuYəYṬ* (165v3) → *conduit*; אֻיילֵייץ – *'WuYYLeYYẒ* (173v20) → *uiles*.

(9a) אַנְגְלוֹטִירַא - *'aNGLWoṬiYR'a* (174r3) → **anglotira*
vs. franzisch *englotira*

(9b) לַאנְפֵּיידֵר - *La'NPeYYDeR* (164v15) → **l'anpeider*
vs. franzisch *l'empeindre*

(9c) אַשֵׁיינְא - *'aŠeYYNə'* (100v20) → **a(n)sene*[244]
vs. franzisch *enseigne*

(9d) קֻמֻונַאמֵינְט - *QWuMuWNa'MeYNṬ* (168r2) → **cumunament*
vs. franzisch *communement*

(9e) גַרִיר - *Ga'RiYR* (179v21) → *garir*
vs. franzisch *guerir*

Ferner ist diese Vokalsenkung auch vor (geschwundenem) *l* zu beobachten (cf. unter 1.5.1.2). Diese Eigenheit dokumentiert Fudeman (2006, 156) auch für die champagnischen Glossen des Joseph Kara und Taverdet (1995, 376) für burgundische Scriptae.

6. Die Nasalvokale [ẽ] und [ã] oszillieren in der Graphie, was auf eine identische Aussprache schließen lässt (cf. Kiwitt 2001, 32). Neben Bsp. (8b) lesen wir in *Fevres* auch אֵנְפֵּייטְא (*'eNPeYYṬə'*, f. 165r4), neben (8c) auch אֵנְשֵׁיינְא (*'eNŠeYYNə'*, f. 101v1). Die Transkription von *en* wechselt ebenfalls: אֵן (*'eN*, f. 157r8) steht neben אַן (*'aN*, f. 162v16). Generell fand die Öffnung von [ẽ] zu [ã] bereits im 11. Jahrhundert statt, und zwar zunächst im Franzischen und Champagnischen; seit dem 12. Jahrhundert finden sich nebeneinander die Schreibungen *en* und *an* sowie *em* und *am* (cf. Rheinfelder 1963, 75). Auch für das Burgundische ist dieser Zusammenfall belegt (cf. Gossen 1967, 296).

#### 1.5.1.2 Auffälligkeiten im Konsonantensystem

1. *l* vor Konsonant wurde bereits in vulgärlateinischer Zeit velar als [ɫ] ausgesprochen und wurde daraufhin im Franzischen ab dem 7. Jahrhundert zuerst nach [a] zu [u̯]. Im 12. Jahrhundert ist diese Entwicklung nach allen Vokalen abgeschlossen, sodass eine Vielzahl neuer Diphthonge entstand (cf. Rheinfelder 1963, 235).[245] Regionale Variationen dieser Entwicklung waren zahlreich: In den östlichen Skriptae des Wallonischen, Champagnischen und Burgundischen ist der Verlust des vorkonsonantischen [ɫ] nach allen Vokalen zu

244 Zur fehlenden Repräsentation des Nasalkonsonanten cf. 1.4.2.

245 Ihre Weiterentwicklung weist andere Tendenzen als die der primären Diphthonge auf (cf. Rheinfelder 1963, 235).

beobachten, sodass es hier zu keiner weiteren Ausbildung von Diphthongen kommen konnte (cf. Pope 1934, 155). Auch in *Fevres* schwindet zumeist vorkonsonantisches *l*, und zwar am auffälligsten nach *a* und *o* (cf. auch Katzenellenbogen 1933, 15; Kiwitt 2001, 33).

(10a) אַטְרָא – *'aṬRə'* (240v17, u. a.) → *atre*[246]
vs. franzisch *altre* > *autre*

(10b) דֵילְיאַץ – *DeYLiY'aẒ* (160r16) → **delias*
vs. franzisch *desleals* > *desleaus*

(10c) דוֹצְא – *DWoẒə'* (240v9) → **doce*
vs. franzisch *dolce* > *douce*

(10d) פַּאטְא – *F'aṬə'* (168v7) → **fate*
vs. franzisch *falte* > *faute*

(10e) פּוֹדְרָא – *PWoDRə'* (157r18, u. v. m.) → **podre*
vs. franzisch *poldre* > *poudre*

(10f) שַׁשְׁא – *ŠaŠə'* (157r2) → **sace*
vs. franzisch *sauz* (< lat. SALICE)

Die Karte 119 («altre») in Dees (1980) zeigt Varianten des Typus *atre* ausschließlich in den Scriptae der nordöstlichen Gebiete (Mosel, Vogesen und Wallonien); Schwan/Behrens (1931, 127s.) weisen den Schwund von vorkonsonantischem *l* in picardischen, wallonischen, lothringischen und champagnischen Urkunden nach.

Analog dazu erscheint das vulgärlateinische Suffix *-ellu* im Plural als *-ias* (statt *-els* > *-eus*). Dabei ist die Entstehung des *-a-* wahrscheinlich durch die unter 1.5.1.1 beschriebene Senkung von *e* zu *a* vor Liquiden zu erklären. Diese Erscheinung steht gegenüber der sonst im Sprachraum der *langue d'oïl* durchgängig verbreiteten Entwicklung von lat. -ELLOS > altfrz. [ɛaus̯].[247] In *Fevres* weisen die entsprechenden Varianten *-as* auf; sie stehen im Einklang mit einer dialektalen lautlichen Entwicklung, die Schwan/Behrens (1931, 3–120) be-

---

**246** Parallel zum Schwund von [ɫ-] sind auch Fälle der Vokalisierung zu [u̯] zu beobachten. Neben *atre* erscheint oft auch *autre* (אַאוֹטְרָא – *'a'WoṬRə'*, 169v9, u. v. m.).

**247** Neben der Vokalisierung von vorkonsonantischem [l] > [ʎ] > [u] (nach Schwund des Finalsilbenvokals) ist hier die Entwicklung von [ɛ] > [ɛa] von Bedeutung, so dass der Triphthong [ɛau̯] zu erklären ist (cf. Fouché 2, 319). Ausnahmen von dieser Entwicklung stellt Fouché für das lothringische Sprachgebiet fest, wo [ɛʎs] vor der Vokalisierung von [ʎ] > [u] zu [ɛs] wurde. Ein entsprechende Form *boies* könnte in f. 167v17 (*BWoYY'əYYẒ*) gelesen werden.

schreiben: «*ẹ̆l* $^{\text{Kons.}}$ hat sich über *ẹl* $^{\text{Kons.}}$ mit diesem zu *ia(u)* oder *ea(u)*, oder *a(u)* entwickelt». Dies ist am häufigsten in Wallonien zu beobachten, aber auch lothringische Urkunden belegen etwa *eas, ceas*, champagnische *eas* (Schwan/Behrens 1931, 3–120).[248]

(11a) בוֹייאַץ – *BWoYY'aẒ* (158r12, u. v. m.) → **boias*
vs. franzisch *boiels* > *boieus*

(11b) מוֹייאַץ – *MWoYY'aẒ* (156v21) → **moias*
vs. franzisch *moiels* > *moious*

(11c) אוֹייזִיאַש – *'WoYYZiY'aŠ* (176r5, u. a.) → **oisias*
vs. franzisch *oisels* > *oiseus*

2. Der Nexus [nr] bleibt in *Fevres* bestehen und wird nicht durch ein epenthetisches *-d-* getrennt, wie es im Franzischen üblich war (cf. Kiwitt 2001, 34; Katzenellenbogen 1933, 16; Rheinfelder 1963, 239; Pfister 1973, 234ss.). Dieses Merkmal ist für ostfranzösische Dialekte bezeugt, insbesondere für Lothringen und die Champagne; in den burgundischen Scriptae hingegen ist *-d-* meist vorhanden (cf. Gossen 1967, 299; Taverdet 1995, 377s., 385; Schwan/Behrens 1931, 128). Die Sammlung linguistischer Karten von Dees zeigt ebenfalls ein dementsprechendes, eindeutiges Bild: Die Karte 241 («Futur des verbes ‹venir› et ‹tenir›») in Dees (1980, 255) dokumentiert das Fehlen von epenthetischem *-d-* zu 92–100 % in allen nordöstlichen Oïl-Sprachgebieten, darunter Champagne und Lothringen; in der Bourgogne ist die Abwesenheit zu 79 % belegt. Auch die champagnischen Glossen des Joseph Kara weisen das Ausbleiben des epenthetischen *-d-* auf (cf. Aslanov 2000, 438; Fudeman 2006, 156). Folgende Beispiele sind *Fevres* zu entnehmen:

(12a) אַמֵנְרוֹיֵיט – *'aMeNRWoYeYṬ* (239r16) → *amenroit*
vs. franzisch *amendroit*

(12b) קוֹנְבֵיינרוֹיֵיט – *QWoNVeYYNRWoYeYṬ* (161r13) → *convenroit*
vs. franzisch *convendroit*

(12c) פְּרֵינְרַא – *PRəYNRa'* (157r18) → *prenra*
vs. franzisch *prendra*

248 Eine Erklärung für das *-a-* fehlt in Kiwitt (2001).

3. Germanisches *w-* tritt in *Fevres* ausschließlich als *g-* auf:

(13a) גַרְדֵייר – *GaRDeYYR* (239v11) → *garder* > germ. **wardôn*

(13b) גַירִיר – *Ga'RiYR* (179v21) → *garir* > germ. **warjan*

(13c) גֵירִיר – *GeYRiYR* (162r10) → *guerir* > germ. **warjan*

(13d) דְאגַאטְרוֹיֵיט – *Də'Ga'ṬRWoYeYṬ* (239r15) → *degatroit* von *gaster* > vlat. **wastare* unter Einfluss des germ. **wôstjan*

Gemäß der in Taverdet (1995, 374) dargestellten Karte durchzieht die Isoglosse *w-/g-* die Champagne und Bourgogne und verläuft ungefähr an der nordöstlichen Grenzlinie der heutigen Départements Yonne, Côte-d'Or und Jura. Scriptae der südwestlich davon gelegenen Gebiete zeigen das Merkmal [g-]; Texte des nordöstlich davon liegenden Gebietes (die heutigen Départements Aube, Haute-Marne, Haute-Saone und Doubs und nördlicher) grenzen sich durch das Merkmal [w-] ab; auch auf das gesamte lothringische Gebiet trifft die Aussprache [w-] zu. Gemäß dieser Beobachtung teilt *Fevres* das sprachliche Merkmal [g-] mit den südwestlich der Isoglosse anzusiedelnden Scriptae.

Die Karte 251 («gager», «ganger», «garder») in Dees (1980, 265) relativiert die rigorose Grenze, die eine Isoglosse suggeriert. Die von Dees untersuchten Urkunden zeigen nur im äußersten Norden und Osten (Pas-de-Calais, Nord, Hainaut, Wallonie, Moselle) eine 83–100 %-ige Verwendung von *w-*; die südwestlich angrenzenden Gebiete Oise, Aisne, Ardennes, Meuse und Vosges eine 33–63 %-ige Verwendung. Eine Verortung von *Fevres* in letzterem Gebiet wäre damit durchaus zu vertreten.

4. Vorkonsonantisches *s-* ist in *Fevres* unabhängig von seiner Etymologie geschwunden. So ist zum einen allgemein *s-* betroffen, wie in:

(14a) קְרוֹיֵיט – *QRWoYeYṬ* (179r1) → **croit*
vs. franzisch *creist*

(14b) דֵיטְרֵיצְא – *DeYṬReYẒə'* (101r3) → **detrece*
vs. franzisch *destrece*

(14c) שְׁאנֵיטְרְא – *Šə'NeYṬRə'* (178v20) → **senetre*
vs. franzisch *senestre*

(14d) שׁוֹטַאנְצְא – *ŠWoṬa'NẒə'* (161v16, u. a.) → **sotance*
vs. franzisch *sostance*

Zum anderen entfällt in *Fevres* stets das sogenannte *-s- impurum* nach prothetischem *e-*, wie in:

(15a) אֶקְרִיט – *'eQRiYṬ* (159r1) → *ecrit*
vs. franzisch *escrit*

(15b) אֵיקַאוֹפֵי – *'eČa'WoFeY* (168r10, u. a.) → **echaufé*
vs. franzisch *eschaufé*

(15c) אֵיטֵרנֵוּטַאשִׁיאוֹן – *'eYṬeRNuWṬa'ŠiY'WoN* (173v6) → **eternutacion*
vs. mfrz. *esternutacion*

(15d) אֵיפֵּורְגָא – *'eYPuWRĞə'* (172r10, 13) → **epurge*
vs. franzisch *espurge*

Für beide Fälle ließen sich zahlreiche weitere Beispiele aufführen (cf. 3.2). In französischen Schriftzeugnissen ist *s-* noch bis ins 17. Jahrhundert hinein vorzufinden; im *code oral* ist es sicher bereits einige Jahrhunderte früher geschwunden. Der Schwund des *s impurum* fand zwar gemäß Rheinfelder (1963, 182, 219) in der gesprochenen Sprache zwar bereits im 12. Jahrhundert statt, ausgenommen von dieser Lautentwicklung sind jedoch gelehrte Wörter. Bspe 15c–d zeigen, dass auch bei diesen Wörtern *s-* geschwunden ist und somit von einem generellen Verlust im phonologischen System gesprochen werden kann. Taverdet (1995, 378, 382) belegt in den Schwund von *s-* speziell für ostburgundische Scriptae (cf. auch unter 1.5.2).

### 1.5.1.3 Auffälligkeiten in Morphologie und Syntax

1. Nach palatalem Konsonanten lautete die Infinitivendung der altfranzösischen Verben, die auf lateinisches -ARE zurückgehen, *-ier* (*aidier*, *laissier*, usw. cf. Buridant 2000, 233). Diese Verben erscheinen in *Fevres* mit der Endung *-ir*, die gemäß Pope (1934, 335) für den Nordosten häufig belegt ist. Auch die Lexika weisen entsprechende Varianten mit Konjugationswechsel vornehmlich für nordostfranzösische Dialekte nach (cf. jeweils im *Altfranzösischen Glossar*, 3.2):

(16a) שַׁא-לְיגִיט – *Ša'- LiYĞiYṬ* (167v91–0) → *s'aligit* (von *s'aligir*)
vs. franzisch *s'alegier*

(16b) שַׁאפְּלַאנִיט – *Ša'PLa'NiYṬ* (167v9) → *s'aplanit* (von *s'aplanir*)
vs. franzisch *aplanier*

(16c) אַבַאנְצִיאְה – *'aVa'NẒiY'əH* (240v16) → *avancie* (von *avancir*)
vs. franzisch *avancier*

(16d) שֵׁיקִ֗יר – *ŠeYČYiR* (f. 159v25, 179r4) → *sechir*
vs. franzisch *sechier*

Einmal tritt auch *meurir* (מֵיאֻוֵרִיר – *MeY'WuRiYR*, f. 164v13, Erstbeleg) auf, das anstelle von *meurir* steht. Der Konjugationswechsel *-ir* < *-er*, der sonst im Französischen für dieses Verb erst ab Mitte des 14. Jahrhunderts belegt ist, wird durch FEW (6-1, 530a) als Analogiebildung erklärt und erschien eventuell im Osten früher.

2. Die Personalendung der 1. pers. pl. ind. praes. lautet in *Fevres* *-omes* statt, wie im Franzischen, *-ons* (cf. Rheinfelder 1967, 193; Katzenellenbogen 1933, 13; Kiwitt 2001, 38):

(17a) קֻורוֹמֵייש – *QuWRWoMeYYŠ* (175v7) → *curomes*

(17b) דֵיפֵּנְדְרוֹמֵייץ – *DeYFeNDRWoMeYYẒ* (240r18, 23) → *defendromes*

(17c) אֵנְקֵירוֹמֵייש – *'eNQeYRWoMeYYŠ* (240v4) → *enqueromes*

(17d) מֵיטְרוֹמֵייץ – *MeYṬRWoMeYYẒ* (174r2) → *metromes*

Die Karte Nr. 218 («Alternance -omes : -ons») in Dees (1980, 232) zeigt ein generell seltenes Vorkommen des Morphems *-omes*. Es tritt am häufigsten in nordöstlichen Scriptae (1–19 %) auf, ist aber auch in 3 % der champagnischen und in 2 % der lothringischen Urkunden vorhanden (vs. 0 % der zentralen und westlichen Scriptae). Eine entsprechende dialektale Beobachtung bezeugen auch Buridant (2000, 249) und Brunot (1966, 318); Schwan/Behrens (1931, 130) dokumentieren ein *poonmes* in einer Urkunde aus der Haute-Marne (Champagne) aus dem Jahr 1255.

3. Die Morphemkontraktion *de* + *le* erscheint in *Fevres* als *do* (דוֹ – *DWo*, z. B. f. 101v20), nicht als *del*, wie im Franzischen üblich (cf. Rheinfelder 1967, 109; Katzenellenbogen 1933, 17; Kiwitt 2001, 37). Dees (1980, 48, Karte 42 «de + le») belegt *do(u)* für östliche und südwestliche Scriptae; nördliche, zentrale und westliche zeigen überwiegend *del*/*du*. Burgundische Urkunden aus dem 13. Jahrhundert zeigen ebenfalls mehrfach *dau*/*do* (Schwan/Behrens 1931, 130).

4. Das altfranzösische Zwei-Kasus-System ist in *Fevres* fast vollständig geschwunden (cf. Katzenellenbogen 1933, 17; Kiwitt 2001, 35). Der Verfall der Kasusflexion (*-s* wird allein Kennzeichen des Plurals) mit gleichzeitiger Fixierung der Wortstellung beginnt allgemein in der *langue d'oïl* ab dem 12. Jahrhundert, und zwar zuerst im Normannischen. In der Île-de-France und der Champagne blieb das System bis ins 13. Jahrhundert stabil; Schriftzeugnisse aus dem nördlichen und östlichen Gebiet der *Langues d'oïl* insbesondere aus

Lothringen, sind mit Merkmalen des Deklinationssystems auch noch aus dem 14. Jahrhundert überliefert (cf. Rheinfelder 1967, 35; Pope 1934, 313s.; Berschin et al. 2008, 116; Dees 1980, 220ss., Karten Nr. 206–208).[249] In *Fevres* erkennen wir an einigen Stellen eine rudimentäre Markierung des Rectus Singular durch *-s*:

(18a) *ŠiY VeYYṬ Lə’Ma’La’Də’ ’Wo’iYR Qə’ ’eYṬWoYY’əH VeYNWuẒ ’eN La’ŠiYṬeY Də’RWoMə’* (162r20–21)
→ si veit le malade oïr que etoie venus en la cité de Rome

(18b) *’eY Qa’NṬ ’iYL ŠRa’ ’eYQWuMeYYẒ ŠiY Lə’QWoLeYYẒ* (172r18)
→ et quant il [i.e., *le boloin*] sera ecumés si le colez [...]

(18c) *Šə’ Lə’Ma’La’Də’ ’eṬ ŠaNGWuYNŠ* (175v6)
→ se le malade est sanguins

(18d) *’YiL ’eṬ QuWReYYẒ Də’ La’FeYVRə’* (177v23)
→ il est curés de la fevre

(18e) *Lə’ Ma’La’Də’ ’eṬ ’eNŠaRṬeY [...] ’eY ŠiY ’eṬ QWoLRiYQŠ* (240v171–8)
→ le maladade est ensarté [...] et si est colrics

Die Kennzeichnung des Rectus Singular durch *-s* tritt nur bei prädikativ verwendeten Adjektiven und Partizipien auf (auch in analytischen Tempora sowie im Passiv), nicht jedoch bei Nomina.[250]

Auch der bestimmte Artikel *li* erscheint mehrfach in der Funktion des Rectus im Singular und Plural (cf. FEW 4, 551b):

(19a) *LiY PRuWMeYYR ŠiY ’eṬ La’PiYŠ YaŠPə’* (159r23–159v1)
→ li prumer si est lapis jaspe

(19b) *ŠiY PReYNWoYY’eYNṬ DLiY Ga’RDə’ LiY BWoN FuWZiYẒiY’eYYNẒ Də’RWoMə’* (162r13–14)
→ si prenoient de li [entspr. *lui*] garde li bon physiciens de Rome

(19c) *’eY DWoNQ LiYŠa’NQ NeYYṬ MiY’əH DiY’eŠṬə’* (168r15–16)
→ et donc li sanc n’est mie digeste

249 Hierbei ist zudem zu beachten, dass das *-s* im Rectus Singular im *code oral* bereits noch früher geschwunden sein muss (cf. Foulet 1963, 34).

250 Eine weiterführende Analyse dieses Phänomens kann im Rahmen dieser Arbeit nicht erfolgen.

An allen anderen Stellen hat *li* die Funktion des Personalpronomens (3. pers. sg.) im Dativ oder Akkusativ, auch nach Präposition (cf. nfrz. *lui*).[251] *Li* steht neben den sich nicht vom Franzischen des 13./14. Jahrhunderts unterscheidenden *le*/*la*/*les*; *lui* kommt in *Fevres* nicht vor.[252] In Bsp. (19b) tritt in derselben Phrase auch *bon* im Rectus Plural auf.

Da der Entstehungszeitpunkt von *Fevres* keinesfalls früher als Ende des 13. Jahrhunderts, als die Kasusmarkierung im größten Teil des Gebietes der *langue d'oïl* bereits geschwunden war, anzusetzen ist (cf. 1.5.2), ist diese Eigenheit als Spezifikum der regionalen Zugehörigkeit zu werten. In Verbindung mit den bisher herausgestellten dialektalen Merkmalen ist die sporadische Kasusmarkierung als Indiz für eine ostfranzösische Textherkunft zu interpretieren.

5. An einer Stelle lesen wir einen *subjonctif présent* in der Protase eines Konditionalsatzes:

(20) *DWoNQ PWoRiYṬ Lə'Ša'NQ ŠiY Ša'Š<u>aRṬə'</u>* (240r5–6)
→ «porit le sanc si ça s'<u>arte</u>»

Die Verwendung des *subjonctif* ist in dieser syntaktischen Position im Altfranzösischen selten, erscheint jedoch gerade in champagnischen Texten für die «hypothèse portant sur le présent-futur» (Buridant 2000, 633).

Zusammenfassend lässt sich feststellen, dass die überwiegende Anzahl der dialektalen Eigenheiten für eine (nord-)ostfranzösische Textherkunft spricht. Die meisten Phänomene stimmen mit champagnischen und burgundischen, teilweise auch mit lothringischen überein. Die dialektale Analyse, die zusätzliche Merkmale zu der von Kiwitt und Katzenellenbogen untersuchte, kann das Ergebnis der vorangehenden Dialektbestimmung untermauern.

### 1.5.2 Hinweise auf den Entstehungszeitpunkt

Bezüglich der chronologischen Einordnung von *Fevres* können zunächst externe Faktoren als Indizien herangezogen werden: Die Quellenlage (cf. 1.2.1) und inhaltliche Aspekte (Besuch der Schule in Forlì durch den Autor; cf. 1.1.4.3) lassen zumindest einen *terminus ante quem non* festlegen, der ungefähr auf das Jahr 1280 zu fixieren ist. Der durch Katzenellenbogen (1933, 11) und Kiwitt (2001, 52) vorgeschlagene *terminus ante quem* 1306, der sich durch die Ver-

---

**251** Gemäß Dees (1980, 11, Karte Nr. 11 «Alternance des formes li : lui») ist *li* in diesen Positionen typisch für pikardische und wallonische Dialekte.

**252** Die einzige Ausnahme betrifft, laut Saye (1931, 145), f. 9r21 (nicht ediert).

treibung der Juden aus Frankreich ergebe (cf. 1.1.3.1), kann nicht als unumstößlich angesehen werden. Wie in 1.1.3.1 gesehen, zogen sich die französischen Juden nach 1306 in benachbarte Regionen des französischen Königreiches zurück; dies gilt bspw. gerade für Lotharingien, dessen dialektale Merkmale für *Fevres* in 1.5.1 diskutiert wurden. Es gilt daher hier zu untersuchen, ob nicht auch ein Entstehungsdatum aus dem 14. Jahrhundert – mit eventuell lothringischer Provenienz – infrage kommt.

#### 1.5.2.1 Auffälligkeiten im Vokalsystem

1. Das vor vulgärlateinischem palatalen Konsonanten aus [a] entstandene altfranzösische [ai̯] monophthongierte im 12./13. Jahrhundert über [ɛi̯] zu [ɛ] (cf. Rheinfelder 1963, 105s.; Berschin et al. 2008, 91). Die Graphie in *Fevres* zeigt -*eY*- und -*eYY*-, wobei letztere Graphemfolge, wie in 1.4.2 beschrieben, [e]/[ɛ] oder [ei̯]/[ɛi̯] transkribiert, nicht jedoch [ai̯]:

(21a) פֵּֿיט – *FeYṬ* (101r3, u. a.) und
פֵּֿייט – *FeYYṬ* (157v10. u. v. a) → [fɛt] und [fɛi̯t]
vs. altfranzösisch [fai̯t]

(21b) לֵיט – *LeYṬ* (172r4) und
לֵייש – *LeYYṬ* (157v10, u. a.) → [lɛt] und [lɛi̯t]
vs. altfranzösisch [lai̯t]

(21c) לֵיטְוַוארְא – *LeYṬWaW'Rə'* (160r4) → [lɛtyau̯rə]
vs. altfranzösisch [lɛi̯tyai̯rə]

(21d) רֵיזִינְש – *ReYZiYNŠ* (f. 157r20) → [rɛzĩns]
vs. altfranzösisch [rai̯zĩns]

(21e) רֵיזוֹן – *ReYZWoN* (162v6) → [rɛzõn]
vs. altfranzösisch [rai̯zõn]

2. Verba auf -*ier*, die im Altfranzösischen aus lateinischen Verba auf -ARE nach palatalisiertem Finalkonsonanten des Verbstamms entstanden sind (cf. Buridant 2000, 233), enden in *Fevres* entweder auf -*ir* (dialektales Merkmal, cf. 1.5.1) oder auf -*er* (bzw. in den entsprechenden flektierten Formen). Diese Entwicklung setzt normalerweise im Altfranzösischen im Verlauf des 14. Jahrhunderts ein. Die Transkription in *Fevres* ist wahrscheinlich ein authentisches Zeugnis der tatsächlichen damaligen Artikulation, indem die Diphthongenreduktion von [je] > [e] in dieser Position graphisch repräsentiert wird:

(22a) אֵיידֵר - *'eYYDeR* (160r13) → *eider*
vs. altfranzösisch *aidier*

(22b) לְנְקַאשֵׁר - *LeNČa'ŠeR* (167v23) → *l'enchacer*
vs. altfranzösisch *enchacier*

(22c) אֵנְפֵּיקְא - *'eNPeYČə'* (172r21) → *enpeche*
vs. altfranzösisch *empëechie*

Diese Beobachtung erlaubt eine Annäherung an einen ungefähren *Terminus ante quem non*, i.e., eine Entstehung vor dem ausgehenden 13. Jahrhundert scheint unwahrscheinlich.

3. Aus vulgärlateinisch betontem [o] in offener Silbe ist im Altfranzösischen zunächst [ou̯], im 11. Jahrhundert [eu̯] entstanden. Die Weiterentwicklung zu [œ] oder [ø] erfolgte im 13. Jahrhundert (cf. Rheinfelder 1963, 24). In *Fevres* ist in den entsprechenden Positionen die Graphie *-uW-*/*-Wu-* zu lesen, die die Aussprache [œ] oder [ø] anzeigt (cf. 1.4.2).[253]

(23a) דוֹלֻור - *DWoLuWR* (167r1) → *doleur* [dolœr]
vs. altfranzösisch [dolou̯r]

(23b) אֻורְא - *'uWRə'* (160r20) → *eure* [œrə]
vs. altfranzösisch [ou̯rə]

(23c) פְּלוֻר - *FLWuR* (157v20) → *fleur* [flœr]
vs. altfranzösisch [flou̯r]

(23d) לֻור - *LuWR* (160r10) → *leur* [lœr]
vs. altfranzösisch [lou̯r]

4. Betontes vulgärlateinisches [ɔ] in offener Silbe diphthongierte im Altfranzösischen zunächst zu [u̯ɔ] und wurde im 11. Jahrhundert zu [u̯ɛ]; im 13. Jahrhundert monophthongierte [u̯ɛ] zu [œ], das später auch zu [ø] werden konnte (cf. Rheinfelder 1963, 28; Bork 1998, 28). In *Fevres* liegt durch die Transkription *-uW-*/*-Wu-* höchstwahrscheinlich die Lautung [œ] oder [ø] vor (cf. hierzu 1.4.2).

(24a) בֻּוף - *BuWF* (158r24) → *beuf* [bœf]
vs. altfranzösisch [bu̯ɛf]

253 Eine Interpretation der Graphie als [u] ließe auf eine anglonormannische Herkunft des Texts schließen; dies sei «jedoch nicht mit den übrigen sprachlichen Merkmalen des Texts in Einklang [zu] bringen», so Kiwitt (2001, 31).

(24b) מֻֿורְט – *MuWRṬ* (163v5) → *meurt* [mœrt]
vs. altfranzösisch [mu̯ɛrt] (< vlat. *morit*)

(24c) פוֹּט – *PWuṬ* (101r18) → *peut* [pœt]
vs. altfranzösisch [pu̯ɛt] (< vlat. *potet*)[254]

Aufgrund der in 1., 2. und 3. beschriebenen Textmerkmale kann eine Textproduktion von *Fevres* vor dem 13. Jahrhundert ausgeschlossen werden; die Transkription weist vielmehr auf einen Entstehungszeitpunkt hin, der frühestens im späten 13. Jahrhundert liegt.

5. Der altfranzösische Schwa-Laut [ə] muss zur Abfassungszeit von *Fevres* noch gesprochen worden sein.[255] Er ist fast durchgängig, als *-ə'-* ausgeschrieben, und zwar sowohl wortintern (Bspe 25a–b) als auch wortfinal (Bspe 25b–d).

(25a) שְׁאגֻורְאמֵינְט – *Šə'GuWRə'MeYNṬ* (171r6) → *segurement*

(25b) מוֹנְטְאפְּלִיאְה – *MWoNṬə'PLiY'əH* (168v11) → *monteplie*

(25c) דוֹטַנְצְא – *DWoṬaNẒə'* (100v20, u. a.) → *dotance*

(25d) אֵיקַאלְא – *'eYQa'Lə'* (176r6) → *ecale*

Bei femininen Partizip-Perfekt-Formen der Verba auf *-er* sowie bei femininen Nomina, die auf Vokal + Schwa enden, tritt am Wortende *-'əH* auf:

(26a) שֵׁיקִּיאְה – *ŠeYČiY'əH* (156v10, u. a.) → *sechie*

(26b) שוֹטִּיאְה – *ŠWoṬiY'əH* (160r13) → *sotie*

Vereinzelt erscheint [ə] am Wortende als *-eY-*; dies deutet wahrscheinlich weniger auf [e] als vielmehr auf eine deutliche Aussprache des [ə] hin.

(27) שֵׁיקְלֵי – *ŠeYQLeY* (173v6) → *segle*

Die fast stets vorhandene Transkription von [ə] erlaubt die Festsetzung eines *terminus post quem non*: Da sich die Aussprache [ə] an den hier beschriebenen

254 *Poeir* erscheint im ind. präs. der 3. pers. sg. zweimal als פּוֹאֵייט – *PWo'eYYṬ* (*poet*, ff. 160r10, 162r19).

255 Die Aussprache von [ə] am Wortende spricht für die Tatsache, dass die Wortbetonung noch nicht auf die letzte Silbe fiel, sondern auch auf die vorletzte fallen konnte (cf. Sergijewskij 1997, 108).

Positionen mit mittelfranzösischer Zeit verliert (cf. Berschin et al. 2008, 105; Joly 19956, 5; Sergijewskij 1997, 108), kann die Abfassungszeit von *Fevres* nicht später als im ausgehenden 14. Jahrhundert angesetzt werden.

#### 1.5.2.2 Auffälligkeiten im Konsonantensystem

Alle auslautendenden Konsonanten verstummen nach und nach ab dem 13. Jahrhundert, und zwar zuerst dort, wo das folgende Wort mit einem Konsonanten beginnt (über den ersten Weg der Assimilierung).[256] Beginnt das nachfolgende Wort mit einem Vokal, bleiben sie hingegen erhalten und werden gegebenenfalls stimmhaft. Am Satzende wird *-s* bis in das 16. Jahrhundert hinein gesprochen, hier jedoch stimmlos (cf. Rheinfelder 1963, 284ss.; Sergijewskij 1997, 110s.). In *Fevres* werden auslautende Konsonanten in aller Regel noch geschrieben, und zwar in allen Positionen.

(28a) *Ğə’ LiY FiYŠ̱ ’uWN QLeYŠṬeṞ Də’’eYVə’ ’eY Də’ŠeYYḺ ’eY Də’ MeYYḺ* [...]. (163r6–7)
→ Je li fis un clester de eve et de sel et de mel [...].

(28b) *’eY ’a’WoŠiY Ša’ČYeYẒ̱ Q’ə ’iYQṬiYRiYẒiY’aH FeYṬə’ ’WoFWoYY’əH ’eYLə’ Šə’ FeYYṮ ’eN DWuŠ̱ Ma’NeYYRẒ̱.* (167v17–19)
→ Et ausi sachez que ictiricia fete au foie ele se fet en dus maneres.

(28c) *NWoṬRə’ ’eNṬeYNŠiY’WoN ŠiY ’eṮ ’eN Šə’ LiYVReYYṮ PWoṞ Də’ViY-ZeYYṞ ṬWoṬeYYẒ̱ LeYMa’NeYReYYẒ̱ DeYFeVReYYŠ̱ ’eYLWoṞ Qa’Wo-ZeYYŠ̱ ’eYLWoṞ’aQẒiYDeYYNẒ̱* [...]. (169r20–169v2)
→ notre entencion si est en ce livret por deviser totes le maneres de fevres et lor causes et lor accidens [...].

(28d) *NWoẒ̱ LiY DWoNRWoMẒ̱ ’aMa’NĞeYYṞ QWoQWoRBiYṬeY ’eY LeYNṬiY-LeYYŠ̱ ’eY BLeYṬeY ’eY ṬRiYPLiYẒiYBWuẒ̱ ’eY ’a’WoṬReYYẒ̱ ’eRBeYYẒ̱ Rə’FRWoYYDa’NŠ̱.* (170r10–13)
→ nos li donroms à manger cocorbite et lentiles et blete et triplicibus et autres erbes refroidans.

Der bestimmte Artikel und das unbetonte Personalpronomen der 3. pers. pl. erscheinen hingegen oftmals als *le* anstelle von *les*; der Autor schwankt hierbei jedoch:

256 Das Verstummen von vorkonsonantischem, wortinternen *s-* wurde bereits unter 1.5.1 beschrieben und als dialektales Merkmal der Bourgogne bewertet.

(29a) *LeYŠQWoLWoRẒ* (101r3)
→ les colors

(29b) *LeYFLuWRŠ 'aDa'MŠ* (159v19)
→ le fleurs (pl.) à dames

(29c) *LeY LiY'YeYŠ DWoŠa'NQ* (167r23)
→ le lies (pl.) do sanc

(29d) *ṬWoṬeYYŠ ŠeŠ ČWoZeYYŠ ŠiY LeYQRiYBLeYYẒ ŠiY LeYDeYṬReYNPReYYẒ Də'WiYNeYGRə' FWoRṬ* (179r10–11)
→ totes ces choses si le criblez si le detrenprez de vinegre fort

Der Erhalt von auslautenden Konsonanten spricht für einen Entstehungszeitpunkt von *Fevres*, der das fortgeschrittene 14. Jahrhundert und später ausschließt. Relativierend ist jedoch zu bedenken, dass die konsequente Repräsentation wortfinaler Konsonanten auch der Imitation einer lateinischen Orthographiekonvention geschuldet sein könnte (cf. 1.4) und nicht zwangsläufig die tatsächliche Aussprache widerspiegelt.

#### 1.5.2.3 Auffälligkeiten in Morphologie und Syntax

1. Der Synkretismus von Maskulinum und Femininum im Lateinischen bei bestimmten Adjektiven setzt sich im Altfranzösischen zunächst bei solchen fort, die im Maskulinum und Femininum dieselbe Form aufweisen.[257] Zwar reichen die Tendenzen, die Adjektive mit einer einzigen Endung in Analogie zu denjenigen, die im Femininum ein [-ə] enthalten, der größeren Gruppe anzugleichen, bis ins 12. Jahrhundert zurück. Die Harmonisierung der Genusflexion dieser Adjektive durch Hinzufügung von [ə] im Femininum geschieht regelmäßig jedoch erst ab dem 14. Jahrhundert (cf. Berschin et al. 2008, 121; Sergijewskij 1997, 118; Pope 1934, 306). In *Fevres* finden wir fast durchgängig die neugebildeten Femininformen der Adjektive:

(30a) פּוֹרְטְא - *FWoRṬə'* (159v17, u. a.) → *forte*
vs. altfranzösisch *fort* (fem.)

(30b) גְּרַאנְדְא - *GRa'NDə'* (102r8, u. a.) → *grande*
vs. altfranzösisch *grant* (fem.)

(30c) בֵּירְטְא - *VeYRṬə'* (102r2, u. a.) → *verte*
vs. altfranzösisch *vert* (fem.)

257 Betroffen sind bspw. die Adjektive *commun, grand, gentil, fort*, u. a. (cf. Pope 1934, 306).

Der zuverlässige Gebrauch der analogischen Femininformen spricht für einen relativ späten Entstehungszeitpunkt von *Fevres*, der aufgrund dieses Merkmals frühestens auf das 14. Jahrhundert zu datieren ist.

2. Zu altfranzösischer Zeit (bis ins ausgehende 13. Jahrhundert) war der Gebrauch von Subjektpronomina fast ausschließlich im Nebensatz üblich, während im Hauptsatz *pro-drop*-Konstruktionen ohne explizites Subjektpronomen dominierten.[258] Nur in markierten Fällen (z. B. bei Emphase oder Kontrastfokus) entfiel *pro-drop* auch im Hauptsatz (cf. Jensen 1990, 132ss.; Berschin et al. 2008, 144ss.).[259] Eine regelmäßige und durchgängige Verwendung der Subjektpronomina setzt sich im Mittelfranzösischen mit Beginn des 14. Jahrhunderts durch (cf. Adams 1987, 26). *Fevres* zeigt in Hauptsätzen zumeist die Verwendung von Subjektpronomina. Das typisch altfranzösische *pro-drop* in Hauptsätzen ist hingegen ausschließlich in Sätzen zu beobachten, die mit *si* oder einem anderen Konnektor eingeleitet werden:

(31a) *'YiL 'eṬ PaRṬiY 'eN ṬReYYẒ Ma'NeYYRẒ* ¨ *'Wo 'YiL 'eṬ BWoN · ŠiY Rə'NWoVeYYLə' ŠeYNə'ṬeY* ¨ *'Wo 'YiL NeYYṬ MiY'əH BWoN ŠiY NWoẒ 'aŠeYYNə' DWoṬaNẒə'* ¨ (100v17–20)
→ Il [i.e., *l'ecrachaz*] est parti en tres maners. O il est bon; si _ renovele seneté. O il n'est mie bon si _ nos asene dotance.

(31b) *ŠiY FeYYṬ ReYṬReYYNə'MeYNṬ Də' VeNṬeR ŠiY FeṬ DWoLuWR GR'aNṬ 'eYQWoLiYQa' PaẒiY'WoN* (167r1–2)
→ Si _ fet retreignement de venter si _ fet doleur grant et colica pasion.

(31c) *PWoRẒə' Lə' VWoŠ DiY* (101v12)
→ Por ce _ le vos di [...].

(31d) *'Wo 'eYLə' VeYYNṬ PaR 'aQẒiYDeYNẒ QYi Šə'NeYYŠeYNṬ 'Wo QRWuẒ DWo FiYL* (165r21–22)
→ O ele [i.e., *l'ictericia*] vent par accidents qui se neisent au crus do fil.

(31e) *'uWNQWoRə' Ğə' PWoRPWoZə' Lə'Qa'RṬə' ViYZiY'WoN Də''iYQṬiYRiYẒiY'aH* (167r12–13)
→ Uncore je porpose le quarte vision de ictiricia.

*Fevres* kann vor diesem Hintergrund in eine Phase der Transition zwischen fakultativer und obligatorischer Verwendung des Subjektpronomens verortet

258 Zu einer generativen Analyse zum Verlust von *pro-drop* im Französischen in Korrelation mit dem Verlust von strikten V2-Wortstellungen cf. Adams (1987).

259 Zu einer detaillierte Analyse des Gebrauchs der Subjektpronomina im Altfranzösischen cf. Franzén (1939).

werden; ein Entstehungszeitpunkt im ausgehenden 13. bzw. beginnenden 14. Jahrhundert scheint in dieser Hinsicht plausibel.

Bezüglich des Entstehungszeitpunktes von *Fevres* kann festgehalten werden, dass die sprachlichen Merkmale des Texts für eine Zeit sprechen, die um die Wende vom 13. zum 14. Jahrhundert liegt.

### 1.5.3 Zwischenergebnisse

Kombiniert man die Ergebnisse der dialektalen mit denen der epochalen Untersuchung, so kann es als wahrscheinlich gelten, dass der Autor von *Fevres* aus dem Sprachraum der Champagne, Lothringens oder der Bourgogne stammt und das Werk nach 1300 verfasste. Da einige sprachliche Eigenschaften des Texts für einen Abfassungszeitpunkt sprechen, der bereits an die mittelfranzösische Zeit heranreicht und sich zudem Merkmale feststellen lassen, die sich auch dem Lothringischen vorfinden, könnte die Hypothese aufgestellt werden, dass der Autor sich dorthin ins Exil zurückzog und die Fieberschrift erst nach 1306 dort kompilierte. Wie in 1.1.3.2 beschrieben, war das lothringische Gebiet noch viele Jahre nach den Vertreibungen der Juden durch die französische Krone ein Rückzugsgebiet für Juden. Damit ist auch eine Abfassung der Schrift im beginnenden 14. Jahrhundert in diesem Gebiet denkbar.

## 1.6 Lexikalische Analyse des medizinischen Fachwortschatzes

### 1.6.1 Fachsprachen im Mittelalter

Die Fachsprachlichkeit des Fiebertraktats *Fevres* ist Gegenstand des folgenden Unterkapitels. In 1.1.4.3 wurde bereits gezeigt, dass die Quellen von *Fevres* ausschließlich in der galenisch-hippokratischen Tradition zu suchen sind. Da die Juden zu mittelalterlicher Zeit keine eigenständige Naturwissenschaft hervorbrachten, sondern durch Übersetzungen ihre – selbstverständlich unentbehrlichen – Beiträge zur Wissensvermittlung lieferten, wird *Fevres* als ein Text behandelt, der in vollständigem Einklang mit der herrschenden salernitanischen medizinischen Lehrmeinung steht.

Mit Pöckl soll unter *Fachsprache* ein Kommunikationsmittel unter «Fachleuten über ihr Fachgebiet in fachlichen Situationen» (1990, 267) verstanden werden. Eine der charakteristischsten Eigenschaften von Fachsprachen ist ihre Verwendung in nicht-fiktionaler Literatur, der Fachliteratur, die in Sachgebiete aufgefächert ist. Für das Mittelalter sind zur Fachliteratur neben theologischen, juristischen, politischen und historischen Fachtexten vor allem die Schriften der Artesliteratur zu zählen, die sich den *Artes liberales, mechanicae* und *magicae* zuordnen lassen. «Ausgehend von den Septem artes liberales der Spätantike streben Wissenschaftstheoretiker des Mittelalters auch für die beiden anderen Artesreihen die Siebenzahl der Künste an» (Haage/Wegner 2007, 15); diese bilden bis zum 16. Jahrhundert die Basis des gesamten Wissenschaftssystems. Die traditionellen *Artes liberales* – die ursprünglich des freien Mannes angemessenen Künste – umfassten das Trivium der Rede (Grammatik, Rhetorik und Dialektik) und das Quadrivium des Rechnens (Arithmetik, Geometrie, Musik, Astronomie). Sie dienten der schulwissenschaftlichen Grundausbildung für alle höheren Studien und mussten – nach dem Vorbild der Pariser Universität – vor der Zulassung zu den Fakultäten der Medizin, Jurisprudenz und Theologie durchlaufen werden (cf. Haage/Wegner 2007, 16). Der Bestand der *Artes magicae* erscheint im Laufe der Zeit weniger einheitlich; er wird jedoch bis zum 15. Jahrhundert ebenfalls dem Siebenerschema angepasst.[260]

Das Fachschrifttum der Medizin wird ursprünglich zu den *Artes mechanicae*, den handwerklichen Künsten, gerechnet. Ihre Systematisierung wurde zum ersten Mal durch Hugo von St. Victor (ca. 1097–1141) in seiner theologischer Wissenschaftslehre *Didascalion de studio legendi* festgelegt, die an der Schule der Augustinerchorherren von St. Victor (bei Paris) entstand. Im Einzelnen sind dies (cf. Haage/Wegner 2007, 17, 94):

1. Lanificium (Wollverarbeitung, stellvertretend auch für anderes Handwerk)
2. Armatura (Kriegshandwerk)
3. Navigatio (Reisen und Handel)
4. Agricultura
5. Venatio (Jagd und Lebensmittelgewerbe)
6. Medicina
7. Theatrica (Theater-, Schau- und Wettspiel)

Die *Artes mechanicae* spalten sich dabei jeweils in eine übergeordnete, sich aus der Philosophie speisende *theoria* und eine sich aus ihr ableitende und ihr dienende *practica* (cf. auch 1.1.4.2). Im Laufe des 12.–13. Jahrhunderts kommt es zu einer Aufwertung der ehedem sich den «niedere[n] Tätigkeiten» (Flinzner 2006, 2212) widmenden Künsten. Insbesondere die Medizin durchläuft eine in dieser Hinsicht beispielhafte Erhöhung des zweckmäßigen Handwerks zu einer der oberen und ehrwürdigen Fakultäten der Universitäten (cf. 1.1.4.1, 1.1.4.2).[261]

**260** Es zählen hierzu die vier elementaren Divinationskünste der Geomantia, Hydromantia, Aeromantia und Pyromantia sowie die Nigramantia (Totenbeschwörung) und Chiromantia (Handlesekunst). Auf die Siebernerzahl kam man schließlich durch die Einbeziehung der Spatulamantia (Wahrsagen aus dem Schulterblatt) (cf. Haage/Wegner 2007, 17).

**261** Zu einer detaillierten Erklärung der Aufwertung der *Artes mechanicae* cf. Haage/Wegner (2007, 95ss.).

Wesentliches Kennzeichen aller in dieser Epoche in Europa produzierten Texte der Artesreihen ist, dass sie auf Latein verfasst wurden; die Verwendung der Volkssprachen blieb noch über die folgenden Jahrhunderte hinweg «weitgehend auf nicht-fachliche (v. a. mündliche) Diskursdomänen begrenzt» (Gabriel 2006, 2241). «Erste Ansätze einer Hinwendung zur Volkssprache in Texten mit fachlichem Hintergrund sind im 12. Jh. in den naturgeschichtlichen Bestiarien und Lapidarien auszumachen» (Flinzner 2006, 2214), die in England entstanden.[262] Auf dem Kontinent wurde ab dem 13. Jahrhundert mit der französischsprachigen Produktion bzw. Übersetzung von Fachtexten begonnen (cf. Mensching/Zwink 2013, 225). Im Bereich der Medizin handelt sich dabei jedoch primär um Gebrauchstexte wie bspw. die an Laien gerichtete Diätschrift *Le régime du corps* (1256) des Aldebrandin de Sienne, der keine längeren theoretischen Abschnitte enthält (cf. Landouzy/Pépin 1911). Zu den frühesten volkssprachlichen Textsorten der Medizin gehören weiterhin Rezeptsammlungen wie etwa die des im 13. Jahrhundert lebenden Jean Pitard, Chirurg mehrerer französischer Könige, oder die noch umfangreichere des Jean Sauvage, der in der zweiten Hälfte des 14. Jahrhundert Rezepte aus diversen (ursprünglich auf Latein verfassten) medizinischen Werken – z. B. der *Practica brevis* des Platearius – kompilierte.[263] Auch das bekannte *Antidotarium Nicolai*, eine Sammlung von Arzneimittelzubereitungen, deren ursprüngliche lateinische Version in der Mitte des 13. Jahrhunderts in Salerno zusammengestellt wurde (cf. Goltz 1976, 3s.), wurde in der Normandie erstmals im 14. Jahrhundert ins Französische übersetzt (cf. Dorveaux 1896). Die alltägliche, praktische Funktion der Rezeptliteratur unterstreicht Thomasset (1988, 312), indem er sie als «réponse aux exigences d'un practicien ou bien au désir d'un patient soucieux de détenir un moyen simple et éfficace de faire face aux menaces de la maladie» charakterisiert. Ein frühes fachsprachliches medizinisch-botanisches Textzeugnis des Altfranzösischen ist zudem die Übersetzung des Herbariums *Liber de simplici medicina* des Salernitaner Matthaeus Platearius, auch bekannt als *Circa instans*. Das Herbarium, das Offizinalpflanzen, aber auch andere Substanzen zur Heilmittelherstellung wie Metalle und Steine in ungefährer alphabetischen Reihenfolge im Hinblick auf ihre Primärqualitäten, Aussehen, Vorkommen und Anwendungsmöglichkeiten beschreibt, wurde bereits im 13. Jahrhundert ins Französische übersetzt (cf. Dorveaux 1913a). Die Zielsetzung auch dieses Texts ist in erster Linie praktischer Natur; er richtet sich «à la fois aux médecins, aux chirugiens, aux apothicaires et aux herboristes» (Dorveaux 1913b, 35).

---

**262** Der von Philippe de Thaon auf Anglonormannisch verfasste *Comput*, sein *Bestiaire* und zwei *Lapidaires* sind auf den Beginn des 12. Jhs. zu datieren (cf. Cottin-Bizonne 2005).
**263** Zur Rezeptliteratur des Jean Sauvage cf. weiterführend Tovar (1973, 1974).

Aus dem Bereich der ebenfalls anwendungsbezogenen Chirurgie ist der erste in der Volkssprache verfasste Text die um 1300 entstandene pikardische *Chirurgie* des Abbé Poutrel (cf. Södergård 1980). Die großen französischen Chirurgen Henri de Mondeville und Guy de Chauliac (beide 13.–14. Jh.) schreiben zunächst auf Latein; Mondeville wird 1314 ins Französische übersetzt (cf. Thomasset 1988, 314; Trotter 2005, 8; Flinzner 2006, 2215). Medizinische Werke in der Volkssprache, die auch umfangreiche theoretische Abschnitte als Basis für die sich daraus ableitende praktische medizinische Anwendung enthalten, sind vor *Fevres* hingegen nicht bekannt. Auch die Aphorismen des Hippokrates werden erst um 1365 durch Martin de Saint-Gille ins Französische übertragen (*Amphorismes Ypocras*, cf. Lafeuille 1954; Jacquart 1997). Thomasset (1988, 313) resümiert für die Zeit vor dem 14. Jahrhundert: «Pour ce qui concerne le français, rien ou presque rien du travail de réflexion sur les textes, des raffinements de la médecine galénique, des innovations de la pensée arabe ne trouve place dans les textes conservés».

### 1.6.2 Die Fachsprachlichkeit von *Fevres*[264]

Dass wir es bei *Fevres* mit einer mittelalterlichen theoretischen Fachschrift der Medizin zu tun haben, die durchgehend in der Volkssprache Französisch und nicht in der *lingua franca* der Medizin Latein verfasst wurde, ist natürlich in erster Linie dem Umstand zu verdanken, dass aschkenasische Juden nur ausnahmsweise Latein konnten und somit im Wissenschaftsbereich auf hebräische und volkssprachliche Übersetzungen angewiesen waren (cf. 1.1.4.2, 1.1.4.3). Da es jedoch nach unserer Kenntnis nur wenige Vorbilder an medizinischen Texten aus der Volkssprache gibt (cf. supra), ist es eine beachtenswerte und herausragende Leistung des Autors, dass nicht nur der Matrixtext auf Französisch ist, sondern auch der überwiegende Anteil der medizinischen Fachterminologie: Von den in der vorliegenden Arbeit schätzungsweise 500 edierten und identifizierten medizinischen, botanischen, pharmakologischen und anatomischen Termini – gezählt wurden ausschließlich Nomina – sind ca. 150 lateinisch und ca. 350 französisch. Dies entspricht einem Verhältnis von 30 % (lateinische Termini) zu 70 % (französische Termini). Hinzu kommt, dass alle Verben und Adjektive – sofern sie nicht Teil eines mehrgliedrigen Synthems sind – französisch sind. Offensichtlich sollte der Text auch einem Publikum, das vermutlich in erster Linie im familiären Umfeld des Autors zu suchen

264 Dieser Abschnitt stützt sich teilweise auf die Ergebnisse von Zwink (2013).

ist (cf. 1.1.4.3), zugänglich gemacht werden, das weder die (christliche) Wissenschaftssprache Latein noch das Hebräische ausreichend beherrschte.

Sowohl im Mittelalter und der Frühen Neuzeit als auch in der Moderne ist das auffälligste, wenn auch nicht alleinige[265] Merkmal von Fachsprachen der Gebrauch von Fachtermini. Qualitätsmerkmal eines Terminus ist dabei seine kontextunabhängige, eindeutige – im Idealfall eineindeutige –, monoreferenzielle und konnotationsfreie Verständlichkeit (cf. Pöckl 1990, 270). Gabriel führt als weiteres Kriterium für einen Terminus seine Unabhängigkeit von arealen Sprachvarietäten an und spricht damit diatopischen Varianten von Lexemen von vornherein das Potenzial für einen Fachterminus ab; diesen fehle «das bedeutende Merkmal der großen kommunikativen Reichweite» (Gabriel 2006, 2240). Gabriel beschränkt dieses Kriterium jedoch explizit nur auf «heutige terminologische Systeme» (Gabriel 2006, 2240); für das Mittelalter kann es aufgrund der ausschließlichen Existenz von diatopischen Varietäten naturgemäß nicht gelten.

Das medizinische Vokabular in *Fevres* soll im Folgenden unter dem Aspekt der zu überprüfenden Eigenständigkeit des Altfranzösischen als Fachsprache betrachtet werden, indem beispielhafte Termini aus ausgewählten Textpassagen den Entsprechungen aus den in 1.2 ermittelten möglichen Vorlagen gegenübergestellt werden. Es wird dabei zu beobachten sein, dass aufgrund der Tatsache, dass in der Epoche des Abfassungszeitraums von *Fevres* – einem der frühesten Zeugnisse für die im Französischen ab dem 14. Jahrhundert einsetzende expansive Übersetzertätigkeit im medizinischen Bereich (cf. Pöckl 1990, 273; ferner Flinzner 2006, 2215) – der Autor in hohem Maße auf das Problem einer fehlenden Etablierung zahlreicher Fachtermini stößt. Zur Deckung des lexikalischen Bedarfs werden verschiedene Methoden angewandt, die zunächst in die drei größeren Hauptkategorien Terminologisierung gemeinsprachlicher Wörter (1.6.3), äußere Entlehnung und innere Entlehnung untergliedert werden können (cf. zu Details weiter unten).

Lehnwörter als Resultat der äußeren Entlehnung (cf. 1.6.4) werden hier in Anlehnung an Oksaar (1988, 207) im weiteren Sinne verstanden, i.e., dieser Begriff umfasst sowohl das (nicht-assimilierte) Fremdwort als auch das phono-

265 Auf Textebene weisen Fachtexte eine starke Kohärenz durch den Einsatz diverser sprachlicher Mittel wie Konnektoren oder lexikalische Wiederholung auf; syntaktisch betrachtet bedienen sich Fachtexte aus einem kleineren Reservoir an Wortstellungsmustern, erfahren eine Expansion des Nominalsyntagmas zugunsten einer Funktionsreduktion des Verbs; Tempus- und Personenindikationen beschränken sich vorwiegend auf Präsens, Passé composé und Futur simple bzw. auf die 3. Personen (cf. Pöckl 1990, 269). Diese Merkmale wurden aus modernen Fachtexten erhoben, gelten aber eingeschränkt auch für die mittelalterliche Fachliteratur.

logisch und morphologisch assimilierte Lehnwort. Oksaar bemerkt, dass «linguistische Interferenzen[266] [...] eine der größten Quellen zur Bereicherung des Fachwortschatzes» (1988, 204) sind; diese Feststellung wird durch die Ergebnisse der folgenden Analyse bestätigt werden können. Die Dominanz des Lateinischen in der Wissenschaftssprache führte in der Übergangsphase, in der Französisch und Latein nebeneinander bestanden, und noch lange Zeit danach dazu, dass die Übersetzer entweder mangels Alternativen oder, wie Pöckl (1990, 273) bekräftigt, «aus Angst vor Fehldeutungen der Vorlage» in großem Umfang lateinische Lehnwörter in den französischen Text integrieren. Es ist interessant festzustellen, dass der Autor von *Fevres* nahezu ausschließlich von (mittel-)lateinischen Lehnwörtern Gebrauch macht, wenn es sich um medizinische Termini handelt. Dies gilt selbst für diejenigen Passagen, für die auch eine hebräische Vorlage angenommen werden könnte (cf. 1.2). Zwar tauchen vereinzelt hebräische, arabische (übernommen aus den hebräischen Quellen) und, bedingt durch die Sprachgrenznähe, wenige deutsche medizinisch-botanische Bezeichnungen auf (cf. 3.4; Saye 1931, 10–17); diese fallen jedoch proportional kaum ins Gewicht. Der Autor war demnach bestens mit der lateinischen fachsprachlichen Literatur vertraut und schöpfte in erster Linie aus dieser etablierten Wissenschaftssprache. Oftmals sind dabei spontane Erstentlehnungen und häufig Bedeutungserstbelege für das Französische zu verzeichnen, wie im *Altfranzösischen Glossar* (3.2) detailliert für jedes einzelne Lexem dargestellt.

Dem Lehnwort steht die Lehnprägung als Resultat der inneren Entlehnung gegenüber (1.6.5), die sich in Lehnbedeutung (1.6.5.1) und Lehnformung (1.6.5.2) unterteilen lässt. Unter Lehnbedeutung sind diejenigen Fälle zu fassen, in denen die Bedeutung des Wortes aus der Gebersprache in die der Nehmersprache übernommen wird (cf. Oksaar 1988, 207). Als Lehnformung wird hier sowohl die wortgetreue Lehnübersetzung (*calque*) als auch die freiere Lehnübertragung zusammengesetzter Termini verstanden (cf. Oksaar 1988, 207); diese beiden Kategorien werden nicht gesondert besprochen. Dafür ist es angebracht, eine zusätzliche Kategorie einzuführen: die bilinguale Lehnformung (1.6.5.3). Sie umfasst diejenigen zusammengesetzten Termini, die aus einem französischen und einem lateinischen Element bestehen. Die bilinguale Lehnformung ist fast immer eine Lehnübersetzung und keine Lehnübertragung.[267]

---

**266** Interferenz ist hier im Sinne der Transferenz, also der Entlehnung von Lexemen aus einer anderen Sprache zu verstehen (cf. MLSpr 310).

**267** Beispiele dieser Kategorie werden aus anderen Textstellen als denen unter 1.2.2 präsentierten vorgestellt.

Zusammenfassend wird die Schichtung der Fachtermini wie in Abbildung (5) dargestellt. Die Gliederung des Lehnguts orientiert sich dabei an der Systematisierung von Betz (1959) und vereinfacht bzw. erweitert sie für unsere Zwecke.[268]

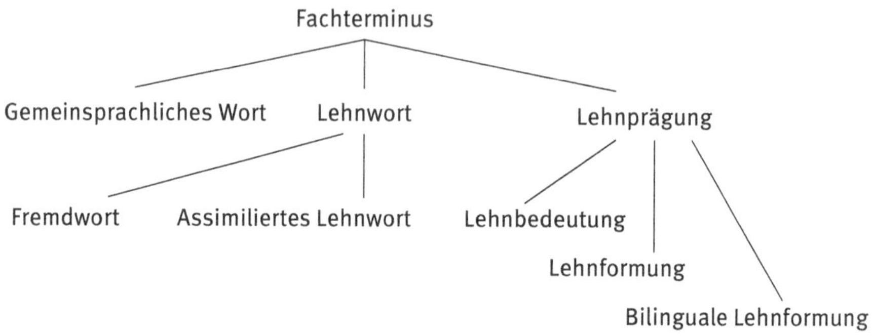


**Abbildung 5:** Schichtung der medizinischen Termini in *Fevres*

### 1.6.3 Terminologisierung gemeinsprachlicher Wörter

In den folgenden Abschnitten werden die altfranzösischen medizinischen Termini in das System gemäß Abbildung (5) eingeordnet und damit klassifiziert. Die erste Methode des Autors zur Herstellung eines Fachterminus besteht in der Terminologisierung gemeinsprachlicher Wörter. Es mag auf der Hand liegen, dass sie das Mittel erster Wahl ist, wenn es um die Konstituierung von noch nicht vorhandenen Fachwörtern geht. Diese Lexeme erfüllen dann die Funktion eines Terminus, wenn sie den Kriterien entsprechen, die in 1.6.2 als qualitative Herausstellungsmerkmale eines Terminus definiert wurden. Die eindeutige, monoreferenzielle und konnotationsfreie Verständlichkeit ist etwa in folgendem Fall gegeben:

(1) פוֹמֵייש – *PWoMeYYŠ* (157r3) → pl. von altfrz. *pome*, 'Apfel'[269]

268 Weitere Gliederungssysteme des Lehnguts werden in Haugen (1950) und Weinreich (1963) dargestellt. Laut Jansen (2005, 23) «sind die von Betz, Haugen und Weinreich erarbeiteten Klassifizierungsschemata in weiten Teilen deckungsgleich. [...] Unterschiede zwischen den verschiedenen Autoren betreffen zumeist nur die Terminologie oder weitere Feindifferenzierungen».

269 Es wird auf die Angabe von Referenzen zu Lexika des Altfranzösischen und Lateinischen verzichtet; sie können dem *Altfranzösischen* und *Lateinischen Glossar* (3.2, 3.3) entnommen werden.

referiert unmissverständlich auf die Frucht der Pflanze Malus L.; jegliche Ambiguitäten, wie bspw. ein symbolischer Gehalt, sind dabei ausgeschlossen.[270] Gemeinsprachliches Wortgut kann also unter bestimmten Bedingungen Lexeme zur Verfügung stellen, die den Status eines Terminus erhalten. Eine Einschränkung der genannten Kriterien zu ihrer Qualifikation als Fachtermini liegt in der Notwendigkeit des textsortengebundenen Kontexts dieser Lexeme: Ihre Monoreferenzialität ist nur durch die Verwendung in einem medizinischen Text gegeben. Das Kriterium der kontextfreien Verständlichkeit, die in 1.6.2 als Wesensmerkmal eines Terminus bestimmt wurde, ist damit nicht erfüllt. Es wird daher für eine abgeschwächte Fachsprachlichkeit gemeinsprachlicher Lexeme plädiert, wenn die Kontextgebundenheit als eine Notwendigkeit für die Eigenschaft als Terminus vorliegt. In diesem Sinne sind die im Folgenden behandelten Lexeme als medizinisch-botanische Termini zu werten. Um die Unabhängigkeit des französischen Fachvokabulars in *Fevres* von seiner etwaigen lateinischen Quelle hervorzuheben, sind die Beispiele aus den in 1.2.2 vorgestellten Passagen entnommen und können so direkt den lateinischen Entsprechungen gegenübergestellt werden.

Gemeinsprachliches terminologisiertes Wortgut tritt in mehreren inhaltlichen Bereichen auf. Die in Rezepten erscheinenden Zutaten sind zum großen Teil Namen von Pflanzen, deren Teilen oder Früchten, wie etwa

| | | | |
|---|---|---|---|
| (2a) | פְּלֻֿורְשׁ דְאבִֿינְא | – *FLuWRŠ Də'ViYNə'* (f.157r2) | → *fleurs de vigne*, 'Blüten des Weinstocks (Vitis vinifera L.)' |
| (3a) | שַׁשְׁא | – *ŠaŠə'* (f. 157r2) | → **sace*, 'Weide (Salix L.)' |
| (4a) | קוֹיינְץ | – *QWoYYNẒ* (f. 157r5) | → pl. von *coin*, 'Quitte (Cydonia oblonga Mill.)' |
| (5a) | פוֹיירֵייץ | – *PWoYYReYYẒ* (f. 157r6) | → pl. von *poire*, 'Birne (Pirus communis L.)' |

270 Mit *pome* können natürlich verschiedene Arten von Äpfeln gemeint sein. Sofern jedoch in der Textstelle nicht weiter spezifiziert wird, ist die Spezies des Genus Malus L. offensichtlich unerheblich. Wichtig ist in diesem Zusammenhang nur, dass es sich um die Frucht einer bestimmten Gattung handelt.

Diese Termini gehören dem altfranzösischen Erbwortschatz an; sie sind nicht von den lateinischen Entsprechungen entlehnt, die in dem Rezept der Constantin-Übersetzung vorliegen (L, f. CCXVIIv, col. B), i.e.:

(2b) *flores vitium* 'Blüten des Weinstocks (Vitis vinifera L.)'

(3b) *salicum* 'Weide (Salix L.)'

(4b) mlat. *citoniorum* 'Quitte (Cydonia oblonga Mill.)'

(5b) *pirorum* 'Birne (Pirus communis L.)'

Bsp. (3a) **sace* ist darüber hinaus ein dialektales Zeugnis der nordostfranzösischen Herkunft des Textes (zum Schwund von vorkonsonantischem [ɫ] cf. 1.5.1): Im Franzischen war sonst *sauz* (TL 9, 48–250) üblich; undiphthongierte Varianten finden sich jedoch bspw. in den altwallonischen Dialekten; FEW (11, 100b–101a) belegt hierfür *sas(se)*. Finales [ə] ist ferner auch im altchampagnischen *sauce* (FEW 11, 101a) attestiert. *Sasse* ist zwar eine diatopische Variante mit geringerer kommunikativer Dimension als das verbreiterere *sauz*; das Kriterium der Unabhängigkeit von arealer Sprachvariation für das Potential eines Lexems als fachsprachlicher Terminus darf jedoch mit Gabriel (2006, 2240) für mittelalterliche Sprachsysteme nicht angewandt werden. Dialektale Varianten fungieren damit in *Fevres* als Termini. Trotter stellt für die altfranzösische Version der *Cyrurgie* ebenfalls fest, dass Regionalismen in dem fachsprachlichen Text keine Seltenheit sind (cf. ATC 40).

Ein weiterer Bereich sind Bezeichnungen von Körperteilen bzw. Substanzen im menschlichen Körper, die aus der Gemeinsprache entnommen sind:

(6a) שַׁאנְקְא – *Ša'NQə'* (ff. 102r9, 169r8, 9) → altfrz. *sancgue*, 'Blut'

(7a) פֿוֹייְאה – *FWoYYə'H* (f. 168r8, u. a.) → altfrz. *foie*, 'Leber'

(8a) פֵֿייל – *FeYYL* (f. 168v10) → altfrz. *fel*, 'Gallenblase'

(9a) קֻוִיר – *QWuYR* (f. 169r5) → altfrz. *cuir*, 'Haut'

(10a) לֵסְטוֹמַאכְא – *LeSṬWoMa'Kə'* (f. 169r2) → altfrz. *l'estomaque*, 'der Magen'

(11a) לֵיפְלְיֵין – *LeYPLYeYN* (f. 169r7) → altfrz. **l'eplen*, 'die Milz'

Demgegenüber stehen die folgenden entsprechenden lateinischen Termini:

(6b) *sanguinis* (gen. sg.) (f. CCXVr, col. B), ‘Blut’

(7b) *epar* (acc. sg.) (f. CCXVIIIv, col. A), ‘Leber’

(8b) *fel* (acc. sg.) (f. CCXVIIIv, col. A), ‘Gallenblase’

(9b) *cutem* (acc. sg.) (f. CCXVIIIv, col. A), ‘Haut’

(10b) *stomachum* (acc. sg.) (f. CCXVIIIv, col. A), ‘Magen’

(11b) *splene* (abl. sg.) (f. CCXVIIIv, col. A), ‘Milz’

Für die französischen Termini sind auch hier in zwei Fällen dialektale Auffälligkeiten festzustellen. Bsp. (6a) *sancgue* entspricht der Form, die auch in altwallonischen Dialekten belegt ist (cf. FEW 11, 170a); *sancgue* steht in *Fevres* regelmäßig neben dem verbreiteten und im Franzischen üblichen *sanc*. (8a) *Fel* ist eine im Anglonormannischen gebräuchliche Variante (cf. AND2 OE); das im Franzischen gängige diphthongierte *fiel* tritt in *Fevres* nicht auf und entspricht damit der generell zu beobachtenden Diphthongreduktion in unserem Text (cf. 1.5.1). Regional begrenzte Lexeme dienen also auch in diesem inhaltlichen Bereich als Termini.

Ein dritter zu betrachtender Bereich sind Bezeichnungen von Krankheiten bzw. von pathologischen Vorgängen im menschlichen Körper. Beispiele aus den in 1.2.2 vorgestellten Abschnitten sind etwa:

(12a) אֵיקְרַאקַ̄אץ – *’eYQRa’Ča’Ẓ* (f. 100v13, u. a.) → **ecrachaz*, ‘Auswurf, Sputum’

(13a) טוֹש – *ṬWoŠ* (f. 100v15) → *tos*, ‘Husten’

(14a) פֿלֵירוֹר מַאבֿוֹייזְא – *FLeYRWuR Ma’VWoYYZə’* (f. 101r2) → *flereur mavoise*, ‘übler Geruch’

(15a) שַׁא לִיגְֿא – *Ša’ LiYĞə’* (f. 101r4) → *s’alige*, ‘(er) empfindet Linderung’

(16a) גַֿאוֹנִיצְא – *Ğa’WoNiYẒə’* (f. 168v15) → **jaonice*, ‘Gelbsucht’

(17) אֵיטוֹפְּמֵינְט – *’eYṬWoPMeYNṬ* (f. 169r1) → *etopement*, ‘Verstopfung, Verschluss’

(18) נֵירְשִׁיט – *NeYRŠiYṬ* (f. 169r10) → *nercit*, ‘(es) färbt schwärzt’

Diese rein französischen, z. T. erbwörtlichen Lexeme stehen unabhängig von den lateinischen Termini der Vorlage; i.e., es handelt sich bei ihnen nicht um Entlehnungen aus folgenden Wörtern:

(12b) *sputum* (nom. sg.) (f. CCXVr, col. A), 'Auswurf'

(13b) *screatu* (abl. sg.) (f. CCXVr, col. A), 'Räuspern'

(14b) (*sine*) *putore* (f. CCXVr, col. A), '(ohne) fauligen Geruch'

(15b) *sentit levitatem* (f. CCXVr, col. A), 'er empfindet Linderung'

(16b) *ycteričie* (gen. sg.) (f. CCXVIIIv, col. A), 'Gelbsucht'

(17a) *oppilatione* (abl. sg.) (f. CCXVIIIv, col. A), 'Verstopfung'

(18a) *denigrat* (f. CCXVIIIv, col. A), 'es färbt schwarz'

### 1.6.4 Lehnwörter als medizinische Fachtermini im Französischen

#### 1.6.4.1 Lateinische Fremdwörter

In dem unter 1.2.2.2 vorgestellten Abschnitt lassen sich die folgenden morphologisch unveränderten lateinischen medizinischen Termini ausmachen, die in *Fevres* stets im Nominativ erscheinen:

(19) אֵימְפְּלַשְׁטרוֹם – *'eYMPLaŠṬRWoM* (157r1) → *emplastrum*

(20) קַנְפֿוֹרַא – *QaNFWoRa'* (157r3) → *canfora*

(21) בֵרבֵירִיש – *BeRBeYRiYŠ* (157r12) → *berberis*

(22) אִיקְטִירִיצִיאַה – *'iYQṬiYRiYẒiY'aH* (168r8) → **ictiricia*

(23) אֵינטֵרפוֹלַטַא – *'eYNṬeRPWoLaṬa'* (239r13) → **enterpolata*

(24) אוֹקְשִׁי זַאקְרַא – *'WoQŠiY Za'QRa'* (240r9) → *oxi zacra*

Bsp. (19) repräsentiert lat. *emplastrum*, '(Heil-)pflaster, Umschlag' (MLWB 3, 1251–1252; GH 1, 2413). Der Terminus war dem Autor offenbar unabhängig von einer Vorlage geläufig; in L lesen wir hierfür *cathaplasmate* (CCXVIIv, col. B, l. 61s.), mlat. für 'Umschlag, Packung' (MLWB 2, 362 *cataplasma*). Das entsprechende hebräische Wort ist תחבושת (Va, f.16v48) für 'Umschlag'. (20) ist mlat. *canfora*, eine Nebenform von mlat. *camphora*/*camfora* (von arab. *kāfūr*), 'Harz des Kampferbaums (Cinnamomum camphora Nees, Dryobalanops aromatica Gaertn.), Kampfer' und entspricht *camphora* im Constantin-Text (CCXVIIv, col. B, l. 63). Das altfranzösische Wort wäre *canfre* (TL 2, 22). Mlat. *berberis* (von arab. *barbāris*) 'Sauerdorn, Berberitze (Berberis vulgaris L.), Frucht der Berberitze' (MLWB 1, 1450) ist in (21) transkribiert und findet sich auch in L (CCXVIIv, col. B, l. 69, im Text als Genitiv). Zu den übrigen Lexemen cf. das *Lateinische Glossar* (3.3), das zahlreiche weitere, nicht in 1.2.2 zitierte, lateinische medizinische Termini aufführt und bespricht.

#### 1.6.4.2 Assimilierte Lehnwörter

Die dem (Mittel-)Lateinischen entlehnten und dem Altfranzösischen auf phonologisch-morphologischer Ebene assimilierten Lexeme stellen den größten Anteil des medizinisch-botanischen Vokabulars in *Fevres*. Essenzielles Merkmal der Lehnwörter ist die Übernahme der fachlichen Bedeutung aus der Gebersprache. Zwar belegen die einschlägigen altfranzösischen Lexika bereits viele lateinische Kultismen, doch sind nicht selten in dieser Kategorie Erstbelege eines Terminus in *Fevres* zu verzeichnen. Der Text illustriert somit als frühes Zeugnis die mittelalterliche Wissenschaftsliteratur als «eine dankbare Fundgrube für Erstbelege» (Pöckl 1990, 273). Da die Quellenfrage nicht abschließend geklärt werden konnte, ist bei einem bisher nicht belegten Terminus zwar nicht unbedingt davon auszugehen, dass der Autor den Fachbegriff aus der lateinischen Constantin-Übersetzung entlehnt hat. Exemplarische Einzelfälle mögen jedoch zumindest Anhaltspunkte dafür geben, dass diese Hypothese nicht völlig auszuschließen ist.

Bereits seit dem 13. Jahrhundert ist das aus lateinisch *stomachus* (cf. *stomachum* in CCXVIIv, col. B, l. 61) entlehnte *estomak* für 'Magen' dokumentiert, das in

(25) לֵיסְטוֹמַאכְא – *LeYSṬWoMa'Kə'* (f. 157r1)

erscheint und als *(l')estomaque* zu interpretieren ist. FEW (12, 281a) belegt u. a. «judfr.» *estomaqe* (= DB 436, z. B. Ms. ρ: אסטומכא). Varianten mit finalem [kə] waren zu altfranzösischer Zeit jedoch nicht auf Texte in hebräischer Graphie beschränkt, sondern auch sonst gebräuchlich (cf. Gdf 9, 563c).

Einen von der lateinischen Constantin-Übersetzung abweichenden Terminus gebraucht der Autor von *Fevres* bei dem Lehnwort

(26) דִיאֵשְׁטִיאוֹן – *DiY'eŠṬiY'WoN* (f. 157r15),

das als altfranzösisch *digestion*, 'Ausscheidung, Exkrement', zu interpretieren ist (seit 13. Jh.; cf. TL 2, 1926 *digestïon* 'Verdauung'; Kiwitt 2001, 107 'transformation d'une substance en humeurs dans le corps humain') und dem lateinischen *digestio* (MLWB 3, 627–628) entlehnt ist. Im lateinischen Text erscheint hingegen *egestio* (CCXVIIv, col. B, l. 71) in derselben Bedeutung (cf. MLWB 3, 1143). Erstbelege finden wir an anderer Stelle in *Fevres*, etwa

(27) אוֹפִּילַאצִיאוֹן – *'WoPiYLa'ẒiY'WoN* (ff. 167v16, 177r7)

(28) קַטַרְטִיק – *QaṬaRṬiYQ* (f. 171v3).

(27) transkribiert altfranzösisch *opilacion* 'Verstopfung', das die Lexika für das Kontinentalfranzösische erst seit Mitte des 14. Jahrhunderts attestieren[271] und das auf lateinisch *oppilatio* in derselben Bedeutung (cf. GH 2, 1367) zurückzuführen ist. In (28) lesen wir altfranzösisch **catartic* für 'Laxativ, Purgativ, Abführmittel', adaptiert von mittellateinisch *cat(h)ar(c)ticum,*[272] 'Purgativ' (MLWB 2, 373). *Catartique* ist generell sonst im Französischen erst seit dem 16. Jahrhundert belegt.[273]

Weitere assimilierte Lehnwörter, die in *Fevres* zum ersten Mal in einem französischen Text belegt sind und die nicht in den unter 1.2.2 vorgestellten Texten erscheinen, sind bspw.: דוֹלוֹיְיזוֹן – *DWoLWoYəYZWoN* (168r3) für *doloison*, 'heftiger Schmerz'; אֵיקֻומֻוזְא – *'eYQWuMuWZə'* (166v14, u. a.) für *ecumeuse (f)*, 'schaumig'; אֵשְׁקְרַאקָאמֵינְט – *'eŠQRa'Čə'MeYNṬ* (100v16) für *escrachement*, 'Sputum'; אֵיטֵרְנֻוטַאשִׁיאוֹן – *'eYṬeRNuWṬa'ŠiY'WoN* (173v6) für **eternutacion*, 'Niesmittel'; מִיגְרַיינֵייש – *MiYGRaYYNeYYŠ* (156v15, u. a.) für *migraines*, 'Granatäpfel'; פּוֹלְבְּרִיזֵייץ – *PWoLVRiYZeYYẒ* (176r18) für *polverisez*, 'zerreibt'; אֵשְׁקְרֻופֵּל – *'eŠQRWuPeL* (173r20) für **escrupel*, 'Skrupel (Gewichtseinheit)'; טִישִׁיס – *ṬiYŠiYS* (239v8) für *tisis*, 'Schwindsucht'.

### 1.6.5 Französische medizinische Fachtermini als Lehnprägungen

#### 1.6.5.1 Lehnbedeutungen

Ein häufig zu beobachtendes Mittel zur Bereicherung des Fachwortschatzes ist die Bedeutungserweiterung von Lexemen, die in der Nehmersprache vorhanden sind (cf. Pöckl 1990, 273) und terminologisiert werden. In diesem Abschnitt sollen beispielhaft Lehnbedeutungen aus *Fevres* angeführt werden, für die eine

---

**271** Cf. TL 6, 1152 *opilacïon*; FEW 7, 375a; Gdf 10, 234c; im Anglonormannischen jedoch bereits im 13. Jahrhundert, cf. AND2 OE *opilacion*).

**272** Cf. gr. καθαρτικόν, 'Purgirmittel' (GDHW 1, 1282).

**273** Cf. Gdf (9, 8b) 'remède qui purifie'; TLF (5, 308a) *id.*

medizinterminologische Semantisierung durch die gängigen altfranzösischen Lexika nicht erfasst sind und für die ein Bedeutungserstbeleg vorliegt.

Im *Liber febrium* (IV,17)[274] schreibt Constantin über Kanäle, durch die Körperflüssigkeiten geleitet werden; ein solcher Durchlass wird mit *via* (*vie*, gen. sg., CCXVIIIv, col. A, l. 36) bezeichnet. Das entsprechende Wort in *Fevres* lautet

(29) בֿוֹייאְה - *VWoYY'əH* (169r1),

also die altfranzösische Ableitung von lateinisch VIA, *voie*, eigentlich 'Weg, Straße'. *Voie* wird also um die Bedeutung 'Durchlass, Kanal (im Körper)', die in keinem altfranzösischen Lexikon vorliegt, erweitert.

Ein semantischer Ausbau lässt sich weiterhin für folgende altfranzösische Termini ausmachen:

(30) בוֹאְה - *BWo'əH* (162r16, 166v15)

(31) פֻֿומֵיאְה - *FuWMeY'əH* (164v18)

(32) לִיאֵייץ - *LiY'eYYẒ* (101r11, 167v22, 240r4)[275]

(33) טְרוֹבְלְא- *ṬRWoBLə'* (169r8)

Bsp. (30) transkribiert altfranzösisch *boe*, das seit dem 12. Jahrhundert in der Bedeutung 'Kot, Schlamm' belegt ist (cf. FEW 1, 302a; Gdf 8, 335a). Die Bedeutung 'Eiter', die das Wort hier annimmt, ist sonst laut Gdf erst seit H. de Mondeville (14. Jahrhundert) attestiert; FEW gibt sie gar erst für moderne Sprachstufen an. *Fumee* (Bsp. 31) bedeutet an genannter Stelle '(Haut-)Ausdünstung' und nicht 'Rauch, Dampf', wie in TL (3, 2351), FEW (3, 853a) und Gdf (9, 673b) verzeichnet. Die Bedeutung wurde aus dem Kontext rekonstruiert,[276] da für diesen Abschnitt bisher kein Quelltext identifiziert werden konnte. (32) und (33) repräsentieren altfranzösisch *lies* (Pl. von *lie*) bzw. *troble*. Beide Termini entsprechen lateinischem *fex*, 'Ausfällung, Niederschlag' (MLWB 4, 41–42 *faex*, *fex*).[277] Die fachsprachliche Spezifizierung der altfranzösischen Termini ist

274 Kapitel über Gelbsucht; nach L, f. CCXVIIIv, col. A.

275 Mit weiteren graphischen Varianten, cf. 3.2, s. v.

276 «[...] quant ce l'omeur est sotile et les pertus do cuir sont largés si l'enchace nature per sueur et par *fumee*» (f. 164v15–18), ed. Zwink.

277 Zur Definition von *fex* cf. Constant. Afr. *theor.* 1,25 p. 4b$^{v}$: «alia (sc. substantia procedens a sanguine) [...] fundum petens, que fex appelatur et intellegitur esse cholera nigra» (zit. nach MLWB 4, 41s.).

durch die Lexika nicht abgedeckt; cf. zu *lie* TL (5, 406 ‘Hefe, Bodensatz (in Wein, Öl usw.)’), FEW (5, 314b id.), AND2 OE *lie* id. *Tourble, m* ist zwar in Gdf (107, 85a) als ‘état où la limpidité est altérée’ (seit 12. Jh.) attestiert, jedoch nicht im medizinischen Kontext; cf. weiter zu *troble, m,* TL (10, 403 s. v. *torble* ‘Verwirrung, Störung’); FEW (13-2, 424b *tourble* ‘inquiétude, agitation de l’esprit’); ebenso AND2 OE *tourble* s. v. *truble.*

In *Fevres* finden sich zahlreiche weitere Bedeutungserstbelege der Medizinfachsprache. Beispielhafte Termini, die nicht in 1.2.2 besprochen wurden, sind: אַקְצִיאוֹן – *’aQẒiY’WoN* (164v6) für *accion*, ‘Folgeerscheinung, Reaktion’; אַגֿוֹשְׁטְא – *’aǦWoŠṬə’* (169r4) zu *s’ajoster*, ‘sich verbinden (von Substanzen)’; אַשֵׁינְץ – *’aŠeYNẒ* (159r22) für **asens*, ‘Essenz, Extrakt’; קְלַארִיפִּיאֵי – *QLa’RiYFiY’eY* (179v10) zu *clarifier*, ‘klären (von Substanzen)’; קוֹמִישְׁטִיאוֹן – *QWoMiYŠṬiY’WoN* (164v25, u. a.) für *comistion*, ‘Mischverhältnis (der Körpersäfte)’; קוֹנְפֿוֹרְטַאנְט – *QWoNFWoRṬa’NṬ* (174v15, u. a.) für *confortant*, ‘stärkendes Medikament’; דֵיקְלִינַאנְט – *DeYQLiYNa’NṬ* (101v9) zu *decliner*, ‘weich werden, nachgeben (von Substanzen)’; דְאלִישִׁיאוּשׁ – *Də’LiYŠiY’WuŠ* (177r2) für *delicieus*, ‘anfällig’; דֵינַאטֻורֵיאְה – *DeYNa’ṬuWReY’əH* (174r20) zu *denaturé*, ‘unnatürlich, krankhaft verändert’; דֵיפִּיטְא – *DeYPiYṬə’* (101r15) zu *depiter*, ‘abstoßen’; u. v. a. m. (cf. 3.2).

### 1.6.5.2 Lehnformungen

Lehnübersetzungen und -übertragungen begegnen uns bei mehrgliedrigen Fachtermini, also bei Termini, die aus mindestens zwei Lexemen bestehen, häufig in *Fevres.*[278] Für diejenigen Passagen, für die eine Textvorlage bekannt ist, lassen sich dafür in vielen Fällen (mittel-)lateinische Vorbilder feststellen. In den unter 1.2.2 vorgestellten Textabschnitten können die folgenden Fälle rekonstruiert werden.

(34a) אֻובְֿרְא נַאטֻורֵייאְה – *’uWVRə’ Na’ṬuWReYY’əH* (101v9)

(35a) בֵֿרטוי פוֹלְשַׁאטִיבְֿא – *VeRṬWY PWoLŠa’ṬiYVə’* (168v8)

Beide komplexen Termini sind Lehnübersetzungen aus dem Lateinischen; cf. an den entsprechenden Stellen im *Liber febrium*:

(34b) *nature actionem* (L, CCXVr, col. B, l. 66)

(35b) *virtutis expulsiue* (L, CCXVIIIv, col. A, l. 28)

278 N.B.: Die einzelnen Komponenten können wiederum aus (assimilierten) Lehnwörtern oder Lehnbedeutungen bestehen.

(34a) ist als **euvre naturée* zu interpretieren, womit, wie im Lateinischen (cf. 34b), die ‘natürliche Kraft (von Körperfunktionen)’ gemeint ist (cf. MLWB 1, 133 *actio*). Der komplexe altfranzösische Terminus ist in *Fevres* erstmals belegt. Altfranzösisches *vertu *polsative* (32a) gibt lateinisches *virtus expulsiva*, ‘austreibende Kraft’ (MLWB 3, 1676 s.v. *expulsivus*), wieder; der zweigliedrige Terminus ist sonst in altfranzösischen medizinischen Texten seit dem 13. Jahrhundert als *vertu expulsive* belegt (z.B. TL 3, 1539).

Ein interessantes Bsp. für eine Lehnübertragung, die wahrscheinlich auf Verständnismangel der Übersetzer und dem gleichzeitigen Bestreben nach der korrekten Widergabe der Vorlage basiert (cf. 1.6.2), ist:

(36) פֵּיין אַפְּרִיקָא – *PeYYN 'aFRiYQə'* (157r3)

Dieses altfranzösische Syntagma **pein afrique* ist eine Lehnübersetzung des mittellateinischen *panem aphricanum* (L, CCXVIIv, col. B, l. 62–63) bzw. des hebräischen פת אפריקא (Va, 16v49), wörtlich ‘Afrika-Brot’. Der Terminus war wahrscheinlich nicht besonders gängig; weder lateinisches *panis aphricanus* noch eine romanische Adaption ist lexikographisch erfasst.[279] Beim Vergleich der Textversionen entsteht der Eindruck, als sei er sowohl dem hebräischen Übersetzer als auch dem Autor von *Fevres* unbekannt, da er von beiden Übersetzern (fast) wörtlich und dabei ohne Anpassung an die zielsprachliche Syntax übertragen wird.[280] Anhand eines Texts der *Collectio Salernitana* kann der Terminus identifiziert werden: «panis africani. id est biscocti» (Renzi 1859, 5–309); die Termini in sind also als ‘Zwieback’ zu verstehen.

Schließlich lohnt das Kompositum

(37) קָאוֹשׁ אֵיטֵיינְא – *Ča'WoŠ 'eYṬeYYNə'* (f. 163r17–18)

eine nähere Betrachtung. Eine altfranzösische Bezeichnung für ‘gelöschten Kalk (Calciumhydroxid)’ ist in *Fevres* erstmals belegt; **chauz eteine* ist eine direkte Lehnübersetzung von mittellateinisch *calx exstincta* (MLWB 2, 99), wie der Quellenvergleich zeigt. FEW (2-1, 107b) dokumentiert *chaux éteinte* sonst für das Französische erst seit dem 16. Jahrhundert.

---

**279** Auch die Wörterbücher romanischer Sprachen verzeichnen keinen entsprechenden Terminus. *Pan africano* ist lediglich in DETEMA (2, 1168a) in einem Zitat zu finden; die Bedeutung gilt als «non resuelto». Im Glossar von Saye (1933, 19) erscheint *pén afrike* unter den «Unkown words».

**280** Die syntaktisch parallele Konstruktion des hebräischen und altfranzösischen Syntagmas ist zudem ein Hinweis auf eine hebräische Textvorlage (cf. 1.2.2).

Ferner lassen sich beispielhaft die folgenden weiteren Fälle für mehrgliedrige Lehnformungen anführen, die nicht in 1.2.2 besprochen wurden und für die *Fevres* den Erstbeleg für das Französische liefert: אַלוֹאֵי אֵיפַּאטִיק – *'aLWo'eY 'eYPa'ṬiYQ* (177r17) für *aloe epatic*, 'Aloe hepatica'; אַרֵיטְא בֻּוףֿ – *'aReṬə' BuWF* (158r24) für *arete beuf*, 'Ochsenbrech'; קַאלֻוֵר נַאטֻורֵי – *Ča'LWuR Na'ṬuWReY* (102r5) für *chaleur naturé*, 'natürliche Körperwärme'; אֻובְרְא נַאטֻורֵייאְה – *'uWVRə' Na'ṬuWReYY'əH* (101v9, u. a.) für **euvre naturée*, 'natürliche Kraft'; מֵימְבְרְא אוֹפִּיצִיאַל – *MeYMBRə' 'WoFiYẒiY'aL* (165v1, u. a.) für *membre oficial*, 'Offizialorgan'.

### 1.6.5.3 Bilinguale Lehnformungen

Das abschließend vorzustellende Mittel zur Kreation von Fachtermini im Altfranzösischen sind die bilingualen Lehnformungen. Hierbei kombiniert der Autor altfranzösische mit lateinischen Wortformen zu Komposita, wobei beide Sprachen sowohl beim Determinatum als auch beim Determinans zur Verwendung kommen können. Die Beispiele (38) bis (42) zeigen jeweils ein lateinisches Grundwort mit altfranzösischem Epithet:

(38) קוֹנְשוֹלִידַא לַאגְרַאנְדְא – *QWoNŠWoLiYDa La'GRa'NDə'* (159v11)
→ **consolida la grande*, 'Beinwell'

(39) קוֹנְשוֹלִידַא ... לַאפֵּיטִיטְא – *QWoNŠWoLiYDa' ... La'PeYṬiYṬə'* (159v11)
→ **consolida la petite*, 'Gänseblümchen'

(40) לַאפִּיש יַשְׁפְּא – *La'PiYŠ YaŠPə'* (159v1)
→ **lapis jaspe*, '(der Stein) Jaspis'

(41) סַנְדַלִי בְלַנְקָא – *SaNDaLiY BLaNČə'* (176r17, 178v6)
→ **sandali blanche*, 'weißes Sandelholz'

(42) סַנְדַלִי רוֹיְיא – *SaNDaLiY RWoYəY'* (f179v5–6)
→ **sandali roge*, 'rotes Sandelholz'

Der umgekehrte Fall, i.e., ein französisches Determinatum wird durch ein lateinisches Determinans spezifiziert, ist in den Beispielen (40) bis (43) zu beobachten:

(43) קוֹלִיקַא פַּצִיאוֹן – *QWoLiYQa' PaẒiY'WoN* (160v19, 167r2)
→ **colica pasion*, 'Kolik'

(44) אֵרְבְא אַצִיטוֹזַא – *'eRBə' 'aẒiYṬWoZa'* (157v2)
→ **erbe acitosa*, 'Sauerampfer'

(45) בֵּרְטוֹ אַפֵּיטַאטִיבַא – *VeRṬWu 'aPeYṬa'ṬiYVa'* (f. 169r6)
→ **vertu apetativa*, 'verlangende, an sich ziehende Kraft (in der Humoralpathologie)'

(46) בֵּירְטוֹ דִיאֵשְׁטִיבַא – *VeYRṬWu DiY'eŠṬiYVa'* (f. 101v10)
→ **vertu digestiva*, 'verarbeitende, verdauende Kraft (in der Humoralpathologie)'

Für Referenzen und Erläuterungen cf. das *Altfranzösische* und *Lateinische Glossar* (3.2, 3.3).

Obwohl die in den Beispielen (38) bis (46) vorgestellten lateinischen Komponenten *consolida*, *sandalus*, *colica*, *acitosa*, **apetativus* und *digestivus* zum Abfassungszeitpunkt von *Fevres* bereits ins Altfranzösische als *consoude* (AND2 OE), *sandal*/*sand(a)le* (FEW 19, 153a), *colerique* (TL 2, 564), *acetouse* (FEW 24, 101b), *apetitif* (TL 1, 450) und *digestif* (TL 2, 1926)[281] entlehnt worden sind, behält der Autor die lateinischen Termini bei. Die Kombination von Altfranzösisch und Latein innerhalb eines komplexen Terminus ist auch in anderen frühen fachsprachlichen Sprachdenkmälern festzustellen; cf. z. B. das altokzitanisch-lateinische Hybrid *bol sigillatum* (*BWL ŠĞYL'ṬWM*), 'Tonerde' in ShS1 (Bos et al. 2011, 240). Sprachliche Hybride sind als Zeugnis für den beginnenden Ausbau der Volkssprachen als Fachsprachen und als Methode der Kreation von Fachvokabular zu interpretieren, die in ihrer Entwicklungsphase von Unsicherheiten geprägt ist, begleitet von der bereits mehrfach angesprochenen Sorge um die korrekte Wiedergabe des Quelltexts (cf. 1.6.2).

### 1.6.6 Zwischenergebnisse

*Fevres* als ein früher volkssprachlicher Fachtext der Medizin zeigt die Verwendung diverser lexikalischer Methoden, um den fehlenden Bestand an Fachtermini zu kompensieren. Dabei konnten durch die vorgestellte Analyse folgende Methoden beobachtet und beschrieben werden:

1. Terminologisierung gemeinsprachlicher Wörter
2. Lehnwörter als
   a) Fremdwörter und
   b) assimilierte Lehnwörter

281 Diese erscheinen teilweise auch an anderer Stelle in *Fevres*, z. B. *vertu *apetetive* (*VeRṬWu 'aPeYṬeYṬiYVə'*, f. 169v14) und *vertu digestive* (*VeRṬWY DiY'eŠṬiYVə'*, f. 166v19).

3. Lehnprägungen als
   a) Lehnbedeutungen,
   b) Lehnformungen und
   c) bilinguale Lehnformungen.

Der Text zeigt trotz gewisser Unsicherheiten bei der Wiedergabe schwieriger theoretischer Sachverhalte, die aus dem Lateinischen oder Arabischen (über den Umweg des Hebräischen) zu übersetzen sind, eine bemerkenswerte Versiertheit im Umgang mit der Volkssprache als Fachsprache. Der Anteil lateinischer Fremdwörter ist zwar nach wie vor sehr hoch, doch zeigt sich gerade etwa durch die parallele Verwendung von lateinischen und französischen *signifiants* für denselben *signifié* oder bilingualen Lehnformungen die sich herausbildende französische Fachsprache, die sich im Ablösungsprozess von der traditionellen und etablierten lateinischen befindet.

## 1.7 Editionsprinzipien

Die Bearbeitung des Manuskripttexts erfolgt in vier Schritten, die synoptisch in der Edtion dargestellt sind (cap. 2). Die einzelnen Editionsschritte sind dabei parallel zueinander erkennbar; i.e., der Leser kann für jedes Wort die Entwicklung von der Darstellung im Manuskript bis hin zu seiner Übersetzung nachvollziehen und überprüfen, ohne umblättern zu müssen. Der folgende Leitgedanke war dabei maßgeblich: Einerseits sollen die spezifischen graphischen und sprachlichen Eigenarten des hebräischen Manuskripts so getreu wie möglich wiedergegeben werden, und andererseits soll Romanisten ein Text präsentiert werden, der leicht lesbar ist.

Die Synopse ist dabei wie folgt aufgebaut: Jede Einzelseite ist horizontal in zwei Hälften geteilt. Die Gesamtsynopse erstreckt sich auf eine Doppelseite, die somit vier Felder A–D erhält; cf. Abbildung (6):

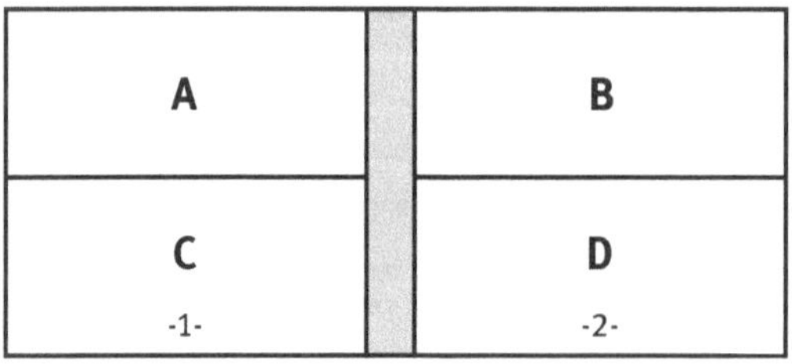


**Abbildung 6:** Textsynopse der Edition

Die eigentliche Edition befindet sich auf Feld C; hier steht die Abschrift in hebräischer Graphie im diplomatischen Abdruck. Folgende Merkmale des Manuskripts werden dabei abgebildet: Zeilenumbrüche, Spatia, Abkürzungen, Beibehaltung agglomerierter, wenn auch nach modernem Usus eigentlich getrennt geschriebener Wörter, keine Hinzufügung von diakritischen Markierungen oder Interpunktionszeichen (cf. Foulet/Speer 1979, 43). Überschriften in Quadratschrift werden durch Fettdruck kenntlich gemacht. Ausnahmen bzw. Abweichungen von der diplomatischen Edition betreffen u. a. folgende Aspekte: Emendierungen von Schreibfehlern – dies betrifft insbesondere diakritische Markierungen; meist einen fehlenden Raphe – und Streichungen (z. B. Füllbuchstaben; cf. 1.3). Im Apparat erscheint dann die ursprüngliche Lesart. Während Schreibfehler im Text korrigiert werden, wird für folgende Eingriffe auf das in der Orientalistik und der Klassischen Philologie etablierte Leidener Klammersystem zurückgegriffen (cf. etwa West 1919, 738ss.),[282] das für unsere Belange leichte Modifikationen erfährt:

{ } Streichung durch den Herausgeber
⟨ ⟩ Hinzufügung durch den Herausgeber
( ) Auflösung einer Abkürzung oder Ligatur durch den Herausgeber
[[ ]] Kennzeichnung einer Streichung durch den Schreiber

Der zweite Bearbeitungsschritt, die Transliteration der hebräischen in lateinische Buchstaben mit notwendigen diakritischen Zeichen, ist auf Feld D abgebildet. Zeilenumbrüche werden hierbei gewahrt.

Auf Feld A erscheint der hypothetische altfranzösische Text (cf. 1.4). Der Text unterscheidet sich hinsichtlich seiner Interpunktionszeichen nicht von der hebräischen Vorlage. Auf eine zusätzliche Satzstrukturierung wird verzichtet, um den dem Text eigenen Sprachduktus zu erhalten. Verändert wird im Gegensatz zum hebräischen Text die Worttrennung: Im Hebräischen werden Klitika häufig an ihr Bezugswort ohne Freiraum angeschlossen – im französischen Text werden diese getrennt. Akzent- und Tremasetzung werden so weit wie möglich vermieden und nur dort angebracht, wo es sinnvoll erschien, etwa, um zwei Wörter voneinander zu unterscheiden (z. B. *la* und *là*) oder das part. perf. zu kennzeichnen (z. B. *monrés* versus *monrez*). Zeilenangaben stehen in Klammern im Fließtext.

Die deutsche Übersetzung ist auf Feld B zu lesen. Sie erfolgt weitgehend wörtlich, um auch Nicht-Romanisten einen möglichst authentischen Eindruck der Sprache zu vermitteln. Die Zeilenangaben werden in Klammern beibehal-

**282** Das System wurde 1931 auf dem XVIII. Orientalistenkongress in Leiden beschlossen; cf. Bidez/Drachmann (1938); Van Groningen (1932).

ten; syntaktische Beschränkungen des Deutschen erforden jedoch naturgemäß oft Verschiebungen im Vergleich zum Altfranzösischen.

## 1.8 Zusammenfassung

Die voranstehende Untersuchung hat unterschiedliche Aspekte des altfranzösischen Manuskripttexts in hebräischer Graphie beleuchtet, der in seiner Eigenschaft als volkssprachlicher theoretischer Fachtext der Medizin zu seiner Zeit ziemlich einzigartig dasteht. Er ist in nur einer einzigen Handschrift erhalten.

Zunächst wurde deutlich gemacht, dass sich *Fevres* in diverse Traditionen einordnen lässt. Diese sind erstens formaler Art, i.e., der anonyme Verfasser von *Fevres* führt den Brauch gelehrter mittelalterlicher Juden fort, die die romanischen Volkssprachen – hier das Altfranzösische – mithilfe des hebräischen Alphabets verschriftlichen. Damit reiht er sich in die Gruppe der Autorenschaft ein, deren prominentester Vertreter Rashi mit seinen französischen Bibel- und Talmudkommentaren in hebräischer Graphie ist. Zweitens lässt sich *Fevres* in die Tradition der westlichen, laikalen Medizin- und Übersetzerschulen mit Schwerpunkt in Salerno stellen. Der Autor kompiliert bekannte medizinische Texte, die dem salernitanischen Kanon zuzuordnen sind und übersetzt diese – nach unserem Kenntnisstand erstmals – ins Französische. Obwohl es unbestritten zu sein scheint, dass der Schreiber aufgrund der hebräischen Graphie des Texts und den eingeflochtenen hebräischen Bibelzitaten dem jüdischen Kulturkreis zuzuordnen ist, finden die biblische und die talmudische Medizin keinen Eingang in sein Werk. *Fevres* tradiert vielmehr die Vorstellungen von Ursache, Verlauf und Behandlung einer Erkrankung nach hippokratisch-galenischer Anschauung.

Quellenkundliche Untersuchungen konnten zeigen, dass die Vorlage für die in cap. 2 edierten Passagen das ursprünglich durch Isaac Israeli auf Arabisch verfasste Buch der Fieber (*Kitāb al-ḥummayāt*) ist. In näheren Betracht gezogen wurden dabei erstens die lateinische Übersetzung des Constantinus Africanus und zweitens die auf dem lateinischen Constantin-Text beruhende hebräische Übersetzung des sogenannten «Do'eg ha-Edomi». Der Quellenvergleich förderte eine leicht höhere Wahrscheinlichkeit der hebräischen Vorlage zutage.

Eine genauere Bestimmung des *Terminus post quem* erlauben quellenkundliche Ergebnisse und textimmanente Hinweise. Die jüngste Quelle stammt von 1277. Da der Autor jedoch erwähnt, er habe die Medizinschule des Hillel ben Samuel in Italien besucht, die nicht früher als 1280 existiert haben kann, ist davon auszugehen, dass *Fevres* in den Jahren nach 1280 entstanden ist. Ein

*Terminus ante quem* ist nicht unbedingt durch die Vertreibung der Juden aus Frankreich im Jahr 1306 gegeben; der Autor könnte sich eventuell auf lothringischem Gebiet in Sicherheit gebracht haben und dort sein Werk geschrieben oder vollendet haben.

Die paläographischen und kodikologischen Merkmale des Manuskripts weisen auf eine aschkenasische Herkunft des Texts hin, der um die Wende des 13./14. Jahrhunderts entstanden ist. Zudem wurde er von einem einzigen Schreiber angefertigt, wie das einheitliche Schriftbild zeigt. Auch die Punktation wurde durch den Schreiber selbst und nicht nachträglich angebracht. Da die paläographisch-kodikologischen Beschaffenheiten mit den sprachlichen Merkmalen des Texts räumlich und zeitlich miteinander im Einklang stehen, kann davon ausgegangen werden, dass es sich bei der Berliner Handschrift um ein Autograph handelt.

Die Wiedergabe des Altfranzösischen mit hebräischen Buchstaben erfolgt ähnlich wie bei dem Tossafisten Rashi. Einige graphische Phänomene weisen Schwierigkeiten auf, etwa die Repräsentation von Diphthongen und Nasalen. Durch die Graphemkombination *-eYY-* werden, neben der Wiedergabe des Diphthongs [ei̯], eventuell auch lange und/oder betonte Silben gekennzeichnet. Diese Feststellung indiziert den noch vorhandenen Wortakzent im Ostfranzösischen zur damaligen Zeit.

Die sprachlichen Charakteristika weichen nur geringfügig von denen des Franzischen ab; dennoch kann eine champagnische, lothringische oder burgundische Herkunft des Texts festgestellt werden. Eindeutige Hinweise hierfür sind bestimmte Lexeme wie etwa *mont* oder *ule*, die explizit als champagnisch bzw. ostfranzösisch durch die altfranzösischen Grammatiken oder das FEW ausgezeichnet werden, und weitere dialektale Merkmale. Auch der Entstehungszeitpunkt von *Fevres* kann durch die sprachlichen Eigenarten annäherungsweise bestimmt werden. Die in weiten Teilen zu beobachtende Aufgabe des Zwei-Kasus-Systems und bestimmte phonetische Eigenschaften wie etwa der Schwund auslautender Konsonanten situieren den Text frühestens auf das 13. Jahrhundert. Die sprachliche Untersuchung zeigt ebenfalls, dass *Fevres* nicht den sogenannten *jüdisch-französischen* Skriptae zuzuordnen ist, sondern die dialektalen Eigenarten aufweist, die auch Texten nicht-jüdischer Herkunft aus der entsprechenden Region zu eigen sind.

Des Weiteren wurde deutlich, dass das Altfranzösische zwar noch nicht vollständig als Wissenschaftssprache ausgebildet war, sich jedoch in dieser Hinsicht im Aufbau befand. Der Autor rekurriert zu diesem Zweck auf diverse lexikalische Mittel, um den noch nicht etablierten medizinischen Fachwortschatz der Volkssprache zu decken. Die Fachterminologie in *Fevres* wurde nach Oksaar (1988) bzw. Betz (1959) klassifiziert; als zusätzliche Kategorie wurde in die Schichtung des Lehnguts die «Bilinguale Lehnformung» eingeführt.

# 2 Edition

https://doi.org/10.1515/9783110490039-002

## 2.1 *De ecrachaz* (ff. 100v13–102r14)

### f. 100v13–101r9

(13) **De ecrachaz bon et non bon** (14) et meluein ni bon ni maveis. Ecrachaz (15) qui it aveque tos et bote hors celi est (16) apelé escrachement o il le bote hors (17) par acune overagne. Il est parti en (18) tres maneres. O il est bon; si (19) renovele seneté. O il n'est mie (20) bon si nos anseigne dotance. O il (21) est meluein. Le bon il est petit blanc (101r1) et cler et est joint ensenble et it ben (2) ligerement sant nule flereur mavoise. Et si ne (3) fet mie detrece à l'eprit. Et quant il (4) it le malade s'alige. Et plus tot se (5) il isoit à terze o à quart. Car se (6) il isoit à primer o à segont coment (7) que il ne soit mavois il fut melur se (8) il isit à terze o à quarte. Por ce car (9) en ceux renovelent meurison et en eux nature

---

**דְא אֵיקְרַאקָאץ בוֹן אֵי נוֹן בוֹן**
אֵימֵילְוֵיין נִי בוֹן נִי מַאבֵאייץ ¨ אֵקְרַאקַץ
קִי אִיט אַבֵיקְא טוֹשׁ אֵי בוֹטְא הוֹרְץ שְׁא לִי אֵט
אַפְלֵי אֵשְׁקְרַאקְאמֵינְט אוֹ אִיל לְאבוֹטְא הוֹרְץ
פַּר אַקֻונְא אוֹבְרַאנְא ¨ אִיל אֵט פַּרְטִי אֵן
טְרֵייץ מַאנֵיירְץ ¨ אוֹ אִיל אֵט בוֹן • שִׁי
רְאנוֹבֵיילְא שֵׁינְאטֵי ¨ אוֹ אִיל נֵייט מִיאְה
בוֹן שִׁי נוֹץ אַשֵׁיינְא דוֹטַנְצְא ¨ אוֹ אִיל
אֵט מֵילְוֵיין ¨ לְאבוֹן אִיל אֵט פְּאטִיט בְלַנְק
אֵיקְלֵייר אֵי אֵט גֹוויינְט אֵנְשֵׁינְבְלְא אֵי אִיט בֵיין {לִיגִיר}
לִיגֵירְאמֵינְט[283] שַׁנְט נֵולְא פְלֵירוֹר מַאבֹוייזְא[284] ¨ אֵי שִׁי נְא
פֵּיט מִיאְה דֵיטְרֵיצְא אַלֵיפְּרִיט ¨ אֵיקַאנְט אִיל {אֵי}
אִיט לְאמַאלַאדְא שַׁא לִיגְא ¨ אֵיפְלוֹץ טוֹט שְׁא
אִיל אִישׁוֹיְיט אַטֵירְצְא אוֹ אַקַארְט ¨ קַאר שְׁא
אִיל אִישׁוֹיְיט אַפְרִימֵיר אוֹ אַשְׁאגוֹנְט קוֹמֵיינְט
קְא אִיל נְא שׁוֹיֵיט מַאבֹוייֵשׁ אִיל פֻּוט מֵלְיוֹר שְׁא
אִיל אִישִׁיט אַטֵירְצְא אוֹ אַקַרְטְא[285] ¨ פּוֹרְצְא קַר
אֵנְשׁוֹץ רֵינוֹבֵילֵינְט מוֹרֵיזוֹן {ו} אֵיאֵנְאוֹץ נַאטֵורְא

283 לִיגֵירְאמֵינְט: em. ed., לִיגֵירְאמֵינְט Ms.
284 מַאבֹוייזְא: em. ed., מַאבוֹייזְא Ms.

**f. 100v13–101r9**

*(13) Über gutes und nicht gutes Sputum (14) und mittleres, [d. h.] weder gutes noch schlechtes. Sputum, (15) das mit Husten einhergeht und nach außen drängt, (16) wird Auswurf genannt, bei dem er [i.e., der Patient] es (17) mit einiger Anstrengung abhustet. Es wird in (18) drei Arten unterteilt. Entweder ist es gut; in diesem Fall (19) zeugt es von Gesundheit. Oder es ist nicht (20) gut; dann ist es für uns besorgniserregend. Oder es (21) ist mittelschwer. Das gute ist weißlich (101r1) und klar und untereinander verbunden und fließt (2) leicht heraus, ohne schlechten Geruch. Und so (3) schlägt es nicht aufs Gemüt. Und wenn es (4) austritt, empfindet der Patient Linderung. Und das am meisten, wenn (5) es am dritten oder vierten [Tag] austritt. Denn wenn (6) es am ersten oder zweiten [Tag] austritt – (7) selbst wenn das nicht schlecht ist –, wäre es besser, wenn (8) es am dritten oder vierten Tag austreten würde. Denn (9) an diesen [Tagen] kündigt sich die Reife an, und an diesen reift die Natur,*

---

**Də' 'eYQRa' Ča' Ẓ BWoN 'eY NWoN BWoN**
'eYMeYLWeYYN NiY BWoN NiY Ma' Ve' YYẒ ¨ 'eQRa' ČaẒ
QYi 'YiṬ 'aVeYQə' ṬWoŠ 'eY BWoṬə' HWoRẒ Šə' LiY 'eṬ
'aPLeY 'eŠQRa' Čə' MeYNṬ 'Wo 'iYL Lə' BWoṬə' HWoRẒ
PaR 'aQuWNə' 'WoVRa' Nə' ¨ 'YiL 'eṬ PaRṬiY 'eN
ṬReYYẒ Ma' NeYYRẒ ¨ 'Wo 'YiL 'eṬ BWoN · ŠiY
Rə' NWoVeYYLə' ŠeYNə' ṬeY ¨ 'Wo 'YiL NeYYṬ MiY' əH
BWoN ŠiY NWoẒ 'aŠeYYNə' DWoṬaNẒə' ¨ 'Wo' YiL
'eṬ MeYLWeYYN ¨ Lə' BWoN 'YiL 'eṬ Pə' ṬiYṬ BLaNQ
1r 'eYQLeYYR 'eY 'eṬ ĞWoYYNṬ 'eNŠeYNBLə' 'eY 'iYṬ BeYYN
LiYĞeYRə' MeYNṬ ŠaNṬ NuWLə' FLeYRWuR Ma' VWoYYZə' ¨ 'eY ŠiY Nə'
FeYṬ MiY' əH DeYṬReYẒə' 'aLeYPRiYṬ ¨ 'eYQa' NṬ 'YiL
'iṬ Lə' Ma' La' Də' Ša' LiYĞə' ¨ 'eYPLWuẒ ṬWoṬ Šə'
'YiL 'iYŠWoYəYṬ 'aṬeYRẒə' 'Wo 'aQa' RṬ ¨ Q' aR Šə'
'YiL 'YiŠWoYəYṬ 'aPRiYMeYR 'Wo 'aŠə' GWoNṬ QWoMeYYNṬ
Q' ə 'YiL Nə' ŠWoYeYṬ Ma' VWoYeYŠ 'YiL FWuṬ MeLYWuR Šə'
'YiL 'iYŠiYṬ 'aṬeYRẒə' 'Wo 'aQaRṬə' ¨ PWoRẒə' QaR
'eNŠWoẒ ReYNWoVeYLeYNṬ MWuRiZWoN 'eY' eNə' WuẒ Na' ṬuWRə'

---

**285** אַקְרַטְא: em. ed.; אַקָּרַטְא Ms.

## f. 101r10–101v6

(10) meurit et ausi en ces jors s’apert meurison (11) en lies de le orine. Et l’ecrachaz il (12) vaut mes quant il ecomence à iter (13) apres la meurison que devant. Quant il (14) it devant la meurison il nos enseigne (15) que la nature depite celi ecrachaz et la (16) vertu retentive c’est à dire la vertu qui (17) retent il n’est mie potant ele si (18) ne la peut retenir tant que ele soit (19) meure. Mes se l’ecrachaz pase (20) le quarte jor que il ne jete point joc (21) à seteme et il s’apirt à seteme (101v1) il nos enseigne venat à l’onzeme jor que c’est le lu et (2) le termine qui est à termine à senté por ce que (3) adonc il est par nature meiur et meus (4) digeste. Sachez la senté se tarze (5) à venir par le tarzement de jeter l’ecrachaz qui (6) se tarze à jeter joc à seteme jor.

---

מֻוֶרִיט אֵי אַאוּשִׁי אֶן שֵׁייש יוֹרץ שַׁאפֵּייְרְט מֻורִיזוֹן
אֶן לֵילִיאֵייץ דְאלְאוֹרִינְא ¨ אֵילֵקְרַאקַֽאץ אִיל
בַּֽאוֹט מֵייוְץ קַאנְט אִיל אֵיקוֹמֵינְצְא אַאִיטֵר
אַפְּרֵייץ לַאמֻֽורִיזוֹן קְא דְאבַֽאנְט ¨ קַאנְט אִיל
אִיט דְאבַֽאנְט לַאמֻֽורִיזוֹן אִיל נוֹץ אֵנְשֵׁיינְא
קְא לַאנַאטֻֽורְא דֵיפִּיטְא שְׁלִי אֵקְרַאקַֽאץ אֵילַא
בַֽירְטוּ רֵיטֵינְטִיבְֿא שֵׁט אַדִירְא לַאבֵֿרְטוּ קִי
רְאטֵיינְט אִיל נֵייט מִיאְה פּוֹטַאנְט אֵנְלִי שִׁי
נְא לַא פּוּט רְאטֵינִיר טַאנְט קְא אֵילְא שׁוֹיֵיט
מֵיאֻֽורְא ¨ מֵיץ שְׁא לֵיקְרַאקַֽאץ פַּאשְׁא
לְאקַֽארְטְא יוֹר קְא אִיל נְא גֵֿיטְא פּוֹיינְט יוֹק {אש}
אַשֵׁיטֵיימְא אֵי אִיל שַׁאפִּירְט אַשֵׁיטֵיימְא
אִיל נוֹשׁ אֵנְשֵׁיינְא בֵֿינַאט אַלוֹנְזֵיימְא יוֹר קְא שֵׁט לְאלוּ אֵי
לְאטֵירְמִינְא קִי אֵט אַטֵרְמִינְא אַשֵׁינְטֵי פּוֹרְצְא קְא {א}
אַדוֹנְק אִיל אֵט פַּר נַאטֻֽורְא {מוֹיֵיץ} מֵיאוֹר אֵי מֵיאוֹץ
דִיאֵישְׁטְא ¨ שַׁאקֵֽייץ[286] לַאשֵׁינְטֵי שְׁא טַארְזְא {א}
אַבֵֿינִיר פַּר לְאטַרְזְאמֵינְט דְא גֵֿייטֵר לֵיקְרַאקַֽאץ קִי
שְׁאטַרְזְא {אקיט} אַגֵֿיטֵר יוֹק אַשֵׁייטֵיימְא יוֹר ¨

286 שַׁאקֵֽייץ: em. ed., שַׁאקֵֽייץ Ms.

**f. 101r10–101v6**

*(10) und an diesen Tagen zeigt sich auch die Reife (11) im Sediment des Urin. Das Sputum (12) ist besser, wenn es nach der Reifung beginnt auszutreten (13) als davor. Wenn es (14) vor der Reifung austritt, zeigt uns das, (15) dass die Natur dieses Sputum abstößt und dass die (16) virtus retentiva, das heißt, die Kraft, die (17) zurückhält, nicht leistungsfähig ist, und (18) so kann sie es nicht zurückhalten, wie es (19) besser wäre. Aber wenn das Sputum (20) den vierten Tag überdauert, und er [i.e., der Patient] bis (21) zum siebten [Tag] nicht abhustet, und es erscheint am siebten [Tag], (101v1) zeigt uns das die Ankunft am elften Tag an, welcher der Ort und (2) der Zeitpunkt ist, der Zeitpunkt für die Genesung, denn (3) somit ist es von Natur aus reif und wird besser (4) verarbeitet. Wisst, dass die Genesung verspätet (5) eintritt bei der Verzögerung des Abhustens des Sekrets, das (6) ab dem siebten Tag verspätet ausgeworfen wird.*

---

MWuRiYṬ 'eY 'a'WoŠiY 'eN ŠeYYŠ YWoRẒ ŠaPeYYRṬ MuWRiYZWoN 'eN LeYLiY'eYYẒ Də'Lə'WoRiYNə' ¨ 'eYLeQRa'Ča'Ẓ 'iYL Va'WoṬ MeYYẒ Qa'NṬ 'YiL 'eYQWoMeYNẒə' 'a'iYṬeR 'aPReYYẒ La'MuWRiYZWoN Q'ə Də'Va'nṬ ¨ Qa'NṬ 'YiL 'YiṬ Də'Va'NṬ La'MuWRiYZWoN 'YiL NWoẒ 'eYNŠeYYNə' Q'ə La'Na'ṬuWRə' DeYPiYṬə' ŠəLiY 'eQRa'Ča'Ẓ 'eYLa' VeYRṬWu RəYṬeNṬiYVə' ŠeṬ 'aDiYRə' La'VeRṬWu QYi Rə'ṬeYYNṬ 'YiL NYeYṬ MiY'əH PWoṬa'NṬ 'eYLə' ŠiY Nə' La' PWuṬ Rə'ṬeYNiYR Ṭa'NṬ Q'ə 'eYLə' ŠWoYeYṬ MeY'uWRə' ¨ MYeẒ Šə' LeYQRa'ČaẒ Pa'Šə' Lə'Qa'RṬə' YWoR Qə' 'YiL Nə' ĞeYṬə' PWoYəYNṬ YWoQ 'aŠeYṬeYYMə' 'eY 'YiL ŠaPiYRṬ 'aŠeYṬeYYMə' 'YiL NWoŠ 'eNŠeYYNə' VeYNa'Ṭ 'aLWoNZeYYMə' YWoR Q'ə ŠeṬ Lə'LWu 'eY Lə'ṬeYRMiYNə' QYi 'eṬ 'aṬeRMiYNə' 'aŠeNṬeY PWoRẒə' Q'ə 'aDWoNQ 'YiL 'eṬ PaR Na'ṬWuRə' MeY'WuR 'eY MeY'WuẒ DiY'eŠṬə' ¨ Ša'ČeYYẒ La'ŠeYNṬeY Šə' ṬaRZə' 'aVeYNiYR PaR Lə'ṬaRZə'MeYNṬ Də' ĞeYYṬeR LeYQRa'Ča'Ẓ QY Šə'ṬaRZə' 'aĞeYṬeR YWoQ 'aŠeYYṬeYYMə' YWoR ¨

### f. 101v7–102r1

(7) Et ce tarzement si nos motre dos choses il (8) nos motrent o que la matire est dure que (9) ele n'est mie declinant à euvre naturée. (10) O par la vertu digestiva qui est faillie que (11) ele ne peut parfere la digestion que (12) la meurison au quarte jor. Por ce le vos di (13) tant come enseigne est aparisant de digestion (14) an li comencement de la maladie tant plus (15) tot est la senté hatant à venir. Et (16) tant plus s'aloigne de l'ecomencement (17) de la maladie la digestion tant plus est (18) la senté tarzant à venir. Car il (19) le convent et meter en a [à] la nature (20) de avoir epace et termine do jor qui porte (21) novele joc à jor de crisi come il y a (22) d'epace do l'ecomencemente. (23) De la maladie joque à jor de la novele (102r1) l'ecrachaz qui n'est mie bon et qui motre dotance

---

אֵי שְׁאטַרְזְאמֵינְט שִׁי נוֹץ מוֹטְרְא דוֹץ קָוֹזֵייץ אִיל
נוֹץ מוֹטְרֵינְט אוֹ קְא לַאמַאטִירְא אֵט דֻורְא קְאְ
אֵילְא נֵייֵט מִיאְה דֵיקְלִינַאנְט אַאֻוּבְרְא נַאטֻורֵייאְה ¨
אוֹ פַר לַאבֵּירְטוּ דִיאֵשְׁטִיבַא קִי אֵט פַּאלִיאְה קְא
אֵילְא נְא פּוֹט פַּארְפֵּירְא לַאדִיאֵשְׁטִיאוֹן קְאְ שֵׁט
לַאמֻורִיזוֹן אוֹ קַארְטְא יוֹר ¨ פּוֹרצְא לְאבּוֹש דִי {טא}
טַאנְט קוֹמְא אֵנְשֵׁיינְא אֵט אַפַּארִישַׁנְט דְאדִיאֵשְׁטִיאוֹן
אַנְלִי קוֹמֵינְשְׁאמֵינְט דְאלַאמַאלַאדִיאְה טַאנְט פְּלוּץ
טוֹט אֵט לַאשֵׁינְטֵי הַאטַאט אַבֵּינִיר ¨ אֵי
טַאנְט פְּלוּץ שַׁאלוֹיְינְא דְאלֵיקוֹמֵינְשְׁאמֵינְט {דאלא ״}
דְאלַאמַאלַאדִיאְה לַאדִיאֵשְׁטִיאוֹן טַאנְט פְּלוּץ אֵט
לַאשֵׁינְטֵי טַרְזַאנְט אַבֵּינִיר ¨ קַאר אִיל {לְאק}
לְאקוֹבֵּינְט אֵימֵיטֵר אֵן אַה לַאנַאטֻורְא {דאש}
דְאַבּוֹיֵיר אֵיפַּאשְׁא אֵי טֵרְמִינְא דוֹ יוֹר קִי פּוֹרְטְא
נוֹבֵּיילְא יוֹק אַיוֹר דְקְרִיזִי קוֹמְא אִיל אִי אַה {דֵי}
דֵיפַּאשְׁא דוֹ [[יוֹר דא]] לֵיקוֹמֵינְשְׁאמֵינְטְא {דאלא}
דְאלַאמַאלַאדִיאְה יוֹקְא אַיוֹר דְאלַאנוֹבֵּיילְא
לֵיקְרַאקַאץ קִי נֵייט מִיאְה בּוֹן אֵי {ק} קִי מוֹטְרְא דוֹטַאנְצְא

**f. 101v7–102r1**

*(7) Und diese Verzögerung zeigt uns zwei Dinge: sie (8) zeigt uns entweder, dass das Sekret zäh ist, so dass (9) es sich nicht der natürlichen Kraft beugt. (10) Oder aufgrund der verarbeitenden Kraft, die versiegt ist, so dass (11) sie weder die Verarbeitung noch die (12) die Reife am vierten Tag vollbringen kann. Daher sage ich euch: (13) Je mehr Anzeichen von Verarbeitung (14) zu Beginn der Krankheit sichtbar sind, umso (15) schneller ist die Genesung auf dem Vormarsch. Und (16) je mehr die Verarbeitung vom Beginn (17) der Krankheit entfernt ist, umso mehr (18) verzögert sich das Eintreten der Genesung. Denn es (19) ist angebracht und notwendig für die Natur (20) den Zeitraum und die Dauer zu haben von dem Tag, der das (21) Anzeichen bringt bis zum Tag der Krise entsprechend (22) dem Zeitraum seit dem Beginn. (23) Von der Krankheit bis zum Tag des Ausbruchs ist (102r1) das Sputum, das nicht gut ist und bei dem Besorgnis*

---

ʼeY Šəʼ ṬaRZəʼ MeYNṬ ŠiY NWoẒ MWoṬRəʼ DWoẒ ČWoZeYYẒ ʼYiL
NWoẒ MWoṬReYNṬ ʼWo Qəʼ Laʼ Maʼ ṬiYRəʼ ʼeṬ DuWRəʼ Qʼə
ʼeYLəʼ NYeYṬ MiYʼ əH DeYQLiYNaʼ NṬ ʼaʼ uWVRəʼ Naʼ ṬuWReYYʼ əH ¨
ʼWo PaR Laʼ VeYRṬWu DiYʼ eŠṬiYVaʼ QYi ʼeṬ Faʼ LiYʼ əH Qəʼ
ʼeYLəʼ Nəʼ PWuṬ Paʼ RFeYRəʼ Laʼ DiYʼ eŠṬiYʼ WoN Qʼə
Laʼ MuWRiYZWoN ʼWo Qaʼ RṬəʼ YWoR ¨ PWoRẒəʼ Ləʼ VWoŠ DiY
Ṭaʼ NṬ QWoMəʼ ʼeNŠeYYNəʼ ʼeṬ ʼaPaʼ RiYŠaNṬ Dəʼ DiYʼ eŠṬiYʼ WoN
ʼaNLiY QWoMeYNŠəʼ MeYNṬ Dəʼ Laʼ Maʼ Laʼ DiYʼ əH Ṭaʼ NṬ PLWuẒ
ṬWoṬ ʼeṬ Laʼ SeYNṬeY Haʼ Ṭaʼ Ṭ ʼaVeYNiYR ¨ ʼeY
Ṭaʼ NṬ PLWuẒ Šaʼ LWoYəYNəʼ Dəʼ LeYQWoMeYNŠəʼ MeYNṬ
Dəʼ Laʼ Maʼ Laʼ DiYʼ əH Laʼ DiYʼ eŠṬiYʼ WoN Ṭaʼ NṬ PLWuẒ ʼeṬ
Laʼ ŠeYNṬeY ṬaRZaʼ NṬ ʼaVeYNiYR ¨ Qaʼ R ʼYiL
Ləʼ QWoVeYNṬ ʼeYMeYṬeR ʼeN ʼaH Laʼ Naʼ ṬuWRəʼ
Dəʼ aʼ VWoYeYR ʼeYPaʼ Šəʼ ʼeY ṬeRMiYNəʼ DWo YWoR QiY PWoRṬəʼ
NWoVeYYLəʼ YWoQ ʼaYWoR DQRiYZiY QWoMəʼ ʼYiL ʼiY ʼaH
DeYPaʼ Šəʼ DWo LeYQWoMeYNŠəʼ MeYNṬəʼ
Dəʼ Laʼ Maʼ Laʼ DiYʼ əH YWoQəʼ ʼaYWoR Dəʼ Laʼ NWoVeYYLəʼ
102r LeYQRaʼ Čaʼ Ẓ QYi NeYYṬ MiYʼ əH BWoN ʼeY QYi MWoṬRəʼ DWoṬaʼ NẒəʼ

**f. 102r2–14**

(2) et paor c'est le verte et le pers et le blo c'est (3) le pers et le cler car les colors qui (4) sont tel en l'ecrachaz si motrent o sanc ars (5) et colera. O il motre que la chalur naturé (6) si est eteinte. Et comente le porons (7) quenoiter ces deux. Il a deferance (8) enter eux. Car l'ecrachaz qui est de la grande (9) ardur do sancgue et de colera il est primer verte (10) et apres se change apres o à blo o à (11) noir colur. Et l'ecrachaz qui nos enseigne (12) que la naturée chalur est eteinte si est en (13) l'ecomencement colericis c'est jaune et pus est (14) blao o ende et apres se chaunge à noir.

---

אֵי פַּאוֹר שֵׁט לְאבֵּירְטְא אֵילְאפֵּיירְץ אֵי לְאבְלוֹ שֵׁט
לְאפֵּירְץ אֵי לְאקְלֵייר אֵי לְאנוֹיֵיר קַאר לֵישְׁקוֹלוֹרְץ קִי
שׁוֹנְט טֵייל אֶנְלֵיקְרַאקַאץ שִׁי מוֹטְרֵינְט אוֹ שַׁנְקְא אַרְץ
אֵי קוֹלֵירַא ¨ אוֹ אִיל מוֹטְרְא קְא לַאקַאלוֹר נַאטוּרֵי
שִׁי אֵט אֵטֵיינְטְא ¨ אֵיקוֹמֵינְטְא לְאפּוֹרוֹנְץ {קאנוי}
קְאנוֹייטֵר אֶנְטֵר שֵׁשׁ דוֹץ ¨ אִיל אַה דֵפְּרַאנְשְׁא
אֶנְטֵר אוֹץ ¨ קַאר לֵיקְרַאקַאץ קִי אֵט דְאלַאגְרַאנְדְא
אַרְדוֹר דוֹשַׁנְקְא אֵי דְאקוֹלְרַא אִיל אֵט פְּרִימֵר בֵּרְטְא
אֵיאַפְּרֵייץ שְׁאקַאנְגְּא[287] אַפְּרֵייץ אוֹ אַה בְלוֹ אוֹ אַה
נוֹיֵיר קוֹלוּר ¨ אֵילֵיקְרַאקַאץ קִי נוֹץ אֶנְשֵׁיינְא
קְא לַאנַאטוּרֵאה קַאלוּר אֵט אֵיטֵיינְטְא שִׁי אֵט אֵן
לֵיקוֹמֵינְשְׁאינְט קוֹלֵירִיקִישׁ שֵׁט גַּאוֹנְא אֵי פּוֹץ אֵט
בְלַאוֹ אוֹ אֵינְדְא אֵי אַפְּרֵייץ שְׁא קַאוֹנְגְא אַנוֹיֵיר ¨

---

**287** שְׁאקַאנְגְּא: em. ed., שְׁאקַאנְגְא Ms.

**f. 102r2–14**

*(2) und Furcht angezeigt ist, das grüne und das violette und das blaue; es ist das (3) violette und das helle, denn die Farben, die (4) dem Auswurf eigen sind, zeigen nämlich entweder überhitztes Blut (5) und (gelbe) Galle an. Oder sie zeigen, dass die natürliche Körpertemperatur (6) verloschen ist. Und wie können wir (7) diese beiden erkennen. Es gibt einen Unterschied (8) zwischen den beiden. Denn das Sputum, das von großer (9) Hitze des Blutes und der Galle herrührt, ist zuerst grün (10) und dann verändert es sich hin zu blauer oder zu (11) schwarzer Farbe. Und der Auswurf, der uns anzeigt, (12) dass die natürliche Wärme erloschen ist, ist nämlich zu (13) Beginn cholerisch, d. h. gelb, und dann ist er (14) blau oder indigofarben und anschließend verändert er sich hin zu schwarz.*

---

’eY Pa’WoR ŠeṬ Lə’VeYRṬə’ ’eYLə’PeYYRẒ ’eY Lə’BLWo ŠeṬ Lə’PeYRẒ ’eY Lə’QLeYYR Q’aR LeYŠQWoLWoRẒ QYi ŠWoNṬ ṬYeYL ’eNLeYQRa’Ča’Ẓ ŠiY MWoṬReYNṬ ’Wo ŠaNQ ’aRẒ ’eY QWoLeYRa’ ¨ ’Wo ’YiL MWoṬRə’ Q’ə La’Ča’LWuR Na’ṬWuReY ŠiY ’eṬ ’eṬeYYNṬə’ ¨ ’eYQWoMeYNṬə’ Lə’PWoRWoNẒ Qə’NWoYYṬeR ŠeŠ DWuẒ ¨ ’YiL ’aH DeFRa’NŠə’ ’eNṬeR ’WuẒ ¨ Q’aR LeYQRa’Ča’Ẓ QYi ’eṬ Də’La’GRa’NDə’ ’aRDWuR DWoŠaNQə’ ’eY Də’QWoLRa’ ’YiL ’eṬ PRiYMeR VeRṬə’ ’eY’aPReYYẒ Šə’Ča’NĞə’ ’aPReYYẒ ’Wo ’aH BLWo ’Wo ’aH NWoYeYR QWoLWuR ¨ ’eYLeYRa’Ča’Ẓ QYi NWoẒ ’eNŠeYYNə’ Qə’ La’Na’ṬuWRe’eH Ča’LWuR ’eṬ ’eṬeYYNṬə’ ŠiY ’eṬ ’eN LeYQWoMeYNŠə’MeYNṬ QWoLeYRiYQiYŠ ŠeṬ Ğa’WoNə’ ’eY PWuẒ ’eṬ BLa’Wo ’Wo ’eYNDə’ ’eY ’aPReYYẒ Šə’ Ča’WoNĞə’ ’aNWoYeYR ¨

## 2.2 Rezepte gegen *fluxus ventris* (ff. 156v8–163v9)

### f. 156v8–24

(8) **Trocisci** prenez berberis quatre (9) dragmes et demie amidum seis (10) portulaci sechie cinque dragmes seis mertille (11) sechi dues dragmes et demie semen erba (12) acitosa tres dragmes. Totes ces choses (13) breez et fetez trocisci de une dragme (14) si en donez dues dragmes avecque jus de mertille (15) o de coins o de migraines egres. (16) **Et se** les digestion sont (17) fortes de colera, si fetez (18) **un clyster**. Prenez branches de (19) portulaca pilées avecque (20) eve de roses le jus de solatri livre (21) et demie les moias de oes un (22) quarteron ule de roses dues onces (23) bolus tres dragmes si y metez le jus (24) d'arnoglossa.

---

**טְרוֹצִיצִי** פְּרֵינֵייש בֵּרבֵּירִיש קַאטְרָא
דְרַכְמְש אֵידְאמִיאְה אַמִידוֹם שֵׂיֵץ
פּוֹרְטֻולַצִי שֵׂיקִיאְה שִׂינְקָא דְרַכְמְש שֵׂיֵץ מֵירְטִילֵי
שֵׂיקִי דוִיֵץ דְרַכמֵש אֵי דְאמִיאְה שֵׂמֵן אֵרְבַא {א}
אַשִׂיטוֹזַא טְרֵייש דְרַכְמְש טוֹטֵייץ שֵׂש קָוֹזֵייץ[288]
בְּרֵייאֵייץ אֵיפֵּיטֵייץ טְרוֹצִיצִי דְא אֵונְא דְרַכְמְש
שִׂי אֵנְדוֹנֵייץ דוִיֵץ דְרַכְמְש אַבֵּיקָא יוִץ דְמֵרטִילֵי
אוֹ דְאקוֹיינְץ אוֹ דְאמִיגְרַיינֵייש אֵגְרֵייץ ״
**אֵי שְׂא** לֵייש דִיאֵשטִיאוֹן שׂוֹנְט {פור}
פּוֹרְטֵייץ דְא קוֹלְרַא שִׂי פֵּיטֵייץ
**אֵון קְלִישְׁטֵר** פְּרֵינֵייץ בְּרַנְקֵייץ דְא
פּוֹרְטֻולַאקַא פִּילֵיאֵייץ אַבֵּיקָא
אֵיבֵּא דְארוֹזֵייש לְאיוִץ דְאשׁוֹלַאטְרִי לִיבְּרָא[289]
אֵידְאמִיאְה לַייֵש מוֹייאַץ דְא אוִץ אֵון {קווט}
קוּוַרטְארוֹן {ני} אֵולְא דְא רוֹזֵייש דוִיֵץ אוֹנְצֵייץ
בּוֹלוִש טְרֵייש דְרַכְמֵייש שִׂי אִימֵיטֵייש לְאיוִץ
דְאַרנוֹגְלוֹזַא ״

(Reklamant)

---

**288** קָוֹזֵייץ: em. ed., קוֹזֵייץ Ms.
**289** לִיבְּרָא: em. ed., לִיבְרָא Ms.

## f. 156v8–24

*(8) Trochisken: Nehmt von der Berberitze vier- (9) einhalb Drachmen, sechs Stärke, (10) fünf von getrocknetem Portulak, sechs Drachmen getrocknete Myrte, (11) zweieinhalb [von ihrem] Samen, (12) drei Drachmen Sauerampfer. Zerreibt diese ganzen Dinge (13) und macht Trochisken von [je] einer Drachme; (14) gebt sodann [dem Kranken] davon zwei Drachmen mit dem Saft von Myrte, (15) Quitten oder sauren Granatäpfeln. (16) Und wenn der Stuhlgang (17) stark gallenhaltig ist, macht (18) ein Klistier. Nehmt Zweige von (19) Portulak, die (20) mit Rosenwasser zerstoßen sind, eineinhalb Pfund Saft von Schwarzem Nachtschatten, (21) ein Viertel Pfund Eidotter, (22) zwei Unzen Rosenöl, (23) drei Drachmen Tonerde, dann fügt dort den Saft von (24) Breitwegerich hinzu.*

---

**ṬRWoẒiYẒiY** PReYNeYYŠ BeRBeYRiYŠ Qa' ṬRə'
DRaKMŠ 'eYDə' MiY' əH 'aMiYDWoM ŠeYeŠ
PWoRṬuWLaẒiY ŠeYČiY' əH ŠiYNQə' DRaKMŠ ŠeYeŠ MeYRṬiYLeY
ŠeYČiY DWuYYeẒ DRaKMŠ 'eY Də' MiY' əH ŠeMeN 'eRBa'
'aŠiYṬWoZa' ṬReYYŠ DRaKMŠ ṬWoṬeYYŠ ŠeŠ ČWoZeYYẒ
BReYY' eYYẒ 'eYFeYṬeYYẒ ṬRWoẒiYẒiY Də' 'uWNə' DRaKMŠ
ŠiY 'eNDWoNeYYẒ DWuYYeẒ DRaKMŠ 'aVeYQə' YWuẒ DMeRṬiYLeY
'Wo Də' QWoYYNẒ 'Wo Də' MiYGRaYYNeYYŠ 'eGReYYẒ ¨
**'eY Šə'** LeYYŠ DiY' eŠṬiY' WoN ŠWoNṬ
FWoRṬeYYẒ Də' QWoLRa' ŠiY FeYṬeYYẒ
**'uWN QLiYŠṬeR** PReYNeYYẒ BRaNČYeYẒ Də'
PWoRṬuWLa' Qa' PiYLeY' eYYẒ 'aVeYQə'
'eYVə' Də' RWoZeYYŠ Lə' YWuẒ Də' ŠWoLa' ṬRiY LiYVRə'
'eYDə' MiY' əH LeYYŠ MWoYY' aẒ Də' 'WuẒ 'uWN
QWWaRṬə' RWoN 'uWLə' Də' RWoZeYYŠ DWuYYeẒ 'WoNẒeYYẒ
BWoLWuŠ ṬReYYŠ DRaKMeYYŠ ŠiY 'iYMeYṬeYYŠ Le' YWuẒ
D' aRNWoGLWoZa'

## f. 157r1–18

(157r1) **Emplastrum** à l'estomaque: prenez ule (2) de mertille fleurs de vigne sace (3) pomes egres pein afrique canfora merlé avecque eve (4) de roses et mis sur l'estomaque. Si li poöns (5) fere letuaure. Prenez des coins mondés (6) dedens et dehors une livre. Pomes et poires (7) mondées dedens et dehors une demi livre si (8) les bolez en eve rose apres si le pilez tant (9) qui sont ben mol et pus si prenez dues livres (10) de sirop roget si bolez tot ensenble joc il (11) soit epeis et pues si metrons dues dragmes (12) de berberis et quatre de espodi et pus si en (13) donez à malade tres dragmes o demi once (14) avecque sirop violes savages et eve. (15) Et quant la digestion it do malade si (16) come eve o char freche a eté lavé, ce (17) nos enseigne que la vertu retentive qui est au foie (18) est faillie. Si prenra cete podre.

---

**אֵימְפְּלַשְׁטרוֹם** אַה לֵיסְטוֹמַאכְא פְּרֵינֵייש אֵוּלְא {דאמירט}
דְאמֵירְטֵילֵי פְּלֵוּרְש דְאבִינְא שַׁשְא {פו}
פוֹמֵייש אֵגְרֵייש פֵּיין אַפְרִיקְא קַנְפּוֹרַא מֵירְלֵי אַבֵּיקְא אֵיבָּא
דְרוֹזֵייש אֵימִיש שֵׁוּר לֵיסְטוֹמַאכְא ¨ שִׁי לִי פוֹאוֹנְץ
פְּיירְא לֵיטְוַורְא ¨ פְּרֵינֵייץ דֵי קוֹיינְץ מוֹנְדֵייץ {דא}
דְאדֵיינְץ אֵי דְאהוֹרְץ אֵוּנְא לִיבָּרְא ¨ פוֹמֵייש אֵי פוֹיירֵייץ
מוֹנְדֵיאֵייץ דְאדֵינְץ אֵי דְאהוֹרְץ אֵוּנְא דְאמִי לִיבָּרְא שִׁי
לֵייש בוֹלֵייץ אֵן אֵיבָּא רוֹזְא אַפְרֵייש שִׁי לְאפִילֵייש טַאנְט
קִי שוֹיינְט בֵּיין מוֹל אֵיפוּש שִׁי פְּרֵינֵייץ דוֵייץ לִיבָּרֵייש
דְאשִׁירוֹף רוֹיֵיט שִׁי בוֹלֵייש טוֹט אֵנְשֵׁנְבְּלְא יוֹק אִיל
שוֹיֵיט אֵיפֵּייש אֵיפֵּוּייש שִׁי מֵיטְרוֹנְש דוֵייץ דְרַכְמֵש
דְבֵרְבֵּרִיש אֵי קַאטְרא דְאאֵשפוֹדִי אֵיפוִּייץ שִׁי אֵן {דו}
דוֹנֵייש אַמַאלַאדְא טְרֵייש דְרַכְמֵייש אוֹ דְמִי אוֹנְצְא
אַבֵּיקְא שִׁירוֹף וִיאוֹלֵייש שַׁאבַּאגֵייש אֵי אֵיבָּא {א}
אֵי קַאנְט לַאדִיאֵשטִיאוֹן אִיט דוֹ מַאלַאדְא שִׁי
קוֹמְא אֵיבָּא אוֹ קָאַר[290] פְּרֵיקָא אַה אֵיטְא לַאבֵּיאְה שְׁא {נו}
נוֹש אֵנְשֵׁיינְא קְא לַאבֵּירְטוֹ[291] רֵיטֵנְטִיבְא קִי אֵט אוֹפּוֹייְאה
אֵט פַאלִיאְה ¨ שִׁי פְּרֵינְרַא שֵׁיטְא פוֹדְרְא ¨

---

**290** קָאַר: em. ed., קאַר Ms.
**291** לַאבֵּירְטוֹ: em. ed., לַאבֵירְטוֹ Ms.

**f. 157r1–18**

*(157r1) Wickel für den Bauch: Nehmt (2) Myrtenöl, Weinblüten, Weide, (4) saure Äpfel, Zwieback, Kampfer gemischt mit (4) Rosenwasser und [so wird es] auf den Magen gelegt. Dann können wir ihm (5) eine Latwerge machen. Nehmt ein Pfund (6) entkernte und von außen gereinigte Quitten, (7) ein halbes Pfund entkernte und von außen gereinigte Äpfel und Birnen, so (8) kocht sie in Rosenwasser, danach zerstoßt sie so, (9) dass sie gut weich sind, und dann nehmt zwei Pfund (10) Rosensirup und kocht alles zusammen, bis es (11) dickflüssig ist, und dann fügen wir zwei Drachmen (12) Berberitze und vier von Zinkoxyd hinzu, und dann (13) gebt dem Kranken davon drei Drachmen oder eine halbe Unze (14) mit Sirup wilder Veilchen und Wasser. (15) Und sobald die Verdauung von dem Kranken abgeht (16) so [ähnlich] wie Wasser, in dem frisches Fleisch gewaschen worden ist, (17) zeigt uns das an, dass die zurückhaltende Kraft, die sich in der Leber befindet, (18) versiegt ist. So soll er dieses Pulver nehmen.*

---

**’eYMPLaŠṬRWoM** ’aH LeYSṬWoMa’ Kə’ PReYNeYYŠ ’uWLə’ Də’MeYRṬiYLeY FLuWRŠ Də’ViYNə’ ŠaŠə’ PWoMeYYŠ ’eGReYYŠ PeYYN ’aFRiYQə’ QaNFWoRa’ MeRLeY ’aVeYQə’ ’eYVə’ DRWoZeYYŠ ’eYMiYŠ ŠuWR LeYSṬWoMa’ Kə’ ¨ ŠiY LiY PWo’WoNẒ FəYYRə’ LeYṬWaWRə’ ¨ PReYNeYYẒ DeY QWoYəYNẒ MWoNDeYYẒ Də’DeYYNẒ ’eY Də’HWoRẒ ’uWNə’ LiYVRə’ ¨ PWoMeYYŠ ’eY PWoYYReYYẒ MWoNDeY’əYYẒ Də’DeYYNẒ ’eY Də’HWoRẒ ’uWNə’ Də’MiY LiYVRə’ ŠiY LeYYŠ BWoLeYYẒ ’eN ’eYVə’ RWoZə’ ’aPReYYŠ ŠiY Lə’PiYLeYYŠ Ṭa’NṬ QiY ŠWoNṬ BeYYN MWoL ’eYPWuŠ ŠiY PReYNeYYẒ DWuYeYẒ LiYVReYYŠ Də’ŠiYRWoP RWoYeYṬ ŠiY BWoLeYYŠ ṬWoṬ ’eNŠeNBLə’ YWoQ ’YiL ŠWoYeYṬ ’eYPeYYŠ ’eYPuWYeYŠ ŠiY MeYṬRWoNŠ DWuYeYẒ DRaKMeŠ DBeRBeRiŠ ’eY Qa’ṬR’ Də’’eŠPWoDiY ’eYPWuYYẒ ŠiY ’eN DWoNeYYŠ ’aMa’La’Də’ ṬReYYŠ DRaKMeYYŠ ’Wo DMiY ’WoNẒə’ ’aVeYQə’ ŠiYRWoP WiY’WoLeYYŠ Ša’Va’ĞeYYŠ ’eY ’eYVə’ ’eY Qa’NṬ La’DiY’eŠṬiY’WoN ’YiṬ DWo Ma’La’Də’ ŠiY QWoMə’ ’eYVə’ ’Wo Ča’R FReYČə’ ’aH ’eYṬə’ La’VeY’əH Šə’ NWoŠ ’eNŠeYYNə’ Q’ə La’BeYRṬWu ReYṬeNṬiYVə’ QiY ’eṬ ’WoFWoYYə’H ’eṬ Fa’LiY’əH ¨ ŠiY PReYNRa’ ŠeYṬə’ PWoDRə’ ¨

### f. 157r19–157v9

(19) Berberis espodi ana dues dragmes coliandri (20) tenpré en jus de resins sauvages o en vin de pome (21) granate egres et pus sechi et puis brée (22) tres dragmes sumac net dragme semen acitos (23) dues et demie semen mertille dues dragmes et (24) breez tot en podre et donez à boivre tres (25) avecque sirop de coins et eve froide. (26) **Trocisci** qui sont bons à cete maladie mont (27) bons. (157v1) espodi d(ues) d(ragmes) roses (uit) berberis gumi d(ues) dr(agmes) semen c'est (2) semence de erbe acitosa dues drachm(es) semence de (3) mertille quatre chateignes amidum tres sumac (4) brulé tres greins de migrenes egres et brulez (5) sur le fu et totes ces choses seront (6) detrenprées avecque jus de coins si li donerons (7) à boivre tres dragmes avecque sirop (8) de grapes savages et eve froide. (9) Et il prenra de la tisane de orge brulé

---

בֵּרבֵּירִיש אֵשפּוֹדִי אַנַא דוִיֵיץ דְרַכמֵייש קוֹלִיאַנְדְרִי
טֵנְפְּרֵי אֵנְיוֹץ דְאַרֵיזִינְש שׁוֹבַּאגֵייש אוֹ אֵן בִּין דְאפּוֹמְא
גְרְנַאטְא אֵיגְרֵייץ אֵי פּוּש שֵׁיקִי אֵי פּוּיש בְּרֵיאֵי {טרי}
טְרֵייש דְרַכְמֵייש סוּמַק נֵייט דְרַכְמְא שֵׁמֵן אַשִׁיטוֹץ
דוִיֵיץ אֵי דְאמִיאֵה שֵׁמֵן מֵרְטִילֵי דוִיֵיץ דְרַכמֵייש אֵי
בְּרֵיאֵייץ טוֹט אֵן פּוֹדְרְא אֵי דוֹנֵייש אה בּוֹיְיבְּרְא טְרֵייש
¨ אַבֵייקְא שִׁירוֹף דְא קוֹיְינְץ אֵי אֵיבְא פְּארוֹיידְא
**טְרוֹצִיצִי** קִי שׁוֹנְט בּוֹנְץ אַשֵׁיטְא[292] מַאלַאדִיאְה מוֹנְט
בּוֹנְץ
אֵשפּוֹדִי דׄ דכׄ רוֹשֵׁש הׄ בֵּרבֵּרִיש גֻמִי דׄ דרכׄ שֵׁמֵן שֵׁט {ש}
שְׁמֵנְשְׁא דְא אֵרְבְא אַצִיטוֹזַא דוִיֵיץ דְרַכמ שְׁאמֵינְשְׁא דְא
מֵרְטִילֵי קַאטְרְא קַאטֵאיינֵייש[293] אַמִידוֹם טְרֵייש שׁוּמַק
בְּרֻולֵי טְרֵייש גְרֵיינְץ דְאמִיגְרֵינֵייץ אֵיגְרֵייץ אֵבְרֻולֵייאֵץ
שֻׁור לְא פֻּו אֵי טוֹטֵייץ שֵׁש קוֹזֵייץ שְׁרוֹנְט {דטרינפרי}
דֵטְרֵיינְפְּרִיאֵייץ אַבֵייק יוּץ דְאקוֹיינְץ שִׁי לִי דוֹנְרוֹנְץ
אַבוֹיְיבְּרְא טְרֵייש דְרַכמֵייש אַבֵיקְא שִׁירוֹף {דאריזי}
דְאגְרַאפֵייש שַׁאבַאגֵייש אֵי אֵיבְא פְּרוֹיידְא ¨
אֵי אִיל פְּרֵינְרַא דְאלַאטִיזַיינְא דְאאוֹרְגָא בְּרֻולֵי

---

292 אַשֵׁיטְא: em. ed., אֵשֵׁיטְא Ms.
293 קַאטֵאיינֵייש: em. ed., קַאטֵאיינֵייש Ms.

**f. 157r19–157v9**

*(19) Je zwei Drachmen Berberitze und Zinkoxyd, Koriander (20) eingeweicht im Saft wilder Weintrauben oder in Wein von (21) sauren Granatäpfeln, dann getrocknet und dann zerstoßen, (22) drei Drachmen von gereinigtem Essigbaum, <eine> Drachme Sauerampfersamen, (23) zweieinhalb Myrtensamen, zwei Drachmen [?]*[294] *und (24) zerstoßt alles zu Pulver und gebt zu trinken drei <Trochisken> (25) mit Quittensirup und kaltem Wasser. (26) Sehr gute* ***Trochisken****, die gut sind gegen diese Krankheit sind. (27)* (157v1) *Zwei Drachmen Zinkoxyd, acht von Rosen, zwei Drachmen Berberitze, Gummi, Samen, und zwar (2) zwei Drachmen Samen von Sauerampfer, vier von (3) Myrtensamen, drei von Kastanien und Stärke, (4) gebrannter Essigbaum, drei Kerne von sauren Granatäpfeln und röstet es (5) auf dem Feuer, und all diese Dinge sollen (6) mit Quittensaft eingeweicht werden, so werden wir ihm (7) drei Drachmen mit Sirup von (8) wilden Trauben und kaltem Wasser zu trinken geben. (9) Und er soll den Aufguss von gebrannter*

---

BeRBeYRYiŠ ʾeŠPWoDiY ʾaNaʾ DWuYYeẒ DRaKMeYYŠ QWoLiYʾaNDRiY ṬeNPReY ʾeNYWuẒ Dəʾ ReYZiYNŠ ŠWoVaʾ ĞeYYŠ ʾWo ʾeN ViYN Dəʾ PWoMəʾ GRNʾ aṬəʾ ʾeYGReYYẒ ʾeY PWuŠ ŠeČYi ʾeY PWYiŠe BReYʾ eY ṬReYYŠ DRaKMeYYŠ SWuMaQ NYYeṬ DRaKMʾ ŠeMeN ʾaŠiYṬWoẒ DWuYYeẒ ʾeY Dəʾ MiYʾ eH ŠeMeN MeRṬiYLeY DWuYYeẒ DRaKMeYYŠ ʾeY BReYʾ eYYẒ ṬWṬ ʾeN PWoDRəʾ ʾeY DWoNeYYŠ ʾH BWoYəYVRəʾ ṬReYYŠ ʾaVeYYQəʾ ŠiYRWoP Dəʾ QWoYəYNẒ ʾeY ʾeYVəʾ Fəʾ RWoYYDəʾ ¨ **ṬRWoẒiYẒiY** QYi ŠWoNṬ BWoNẒ ʾaŠeYṬəʾ Maʾ Laʾ DiYʾ əH MWoNṬ BWoNẒ ʾeŠPWoDiY D` DK` RWoŠeŠ H` BeRBeRiYŠ GuWMY D` DRK· ŠeMeN ŠeṬ ŠMeNŠəʾ Dəʾ ʾeRBəʾ ʾaẒiYṬWoZaʾ DWuYYeẒ DRaKM\ Šəʾ MeNŠəʾ Dəʾ MeRṬiYLəY Qaʾ ṬRəʾ Čaʾ Ṭeʾ YYNeYYŠ ʾaMiYDWoM ṬReYYŠ ŠWuMaQ BRuWLeY ṬReYYŠ GReYYNẒ Dəʾ MiYGReYNeYYẒ ʾeGReYYẒ ʾeBRuWLeYYʾ eZ ŠuWR Ləʾ FWu ʾeY ṬWoṬeYYẒ ŠeŠ ČWoZeYYẒ SRWoNṬ DeṬReYYNPRYʾ eYYẒ ʾaVeYYQ YWuẒ Dəʾ QWoYYNẒ ŠiY LiY DWoNRWoNẒ ʾaBWoYəYVRəʾ ṬReYYŠ DRaKMeYYŠ ʾaVeYQəʾ ŠiYRWoP Dəʾ GRaʾ PeYYŠ Šaʾ Vaʾ ĞeYYŠ ʾeY ʾeYVəʾ FRWoYYDəʾ ¨ ʾeY ʾYiL PReYNRaʾ Dəʾ Laʾ ṬiYZaYYNəʾ Dəʾʾ WoRĞəʾ BRuWLeY

---

294 Die Angabe der Zutat fehlt; evtl. ‘Tonerde’ gemäß der vermutlichen Vorlage; vgl. L, f. CCXVIIIr, col. A.

**f. 157v10–158r3**

(10) et boli et fet avecque leit d'amandes qui (11) seront sechies. Et pein brulé. Greins (12) de megrenes et sumac brulé. Et se cete (13) diete ne li sofit nos li donerons des lentilles (14) mondées et aparellées et bolies en dues (15) eves si metrons avecque des branches (16) de portulaca et verjus de grapes (17) savages. **Enplaster** ceci nos (18) metrons sur le venter en (19) haut. Prenez sandali rubi c'est roge et (20) roses et fleur de vigne et fleur des pomes (21) et fleur de poires et la detrenprez totes (22) en jus de mertilles o de roses. (23) Et se la doleur est en boias amont donc (24) est-il bon à meter l'enplaster amont. (158r1) Et se la doleur est aval si est bon à meter aval. Car (2) quant l'enplaster est mis en haut ele vent tot (3) au lu de la maladie. Et se ele est mis aval

---

אֵיבוֹלִי אֵיפֵּייט אַבֵיקְא לֵייש דְאַמַאנְדֵייץ קִי {שרו}
שְׁרוֹנְט שֵׁיקִיאֵייץ ¨ אֵיפֵּיין בְרֵולֵי ¨ גְרֵיינְץ
דְאמֵיגְרֵיינֵייץ אֵי סֵומַק בְרֵולֵי ¨ אֵי שְׂא שֵׁיטְא
דִיאֵטְא נְא לִי שוֹפִּיט נוֹץ לִי דוֹנְרוֹנְץ דֵילֵינְטִילֵייץ
מוֹנְדֵיאֵייץ אֵיאפַּרֵילֵיאֵייץ אֵיבוֹלִיאֵייש אֵן דוִיֵץ
אֵיבֵייץ שִׁי מֵטְרוֹנְץ אַבֵיקְא דֵייש בְרַאנְקֵייץ {דא}
דְאפּוֹרְטֵולַאקַא אֵי בֵרִיוְץ דְא[295] גְרַאפֵּץ {שאבא}
שַׁאבַאגֵייץ ¨ **אֵנְפְלַשְׁטֵר** שְׂאשִׁי נוֹץ
מֵיטְרוֹנְץ שֵׁור לְאבֵנְטֵר אֵן {ה}
הַאוֹט ¨ פְּרֵינֵייץ סַנְדַלִי רֵובִי שֵׁט רוֹגְא אֵי
רוֹזֵייש אֵי פְלוֹר דְאבִינְא אֵי פְלוֹר דְאפּוֹמֵייש
אֵי פְלוֹר דְאפּוֹיירֵש אֵילַאדֵיטְרֵינְפְּרֵייץ טוֹטֵיש
אֵן יוְץ דְאמֵרְטִלֵייש אוֹ דְארוֹזֵייש ¨
אֵי שְׂא לַאדוֹלוֹר אֵט אֵן בוֹיְיאַש אַמוֹנְט דוֹנְק
אֵט אִיל בוֹן אַמֵיטֵר לֵנְפְלַשְׁטֵר אַמוֹנְט ¨
אֵי שְׂא לַאדוֹלוֹר אֵט אַבַאל שִׁי אֵט בוֹן אַמֵיטֵר אַבַל ¨ קַאר {ק}
קַאנְט לֵינְפְלַאשְׁטֵר אֵט מִיש אֵנְהַאוֹט אֵילְא בֵיינְט טוֹטְא
אוֹ לוּ דְאלַאמַלַאדִיאְה ¨ אֵי שִׁי אֵילְא אֵט מִיש אַבַל

---

295 דְא בֵרִיוְץ: em. ed., דְא בֵרִיוְץ Ms.

**f. 157v10–158r3**

*(10) und gekochter Gerste nehmen, der mit Milch von Mandeln (11), die getrocknet werden, zubereitet ist. Und geröstetes Brot. (12) Granatapfelkerne und gebrannter Essigbaum. Und wenn diese (13) Diät nicht ausreicht, werden wir ihm (14) enthülste, vorbereitete und in zwei [verschiedenen] (15) Wassern gekochte Linsen geben, dann werden wir Zweige (16) von Portulak und den Saft von unreifen wilden Trauben hinzufügen. (17) Folgenden Umschlag (18) legen wir auf den oberen Bauch: (19) Nehmt rotes (das ist rotes) Sandelholz und (20) Rosen und eine Weinblüte und eine Apfelblüte (21) und eine Birnenblüte und weicht alles (22) in Myrten- oder Rosensaft ein. (23) Und wenn der Schmerz im oberen Darm ist, (24) dann ist es angebracht, den Umschlag oben anzulegen.* (158r1) *Und wenn der Schmerz unten ist, so ist es gut, <ihn> unten anzulegen. Denn (2) wenn der Umschlag oben angelegt ist, so kommt er genau (3) an die Stelle der Krankheit. Und wenn er unten angelegt ist,*

---

'eYBWoLiY 'eYFeYYṬ 'aVeYQə' LeYYṬ D'aMa'NDeYYẒ QiY
ŠRWoNṬ ŠeYČiY'eYYẒ ¨ 'eYPeYYN BRuWLeY ¨ GReYYNẒ
Də'MeYGReYYNeYYẒ 'eY SuWMaQ BRuWLeY ¨ 'eY Šə' ŠeYṬə'
DiY'eṬə' Nə' LiY ŠWoFiYṬ NWoẒ LiY DWoNRWoNẒ DeYLeYNṬiYLeYYẒ
MWoNDeY'əYYẒ 'eY'aPaReYLeY'əYYẒ 'eYBWoLiY'eYYŠ 'eN DWuYYeŠ
'eYVeYYẒ ŠiY MeṬRWoNẒ 'aVeYQə' DeYYŠ BRaNČYeYẒ
Də'PWoRṬuWLa'Qa' 'eY VeRYWuẒ Də' GRa'PeẒ
Ša'Va'ĞeYYẒ ¨ **'eNPLaŠṬeR** Šə'ŠiY NWoẒ
MeṬRWoNẒ SuWR Lə'VeNṬeR 'eN
Ha'WoṬ ¨ PReYNeYYẒ SaNDaLiY RuWBiY ŠeṬ RWoĞə' 'eY
RWoZeYYŠ 'eY FLWuR Də'ViYNə' 'eY FLWuR Də'PWoMeYYŠ
'eY FLWuR Də'PWoYYReŠ 'eYLa'DeYṬReYNPReYYẒ ṬWoṬeYYŠ
'eN YWuẒ Də'MeRṬiLeYYŠ 'Wo Də'RWoZeYYŠ ¨
'eY Šə' La'DWoLWuR 'eṬ 'eN BWoYəY'aŠ 'aMWoNṬ DWoNQ
'eṬ 'YiL BWoN 'aMeYṬeR LeNPLaŠṬeR 'aMWoNṬ ¨
8r 'eY Šə' La'DWoLWuR 'eṬ 'aV'aL ŠiY 'eṬ BWoN 'aMeYṬeR 'aVaL ¨ Q'aR
Qa'NṬ LeYNPLa'ŠṬeR 'eṬ MYiŠ 'eNHa'WoṬ 'eYLə' VeYYNṬ ṬWoṬə'
'Wo LWu Də'La'MaLa'DiY'əH ¨ 'eY Šə' 'eYLə' 'eṬ MiYŠ 'aVaL

**f. 158r4–21**

(4) comment que ele ne peut percer por venir joque à lu (5) de la maladie si aforce-il le malade et garde (6) le lu que la colera qui est amont ne desende là. (7) Par quoi nos li donerons cete podre. **Gumi** dragm[e] (8) et demie semen erba acitosa. Semen silium (9) semen portulace sechi et brulé et breez en podre (10) et li donez tres dragmes avecque sirop mertini et (11) eve froide. Et se la colera est (12) en le aval ardens le cors si li fetez un (13) clester refroidant et confortant. De jus (14) de portulaca et ule de roses. (15) **Sirop** enconter le flux do venter que l'en (16) apele diaria et enconter lientiria (17) prenez pur sucum de coins si prenez le eve o (18) est boli sumac et roses et rosto bovis avecque (19) suker si li donez quant vos desperez do malade. (20) **Sirop** enconter desentiriam. Prenez roses (21) un once mertillorum sumac ana onciam

---

קוֹמֵיינְט קְא אֵילְא נְא פּוֹט פֵּרְשֵׁייר פּוֹר בְּאנִיר יוֹק אַ לוּ
דְאלַאמַאלַאדִיאְה שִׁי אַפּוֹרְשְׁא אִיל לְאמַאלַאדְא אֵיגַרְדְא
לְאלוּ קְא לַאקוֹלְרַא קִי אֵט אַמוֹנְט נֵא דְאשֵׁינְדְא לַא ¨
פַּרְקוֹי נוֹץ לִי דוֹנְרוֹנְץ שֵׁיטְא פּוֹדְרְא ¨ **גֻומִי** דְרַכמ
אֵידְאמִיאְה שֵׁמֵן אֵרְבַא אַשִׁיטוֹזַא ¨ שֵׁמֵן שִׁילִיאוֹם
שֵׁמֵן פּוֹרְטֻלַצֵי שֵׁיקִי אֵיבְרֻולֵי אֵיבְרֵייאֵייץ אֵנְפּוֹדְרְא
אֵילִידוֹנֵייץ טְרֵייץ דְרַכמֵייש אַבֵיקְא שִׁירוֹף מֵרְטִינִי אֵי
אֵיבְא פְּרוֹיידְא ¨ אֵי שְׁא לַאקוֹלְרַא אֵט {אנליבו}
אֵנְלֵיבוֹייאַץ אַבַל אַרְאדֵינְץ לְא קוֹרְץ שִׁי לִיפֵיזוֹנְץ אֵון
קְלֵשׁטֵר רְאפְרוֹיידַאנְט אֵיקוֹנְפּוֹרְטַאנְט ¨ דְא יוּץ {דא}
דְא פּוֹרטֻולַאקַא אֵי אֻולְא דְארוֹזֵייש ¨
**שִׁירוֹף** אֵינְקוֹנְטֵר לְאפְלֻוקְש דוֹבֵינְטֵר קְא לֵיין {אפי}
אַפֵילְא דִיאַרִיאַה אֵי אֵנְקוֹנְטֵר לִיאֵנְטִירִיאַה
פְּרֵינֵייץ פֻּור צֻוקוֹ דְא קוֹיינְץ שִׁי פְּרֵינֵייץ לְאאֵיבְא אוֹ
אֵט בוֹלִי סֻומַק אֵי רוֹזֵייש אֵט רוֹשְׁטוֹ בוֹבִיש אַבֵיקְא
סֻוקֵר שִׁי לִי דוֹנֵייש קַאנְט בוֹשׁ דֵישְׁפְּרֵייש דוֹמַאלַאדְא ¨
**שִׁירוֹף** אֵנְקוֹנְטֵר דֵישֵׁנְטִירִיאַם ¨ פְּרֵינֵייש רוֹזֵייש
אֻון אוֹנְצְא מֵירְטִילְלוֹרוֹם סֻומַק אַנַא אוֹנְצִיאַם

**f. 158r4–21**

*(4) so dass er nicht durchdringen kann, um bis zu der Stelle (5) der Krankheit zu gelangen, so stärkt er den Kranken und bewahrt (6) die Stelle davor, dass die Galle, die oben ist, nicht dorthin hinabsteigt. (7) Deshalb geben wir ihm dieses Pulver. Eineinhalb Drachmen Gummi (8) und Sauerampfersamen. Seselsamen sowie (9) getrocknete und gebrannte Portulaksamen, zerreibt es zu Pulver (10) und gebt ihm drei Drachmen mit Myrtensirup und (11) kaltem Wasser. Und wenn die Galle (12) unten ist und den Körper erhitzt, so macht ihm ein (13) kühlendes und stärkendes Klistier. Aus (14) Portulaksaft und Rosenöl. (15) Sirup gegen Durchfall, den man (16) Diarrhö nennt und gegen Lienteria: (17) Nehmt reinen Quittensaft, nehmt dann das Wasser, in dem (18) Essigbaum, Rosen und Ochsenbrech mit (19) Zucker gekocht ist, und gebt es ihm, wenn eure Zuversicht gegenüber dem Kranken schwindet. (20) Sirup gegen Dysenterie. Nehmt eine Unze Rosen, (21) von Myrten und Essigbaum je eine Unze,*

---

QWoMeYYNṬ Qə' 'eLə' Nə' PWuṬ PeRŠeYYR PWoR Və' NiYR YWoQ 'aLWu Də' La' Ma' La' DiY' əH ŠiY 'aFWoRŠə' 'YiL Lə' Ma' La' Də' 'eYGaRDə' Lə' LWu Qə' La' QWoLRa' QiY 'eṬ 'aMWoNṬ Nə' Də' ŠeYNDə' La' ¨ PaRQWoY NWoẒ LiY DWoNRWoNẒ ŠeṬə' PWoDRə' ¨ **GuWMiY** DRaKM 'eYDə' MiY' əH ŠeMeN 'eRBa' 'aŠiYṬWoZa' ¨ ŠeMeN ŠiYLiY' WoM ŠeMeN PWoRṬuLaẒeY ŠeYČiY 'eYBRuWLeY 'eYBReYY' əYYẒ 'eNPWoDRə' 'eYLiYDWoNeYYẒ ṬReYYẒ DRaKMeYYŠ 'aVeYQə' ŠiYRWoP MeRṬiYNiY 'eY 'eYVə' FRWoYYDə' ¨ 'eY Šə' La' QWoLRa' 'eṬ 'eNLeYBWoYY' aẒ 'aVaL 'aRə' DeNẒ Lə' QWoRẒ ŠiY LiYFeYZWoNẒ 'uWN QLeYŠṬeR Rə' FRWoYYDa' NṬ 'eYQWoNFWoRṬa' NṬ ¨ Də' YWẒ Də' PWoRṬuWLa' Qa' 'eY 'uWLə' Də' RWoZeYYŠ ¨ **ŠiYRWoP** 'eNQWoNṬeR Lə' FLuQS DWo VeNṬeR Qə' LeYYN 'aPeYLə' DiY' aRiY' aH 'eY 'eNQWoNṬeR LiY' eNṬiYRiY' aH PReYNeYYẒ PuWR ẒuWQWoM Də' QWoYYNẒ ŠiY PReYNeYYẒ Lə'' eYVə' 'Wo 'eṬ BWoLiY SuWMaQ 'eY RWoZeYYŠ 'eṬ RWoŠṬWo BWoViYŠ 'aVeYQə' SuWQeR ŠiY LiY DWoNeYYŠ Qa' NṬ BWoŠ DeYŠPReYYŠ DWoMa' La' Də' ¨ **ŠiYRWoP** 'eNQWoNṬeR DeYŠeNṬiYRiY' aM ¨ PReYNeYYŠ RWoZeYYŠ 'uWN 'WoNẒə' MeRṬiYLLWoRWoM SuWMaQ 'aN' a 'WoNẒiY' aM

**f. 158r22–158v15**

(22) semisi mente verte reste bovis l'en apele (23) arete beuf ana onciam semis sucri une (24) demie livre et metez en la fin que il est (158v1) boli prenez turis, masticis, momi et sanguinis (2) draconis, ana drachmam unam lapis ematitis (3) drachmas cinque et demie si le metez (4) au sirop si li donez à boiver matin et vesper (5) avecque eve froide. (6) **Sirop** enconter sinocha sant nul desentiria (7) de sanc gluant. Prenez (8) le tres sandali, sumac ninofar rasure eboris (9) violis ana drachmas dues squinanti drachmam (10) unam pruna doze spice nardi quatuor (11) siminum fredorum · uncam · semes sucro libram (12) unam. Si li donez à boivre matin et seir. (13) **Sirop** enconter le flus do venter avecque (14) sanc. Prenez. Rosarum, semen papaveris (15) albi et nigri c'est noir. Boli armenici sanguis

---

שֵׁימִישִׁי מֵנְטֵי וֵיירְטְא רֵישְׁטֵי בוֹבִּישׁ לֵיין אַפֵּילְא
אַרֵיטְא בֵּוּף[296] אַנַא אוֹנְצִיאַם שֵׁימִישׁ זֻוקְרִי אֻונְא {דא}
דְאמִיאְה לִיבְּרְא אֵי אִי מֵטֵייש אֵין לַאפִּין קְאאִיל אֵט
בוֹלִי פְּרֵינֵייש טֻורִיש מַשְׁטִיצִישׁ מוֹמִי אֵי שַׁגְוִינִישׁ {ד}
דְרַאקוֹנִישׁ אַנַא דְרַכְמַם אֻונַם לַפִּישׁ אֵימַאטִיטִישׁ
דְרַככַמַשׁ שִׁינְקְא אֵי דְאמִיאְה שִׁי לְאמֵיטִייש אוֹ
שִׁירוֹף שִׁי לִידוֹנֵייץ אַבוֹייבֵּייר מַאטִין אֵיבֵּישְׁפֵר
אַבֵּיקְא אֵיבְּא פְּרוֹיידְא[297] ¨
**שִׁירוֹף** אֵנְקוֹנְטֵר שִׁינוֹכַּא שַׁאנְט נֻול דֵישֵׁנְטִירִיאַ
דְא שַׁנְקְא גְלוֻאַנְט ¨ פְּרֵינֵייש [[לשריי]]
לֵטְרֵייש סַנְדַלִי סֻומַק נִינוֹפַּר רַאזֻרֵי אֵיבוֹרִישׁ
וִיאוֹלִישׁ אַנַא דְרַכמַשׁ דוֵייץ שְׁקְוִינַנְטִי דְרַכמַם
אֻונַם פְּרֻונַא דוֹזְא שְׁפִּיצֵי נַארְדִי קְוַאטֻואוֹר {שי}
שִׁימִינוֹם פְּרֵיידוֹרוֹם ʒ[298] שֵׁימֵישׁ סֻוכְרוֹ לִיבְּרַם
אֻונַם ¨ שִׁי לִי דוֹנֵייץ אַבוֹייבְּרְא מַטִין אֵי שֵׁייר ¨
**שִׁירוֹף** אֵינְקוֹנְטֵר לְאפְּלוִּשׁ דוֹבֵּנְטֵר אַבֵּיקְא {שנ}
שַׁנְקְא ¨ פְּרֵינֵייש ¨ רוֹזַארוֹם שֵׁמֵן פַּאפַּבְּרִישׁ[299]
אַלְבִּי אֵי נִיגְרִי שֵׁט נוֹיֵיר ¨ בוֹלִי אַרְמִינִיסִי שַׁנְגְוִישׁ

---

296 בֵּוּף: em. ed., בֵּוּף Ms.
297 פְּרוֹיידְא: em. ed., פְּרוֹיידְא Ms.
298 Abkürzungssymbol für 'Unze' (vgl. MACKENZIE 1986:13).
299 פַּאפַּבְּרִישׁ: em. ed., פַּאפַּבְּרִישׁ Ms.

**f. 158r22–158v15**

*(22) eine halbe [Unze] frische Minze, Ochsenbrech – man nennt es (23)* arrête-bœuf *–, je eine halbe Unze, (24) ein halbes Pfund Zucker und fügt [Folgendes] zuletzt hinzu, wenn es (158v1) gekocht ist: Nehmt je eine Drachme Weihrauch, Mastix, Erdpech und (2) Drachenblut, vom Blutstein (3) fünfeinhalb Drachmen, so fügt es (4) dem Sirup hinzu, und gebt ihm morgens und abends (5) mit kaltem Wasser zu trinken. (6) Sirup gegen Synocha ohne Abgang (7) von klebrigem Blut. Nehmt (8) je zwei Drachmen der drei Sandelholzarten, Essigbaum, Seerose, Elfenbeinschabsel (9) und Veilchen, eine Drachme Kamelheu, (10) zwölf <Drachmen> Pflaumen, vier <Drachmen> Indische Narde, (11) eine Unze Samen von kalter Qualiät und ein halbes Pfund Zucker. (12) So gebt ihm morgens und abends zu trinken. (13) Sirup gegen den Durchfall mit (14) Blut. Nehmt: von Rosen, Samen von (15) weißem und schwarzem*[300] *Mohn. Je eine Drachme Bolus armenicus,*

---

ŠeMiYŠY MeNṬeY WeYYRṬə' ReYŠṬeY BWoViYŠ LeYYN 'aPeYLə'
'aReṬə' BuWF 'aN'a 'WoNẒiY'aM ŠeYMiYŠ ZuWQRiY 'uWNə'
Də'MiY'əH LiYVRə' 'eY MeṬeYYŠ 'eYN La'FiYN Qə''iYL 'eṬ
BWoLiY PReYNeYYŠ ṬuWRiYŠ · MaŠṬiYẒiYŠ · MWoMiY 'eY ŠaGWuYNiYŠ
DRa'QWoNiYŠ · 'aN'a · DRaKMaM 'uWNaM LaPiYŠ 'eYMa'ṬiYṬiYŠ
DRaKKMaŠ ŠiYNQə' 'eY Də'MiY'əH ŠiY Lə'MeYṬiYYŠ 'Wo
ŠiYRWoP ŠiY LiYDWoNeYYẒ 'aBWoYəYVeYYR Ma'ṬiYN 'eYVeYŠPeR
'aVeYQə' 'eVə' PRWoYYDə' ¨
**ŠiYRWoP** 'eNQWoNṬeR ŠiYNWoḲa' Ša'NṬ NuWL DeYŠeNṬiYRiY'a
Də' ŠaNQə' GLWu'aNṬ ¨ PReYNeYYŠ
LeṬReYYŠ SaNDaLiY · SuWMaQ NiYNWoFaR Ra'ZuWReY 'eYBWoRiYŠ
WiY'WoLiYŠ 'aN'a DRaKMaŠ DWuYeYẒ ŠQWYiNaNṬiY DRaKMaM
'uWNaM PRWuNa' DWoZə' ŠPiYẒeY Na'RDiY QWWaṬuW'WoR
ŠiYMiYNWoM FReYYDWoRWoM · ÷ · ŠeYMeYŠ SuWKRWo LiYBRaM
'uWNaM ¨ ŠiY LiY DWoNeYYẒ 'aBWoYəYVRə' MaṬiYN 'eY ŠeYYR ¨
ŠiYRWoP 'eNQWoNṬeR Lə'FLWuŠ DWoVeNṬeR 'aVeYQə'
ŠaNQə' ¨ PReYNeYYŠ ¨ RWoZa'RWoM · ŠeMeN Pa'PaVRiYŠ
'aLBiY 'eY NiYGRiY ŠeṬ NWoYeYR ¨ BWoLiY 'aRMYNiYSiY ŠaNGWYiŠ

---

**300** Zusätzliche, auf Französisch übersetzte, Angabe im Text: 'das ist schwarz'.

## f. 158v16–159r7

(16) draconis corali spodei mertille sumac (17) balaustias cinamomi epoquistidos semen (18) asedi plantaginis gumi masticis ematicis (19) opii cacabri ana drachmam unam fac bolire (20) rosas et epoquistidos et acaciam fetez (21) bolir roses et epoquistidos et acacia en (22) eve de plue mont longemente et si le colez (23) avecque suker et lies spodium en un drapel (24) si en donez un once matin et vespres (25) avecque eve de plue. (159r1) Ce sirop derein que j'ai ecrit ne devez doner à (2) ceux qui avont la fevre c'est-à-dire fevre sinocha (3) mes le donez quant il est sant fevre. Et (4) aussi quant il est trop feble. Et ceti-(5) ci que je vuel ecriber tot mentenant ne le (6) donez mie en fevre de sinocha. (7) Veci un autre sirop enconter le

---

דְרַאקוֹנִיש קוֹרַאלִי שְׁפוֹדֵיאִי מֶרְטִילֵי שֻׁומַק {באלאוש}
בַאלַאוֹשְׁטִיאַש סִינַאמוֹמִי אֵיפוֹקְוִישְׁטִידוֹש שֵׁמֶן
אַסֵידִי פְלַאנְטַאגִינִיש גֻומִי מַשְׁטִיצִיש אֵימַאטִיצִיש
אוֹפִיאִי קַאקַאבְרִי אַנַא דְרַכמַאם אוֻנַם פַּאק בוֹלִיאֵירֵי
רוֹזַש אֵי אֵיפוֹקְוִישְׁטִידוֹש אֵט אַכַסִיאַם פֵּיטֵייש
בוֹלִיר רוֹזֵייש אֵי אֵיפוֹקְוִישְׁטִידוֹש אֵי אַכַסִיאַה אֵן
אֵיבֵא דְאפְלוּאֵה מוֹנְט לוֹנגָא מֵינטְא אֵי שִׁי לְאקוֹלֵייש
אַבֵיקְא סֻוכֵר אֵי לִיאֵיש שְׁפוֹדִיאוֹם אֵן אוֻן דְאַרַאפֵל
שִׁי אֵן דוֹנֵייש אֻון אוֹנְצְא מַאטִין אֵי בֵּישְׁפְרֵייש
אַבֵיקְא אֵיבֵא דְאפְלוֻאֵה ¨
שְׁא שִׁירוֹף דֵירֵיין קְא גֵא אֵקְרִיט נְא דֵיבֵייש דוֹנֵייר אַה
שׁוְש קִי אַבוֹט לַאפֵּיבְרְא שֵׁט אַדִירְא פֵּיבְרְא שִׁינוֹכַא
מֵייש לְאדוֹנֵייש קַאנְט אִיל אֵט שַׁאנְט פֵּיבְרְא ¨ אֵי
אַאוֹשִׁי קַנְט אִיל אֵט טְרוֹף פֵּיבְלְא ¨ אֵי שְׁאטִי
שִׁי קְא גֵא בְוֵייל אֵקְרִיבֵייר[301] טוֹט מֵייטְאנַט נְא לְא {דו}
דוֹנֵייש מִיאֵה אֵן פֵּיבְרְא דְא שִׁינוֹכַא ¨
בֵישִׁי אֻון אַאוֹטְרְא שִׁירוֹף אַנְקוֹנְטְרְא לְא

---

301 אֵקְרִיבֵייר: em. ed., אֵקְרִיבֵייר Ms.

**f. 158v16–159r7**

*(16) Drachenblut, Koralle, Zinkoxyd, Myrte, Essigbaum, (17) Granatapfelblüten, Zimt, Hypocistis, Samen der (18) Hauswurz, Wegerich, Mastix, Haematith, (19) Opium und Bernstein, lass (20–21) Rosen und Hypocistis und Akazie in (22) Regenwasser sehr lange kochen,*[302] *seiht es dann (23) mit Zucker und bindet es [mit] Zinkoxyd in ein Tuch, (24) und gebt davon eine Unze morgens und abends (25) mit Regenwasser. (159r1) Diesen letzten Sirup, den ich beschrieben habe, dürft ihr nicht (2) denen geben, die Fieber haben, und zwar Synocha-Fieber, (3) sondern gebt ihn, wenn er ohne Fieber ist. Und (4) auch wenn er zu schwach ist. Und diesen, (5) den ich jetzt gleich beschreiben werde, (6) gebt ihn auf keinen Fall bei Synocha-Fieber. (7) Hier ein anderer Sirup gegen den*

---

DRa' QWoNiYŠ QWoRa' LiY · ŠPWoDeY' iY · MeRṬiYLeY ŠuWMaQ
Ba' La' WoŠṬiY' aŠ SiYNa' MWoMiY ' eYPWoQWYiŠṬiYDWoŠ ŠeMeN
' aSeYDiY PLa' NṬa' ĞiYNiYŠ GuWMiY MaŠṬiYẒiYŠ ' eYMa' ṬiYẒiYŠ
' WoPiY' iY Qa' Qa' BRiY ' aN' a DRaKMa' M ' WuNaM Fa' Q BWoLiY' eYReY
RWoZaŠ ' eY ' eYPWoQWYiŠṬiYDWoŠ ' eṬ ' aKaSiY' aM FeYṬeYYŠ
BWoLiYR RWoZeYYŠ ' eY ' eYPWoQWYiŠṬiYDWoŠ ' eY ' aKaSiY' aH ' eN
' eYVe' Də' PLWu' əH MWoNṬ LWoNĞə' MeYNṬE' ' eY ŠiY Lə' QWoLeYYŠ
' aVeYQə' SuWKeR ' eY LiY' eYŠ ŠPWoDiY' WoM ' eN ' uWN Də' Ra' PeL
ŠiY ' eN DWoNeYYŠ ' uWN ' WoNẒə' Ma' ṬiYN ' eY VeYŠPReYYŠ
' aVeYQə' ' eYVe' Də' PLWu' əH ¨
9r Šə' ŠiYRWoP DeYReYYN Qə' Ğe' ' eQRiYṬ Nə' DeYVeYYŠ DWoNeYYR ' aH
ŠWuŠ QiY ' aVWoNṬ La' FeYVRə' ŠeṬ ' aDiYRə' FeYVRə' SiYNWoḲa'
MeYYŠ Lə' DWoNeYYŠ Qa' NṬ ' YiL ' eṬ Ša' NṬ FeYVRə' ¨ ' eY
' a' WoŠiY QaNṬ ' YiL ' eṬ ṬRWoP FeYBLə' ¨ ' eY Šə' ṬiY
ŠiY Qə' Ğə' VuWYəYL ' eQRiYVeYYR ṬWoṬ MeYYṬə' NaṬ Nə' Lə'
DWoNeYYŠ MiY' əH ' eN FeYVRə' Də' ŠiYNWoḲa' ¨
VeYŠiY ' uWN ' a' WoṬRə' ŠiYRWoP ' eNQWoNṬeR Lə'

---

**302** Es folgt eine wörtliche Übersetzung des lateinischen Texts ins Französische.

**f. 159r8–159v1**

(8) flus do venter avecque sancque sant fevre. (9) **Sirop** prenez roses dues onces (10) sanguis draconis acacie spodei (11) sumac ana dues drachmas sandali albi et rubei (12) epoquistidos carnis marini belirici marini (13) testarum ovorum c'est ecales de oes ana (14) dragmes quatre suker une livre canfora une (15) dragme. (16) **Trocisci** qui valent plus à flus do venter que (17) totes les autres choses et (18) je ai lessé totes les longues medecines si (19) est prins ceci. Prenez silium quatre (20) dragmes semen plantaginis dues dragmes gumi (21) arabic bol armenicum de checun une dragme galees (22) et asens balaustias momia et sis maneres (23) de peres et veez les si ecrites li prumer (159v1) si est lapis jaspe lapis smarakli lapis corali rubi

---

פְלוֹשׁ דוֹבֵנְטֵייר אַבֵיקְא שַׁאקְא שַׁאנְט פֵיבְרָא ̈
**שִׁירוֹף** פְרֵינֵייש רוֹזֵייש דוֵייץ אוֹנְצֵייש {שנ}
שַׁנְגְוִיש דְרַאקוֹנִיש אַכַסִיאֵי שְׁפוֹדֵיאִי
סוֹמַק אַנַא דוֵייץ דְרַכמַשׁ סַנְדַלִי אַלְבִי אֵט רֻובֵיאִי
אִיפוֹקְוִישְׁטִידוֹשׁ קַרְנִישׁ מַרִינִי בֵילִירִיצִי מַארִינִי
טֵישְׁטַארוֹם אוֹבוֹרוֹם שֵׁט אֵיקַאלֵייש דְא אוִשׁ אַנַא
דְרַכמֵייש קַאטְרְא סֻוקֵר אֻונְא לִיבְרְא כַאנְפוֹר אֻונְא
דְרַכמְא ̈
**טְרוֹצִיצִי** קִי בַאלֵיינְט פְלוִשׁ אַה פְלוִשׁ דוֹבֵנְטֵייר קְא
טוֹטֵייש לֵייש אַאוֹטְרֵייש קוֹזֵייש אֵי
גְא אֵי לֵישֵׁי טוֹטֵייש לֵייש לוֹנְגֵייש מֵידְאצִינֵייש שִׁי
אֵי פְרִינְץ שְׁא שִׁי ̈ פְרֵינֵייש שִׁילִיאוֹם קַאטְרְא
דְרַכְמִשׁ שֵׁמֵן פְלַאנְטַגִינִישׁ דוֵייץ דְרַכמֵייש גֻומְא {ארא}
אַרַאבִיק בוֹל אַרְמֵינִיקוֹם דְא קֵיקוֹן אֻונְא דְרַכמְא גַלֵייש
אֵיאַשֵׁינְץ בַאלַאוֹשְׁטִיאַשׁ מוֹמִיַא אֵי שִׁישׁ מַאנֵיירְשׁ
דְאפֵיירְץ אֵי בֵייש לֵייש שִׁי אֵקְרִיטֵייץ לִי פְרֻומֵייר
שִׁי אֵט לַאפִישׁ יַשְׁפְא לַאפִישׁ שְׁמַארַאקְלִי לַאפִישׁ קוֹראלִי רֻובִי

**f. 159r8–159v1**

*(8) Durchfall mit Blut ohne Fieber. (9) Sirup: Nehmt zwei Unzen Rosen, je zwei Drachmen (10) Drachenblut, Akazie, Zinkoxyd und (11) Essigbaum, <dazu> weißes und rotes Sandelholz, (12) Hypocistis, je vier Drachmen Salzauswitterung, Meernabel, (13) testarum ovorum, das ist Eierschale, (14) ein Pfund Zucker, eine (15) Drachme Kampfer. (16) Trochisken, die mehr als (17) alles andere gegen Durchfall helfen; (18) ich habe alle aufwändigen(?) Heilmittel weggelassen, und (19) dies ist das erste. Nehmt vier Drachmen Sesel, (20) zwei Drachmen Wegerichsamen, je eine Drachme Gummi (21) arabicum und Bol armenicum, <dazu> Galläpfel und (22) die Essenz von Granatapfelblüten, Erdpech und sechs Arten (23) von Steinen – seht sie hier geschrieben: der erste ist (159v1) Jaspis, Smaragd, rote Koralle*

---

FLWuŠ DWoVeNṬeYYR ’aVeYQə’ Ša’Qə’ Ša’NṬ FeYVRə’ ¨
**ŠiYRWoP** PReYNeYYŠ RWoZeYYŠ DWuYeYẒ ’WoNẒeYYŠ
ŠaNGWuYŠ DRa’QWoNiYŠ ’aKaSiY’eY ŠPWoDeY’iY
SWuMaQ ’aNa’ DWuYeYẒ DRaKMaŠ SaNDaLiY ’aLBiY ’eṬ RuWBeY’iY
’eYPWoQWYiŠṬiYDWoŠ QaRNiYŠ MaRiYNiY BeYLiYRiYẒiY Ma’RiYNiY
ṬeYŠTa’RWoM ’WoVWoRWoM ŠeṬ ’eYQa’LeYYŠ Də’ ’WuŠ ’aNa’
DRaKMeYYŠ Qa’ṬRə’ SuWQeR ’uWNə’ LiYVRə’ Ka’NFWoR ’uWNə’
DRaKMə’ ¨
**ṬRWoẒiYẒiY** QYi Va’LəYYNṬ PLWuŠ ’aH FLWuŠ DWoVeNṬeYYR Qə’
ṬWoṬeYYŠ LeYYŠ ’a’WoṬReYYŠ ČWoẒeYYŠ ’eY
Ğə’ ’eY LeYŠeY ṬWoṬeYYŠ LeYYŠ LWoNGeYYŠ MeYDə’ẒiYNiYYŠ ŠiY
’eY PRiYNẒ Šə’ ŠiY ¨ PReYNeYYŠ ŠiYLiY’WoM Qa’ṬRə’
DRaKMŠ ŠeMeN PLa’NṬaĞiYNiYŠ DWuYeYẒ DRaKMeYYŠ GuWMə’
’aRa’BiYQ BWoL ’aRMeYNiYQWoM Də’ ČeYQWuN ’uWNə’ DRaKMə’ GaLeYYŠ
’eY’aŠeYNẒ Ba’La’WoŠṬiY’aŠ MWoMiYa’ ’eY ŠiYŠ Ma’NeYYRŠ
Də’PeYYRẒ ’eY VeYYŠ LeYYŠ ŠiY ’eQRiYṬeYYẒ LiY PRuWMeYYR
9v ŠiY ’eṬ La’PiYŠ YaŠPə’ La’PiYŠ ŠMa’Ra’QLiY La’PiYŠ QWR’LY RuWBiY

## f. 159v2–19

(2) et albi c'est coral roge et blanc lapis cacabri (3) lapis agapis ceruca amidum sanguis draconis (4) de checun dragme et demie et veci la seteme (5) pere c'est lapis amatisis opium (6) epoquistidos acacie coclina marina arse et (7) podré corne de cerf arse, sumac dragant blanc (8) semen liviscli sec semen malva sec semen (9) lapatium roses blanches et sechés spodium (10) consolida dues maneres c'est maior et minor c'est (11) consolida la grande et la petite et y metez (12) do suker que il sofit. De totes ces choses (13) il y a trente tres maneres. Prenez (14) de cete podre un once si en fetez un (15) letuaure et de l'autre fetez-en trocisci (16) avecque farine et avecque jus de plantein si valt (17) ele enconter flux de venter forte et enconter (18) le sancque qui est mont enforcé et si est bon (19) à etancher le fleurs à dames et garit tote

---

אֵי אַלְבִי שֵׁט קוֹרַל רוֹגְא אֵי בְּלַנְקְא לַאפִיש קַאקַאבְרִי {לא} לַאפִיש אַגַפִיש צֵירֻוקַא אַמִידוּם שַׁנְגְוִיש דְּרַאקוֹנִיש דְּאקֵיקֻון דְּרַכְמְא אֵידְאמִיאְה אֵי בֵּישִׁי לַאשֵׁיטֵיימְא {פ} פֵּיירְא שֵׁט לַאפִיש אַמַטִישִׁיש אוֹפִיוּם {איפוקויש} אֵיפוֹקֻוִישְׁטִידוֹש אַכַסִיאֵי קוֹקְלִינַא מַארִינַא אַרְשְׁא אֵי {פ} פוֹדְרֵיאְה קוֹרְנְא דְּאשֵׁירְפְּא אַרְשְׁא סֻומַק דְּרַאגַנְט בְּלַנְקְא {ז} שֵׁמֵן לִיוִישְׁקְלִי שֵׁייק שֵׁמֵן מַלְוַוא שֵׁייק שֵׁמֵן {לאפאצי} לַאפַאצִיאוּם רוֹזֵייש בְּלַנְקֵייש אֵי שֵׁיקֵייש סְפוֹדִיאוֹם קוֹנְשוֹלִידַא דוִֵייץ מַאנֵירֵייץ שֵׁט מַאיוֹר אֵימִינוֹר שֵׁט קוֹנְשוֹלִידַא לַאגְרַאנְדְא אֵי לַאפֵּיטִיטְא אֵי אִי מֵיטֵייש דוֹסֻוקֵר קְא אִיל שוֹפִיט ¨ דְּאטוֹטֵייץ שֵׁייץ קֹוזֵייץ אִיל אִיאַה (ני) טְרֵינְטְא טְרֵייש מַאנֵיירֵייש ¨ פְּרֵינֵייץ דְּא שֵׁיטְא פוֹדְרְא אֻון אוֹנְצְא שִׁי אֵן פֵּיטֵייץ אֻון לֵיטְוַורְא אֵי דְּא לַאוֹטְרְא פֵּיטֵייץ אֵן טְרוֹצִיצִי {אבי} אַבֵיקְא פַארִינְא אֵי אַבֵיקְא יוִץ דְּאפְלַאנְטֵיין שִׁי בַאלְט אֵילְא אֵנְקוֹנְטֵר פְלֻוקְש דְּאבֵנְטֵר פוֹרְטְא אֵי אֵנְקוֹנְטֵר לְאשַׁאקְא קִי אֵט מוֹנְט אֵינְפוֹרְצֵי אֵי שִׁי אֵט בוֹן {א} אַאֵיטַנְקֵייר לֵיפְלֻורְש אַדַאמְש אֵיגַארִיט טוֹטְא

**f. 159v2–19**

*(2) und weiße Koralle,*[303] *Bernstein, (3) Achat, je eineinhalb Drachmen Bleiweiß und Drachenblut, (4) und hier ist der siebte (5) Stein – es ist der Hämatit. Opium, (6) Hypocistis, Saft unreifer Schlehen, eine kleine gebrannte und zerriebene Meeresschnecke, (7) gebrannter Hirschhornwegerich, Essigbaum, weißer Bocksdorn, getrockneter (8) Liebstöckel- und Malvensamen, (9) Ampfersamen, getrocknete weiße Rosen, Zinkoxyd, (10) zwei Arten der Consolida, und zwar Consolida maior (Beinwell) und C. minor (Gänseblümchen),*[304] *(11) und fügt dort (12) genügend Zucker hinzu. Von all diesen Dingen gibt es 33 Arten. Nehmt von diesem Pulver eine Unze, macht daraus eine (15) Latwerge und aus dem anderen Trochisken (16) mit Mehl und Wegerichsaft, dann hilft (17) sie gegen starken Durchfall und gegen (18) starke Blutungen; auch ist sie geeignet, (19) bei Frauen die Menstruationsblutung zu stoppen und heilt jede*

---

’eY ’aLBiY ŠeṬ QWoRaL RWoǦə’ ’eY BLaNQə’ La’PiYŠ Qa’Qa’BRiY
La’PiYŠ ’aGaPiYŠ ẒeYRuWQa’ ’aMiYDWoM ŠaNGWuYŠ DRa’QWoNiYŠ
Də’ČeYQuWN DRaKMə’ ’eYDə’MiYə’H ’eY VeYŠiY La’ŠeYṬeYYMə’
PeYYRə’ ŠeṬ La’PiYŠ ’aMaṬiYŠiYŠ ’WoPiYWoM
’eYPWoQWuŠṬiYDWoš ’aKaSiY’eY QWoQLiYNa’ Ma’RiYNa’ ’aRŠə’ ’eY
PWoDReY’əH QWoRNə’ Də’ŠeYRFə’ ’aRŠə’ · SuWMaQ DRa’GaNṬ BLaNQə’
ŠeMeN LiYWiYŠQLiY ŠeYYQ ŠeMeN MaLWWa’ ŠeYYQ ŠeMeN
La’Pa’ẒiY’WoM RWoZeYYŠ BLaNČeYYŠ ’eY ŠeYČeYYŠ SPWoDiY’WoM
QWoNŠWoLiYDa’ DWuYeYẒ Ma’NeYReYYẒ ŠeṬ Ma’YWoR ’eYMiYNWoR ŠeṬ
QWoNŠWoLiYDa’ La’GRa’NDə’ ’eYLa’PeYṬiYṬə’ ’eY ’iY MeYṬeYYŠ
DWoSuWQeR Qə’ ’iYL ŠWoFiYṬ ¨ Də’ṬWoṬeYYŠ ŠeYYẒ ČWoZeYYẒ
’YiL ’iY’aH }NY{ ṬReNṬə’ ṬReYYŠ Ma’NeYYReYYŠ ¨ PReYNeYYẒ
Də’ ŠeYṬə’ PWoDRə’ ’uWN ’WoNẒə’ ŠiY ’eN FeYṬeYYẒ ’uWN
LeYṬWaWRə’ ’eY Də’ La’WṬRə’ FeYṬeYYẒ ’eN ṬRWoẒiYẒiY
’VeYQə’ Fa’RiYNə’ ’eY ’VeYQə’ ’WuẒ Də’PLa’NṬeYYN ŠiY Va’LṬ
’eLə’ ’eNQWoNṬeR FLuWQŠ Də’VeNṬeR FWoRṬə’ ’eY ’eNQWoNṬeR
Lə’Ša’Qə’ QiY ’eṬ MWoNṬ ’eYNFWoRẒeY ’eY ŠiY ’eṬ BWoN
’a’eYṬaNČeYYR LeYFLuWRŠ ’aDa’MŠ ’eYGa’RiYṬ ṬWoṬə’

---

**303** Es folgt eine Übersetzung vom Lateinischen ins Französische.
**304** Es folgt eine Übersetzung vom Lateinischen ins Französische.

**f. 159v20–160r12**

(20) brisure et navre dedenz le cors o dehors. (21) Vos en ferez trocisci avecque jus de plantein et (22) pues si le sechez et quant vos avrez meter (23) si breez une des trocisci en eve rose (24) o en jus de plantein. Et se vos avez (25) meter de sechir une fistola o plae corante (160r1) an totes le parties do cors breez met-y une (2) trocisci si en fetez podre si epandez dedens (3) la plae si garira ausi et est-il mont bon (4) à manger do letuaure si qui a fistola o (5) plaie o sanc qui it hors do cors. (6) C'est certein quant le sanc cler s'aforce (7) si desen-te aval le sanc do foie si veit un (8) torte chemin en les boias sant doner nule (9) governe à membres si s'afeblissent les membres (10) tant que il ne pont mes prenre lur governe por ce (11) que les pasages do foie sont etopés (12) et donc a-il trop atendu, car donc medecine n'y

---

[[פּ]] בְּרִיזֻורְא אֵי נַאבְרְא דְאדֵינְץ לְאקוֹרְץ אוֹ דְאהוֹרְץ ¨ בַּוֹשׁ אֵן פְֿרֵייץ טְרוֹצִיצִי אַבֵּיקְא יוֹץ דְאפְּלַאטֵיין אֵי פוֹיֵיץ שִׁי לְא שֵׁיקֵייץ[305] אֵי קַאנְט בַּוֹשׁ אַבְרֵייץ מֵיטֵר שִׁי בְרֵייאֵייץ אֻונְא דֵייש טְרוֹצִיצִי אֵן אֵיבְא רוֹזְא אוֹ אֵן יוֹץ דְאפְּלַאנְטֵיין ¨ אֵי שְׁא בַּוֹשׁ אַבֵּייץ מֵיטֵר דְאשֵׁיקִיר אֻונְא פִּישְׁטוֹלַא אוֹ פְּלַאאְה קוֹרַאנְטְא אַנְטוֹטֵייש לֵיפַּרְטִיאֵייץ דוֹ קוֹרְץ שִׁי בְרֵיאֵייץ מִיטִי אֻונְא {טר} טְרוֹצִיצִי שִׁי אֵנְפֵּיטֵייץ פוֹדְרְא שִׁי אֵיפַאנְדֵייץ דְאדֵיינְץ לַאפְּלַאאְה שִׁי גַרִירַא אַאוֹשִׁי אֵט אִיל מוֹנְט בוֹן {אמ} אַמַאנְגֵייר דוֹ לֵיטְוַואַרְא שִׁי קִי אַה פִּישְׁטוֹלַא אוֹ {פלא} פְּלַאייאְה אוֹ שַׁנְקְא קִי אִיט הוֹרְץ דוֹקוֹרְץ ¨

שֵׁט שֵׁירְטֵיין קַאנְט לְאשַׁאנְקְא קְלֵייר שַׁאפּוֹרְצְא שִׁי דֵישֵׁינְטְא אַבַאל לְאשַׁאנְק דוֹפוֹייאְה שִׁי בֵּייט אֻון טוֹרְטְא קָאמִין אֵן לֵייש בוֹיְיאַץ שַׁאנְט דוֹנֵייר נֻולְא גוֹבֵרְנְא אַה[306] מֵימְבְרֵייץ שִׁי שַׁאפֵּיבְלִישְׁנְט לֵייש מֵימְבְרֵייץ טַאנְט קְא אִיל נְאפוֹנְט מֵייש פְרֵינְרְא לֵור גוֹבֵרְנְא פוֹרְצְא קְא לֵייש פַּאשַׁאגֵייש דוֹפוֹייאְה שוֹנְט אֵיטוֹפֵּיאֵייש אֵידוֹנְק אַה אִיל טְרוֹף אַטֵנְדוּ קַאר דוֹנְק מֵידֵישִׁינְא נִי

---

**305** שֵׁיקֵייץ: em. ed., שֵׁיקֵייץ Ms.
**306** אַה: em. ed., אַ Ms.

**f. 159v20–160r12**

*(20) Verletzung und Wunde inner- und außerhalb des Körpers. (21) Stellt daraus Trochisken mit Wegerichsaft her, (22) trocknet sie, und wenn ihr sie brauchen werdet, (23) dann zerreibt eine der Trochisken in Rosenwasser (24) oder in Wegerichsaft. Und wenn ihr (25) ein Geschwür oder eine offene Wunde (160r1) an jedwedem Körperteill trocknen müsst, nehmt [und] zerreibt dazu eine (2) Trochiske, macht daraus Pulver, verteilt sie (3) in der Wunde, und sie wird bald heilen. Und es ist sehr gut für denjenigen von der Latwerge (4) zu essen, der ein Geschwür (5) oder eine Wunde oder Blut hat, das aus dem Körper fließt. (6) Es ist sicher, dass, wenn sich das helle Blut verstärkt, (7) das Blut dann von der Leber hinabsteigt und einen (8) falschen Weg in den Darm geht, ohne die Glieder (9) zu versorgen; dann schwächen sich die Glieder (10) bis es* [i.e., das Blut] *nicht mehr die Versorgung der Glieder übernehmen kann, (11) weil die Wege der Leber abgeschnitten sind; (12) dann hat er* [i.e., der Arzt] *zu lange gewartet, denn <nun> also kann die Medizin dort nicht*

---

BRiYZuWRə’ ’eY Na’VRə’ Də’DeYNẒ Lə’QWoRẒ ’Wo Də’HWoRẒ ¨
VWoŠ ’eN FReYYẒ ṬRWoẒiYẒiY ’aVeYQə’ YWuẒ Də’PLa’ṬeYYN ’eY
PWuYeYẒ ŠiY Lə’ ŠeYČeYYẒ ’eY Qa’NṬ VWoŠ ’aVReYYẒ MeYṬeR
ŠiY BReYY’eYYẒ ’uWNə’ DeYYŠ ṬRWoẒiYẒiY ’eN ’eYVə’ RWoZə’
’Wo ’eN YWuẒ Də’PLa’NṬeYYN ¨ eY Šə’ VWoŠ ’aVeYYẒ
MeYṬeR Də’ŠeYČYiR ’uWNə’ FiYŠṬWoLa’ ’Wo PLa’,əH QWoRa’NṬə’
160r ’aNṬWoṬeYYŠ LeYPaRṬiY’eYYẒ DWo QWoRẒ ŠiY BReY’e’YYẒ MəYṬY ’uWNə’
ṬRWoẒiYẒiY ŠiY ’eNFeYṬeYYŠ PWoDRə’ ŠiY ’eYPaNDeYYẒ Də’DeYYNẒ
La’PLa’’əH ŠiY GaRiYRa’ ’a’WoŠiY ’eṬ ’iYL MWoNṬ BWoN
’aMa’NĞeYYR DWo LeYṬWaW’Rə’ ŠiY QiY ’aH FiYŠṬWoLa’ ’Wo
PLa’YY’əH ’Wo ŠaNQə’ QiY ’YiṬ HWoRẒ DWoQWRẒ ¨
ŠeṬ ŠeYRṬeYYN Qa’NṬ Lə’Ša’NQə’ QLeYYR Ša’FWoRẒə’
ŠiY DeYŠeYNṬə’ ’aVa’L Lə’Ša’NQ DWoFWoYY’əH ŠiY VeYYṬ ’uWN
ṬWoRṬə’ Čə’MiYN ’eN LeYYŠ BWoYəY’aẒ Ša’NṬ DWoNeYYR NuWLə’
GWoVeRNə’ ’aH MeYMBReYYẒ ŠiY Ša’FeYBLiYŠNṬ LeYYŠ MeYMBReYYẒ
Ṭa’NṬ Qə’ ’YiL Nə’PWoNṬ MeYYŠ PReNRə’ LuWR GWoVeRNə’ FWoRẒə’
Qə’ LeYYŠ Pa’Ša’ĞeYYŠ DWoFWoYY’əH ŠWoNṬ ’eYṬWoPeY’eYYŠ
’eYDWoNQ ’aH ’YiL ṬRWoP ’aṬeNDW · Qa’R DWoNQ MeYDeYŠiYNə’ NiY

## f. 160r13–160v8

(13) peut eider et c'est la tres grant sotie des (14) gens qui atendent tant à consuel prenre que il (15) sont à la morte et donc demande-il consuel (16) à fusicienes et les delias fusiciens (17) coveiteus coveitent le argent si le prendent (18) et meurte la malade. Sachez que il sont (19) condanés en enfer por lur coveitise et por la mort de l'ome. Et qui (20) vuet oïr à tens et à ore à notre consuel (21) il echape sovent de mort et de grant (22) maladie. Trocisci qui valent à soluci (160v1) de venter sant nul sanc avecque merlé l'en apele (2) la maladie diaria o lientiria. (3) Prenez roses espodi quatre dragmes berberis (4) semen asedi epoquistidos gumi turis mertille (5) semen coliandri tenpré en vinegre un jor et une (6) nuit totes ces choses seront sechies sur (7) le fu et pues pilez en podre (8) et detrenprez de jus de coins si fetez

---

פּוֹט אֵיידֵר אֵי שֵׁט לַאטְרֵייש גְרַאנְט שׁוֹטִיאְה דֵייש
גֵינְץ קִי אַטֵנדֵנְט טַאנְט אַקוֹנשׁוִייל פְּרֵינְרְא קְא אִיל
שׁוֹנְט אַלַאמוֹרְטְא אֵי דוֹנְק דְאמַאנְדְא אִיל קוֹנְשֻׁוִייל {א}
אַפֻּוזִיצִיאֵינֵייץ אֵילֵייש דֵילִיאַץ פֻּוזִיצִיאֵינְץ {קוביי}
קוֹבֵייטוֹץ {אֵי}קוֹבֵייטֵינְט לְאאַרגֵינְט שִׁי לְאפְרֵיינְדֵינְט
אֵימֻורְטְא לַאְמַאלַאדְא ¨ שַׁאקֵייש קְא אִיל שׁוֹנְט
קוֹנְדַאנֵייש אֵן אֵנְפֵר פוֹר לֻוֵר קוֹבֵייטִיזְא * ¨ אֵי קִי
* אֵי פוֹר לַא מוֹרְט דְאלוֹמְא[307]
בֻוֵייט אוֹיִר אַטֵינְץ אֵי אַה אֻורְא אַה נוֹטְרְא קוֹנְשׁוִייל
אִיל אֵיקַאפְּא שׁוֹבֵיינְט דְאמוֹרְט אֵי דְאגְרַאנְט {מאלא}
מַאלַאדִיאְה ¨ **טְרוֹצִיצִי** קִי בַאלֵיינְט אַה שׁוֹלוּשִׁי
16 דְא [[בנטר]] בֵנְטֵר שַׁנְטְא נוֹל שַׁנְקְא אַבֵיקְא מֵירְלֵי לֵיין אַפֵּילְא
לַאמַאלַאדִיאְה דִיאַרִיאַה אוֹ לִיאֵנְטִירִיאַ ¨
פְּרֵינֵייש רוֹזֵייש אֵשְׁפּוֹדִי קַאטְרְא דְרַכְמְש בֵרבֵרִיש
שֵׁמֵן אַסֵידִי אֵיפּוֹקְוִישְׁטִידוֹשׁ גֻומִי טֻורִיש מֵירְטִילֵי
שֵׁמֵן קוֹלִיאַנְדְרִי טֵנְפְּרֵי אֵן בֵנֵיגְרְא אֻון יוֹר אֵי אֻונְא
נֻוט טוֹטֵייש שֵׁש קוֹזֵייש שְׁרוֹנְט שֵׁיקִיאֵייש שֻׁור
לְאפֻּו אֵי פֻּוֵייש פִילֵיאֵייש אֵן פוֹדְרְא {אידיטרינפ}
אֵידֵטְרֵינְפְּרֵיאֵייץ דְאיוֹץ דְאקוֹיינְץ שִׁי פֵּיטֵייש

---

**307** אֵי פוֹר לַא מוֹרְט דְאלוֹמְא: Nachtragung am linken Seitenrand.

**f. 160r13–160v8**

*(13) helfen, und es ist eine sehr große Dummheit der (14) Leute, die so lange damit warten sich einen Rat einzuholen, bis sie (15) kurz davor sind zu sterben, und dann erfragen sie Rat (16) von Ärzten, und hinterlistige und habgierige Ärzte (17) erschleichen sich Geld, wenn sie es nehmen (18) und der Kranke stirbt. Wisst, dass sie (19) in der Hölle für ihren Hinterhalt und den Tod des Menschen verdammt werden. Und wer (20) rechtzeitig unseren Rat befolgen möge, (21) wird oft dem Tod und schlimmer (22) Krankheit entrinnen. Trochisken, die gegen Durchfall (160v1) des Bauches helfen, ohne Blut und mit unverdauten Resten; man nennt (2) die Krankheit Diarrhö oder Lienteria. (3) Nehmt Rosen, vier Drachmen Zinkoxyd, Berberitze, (4) Samen der Hauswurz, Hypocistis, Gummi des Weihrauch, Myrte, (5) Koriandersamen, die einen Tag und eine (6) Nacht in Essig eingeweicht wurden; diese ganzen Dinge werden (7) auf dem Feuer getrocknet, und dann zerreibt sie zu Pulver und (8) weicht sie in Quittensaft ein, dann macht*

---

PWuṬ 'eYYDeR 'eY ŠeṬ La'ṬReYYŠ GRa'NṬ ŠWoṬiY'əH DeYYŠ
ĞeYNẒ QiY 'aṬeNDeNṬ Ṭa'NṬ 'aQWoNŠWuYYeL PReYNRə' Qə' 'iYL
ŠWoNṬ 'aLa'MWoRṬə' 'eY DWoNQ Də'Ma'NDə' 'iYL QWoNŠuWYeYL
'aFuWZiYẒiY'eYNeYYẒ 'eY LeYYŠ DeYLiY'aẒ FuWZiYẒiY'eYYNẒ
QWoVeYYṬWuẒ QWoVeYYṬeYNṬ Lə''aRĞeYNṬ ŠiY Lə'PReYYNDeYYNṬ
'eYMuWRṬə' La'Maə'La'Də' ¨ Ša'ČeYYŠ Qə' 'YiL ŠWoNṬ
QWoNDa'NeYYŠ 'eN 'eNFeR PWoR LWuR QWoVeYYṬiYZə' 'eY PWoR La'
MWoRṬ Də'LWoMə' ¨ 'eY QiY
VWuYeYṬ 'WoYiR 'aṬeYNẒ 'eY 'aH 'uWRə' 'aH NWoṬRə' QWoNŠWuYeYL
'YiL 'eYČa'Pə' ŠWoVeYNṬ Də'MWoRṬ 'eY Də'GRa'NṬ
Ma'La'DiY'əH ¨ **ṬRWoẒiYẒiY** QiY Va'LeYYNṬ 'aH ŠWoLWuŠiY
1v Də' VeNṬeR ŠaNṬə' NWuL ŠaNQə' 'aVeYQə' MeYRLeY LeYYN 'aPeYLə'
La'Ma'La'DiY'əH DiY'aRiY'aH 'Wo LiY'eNṬiYRiY'a ¨
PReYNeYYŠ RWoZeYYŠ 'eŠPWoDiY Qa'ṬRə' DRaKMŠ BeRBeRiYŠ
ŠeMeN 'aSeYDiY 'eYPWoQWuYŠṬiYDWoŠ GuWMiY ṬuWRiYŠ MeYRṬiYLeY
ŠeMeN QWoLiY'aNDRiY ṬeNPReY 'eN ViNeYGRə' 'uWN YWoR 'eY 'uWNə'
NuWṬ ṬWoṬeYYŠ ŠeŠ QWoZeYYŠ ŠRWoNṬ ŠeYČiY'eYYŠ ŠuWR
Lə'FWu 'eY PuWYeYŠ PiYLeY'eYYŠ 'eN PWoDRə'
'eYDeṬReYNPReY'eYYẒ Də'YWuẒ Də'QWoYYNẒ ŠiY FeYṬeYYŠ

## f. 160v9–161r2

(9) trocisci et donez à boivre avecque sirop qui est (10) fet de coins. Veci un autre (11) **trocisci** de quoi temoigne Johanus de Sent (12) Paul qui valent ausi à diaria (13) ecorce de migraine galee huit dragmes semen (14) mertille tres dragmes sumac dus dragmes et (15) breez en podre et detrenprez en vin (16) fort si fetez trocisci checun de doz drachm(es) (17) et demie si en donez une en eve (18) froide. Veci un autre trocisci (19) qui valt à colica pasion et à faillance (20) de l'estomaque et la vamite qui tente (21) contenuemente. Roses semen asedi tres (22) dragmes espodi balaustias dus dragmes (23) semen portulaca bol amidum gumi arabici semen (24) mertille dus dragmes espodi dragmes et demie (161r1) sumac crocum ana dragmes et demie (2) breez en podre et trenprez avecque jus

---

טְרוֹצִיצִי אֵידוֹנֵייץ אַבוֹייבְרָא אַבֵיקְא שִׁירוֹף קִי אֵט
פֵּייט דְאקוֹויינְץ ״ בֵּישִׁי אֵון אַאוֹטְרְא
**טְרוֹצִיצִי** דְאקוֹי טֵימוֹיינְא יוֹהַנוּש דְשֵׁינְטְא
פַאוֹל קִי בָּאלֵינְט אַאוֹשִׁי אַה דִיאַרְיאַ
אֵיקוֹרְצְא דְאמִיגְרַיינְא גַלֵי וִיט דְרַכמֵש שֵׁמֵן
מֵירְוֹטִילֵי טְרֵייש דְרַכְמְש סֻומַק דוִץ דְרַכמֵש אֵי
בְרֵייאֵייש אֵן פוֹדְרָא אֵידֵיטְרֵינְפְרֵייש אֵנְבֵיין
פּוֹרְט שִׁי פֵּייטֵייש טְרוֹצִיצִי קֵיקוֹן דְא דוֹץ דְרַכמ
אֵידְאמִיאְה שִׁי אֵנְדוֹנֵייש אֵונְא אֵן אֵיבְא {פר}
פְּרוֹיידְא ״ בֵּישִׁי אֵון אַאוֹטְרְא טְרוֹצִיצִי
קִי בַאלְט אַקוֹלִיקַא פַאשִׁיאוֹן אֵי אַה לַאפַּאלַנְשְׁא
דְאלֵיסְטוֹמַאכְא אֵי לַא בַּאמִיטְא קִי טֵיינְטְא {קונ}
קוֹנְטֵינֻואֵימֵינְטְא ״ רוֹזֵייש שֵׁמֵן אַסֵידִי טְרֵייש
דְרַכמֵש אֵשְׁפוֹדִי בַלַאוֹשְׁטִיאַש דוִץ דְרַכמֵש
שֵׁמֵן פוֹרְטֻולַאקַא בוֹל אַמִידוֹם גֻומִי אַרַאבִיצִי שֵׁמֵן
מֵרטִילֵי דוִץ דְרַכמֵש אֵשְׁפוֹדִי דְרַכמֵש אֵי דְאמִיאְה
16 סֻומַק קְרוֹקוֹם אַנַא דְרַכמְא אֵי דְאמִיאְה
בְרֵיאֵייץ אֵן פוֹדְרָא אֵיטְרֵינְפֵייץ אַבֵיקְא יוִץ

**f. 160v9–161r2**

*(9) Trochisken, und gebt mit Sirup zu trinken, der (10) aus Quitten gemacht ist. Hier eine andere (11) Trochiske, von der Johann von Sankt (12) Paulus zeugt, die auch gegen Diarrhö hilft: (13) acht Drachmen Granatapfelrinde und Galläpfel, (14) drei Drachmen Myrtensamen, zwei Drachmen Essigbaum und (15) zerreibt es zu Pulver und weicht es in starken Wein ein, (16) so macht Trochisken von je zweieinhalb Drachmen, (17) so gebt von ihnen eine in kaltem Wasser. (18) Hier eine andere Trochiske, (19) die gegen Kolik und gegen das Versagen (20) des Magens und gegen (21) andauernden Brechreiz hilft. Drei Drachmen Rosen- und Hauswurzsamen, (22) zwei Drachmen Zinkoxyd und Granatapfelblüten, (23) zwei Drachmen von Portulaksamen, Tonerde, feines Mehl, Gummi arabicum und (24) Myrtensamen, eineinhalb Drachmen Zinkoxyd, je eineinhalb Drachmen (161r1) Essigbaum und Safran, (2) zerreibt es zu Pulver und weicht es mit*

---

ṬRWoẒiYẒiY ’eDWoNeYYẒ ’aBWoY’ YVRə’ ’aVeYQə’ ŠiYRWoP QiY ’eṬ
FeYYṬ Də’ QWoYYNẒ ¨ VeYŠiY ’uWN ’a’ WoṬRə’
**ṬRWoẒiYẒiY** Də’ QWuY ṬeYMWoYYNə’ YWoHaNWuŠ DŠeYNṬə’
Pa’ WoL QiY Va’ LeYNṬ ’a’ WoŠiY ’aH DiY’ aRiY’ a
’eYQWoRẒə’ Də’ MiYGRaYYNə’ GaLeY WYiṬ DRaKMŠ ŠeMeN
MeYRṬiYLeY ṬReYYŠ DRaKMŠ SuWMaQ DWuẒ DRaKMeŠ ’eY
BReYY’ eYYŠ ’eN PWoDRə’ ’eYDeYṬReYNPReYYŠ ’eNVeYYN
FWRṬ ŠiY FeYYṬeYYŠ ṬRWoẒiYẒiY ČeYQuWN De’ DWoẒ DRaKM
’eYDə’ MiY’ əH ŠiY ’eNDWoNeYYŠ ’uWNə’ ’eN ’eYVə’
FRWoYYDə’ ¨ VeYŠiY ’uWN ’a’ WoṬRə’ ṬRWoẒiYẒiY
QiY Va’ LṬ ’aQWoLiYQa’ Pa’ ŠiY’ WoN ’eY ’aH La’ Fa’ LaNŠə’
Də’ LeYSṬWoMa’ Kə’ ’eY La’ Va’ MiYṬə’ QiY ṬeYYNṬə’
QWoNṬeYNuW’ eYMeYNṬə’ ¨ RWoZeYYŠ ŠeMeN ’aSeYDiY ṬReYŠ
DRaKMeŠ ’eŠPWoDiY BaL’ aWoŠṬiY’ aŠ DWuẒ DRaKMeŠ
ŠeMeN PWoRṬuWLa’ Qa’ BWoL ’aMiYDWoM GuWMiY ’aRa’ BiYẒY ŠeMeN
MeRṬiYLeY DWuẒ DRaKMeŠ ’eŠPWoDiY DRaKMeŠ ’eY Də’ MiY’ əH
1r SuWMaQ QRWoQWoM ’aNa’ DRaKMŠ ’eY Də’ MiY’ əH
BReY’ eYYẒ ’eN PWoDRə’ ’eYṬReYNPeYYẒ ’aVeYQə’ YWuẒ

## f. 161r3–20

(3) de coins si fetez trocisci (4) dragme et demie. (5) **Trocisci** gumi boli coliandri sechi dragmes (6) si breez en podre (7) si le detrenprez avecque jus de mertilles si (8) en fetez trocisci do pesant de une dragme (9) si li donez à boiver avecque un sirop (10) retregnant com sirop de roses o de mertille. (11) Et se il etoit ainsi que il alate (12) à chanbre avecque greins de boias si (13) convenroit fere un clester de quoi vos ne savrez (14) merler. Totevoies le vos dirai-je (15) prenez orge mondé et lentilles mondées (16) et sechies balaustias ecorce (17) de migrane semen asedi mertille ris dues (18) onces si bolez totes ces choses en (19) quatre livres de eve qui demeure joque dues (20) livres et demie et pues si prenez la podre

---

דְאקוֹיינְץ שִׁי פֵּיטֵייץ טְרוֹצִיצִי {דאריכ}
דְרַיכְמְא אֵידְאמִיאְה ¨
**טְרוֹצִיצִי** גֻומִי בוֹלִי קוֹלִיאַנְדְרִי שֵׁיקִי[308] דְרַכְמְא
שִׁי בְרֵייאֵייץ אֵנפוֹדְרְא
שִׁילְאדֵיטְרֵינְפְּרֵייץ אַבֵיקְא יוּץ דְאמֵרְטִלֵיש שִׁי
אֵנְפֵּיטֵייץ טְרוֹצִיצִי דוֹפֵיזַאנְט דְאֵונְא דְרַכְמְא
שִׁי לִי דוֹנֵייץ אַבוֹייבֵר אַבֵיקְא אֵון שִׁירוֹף {ריטרינ}
רֵיטְרֵינְאנַטא קוֹם שִׁירוֹף דְארוֹזֵייץ אוֹ דְאמֵירְטִלֵי ¨
אֵי שְׁא אִיל אֵיטוֹט אֵנְשִׁי קְא אִיל אַלַאטְא
אַקַאנְבְרְא שַׁנְקְא אַבֵיקְא גְרֵיינְץ דֵיבוֹייאַץ שִׁי {קובי}
קוֹנְבֵיינרוֹיֵיט פֵּיירְא אֵון קְלֵישְׁטֵר דְאקוֹי בוֹץ נְא
שַׁבְרֵייץ מֵרְלֵייר ¨ טוֹטבוֹיֵיש לְא בוֹש דֵירֵי גְא {ש}
פְּרֵינֵייץ אוֹרְגָא מוֹנְדֵי אֵי לֵינְטִילֵייש מוֹנְדֵיאֵייש
אֵישֵׁיקִיאֵייץ בַלַאשְׁטִיאַש אֵיקוֹרְצְא {דאמיגרא}
דְאמִיגְרַאנְא שֵׁמֵן אַסֵידִי מֵרְטִילֵי רִישׁ דוּיֵיץ
אוֹנְצֵייש שִׁץ שִׁי בוֹלֵייש טוֹטֵייש שֵׁשׁ קוֹזֵייץ אֵן
קַאטְרְא לִיבְרֵייש דְא אֵיבְא קִי דְאמֵורְא יוֹק דוּיֵיץ
לִיבְרֵייש אֵידְאמִיאְה אֵיפוּשׁ שִׁי פְּרֵינֵייץ לַאפוֹדְרְא

---

**308** שֵׁיקִי: em. ed., שֵׁיקִי Ms.

**f. 161r3–20**

*(3) Quittensaft ein, dann macht Trochisken (4) von eineinhalb Drachmen. (5) Trochisken: (?) Drachmen von gekochtem Gummi und getrocknetem Koriander, (6) zerreibt es zu Pulver, (7) weicht es dann mit Myrtensaft ein, (8) macht dann Trochisken vom Gewicht einer Drachme, (9) und gebt sie ihm dann mit einem (10) adstringierenden Sirup wie Rosensirup oder Myrtensirup zu trinken. (11) Und wenn es so ist, dass (12) beim Stuhlgang Darmsubstanz mit abgeht, so (13) ist es angebracht ein Klistier zu machen, von dem ihr es nicht versteht (14) es zu mischen. Aber ich werde es euch sagen: (15) Nehmt zwei Unzen gereinigte Gerste und enthülste und (16) getrocknete Linsen, Granatapfelblüten, (17) Granatapfelrinde, Samen der Hauswurz, Myrte und Reis, (18) dann kocht all diese Dinge in (19) vier Pfund Wasser, bis es sich zu zweieinhalb (20) Pfund reduziert hat; nehmt dann das Pulver*

---

Də' QWoYYNẒ ŠiY FeYṬeYYẒ ṬRWoẒiYẒiY
DRaYKMə' ,əYDə' MiY' əH ¨
**ṬRWoẒiYẒiY** GuWMiY BWoLiY QWoLiY' aNDRiY ŠeQiY DRaKMŠ
ŠiY BReYY' eYYẒ ' eNPWoDRə'
ŠiYLə' DeYṬReYNPReYYẒ ' aVeYQə' YWuẒ Də' MeRṬiLeYŠ ŠiY
' eNFeYṬeYYẒ ṬRWoẒiYẒiY DWoPeYZa' NṬ D' uWNə' DRaKMə'
ŠiY LiY DWoNeYYẒ ' aBWoYYVeR ' aVeYQə' ' uWN ŠiYRWoP
ReYṬReYNə' NaṬ, QWoM ŠiYRWoP Də' RWoZeYYẒ ' Wo Də' MeYRṬiYLeY ¨
' eY ŠəY ' YiL ' eYṬWoṬ ' eNŠiY Qə' ' YiL ' aL' aṬə'
' aČa' NBRə' ' aVeYQə' GReYYNẒ Də' BWoYY' aẒ ŠiY
QWoNVeYYNRWoYeYṬ FeYYRə' ' uWN QLeYŠṬeR Də' QWoY VWoẒ Nə'
ŠaVReYYẒ MeRLeYYR ¨ ṬWoṬVWoYeYŠ Lə' VWoŠ DeYReY Ğə'
PReYNeYYẒ ' WoRĞə' MWoNDeY ' eY LeYNṬiYLeYYŠ MWoNDeY' eYYŠ
' eŠeYČiY' eYYẒ BaL' aŠṬiY' aŠ ' eYQWoRẒə'
Də' MiYGRa' Nə' ŠeMeN ' aSeYDiY MeRṬiYLeY RYiŠ DWuYeYẒ
' WoNẒeYYŠ [ŠiẒ] ŠiY BWoLeYYŠ ṬWoṬeYYŠ ŠeŠ ČWoZeYYẒ ' eN
Qa' ṬRə' LiYVReYYŠ [[R]] Də' ' eYVə' QiY Də' MuWRə' YWuQ DWuYeYẒ
LiYVReYYŠ ' eYDə' MiY' əH ' eYPWuŠ ŠiY PReYNeYYẒ La' PWoDRə'

**f. 161r21–161v14**

(21) bolus et cacabri et acacie et totes sechies (22) de checun un once cerusa une demi once (23) et pus si prenez de cette podre dues (24) onces sechi si y metez avecque le moia (161v1) de l’oef boli joque à la moité et prenez do sif de roinos (2) de boc en once et demie si le metez (3) au clester si le metez au malade (4) si doit manger des lentilles (5) mondées et bolies en la segonde eve (6) et si come nos avons desuz dit. Et panil (7) et pein brulé. Et prenre eve (8) où l’on bodroit balaustias et roses et (9) mertelle et ecorce de migrane et en laver pein (10) buleté ben lavé en cette eve et done (11) à malade à manger. Et apres oinder (12) le lu de ule de roses. Et se la fevre (13) s’acoise et desentiria demeure avecque (14) le malade com du primer et il it de li avecque

---

בּוֹלוִֹשׁ אֵי קַאקַבְרִי אֵי אַקַסִיאֵי טוֹטֵייש שֵׁיקִיאֵייץ
דְּאקֵיקוֹן אֵון אוֹנְצְא צֵירוּזַא אֵונְא דְּאמִי אוֹנְצְא
אֵי פוּשׁ שִׁי פְּרֵינֵייש דְּא שֵׁיטְא פּוֹדְרָא דוּיֵיץ {אונ}
אוֹנְצֵייש שֵׁיקִי שִׁי אִימֵיטֵייץ אַבֵיקָא לְאמוֹייאַה
דְּאלוֹףֿ[309] בּוֹלִי יוֹק אַלַאמוֹייטֵי אֵיפְּרֵינֵייץ דוֹשִׁיףֿ[310] דֵירוֹיינוֹשׁ

דְּאבּוֹק אַן אוֹנְצְא אֵידְאמִיאָה שִׁי לְאמֵיטֵייץ
אוֹקְלֵישְׁטֵר שִׁי לְאמֵיטֵייץ אוֹמַאלַאדְא
שִׁי דוֹיֵיט מַאנְגֵייר דֵייש לֵינְטִילֵייש
מוֹנְדֵיאֵייץ אֵי בּוֹלִיאֵייץ אֵן לַא שֵׁיגוֹנְדְא אֵיבְא {אי}
אֵישִׁי קוֹם נוֹץ אַבוֹנְץ דְשׁוּץ דִיט ״ אֵיפְּנִיל {איפי}
אֵיפֵיין בְּרֵוּלֵי ״ אֵיפְּרֵינְרָא אֵיבְא
אוֹ לֵיין בּוֹדְרוֹיֵיט בַּאלַאוֹשְׁטִיאַשׁ אֵי רוֹזֵייש אֵי
מֵרְטֵילֵי אֵי אֵיקוֹרְצְא דְּאמֵיגְרַאנְא אֵי אֵן לַאבֵייר פֵּיין
בֵּוּלְטֵי בֵּיין לַאבֵי אֵן שֵׁיטְא אֵיבְא אֵי דוֹנֵי {אמאלא}
אַמַאלַאדְא אַמַאנְגֵייר ״ אֵי אַפְּרֵייש אוֹייְדֵר
לְאלוּ דְּאאֵולְא דְּארוֹזֵייש ״ אֵי שְׁא לַאפֵּיבְרָא
שַׁאקוֹייזְא אֵי דֵישֵׁנְטְרִיאַה דְּאמֵוֹייְרָא אַבֵיקָא {לא}
לְאמַאלַאדְא קוֹם דוֹפְּרִימֵר אֵי אִיל אִיט דְּלִי אַבֵיקָא

---

**309** דְּאלוֹףֿ: em. ed., דְּאלוֹף Ms.
**310** דוֹשִׁיףֿ: em. ed., דוֹשִׁיף Ms.

**f. 161r21–161v14**

*(21) [von] je einer Unze getrockneter Tonerde, Bernstein und Schlehensaft, (22) eine halbe Unze Bleiweiß, (23) und so nehmt dann von diesem Pulver zwei (24) Unzen, und fügt es dort (161v1) mit halb gekochtem Eidotter hinzu und nehmt Fett von der Niere (2) eines Ziegenbock zu eineinhalb Unzen, fügt es (3) dem Klistier hinzu und führt es so dem Kranken ein; (4) dann soll er (5) gereinigte und ein einem zweiten Wasser gekochte Linsen essen, (6) und zwar so, wie wir es oben gesagt haben. Und Kolbenhirse (7) und geröstetes Brot. Und er soll Wasser trinken, (8) in dem man Granatapfelblüten und Rosen und (9) Myrte und Granatapfelrinde kochen soll, und damit [soll man] ein (10) Weißbrot abwaschen; [ist es] gut in diesem Wasser gewaschen, gib es (11) dem Kranken zu essen. Und danach (12) die Stelle mit Rosenöl einreiben. Und wenn das Fieber (13) zurückgeht, und die Dysenterie (14) den Kranken wie am ersten [Tag] befällt, und von ihm zusammen mit*

---

BWoLWuŠ 'eY Qa' QaBRiY 'eY 'aQaSiY' eY ṬWoṬeYYŠ ŠeYČiY' eYYẒ
Də' ČeYQWuN 'uWN 'WoNẒə' ẒeYRWuZa' 'uWNə' Də' MiY 'WoNẒə'
'eY PWuŠ ŠiY PReYNeYYŠ Də' ŠeYṬə' PWoDRə' DWuYeYẒ
'WoNẒeYYŠ ŠeYČiY ŠiY 'iYMeYṬeYYẒ 'aVeYQə' Lə' MWoYY' aH
1v Də' LWuP BWoLiY YWoQ 'aL' aMWoYYṬeY 'eYPReYNeYYẒ DWoŠiYF DeYRWoYYNWoŠ
Də' BWoQ 'WoNẒə' 'eYDə' MiYə' H ŠiY Lə' MeYṬeYYẒ
'WoQLeYŠṬeR ŠiY Lə' MeYṬeYYẒ 'WoMa' La' Də'
ŠiY DWoYeYṬ Ma' NĞeYYR DeYYŠ LeYNṬiYLeYYŠ
MWoNDeY' eYYẒ 'eY BWoLiY' eYYẒ 'eN La' ŠeYGWoNDə' 'eYVə'
'eYŠiY QWoM NWoẒ 'aVWoNẒ DŠWuẒ DYiṬ ¨ 'eYPNiYL
'eYPeYYN BRuWLeY ¨ 'eYPReNRə' 'eYVə'
'Wo LeYYN BWoDRWoYeYṬ Ba' La' ŠṬiY' aŠ 'eY RWoZeYYŠ 'eY
MeRṬeLeY 'eY 'eYQWoRẒə' Də' MeYGRa' Nə' 'eY 'eN La' VeYYR PeYYN
BuWLṬeY BeYYN La' VeY 'eN ŠeYṬə' 'eYVə' 'eY DWoNeY
'aMa' L' aDə' 'aMa' NĞeYYR ¨ 'eY 'aPReYYŠ 'WoYYəDeR
Lə' LWu Də' 'uWLə' Də' RWoZeYYŠ ¨ 'eY Šə' La' FeYVRə'
Ša' QWoYYZə' 'eY DeYSeNṬiRiY' aH Də' MuWYYRə' 'aVeyQə'
Lə' Ma' La' Də' QWoM DWoPRiYMeR 'eY 'iYL 'YiṬ DLiY 'aVeYQə'

## f. 161v15–162r7

(15) la digestion matire porie o sanc (16) mes que il ne ise nule sotance de boias (17) donc prenez du clester desuz nomé dues (18) onces. Trocisci de arsenic dues once (19) ule de rose un once. Et vos gardez (20) mont tres ben que vos ne fetez cette clester (21) se vos veez acune chose iter avecque la (22) digestion de la sotence de boias. (23) Et se vos etes segur que la sotence (24) de boias sont sein mes epoir le boias (25) il a plaie et sont elargies et pories (162r1) si prenez donc trocisci arsinicas dues (2) onces ris once vin boli demi once si (3) fetez un clyster. Et se vos veez (4) les plaies sont netéies et mondées nos (5) volons laver avecque ce clester moite que (6) j'ai desuz dit. Mes se il ne sont (7) mie ben netoiées nos volons

---

לַאדִיאֶשטִיאוֹן מַאטִירְא פוֹרִיאְה אוֹ שַׁאנְקְא {מ}
מֵייש קְא אִיל נְא אִישְׁא נֻולְא שוֹטַאנְצְא דֵיבוֹייאַץ
דוֹנְק פְּרֵינֵייץ דוֹ קְלֵישטֵר דְאשוִּץ נוֹמֵי דוִֵיץ {אונ}
אוֹנְצֵייש ¨ טְרוֹצִיצִי דְאאַרְצֵאנִיק[311] דוֹיֵיץ אוֹנְצֵיי/
אֻולְא דְא רוֹזְא אֻון אוֹנְצְא ¨ אֵי בּוֹש גַרְדֵייש {מ}
מוֹנְט טְרֵיבֵיין קְא בּוֹש נְא פֵּיטֵייץ שֵׁאטִי קְלֵשטֵר
שְׁא בּוֹש בֵּיאֵייץ אַקֻונְא קוֹזְא אִיטֵר אַבֵּיקְא לַא
דִיאֶשטִיאוֹן דְאלַאשוֹטֵינְצְא דֵיבוֹיְיאַש ¨
אֵי שְׁא בּוֹש אֵיטֵייץ שֵׁיגֻור קְא לַא שוֹטֵינְצְא
דֵיבוֹייאַץ שוֹנְט שֵׁיין מֵיש אֵיפוֹיֵיר לֵיבוֹייאַץ
אִיאַה פְלַאֵיְיא אֵי שוֹנְט אֵילַרְגִיאֵייץ אֵיפוֹרִיאֵייץ
שִׁי {כ} פְּרֵינֵייש דוֹנְק טְרוֹצִיצִי אַרְצִינִיקַש דוֹיֵץ {אונצ}
אוֹנְצֵייש רִיש אוֹנְצֵא וִין בוֹלִי דְאמִי אוֹנְצְא שִׁי
פֵּיטֵייש אֻון קְלִישְׁטֵר ¨ אֵי שְׁא בּוֹץ בֵּייאֵייץ
לֵייש פְלַאֵייץ שוֹנְט נֵיטֵייאֵייץ אֵי מוֹנְדֵייץ נוֹץ
בּוֹלוֹנְץ לַאבֵייר אַבֵּיקְא שְׁא קְלֵישטֵר מוֹייטְא קְא
¨ גָא דְאשוִּץ דִיט ¨ מֵיש שְׁא אִיל נְא שוֹנְט
מִיאְה בֵּיין נֵיטוֹיְיאֵייץ נוֹץ בּוֹלוֹנְץ {ליישניטויי}

---

**311** דְאאַרְצֵאנִיק: em. ed., דְאאַרְצֵאנִיק Ms.

**f. 161v15–162r7**

*(15) der Verdauung verfaulte Materie oder Blut abgeht (16) – aber es soll keine Darmsubstanz herauskommen –, (17) dann nehmt zwei Unzen des oben beschriebenen Klistiers. (18) Zwei Unzen Arsentrochisken und eine Unze (19) Rosenöl. Und achtet (20) sehr gut darauf, dass ihr dieses Klistier nur macht, (21) wenn ihr keinen Anteil an Darmsubstanz mit der (22) Verdauung herausfließen seht. (23) Und wenn ihr sicher seid, dass die (24) Darmsubstanz gesund ist, er aber vielleicht (25) offene Stellen im Darm hat, die sich vergrößert haben und verfault sind, (162r1) dann nehmt zwei Unzen Arsentrochisken, (2) eine Unze Reis, eine halbe Unze gekochten Wein, und (3) macht ein Klistier. Und wenn ihr seht, (4) dass die Wunden gereinigt und gesäubert sind, (5) wollen wir mit dem feuchten Klistier, das (6) ich oben beschrieben habe, spülen. Aber wenn sie (7) nicht gut gereinigt sind, wollen wir*

---

La' DiY' eŠṬiY' WoN Ma' ṬiYRə' PWoRiY' əH ' Wo Ša' NQə'
MeYYŠ Qə' ' YiL Nə' ' iYŠə' NuWLə' ŠWoṬa' NẒə' DeYBWoYY' aẒ
DWoNQ PReYNeYYẒ DWo QLeYŠṬeR Də' ŠWuẒ NWoMeY DWuYeYẒ
' WoNẒeYYŠ ¨ ṬRWoẓiYẒiY Də' ' aRẒe' NiYQ DWuYeYŠ ' WoNẒeYY
' uWLə' De' RWoZə' ' uWN ' WoNẒə' ¨ ' eY VWoŠ GaRDeYYŠ
MWoNṬ ṬReYBeYYN Qə' VWoŠ Nə' FeYṬeYYẒ Še' ṬiY QLeŠṬeR
Šə' VWoŠ VeY' eYYẒ ' aQuWNə' ČWoZə' ' iYṬeR ' aVeYQə' La'
DiY' eŠṬiY' WoN Də' La' ŠWoṬeYNẒə' DeYBWoYəY' aŠ ¨
' eY Šə' VWoŠ ' eYṬeYYẒ ŠeYGuWR Qə' La' ŠWoṬeYNẒə'
DeYBWoYY' aẒ ŠWoNṬ ŠeYYN MeYŠ ' eYPWoYeYR LeYBWoYY' aẒ
' iY' aH PL' aYəY' ' eY ŠWoNṬ ' eYLaRĞiY' eYYẒ ' eYPWoRiY' eYYẒ
2r ŠiY PReYNeYYŠ DWoNQ ṬRWoẓiYẒiY ' aRẒiYNiYQaŠ DWoYeẒ
' WoNẒeYYŠ RYiŠ ' WoNẒe' WYiN BWoLiY Də' MiY ' WoNẒə' ŠiY
FeYṬeYYŠ ' uWN QLiYŠṬeR ¨ ' eY Šə' VWoẒ BeYY' eYYẒ
LeYYŠ PLa' YeYẒ ŠWoNṬ NeYṬeYY' eYYẒ ' eY MWoNDeYYẒ NWoẒ
VWoLWoNẒ La' VeYYR ' aVeYQə' Šə' QLeYŠṬeR MWoYYṬə' Qə'
¨ Ğe' Də' ŠWuẒ DYiṬ ¨ MeYŠ Šə' ' YiL Nə' ŠWoNṬ
MiY' əH BeYYN NeYṬWoYYə' eYYẒ NWoẒ VWoLWoNẒ

**f. 162r8–25**

(8) les netoier avecque sel et mel. (9) Et apres si li metrons un clester moite que (10) nos avons desuz dit. Ce dit Galien que (11) un ome mont valant etoit malade en (12) la cité de Rome de cette maladie dont je (13) parle mes il etoit sant fevre si (14) prenoient de li garde li bon physiciens de Rome (15) et pues que il ovreient en li et pues il (16) jetoit ordure et boe tant ovreient en li que (17) il enpiroit pues que il enmendoit tant que (18) les physiciens vont dire à ses amis que il (19) ne poet echaper en nule manere. A la (20) fin si veit le malade oïr que etoie (21) venus en la cité de Rome si veit mander (22) apres mi je vien devant li si le trovai mont (23) desconfi et mont tres feible je le vois (24) conforter deboneiremente et docemente de bones (25) paroles et pues je enquis en quele manere

---

לֵיישַׁנֵיטוֹייאֵייר אַבֵֿיקְא שֵׁייל אֵי מֵייל ¨
אֵי אַפְרֵייש שִׁי לִי מֵיטְרוֹנְש אֵון קְלֵישטֵר מוֹייְטְא קְא
נוֹץ אַבוֹנְץ דְאשוִץ דִיט ¨ שְׁא דִיט גַלִיאֵיין קְא
אֵון אוֹמְא מוֹנְט וַאלַאנְט אֵיטוֹייט מַאלַאדְא אֵן {לאשי}
לַאשִׁיטֵי דְארוֹמְא דְא שֵׁיטְא מַאלַאדִיאְה דְאוֹנְט גָא
פַּרְלְא מֵייש אִיל אֵיטוֹיֵיט שַׁאנְט פֵּיבְֿרְא שִׁי [[אִיל]] {פרינ}
פְּרֵינוֹייאֵינְט דְלִי גַארְדְא לִי בוֹן פֵֿוזִיצִיאֵיינְץ דְארוֹמְא
אֵי פוִֹייש קְא אִיל אוֹבְֿרֵייאֵינְט אֵנְלִי אֵיפוִֹייש אִיל {גי}
גֵֿיטוֹיֵיט אוֹרדֵוּרְא אֵי בוֹאְה טַאנְט אוֹבְֿרֵירֵינְט אֵנְלִי קְא
אִיל אֵנְפִּירוֹיֵיט פֵּוִֹייש קְא אִיל אֵנְמֵינְדוֹיֵיט טַאנְט קְא
לֵייש פֵֿוזִיצִיאֵינְץ בֿוֹנְט דִירְא אַשֵׁייש אַמִיש קְא אִיל
נְא פוֹאֵייט אֵיקַֿאפֵּר אֵן נֵוּלְא מַאנֵיירְא ¨ אַלַא
פִֿין שִׁי בֵֿייט לְאמַאלַאדְא אוֹאִיר קְא אֵיטוֹייאְה {בי}
בֵֿינוִץ אֵן לַאשִׁיטֵי דְארוֹמְא שִׁי בֵֿייט מַאנְדֵייר {אפ}
אַפְרֵייש מִי גָֿא בִֿיין דְא בַֿאנְט לִי שִׁי לְאטְרוֹבֵֿי[312] מוֹנְט
דֵישְׁקוֹנְפִֿיט אֵי מוֹנְט טְרֵייש פֵֿייבְלְא גָֿא לְא בֿוֹיֵיש
קוֹנְפֿוֹרְטֵר דְאבוֹנֵיירְא מֵינְטְא אֵי דוֹצְאמֵינְטְא דְא בוֹנֵייש

פַּארוֹלֵייש אֵיפֵּוִֹייש גְא אֵנְקִיץ אֵנְקֵילְא מַאנֵיירְא

---

**312** לְאטְרוֹבֵֿי: em. ed., לְאטְרוֹבֵי Ms.

**f. 162r8–25**

*(8) sie mit Salz und Honig reinigen. (9) Und danach werden wir ihm ein feuchtes Klistier einführen, wie (10) wir [es] oben beschrieben haben. Dieses sagt Galen: dass (11) ein sehr verdienter Mann in (12) der Stadt Rom von dieser Krankheit, von der ich (13) spreche, befallen war, aber er war ohne Fieber; es (14) nahmen sich die guten Ärzte aus Rom seiner an; (15) sie behandelten ihn, und da (16) stieß er Eiter und Gedärm aus, so sehr behandelten sie ihn, dass (17) es ihm schlechter ging; dann besserte sich sein Zustand, bis (18) die Ärzte zu seinen Freunden gingen und sagten, dass er (19) in keinem Fall [der Krankheit] entkommen könne. Schließlich (20) hörte der Kranke, dass (21) ich in die Stadt Rom gekommen sei, und er schickte (22) nach mir; ich kam zu ihm, und finde ihn also sehr (23) verzweifelt und sehr schwach vor, (24) und sollte ihn mit Mut und guten Worten stärken. (25) Dann suchte ich zu erfahren, welcher Art*

---

LeYYŠNeYṬWoYY'eYYR 'aVeYQə' ŠeYYL 'eY MeYYL ¨
'eY 'aPReYYŠ ŠiY LiY MeYṬRWoNŠ 'uWN QLeYŠṬeR MWoYYəṬə' Qə'
NWoẒ 'aBWoNẒ Də'ŠWuẒ DiYṬ ¨ Šə' DiYṬ GaLiY'eYYN Qə'
'uWN 'WoMə' MWoNṬ Wa'La'NṬ 'eYṬWoYYṬ Ma'La'Də' 'eN
La'ŠiYṬeY Də'RWoMə' Də' ŠeYṬə' Ma'La'DiY'əH Də'WoNṬ Ğə'
PaRLə' MeYYŠ 'YiL 'eYṬWoYeYṬ Ša'NṬ FeYVRə' ŠiY
PReYNWoYY'eYNṬ DLiY Ga'RDə' LiY BWoN FuWZiYẒiY'eYYNẒ Də'RWoMə'
'eY PWuYeYŠ Qə' 'YiL 'WoVReYY'eYNṬ 'eNLiY 'eYPWuYeYŠ 'YiL
ĞeYṬWoYeYṬ 'WoRDuWRə' 'eY BWo'əH Ṭa'NṬ 'WoVReYReYNṬ 'eNLiY Qə'
'YiL 'eNPiYRWoYeYṬ PuWYeYŠ Qə' 'YiL 'eNMeYNDWoYeYṬ Ṭa'NṬ Qə'
LeYYŠ FuWZiYẒiY'eYNẒ VWoNṬ DiYRə' 'aŠeYYŠ 'aMiYŠ Qə' 'YiL
Nə' PWo'eYYṬ 'eYČa'PeR 'eN NuWLə' Ma'NeYYRə' ¨ 'aL'a
FiYN ŠiY VeYYṬ Lə'Ma'La'Də' 'Wo'iYR Qə' 'eYṬWoYY'əH
VeYNWuẒ 'eN La'ŠiYṬeY Də'RWoMə' ŠiY VeYYṬ Ma'NDeYYR
'aPReYŠ MiY Ğə' ViYeYN Də' Va'NṬ LiY ŠiY Lə'ṬRWoVeY MWoNṬ
DeYŠQWoNFiYṬ 'eY MWoNṬ ṬReYYŠ FeYYBLə' Ğə' Lə' VWoYeYŠ
QWoNFWoRṬeR Də'BWoNeYYRə' MeYNṬə' 'eY DWoẒə'MeYNṬə' Də'
BWoNeYYŠ
Pa'RWoLeYYŠ 'eYPuWYeYŠ Gə' 'eNQiYẒ 'eNQeYLə' Ma'NeYYRə'

## f. 162v1–18

(1) sa maladie etoit et de quoi ele etoit venue (2) si me dit tres tôt la manere et la cause (3) dont etoit venue si me dit (4) comment le physiciens avoient ovré en li (5) apres je enquis sa vertu si le trovai (6) bon et avoit par reson bon apetit de manger (7) et vis la digestion merlée avecque poreture (8) mes il n'y avoit nule matire de boias (9) avecque la digestion et j'etoie sugur (10) de le guerir mes il ne le creoit mie. (11) A la fin je li vois fere un (12) clester de trocisci arsenicas et si y (13) mis du ris et les moias de oes demi (14) roti et si y mis de ule de roses ben once (15) et demie et si y mis du vin boli si isi (16) en une foiz mont grant poreture. (17) Apres je li mis la segonde foiz si (18) en isi meins de la poreture donc je m'

---

שַׁאמַאלַאדִיאְה אֵיטוֹיֵיט אֵידְאקוֹי אֵילְא אֵיטוֹיֵיט בֵּינֻוְאְה
שִׁי מְא דִיט [[טרו]] טְרֵיטוּט לַאמַאנֵירְא אֵילַא קַאוֹזֵאי
דְאאוֹנְט אֵילְא אֵיטוֹיֵיט בֵּינֻוְאְה שִׁי מְא דִיט {קוֹמי}
קוֹמֵינְט לֵיפֵּוּזִיצִיאֵיינְץ אַבוֹיְיאֵינְט אוֹבְרֵי אֵנְלִי
אַפְרֵייץ גְא אֵנְקִיץ שַׁאבֵּרְטוּ שִׁי לְאטְרוֹבֵּי
בּוֹן אֵיאַבּוֹיֵיט פַּר רֵיזוֹן בּוֹן אַפֵּיטִיט דְאמַאנְגֵייר
אֵיבִּישׁ לַאדִיאֵשְׁטִיאוֹן מֵירְלֵיאְה אַבֵּיקְא פּוֹרְטֻורְא
מֵיישׁ אִיל נִי אַבּוֹיֵיט נֻולְא מַאטִירְא דֵיבּוֹייאַץ {א}
אַבֵּיקְא לַאדִיאֵשְׁטִיאוֹן אֵי גְא אֵיטוֹייאְה שֻׁוגֵור
דְא לְא גֵירִיר מֵיישׁ אִיל נְא לְא קְרֵיאוֹיֵיט מִיאְה ¨
אַלַא פִּין[313] גְא לִי בּוֹיֵישׁ פֵּירְא אֵון {ק}
קְלֵישְׁטֵר דְא טְרוֹצִיצִי אַרְצֵינִיקַשׁ אֵי שִׁי אִי
מִישׁ דוֹ רִישׁ אֵי לֵיישׁ מוֹיְיאַשׁ דְא אוֹץ דְאמִי
רוֹטִי אֵי שִׁי אִימִישׁ דְאאֻולְא דְארוֹזֵיישׁ בֵּיין אוֹנְצְא
אֵי דְאמִיאְה אֵי שִׁי אִימִישׁ דוֹ בִּיין בּוֹלִי שִׁי אִישִׁי
אַן אֵונְא פּוֹיֵישׁ מוֹנְט גְרַאנְט פּוֹרְטֻורְא ¨
אַפְרֵיישׁ גְא לִי מִישׁ לַאשׁוֹגוֹנְדְא פּוֹיֵישׁ שִׁי
אֵן אִיצִי מֵיינְץ דְא לַאפּוֹרְטֻורְא דוֹנְק גְא מַא

---

**313** פִּין: em. ed., פִין Ms.

## f. 162v1–18

*(162v1) seine Krankheit sei und woher sie gekommen sei; (2) da nannte er mir sehr bald die Art und die Ursache, (3) wodurch sie gekommen sei, dann sagte er mir, (4) wie die Ärzte ihn behandelt hätten; (5) danach erkundigte ich mich nach seinem Zustand, und ich stellte fest, (6) dass er stabil war, und er hatte ein gesundes Verlangen im richtigen Maß zu essen; (7) und ich sah den Stuhl, der mit Eiter vermischt war, (8) aber da war keine Darmsubstanz (9) in der Verdauung, und ich war mir sicher (10) ihn zu heilen, doch er glaubte es nicht. (11) Schließlich sollte ich ihm ein (12) Klistier mit Arsentrochisken machen, und (13) ich fügte Reis, halb gebratene Eidotter, (14) gut eineinalb Unzen Rosenöl hinzu, (15) dann gekochten Wein, und so ging (16) auf einmal sehr viel Eiter ab. (17) Danach wandte ich es ein zweites Mal an, (18) und es floss weniger Eiter hinaus, also*

---

Ša’ Ma’ La’ DiY’ əH ’eYṬWoYeYṬ ’eYDə’ QWoY ’eYLə’ ’eYṬWoYeYṬ VeYNuW’ əH ŠiY Mə’ DiYṬ ṬReYṬWoṬ La’ Ma’ NeYRə’ ’eYLa’ Qa’ WoZe’ Y Də’ ’ WoNṬ ’eYLə’ ’eYṬWoYeYṬ VeYNuW’ əH ŠiY Mə’ DiYṬ QWoMeYNṬ LeYFuWZiYẒiY’ eYYNẒ ’aVWoYəY’ eYNṬ ’WoVReY ’eNLiY ’aPReYYẒ Gə’ ’eNQiYẒ Ša’ VeRṬWu ŠiY Lə’ ṬRWoVeY BWoN ’eY’ aVWoYeYṬ PaR ReYZWoN BWoN ’aPeYṬiYṬ Də’ Ma’ NĞeYYR ’eYVYiŠ La’ DiY’ eŠṬiY’ WoN MeYRLeY’ əH ’aVeYQə’ PWoRṬuWRə’ MeYYŠ ’YiL NiY ’aVWoYeYṬ NuWLə’ Ma’ ṬiYRə’ DeYBWoYY’ aẒ ’aVeYQə’ La’ DiY’ eŠṬiY’ WoN ’eY Ğə’ ’eYṬWoYYə’ H ŠuWGuWR Də’ Lə’ GeYRiYR MeYYŠ ’YiL Nə’ Lə’ QReY’ WoYeYṬ MiY’ əH ¨ ’aL’ a FiYN Gə’ LiY VWoYeYŠ FeYRə’ ’uWN QLeYŠṬeR Də’ ṬRWoẒiYẒiY ’aRẒeYNiYQaŠ ’eY ŠiY ’iY MYiŠ DWo RYiŠ ’eY LeYYŠ MWoYəY’ aŠ Də’ ’WuẒ Də’ MiY RWoṬiY ’eY ŠiY ’iYMiYŠ Də’ ’uWLə’ Də’ RWoZeYYŠ BeYYN ’WoNẒə’ ’eY Də’ MiY’ əH ’eY ŠiY ’iYMiYŠ DWo ViYYN BWoLiY ŠiY ’iYŠiY ’aN ’uWNə’ FWoYeYŠ MWoNṬ GR’ aNṬ PWoRṬuWRə’ ¨ ’aPReYYŠ Ğə’ LiY MiYŠ La’ ŠWoGWoNDə’ FWoYeYŠ ŠiY ’eN ’iYẒiY MeYYNẒ Də’ La’ PWoRṬuWRə’ DWoNQ Ğə’ Ma’

**f. 162v19–163r10**

(19) avisai et quenois que les plaies des boias (20) etoient netoiées. Et quant je vis ce (21) que il etoit purgés de cele orde (22) matire si m'avisai de le purger avecque (23) un clester moites je li fis il fut (24) purgé et socoré en cele jornée. (25) Uncore detres Galien un autre cure que il fit de cette meimes (163r1) maladie à une tres grant dame de Rome. (2) Ele me manda et je ven a li ele me veit (3) dire tres tôt sa maladie si me montra ele (4) sa digestion si le vis mont ledes et mont (5) porie pues il avoit de poreture que il ne ot (6) en la digestion de l'ome malade. Je li fis (7) un clester de eve et de sel et de mel si en (8) isi mont tres grant foison poreture. (9) Je li quemande que l'on remit la segonde (10) foiz si en isi avecque le clester une pere

---

בֿיזֵי אֵי קְאנוֹיֵיץ קְא לֵייש פְּלַאיֵיץ דֵייש בוייאַץ[314]
אֵיטוֹיֵינְט נֵיטוֹייאֵייש ¨ אֵי קַאנְט גְּא בִֿיש שְׂא
קְא אִיל אֵיטוֹיֵיט פֵּורְגֵֿייץ דְא שֵׂילְֿא אוֹרְדְא {מ}
מַאטִירְא שִׂי מַאבִֿיזֵי דְא לְֿא פֵּורְגֵֿיר אַבֵֿיקְא
אֵון קְלֵֿישטֵר מוֹיְיטֵייץ גְּא לִֿי פִּֿיש אִיל פֿוּֽט
פֵּורְגֵֿי אֵישוֹקוֹרֵי אֵן שֵׂילְֿא יוֹרְנֵיאְה ¨
אֵונְקוֹרְא דְאטְרֵייט גַלִֿיאֵיין אֵון אַאוֹטְרְא
קוֻרְא קְא אִיל פִֿיט דְא שֵׂיטְא מֵיאִימֵייץ {מאלא}
מַאלַֿאדִיאְה אַה אֵונְא טְרֵייש גְרַנְט דַאמְא דְארוֹמְא ¨
אֵילְֿא מְא מַאנְדַא אֵי גְּא בֵֿיֵין אַלִֿי אֵילְֿא מְאבֵֿייט {די}
דִירְא טְרֵיטוֹט שַׂאמַאלַֿאדִיאְה שִׂי מְאמוֹטְרַא אֵילְֿא
שַׂא דִיאֵשטִיאוֹן שִׂי לֵֿי בִֿיש מוֹנְט לֵֿידֵייש אֵי מוֹנְט {פו}
פוֹרִיאְה פוֹיֵיש אִיל אַבֿוֹיֵיט דְאפוֹרטֵוּרְא קְא אִיל נְאוֹט
אֵן לַֿאדִיאֵשטִיאוֹן דְאלוֹמְא מַאלַֿאדְא ¨ גְּא לִֿי פִֿיש
אֵון קְלֵֿישטֵר דְאאֵיבְֿא אֵי דְאשֵׂייל אֵי דְא מֵֿייל שִׂי אֵן
אִישִׂי מוֹנְט טְרֵייש גְרַאנְט פֿוֹייזוֹן פוֹרְטוּרְא ¨
גְּא לִֿי קְאמַאנְדֵא קְא לֵֿיין רְאמִיט לַֿא שְׂאגוֹנְדְא
פֿוֹיֵיש שִׂי אֵן אִישִׂי אַבֵֿיקְא לְֿאקְלֵֿישטֵר אֵונְא פֵֿיירְא

---

**314** בוייאַץ: em. ed., בֿוייאַץ Ms.

**f. 162v19–163r10**

*(19) bemerkte und erkannte ich, dass die Wunden des Darmes (20) gereinigt waren. Und als ich das sah, (21) dass er von der schmutzigen (22) Materie gereinigt war, da kam ich darauf, ihn mit (23) einem feuchten Klistier zu säubern; ich machte es, und er war (24) gereinigt und gerettet an diesem Tag. (25) Noch einmal nach Galen eine andere Behandlung, die er bei der gleichen (163r1) Krankheit bei einer adligen Dame aus Rom anwendete. (2) Sie schickte nach mir, und ich kam zu ihr; sie (3) sollte mir sehr bald ihre Krankheit sagen, zeigte mir (4) ihre Verdauung, die ich sehr abscheulich und sehr (5) verfault vorfand, denn da war Eiter, den es (6) [sonst] nicht in der Verdauung eines kranken Menschen gab. Ich machte ihr (7) ein Klistier aus Wasser und Salz und Honig, da (8) ging eine sehr große Menge Eiter ab. (9) Ich bat sie, dass man es ein zweites (10) Mal einführe, so floss mit dem Klistier ein Stein hinaus,*

---

ViYZeY 'eY Qə'NWoYeYẒ Qə' LeYYŠ PLa'YeYẒ DeYYŠ BWoYY'aẒ
'eYṬWoYeYNṬ NeYṬWoYY'eYYŠ ¨ 'eY Qa'NṬ Ğə' ViYŠ Šə'
Qə' 'YiL 'eYṬWoYeYṬ PuWRĞeYYẒ Də' ŠeYLə' 'WoRDə'
Ma'ṬiYRə' ŠiY Ma'ViZeY Də' Lə' PuWRĞYeR 'aVeYQə'
'uWN QLeYŠṬeR MWoYəYṬeYYẒ Ğə' LiY FiYŠ 'YiL FWuṬ
PuWRĞeY 'eYŠWoQWoReY 'eN ŠeYLə' YWoRNeY'əH ¨
'uWNQWoRə' Də'ṬReYYŠ GaLYi'eYYN 'uWN 'a'WoṬRə'
QWuRə' Qə' 'YiL FYiṬ Də' ŠeYṬə' MeY'iYMeYYẒ
3r Ma'La'DiY'əH 'aH 'uWNə' ṬReYYŠ GRaNṬ Da'Mə' Də'RWoMə' ¨
'eYLə' Mə' Ma'NDa' 'eY Ğə' VeYYN 'aLiY 'eYLə' Mə'VeYYṬ
DiYRə ṬReYṬWoṬ Ša'Ma'La'DiY'əH ŠiY Mə'MWoṬRa' 'eYLə'
Ša' DiY'eŠṬiY'WoN ŠiY LeY ViYŠ MWoNṬ LeYDeYYŠ 'eY MWoNṬ
PWoRiY'əH PWuYeYŠ 'YiL 'aVWoYeYṬ Də'PWoRṬuWRə' Qə' 'YiL Nə'WoṬ
'eN La'DiY'eŠṬiY'WN Də'LWoMə' Ma'La'Də' ¨ Ğə' LiY FiYŠ
'uWN QLeYŠṬeR Də''eYVə' 'eY Də'ŠeYYL 'eY Də' MeYYL ŠiY 'eN
'iYŠiY MWoNṬ ṬReYYŠ GR'aNṬ FWoYəYZWoN PWoRṬWuRə' ¨
Ğə' LiY Qə'Ma'NDə' Qə' LeYYN Rə'MiYṬ La' Šə'GWoNDə'
FWoYeYŠ ŠiY 'eN 'iYŠiY 'aVeYQə' Lə'QLeYŠṬeR 'uWNə' PeYYRə'

## f. 163r11–163v4

(11) come ele fut isue de la vesie et le gros (12) de cele pere etoit si gros come le gros de (13) un oef de geline. Et apres ce je li (14) quemandai que l'on li feit un clester moites (15) avecque dous onces de trocisci de arsenicas (16) roge et cetrin et avecque lies de vinegre (17) arsés acacie gumi tres onces chauz (18) eteine et sechi balaustias arsé (19) quatre onces alum dous onces api un (20) once et le breez en podre si le detrenprez (21) de vin roge si en fetez trocisci pesant (22) de dragme et demie si en metez dues o (23) tres au clester. Mes vos en gardez (24) de ovrer de cette cure de trocisci de arsenic (163v1) car ele est perillose. Si define la cure (2) desentiria et de lientiria que sont (3) le maladies que venent per accident en la fevre (4) de sinocha car il avent sovent que le home

---

קוֹמְא אֵילְא פֻּואוֹט אִישֻׁואְה דְאלַאוֵישִׁיאְה אֵי לְאגְרוֹץ
דְא שֵׁילְא פֵּיירְא אֵיטוֹיֵיט שִׁי גְרוֹץ קוֹמְא לְאגְרוֹץ דְא
אֵון אֵוּףָ[315] דְאגָֽאלִינְא ¨ אֵיאַפְּרֵייש שְׁא גָא לִי {קא}
קְאמַאנְדֵי קְא לֵיין לִי פֵּיאִיט אֵון קְלֵישְׁטֵר מוֹיְיטֵייץ
אַבֵּיקְא דוִץ אוֹנְצֵייש דְאטְרוֹצִיצִי דְאאַרְצֵאנִיקַש[316]
{ר} רוֹגָא אֵי סֵיטְרִין אֵי אַבֵּיקְא לִיאֵייש דְאוִינֵייגְרְא
אַרְצֵייץ אַקַסִיאֵי גֻומִי טְרֵייש אוֹנְצֵייץ קַאוֹש
אֵיטֵיינְא אֵי שֵׁיקִיאְה בַּאלַאוֹשְׁטִיאַש אַרְצְא
קַאטְרְא אוֹנְצֵייש אַלוּם דוִץ אוֹנְצֵייץ אַפִּי אֵון
אוֹנְצְא אֵילְאבְרֵיאֵייץ אֵן פוֹדְרְא שִׁי לְאדֵיטְרֵינְפְּרֵייץ
דְאבִּיין רוֹגָא שִׁי אֵנְפֵּיטֵייץ טְרוֹצִיצִי פֵּיזַאנְט
דְאדְרַכְמְא אֵי דְאמִיאְה שִׁי אֵנְמֵיטֵייץ דוִֵיץ אוֹ
טְרֵייש אוֹ קְלֵישְׁטֵר ¨ מֵייש בוֹץ אֵן גַרְדֵייץ
דְא אוֹבְרֵר דְא שֵׁט קוְֻרְא דְא טְרוֹצִיצִי דְאאַרְצֵינִיק
קַר אֵילְא אֵט [[כ]] פְּרִילוֹזְא ¨ שִׁי דֵיפִּינְא לַאקֻורְא {דאשנט}
דְאשֵׁנְטִירִיאַה אֵט דְאלִיאֵטִירִיאַה קְא שוֹנְט {לימאלא}
לֵימַאלַאדִיאֵייש קְא בֵּינֵייט פֵּר אַקְצִידֵינְט אֵן לַאפֵּיבְרְא
דְא שִׁינוֹכַא קַאר אִיל אַבֵּיינְט שוֹבֵּיינְט קְא לְאאוֹמְא

---

**315** אֵוּףָ: em. ed., אֵוּף Ms.
**316** דְאאַרְצֵאנִיקַש: em. ed., דְאאַרְצֵאנִיקַש Ms.

**f. 163r11–163v4**

*(11) wie er aus der Blase herauskam, und die Größe (12) dieses Steines war so groß wie die Größe (13) eines Hühnereies. Und danach (14) bat ich sie, man möge ihr ein feuchtes Klistier machen, (15) mit zwei Unzen Trochisken aus (16) rotem und gelbem Arsen und mit dem gebrannten Bodensatz von Essig, (17) drei Unzen Saft unreifer Schlehen, Gummi, (18) vier Unzen gelöschtem und getrocknetem Kalk, gebrannten Granatapfelblüten, (19) zwei Unzen Knoblauch und einer Unze Sellerie, (20) und zerreibt es zu Pulver, so weicht es (21) in Rotwein ein, macht daraus Trochisken, (22) die eineinhalb Drachmen wiegen, und fügt davon zwei oder (23) drei dem Klistier zu. Aber seid vorsichtig, (24) mit dieser Behandlung mit Arsentrochisken zu arbeiten, (163v1) denn sie ist gefährlich. So endet die Behandlung (2) [von] Dysenterie und von Lienteria, welches (3) die Krankheiten sind, die als Symptom zum (4) Synocha-Fieber hinzutreten, denn es kommt oft vor, dass der Mensch*

---

QWoMə’ ’eYLə’ FuW’WuṬ ’iYŠuWə’H Də’La’WeYŠiY’əH ’eY Lə’GRWoẒ
Də’ ŠeYLə’ PeYYRə’ ’eYṬWoYeYṬ ŠiY GRWoẒ QWoMə’ Lə’GRWoẒ Də’
’uWN ’WF Də’Ğə’LiYNə’ ¨ ’eY’aPReYYŠ Šə’ Ğə’ LiY
Qə’Ma’NDeY Qə’ LeYYN LiY FeY’YiṬ ’uWN QLeYŠṬeR MWoYYəṬeYYẒ
’aVeYQə’ DWuẒ ’WoNẒeYYŠ Də’ṬRWoẒiYẒiY Də’’aRẒa’NiYQaŠ
}R{ RWoĞə’ ’eY SeYṬRiYN ’eY ’aVeYQə’ LiY’eYYŠ Də’WYiNeYYGRə’
’aRẒeYYẒ ’aQaSiY’eY GuWMiY ṬReYYŠ ’WoNẒeYYẒ Ča’WoŠ
’eYṬeYYNə’ ’eY ŠeYČiY’əH Ba’La’WoŠṬiY’aŠ ’aRẒə’
Qa’ṬRə’ ’WoNẒeYYŠ ’aLWuM DWuẒ ’aWoNẒeYYẒ ’aPiY ’uWN
’WoNẒə’ ’eYLə’BReY’eYYẒ ’eN PWoDRə’ ŠiY Lə’DeYṬReYNPReYYẒ
Də’ViYYN RWoĞə’ ŠiY ’eNFeYṬeYYẒ ṬRWoẒiYẒiY PeYZa’NṬ
Də’DRaKMə’ ’eY Də’MiY’əH ŠiY ’eNMeYṬeYYẒ DWoYeYẒ ’Wo
ṬReYYŠ ’Wo QLeYŠṬeR ¨ MeYYŠ BWoẒ ’eN GaRDeYYẒ
Də’ ’WoVReR Də’ ŠeT QWuRə’ Də’ ṬRWoẒiYẒiY Də’’aRẒeYNiYQ
3v QaR ’eLə’ ’eṬ PRiYLWoZə’ ¨ ŠiY DeYFiYNə’ La’QuWRə’
Də’ŠeNṬiYRiY’aH ’eṬ Də’LiY’eNṬiYRiY’aH Qə’ ŠWoNṬ
LeYMa’La’DiY’eYYŠ Qə’ VeYNeYYṬ PeR ’aQẒiYDeYNṬ ’eN La’FeYVRə’
Də’ ŠiYNWoḲa’ Q’aR ’YiL ’aVeYYNṬ SWoVeYYNṬ Qə’ Lə’’WoMə’

## 2.3 *De ictericia* (ff. 163v9–180r10)

### f. 163v5–22

(5) meurt plus tot par l'accident que c'est (6) desentiria que c'est le sanc du venter o (7) le flus du venter sant sanc. O de un (8) autre accident de un maladie qui vent en senocha (9) que l'on apele: **ictiricia.** (10) C'est jaunice. Le non (11) de ictiricia si est prins après le non de un (12) oisel que la plume resenble or et est cotumer (13) à proider en desert. La definitio (14) de ictiricia si est plus poper en ses parties (15) selonc l'enterinement de s'euvre est sa definitio (16) tote chose que l'on vut enquere l'on doit entender (17) en tres maneres o la definitio qui montre (18) sa nature o son opresion qui montre (19) son euvre. De quoi nos disons de ictiricia (20) si est an tres maneres c'est par son non et par (21) s'ovraigne. Et ne pas par sa definitio car (22) ele ne a nule manere en li de quoi ise

---

מֻורְט פלוֹשׁ[317] טוּט פַּר לְאַקְצִידֶינְט קְא שֵׁט {דישנטיר}
דֶישֶׁנְטִירִיאַה קְא שֵׁט לְאשַׁאנְקְא דוֹבֵּינְטֵר אוֹ {לאפל}
לְאפְּלוֹשׁ דוֹבֵּנְטֵר שַׁאנְט שַׁאנְק ¨ אוֹ דְא אֵון אַאוֹטְרְא
אַקְצִידֶינְט דְא אֵון מַאלַאדִיאְה קְי בֵּיינְט אֵן שֵׁינוֹכַא
קְא לֵיין לַאפֵּיילְא ¨ **אִיקְטִירִיצִיאָה**
שֵׁט קַאוֹנִיצְא · לְאנוֹן
דְאאִיקְטִירִיצִיאַה שִׁי אֵט פְּרִינְשׁ אַפְּרֵייש לְאנוֹן דְאאֵון
אוֹיְיזֵייל קְא לַאפְּלוֹמְא רְאשֵׁינְבְלְא אוֹר אֵי אֵט קוֹטֻומֵיר
אַפְּרוֹויידֵר[318] אַנְדְאזֵירְט ¨ לַאדֵיפִּינִסִיאוֹ {דְא אי}
דְאאִיקְטִרִיצִיאַה שִׁי אֵט פְּלוֹשׁ פּוֹפֵּר אֵן שֵׁשפַּארְטִיאֵץ
שְׁלוֹנְק לֵנְטְרִינְאמֵינְט דְא שֵׁובְּרְא אֵט שַׁאדֵיפִּינִישִׁיאוֹ
טוּטְא קוֹזְא קְא לֵיין בּוֹט אֵנְקֵירְא לֵיין דוֹוֵיט אֵנְטֵנדֵר
אֵן טְרֵייש מַאנֵייְרש וֹא לַאדֵיפִּינִסִיאוֹ קְי מוֹטְרְא
שַׁאנַאטֻורְא אוֹ שׁוֹנְאוֹפְּרֵאשִׁיאוֹן[319] קְי מוֹטְרְא {שונאו}
שׁוֹנְאוֻבְּרְא ¨ דְאקוֹי נוֹץ דִיזוֹנְץ דְאאִיקְטִירִיצִיאַה
שִׁי אֵט אַנְטְרֵייש מַאנֵייְרְץ שֵׁט פַּר שׁוֹן [[טוֹן]]* אֵי פַּר   *נון[320]
שׁוֹבְּרַאיינְא ¨ אֵינְא פַּץ פַּר שַׁאדְאפִּינִישִׁיאוֹ קַאר
אֵילְא נְא אַה נֻולְא מַאנֵייְרְא אֵן לִי דְאקוֹי אִישְׁא {שאדי}

317 פלוֹשׁ: em. ed., פוּשׁ Ms.
318 אַפְּרוֹויידֵר: em. ed., אַרְפוֹויידֵר Ms.

**f. 163v5–22**

*(5) früher an dem Symptom stirbt, das (6) Dysenterie ist, was Blut aus dem Bauch ist oder (7) Durchfall ohne Blut. Oder an einem (8) anderen Symptom einer Krankheit, die zu Synocha hinzu auftritt, (9) die man* ***ictiricia*** *nennt. (10) Das ist Gelbsucht. Der Name (11) der Gelbsucht ist gewählt nach dem Namen eines (12) Vogels, dessen Federkleid Gold ähnelt und der üblicherweise (13) in der Wüste gejagt wird. Die Definition (14) der Gelbsucht ist spezieller in ihren Teilen; (15) je nach der Beschaffenheit ihrer Wirkung ist ihre Definition. (16) Das, was man erfragen möchte, muss man (17) auf drei Arten verstehen: entweder die Definition, die (18) ihr Wesen zeigt oder ihre Unterdrückung, die (19) ihr Wirken zeigt. Daher sagen wir über die Gelbsucht, (20) dass es sie also in drei Arten gibt, nämlich durch ihren Namen und durch ihre (21) Wirkung. Und nicht durch ihre Definition, denn (22) sie hat keine Art an sich, aus der*

---

MuWRṬ PLWuŠ ṬWoṬ PaR L' ' aQẒiYDeYNṬ Qə' ŠeṬ
DeYŠeNṬiYRiY' aH Qə' ŠeṬ Lə' Ša' NQə' DWoVeYNṬeR ' Wo
Lə' FLWuŠ DWoVeNṬeR Ša' NṬ Ša' NQ ¨ ' Wo Də' ' uWN ' a' WoṬRə'
' aQẒiYDeYNṬ Də' ' uWN Ma' La' DiY' əH QiY VeYYNṬ ' eN ŠeYNWoḲa'
Qə' LeYYN La' PeYYLə' ¨ **' iYQṬiYRiYẒiY' aH**
ŠeṬ Ča' aWoNiYẒə' · Lə' NWoN
Də' ' iYQṬiYRiẒi' aH ŠiY ' eṬ PRiYNŠ ' aPReYYŠ Lə' NWoN Də' ' WN
' WoYiYZeYYL Q' ə La' PLWuMə' Rə' ŠeYNBLə' ' WoR ' eY ' eṬ QWoṬuWMeYR
' aPRWoYYDeR ' aNDə' ZeYRṬ ¨ La' DeYFiYNiYSiY' Wo
Də' ' iYQṬiRiYẒiY' aH ŠiY ' eṬ PLWuŠ PWoPeR ' eN ŠeŠPa' RṬiY' eẒ
ŠLWoNQ LeNṬRiYNə' MeYNṬ Də' ŠuWVRə' ' eṬ Ša' DeYFiYNiYŠiY' Wo
ṬWṬə' ČWoZə' Qə' LeYYN VWuṬ ' eNQeYRə' LeYYN DWoYeYṬ ' eNṬeNDeR
' eN ṬReYYŠ Ma' NeYYRŠ ' Wo La' DeYFiYNiYSiY' Wo QYi MWoṬRə'
Ša' Na' ṬuWRə' ' Wo ŠWoNə' WoPRa' ŠiYWoN QYi MWoṬRə'
ŠWoNə' WuVR' ¨ Də' QWoY NWoẒ DiYZWoNẒ Də' ' iYQṬiYRiYẒiY' aH
ŠiY ' eṬ ' aNṬReYYŠ Ma' NeYYRZ ŠeṬ PaR ŠWoN NWoN ' eY PaR
ŠWoVRa' YəYNə' ¨ ' eN' ə PaZ PaR Ša' Də' FiYNiYŠiY' Wo Qa' R
' eLə' Nə' ' aH NuWLə' Ma' NeYYRə' ' eN LiY Də' QWoY ' iYŠə'

---

**319** שוֹנְאוֹפְרַאשִׁיאוֹן: em. ed., שוֹנְאוֹפְּרֵאשִׁיאוֹן Ms.
**320** Korrektur des gestrichenen Wortes am Rand.

**f. 163v23–164r15**

(23) sa definitio donc est le non que ele porte c'est (24) le non de ictiricia per usage ele est (25) nomée apres ce l'oisel qui pose en lus deserts (164r1) et il ne s'apert for en mi l'été et ce l'oisel (2) dort tot le jor et est entomi en son dormant. (3) Ictiricia si est le melement de colera (4) et de sanc s'épant à dehors par totes le menbres (5) do cors et s'apert sur le plein do cors à dehors (6) en dues maneres. O per cause aparissant qui (7) est ores presens à dehors le cors. O par cause ja pasée (8) par dedens do cors. Et ele est partie en (9) dues maneres o ele se fait par euvre (10) naturée o euvre denaturée. (11) Ore je repren ce que j'ai dit. Ele vent (12) par cause qui est present à dehors le cors. (13) Des presentes choses ele vent à dehors comme (14) de morsure serpile veninuse de tere. O (15) de buvrage venineuse. O de user trop

---

שַׁאדְאפִֿינִיצְיאוֹ דוֹנְק אֵט לְאנוֹן קְא אֵילְא פוֹרְטְא שֵׁט
לְאנוֹן דְאאִיקְטִירִיצְיאַה שֵׁט פֵּר אֻוזַאיֵא אֵילְא אֵט {נומי}
נוֹמֵיאְה אַפְּרֵייץ שְׁא לוֹיֵיזֵייל קִי פוֹזְא אֵן לוֹש דֵיזֵיירְץ[321]
אֵי אִיל נְא שַׁא פֵּייְרְט פֿוֹר אֵנְמִי לְאֵטֵי אֵי שְׁא לוֹיְיזֵייל {דו}
דוֹרְט טוֹט לְאגֿוֹר אֵי אֵט אֵנטוֹמִי אֵנְשׁוֹן דוֹרְמַאנְט ¨
אִיקְטִירִיצְיאַה שִׁי אֵט לְאמֵילְאמֵינְט דְאקוֹלְרַא
אֵי דְא שַׁאנְק שֵׁיפַּאנְט אַדְהוֹרְט פַּר טוֹטֵייץ לֵימֵינְבְרֵייץ
דוֹקוֹרְץ אֵי שַׁאפֵּייְרְט שֵׁור לְאפְּלֵיין דוֹקוֹרְץ אַדְהוֹרְץ
אֵן דוֵייץ מַאנֵייְרֵייץ ¨ אוֹ פֵּר קַאוֹזְא אַפַּארִישַׁאנְט קִי
אֵט אוֹרֵייש פְּרֵיזֵינְץ * ¨ אוֹ פַּר קַאוֹזְא גַֿא[322] פַּאשֵׁיאְה * אַדְהוֹרְץ לְאקוֹרְץ

פַּר דְאדֵינְץ לְאקוֹרְץ ¨ אֵי אֵילְא אֵט פַּארְטִיאְה אֵן
דוֵייץ מַאנֵייְרֵייץ אוֹ אֵילְא שְׁאפֵּיטְא פַּר אֻובְֿרְא {נא}
נַאטֻורֵיאְה אוֹ אֻובְֿרְא דֵינַאטֻורֵיאְה ¨
אוֹרְא גַֿא רְאפְּרֵיין שְׁא קְא גֵֿא דִיט ¨ אֵילְא בֵֿיינְט
פַּר קַאוֹזְא קִי אֵט פְּרֵיזֵיינְט אַדְהוֹרְץ לְאקוֹרְץ ¨
דֵיפְּרֵיזֵיינְטֵייץ קֿוֹזֵייש אֵילְא בֵֿיינְט אַדְהוֹרְץ קוֹם
דְאמוֹרְשֻׁורְא שֵׁרְפִּילְא וֵינִינֻוזְא דְא טֵירְא ¨ אוֹ
דְאבֻובְֿרַקְא וֵינִינוֹזֵא ¨ אוֹ דְא אֻוזֵייר טְרוֹף {ויא}

---

[321] דֵיזֵיירְץ: em. ed., דֵיזֵייְרְץ Ms.
[322] גַֿא: em.ed., גַא Ms.

**f. 163v23–164r15**

*(23) ihre Definition hervorgehen könnte; also ist der Name, den sie trägt (24) der Name der Gelbsucht aufgrund des Gebrauchs; sie ist (25) benannt nach diesem Vogel, der sich an einsamen Orten aufhält (164r1) und der sich nur mitten im Sommer zeigt, und dieser Vogel (2) schläft den ganzen Tag, und er ist erstarrt in seinem Schlaf. (3) Gelbsucht ist also die Mischung von Galle (4) und Blut, die sich nach außen über alle Glieder (5) des Körpers verteilt, und die sich außen auf der Körperoberfläche (6) auf zwei Arten zeigt. Entweder aus augenscheinlichem Grund, der (7) gerade außerhalb des Körpers sichtbar ist. Oder aus einem bereits vergangenen Grund (8) innerhalb des Körpers. Sie wird in (9) zwei Arten aufgeteilt: Sie ensteht entweder aufgrund von (10) natürlichen oder außernatürlichen Ursachen. (11) Ich möchte nun das wieder aufnehmen, was ich gesagt habe. Sie entsteht (12) aus einer Ursache, die außerhalb des Körpers liegt. (13) Sie kommt durch äußerliche Ereignisse zustande, wie etwa (14) durch den Biss eines giftigen Landreptils. Oder (15) durch ein giftiges Getränk. Oder durch zu starken Genuss von*

---

Ša’ Də’ FiYNiYẒiY’ Wo DWoNQ ’ eṬ Lə’ NWoN Q’ ə ’ eYLə’ PWoRṬə’ ŠeṬ
Lə’ NWoN Də’ ə’ ’ iYQṬiYRiYẒiY’ aH ŠeṬ PeR ’ uWZa’ YeY’ ’ eYLə’ ’ eṬ
NWoMeY’ əH ’ aPReYYẒ Šə’ LWoYeYZeYYL QYi PWoZə’ ’ eN LWuŠ DeYZeYYRẒ
’ eY ’ iYL Nə’ Ša’ PeYYRṬ FWoR ’ eNMiY Lə’ eṬeY ’ eY Šə’ LWoYəYZeYYL
DWoRṬ ṬWoṬ Lə’ ǦWoR ’ eY ’ eṬ ’ eNṬWMiY ’ eNŠWoN DWoRMa’ NṬ ¨
’ iYQṬiYRiYZiY’ aH ŠiY ’ eṬ Lə’ MeYLə’ MeYNṬ Də’ QWoLRa’
’ eY Də’ Ša’ NQ ŠePa’ NṬ ’ aDHWoRṬ PaR ṬWoṬeYYẒ LeYMeYNBReYYẒ
DWoQWoRẒ ’ eY Ša’ PeYYRṬ ŠWuR Lə’ PLeYYN DWoQWoRẒ ’ aDHWoRẒ
’ eN DWuYəYẒ Ma’ NeYYReYYẒ ¨ ’ Wo PeR Qa’ WoZə’ ’ aPa’ RiYŠa’ NṬ QYi
’ eṬ ’ WoReYYŠ PReYZeYNẒ * ¨ ’ Wo PaR Qa’ WoZə’ Ǧa’ Pa’ ŠeY’ əH
* ’ aDHWoRẒ Lə’ QWoRẒ

PaR Də’ DeYNẒ DWoQWoRẒ ¨ ’ eY ’ eYLə’ ’ eṬ Pa’ RṬiY’ əH ’ eN
DWYeYẒ Ma’ NeYYReYYẒ ’ Wo ’ eYLə’ Šə’ FeYṬə’ PaR ’ uWVRə’
Na’ ṬuWReY’ əH’ Wo ’ uWVRə’ DeYNa’ ṬuWReY’ əH’ ¨
’ WoRə’ Ǧə’ Rə’ PReYYN Šə’ Q’ ə Ǧe’ DiYṬ ¨ ’ eLə’ VeYYNṬ
PaR Qa’ WoZə’ QYi ’ eṬ PReYZeYYNṬ ’ aDHWoRṬ Lə’ QWoRẒ ¨
DeYPReYZeYYNṬeYYẒ ČWoZeYYŠ ’ eLə’ VeYYNṬ ’ aDəHWoRẒ QWoM
Də’ MWoRŠuWRə’ ŠeRPiYLə’ WeYNiYNuWZə’ Də’ ṬeYRə’ ¨ ’ Wo
Də’ BuWVRaČə’ WeYNiYNuWZə’ ¨ ’ Wo Də’ ’ uWZeYYR ṬRWoP

**f. 164r16–164v7**

(16) mangers et buvrages chaudes qui font flanbir (17) le sanc et le font devenir colereques. Et cet choses (18) poons aparcevoir et savoir le setein par enquere (19) do malade et par la vision et la senbletune de li. (20) Ele vent par cause ja pasée à dedens (21) il sont desevrées an plusurs maneres. (22) Acuns aforçant nature et sont acuns de lies (23) sotives colerics qui sont enchacé de nature (24) à dehors do cors par tot de ont et norie de ceci (25) ectericia en fevre aguë donc ele renovele (26) senté et guerison mes que ele s'aperge après (1) le seteme jor que la fevre le prent cet garison (2) et devant le seteme jor senefie la mort en (3) fevre aguë. Ensi le temoigne Ipocras (4) au livre de aphrismus jaunice qui vent avant (5) le seteme jor en fevre aguë o en sinocha (6) l'en doit doter do malade por ce c'est un accion (7) qui n'est mie naturé. Car ele se fait

---

מַאנְגֵֿיירש אֵי בֻוּבְֿרַאקְֿייץ קַֿאוּדֵייץ קִי פֿוֹנְט פְֿלַאנְבִיר
לְאשַׁאנְק אֵילְא פֿוֹנְט דְאבֵֿינִיר קוֹלֵירִיקְשׁ ¨ אֵישֵׁט קֿוֹזֵייש
פוֹאוֹנְץ אַפַֿרְשֵׁיבֿוֹיֵיר אֵישַׁאבֿוֹיֵיר לְאשֵׁיטֵיין פַֿר אֵנְקֵֿירְא
דוֹ מַאלַאדְא אֵי פַֿר לַאבִֿיזִיאוֹן אֵילַישֵׁנְבְלְטוּנְא דְלִי ¨
אֵילְא בֵֿיינְט פֵּר קַֿאוֹזְא גַֿא פַאשֵׁיאְה אַדֵידֵיינְץ
אִיל שׁוֹנְט דֵישֵׁבְֿרֵיאֵייץ אַן פְֿלוּזוּרֵץ מַאנֵיירְץ ¨
אַקֻֿנְץ אַפֿוֹרְשַׁאנְט נַאטֻרְא אֵי שׁוֹנְט אַקֻֿנְץ דֵילִיאֵיש
שׁוֹטִיבֵֿייש קוֹלֵירִיקְשׁ קִי שׁוֹנְט אֵנְקַֿאשֵׁי דְאנַאטֻרְא
אַדֵהוֹרְץ דוּקוֹרְץ פַֿר טוֹט דְאאוֹנְט אֵט נוֹרִיאְה דְאשֵׁישִׁי
אֵקְטִירִיצִיאַה אֵין פֵֿיבְֿרְא אַגֻוּאְה דוֹנְק אֵילְא רֵינוֹבֵֿילְא
שֵׁנְטֵי אֵיגֵירִיזוֹן מֵייץ קְא אֵילְא שַׁאפֵּירְגְא אַפְֿרֵייץ
לְאשֵׁיטֵיימְא יוֹר קְא לַא פֵֿיבְֿרְא לְא פְּרֵינְט שֵׁט גַֿרִיזוֹן {א}
אֵי דְאבַֿאנְט לְאשֵׁייטֵיימְא יוֹר שֵׁנְפִֿיאְה לַאמוֹרְט אֵן
פֵֿיבְֿרְא אַגֻוּאְה ¨ אֵנְשִׁי לְאטֵימוֹיינְא אִיפוֹקְֿרַשׁ
אוֹ לִיבְֿרְא דְאַפְֿרִישְׁמוּשׁ גַֿאוֹנִיצְא קִי בֵֿיינְט אַהַבַֿאנְט
לְאשֵׁיטֵיימְא יוֹר אֵן פֵֿיבְֿרְא אַגֻוּאְה אוֹ אֵן שֵׁינוֹכַֿא
לֵיין דוֹיֵיט דוֹטֵר דוֹמַאלַאדְא פוֹרְשְׁא שֵׁט אֻון אַקְֿצִיאוֹן
קִי נֵייט מִיאְה נַאטֻוּרֵי ¨ קַֿאר אֵילְא שְׁא פֵֿייט

**f. 164r16–164v7**

*(16) heißen Speisen und Getränken, die das Blut erhitzen (17) und es gallig machen. Und diese Dinge (18) können wir erkennen und erfahren am siebten [Tag] durch das Befragen (19) des Kranken und durch seinen Anblick und durch sein äußeres Erscheinen. (20) Es kommt durch eine im Innern bereits vergangene Ursache; (21) sie ist nach mehreren Arten zu unterscheiden. (22) Die einen kräftigen die Natur, und die anderen sind von (23) feinen, galligen Ablagerungen, die von der Natur (24) aus dem gesamten Körper ausgetrieben werden, und dadurch (25) Gelbsucht im Hitzfieber auslösen; sie kündet (26) von Gesundheit und Genesung; aber nur, wenn sie sich nach (1) dem siebtem Tag zeigt; übernimmt das Fieber (2) vor dem siebten Tag die Genesung, bedeutet es den Tod im (3) Hitzfieber. So bezeugt es Hippokrates (4) in dem Buch der Aphorismen: [bei] Gelbsucht, die vor (5) dem siebten Tag im Hitzfieber oder der Synocha auftritt (6) muss man um den Kranken fürchten, denn es ist eine Körperreaktion, (7) die nicht natürlich ist. Denn sie entsteht*

---

Ma' NĞeYYRŠ 'eY BuWVRa' ČeYYẒ Ča' WoDeYYẒ QYi FWoNṬ FLa' NBiYR
Lə' Ša' NQ 'eLə' FWoNṬ Də' VeYNiYR QWoLeYReYQŠ ¨ 'eYŠeṬ ČWoZeYYŠ
PWo' WoNẒ 'aPaRŠeVWoYeYR 'eYŠa' VWoYeYR Lə' ŠeYṬeYYN PaR 'eNQeYRə'
DWo Ma' La' Də' 'eY PaR La' ViYZiY' WoN 'eYLaYŠeNBLṬWuNə' DLiY ¨
'eLə' VəYYNṬ PeR Qa' WoZə' Ğa Pa' ŠeY' əH 'aDeYDeYYNẒ
'iYL ŠWoNṬ DeYŠeVReY' eYYẒ 'aN PLWuZWuRẒ Ma' NeYYRẒ ¨
'aQWuNẒ 'aFWoRŠa' NṬ Na' ṬWuRə' 'eY ŠWoNṬ 'aQWuNẒ DeYLiY' eYŠ
ŠWoṬiYVeYYŠ QWoLeYRiYQŠ QYi ŠWoNṬ 'eNČa' ŠeY Də' Na' ṬWuRə'
'aDeHWoRẒ DWoQWoRẒ PaR ṬWoṬ Də' 'WoNṬ 'eṬ NWoRiY' əH Də' ŠeYŠiY
'eQṬiYRiYẒiY' aH 'eYN FeYVRə' 'aGWu' əH DWoNQ 'eYLə' ReYNWoVeYLə'
ŠeYNṬeY 'eYGeYRiYZWoN MeYYẒ Q' ə 'eYLə' Ša' PeYRĞə' 'aPReYYẒ
Lə' ŠeYṬeYYMə' YWoR Q' ə La' FeYVRə' Lə' PReYNṬ ŠeṬ GaRiYZWoN
'eYDə' Va' NṬ Lə' ŠeYYṬeYYMə' YWoR ŠeNFiY' əH La' MWoRṬ 'eN
FeYVRə' 'aGuW' əH ¨ 'eNŠiY Lə' ṬeYMWoYəYNə' 'iYPWoQRaŠ
'Wo LiYVRə' Də' aFRiŠMWuŠ Ğa' WoNiYẒə' QYi VeYYNṬ 'aHVa' NṬ
Lə' ŠeYṬeYYMə' YWoR 'eN FeYVRə' 'aGuW' əH 'Wo 'eN ŠeYNWḲa'
LYeYN DWoYeYṬ DWoṬeR DWoMa' La' Də' FWoRŠə' ŠeṬ 'uWN 'aQẒiY' WoN
QYi NeYYṬ MiY' H Na' ṬuWReY ¨ Q' aR 'eYLə' Šə' FeYYṬ

**f. 164v8–25**

(8) par euvre naturée. Et par euvre (9) denaturée. Par euvre naturé com en (10) fevre qui s'apert au jor de crisi com au jor (11) le seteme. Le neuveme. Le onzeme. (12) Le quatorzeme. Le diseteme. Le vinteme (13) car quant nature s'aforce por meurir les (14) lies de la colre ele s'aforce por l'en- (15) chacer et l'anpeider à dehors le cors et quant (16) ce l'omeur est sotile et les pertus do cuir (17) sont largés si l'enchace nature per sueur et (18) par fumee. Et quant il sont groses et (19) pesantes et le pertus do cors sont retrens et (20) étopés si demeure la colera desoz le cuir (21) si le teinte et peut renoveler senté à venir (22) et si com j'ai dit après le seteme jor. (23) Uncors vent ictiricia de un (24) autre cause par dedens le cors par que là (25) la conplexion et la comistion do cors est

---

פַּר אֱובְּרְא נַאטֱורֵיאְה ¨ אֵי פַּר אֱובְּרְא {דינא}
דֵינַאטֱורֵיאְה ¨ פַּר אֱובְּרְא נַאטֱורֵיאְה קוֹם אֵן
פֵּיבְּרְא קִי שַׁאפֵּירְט אוֹיוֹר דְאקְרֵיזִי קוֹם אוֹיוֹר {לאש}
לְאשֵׁייטֵיימְא ¨ לְאנֱובֵּיימְא ¨ לְאאוֹנְזֵיימְא ¨
לְאקַאטוֹרְזֵיימְא ¨ לְאדִיזְאשֵׁיטֵימְא ¨ לְאוִינְטֵימְא
קַר קַאנְט נַאטֱורְא שַׁאאפּוֹרְצְא פוֹר מֵיאוּרִיר לֵייש
לִיאֵייש דְאלַאקוֹלְרַא אֵילְא שַׁאפּוֹרְצְא פוֹר לֵיין {גא}
קַאשֵׁיר אֵילַאנְפֵּיידֵר אַדְהוֹרְץ לְאקוֹרְץ אֵיקַאנְט
שְׁאלוֹמֱור אֵט שוֹטִילְא אֵילֵיש פֵּירטוִּץ[323] דוֹקֱוִיר {ש}
שוֹן לַארְגֵּייש שִׁי לֵינְקַאשְׁא נַאטֱורְא פֵּר שֱׁואוִר אֵי
פַּר פֻּומֵיאְה ¨ אֵי קַאנְט אִיל שוֹנְט גְרוֹשֵׁש אֵי
פֵּיזַאנְטֵייש אֵילֵי פֵּרטוּש דוֹקוֹרְץ שוֹנְט רֵטְרֵינְץ אֵי
אֵיטוֹפֵּיאֵייץ שִׁי דְאמֱורְא לַאקוֹלְרַא דְאשוֹץ לְאקֱוִיר
שִׁי לְאטֵיינְטְא אֵי פוִט רְאנוֹבְּלֵייר שֵׁנְטֵי אַבֵּינִיר
אֵי שִׁי קוֹם גֵּא דִיט אַפְּרֵייש לְאשֵׁיטֵיימְא יוֹר ¨
אֱון קוֹרץ בֵּיינְט אִיקְטִירִיצִיאַה דְאוֱן
אַאוֹטְרְא קַאוֹזְא פַר דְאדֵינְץ לְאקוֹרְץ פַר קְא לַא
לַאקוֹנְפְּלֵיקְשִׁיאוֹן אֵי לַאקוֹמִישְׁטִיאוֹן דוֹ קוֹרְץ אֵט

---

**323** פֵּירטוִּץ: em. ed., פֵּיטוִּץ Ms.

**f. 164v8–25**

*(8) [entweder] durch eine natürliche Kraft. Oder durch eine (9) außernatürliche Kraft. Durch die natürliche Kraft wie im (10) Fieber, das sich am Krisentag, z. B. am (11) siebten Tag zeigt, am neunten, am elften, (12) am vierzehnten, am siebzehnten [oder] am zwanstigsten. (13) Denn wenn die Natur sich bemüht, die (14) Ablagerungen der Galle zur Reife zu bringen, strebt sie danach, sie (15) aus dem Körper zu treiben und auszustoßen, und wenn (16) dieser Körpersaft dünnflüssig und die Hautporen (17) erweitert sind, dann treibt die Natur ihn durch Schweiß und (18) Ausdünstung aus. Und wenn er dickflüssig und (19) schwer ist, und die Hautporen des Körpers verengt und (20) verstopft sind, dann bleibt die Galle unter der Haut (21) und färbt sie so, und [es] kann von kommender Gesundheit künden, (22) so wie ich es gesagt habe, nach dem siebten Tag. (23) Gelbsucht entsteht aus einem (24) anderen Grund aus dem Innern des Körpers: Wenn dort (25) das Mischverhältnis der Körpersäfte*

---

PaR ’uWVRə’ Na’ṬuWReY’əH ¨ ’eY PaR ’uWVRə’
DeYNa’ṬuWReY’əH ¨ PaR ’uWVRə’ Na’ṬuWReY’əH QWoM ’eN
FeYVRə’ QYi Ša’PeYRṬ ’WoYWoR Də’QRiYZiY QWoM ’WoYWoR
Lə’ŠeYYṬeYYMə’ ¨ Lə’NuWVeYYMə’ ¨ Lə’’WoNZeYYMə’ ¨
Lə’ Qa’ṬWoRZeYYMə’ ¨ Lə’DiYZə’ŠeYṬeYMə’ ¨ Lə’WiYNṬeYMə’
QaR Qa’NṬ Na’ṬuWRə’ Ša’’FWoRẒə’ PWoR MeY’WuRiYR LeYYŠ
LiY’eYYŠ Də’La’QWoLRa’ ’eYLə’ Ša’FWoRẒə’ PWoR LYeYN
Ča’ŠeYR ’eYLa’NPeYYDeR ’aDHWoRẒ Lə’QWoRẒ ’eQa’NṬ
Šə’LWoMuWR ’eṬ ŠWoṬiYLə’ ’eYLeYŠ PeYRṬWuẒ DWoQWuYR
ŠWoN La’RĞeYYŠ ŠiY LeYNČa’Šə’ Na’ṬuWRə’ PeR ŠuW’WuR ’eY
PaR FuWMeYə’H ¨ ’eY Qa’NṬ ’iYL ŠWoNṬ GRWoŠeŠ ’eY
PeYZa’NṬeYYŠ ’eYLeY PeRṬWuŠ DWoQWoRẒ ŠWoNṬ ReṬReYNẒ ’eY
’eYṬWoPeY’eYYẒ ŠiY Də’MuWRə’ La’QWoLRa’ Də’ŠWoẒ Lə’QWuYR
ŠiY Lə’ṬeYYNṬə’ ’eY PWuṬ Rə’NWoVLeYYR ŠeNṬeY ’aVeYNiYR
’eY ŠiY QWoM Ğe’ DiYṬ ’aPReYYŠ Lə’ŠeYṬeYYMə’ YWoR ¨
’uWN QWoRẒ VeYYNṬ ’iYQṬiYRiYẒiY’aH Də’WuN
’a’WoṬRə’ Qa’WoZə’ PaR Də’DeYNẒ Lə’QWoRẒ PaR Q’ə La’
La’QWoNPLeYQŠiY’WoN ’eY La’QWoMiYŠṬiY’WoN DWo QWoRẒ ’eṬ

**f. 164v26–165r17**

(26) enpirée et degastée de acune (165r1) cause de maladie qui est envisiée au cors longemente (2) par cele reson est nature faillie de ovrer en li que il (3) ne la peut meurer à sa nature. Por ce convent à force (4) que la colera soit enpeinte à dehors le cors. (5) Et cette veseon de ictiricia si envoie un (6) autre cause de li meimes come la detrucion de (7) le euvre naturée megreté de cors et doleur (8) et pesantume do detre coté quant ictiricia (9) vent de cause de dedens le cors ele vent par (10) tres choses o par maladie de cervia o (11) par le foie o par la comision do cors qui est (12) chaungée en chalor et regne cele chalor par tot (13) les condus do cors car quant sont echafé la (14) sotence des condus adonc se arte le sanc (15) et se change en colera. (16) Uncore il y a un autre vision (17) de ictiricia et ele est en la sotance

---

אֶנְפִּירֵיאָה אֵי דְאגַאשְׁטֵיאָה דְאאַקוּֽנָא[324] {קָאזָא}
קַאזָא דְאמַאלַאדִיאָה קִי אֵט אֶנְבִּישִׁיאָה אוֹ קוֹרְץ לוֹגְמֵינְטְא
פַּר שֵׁילְא רֵיזוֹן אֵט נַאטֻורָא פַּאלִיאָה דְא אוּבְֿרֵר אֶנְלִי קְא אִיל
נְאלַאפּוּט מֵיאֻורֵר אַשַׁאנַאטֻורֵא ¨ פּוֹרְצְא קוֹבֵֿיינְט[325] אַפּוֹרְצְא
קְא לַאקוֹלְרַא שׁוֹיֵט אֶנְפֵּייטְא אַדְהוֹרְץ לְאקוֹרְץ ¨

אֵישַׁיטְא בֵֿיזֵיאוֹן דְאאִיקְטִירִיצִיאַה שִׁי אֶנְבֿוֹייאָה אוּן[326]
אַאוֹטְרָא קַאוֹזְא דְא לִי מֵיאִימֵייץ קוֹמְא לַאדֵיטְרוּֽצִיאוֹן דְא
לְאוּֽבְֿרָא נַאטֻורֵיאָה {מֵי}מֵיגְרְאטֵי דְאקוֹרְץ אֵידוֹלוֹר {אִיפִּיז}
אֵיפֵּיזַאנְטוּֽמְא דוֹ דֵיטְרָא קוֹטֵי קַאנְט אִיקְטִירִיצִיאַה {ב}
בֵֿיינְט דְאקַאוֹזְא דְאדֵיינְץ לְאקוֹרְץ אֵילְא בֵֿיינְט פַּר {טר}
טְרֵייש קֿוֹזֵייץ אוֹ פַּר מַאלַאדִיאָה דְאשֶׁרְבִֿיאַיאַה אוֹ
פַּר לְאפֿוֹייאָה אוֹ פַּר לַאקוֹמִישִׁיאוֹן דוֹ קוֹרְץ קִי אֵט
קַֿאוֹנְגֵֿיאָה אֶנְקַֿאלוֹר אֵירֵינְא שֵׁילְא קַֿאלוֹר פַּרְטוֹט
לֵייש קוֹנְדוּץ דוֹקוֹרְץ קַר קַאנְט שׁוֹנְט אֵיקַֿאפֵּי לַא {ש}
שׁוֹטֵינְצְא דֵייש קוֹנְדוּץ אַדוֹנְק שְׁא אַרְטְא לְאשַׁאנְק
אֵישְׁאקַֿאנְגָֿא אֶנקוֹלְרַא ¨
אֻֽנְקוֹרְא אִיל אִיאַה אֻֽן אַאוֹטְרָא בִֿיזִיאוֹן
דְאאִיקְטִירִיצִיאַה אֵי אֵילְא אֵט אֵן לַאשׁוֹטַאנְצְא

---

**324** דְאאַקוּֽנָא: em ed., דְאאַקוּֽנְט Ms.
**325** קוֹבֵֿיינְט: em.ed., קוֹבֵיינְט Ms.

**f. 164v26–165r17**

*(26) verschlechtert und gestört ist, aus keinem (165r1) krankheitsbedingten Grund, der im Körper schon lange chronisch ist; (2) bei dieser Ursache ist die natürliche Kraft [zu] erschöpft, um in ihm [d. h., im Patienten] zu wirken, so dass er (3) sie nicht naturgemäß zur Reife bringen kann. Daher ist es unbedingt angebracht (4), dass die Galle aus dem Körper getrieben wird. (5) Und diese Ausprägung der Gelbsucht erzeugt einen (6) anderen Grund für selbiges, wie die Störung der (7) natürlichen Kräfte, [z. B.] Magerkeit des Körpers und Schmerz (8) und Schwere in der rechten Seite; wenn Gelbsucht (9) aus einem Grund aus dem Innern des Körpers auftritt, erscheint sie aus (10) drei Gründen: entweder durch eine Gehirnkrankheit oder (11) durch die Leber oder durch die Säftemischung des Körpers, die (12) sich in Hitze gewandelt hat. Diese Hitze herrscht in allen (13) Gefäßen des Körpers; denn wenn die (14) Substanz der Gefäße erhitzt ist, dann erhitzt sich das Blut, (15) und wandelt sich in Galle. (16) Es gibt noch eine andere Ausprägung (17) der Gelbsucht, und diese liegt an der Substanz*

---

'eNPiYReY'əH 'eY Də'Ga'ŠṬeY'əH Də''aQWuNə'
5r Qa'Zə' Də'Ma'La'DiY'əH QYi 'eṬ 'eNViYŠiY'əH 'Wo QWoRẒ LWoGMeYNṬə'
PaR ŠeYLə' ReYZWoN 'eṬ Na'ṬuWRə' Fa'LiY'əH Də' 'WoVReR 'eNLiY Q'ə 'YiL
Nə'La'PWuṬ MeY'uWReR 'aŠa'Na'ṬuWRe' ¨ FWoRẒə' QWoBeYYNṬ 'aFWoRẒə'
Q'ə La'QWoLRa' ŠWoYeYṬ 'eNPeYYṬə' 'aDHWoRẒ Lə'QWoRẒ ¨
'eYŠeYṬə' VeYZeY'WoN Də''iYQṬiYRiYẒiY'aH ŠiY 'eNVWoYY'əH 'WuN
'a'WoṬRə' Qa'WoZə' Də' LiY MeY'iYMeYYẒ QWoMə' La'DeYṬRWuẒiY'WoN Də'
Lə'WuVRə' Na'ṬuWReY'əH MeYGR'ṬeY Də'QWoRẒ 'eYDWoLWuR
'eYPeYZa'NṬWuMə' DWo DeYṬRə' QWoṬeY Qa'NṬ 'iYQṬiYRiYẒiY'aH
VeYYNṬ Də'Qa'WoZə' Də'DeYYNẒ Lə'QWoRẒ 'eYLə' VeYYNṬ PaR
ṬReYYŠ ČWoZeYYẒ 'Wo PaR Ma'La'DiY'əH Də'ŠeRViY'aH 'Wo
PaR Lə'FWoYY'əH 'Wo PaR La'QWoMiYŠiY'WoN DWo QWoRZ QYi 'eṬ
Ča'WoNĞeY'əH 'eYNČa'LWoR 'eYReYNə' ŠeYLə' Ča'LWoR PaRṬWoṬ
LeYYŠ QWoNDWuẒ DWoQWoRẒ QaR Qa'NṬ ŠWoNṬ 'eYČa'FeY La'
ŠWoṬeYNẒə'DeYYŠ QWoNDWuẒ 'aDWoNQ Šə' 'aRṬə' Lə'Ša'NQ
'eYŠə'Ča'NĞə' 'eNQWoLRa' ¨
'uWNQWoRə' 'iYL 'iY'aH 'uWN 'a'WoṬRə' ViYZiY'WoN
Də''iYQṬiRiYẒiY'aH 'eY 'eYLə' 'eṬ 'eN La'ŠWoṬa'NẒə'

---

**326** אֻן: em. ed., אוֹן Ms.

**f. 165r18–165v11**

(18) do fil par acune maladie. Par quoi la vertu (19) est faillie de sacher à li la colera si come (20) ele solet et cele colera si demeure (21) au foie. O ele vent par accidents (22) qui se neisent au crus do fil. Le ictiricia (23) qui vent de maladie do fil o vent de la (24) detrucion de la comision de li. O il (165v1) vent do membre oficial c'est le membres qui (2) servent à fele c'est le condut qui veit do foie (3) au fele et par cele voie de ce conduit (4) veit le fele do foie alé à le fele. (5) Et aussi par la coropsion de sa comision (6) de quoi ele peut venir en tres maneres (7) o sa chalor croitera o ele s'amermera (8) o ele sera trop seche. Se sa chalur (9) est trop grande donc est le foie echafé (10) donc est le sanc arse s'est changer à (11) colera. Et se la chalur est amermée

---

דוֹ פִּיל פַּר אַקֻונְא מַאלַאדִיאְה ¨ פַּר קוֹי לַאבֵּירְטוֹ
אֵט פַּאלִיאְה דְא שַׁאקֵייר אַלִי לַאקוֹלְרַא שִׁי קוֹמְא
אֵילְא שׁוֹלֵייט אֵי שֵׁילְא קוֹלְרַא שִׁי דְאמֻורְא {אוֹ}
אוֹפּוֹייאְה ¨ אוֹ אֵילְא בֵּיינְט פַּר אַקְצִידֵינְץ
קִי שְׁאנֵיישֶׁינְט אוֹ קְרוּץ דוֹ פִּיל ¨ לְא אִיקְטִירִיצִיאַה
קִי בֵּיינְט דְאמַאלַאדִיאְה דוֹ פִּיל אוֹ בֵּיינְט דְא לַא
דֵיטְרוּשִׁיאוֹן דְאלַאקוֹמִישִׁיאוֹן דְאלִי ¨ אוֹ אִיל
בֵּיינְט דוֹ מֵימְבְרְא אוֹפִּיצִיאַל שֵׁט לֵימֵיבְרֵייש קִי {ש}
שֵׁרְבֵיינְט אַפֵּילְא שֵׁט לְאקוֹנדוּט קִי בֵּייט דוֹפּוֹייאְה
אוֹ פֵּילְא אֵי פַּר שֵׁילְא בּוֹייאְה דְא שְׁא קוֹנְדוּיֵיט
בֵּייט לְאפֵּילְא דוֹפּוֹייאְה אַלֵיאְה אַלְאפֵּילְא ¨
אֵי אַאוֹשִׁי פַּר לַאקוֹרוֹפְּשִׁיאוֹן דְא שַׁא קוֹמִישִׁיאוֹן
דְאקוֹי אֵילְא פּוּט בֵּינִיר {אֵנְדוּיֵיץ}[327] אֵנְטְרֵייש מַאנֵיירְץ
אוֹ שַׁאקַאלוֹר קְרוֹייטְאַרַא אוֹ אֵילְא שַׁאמֵירְמְרַא
אוֹ אֵילְא שְׁרַא טְרוֹף שֵׁיקְא ¨ שְׁא שַׁאקַאלוּר
אֵט טְרוֹף גְרַאנְדְא דוֹנְק אֵט לְאפּוֹייאְה אֵיקַאפֵּיאְה[328]
דוֹנְק אֵט לְאשַׁאנְק אַרְשְׁא שִׁי שֵׁט קַאנְגֵיר אַה {ק}
קוֹלְרַא ¨ אֵי שְׁא לַאקַאלוּר אֵט אַמֵירְמֵיאְה {ד}

---

**327** Nach Abgleich mit *Lib. febrium* (L, f. CCXVIIIr, col. B) ist אֵנְדוּיֵיץ (em. ed., אֵנְדוּיֵיץ Ms.) zu streichen.

**328** אֵיקַאפֵּיאְה: em. ed., אֵיקַאפֵּיאְה Ms.

**f. 165r18–165v11**

*(18) der Gallenblase, und nicht an einer Krankheit. Hierbei ist die Kraft (19) versiegt, die Galle an sich zu ziehen, wie (20) wie sie es normalerweise tun sollte, und so bleibt diese Galle (21) in der Leber. Oder sie tritt in einer Erscheinung auf, (22) die in der Öffnung der Gallenblase entsteht. Die Gelbsucht, (23) die wegen einer Krankheit der Gallenblase oder wegen (24) der Störung der Säftemischung dieser auftritt: Entweder (165v1) kommt sie von einem Offizialorgan, das sind die Organe, die (2) der Gallenblase dienen; dies ist der Kanal, der von der Leber (3) zur Gallenblase führt, und durch den Weg dieses Kanals (4) kommt die Galle von der Leber, die zur Gallenblase gelangt ist. (5) Und auch durch die Störung seiner Säftemischung, (6) hierbei kann sie in drei Arten auftreten: (7) Entweder wird seine [d. h., des Kranken] Temperatur ansteigen, oder sie wird abnehmen, (8) oder er ist zu trocken. Wenn seine Temperatur (9) zu hoch ist, ist damit die Leber, (10) und damit das Blut erhitzt; das bedeutet, es wandelt sich in (11) Galle. Und wenn die Hitze abgenommen hat,*

---

DWo FiYL PaR ʾaQuWNəʾ Maʾ Laʾ DiYʾ əH ¨ PaR QWoY Laʾ VeYRṬWu
ʾeṬ Faʾ LiYʾ əH Dəʾ Šaʾ ČeYYR ʾaLiY Laʾ QWoLRaʾ ŠiY QWoMəʾ
ʾeYLəʾ ŠWoLeYYṬ ʾaY ŠeLəʾ QWoLRaʾ ŠiY Dəʾ MuWRəʾ
ʾWoFWoYYʾ əH ¨ ʾWo ʾeYLəʾ VeYYNṬ PaR ʾaQẒiYDeYNẒ
QYi ŠəNeYYŠeYNṬ ʾWo QRWuẒ DWo FiYL ¨ Ləʾ ʾiYQṬiYRiYẒiYʾ aH
QYi VeYYNṬ Dəʾ Maʾ Laʾ DiYʾ əH DWo FiYL ʾWo VeYYNṬ Dəʾ Laʾ
DeYṬRWuŠiYʾ WoN Dəʾ Laʾ QWoMiYŠiYʾ WoN Dəʾ LiY ¨ ʾWo ʾiYL
165v VeYYNṬ DWo MeYMBRəʾ ʾWoFiYẒiYʾ aL ŠeṬ LeYMeYBReYYŠ QYi
ŠeRVeYYNṬ ʾaFeYLəʾ ŠeṬ Ləʾ QWoNDWuṬ QYi VeYYṬ DWoFWoYYʾ əH
ʾWo FeYLəʾ ʾeY PaR ŠeYLəʾ VWoYYʾ əH Dəʾ Šəʾ QWoNDWuYəYṬ
VeYYṬ Ləʾ FeYLəʾ DWoFWoYYʾ əH ʾaLeYʾ əH ʾaLəʾ FeYLəʾ ¨
ʾeY ʾaʾ WoŠiY PaR Laʾ QWoRWoPŠiYʾ WoN Dəʾ Šaʾ QWoMiYŠiYʾ WoN
Dəʾ QWoY ʾeYLəʾ PWuṬ VeYNiYR ʾeNṬReYYŠ Maʾ NeYYRŠ
ʾWo Šaʾ Čaʾ LWoR QRWoYYṬəʾ Raʾ ʾWo ʾeYLəʾ Šaʾ MeYRMRaʾ
ʾWo ʾeYLəʾ ŠRaʾ ṬRWoP ŠeYČəʾ ¨ Šəʾ Šaʾ Čaʾ LWuR
ʾeṬ ṬRWoP GRaʾ NDəʾ DWoNQ ʾeṬ Lʾ əFWoYYʾ əH ʾeYČaʾ FeYʾ əH
DWoNQ ʾeṬ Ləʾ Šaʾ NQ ʾaRŠəʾ ŠiY ŠeṬ Čaʾ NǦeYR ʾaH
QWoLRaʾ ¨ ʾeY Šəʾ Laʾ Čaʾ LWuR ʾeṬ ʾaMeYRMReʾ H

**f. 165v12–166r6**

(12) donc est failli de li l'apetit de manger car (13) le fel a sa vertu failli à sacher à li la partie (14) de colera qui demeure au sancgue paquoi cele (15) colera demeure au foie aveque le sanc si (16) se epante aveque le sanc par tot le cors (17) et vent le cors à dehors et le cuir. (18) Et se il vent de secheur si faut (19) la vertu polsativa qui enchace de li (20) la colera par quoi ele est retenue que ele (21) ne peut etre envoyée en l'estomaque (22) ne en les boias par quoi ele demeure au foie (23) donc ele s'avirone aveque le sanc tot (166r1) le cors et tent le cuir. Et le (2) ictiricia qui est fete de un des (3) membres oficia cete vision de ictiricia (4) si vent de etopement c'est opilacions (5) qui vent par cause de epostume o (6) levure de boce crue en les pasages et

---

דוֹנְק אֶט פַּאלִי דְאלִי לַאפֵּיטִיט דְאמַאנְגֵ׳ייר קַאר
לְאפֵּיל אַה שַׁאבֵּירְטוֹ פַּאלִי אַשַׁאקֵּיר אַלִי לַאפַּרְטִי אְה[329]
דְא קוֹלְרַא קִי דְאמֵוּרְא אוֹ שַׁאנְקְא פַּרקוֹי שֵׁילְא {קול}
קוֹלְרַא דְאמֵוּרְא אוֹפּוֹייאְה אַבֵּיקְא לְאשַׁאנְק שִׁי
שְׁא אֵיפַּאנְטְא אַבֵּיקְא לְאשַׁאנְק פַּר טוֹט לְאקוֹרְץ
אַבֵּיינְט שִׁי טֵיינְט לְאקוֹרְץ אַדְהוֹרְץ אֵילְא קוִּיר ̈
אֵי שְׁא אִיל בֵּיינְט דְאשֵׁיקֵּוֹר[330] שִׁי פַּאוֹט
לַאבֵּירְטוֹ פוֹלְשַׁאטִיבַּא[331] {פי} קִי אֵנְקַאשְׁא דְאלִי {לאק}
לַאקוֹלְרַא פַּרקוֹי אֵילְא אֵט רֵיטֵינוְּאְה קְא אֵילְא {נא}
[[ב]] נְא פוּט אֵיטְרְא אֵנְבּוֹייאֵיאְה אֵנְלֵיסטוֹמַאכְא
נְא אֵן לֵיישבוֹייאַץ פַּרקוֹי אֵילְא דְאמֵוּרְא אוֹפּוֹייאְה
דוֹנְק אֵילְא שַׁאבִּירוֹנְא אַבֵּיקְא לְאשַׁאנְק פַּר טוֹט
16 לְאקוֹרְץ אֵיטֵיינְט לְאקוִּיר ̈ אֵילְא {איק}
אִיקְטִירִיצִיאַה קִי אֵט פֵּיטְא דְאוֹן דֵייש {מימבר}
מֵימְבְרֵייץ אוֹפְצִיאַה שֵׁיטְא בִּיזִיאוֹן דְאאִיקְטִירִי צִיאַה[332]
שִׁי בֵּיינְט דְא אֵיטוֹפְּאמֵינְט שֵׁט אוֹפִּילַאצִיאוֹנְץ
קִי בֵּיינֵאנְט פַּר קַאוֹזְא דְא אֵיפּוֹשְׁטוֵּמְא אוֹ {לאבי}
לֵיבֵּיאוֶּרְא דְא בוֹצְא קְרוֶּאְה אֵן לֵיישְׁפַּאצַאגֵ׳ייץ אֵי

---

329 Nachtragung am Rand: אְה scheint zu לַאפַּרְטִי zu gehören, so dass לַאפַּרְטִיאְה zu lesen ist.
330 דְאשֵׁיקֵּוֹר: em. ed., דְאשֵׁיקֵור Ms.
331 פוֹלְשַׁאטִיבַּא: em. ed., פוֹלְשַׁאטִיבַא Ms.
332 Nachtragung am Rand.

**f. 165v12–166r6**

*(12) ist von ihr auch das Bedürfnis zu verzehren geschwunden, denn (13) die Gallenblase hat ihre Kraft verloren den Teil (14) der Galle an sich zu ziehen, der im Blut verbleibt, weswegen diese (15) Galle in der Leber bleibt mit dem Blut, und so (16) breitet sich das Blut im ganzen Körper aus (17) und kommt vom Körper nach außen zur Haut. (18) Und wenn sie von der Trockenheit kommt, fehlt nämlich (19) die austreibende Kraft, die (20) die Galle von ihm vertreibt, weswegen sie zurückgehalten wird, so dass sie (21) weder in den Magen (22) noch in den Darm befördert werden kann, weswegen sie in der Leber bleibt, (23) daher umgibt sie sich mit Blut im ganzen (166r1) Körper und färbt die Haut. Die (2) Gelbsucht, die durch ein (3) Offizialorgan enstanden ist: Diese Erscheinung der Gelbsucht (4) kommt nämlich durch einen Verschluss, das ist eine Verstopfung, (5) die aufgrund eines Abzesses oder (6) der Schwellung einer Beule, die in den Gefäßen gewachsen ist, oder*

---

DWoNQ ’eṬ Fa’LiY Də’LiY La’PeYṬiYṬ Də’Ma’NĞeYYR Qa’R Lə’FeYL ’aH Ša’VeYRṬWu Fa’LiY ’aŠa’ČeYR ’aLiY La’PaRṬiY ,əH Də’ QWoLRa’ QiY Də’MuWRə’ ’Wo Ša’NQə’ Pa’QWoY ŠeYLə’ QWoLRa’ Də’MWuRə’ ’WoFWoYY’əH ’aVeYQə’ Lə’Ša’NQ ŠiY Šə’ ’eYPa’NṬə’ ’aVeYQə’ Lə’Ša’NQ PaR ṬWoṬ Lə’QWoRẒ ’eVeYYNṬ Lə’QWoRẒ ’aDHWoRẒ ’eYLə’ QWuYR ¨ ’eY Šə’ ’iYL VeYYNṬ Də’ŠeYČuWR ŠiY Fa’WoṬ La’VeYRṬWu PWoLŠa’ṬiYVa’ QYi ’eNČa’Šə’ Də’LiY La’QWoLRa’ PaRQWoY ’eYLə’ ’eṬ ReYṬeYNWu’əH Q’ə ’eYLə’ Nə’ PWuṬ ’eYṬRə’ ’eNVWoYY’eY’əH ’eNLeYSṬWoMa’Kə’ Nə’ ’eN LeYYŠBWoYəY’aẒ PaRQWoY ’eYLə’ Də’MuWRə’ ’WoFWoYY’əH DWoNQ ’eYLə’ Ša’ViYRWoNə’ ’aVeYQə’ Lə’Ša’NQ ṬWoṬ
6r Lə’QWoRẒ ’eYṬeYYNṬ Lə’QWuYR ¨ ’eYLə’ ’iYQṬiYRiYẒiY’aH QYi ’eṬ FeYṬə’ Də’WuN DYeYŠ MeYMBReYYẒ ’WoFẒiY’aH ŠeYṬə’ ViYZiY’WoN Də’’iYQṬiYRiYẒiY’aH ŠiY VeYYNṬ Də’ ’eYṬWoPə’MeYNṬ ŠeṬ ’WoPiYLa’ẒiY’WoNẒ QYi VeYYNeYNṬ PaR Qa’WoZə’ Də’ ’eYPWoŠṬWuMə’ ’Wo LeYVeY’WuRə’ Də’ BWoẒə’ QRWu’əH ’eN LYeYŠPa’Ẓa’ĞeYYẒ ’eY

## f. 166r7–166v1

(7) au pertus do fel par o la colera doit paser (8) au fel ore est la colera retenue que ele (9) ne peut perser por aler au fel por ce ele se (10) retorne au foie et de qui ele se depart (11) par tot le cors avec le sanc. Et vos (12) avisez a meter deferance enter ictiricia (13) qui vent de mebre oficial. Et ictiricia (14) qui vent de la faillance de vertu de volente (15) de manger. Comente car (16) le ictiricia qui vent de membre (17) oficial cele vent sotenemente. (18) Et la autre si vent po à po tot belement. (19) Et les accidents qui se norisent (20) au crus do fel ce sont groses omeurs (21) conronpues en le crus do fel. O il (22) sont de fleuma groses et visqueuses. O (23) il vent de sanc gros et troble qui se (166v1) melent par eus meimes la colera qui est au fel si

---

אוֹ פֵּרְטוּשׁ דוֹ פֵּייל פַּר אוֹ לַאקוֹלְרַא דוֹיֵיט פַּאשֵׁייר
אוֹפֵּייל אוֹרְא אֵט לַאקוֹלְרַא רֵיטֵינוּאֶה קֶא אֵילְא
נְא פּוּט פֵּירְשֵׁר פּוֹר אַלֵיר אוֹפֵּיל פּוֹרצְא אֵילְא שְׁא
רֵיטוֹרְנְא אוֹפּוֹייאֶה אֵי דֵיקִי אֵילְא שְׁא דְאפַּארְט
פַּר טוֹט לְאקוֹרְץ אַבֵיקְא לְאשַׁאנְק ¨ אֵיבוֹשׁ
אַבִיזֵייץ אַמֵיטֵר דֵיפְרַאנְצְא אֵנְטֵר אִיקְטִירִיצִיאַה
קִי בֵּיינְט דְאמֵיבְרְא אוֹפִּיצִיאַל ¨ אֵי אִיקְטִירִיצִיאַה
קִי בֵּיינְט דְאפַּאלַאנְצְא דְאבֵרְטוּ דְאבוֹלֵינְטְא {דא}
דְאמַאגֵייר ¨ קוֹמֵינְטְא קַר {לאאיקטירי}
לְאאִיקְטִירִיצִיאַה קִי בֵּיינְט דְאמֵימְבְרְא
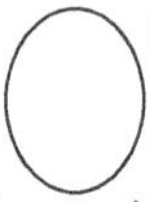
אוֹפִּיצִיאַל שֵׁילְא בֵּיינְט שׁוֹטֵיינְאמֵינְטְא ¨
אֵילַאוֹטְרְא שִׁי בֵּיינְט פּוֹ אַה פּוֹ טוֹטְבֵילְאמֵינְט[333] ¨
אֵילֵישַׁאקְצִידֵינְץ קִי שְׁאנוֹרְשֵׁינְט
אוֹקְרוּץ דוֹפֵּיל שְׁא שׁוֹנְט גְרוֹשֵׁשׁ אוֹמֵורץ {קונרונפו}
קוֹנְרוֹנְפֵּוּאֵייץ אֵן לְא קְרוּץ דוֹ פֵּיל ¨ אוֹ אִיל
שׁוֹנְט דְאפְּלֵוּמַא גְרוֹשֵׁשׁ אֵי וִישְׁקְוֵזֵיישׁ ¨ אוֹ
אִיל בֵּיינְט דְא שַׁאנְק גְרוֹשׁ אֵי טְרוֹבְלְא קִי שְׁא {מי}
מֵילֵינְט פַּרְאוּשׁ מֵיאִימֵייץ לַאקוֹלְרַא קִי אֵט אוֹ פֵּייל שִׁי

333 טוֹטְבֵילְאמֵינְט: em. ed., דוֹטְבֵילְאמֵינְט Ms.

**f. 166r7–166v1**

*(7) am Zugang zur Gallenblase, durch den die Galle (8) zur Gallenblase passieren muss, entstanden ist. Dann wird die Galle zurückgehalten, so dass sie (9) nicht zur Gallenblase durchdringen kann; daher (10) kehrt sie zurück zur Leber, und von dieser verbreitet sie sich (11) über den ganzen Körper mit dem Blut. Und (12) achtet darauf, zwischen der Gelbsucht zu unterscheiden, (13) die von einem Offizialorgan herrührt, und der Gelbsucht, (14) die durch das Versiegen der verlangenden Kraft (15) zu verzehren auftritt. Wie? Die Gelbsucht nämlich, die von einem Offizialorgan (17) kommt, tritt plötzlich auf. (18) Und die andere kommt schrittweise, ganz sanft. (19) Und die Ercheinungen, die (20) in der Öffnung der Gallenblase entstehen, sind dickflüssige, verdorbene Körpersäfte (21) in der Öffnung der Gallenblase. Oder sie (22) kommt von zähem und dickflüssigem Schleim. Oder (23) sie kommt von dickflüssigem und trübem Blut, das sich (166v1) unteinander mit der Galle mischt, die in der Gallenblase ist. Dann*

---

'Wo PeRṬWuŠ DWo FeYYL PaR 'Wo La'QWoLRa' DWoYeYṬ Pa'ŠeYYR
'WoFeYYL 'WoRə' 'eṬ La'QWoLRa' ReYṬeNWu'əH Q'ə 'eYLə'
Nə' PWuṬ PeYRŠeR PWoR 'aLeYR 'WoFeYL FWoRẒə' 'eYLə' Šə'
ReYṬWoRNə' 'WoFWoYY'əH 'eY DeYQYi 'eYLə' Šə' Də'Pa'RṬ
PaR ṬWoṬ Lə'QWoRẒ 'aVeYQə' Lə'Ša'NQ ¨ 'eYVWoŠ
'aViYZeYYẒ 'aMeYṬeR DeYFRa'NẒə' 'eNṬeR 'iYQṬiYRiYẒiY'aH
QYi VeYYNṬ Də'MeYBRə' 'WoFiYẒiY'aL ¨ 'eY 'iYQṬiYRiYẒiY'aH
QYi VeYYNṬ Də'Fa'La'NẒə' Də'VeYRṬWu Də'VWoLeYNṬə'
Də'Ma'ĞeYYR ¨ QWMeYNṬə' QaR
Lə''iYQṬiYRiYẒiY'aH QYi VeYYNṬ Də'MeYMBRə'
'WoFiYẒiY'aL ŠeYLə' VeYYNṬ ŠWoṬeYYNə'MeYNṬə' ¨
'eYLa'WoṬRə' ŠiY VeYYNṬ PWo 'aH PWo ṬWoṬBeYLə'MeYNṬ ¨
'eYLeYŠ'aQẒiYDeYNẒ QYi Šə'NWoRiYŠeYNṬ
'WoQRWuẒ DWoFeYL Šə' ŠWoNṬ GRWoŠeŠ 'WoMuWRẒ
QWoNRWoNPuW'eYYẒ 'eN Lə' QRWuẒ DWo FeYL ¨ 'Wo 'iYL
ŠWoNṬ Də'FLWuMa' GRWoŠeŠ 'eY WiYŠQWuZeYYŠ ¨ 'Wo
'YiL VeYYNṬ Də' Ša'NQ GRWoŠ 'eY ṬRWoBLə' QYi Šə'
PaR'WuŠ MeY'iYMeYYẒ La'QWoLRa' QYi 'eṬ 'Wo FeYYL ŠiY

## f. 166v2–19

(2) le font si epese que ele ne peut perser (3) l'estomaque et en le boia par la grosseur de li. (4) Mes peut etre que se fet venir navrure (5) et levure. Donc le fel se redone et se tret (6) dever le foie et se merle aveque le sanc (7) et teint le cuir. Et plusurs foiz (8) la voie que la colera veit en l'estomaque est (9) close. Et ausi dever les boias. (10) Et se la voie qui veit en l'estomaque est (11) close donc la colera se torne aval et curte (12) en adonc est la grose orine (13) et la petite sont teins et est le orine (14) troble et roge et ecumeuse et le orine (15) resenble boe rose o com orine (16) d'efant et ecumeuse amont. Et meimes (17) la grose orine est jaune. Et par cete (18) cause la fleme blanche si sucroit en (19) l'estomaque si faut la vertu digestive

---

לַאפֿוֹנְט שִׁי אֵיפֵישְׁא קְא אֵילְא נְאפּוֹט פֵּרְשֵׁר {לַיֵּש}
לֵסְטוֹמַאכְא אֵי אֵן לֵיבּוֹייאַץ פַּר לַאגְרוֹשׁוֹר דְאלִי ¨
מֵייץ פּוֹט אֵטְרְא קְא שְׁא פֵּט בֵּינִיר נַאבְרוּרְא
אֵי לֵיבָוֻרְא ¨ דוֹנְק לְאפֵּייל שְׁא רֵידוֹנְא אֵי שְׁאטְרֵט
דְאבֵיר לְאפּוֹייאְה אֵי שְׁא מֵירְלְא אַבֵיקְא לְאשַׁאנְק
אֵיטֵיינְט לְאקְוִיר ¨ אֵיפְּלוּזְוֻרְץ פּוֹייאֵייץ
לַאבּוֹייאְה קְא לַאקוֹלְרַא בֵּייט אֵן לֵסְטוֹמַאכְא אֵט
קְלוֹזְא ¨ אֵי אַאוֹשִׁי דְאבֵייר לַיֵּיש בּוֹייאַש ¨
אֵי שְׁא לַאבּוֹייאְה קִי בֵּייט אֵן לֵייסְטוֹמַאכְא אֵט
קְלוֹזְא דוֹנְק לַאקוֹלְרַא שְׁאטוֹרְנְא אַבַאל אֵיקוּרְטְא
אֵנְבּוֹייאַץ אַדוֹנְק אֵט לַאגְרוֹשְׁא אוֹרִינְא {אֵלַאפֵּיטא}
אֵילַאפְּטִיטְא שׁוֹנְט טֵיינְץ אֵי אֵט לְאאוֹרִינְא {טר}
טְרוֹבְלְא אֵירוֹגָא אֵיאֵיקוּמֵוזְא אֵילְאוֹרִינְא {ראש}
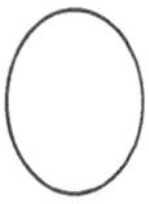
רְאשֵׁנְבְלְא בּוֹאְה רוֹשְׁא אוֹ קוֹם [[אוֹרְדוּרְא]] אוֹרִינא[334] {דיפ}
דֵיפַאנְט אֵיאֵיקוּמֵוזְא אַמוֹנְט ¨ אֵימֵיאִימֵיץ
לַאגְרוֹשְׁא אוֹרִינְא אֵט גַוֹנְא ¨ אֵיפַּר אֵישֵׁיטְא
קַאוֹזְא לַאפְלֵימְא בְלַנְקָא שִׁי שֻׁורְקְארוֹיֵיט אֵן {ליס}
לֵסְטוֹמַאכְא שִׁי פַּאוֹט לַאבֵרְטוּ דִיאֵשְׁטִיבְא {דאלא}

---

334 Das vom Schreiber korrigierte Wort steht über dem gestrichenen.

**f. 166v2–19**

*(2) macht sie sie so dick, dass sie nicht zum (3) Magen und zum Darm wegen ihrer Zähflüssigkeit durchdringen kann. (4) Aber es kannn sein, dass sich eine Wunde (5) und eine Schwellung bildet. Dann fließt die Gallenblase über und [die Galle] bewegt sich (6) hin zur Leber und mischt sich mit dem Blut (7) und färbt die Haut. Und (8) ist der Weg, den die Galle zum Magen fließt, mehrere Male (11) versperrt, wendet sich die Galle nämlich und fließt (12) in den Darm, dann wird der Kot und der Urin gefärbt, und der Urin wird (14) trübe und rot und schäumend, und der Urin (15) ähnelt rosarotem Schlamm oder ist wie der Urin (16) eines Kindes und sehr schäumend. Und ebenso (17) wird der Kot gelb. Und aus diesem (18) Grund nimmt der weiße Schleim im (19) Magen zu, und so schwindet die zersetzende Kraft*

---

La' FWoNṬ ŠiY 'eYPeYŠə' Q'ə 'eYLə' Nə' PWuṬ PeRŠeR
LeYSṬWoMa' Kə' 'eY 'eN LeYBWoYY' aẒ PaR La' GRWoŠWuR Də' LiY ¨
MeYYẒ PWuṬ 'eṬRə' Q'ə Šə' FeṬ VeYNiYR Na' VRWuRə'
'eY LeYVWuRə' ¨ DWoNQ Lə' FeYYL Šə' ReYDWoNə' 'eY Šə' ṬReṬ
Də' VeYR Lə' FWoYY' əH 'eY Šə' MeYRLə' 'aVeYQə' Lə' Ša' NQ
'eYṬeYYNṬ Lə' QWiYR ¨ 'eYPLWuZWuRẒ FWoYY' YeYẒ
La' VWoYY' əH Q'ə La' QWoLRa' VeYYṬ 'eN LeSṬWoMa' Kə' 'eṬ
QLWoZə' ¨ 'eY 'a' WoŠiY Də' VeYYR LYeYŠ BWoYəY' aŠ ¨
'eY Šə' La' VWoYY' əH QYi VeYYṬ 'eN LeYYSṬWoMa' Kə' 'eṬ
QLWoZə' DWoNQ La' QWoLRa' Šə' ṬWoRNə' 'aVa' L 'eYQuWRṬə'
'eNBWoYY' aẒ 'aDWoNQ 'eṬ La' GRWoŠə' 'WoRiYNə'
'eYLa' PṬiYṬə' ŠWoNṬ ṬeYYNẒ 'eY 'eṬ Lə' 'WoRiYNə'
ṬRWoBLə' 'eYRWoĞə' 'eY' eYQWuMuWZə' 'eYLə' WoRiYNə'
Rə' ŠeYNBLə' BWo' əH RWoŠə' 'Wo QWoM WoRiYNə'
DeYFa' NṬ 'eY' eYQWuMuWZə' 'aMWoNṬ ¨ 'eYMeY' iYMeYẒ
La' GRWoŠə' 'WoRiYNə' eṬ ĞaWoNə' ¨ 'eYPaR ŠeYṬə'
Qa' WoZə' La' FLeYMə' BLaNČə' ŠiY ŠuWRQə' RWoYeYṬ eN
LeYSṬWoMa' Kə' ŠiY Fa' WoṬ La' VeRṬWu DiY' eŠṬiYVə'

**f. 166v20–167r13**

(20) de la colera qui est cotumer aler en l'estomaque por (21) la fleume blanche purger. Et acune foiz (22) cete colera qui veit en boias si surcroit si (23) grandement que ele sechit la matire de la grose orine. (167r1) Si fet retreignement de venter si fet doleur grant (2) et colica pasion. Mes le pertus (3) do fel qui est dessus est etopé par o la colera (4) doit corir en donc monte la colera (5) amont en l'estomaque par quoi ele engendre (6) secheur et amertune de boche et chalur grante (7) et soif en l'estomaque. E le orine est (8) aques com colur de safran par la petiteté (9) de colera que ele ne la peut teinder. Et (10) la grose orine est blanche par la faillance de (11) colera qui la ne peut tender. (12) Uncore je porpose le quarte vision (13) de ictiricia qui vent de la conrupsion

---

דְאלַאקוֹלְרַא קִי אֵט קוֹטֵומֵייר אַלֵייר אֵן לֵסְטוֹמַאכְא פוֹר
[[דְא]]לַאפְּלוֵמְא בְלַנְקָא פֵּורְגֵייר ״ אֵיאַקוּנְא פֿוֹיֵיש
שֵׁיטְא קוֹלְרַא קִי בַּיֵיט אֵן בוֹיְיאַץ שִׁי שֵׁורְקְרוֹיֵיט שִׁי
גְרַאנְדְאמֵינְט קאְ אֵילְא שֵׁיקִיט לַאמַאטִירְא דְאלַאגְרוֹשְׁא
אוֹרִינְא
שִׁי פֵּייט רֵיטְרֵיינְאמֵינְט דְא בֵּינְטֵר שִׁי פֵּט דוֹלֵור גְרַאנְט
אֵיקוֹלִיקַא פַּצִיאוֹן ״ מֵיֵיץ שְׁא לְאפֵּירְטוּץ
דוֹפֵּיל קִי אֵט דְאשׁוּץ אֵט אֵיטוֹפֵּי פַּרְאוֹ לַאקוֹלְרַא
דוֹיֵיט קוֹרִיר אֵנְבוֹייאַץ דוֹנְק מוֹנְטְא לַאקוֹלְרַא {אמ}
אַמוֹנְטְא אֵנְלֵסטוֹמַכְא פַּר קוֹי אֵילְא אֵנגֵ׳ינְדְרְא
שֵׁיקֵור אֵיאַמֵרְטֵונְא דְאבוֹקָא אֵיקַאלוּר גְרַאנְטְא
אֵישׁוֹיֵיףְ[335] אֵנְלֵסטוֹמַכְא ״ אֵילְאאוֹרִינְא אֵט {א}
אַקֵייש קוֹם קוֹלוּר דְאשַׁפְּרַן פַּר לַאפֵּטִיטְאטֵי {דְא}
דְאקוֹלְרַא קאְ אֵילְא נְא לַא פוּט טֵיינְדֵר ״ אֵי{לְא}
לַאגְרוֹצְא אוֹרִינְא אֵט בְלַנְקָא פַּר לַאפַּאלַאנְצְא דְא {ק}
קוֹלְרַא קִי לַא נְאפוּט טֵיינְדֵר ״
אֵונְקוֹרְא גְא פוֹרְפוֹזְא לְאקַארְטְא בִּיזִיאוֹן
דְאאִיקְטִירִיצִיאַה קִי בֵּיינְט דְאלַאקוֹנְרֵופְּשִׁיאוֹן {דא}

---

**335** אֵישׁוֹיֵיףְ: em. ed., אֵישׁוֹיֵיף Ms.

**f. 166v20–167r13**

*(20) der Galle, die gewöhnlich in den Magen fließt, um (21) den weißen Schleim zu reinigen. Und manchmal (22) nimmt die Galle, die in den Darm kommt, (23) dermaßen zu, dass sie die Materie des Kotes austrocknet. (167r1) Das verursacht nämlich Verstopfung im Bauch und somit großen Schmerz (2) und Kolik. Aber ist die Öffnung (3) der Gallenblase, die darüber ist und durch die die Galle (4) in den Darm fließen muss, verstopft, steigt die (5) Galle hoch in den Magen, wodurch sie (2) Trockenheit und Bitterkeit des Mundes und große Hitze (7) und Durst im Magen auslöst. Und der Urin hat (8) ein wenig die Farbe von Safran durch die geringe Menge (9) der Galle, die ihn nicht färben kann. Und (10) der Kot ist weiß durch den Mangel an (11) Galle, die ihn nicht färben kann. (12) Jetzt stelle ich die vierte Ausprägung (13) von Gelbsucht vor, die durch die Störung*

---

Də' La' QWoLRa' QiY 'eṬ QWoṬuWMeYYR 'aLeYYR 'eN LeSṬWoMa' Kə' PWoR
La' FLWuMə' BLaNČə' PuWRĞeYYR ¨ 'eY' aQWuNə' FWoYeYŠ
ŠeYṬə' QWoLR' a QiY VYeYṬ 'eN BWoYəY' aẒ ŠiY ŠuWRQRWoYeYṬ ŠiY
GRa' NDə' MeYNṬ Q' ə 'eYLə' ŠeYČiYṬ La' Ma' ṬiYRə' Də' La' GRWoŠə'
'WoRiYNə'
7r ŠiY FeYYṬ ReYṬReYYNə' MeYNṬ Də' VeNṬeR ŠiY FeṬ DWoLuWR GR' aNṬ
'eYQWoLiYQa' PaẒiY' WoN ¨ MYeYẒ Šə' Lə' PeYRṬWuẒ
DWoFeYL QYi 'eṬ Də' ŠWuẒ 'eṬ 'eYṬWoPeY PaR' Wo La' QWoLRa'
DWoYeYṬ QWoRiYR 'eNBWoYY' aẒ DWoNQ MWoNṬə' La' QWoLRa'
'aMWoNṬ 'eNLeSṬWoMaKə' PaR QWoY 'eYLə' 'eNĞeYNDRə'
ŠeYČWuR 'eY' aMeRṬWuNə' Də' BWoČə' 'eYČa' LWuR GRa' NṬə'
'eYŠWoYeYF 'eNLeSṬWoMaKə' ¨ 'eYLə' 'WoRiYNə' 'eṬ
'aQeYYŠ QWoM QWoLWuR Də' SaFRaN PaR La' PeṬiYṬə' ṬeY
Də' QWoLRa' Q' ə 'eYLə' Nə' La' PWuṬ ṬeYYNDeR ¨ 'eY
La' GRWoẒə' 'WoRiYNə' 'eṬ BLaNČə' PaR La' Fa' La' NẒə' Də'
QWoLRa' QYi La' Nə' PWuṬ ṬeYYNDeR ¨
'uWNQWoRə' Ğə' PWoRPWoZə' Lə' Qa' RṬə' ViYZiY' WoN
Də' 'iYQṬiYRiYẒiY' aH QYi VeYYNṬ Də' La' QWoNRWuPŠiY' WoN

## f. 167r14–167v8

(14) de la comistion de condus par o la colera pase (15) quant il s'echaufent oter mesure et quantité (16) naturel et por ce est iqui le sanc enflanbé (17) et veit do foie à eux si se fet (18) et devent colics et en cete manere ce (19) n'est ictiricia. Et acune foiz ce (20) n'est ictiricia. Qui s'apert noire par tot (21) le cors et ce avent par faute d'eplen qui (22) ne peut sacher à li le lies do sanc (23) et sa trobleté. Et apres ce nos aviserons (167v1) la cause et se il y a avecs fevre et se (2) ele apert devant le seteme jor. Et devant (3) que il aperge enseigne de digestion (4) de la maladie il est mont mavois si (5) renovele la mort. Et il y a nule ede en (6) cele. Et cele s'apert au jor de crisi au (7) seteme. O au nuveme o onzeme. O au quatorzeme. (8) Et apres que vos l'avrez veu sera enseigne

---

דְאלַאקוֹמִישְׁטִיאוֹן דֵיקוֹנְדוּשׁ פַּר אוֹ לַאקוֹלְרַא פַּאשְׁא
קַאנְט אִיל שֵׁיקַאוֹפֵינְט אוֹטֵר מֵיזֻורְא אֵיקַאנְטִיטֵי
נַאטֻורֵייל אֵיפוֹרצְא אֵט אִיקִי לְאשַׁאנְק אֵנְפְלַנְבֵי
אֵיבֵייט דוֹ פוֹייאְה אַאוּשׁ שִׁי שְׁא פֵייט {אידאבי}
אֵי דְאבֵיינְט קוֹלְרִיקְשׁ אֵי אֵנְשֵׁיטְא מַאנֵיירְא שְׁא
נֵיִט אִיקְטִירִיצִיאַה ״ אֵיאַקוְֻנְא פוֹיֵישׁ שְׁא
נֵיִט אִיקְטִירִיצִיאַה ״ קִי שַׁאפֵירְט נוֹיירְא פַּר טוֹט
לְאקוֹרְץ אֵי שְׁא אַבֵיינְט פַּר פַּאוֹטְא דֵיפְלֵיין קִי {נא}ייי
נְא פוֹט שַׁאקֵייר אַלִי לֵי לִיאֵייש דוֹשַׁאנְק {אישאטר}
אֵישַׁאטְרוֹבְלְטֵי ״ אֵי אַפְרֵייץ שְׁא נוֹץ אַבִיזְרוֹנְץ
לַאקַאוֹזְא אֵי שְׁא אִיל אִיאַה אַבֵיקְשׁ פֵיבֵרְא אֵי שְׁא {א}
אֵילְא אַפֵירְט דְאבַאנְט לְאשֵׁיטֵיימְא יוֹר ״ אֵי דְאבַאנְט
קְא אִיל אַפֵיירגְא אֵינְשֵׁיינְא דְאדִיאֵשְׁטִיאוֹן {דאלאמ}
דְאלַאמַאלַאדִיאְה אִיל אֵט מוֹנְט מַאבוֹיֵישׁ שִׁי {רא}
רְאנוֹבֵילְא לַאמוֹרְט ״ * אִיל אִי אַה נֻול אֵיידְא אֵן {שי} * אֵי[336]
שֵׁילְא ״ אִי שֵׁילְא שַׁאפֵיירְט אוֹ יוֹר דְקְרִיזִי אוֹ
שֵׁייטֵיימְא ״ * אוֹ אוֹנְזֵיימְא ״ אוֹ אוֹ קַאטוֹרְזֵימְא ״ * אוֹ אוֹ נֻובֵימְא[337]

אֵיאַפְרֵייץ קְא בוֹשׁ לַאבְרֵייץ בֵיאוּ שְׁאַרא אֵנְשֵׁיינְא

---

336 אֵי wurde nachträglich auf dem rechten Rand eingefügt.
337 אוֹ אוֹ נֻובֵימְא wurde nachträglich auf dem rechten Rand eingefügt.

**f. 167r14–167v8**

*(14) der Zusammensetzung der Durchgänge, durch die die Galle fließt, (15) wenn sie sich über die Maßen erhitzt und die (16) natürliche Menge [übersteigt]. Daher ist zusätzlich das Blut überhitzt, (17) und kommt von der Leber dahin (18) und wird gallig: Bei dieser Art (19) ist es nicht Gelbsucht. Und in keinem Fall (20) ist es Gelbsucht. Diese hier erscheint schwarz über (21) den ganzen Körper, und dies geschieht durch das Versagen der Milz, die (22) die Ausfällungen und Trübstoffe im Blut nicht an sich ziehen kann. (23) Danach wenden wir uns (167v1) der Ursache zu, und wenn sie [d. h., die Gelbsucht] mit Fieber auftritt und (2) sie sich vor dem siebten Tag zeigt. Noch bevor (3) sie erscheint, zeigt die Verdauung (4) die Krankheit an; das ist sehr schlecht, denn (5) es kündet den Tod. Und es gibt keine Rettung bei (6) dieser. Und sie zeigt ihren Höhepunkt am (7) siebten [Tag]. Oder am neunten oder elften. Oder am vierzehnten. (8) Und nachdem ihr sie gesehen habt, wird es ein Zeichen*

---

Də' La' QWoMiYŠṬiY' WoN DeYQWoNDWuŠ PaR 'Wo La' QWoLRa' Pa' Šə'
Qa' NṬ 'YiL ŠeYČa' WoFeYNṬ 'WoṬeR MeYZWuRə' 'eYQa' NṬiYṬeY
Na' ṬuWReYYL 'eYPWoRẒə' 'eṬ 'iYQiY Lə' Ša' NQ 'eNFLaNBeY
'eYVeYYṬ DWo FWoYY' əH 'a' WuŠ ŠiY Šə' FeYYṬ
'eY Də' VeYYNṬ QWoLRiYQŠ 'eY 'eNŠeYṬə' Ma' NeYYRə' Šə'
NYYeṬ 'iYQṬiYRiYẒiY' aH ¨ 'eY' aQWuNə' FWoYeYŠ Šə'
NYYeṬ 'iYQṬiYRiYẒiY' aH ¨ QYi Ša' PeYRṬ NWoYYRə' PaR ṬWoṬ
Lə' QWoRẒ 'eY Šə' 'aVeYYNṬ PaR Fa' WoṬə' DeYPLeYYN QYi
Nə' PWuṬ Ša' ČYeYR 'aLiY LeY LiY' YeYŠ DWoŠa' NQ
'eYŠa' ṬRWoBLṬeY ¨ 'eY 'aPReYYẒ Šə' NWoẒ 'aViYZRWoNẒ
La' Qa' WoZə' 'eY Šə' 'YiL 'iY' aH 'aVeYQŠ FeYVeRə' 'eY Šə'
'eYLə' 'aPeRṬ Də' Va' NṬ Lə' ŠeYṬeYYMə' YWoR ¨ 'eY Də' Va' NṬ
Q' ə 'YiL 'aPeYYRĞə' 'eYNŠeYYNə' Də' DiY' eŠṬiY' WoN
Də' La' Ma' La' DiY' əH 'YiL 'eṬ MWoNṬ Ma' VWoYeYŠ ŠiY
Rə' NWoVeYLə' La' MWoRṬ ¨ 'eY 'YiL 'iY 'aH NWuL 'eYYDə' 'eN
ŠeYLə' ¨ 'eY ŠeYLə' Ša' PeYYRṬ 'Wo YWoR DəQRiYZiY 'Wo
ŠeYYṬeYYMə' ¨ 'Wo 'Wo NuWVeYMə' 'Wo 'WoNZeYYMə' ¨ 'Wo 'Wo
Qa' ṬWoRZeYMə' ¨
'eY' aPReYYẒ Q' ə VWoŠ L' aVReYYẒ VeY' Wu Šə' Ra' 'eNŠeYYNə'

**f. 167v9–168r1**

(9) de digestion et la maladie s'aplanit et s'a- (10) -ligit donc est il mont bon et renovele senté. (11) Sachez de certein que ectiricia qui est (12) fete de la maladie do fel ele vent par (13) cinque maneres. O par grant chaut. O (14) par po de chaut. O par faute de vertu (15) polsative. O par cause de apostume en (16) la boche do fel. O par chause de opilacion (17) en le boies. Et ausi sachez que (18) ictiricia fete au foie ele se fet (19) en dus maneres. O par nature. O (20) sant nature. Par nature coment com cele (21) qui est fete au jor de crisi quant nature fet (22) deseveré le lies de la colera et le foie s'a- (23) -force de l'enchacer à dehors le cors. O (24) sant nature et vent po et po coment en manire (25) que devant veit coropsion de vertu naturel (168r1) qui demeure au foie et pues se chaunge

---

דְא דִיאֵשְׁטִיאוֹן אֵילַאמַאלַאדִיאְה שַׁאפְּלַאנִיט אֵי שַׁא
לִיגִּיט דוֹנְק אֵט אִיל מוֹנְט בוֹן אֵירְאנוֹבֵילְא שֵׁינְטֵי ׃
שַׁאקָיֵיץ דְאשֵׁרְטֵיִין קְא אֵקְטִירִיצִיאַה קִי אֵט
פֵּיטְא דְאלַאמַאלַאדִיאְה דוֹפֵייל אֵילְא בֵּיינְט פַּר {ש}
שִׁינְקְא מַאנֵייֵרֵייץ ׃ אוֹ פַּר גְרַאנְט קַאוֹט ׃ אוֹ
פַּר פוֹ דְאקַאוֹט ׃ אוֹ פַּר פַּאוּטְא דְאבֵרְטוֹ {פולש}
פוֹלְשַׁאטִיבְא ׃ אוֹ פַּר קַאוּזְא דְאַפוֹשְׁטֵוּמְא אֵן
לַאבוּקְא דְוֹפֵייל ׃ אוֹ פַּר קַאוּזְא דְאאוֹפִילַאצִיאוֹן
אֵן לֵיבוֹייאֵייץ ׃ אֵי אַאוֹשִׁי שַׁאקֵייץ קְא
אִיקְטִירִיצִיאַה פֵּיטְא אוֹפוֹייאְה אֵילְא שְׁא פֵּייט
אֵן דוִֹש מַאנֵייְרְץ ׃ אוֹ פַּר נַאטֵוּרְא ׃ אוֹ {שא}
שַׁאנְט נַאטֵוּרְא ׃ פַּר נַאטֵוּרְא קוֹמֵינְט קוֹם שֵׁילְא
קִי אֵט פֵּיטְא אוֹיוֹר דְקְרִיזִי קַאנְט נַאטֵוּרְא פֵּייט
דֵישֵׁבֵרֵי לֵילִיאֵייץ דְא לַאקוֹלְרַא אֵילְאפוֹייאְה שַׁא
פּוֹרְשְׁא דְאלֵנְקַאשֵׁר אַדְהוֹרְץ לְאקוֹרְץ ׃ אוֹ
שַׁאנְט נַאטֵוּרְא אֵיבֵיינְט פוֹ אֵי פוֹ קוֹמֵינְט אֵנְמַאנִירְא
קְא דְאבַאנְט בֵּייט קוֹרוֹפְשִׁיאוֹן דְאבֵרְטוֹ נַאטֵוּרֵייל
קִי דְאמֵוּרְא אוֹ פוֹייאְה אֵיפוּיֵיש שְׁא קַאוֹנְגְּא {לאק}

**f. 167v9–168r1**

*(9) der Verauung geben, und die Krankheit schwächt sich ab und (10) mildert sich, dann ist das sehr gut und kündet von Genesung. (11) Seid gewiss, dass Gelbsucht, die (12) von einer Krankheit der Gallenblase herrührt, wegen (13) fünf verschiedenen Ursachen auftritt. Entweder wegen großer Hitze. Oder (14) wegen zu wenig Wärme. Oder wegen des Versagens der (15) austreibenden Kraft. Oder wegen einem Abzess am (16) Zugang zur Gallenblase. Oder wegen Verstopfung (17) im Darm. Und wisst auch, dass (18) die in der Leber entstandene Gelbsucht (19) in zwei Arten auftritt. Enweder aus natürlichen Gründen. Oder (20) aus außernatürlichen. Aus natürlichen Gründen ist sie so wie die, (21) die am Tag des Krise entsteht, wenn die Natur (22) die Ausfällungen der Galle absondern lässt und die Leber sich (23) bemüht, sie aus dem Körper auszustoßen. Oder (24) außernatürlich, dann kommt sie schrittweise. Wie bei der Art (25) davor tritt eine Störung der natürlichen Kraft auf, (168r1) die in der Leber bleibt, und dann,*

---

Də' DiY' eŠṬiY' WoN 'eYLa' Ma' La' DiY' əH Ša' PLa' NiYṬ 'eY Ša'
LiYĞiYṬ DWoNQ 'eṬ 'YiL MWoNṬ BWoN 'eYRə' NWoVeYLə' ŠeYNṬeY ¨
Ša' ČYeYẒ Də' ŠeRṬYəYN Q' ə 'eQṬiYRiYẒiY' aH QYi 'eṬ
FeYṬə' Də' La' Ma' La' DiY' əH DWoFeYYL 'eYLə' VeYYNṬ PaR
ŠiYNQə' Ma' NeYYReYYẒ ¨ 'Wo PaR GR' aNṬ Ča' WoṬ ¨ 'Wo
PaR PWo Də' Ča' WoṬ ¨ 'Wo PaR Fa' WoṬə' Də' VeRṬWu
PWoLŠa' ṬiYVə' ¨ 'Wo PaR Qa' WoZə' Də' 'aPWoŠṬWuMə' 'eN
La' BWoČə' DWoFeYYL ¨ 'Wo PaR Ča' WoZə' Də' 'WoPiYLa' ẒiY' WoN
'eN LeYBWoYY' əYYẒ ¨ 'eY 'a' WoŠiY Ša' ČYeYẒ Q' ə
'iYQṬiYRiYẒiY' aH FeYṬə' 'WoFWoYY' əH 'eYLə' Šə' FeYYṬ
'eN DWuŠ Ma' NeYYRẒ ¨ 'Wo PaR Na' TuWRə' ¨ 'Wo
Ša' NṬ Na' ṬuWRə' ¨ PaR Na' ṬuWRə' QWoMeNṬ QWoM ŠeYLə'
QYi 'eṬ FeYṬə' 'WoYWoR DQRiZiY Qa' NṬ Na' ṬuWRə' FeYYṬ
DeYŠeVeReY LeYLiY' eYYẒ Də' La' QWoLRa' 'eYLə' FWoYY' əH Ša'
FWoRŠə' Də' LeNČa' ŠeR 'aDHWoRẒ Lə' QWoRẒ ¨ 'Wo
Ša' NṬ Na' ṬuWRə' 'eYVeYYNṬ PWo 'eY PWo QWoMeYNṬ 'eNMa' NiYRə'
Q' ə Də' Va' NṬ VeYYṬ QWoRWoPŠiY' WoN Də' VeRṬWu Na' ṬuWReYYL
8r QYi Də' MuWRə' 'Wo FWoYY' əH 'eYPuWYeYŠ Šə' Ča' WoNĞə'

**f. 168r2–19**

(2) la colur do cors cumunament et la char se (3) veit amenusant par la doloison do detre (4) coté et acune foiz si n'est apotume (5) desoz le cotés devant cete dolor (6) et si vent ausi dureté et etopement (7) de foie. Uncores la cause (8) de ictiricia que se fet au foie (9) ele vent par cinque maneres. (10) O par chaut que le foie est echaufé (11) par cele chalor est le sanc echaufé (12) autre nature si se chaunge à colera. (13) O ele vent par froideur quant (14) la vertu de l'apetit de manger est faillie (15) do foie et donc li sanc n'est mie (16) digeste si come il doit etre par (17) deroit c'est quant la colera ne se depart (18) de la conpagnie do sancgue. Et ausi (19) fleume quant ele demeure aveque le sanc

---

לַאקוֹלוֹר דוֹקוֹרְץ קֻוּמֻונַאמֵינְט אֵי לַאקַֿאר שְׁא
בֵּייט אַמֵינֻוזַאנְט פַּר לַאדוֹלוֹיְיזוֹן דוֹ דֵייטְרְא
קוֹטֵי אֵיאַקֻוֵנְא פֿוֹיֵישׁ שִׁי נֵייט אַפּוֹטֻומְא {ד}
דְא שׁוֹץ לֵיקוֹטֵייץ דְאבַֿאנְט שֵׁיטְא דוֹלוֹר
אֵי שִׁי בֵּיינְט אַאוֹשִׁי דוּרֵאטֵי אֵי אֵיטוֹפְּמֵינְט
דְאפֿוֹייאְה ¨ אֻונְקוֹרֵייץ לַאקַֿאוֹזְא {דאא}
דְאאִיקְטִירִיצִיאַה קְא שְׁא פֵֿייט אוֹ פֿוֹייאְה
אֵילְא בֵּֿיינְט פַּר שִׁינְקְא מַאנֵיירֵייץ ¨
אוֹ פַּר קַֿאוֹט קְא לְאפֿוֹייאְה אֵט אֵקַֿאוֹפֵֿי אֵי
פַּר שֵׁילְא קַֿאלוֹר אֵייט לְאשַׁאנְק אֵיקַֿאוֹפֵֿי {א}
אוֹטְרְא נַאטֻורְא שִׁי שְׁא קַֿאוֹנְגְּא[338] אַה קוֹלְרַא ¨
אוֹ אֵילְא בֵּֿיינְט פַּר פְֿרוֹיידוּר קַֿאנְט {ל}
לַאבֵֿרְטוּ דְאלַאפֵּיטִיט דְאמַאנְגֵייר אֵט פַֿאלִיאְה
דוֹפֿוֹייאְה אֵי דוֹנְק לִישַׁאנְק נֵייט מִיאְה {די}
דִיאֵשְׁטְא שִׁי קוֹמְא אִיל דוֹיֵיט אֵיטְרְא פַּר
דְארוֹיֵיט שֵׁט קַֿאנְט לַאקוֹלְרַא נְא שְׁא דְאפַּארְט
דְא לַא קוֹנְפַּאנִיאְה דוֹ שַׁאנְקְא ¨ אֵי אַאוֹשִׁי
פְֿלֻומְא קַֿאנְט אֵילְא דְאמֻורְא אַבֵֿיקְא לְאשַׁאנְק

---

**338** קַֿאוֹנְגְּא: em. ed., קַֿאוֹנְגְא Ms.

**f. 168r2–19**

*(2) damit einhergehend, verändert sich die Farbe des Körpers, und das Fleisch (3) schwindet durch den Schmerz der rechten (4) Seite. Manchmal gibt es einen Abzess an den Körperseiten vor diesem Schmerz, (6) und so kommt es auch zu einer Verhärtung und Verstopfung (7) der Leber. Noch einmal eine Ursache (8) der Gelbsucht, die in der Leber entsteht: (9) Sie kommt auf fünf Arten. (10) Entweder durch Hitze, insofern als die Leber erhitzt ist, (11) und durch diese Hitze ist das Blut unnatürlich stark erhitzt; (12) so wandelt es sich in Galle. (13) Oder sie entsteht durch Kälte, wenn (14) die verlangende Kraft zu verzehren in der Leber geschwunden ist (15), dann wird das Blut nicht (16) zersetzt, so wie normalerweise sein müsste. (17) Das ist der Fall, wenn die Galle sich nicht (18) von der Verbindung mit dem Blut trennt. Und auch (19) der Schleim, wenn er mit dem Blut zusammen bleibt,*

---

La' QWoLWuR DWoQWoRẒ QWuMuWNa' MeYNṬ 'eY La' Ča' R Šə' VeYYṬ 'aMeYNuWZa' NṬ PaR La' DWoLWoYəYZWoN DWo DeYYṬRə' QWoṬeY 'eY' aQWuNə' FWoYeYŠ ŠiY NeYYṬ 'aPWoṬuWMə' Də' ŠWoẒ LeYQWoṬeYYẒ Də' Va' NṬ ŠeYṬə' DWoLWoR 'eY ŠiY VeYYNṬ 'a' WoŠiY DWuRə' ṬeY 'eY 'eYṬWoPMeYNṬ Də' FWoYY' əH ¨ 'uWNQWoReYYẒ La' Qa' WoZə' Də' 'iYQṬiYRiYẒiY' aH Q' ə Šə' FeYYṬ 'Wo FWoYY' əH 'eYLə' VeYYNṬ PaR ŠiYNQə' Ma' NeYYReYYŠ ¨ 'Wo PaR Ča' WoṬ Q' ə Lə' FWoYY' əH 'eṬ 'eČa' WoFeY PaR ŠeYLə' Ča' LWoR 'eYYṬ Lə' Ša' NQ 'eYČa' WoFeY 'aWoṬRə' Na' ṬuWRə' ŠiY Šə' Ča' WoNĞə' 'aH QWoLRa' ¨ 'Wo 'eYLə' VeYYNṬ PaR FRWoYYDWuR Qa' NṬ La' VeRṬWu Də' La' PeYṬiYṬ Də' Ma' NĞeYYR 'eṬ Fa' LiY' əH DWoFWoYY' əH 'eY DWoNQ LiYŠa' NQ NeYYṬ MiY' əH DiY' eŠṬə' ŠiY QWoMə' 'iYL DWoYeYṬ 'eYṬRə' PaR Də' RWoYeYṬ ŠeṬ Qa' NṬ La' QWoLRa' Nə' Šə' Də' Pa' RṬ Də' La' QWoNPa' NiY' əH DWo Ša' NQə' ¨ 'eY ,' aWoŠiY FLWuMə' Qa' NṬ 'eYLə' Də' MuWRə' 'aVeYQə' Lə' Ša' NQ

**f. 168r20–168v15**

(20) si engendre ectiricia qui a colur (21) ecure et enfle par tot le cors (22) et le orine est blanche et renovele une (168v1) manere de idropie que l'en apele iposarca. (2) Cele maladie est à venir à ceti. (3) Ensenques le temogne Galien quant le manger (4) n'est mie ben cuit en l'estomac et au foie (5) si it le orine blanche si n'est pas ben digeste (6) si est epese et troble si norit iposarca. (7) La terze cause si est de la fate (8) de vertu polsative quant ele demeure au (9) foie le foie ne peut enchacer de li (10) la colera au fel et quant ele demeure au foie (11) ele se monteplie et se mele aveque (12) le sanc et teine tot le cors à dehors. (13) Et uncore quant la grant orine et (14) la petite orine si veit naturement (15) et la jaunice si est uncore etent

---

שִׁי אֱנְגֵֿינְדְרְא אֵיקְטִירִיצִיאַה קִי אַה קוֹלוֹר
אֵיקֻורְא אֵיאֵינְפְֿלְא פַֿר טוֹט לְאקוֹרְץ {אילאו}
אֵילְאוֹרִינְא אֵט בְלַאנְקָא אֵירְאנוֹבֵֿילְא אֻונְא
מַאנֵירְא דְאִידְרוֹפִֿיאְה קְא לְיֵין אַפֵּילְא אִיפּוֹזַארְקַא ¨
שֵׁילְא מַאלַאדִיאְה אֵט אַבֵֿינִיר אַשְׁאטִי ¨
אֵנְשֵׁינְקֵייש לְאטֵימוֹנְא[339] גַלִיאֵיין קַאנְט[340] לְאמַנְגֵֿייר
נֵייט מִיאְה בֵּיין קֻוִיט אֵין לֵיסְטוֹמַאק אֵי אוֹ פֿוֹייאְה
שִׁי אִיט לְאוֹרִינְא בְלַנְקָא שִׁי נֵייט פַּש בֵּיין דִיאֵשְׁטְא
שִׁי אֵט אֵיפֵּישְׁא אֵיטְרוֹבְלְא שִׁי נוֹרִיט אִיפּוֹזַארְקַא ¨
לַאטֵירְצְא קַאוֹזְא שִׁי אֵט דְאלַאפַֿאטְא
דְא בֵֿרְטוֹ פוֹלְשַׁאטִיבְֿא קַאנְט אֵילְא דְאמֵֻורְא אוֹ
פֿוֹייאְה לְאפֿוֹייאְה נְא פֻּוט אֵנְקַאשֵׁייר דְא לִי
לַאקוֹלְרַא אוֹ פֵֿייל אֵיקַאנְט אֵילְא דְאמֵֻורְא אוֹפֿוֹייאְה
אֵילְא שְׁא מוֹנְטְאפְּלִיאְה אֵישְׁאמֵילְא אַבֵֿיקְא {לְא}
לְאשַׁאנְק אֵיטֵיינְט טוֹט לְאקוֹרְץ אַדְהוֹרְץ ¨
אֵיאֻונקוֹרְא קַאנְט לַאגְרַאנְט אוֹרִינְא אֵי
לַאפֵּיטִיטְא אוֹרִינְא שִׁי בֵֿיינֵייט נַאטֻורֵימֵינְט
אֵי לַאגַֿאוֹנִיצְא שִׁי אֵט אֻונְקוֹרְא אֵיטַאנְט

---

**339** לְאטֵימוֹנְא: em. ed., לְאשִׁימוֹנְא Ms.
**340** קַאנְט: em. ed., קַאוֹנְט Ms.

**f. 168r20–168v15**

*(20) dann löst das Gelbsucht aus, die eine (21) dunkle Farbe hat und den ganzen Körper anschwellen lässt; (22) der Urin ist weiß, und das kündet von einer (168v1) Art der Wassersucht, die man Hyposarca nennt. (2) Diese Krankheit wird nachfolgend [besprochen]. (3) So bezeugt es Galen, wenn das Essen (4) nicht gut im Magen und in der Leber verdaut wird, (5) dann fließt der Urin weiß heraus, also ist er nicht gut zersetzt, (6) ist dickflüssig und trübe und löst Hyposarca aus. (7) Die dritte Ursache ist aufgrund des Versagens der austreibenden Kraft, wenn sie [d. h., die Galle] (9) in der Leber verbleibt, [und] die Leber (10) die Galle nicht von sich zur Gallenblase hin abstoßen kann, und wenn sie in der Leber bleibt, (11) vermehrt sie sich und mischt sich mit (12) dem Blut und verfärbt den Körper äußerlich. (13) Und zudem, wenn der Kot und (14) der Urin natürlichweise austritt, (15 ) und die Gelbsucht außerdem*

---

ŠiY 'eNĞeYNDRə' 'eYQṬiYRiYẒiY'aH QiY 'aH QWoLWuR
'eYQuWRə' 'eY'eYNFLə' PaR ṬWoṬ Lə'QWoRẒ
'eYLə'WoRiYNə' 'eṬ BLa'NČə' 'eYRə'NWoVeYLə' 'uWNə'
v Ma'NeYRə' Də'iYDRWoPiY'əH Q'ə LYeYN 'aPeYLə' 'iYPWoZa'RQa' ¨
ŠeYLə' Ma'La'DiY'əH 'eṬ 'aVeYNiYR 'aŠə'ṬiY ¨
'eNŠeYNQeYYŠ Lə'ṬeYMWoNə' GaLiY'eYYN Qa'NṬ Lə'MaNĞeYYR
NeYYṬ MiY'əH BeYYN QWuYṬ ,əYN LeYSṬWoMa'Q 'eY 'Wo FWoYY'əH
ŠiY 'iYṬ Lə'WoRiNə' BLaNČə' ŠiY NeYYṬ PaŠ BeYYN DiY'eŠṬə'
ŠiY 'eṬ 'eYPeYŠə' 'eṬRWoBLə' ŠiY NWoRiYṬ 'iYPWoZa'RQa' ¨
La'ṬeYRẒə' Qa'WoZə' ŠiY 'eṬ Də'La'F'aṬə'
Də' VeRṬWu PWoLŠa'ṬiYVə' Qa'NṬ 'eYLə' Də'MuWRə' 'Wo
FWoYY'əH Lə'FWoYY'əH Nə' PWuṬ 'eNČa'ŠeYYR Də' LiY
La'QWoLRa' 'Wo FeYYL 'eYQa'NṬ 'eYLə' Də'MuWRə' 'WoFWoYY'əH
'eYLə' Šə' MWoNṬə'PLiY'əH 'eYŠə'MeYLə' 'aVeYQə' Lə'
Lə'Sa'NQ 'eYṬeYYNṬ ṬWoṬ Lə'QWoRẒ 'aDHWoRẒ ¨
'eY'uWNQWoRə' Qa'NṬ La'GRa'NṬ 'WoRiYNə' 'eY
La'PeYṬiYṬə' 'WoRiYNə' ŠiY VeYYṬ Na'TuWReYMeYNṬ
'eY La'Ğa'WoNiYẒə' ŠiY 'eṬ 'uWNQWoRə' 'eYṬa'NṬ

## f. 168v16–169r10

(16) en un point et le sanc est digeste (17) et mondé de tote fleume et colera. (18) Le quart si est de chalur do foie o (19) dureté par quoi il est chargé que il ne peut (20) departir la colera do sanc por ce quant (21) il demeurent ensenble il teignent (22) le cuir à dehors le cors. Le cinqueme si (23) est (169r1) oplacion c'est etopement en la voie par o (2) la colera veit en l'estomaque. Donc sachez (3) quant cele colera est ensenble au foie (4) et ele se ajoste aveque le sancgue (5) ele teint le cuir por ce est le ictiricia (6) noire par la defaut de vertu apetativa (7) de manger qui est en l'eplen quant il faut (8) desacher à li le lies et le troble do sancgue (9) donc demeurent il au sancgue si devent (10) le sancgue troble et noir et nercit à dehors

---

אֵן אֵון פוֹיְינְט אֵילְא שַׁאנְק אֵט דִיאֵשְׁטְא
אֵי מוֹנְדֵי דְא טוֹט פְלֵוְמְא אֵי קוֹלְרַא ¨
לְאקַארְט שִׁי אֵט דְקָאלוֹר דוֹפּוֹייאְה אוֹ
{דְא}דֵורְטֵי פַּרְקוֹי אִיל אֵט גַּרְגֵּי קְא אִיל נְא פֵּוט
דְאפַּרְטִיר לַאקוֹלְרַא דוֹ שַׁאנְק פּוֹרְצְא קַאנְט
אִיל דְאמֵורֵינְט אֵנְשֵׁינְבְלְא אִיל [[ני]] טֵיינֵינְט
לְאקוִיר אַדְהוֹרְץ ¨ לְאשִׁינְקֵיימְא שִׁי
אֵט
אוֹפְלַאצִיאוֹן שֵׁט אֵיטוֹפְמֵינְט אֵן לַאבֹוייאְה פַּר אוֹ
לַאקוֹלְרַא בֵּייט אֵן לֵסְטוֹמַאכְא ¨ דוֹנְק שַׁאקֵייץ
קַאנְט שֵׁילְא קוֹלְרַא אֵט אֵנְשֵׁנְבְלֵיאְ אוֹפֵּוייאְה
אֵי אֵילְא שְׁא אַגּוֹשְׁטְא[341] אַבֵּיקְא לְאשַׁאנְק {א}
אֵילְא טֵיינְט לְאקוִיר פּוֹרצְא אֵט לְאִיקְטִירִיצִיאַה
נוֹיירְא פַּר לַאדֵיפַּאוֹט דְאבֵרְטוֹ אַפֵּיטַאטִיבַא
דְאמַאנְגֵּייר קִי אֵט אֵנלֵיפְלֵיין קַאנְט אִיל פַּאוֹט
דְאשַׁאקֵייר אַלִי לֵילִיאֵייש אֵי לְא טְרוֹבְלְא דוֹשַׁאנְקְא
דוֹנְק דְא מֵורֵינְט אִיל אוֹשַׁאנְק שִׁי דְאבֵיינְט
לְאשַׁאנְק טְרוֹבְלְא אֵינוֹיֵר אֵינֵירְשִׁיט אַדְהוֹרְץ {לא}

341 אַגּוֹשְׁטְא: em ed., אַגוֹשְׁטְא Ms.

**f. 168v16–169r10**

*(16) auf einmal erloschen und das Blut zersetzt (17) und von allem Schleim und Galle gereinigt ist. (18) Die vierte ist dann Überhitzung der Leber oder (19) Verhärtung, wodurch sie überlastet ist, so dass sie (20) die Galle nicht vom Blut trennen kann, weshalb sie dann (21) verbunden bleiben und (22) die Haut außen am Körper verfärben. Die fünfte (23) ist (169r1) Verstopfung, also Verschluss der Passage, durch die (2) die Galle in den Magen fließt. Wisst also, (3) dass wenn diese Galle in der Leber ist (4) und sie sich mit dem Blut verbindet, (5) sie die Haut färbt. Daher ist es die Gelbsucht (6) schwarz: wegen des Versiegens der verlangenden Kraft (7) zu verarbeiten, die in der Milz ist. Wenn sie nicht fähig ist, (8) die Ausfällung und die Trübstoffe des Blutes an sich zu ziehen, (9) verbleiben sie im Blut, und so wird (10) das Blut trüb und schwarz und schwärzt außen*

---

'eN 'uWN PWoYəYNṬ 'eYLə' Ša' NQ 'eṬ DiY' eYŠṬə'
'eY MWoNDeY Də' ṬWoṬ FLWuMə' 'eY QWoLRa' ¨
Lə' Qa' RṬ ŠiY 'eṬ DČ' LWuR DWoFWoYY' əH 'Wo
DuWRṬeY PaRQWoY 'iYL 'eṬ ĞaRĞeY Q' ə 'iYL Nə' PuWṬ
Də' PaRṬiYR La' QWoLRa' DWo Sa' NQ PWoRẒə' Qa' NṬ
'iYL Də' MuWReYNṬ 'eNŠeYNBLə' 'iYL ṬeYYNeYYNṬ
Lə' QWuYR 'aDHWoRẒ ¨ Lə' ŠiYNQeYYMə' ŠiY
'eṬ
9r 'WoPLa' ẒiY' WoN ŠeṬ 'eYṬWoPMeYNṬ 'eN La' VWoYY' əH PaR 'Wo
La' QWoLRa' VeYYṬ 'eN LeSṬWoMa' Kə' ¨ DWoNQ Ša' ČYeYẒ
Qa' NṬ ŠeYLə' QWoLRa' 'eṬ 'eNŠeNBLeY' ə 'WoFWoYY' əH
'eY 'eYLə' Šə' 'aGWoŠṬə' 'aVeYQə' Lə' Ša' NQə'
'eYLə' ṬeYYNṬ Lə' QWuYR PWoRẒə' 'eṬ Lə' iYQṬiYRiYẒiY' aH
NWoYəYRə' PaR La' DeYFa' WoṬ Də' VeRṬWu 'aPeYṬa' ṬiYVa'
Də' Ma' NĞeYYR QYi 'eṬ 'eNLeYPLYeYN Qa' NṬ 'iYL Fa' WoṬ
Də' Ša' ČYeYR 'aLiY LeYLiY' YeYŠ 'eY Lə' ṬRWoBLə' DWoŠa' NQə'
DWoNQ Də' MuWReYNṬ 'YiL 'WoŠa' NQ ŠiY Də' VeYYNṬ
Lə' Ša' NQ ṬRWoBLə' 'eYNWoYeR 'eYNeYRŠiYṬ 'aDHWoRẒ

**f. 169r11–169v8**

(11) le cors. Asez avons parlé de la deferance (12) que les naturiens metent de candes (13) maneres de causes le ictiricia peut (14) venir et il metent ele vent de (15) set maneres de causes mes il ne sont (16) mie totes nomées esi que il seroit (17) trop lonque. Ore nos volons parler de (18) la cure. **Veci la cure** de cele (19) ictiricia qui vent apres fevre car (20) notre entencion si est en ce livret (169v1) por deviser totes le maneres de fevres (2) et lor causes et lor accidents de quoi nos (3) disons que tote ictiricia aveque (4) fevre cele est male et perilleuse se ne soit (5) isenques que ele vent par euvre naturé com (6) au jor de crisi et que enseigne de digestion (7) soient aparisant en la grose orine et en la petite orine avant que l'ictiricia (8) soient aparisant à dehors le cors et un-

---

לְאקוֹרְץ ¨ אַשֵׁישׁ אַבוֹנְץ פַּרְלֵי דְאלַאדֵיפְרַאנְצְא
קְא לֵייש נַאטֻורִיאֵינְץ מֵיטֵיינְט דְאקַאנְדֵייץ
מַאנֵיירְץ דְאקַאוֹזֵייש לְאאִיקְטִירִיצִיאַה פוֹט
בְאנִיר אֵי אִיל מֵיטֵיינְט קְא אֵילְא בֵיינְט דְא
שֵׁט מַאנֵיירֵייש דְא קַאוֹזֵייש מֵייש אִיל נְאשוֹנְט
מִיאְה טוֹטֵייץ נוֹמֵיאֵייץ אֵישִׁי קְא אִיל שְׁרוֹיֵיט
טְרוֹף לוֹנְקְא ¨ אוֹרְא נוֹשׁ בוֹלוֹנְץ פַּרלֵייר דְא
לַאקֻורְא ¨ **בֵישִׁי לַאקֻורְא** דְאשֵׁילְא
אִיקְטִירִיצִיאַה קִי בֵיינְט אַפְרֵייש פֵיבְרְא קַאר
נוֹטְרְא אֵנְטֵינְשִׁיאוֹן שִׁי אֵט אֵן שְׁא לִיבְרֵייט
פוֹר דְאבִיזֵייר טוֹטֵייץ לֵימַאנֵירֵייץ דֵיפֵבְרֵייש
אֵילוֹר קַאוֹזֵייש אֵילוֹרַאקְצִידֵיינְץ דְאקוֹיִי נוֹשׁ
דִיזוֹנְץ קְא טוֹטְא אִיקְטִירִיצִיאַה אַבֵיקְא {פ}
פֵיבְרְא שֵׁילְא אֵט מַאלְא אֵי פְּרִילֻוזְא שְׁא נְא שוֹיֵיט
אִישֵׁינְקֵייץ קְא אֵילְא בֵיינְט פַּר אֻובְרְא נַאטֻורֵי קוֹם
אוֹיוֹר דְאקְרִיזִי אֵיקְא אֵנְשֵׁיינְא דְאדִיאֵשְׁטִיאוֹן {ש}
שוֹיֵינְט אַפַּארִישַׁאנְט * אַבַאנְט קְא לְאִיקְטִירִיצִיאַה * אֵן לַאגְרוֹצְא אוֹרִינְא אֵי אֵן לַאפֵּיטִיטְא אוֹרִינְא[342]
שוֹיֵינְט אַפַּארִישַׁאנְט אַדְהוֹרְץ דוֹקוֹרְץ אֵי אוּנְ

---

342 אֵן לַאגְרוֹצְא אוֹרִינְא אֵי אֵן לַאפֵּיטִיטְא אוֹרִינְא wurde nachträglich am rechten Rand eingefügt.

**f. 169r11–169v8**

*(11) den Körper. Genug heben wir von der Unterscheidung gesprochen, (12) die die Ärzte in so viele Arten der Ursachen aufwenden, [weswegen] die Gelbsucht auftreten kann, (14) und sie nennen sie; sie erscheint in (15) sieben Arten von Ursachen, aber die sind (16) nicht alle genannt, weil das (17) zu weit führen würde. Wir wollen jetzt von (18) der Therapie sprechen. Hier kommt die Behandlung der (19) Gelbsucht, die nach Fieber auftritt, denn (20) unsere Absicht ist es nämlich, in diesem Büchlein (169v1) alle Arten des Fiebers zu beschreiben (2) und seine Ursachen und seine Symptome. Darüber (3) sagen wir, dass jede Gelbsucht mit (4) Fieber bösartig und gefährlich ist, wenn sie nicht (5) so ist, dass sie natürlicherweise auftritt – wie (6) am Tag der Krise –, und dass Anzeichen der Zersetzung (7) im Kot und im Urin sichtbar werden, bevor die Gelbsucht (8) außen am Körper wahrzunehmen ist. Es ist weiterhin*

---

Lə’QWoRẒ ¨ ’aŠeYŠ ’aVWoNẒ PaRLeY Də’La’DeYFRa’NẒə’
Q’ə LeYYŠ Na’ṬuWRiY’eYNẒ MeYṬeYYNṬ Də’Qa’NDeYYẒ
Ma’NeYYRẒ Də’Qa’WoZeYYŠ Lə’’iYQṬiYRiYẒiY’aH PWuṬ
Və’NiYR ’eY ’iYL MeYṬeYYNṬ Qə’ ’eYLə’ VeYYNṬ Də’
ŠeṬ Ma’NeYYReYYŠ Də’ Qa’WoZeYYŠ MeYYŠ ’iYL Nə’ŠWoNṬ
MiY’əH ṬWoṬeYYẒ NWoMeY’eYYẒ ’eYŠiY Q’ə ’iYL ŠRWoYeYṬ
ṬRWoP LWoNQə’ ¨ ’WoRə’ NWoš VWoLWoNẒ PaRLYeYR Də’
La’QuWRə’̈ **VeYŠiY La’QuWRə’** Də’ŠeYLə’
’iYQṬiYRiYẒiY’aH QYi VeYYNṬ ’aPReYYŠ FeYVRə’ Qa’R
NWoṬRə’ ’eNṬeYNŠiY’WoN ŠiY ’eṬ ’eN Šə’ LiYVReYYṬ
PWoR Də’ViYZeYYR ṬWoṬeYYẒ LeYMa’NeYReYYẒ DeYFeVReYYŠ
’eYLWoR Qa’WoZeYYŠ ’eYLWoR’aQẒiYDeYYNẒ Də’QWoYəY NWoš
DiYZWoNẒ Q’ə ṬWoṬə’ ’iYQṬiYRiYẒiY’aH ’aVeYQə’
FeYVRə’ ŠeYLə’ ’eṬ Ma’Lə’ ’eY PRiYLWuẒə’ Šə’ Nə’ ŠWoYeYṬ
’iYŠeYNQeYYẒ Q’ə ’eYLə’ VeYYNṬ PaR ’uWVRə’ Na’ṬuWReY QWoM
’WoYWoR Də’QRiYZiY ’eYQə’ ’eYNŠeYYNə’ Də’DiY’eYŠṬiY’WoN
ŠWoYeYNṬ ’aPa’RiYŠa’NṬ ’eN La’GRWoẒə’ ’WoRiYNə’ ’eY ’eN La’PeYṬiYṬə’
’WoRiYNə’ ’aVa’NṬ Q’ə L’iYQṬiYRiYẒiY’aH
ŠWoYeYNṬ ’aPa’RiYŠa’NṬ ’aDHWoRẒ DWoQWoRẒ ’eY ’WuN

## f. 169v9–170r3

(9) -core autre enseignes convent à voier (10) devant venir com enseignes de seneté (11) voisent primer devant com forte vertu (12) et le senter des mebres est bon et liger (13) et l'aleine est bone et ben aparellée et (14) la vertu apetitive de manger est bone (15) par reson donc le vos dis que cele ictiricia (16) que vent avec fevre là o il sont (17) totes les enseignes de dessus dites (18) est bone et renovele senté. Mes cele qui (19) vent de la maladie do fel et do foie cele (20) est male mont fort et si est (21) redotable. Il convent eider cete (22) ictiricia par diete de viandes li doner (23) pertris et fesant et polez toz cuis à (170r1) vinegre et suquer et pus nos li volons eider par (2) choses doces et sinples de viandes (3) et de medecines mondant et porgeant

---

קוֹרְא אַאוֹטְרְא אֵישֵׁיינֵייץ קוֹבֵיינְט אַבוֹיֵיר {ד}
דְאבַאנְט בְאנִיר קוֹם אֵנְשֵׁיינֵייץ דְאשֵׁינְאטֵי {בו}
בוֹייזֵיינְט פְרִימֵייר דְאבַאנְט קוֹם פוֹרְטְא בֵרְטוֹ
אֵי לְא שֵׁינְטֵיר דֵימֵימְבְרֵייץ אֵט בוֹן אֵי לִיגֵייר
אֵילַאלֵיינְא אֵט בוֹנְא אֵי בֵיין אַפַארֵילֵיאְה אֵי
לַאבֵרְטוֹ אַפֵּיטֵיטִיבְא דְאמַאנְגֵייר אֵט בוֹנְא
פַר רֵיזוֹן דוֹנְק לְאבוֹשׁ דִי קְא שֵׁילְא אִיקְטִירִיצִיאַה
קִי בֵיינְט אַבֵיקְא פֵיבְרְא לַא אוֹ אִיל שוֹנְט {טו}
טוֹטֵייץ לֵייץ אֵנְשֵׁיינֵייץ דְא דְא שוִץ דִיטֵאייץ[343]
אֵט בוֹנְא אֵי רְאנוֹבֵילְא שֵׁינְטֵי ¨ מֵייץ שֵׁילְא קִי
בֵיינְט דְאלַאמַאלַאדִיאְה דוֹפֵייל אֵי דוֹפוֹייאְה שֵׁילְא
אֵט מַאלְא מוֹנְט פוֹרְט אֵי שִׁי אֵט [[ראטו]] {ראדוטאב}
רְאדוֹטַאבְלְא ¨ אִיל קוֹבֵיינְט אֵיידֵייר שֵׁיטְא
אִיקְטִירִיצִיאַה פַר דִיאֵיטְא דְאבִיאַנְדֵייץ לִידוֹנֵייר
פֵּרְטְארִישׁ אֵיפֵיזַאנְט אֵי פוֹלֵייץ טוֹץ קֻוִישׁ אַה
בִינֵיגְרְא * אֵיפוִשׁ נוֹץ לִי בוֹלוֹנְץ אֵיידֵייר פַר * אֵי סֻוקֵר[344]
קוֹזֵייץ דוֹשֵׁייץ אֵי שִׁינְפְלֵייץ דְאבִיאַנְדֵייץ
אֵי דְא מֵידְאצִינֵייץ מוֹנְדַאנְט אֵיפוֹרגַאנְט[345]

---

343 דִיטְאֵייץ: em. ed., דִיטְאֵייץ Ms.
344 אֵי סֻוקֵר wurde nachträglich auf dem linken Rand eingefügt.
345 אֵיפוֹרגַאנְט: em. ed., אֵיפוֹרגאנְט Ms.

**f. 169v9–170r3**

*(9) angebracht noch andere Anzeichen zu beachten, (10) bevor sie kommt, wie Anzeichen der Genesung, (11) die als erstes davor sichtbar sind, wie eine starke Konstitution, (12) ein gutes und leichtes Gefühl in den Gliedern, (13) ein frischer und guter Atem, und (14) ein guter Appetit auf Essen. (15) Dann sage ich euch zu Recht, dass diese Gelbsucht, (16) die so mit Fieber auftritt, und wenn (17) alle oben gesagten Anzeichen da sind, (18) dass diese gut ist und von Genesung kündet. Aber die, die (19) von einer Erkrankung der Gallenblase und der Leber herrührt, diese (20) ist äußerst bösartig und ist also (21) zu fürchten. Es ist angebracht diese (22) Gelbsucht mit einer Fleischdiät zu behandeln [und] ihm (23) Rebhuhn, Fasan und Hühnchen zu geben, die alle in (170r1) Essig und Zucker gekocht sind, und dann wollen wir ihn mit (2) sanften und einfachen Dingen von Fleisch behandeln, (3) und mit reinigenden und*

---

QWoRə' 'a' WoṬRə' 'eYŠeYYNeYYẒ QWoVeYYNṬ 'aVWoYeYR Də' Va' NṬ Və' NiR QWoM 'eNŠeYYNeYYẒ Də' ŠeYNə' ṬeY VWoYYZeYYNṬ PRiMeYYR Də' Va' NṬ QWoM FWoRṬə' VeRṬWu 'eY Lə' ŠeYNṬeYR DeYMeYMeYBReYYẒ 'eṬ BWoN 'eY LiYĞeYYR 'eYLa' LeYYNə' 'eṬ BWoNə' 'eY BeYYN 'aPa' ReYLeY' əH 'eY La' VeRṬWu 'aPeYṬeYṬiYVə' Də' Ma' NĞeYYR 'eṬ BWoNə' PaR ReYZWoN DWoNQ Lə' VWoŠ DiY Q' ə ŠeYLə' 'iYQṬiYRiYẒiY' aH QYi VeYYNṬ 'aVeYQə' FeYVRə' La' 'Wo 'iYL ŠWoNṬ ṬWoṭeYYẒ LeYYẒ 'eNŠeYYNeYYẒ Də' Də' ŠWuẒ DiYṬe' YYẒ 'eṬ BWoNə' 'eY Rə' NWoVeYLə' ŠeYNṬeY ¨ MeYYẒ ŠeYLə' QYi VeYYNṬ Də' La' Ma' La' DiY' əH DWoFeYYL 'eY DWoFWoYY' əH ŠeYLə' 'eṬ Ma' Lə' MWoNṬ FWoRṬ 'eY ŠiY 'eṬ Rə' DWoṭa' BLə' ¨ 'iYL QWoVeYYNṬ 'eYYDeYYR ŠeYṬə' 'iYQṬiYRiYẒiY' aH PaR DiY' eṬə' Də' ViY' aNDeYẒ LiYDWoNeYYR PeRṬə' RiYŠ 'eYFeYZa' NṬ 'eY PWoLeYYẒ ṬWoẒ QWuYŠ 'aH ViYNeYGRə' 'eY SuWQeR 'eYPWuŠ NWoẒ LiY VWoLWoNẒ 'eYYDeYYR PaR ČWoZeYYẒ DWoŠeYYẒ' eY ŠiYNPLeYYẒ Də' ViY' aNDeYYẒ 'eY Də' MeYDə' ẒiYNeYYẒ MWoNDa' NṬ 'eYPWoRĞa' NṬ

**f. 170r4–170v3**

(4) la colera et refroidisants la colera come (5) prunes et oxifenicia et do vin de pome granate. Et sucum cocorbite (7) et fere de cet-ci un apocima. Et (8) li doner. Oxizacra. Et une bone (9) tisane et autres fusiques resenblant (10) à ceux ci nos li donroms à manger (11) cocorbite et lentilles et blete (12) et triplicibus et autres erbes (13) refroidans. Nos li fromez un (14) plaster sur le foie et l'estomaque. (15) Prenez sandali rubi et albi roses (16) canfora croco farina ordei tot detrenprez (17) de suco solatri o portulaca si le metez (18) sur le coté detre (170v1) et sur l'estomaque. Et quant la trencheur (2) de la fevre est acoisée et la maladie (3) veit an desendant nos le volons purger

---

לַאקוֹלְרַא אֵירְאפְּרוֹיידִישַׁאנְץ לַאקוֹלְרַא קוֹמְא
פְּרוּנֵייש אֵט אוֹקְשִׁי פְּנִיסִיאַה אֵידוֹבִין
דְאפוֹמְא גְרַאנַאטְא ¨ אֵט שוּקוּ קוֹקוֹרְבִיטֵי
אֵיפֵּירְא דְא שֵׁט שִׁי אוֻן אַפּוֹזִימַא ¨ אֵי
לִי דוֹנֵייר ¨ אוֹקְשִׁי זַאקְרַא ¨ אֵי אֻונְא בוֹנְא
טִיזַאנְא אֵי אַאוֹטְרֵייץ פֵּוּזִיקֵייץ רְאשֵׁינְבלַאנְט
אַשׁוִץ שִׁי[346] נוֹץ לִי דוֹנְרוֹמְץ אַמַאנְגֵייר {קוקו}
קוֹקוֹרְבִיטֵי אֵי לֵינְטִילֵייש אֵי בְלֵיטֵי {אטריפלי}
אֵי טְרִיפְלִיצִיבוּש אֵי אַאוֹטְרֵייץ אֵרְבֵייץ {רא}
רְאפְּרוֹיידַאנְש ¨ נוֹץ לִי פְּרוֹמֵייץ אוֻן {אנפ}
פְּלַאשְׁטֵייר שֻׁור לְאפּוֹייאְה אֵי לֵיסְטוֹמַאכְא ¨
פְּרֵינֵייץ סַנְדַלִי רֻובִי אֵי אַלְבִי רוֹזֵייש
כַנְפּוֹרַא קְרוֹקוֹ פַּארִינַא אוֹרְדֵיאִי טוֹט דֵטְרֵנְפְּרֵי
דְאשֻׁוקוֹ שׁוֹלַאטְרִי אוֹ פּוֹרְטוֹלַאקַא שִׁי לְאמֵיטֵייץ
שֻׁור לְאקוֹטֵי דֵיטְרְא
אֵי שֻׁור לֵיסְטוֹמַאכְא ¨ אֵיקַאנְט לַאטְרֵינְקוֹר[347]
דְא לַאפֵּיבְרְא אֵט אַקוֹייזֵיאְה אֵילַאמַאלַאדִיאְה
בֵּייט אַנְדֵישֵׁינְדַאנְט נוֹש לְאבוֹלוֹנְץ פּוּרְגֵייר

---

346 שִׁי: em. ed., שִׁיט Ms.
347 לַאטְרֵינְקוֹר: em. ed., לַאטְרֵינְקוֹר Ms.

**f. 170r4–170v3**

*(4) von Galle befreienden und die Galle kühlenden Heilmitteln wie (5) Pflaumen und Sauerdatteln, Granatapfelwein und Kürbissaft; (7) daraus macht ein Absud und (8) gebt ihn ihm [mit?] Oxizacra. Und einen guten (9) Aufguss und andere Medikamente, die (10) denen ähneln; [und] wir geben ihm zu essen: (11) Kürbis, Linsen, Mangold, (12) Gartenmelde und andere (13) kühlende Kräuter. Wir bereiten ihm einen (14) Umschlag um die Leber und den Magen. (15) Nehmt rotes und weißes Sandelholz, Rosen, (16), Kampfer, Safran, Gerstenmehl, weicht alles (17) in Nachtschatten- oder Wegerichsaft ein und legt es (18) auf die rechte Seite (170v1) und auf den Magen. Und wenn sich die Heftigkeit (2) des Fiebers gemildert hat und die Krankheit (3) am Abklingen ist, wollen wir ihn*

---

La’ QWoLRa’ ’eRə’ FRWoYYDiYŠa’ NẒ La’ QWoLRa’ QWoMə’
PRWuNeYYŠ ’eṬ ’WoQŠiY FNiYSiY’ aH ’eYDWoViYN
Də’ PWoMə’ GRa’ Na’ Ṭə’ ¨ ’eṬ ŠWQW QWoQWoRBiYṬeY
’eYFeYRə’ Də’ ŠəṬ ŠiY ’WuN ’aPWoZiYMa’ ¨ ’eY
LiY DWoNeYYR ¨ ’WoQŠiY Za’ QRa’ ¨ ’eY ’uWNə’ BWoNə’
ṬiYZa’ Nə’ ’eY ’a’ WṬReYYẒ FuWZiYQeYYẒ Rə’ ŠeYNBLa’ NṬ
’aŠWuẒ ŠYi NWoẒ LiY DWoNRWoMẒ ’aMa’ NĞeYYR
QWoQWoRBiYṬeY ’eY LeYNṬiYLeYYŠ ’eY BLeYṬeY
’eY ṬRiYPLiYẒiYBWuẒ ’eY ’a’ WoṬReYYẒ ’eRBeYYẒ
Rə’ FRWoYYDa’ NŠ ¨ NWoẒ LiY FRWoMeYYẒ ’WuN
PL’ aŠṬeYYR ŠWuR Lə’ FWoYY’ əH ’eY LeYSṬWoMa’ Kə’ ¨
PReYNeYYẒ SaNDaLiY RuWBiY ’eY ’aLBiY RWoZeYYŠ
KaNFWoRa’ QRWoQWo Fa’ RiYNa’ ’WoRDeY’ iY ṬWoṬ DeṬReNPReY
Də’ ŠuWQWo ŠWoLa’ ṬRiY ’Wo PWoRṬWuLa’ Qa’ ŠiY Lə’ MeYṬeYYẒ
ŠWuR Lə’ QWoṬeY DeYṬRə’
’eY ŠWuR LeYSṬWoMa’ Kə’ ¨ ’eYQa’ NṬ La’ ṬReYNČWoR
Də’ La’ FeYVRə’ ’eṬ ’aQWoYYZeY’ əH ’eYLa’ Ma’ La’ DiY’ əH
VeYYṬ ’aNDeYŠeYNDa’ NṬ NWoŠ Lə’ VWoLWoNẒ PWuRĞeYYR

## f. 170v4–171r4

(4) aveque coscute lopoli solatri casia (5) fistole mana violes sacra. Et se (6) ele revenoit arere à li fevre si li (7) donrons trocici de canfora espodi sandali (8) roses de laca. Nos li donroms tisane (9) aveque oxizacra. Si le lavons (10) les uez aveque vinegre et jus coliandri (11) o aveque leit de feme o aveque (12) vinegre et eve froide. O aveque (13) jus de coliandre et eve rose. (14) Et si la fevre l'a lesé et le cuir li (15) demeure jaune si prene un apozima (16) de maratri coscote solatri aveque (17) un po de aloen et croco. (171r1) Et si n'a point fevre si le seignons (2) de la voine de basilica do bras detre se (3) la vertu et le age do malade et le tens (4) de l'an et aussi la cotome et la diete

---

אַבֵּיקְא קוֹשקֻוטֵי לוֹפוֹלִי שׁוֹלַאטְרִי קַשְׂיַא {פי'}
פִּישְׁטוֹלְא מַנַא וִיאוֹלֵייש זַקְרַא ¨ אֵי שְׂא
אֵילְא רְאבֵּינוֹיֵיט[348] אֲרֵירְא אַלִי לַאפֵּיבְרְא שִׁי לִי
דוֹנרוֹנְץ[349] טְרוֹצִיצִי דֵי קַאנְפּוֹרַא אֵשְׁפּוֹדִי סַנְדַלִי
רוֹזֵייש דֵי לַאקַא ¨ נוֹץ לִי דוֹנְרוֹמְש טִיזַאנְא
אַבֵּיקְא אוֹקְשִׁי זַקְרַא ¨ שִׁי לְאלַאבּוֹנְץ
לֵיישְׁאֻוֵייש אַבֵּיקְא בִּינֵיגְרְא אֵי יוְץ קוֹלִיאַנְדְרִי
אוֹ אַבֵּיקְא לֵייט דְאפֵּימְא אוֹ אַבֵּיקְא
בִּינֵיגְרְא אֵי אֵיבְא פְּרוֹיידְא ¨ אוֹ אַבֵּיקְא
יוְץ דְאקוֹלִיאַנְדְרְא אֵי אֵיבְא רוֹזְא ¨
אֵי שְׂא לַאפֵּיבְרְא לַא לֵישֵׁי אֵילְאקְוִיר לִי {די'}
דְאמֻורְא גַאוֹנְא שִׁי פְּרֵיינְא אֻוְן אַפּוֹזִימַא
דְאמַארַאטְרִי קוֹשְׁקוֹטֵי שׁוֹלַאטְרִי אַבֵּיקְא
אֻוְן פוֹ דְאאַלוֹאֵיין אֵי קְרוֹקוֹ ¨
17 אֵי שִׁי נַא פּוֹיינְט פֵּיבְרְא שִׁי לְאשֵׁיינוֹנְץ
דְא לַאבּוֹיינְא דְאבַאזִילִיקַא דוֹבְרַץ דֵיטְרְא שְׂא
לַאבֵּרְטוֹ אֵי לְאאַגְא דוֹמַאלַאדְא אֵילְאטֵיינְץ
דְאלַאן אֵי אַאוֹשִׁי לַאקוֹטוֹמְא אֵי לַאדִיאֵיטְא

---

**348** רְאבֵּינוֹיֵיט: em. ed., רְאבֵּינוֹיֵיט Ms.
**349** דוֹנרוֹנְץ: em. ed., דוֹרוֹנְץ Ms.

**f. 170v4–171r4**

*(4) mit Flachsseide, Hopfen, Nachtschatten, Röhren- (5) -kassie, Manna, Veilchen und Zucker reinigen. Und wenn (6) das Fieber zu ihm zurück kommt, dann (7) geben wir ihm Trochisken aus Kampfer, Spodium, Sandelholz, (8) Rosen und Schellack. Wir werden ihm einen Aufguss (9) mit Oxizacra geben. Dann waschen wir ihm (10) die Augen mit Essig und Koriandersaft (11) oder mit Muttermilch oder mit (12) Essig und kaltem Wasser. Oder mit (13) Koriandersaft und Rosenwasser. (14) Und wenn das Fieber von ihm gegangen ist und die Haut bei ihm (15) gelb bleibt, dann nehme er einen Absud (16) von Fenchel, Flachsseide und Nachtschatten mit (17) ein wenig Aloe und Safran. (171r1) Und wenn er kein Fieber hat, führen wir bei ihm einen Aderlass (2) an der Basilarvene des rechten Armes durch, wenn (3) die Konstitution und das Alter des Kranken, die (4) Jahreszeit und auch die Gewohnheiten und das Essverhalten*

---

ʼaVeYQəʼ QWoŠQuWṬeY LWoPWoLiY ŠWoLaʼṬRiY QaŠYaʼ
FiYŠṬWoLəʼ MaNaʼ WiYʼWoLeYYŠ ZaQRaʼ ¨ ʼeY Šəʼ
ʼeYLəʼ Rəʼ VeYNWoYeYṬ ʼaReYRəʼ ʼaLiY Laʼ FeYVRəʼ ŠiY LiY
DWoNRWoNẒ ṬRWoẒiYẒiY DeY Qaʼ NFWoRaʼ ʼeŠPWoDiY SaNDaLiY
RWoZeYYŠ DeY Laʼ Qaʼ ¨ NWoẒ LiY DWoNRWoMŠ ṬiYZaʼ Nəʼ
ʼaVeYQəʼ ʼWQŠiY ZaQRaʼ ¨ ŠiY Ləʼ Laʼ VWoNẒ
LeYYŠʼuWYeYŠ ʼaVeQəʼ ViYNeYGRəʼ ʼeY YWuẒ QWoLiYʼ aNDRiY
ʼWo ʼaVeQəʼ LYeYṬ Dəʼ FeYMəʼ ʼWo ʼaVeQəʼ
ViYNeYGRəʼ ʼeY ʼeVəʼ FRWoYYDəʼ ¨ ʼWo ʼaVeYQəʼ
YWuẒ Dəʼ QWoLiYʼ aNDRəʼ ʼeY ʼeYVəʼ RWoZəʼ ¨
ʼeY ŠiY Laʼ FeYVRəʼ Laʼ LeYŠəʼ ʼeYLəʼ QWuYR LiY
Dəʼ MuWRəʼ Ğaʼ WoNəʼ ŠiY PReYYNəʼ ʼWuN ʼaPWoZiYMaʼ
Dəʼ Maʼ Raʼ ṬRiY QWoŠQWoṬeY ŠWoLaʼ ṬRiY aʼ VeYQəʼ
ʼWuN PWo Dəʼʼ aLWoʼ eYYN ʼeY QRWoQWo ¨
1r ʼeY ŠiY Naʼ PWoYəYNṬ FeYVRəʼ ŠiY Ləʼ ŠeYYNWoNẒ
Dəʼ Laʼ VWoYəYNəʼ Dəʼ Baʼ ZiYLiYQaʼ DWoBRaẒ DeYṬRəʼ Šəʼ
Laʼ VeRṬWu ʼeY Ləʼʼ aĞəʼ DWoMaʼ Laʼ Dəʼ ‚əYLəʼ ṬeYYNẒ
Dəʼ Laʼ N ʼeY ʼaʼ WoŠiY Laʼ QWoṬWoMəʼ ʼeY Laʼ DiYʼ eYṬəʼ

**f. 171r5–171v1**

(5) do malade se totes ces choses sont (6) bons c'est temoine que nos segurement (7) le pooms seigner et apres ce nos (8) purgeroms la colera aveque casea (9) fistola mirabelanas citrin violes (10) coscute apsentium prunes jujube. Et (11) oxifenicia. **Et ausi** (12) nos li donrons sirop (13) et pilule. Et lectuarium qui purgent colera (14) nos li donrons. Vesi trocici (15) qui sont bons à cete (16) maladie. Roses 2 drachmas. Laca (17) jus epatori semen portulaca 2 dragme (18) et demie semen melonis cocomeris (19) cocorbite, dragme et demie maratri (20) anisi reubarbari dragme breez totes (21) ces choses en podre et le detrenprez de jus (171v1) de lopoli et li donez à boiver en jus

---

דוֹמַאלַאדְא שְׁא טוֹטֵייץ שֵׁיֵיץ קֿוֹזֵייץ שוֹנְט
בוֹנְץ שֵׁט טֵימוֹיינְא קְא נוֹץ שְׁאגֻורְאמֵינְט
לְאפוֹאוֹמְץ שֵׁיינֵייר אֵי אַפְרֵייץ שְׁא נוֹשׁ {לא}
[[לְא]]פֻּורְגָֿארוֹמְשׁ לַאקוֹלְרַא אַבֵּיקְא קַשְׁיאַ {פיש}
פִֿישְׁטוֹלַא מִירַאבְלַאנַשׁ סִיטְרִין וִיאוֹלֵייש {קו}
קוֹשְׁקֻוטֵי אַפְשֵׁינְצִיאוֹם[350] פְּרֻונֵייש גֻֿוגֻובֵי ¨ אֵט
אוֹקְשֵׁי פֿאנִיצִיאַה ¨ **אֵי אַאוֹשִׁי**
נוֹץ לִידוֹנְרוֹנְץ שִׁירוֹף {איפ}
אֵיפִּילֻולֵי ¨ אֵילֵיקְטֻווַרִיאוֹם קִי פֻּורְגֵֿינְט קוֹלְרַא
נוֹץ לִי דוֹנְרוֹנְץ ¨ **בֵֿישִׁי טְרוֹצִיצִי**
קִי שוֹנְט בוֹנְץ אַשֵׁיטְא
מַאלַאדִיאְה ¨ רוֹזֵייש בֿ דְרַכְמַשׁ ¨ לַאקַא
יִוץ אֵיפַּאוֹרִי שֵׁמֵן פוֹרְטֻולַאקַא בֿ דְרַכְמְא
אֵידְאמִיאְה שֵׁמֵן מֵילוֹנִישׁ קוֹקוֹמְרִישׁ {קוקו}
קוֹקוֹרְבִיטֵי • דְרַכְמְא אֵידְאמִיאְה מַרְאַטְרִי
אַנִישִׁי רֻובַרְבַרִי דְרַכְמְא בְרֵייאֵייץ טוֹטֵייץ
שֵׁשׁ קֿוֹזֵייץ[351] אֵן פוֹדְרְא אֵילְאדְטְרֵינְפְּרֵייץ דְיִוץ
17 דְאלוֹפוֹלִי אֵי לִי דוֹנֵייץ אַבוֹייבֵֿר אֵן יִוץ [[דְאמַרַארִי]]

350 אַפְשֵׁינְצִיאוֹם: em. ed., אַפְשֵׁינֵצִיאוֹם Ms.
351 קֿוֹזֵייץ: em. ed., קוֹזֵייץ Ms.

**f. 171r5–171v1**

*(5) des Kranken – wenn all diese Dinge (6) gut sind, ist das der Beweis, dass wir sicher (7) bei ihm einen Aderlass durchführen können. Und danach (8) reinigen wir die Galle mit Röhrenkassie, Gelben Myrobalanen, Veilchen, (10) Flachsseide, Absinth, Pflaumen, Jujube und (11) Sauerdatteln. Und außerdem (12) geben wir ihm Sirup (13) und Pillen. Und wir geben ihm ein Elektuarium, das die Galle reinigt. (14) Hier Trochisken, (15) die gut gegen diese (16) Krankheit sind. Zwei Drachmen Rosen, Schellack, (17), Salbeisaft. Portulaksamen, zwei- (18) -einhalb Drachmen Samen von Melone, Gurke (19) und Kürbis, eineinhalb Drachmen Fenchel, (20) Anis und eine Drachme Rhabarber; zerreibt all (21) diese Ding zu Pulver und weicht sie mit dem Saft (171v1) von Hopfen ein, und gebt ihm zu trinken mit*

---

DWoMa' La' Də' Šə' ṬWoṬeYYẒ ŠeYYẒ ČWoZeYYẒ ŠWoNṬ BWoNẒ ŠeṬ ṬeYMWoYYNə' Q'ə NWoẒ Šə' GuWRə' MeYNṬ Lə' PWo' WoMẒ ŠeYYNeYYR 'eY 'aPReYYẒ Šə' NWoŠ PuWRĞə' RWoMŠ La' QWoLRa' 'aVeYQə' Qa' Šə' a FiYŠṬWoLa' MiYRa' BLa' NaŠ SiYṬRiYN WiY' WoLeYYŠ QWoŠQWuṬeY 'aPŠeYNeẒiY' WoM PRWuNYeYŠ ĞuWĞuWBeY ¨ 'eṬ 'WoQŠiY Fə' NiYẒiY' aH ¨ **'eY 'a' WoŠiY** NWOẒ LiYDWoNRWoNẒ ŠiYRWoP 'eY PiYLuWLeY ¨ 'eYLeYQṬWWaRiY' WoM QYi PuWRĞeYNṬ QWoLRa' NWoẒ LiY DWoNRWoNẒ ¨ **VeŠiY ṬRWoẒiYẒiY** QYi ŠWoNṬ BWoNẒ 'aŠeYṬə' Ma' La' DiYə' H ¨ RWoZeYYŠ B` DRaKMaŠ ¨ La' Qa' YWuẒ 'eYPa' WoRiY ŠeMeN PWoRṬWuLa' Qa' B` DRaKMə' 'eYDə' MiY' əH ŠeMeN MeYLWoNiYŠ QWoQWoMRiYŠ QWoQWoRBiYṬeY · DRaKMə' 'eYDə' MiY' əH MaR' aṬRiY 'aNiYŠiY RuWBaRBaRiY DRaKMə' BReYY' eYYẒ ṬWoṬeYYZ ŠeŠ ČWoZeYYẒ 'eN PWoDRə' 'eYLə' DṬReYNPReYYẒ DəYWuẒ Də' LWoPWoLiY 'eY LiY DWoNeYYẒ 'aBWoYYVeR 'eN YWuẒ

**f. 171v2–19**

(2) de maratri et oxizacra. (3) **Catartic** qui est bon à cete (4) maladie merablanas citri (5) 5 drachmas kibuli 7, fomustere 3, (6) apsentium coscute eupatori 3 maratri (7) anisi, 2 dramas laca, 3 drachmas uva (8) passa mondées dragme bolez totes (9) ces choses en livre et demie de eve (10) joc à la moité et apres y metez mana (11) casia fistole ajotez aveque et pus si (12) le colez et melez equi yerapigra une (13) dragme et agaric detrenpré avec oxi (14) zacra ce buvra il tres jors. (15) Et mege de leit de chevre aveque oxizacra (16) et li donrons de ces piles. Prenez (17) apsentium mirabelanas kibuli 4 drachma' (18) et demie anis maratri api 2 drachmas (19) coscute 5 drachmas *ZR*ʿ davecum jus eupatori agaric

---

דְאמַרַאטְרִי אֵיאוֹקְשִׁי זַקְרַא ¨
קַטַרְטִיק קִי אֵט בוֹן אַשֵׁיטְא {מאלא}
מַאלַאדִיאְה מֵירַאבְלַאנַש סִיטְרִי
הׄ דְרַכְמַש קִיבֻולִי זׄ • פֿוֹמֻושְׁטֵירֵי • דׄ • {אפצינ}
אַפְּצֵינְטִיאוֹם קוֹשְׁקֻוְטֵי אֵפַאטוֹרִי גׄ מַארַאטְרִי
אַנִיזִי • בׄ דְרַכְמַש לַאקַא גׄ דְרַכְמַש אֻובַא
פַאסַא מוֹנְדֵיאֵייץ דְרַכְמְא בוֹלֵייש טוֹטֵייץ
שֵׁש קוֹזֵייץ אֵן לִיבְרְא אֵי דְאמִיאְה דְאאֵיבְא
יוֹק אַלַאמוֹייטֵי אֵי אַפְּרֵייץ אִי מֵיטֵייץ מַנַא
קַשְׁיַא פִּישְׁטוֹלְא אַגּוֹטֵייץ[352] אַבֵיקְא אֵפוּץ שִׁי
לְאקוֹלֵייץ אֵימֵילֵייץ אֵיקִי יֵירַא פִּיגְרַא אֻונְא
דְרַכְמְא אֵיאַגַרִיק דֵיטְרֵינְפְּרֵי אַבֵיקְא אוֹקְשִׁי
זַקְרַא שְׁא בֻובְרַא אִיל טְרֵייש יוֹרְץ ¨
אֵמֵיזְא דְלֵייט דְאקֵיבְרְא אַבֵיקְא אוֹקְשִׁי זַקְרַא
אֵילִידוֹנוֹץ דְא שֵׁייש פִּילֵייש ¨ פְּרֵינֵייץ
אַפְּצֵינְצִיאוֹם מִירַא בְלַאנַש[353] קִיבֻולִי דׄ דְרַכְמַ
אֵידְאמִיאְה אַנִיש מַרַאטְרִי אַפִּי בׄ דְרַכְמַש
קוֹשְׁקֻוְטֵי הׄ דְרַכְמַש * [[מ]] יוּץ אֵיפַאטוֹרִי אַגַרִיק    * זרע דַאוֵיקוֹם[354]

---

**352** אַגּוֹטֵייץ: em ed., אגוֹטֵייץ Ms.
**353** בְלַאנַש: em. ed., כְלַאנַש Ms.
**354** זרע דַאוֵיקוֹם wurde nachträglich auf dem rechten Rand eingefügt.

**f. 171v2–19**

*(2) Fenchelsaft und Oxizacra. (3) Ein Abführmittel, das gut gegen diese (4) Krankheit ist: fünf Drachmen Gelbe Myrobalanen, (5) sieben Chebulische Myrobalane, drei Erdrauch, drei Absinth, Flachsseide und Salbei, zwei Drachmen Fenchel und Anis, drei Drachmen Schellack, eine Drachme (8) gereinigte Rosinen; kocht all (9) diese Dinge in eineinhalb Pfund Wasser (10) bis zur Hälfte [ein], und gebt danach Manna hinzu, (11) und fügt Röhrenkassie hinzu, und dann (12) seiht es und mischt dazu eine Drachme Yerapigra (13) und Lärchenschwamm, der in Oxi- (14) -zacra eingeweicht ist; das soll er drei Tage lang trinken. (15) Und Molke von Ziegenmilch mit Oxizacra; (16) und wir geben ihm von diesen Pillen: Nehmt (17) viereinhalb Drachmen Absinth und Chebulische Myrobalanen, (18)zwei Drachmen Fenchel und Sellerie, (19) fünf Drachmen Flachsseide, sieben [Drachmen] Samen von Wilder Möhre, Salbeisaft und Lärchenschwamm*

---

Də’ MaRa’ ṬRiY ’eY’ WoQŠiY ZaQRa’ ¨
**QaṬaRṬiYQ** QYi ’eṬ BWoN ’aŠeYṬə’
Ma’ La’ DiY’ əH MeYRa’ BLa’ NaŠ SiYṬRiY
H` DRaKMAŠ QiYBuWLiY Z` · FWoMuWŠṬeYReY · D` ·
’aPẒeYNṬiY’ WoM QWoŠQWuṬeY ’ePa’ ṬWoRiY G` Ma’ Ra’ ṬRiY
’aNiYZiY · B` DRaKMaŠ La’ Qa’ G` DRaKMaŠ ’uWVa’
Pa’ Sa’ MWoNDeY’ eYYẒ DRaKMə’ BWoLeYYŠ ṬWoṬeYYẒ
ŠeŠ ČWoZeYYẒ ’eN LiYVRə’ ’eY Də’ MiYə’ H Də’’ eYVə’
YWoQ ’aLa’ MWoYYṬeY ’eY ’aPReYYẒ ’iY MeYYṬeYYẒ MaNa’
QaŠYa’ FiYŠṬWoLə’ ’aĞWoṬeYYẒ ’aVeYQə’ ’ePWuẒ ŠiY
Lə’ QWoLeYYẒ ’eYMeYLeYYẒ ’eYQYi YeYRa’ PiYGRa’ ’uWNə’
DRaKMə’ ’eY’ aGa’ RiYQ DeYṬReYNPReY ’aVeYQə’ ’WoQŠiY
ZaQRa’ Šə’ BuWVRa’ ’iYL ṬReYYŠ YWoRẒ ¨
’eMeYZə, DLeYYṬ Də’ ČeYVRə’ ’aVeYQə’ ’WoQŠiY ZaQRa’
’eYLiYDWoNWoNẒ Də’ ŠYeYŠ PiYLeYYŠ ¨ PReYNeYYẒ
’aPẒeYNẒiY’ WoM MiYRa’ BLa’ NaŠ QiYBuWLiY D` DRaKMa`
’eYDə’ MiY’ əH’ aNiYŠ MaRa’ ṬRiY ’aPiY B` DRaKMaŠ
QWoŠQWuṬeY H` DRaKMaŠ ZR‘ Da’ WeYQWoM YWuẒ ’eYPa’ ṬWoRiY
’aGaRiYQ

**f. 171v20–172r16**

(20) 7, laca 2 semence et triplici 4 dragme (21) et demie escamonie 4 dragme (172r1) et le detrenprons aveque le jus de feuille davecum (2) si en fetez piles si donez au malade (3) à boivre 3 dragmes et demie aveque (4) le mege de let fet et aparellé. Aveque oxi (5) zacra. Isenques aparellé. (6) Prenez dos livres de leit (7) de chevre si le melez si en prenez 4 onces (8) si le melez aveque atant de oxizacra et (9) apres le metez au fu bolir derechef (10) si prenez une epurge si la moilez en (11) eve chaude pus le prenez si en frotez (12) environ la pale par dedens et apres prenez (13) l'epurge si la moilez en eve froide si (14) le prenez un po au leit qui bot por etender (15) le boloin apres si le colez et pus le (16) remetez en la pale si y metez aveque

ז • לַאקַא בֹ שֵׁימֵינְשְׁא אֵטְרִיפְלִיצִי דֹ דְרַכְמְא
אֵידְאמִיאְה אֵשְׁקַמוֹנִיאְה דֹ דְרַכְמְא {אילאדיטר}
אֵילְאדֵטְרֵינפְּרוֹנְץ אַבֵּיקְא לְאיוִץ דְאפֵּוייְלְא דַאוֵיקוֹם
שִׁי אֵנְפֵּיטֵייְץ פִּילֵייש שִׁי דוֹנֵייץ אוֹמַאלַדְא
אַבוֹיְיבְרְא דֹ דְרַכמֵייש אֵידְאמִיאְה אַבֵּיקְא {לאמי}
לְאמֵיגְא[355] דְאלֵיט פֵּט אֵי אַפַּארֵילֵיי אַבֵּיקְש אוֹקְשִׁי
זַקְרַא ̈ **אִישֵׁינְקֵייץ** אַפַּארֵילֵיי ̈
פְּרֵינֵייץ דוֹץ לִיבְרֵייש דְלֵייט {דק}
דְאקֵייבְרְא שִׁי לְאמֵיילֵייץ שִׁי אֵנְפְּרֵינֵייץ דֹ אוֹנְצֵייץ
שִׁי לְאמֵילֵייץ אַבֵּיקְא אַטַאנְט דְאאוֹקְשִׁי זַאקְרַא אֵי
אַפְּרֵייץ לְאמֵיטֵייץ אוֹפּוּ {בֵּוּלִיט} בוֹלִיר דְארְקֵיף[356]
שִׁי פְּרֵינֵייץ אֵוּנְא אֵיפֵּורְגְא שִׁי לַאמוֹיילֵייש אֵן
אֵיבְא קַאוֹדְא פּוּץ לֵיפְרֵיינֵייץ שִׁי אֵנְפְּרוֹטֵייץ
אֵנְבִירוֹן לַאפַּאלְא פַּר דְאדֵינְץ אֵיאַפְּרֵייץ פְּרֵינֵייץ
לֵיפֵּורְגְא שִׁי לַאמוֹיילֵייץ אֵן אֵיבְא פְּרוֹיידְא שִׁי
לֵפְרֵיינֵייץ אוֵּן פּוֹ אוֹ לֵייט קִי בוֹט פוֹר אֵיטֵיינְדֵייר
לְאבוֹלוֹיֵין אַפְּרֵייש שִׁי לְאקוֹלֵייש אֵי פּוּש לְא {רא}
רְאמֵיטֵייץ אֵן לַאפַּאלְא שִׁי אִי מֵיטֵייץ אַבֵּיקְא

355 מֵיגְא: em. ed., מֵיגְא Ms.
356 דְארְקֵיף: em. ed., דְארְקֵיף Ms.

## f. 171v20–172r16

*(20) zwei [Drachmen] Schellack, viereinhalb Drachmen Samen der Gartenmelde, (21) vier Drachmen Harz der Purgierwinde, (172r1) und wir weichen das mit Saft von den Blättern der Wilden Möhre ein, (2) dann machen wir damit Pillen und geben dann [davon] dem Kranken (3) dreieinhalb Drachmen zu trinken, mit (4) Molke, die aus Milch gemacht und zubereitet wurde. Mit Oxi- (5) -zacra, ebenso vorbereitet. (6) Nehmt zwei Pfund (7) Ziegenmilch, verquirlt sie und nehmt davon vier Unzen, (8) mischt sie dann mit ebensoviel Oxizacra und (9) stellt dass danach auf den Herd, um es wieder zu kochen, (10) nehmt dann eine [Drachme] Purgierkraut und weicht sie in (11) warmem Wasser ein; nehmt es dann heraus und reibt es (12) rundherum innen in einer Pfanne und nehmt danach (13) das Purgierkraut und weicht es in kaltem Wasser ein, dann (14) nehmt ein wenig von der kochenden Milch, um (15) den Sud zu strecken, seiht ihn danach und (16) gebt ihn zurück in die Pfanne und fügt hinzu*

---

Z` · La' Qa' B` ŠeYMeYNŠə' 'eṬRiYPLiYẒiY D` DRaKMə'
'eYDə' MiY' əH 'eŠQaMWoNiY' əH D` DRaKMə'
2r 'eYLə' DeṬReYNPRWoNẒ 'aVeYQə' Lə' YWuẒ Də' FuWYYLə' Da' WeYQWoM
ŠiY 'eNFeYṬeYYẒ PiYLeYYŠ ŠiY DWoNeYYẒ 'WoMa' La' Də'
'aBWoYəYVRə' G` DRaKMeYYŠ 'eYDə' MiY' əH 'VeYQə'
Lə' MeYĞə' Də' LeYṬ FeṬ 'eY 'aPa' ReYLeYY ¨ 'aVeYQə' 'WoQŠiY
Za' QRa' ¨ **'iYŠeYNQeYYẒ** 'aPa' ReYLeYY ¨
PReYNeYYẒ DWoẒ LiYVReYYŠ DLeYYṬ
Də' ČeYYVRə' ŠiY Lə' MeYLeYYẒ ŠiY 'eNPReYNeYYẒ D` 'WoNẒeYYẒ
ŠiY Lə' MeYLeYYẒ 'aVeYQə' 'aṬa' NṬ Də' 'WoQŠiY Za' QRa' 'eY
'aPReYYẒ Lə' MeYYṬeYYẒ 'WoFWu BWoLiYR Də' RČeYF
ŠiY PReYNeYYẒ 'uWNə' 'eYPuWRĞə' ŠiY La' MWoYYLeYYŠ 'eN
'eYVə' Ča' WoDə' PWuẒ LeYPReYNeYYẒ ŠiY 'eNFRWoṬeYYẒ
'eNViYRWoN La' Pa' Lə' PaR Də' DeYNẒ 'eY' aPReYYẒ PReYNeYYẒ
LeYPuWRĞə' ŠiY La' MWoYYLeYYẒ 'eN 'eYVə' FRWoYYDə' ŠiY
LePReYNeYYẒ 'WuN PWo 'Wo LYeYṬ QYi BWoṬ PWoR 'eYṬeYYNDeYYR
Lə' BWoLWoYəYN 'aPReYYŠ ŠiY Lə' QWoLeYYẒ 'eY PWuŠ Lə'
Rə' MeYṬeYYẒ 'eN La' Pa' Lə' ŠiY 'iY MeYṬeYYẒ 'aVeYQə'

**f. 172r17–172v12**

(17) dos onces de sel si le bolez et l’ecumez (18) et quant il sera ecumés si le colez et (19) donez de ceti à malade à demi (20) livre aveque l’autre buvrache dessus nomé. (21) **Et se acun** chose nos enpeche la segnée (22) par cause de faillance (172v1) de vertu o par la froidure do tense o par les (2) années do malade que il est trop viel o (3) trop juvene nos li donons jus de solatri (4) et jus de indive et maratri ben boli et (5) colé aveque **oxizacra.** Nos (6) li donons le jus des erbes aveque: **trocici** prenez (8) laca, apsentium eupatorium (9) et se la chalur est grande nos li (10) donons: **trocici** de espodi canfor (11) aveque oxizacra nos (12) li donons à manger crisolocana portulaca

---

דוִץ אוֹנְצֵייש דְאשֵׂייל שִׂי לְאבוֹלֵייש אֵילֵיקוֶּמֵייץ
אֵי קַאנְט אִיל שְׂרַא אֵיקוֶּמֵייץ שִׂי לְאקוֹלֵייץ אֵי
דוֹנֵייץ דְאשֵׂיטְצִי אַמַאלַאדְא אַבוֹייבְּרְא דְמִי {לב}
לִיבְּרְא אַבֵּיקְא לַאוֹטְרְא בֵּוֹבְּרַאקְא דְאשוִּץ נוֹמֵי ̈
**אֵי שְׂא אַקוְּן** קוֹזְא נוֹץ אֵנְפֵּיקְא לַאשֵׂינֵיאְה
פַּר קַאוֹזְא דְא פַּאלַאנְצְא
דְאבֵּרטוִֹ אוֹ פַּר לַאפְּרוֹיידוֵּרְא דוֹ טֵינְצְא אוֹ פַּר לַיֵּיש
אַנֵיאֵייץ דוֹ מַאלַאדְא קְא אִיל אֵט טְרוֹף וֵייל אוֹ
טְרוֹף יוֵּבְּנְא נוֹץ לִי לִי דוֹנוֹנְץ יוִץ דְאשוֹלַאטְרִי
אֵי יוִץ דְאאִינְדִיבֵּי[357] אֵימַארַאטְרִי בֵּיֵין בוֹלִי אֵי
קוֹלֵי אַבֵּיקְא • **אוֹקְשִׂי זַקְרַא** ̈ נוֹץ
לִי דוֹנוֹנְץ לְאיוִץ דֵייץ
אֵרְבֵירְץ אַבֵּיקְא • **טְרוֹצִיצִי** פְּרֵינֵייץ
לַאקַא • אַפְּצֵינְטִיאוֹם אֵוּפַּטוֹרִיאוֹם
אֵי שְׂא לַאקַאלוִֹר אֵט גְרַאנְדְא נוֹץ לִי
דוֹנוֹנְץ ̈ **טְרוֹצִיצִי** דְאֵשפוֹדִי כַּנְפּוֹר
אַבֵּיקְא אוֹקְשִׂי זַקְרַא נוֹץ
לִי דוֹנוֹנְץ אַמַאנְגֵייר קְרִישוֹלוֹקַאנַא פוֹרְטֵלַאקַא

357 דְאאִינְדִיבֵּי: em. ed., דְאאִינְדִיבֵי Ms.

## f. 172r17–172v12

*(17) zwei Unzen Salz und kocht ihn dann und schäumt ihn ab, (18) und wenn er abgeschäumt ist, seiht ihn und (19) gebt davon dem Kranken ein halbes Pfund zu trinken (20) mit dem anderen, oben genannten Trunk. (21) Und wenn uns nichts am Aderlass hindert (22) aus Gründen einer schwachen (172v1) Lebenskraft oder wegen kalten Wetters oder wegen der (2) Lebensjahre des Kranken, d. h., dass er zu alt oder (3) zu zu jung ist. Wir geben ihm Saft des Nachtschatten, (4) der Endive und des Fenchel, gut gekocht und (5) abgeseiht, mit Oxizacra. Wir (6) geben ihm den Saft von Kräutern mit: Tochisken – nehmt (8) Schellack, Absinth und Salbei; (9) und wenn die Körpertemperatur hoch ist, geben wir ihm: (10) Trochisken aus Spodium [und] Kampfer (11) mit Oxizacra; wir geben ihm (12) Gartenmelde, Wegerich,*

---

DWoẒ 'WoNẒeYYŠ Də' ŠeYYL ŠiYLə' BWoLeYYẒ 'eYLeYQWuMeYYẒ
'eY Qa' NṬ 'iYL ŠRa' 'eYQWuMeYYẒ ŠiY Lə' QWoLeYYẒ 'eY
DWoNeYYẒ Də' ŠeYṬẒiY 'aMa' La' Də' 'aBWoYYVRə' DMiY
LiYVRə' 'aVeYQə' La' WoṬRə' BuWVRa' Čə' Də' ŠWuẒ NWoMeY ¨
**'eY Šə' 'aQWuN** ČWoZə' NWoẒ 'eNPeYČə' La' ŠeYNeY' əH
PaR Qa' WoZə' Də' Fa' La' NẒə'
Də' VeRṬWu 'Wo PaR La' FRWoYYDuWRə' DWo ṬeYNẒə' 'Wo PaR LYeYŠ
'aNeY' eYYẒ DWo Ma' La' Də' Q' ə 'iYL 'eṬ ṬRWoP WYeYL 'Wo
ṬRWoP YWuVNə' NWoẒ LiY DWoNWoNẒ YWuẒ Də' SWoLa' ṬRiY
'eY YWuẒ Də' 'iYNDiYVeY 'eYMa' Ra' ṬRYi BeYYN BWoLiY 'eY
QWoLeY 'aVeYQə' • **'WoQŠiY ZaQRa'** NWoẒ
LiY DWoNWoNẒ Lə' YWuẒ DYeYẒ
'eRBeRẒ 'aVeYQə' • **ṬRWoẒiYẒiY** PReYNeYYẒ
La' Qa' • 'aPẒeYNṬiY' WoM 'uWPaṬWoRiY' WoM
'eY Šə' La' Ča' LWuR 'eṬ GRa' NDə' NWoẒ LiY
DWoNWoNẒ ¨ **ṬRWoẒiYẒiY** Də' eŠPWoDiY KaNFWoR
'aVeYQə' 'WoŠiY ZaQRa' NWẒ
LiY DWoNWoNẒ 'aMa' NĞeYYR QRiYŠWoLWoQa' Na' PWoRṬuLa' Qa'

## f. 172v13–173r9

(13) bleda ule de amandes. Nos li donons (14) de la tisane si li donez do poison (15) fres et nuvel et poles bolis aveque vinegre et suquer. (17) **Trocici** qui valent à li ictirici- (18) -a c'est jaunice (19) et à l'etopement do foie et de l'eplen (20) yerapigra apsentium eupatorium (21) ana 2 drachmas roses espodi 3 drachmas (173r1) esquinant asari poli dragme et demie (2) laca reubarbari ana dragme croci (3) escamonie demi dragme si le destrenprez (4) de jus de endive si fetez trocisci de (5) dragme et demie si en donez un en jus (6) de indive aveque oxizacra. (7) **Apocima** c'est decocion qui est (8) bon à la jaunice et (9) purge et monde la nature qui est chaude

---

בְלֵידַא אֻולְא דְאַמַאנְדֵייץ ̈ נוֹץ לִי דוֹנוֹנְץ
דְאלַאטִיזֵיינְא שִׁי לִי דוֹנֵייץ דוֹפוֹיישׁוֹן
פְֿרֵייץ אֵי נוֹבֵֿייל אֵי פוֹלֵייץ בוֹלִישׁ אַבֵֿיקְא
בִֿינֵייגְרְא אֵי סֻוקֵר ̈
**טְרוֹצִיצִי** קִי בַֿאלֵינְט אַה לִי אִיקְטִירִיצִי
אַה שֵׁט גֿאונִיצְא {איאליטו}
אֵיאַלֵיטוֹפְּמֵינְט דוֹפֿוֹייאְה אֵי דְאלֵיפְלֵיין
יֵירַא פִיגְרַא אַפְצֵינְצִיאוֹם אֻופַאטוֹרִיאוֹם
אַנַא בֹ דְרַכְמַשׁ רוֹשֵׁשׁ אֵשְׁפוֹדִי גֹ דְרַכְמַשׁ
אֵשְׁקֻוִינַנְט אַשַׁארִי פוֹלִי דְרַכְמְא אֵי דְאמִיאְה
לַאקַא רֵבַרבַרִי אַנַא דְרַכְמְא קְרוֹצִי {אשקמ}
אֵשְׁקַמוֹנִיאֵי דְאמִי דְרַכְמְא שִׁי לְאדֵישְׁטֵנְפְּרֵייץ
דְאיוִץ דְאאֵינְדִיבְֿא שִׁי פֵֿיטֵייץ טְרוֹצִיצִי דְא
דְרַכְמְא אֵידְאמִיאְה שִׁי אֵנדוֹנֵייץ אֻוןְ אֵן יוִץ
דְאאִינְדִיבְֿא אַבֵֿיקְא אוֹקְשִׁי זַקְרַא ̈
**אַפוֹזִימַא** שֵׁט דֵיקוֹקְצִיאוֹן קִי אֵט
בוֹן אַה לַאגַֿאוֹנִיצְא אֵי {פ}
פֻּורְגְֿא אֵימוֹנְדְא לַאנַאטֻורְא קִי אֵט קַֿאוֹדְא

**f. 172v13–173r9**

*(13) Mangold und Mandelöl zu essen. Wir geben ihm (14) Gerstenaufguss, und gebt ihm einen (15) frischen Trunk und mit Essig und Zucker gekochte Hühnchen. (17) Trochisken, die gegen Ictericia (18), das ist Gelbsucht, helfen (19) und gegen den Verschluss von Leber und Milz: (20) jeweils zwei Drachmen Yerapigra, Absinth und Salbei (21) drei Drachmen Rosen und Spodium, (173r1) eineinhalb Drachmen Kamelheu, Haselwurz und Gamander, (2) je eine Drachme Schellack und Rhabarber, (3) eine halbe Drachme Safran und Harz der Purgierwinde, weicht es (4) mit Endiviensaft ein und macht dann Trochisken von (5) eineinhalb Drachmen und gebt dann davon eine in (6) Endiviensaft mit Oxizacra. (7) Apocima, das ist ein Absud, der (8) gut gegen Gelbsucht ist und (9) der die heiße Konstitution reinigt und in Ordnung bringt:*

---

BLeYDa’ ’uWLə’ Də’aMa’NDeYYẒ ¨ NWoẒ LiY DWoNWoNẒ
Də’La’ṬiYZeYYNə’ ŠiY LiY DWoNeYYẒ DWoPWoYYŠWoN
FReYYẒ ’eY NWoVeYYL ’eY PWoLeYYẒ BWoLiYŠ ’aVeYQə’
ViYNeYYGRə’ ’eY SuWQeR ¨
**ṬRWoẒiYẒiY** QYi Va’LeYNṬ ’aH LiY ’iYQṬiYRiYẒiY
’aH ŠeṬ Ğ’WNiYẒə’
’eY’aLeYṬWoPMeYNṬ DWoFWoYY’əH ’eY Də’LeYPLeYYN
YeYRa’ PiYGRa’ ’aPẒeYNẒiY’WoM ’uWPa’ṬWoRiY’WoM
’aNa’ B` DRaKMaŠ RWoŠeŠ ’eŠPWoDiY G` DRaKMaŠ
3r ’eŠQWYiNaNṬ ’aŠa’RiY PWoLiY DRaKMə’ ’eY Də’MiY’əH
La’Qa’ RuBaRBaRiY ’aNa’ DRaKMə’ QRWoẒiY
’eŠQaMWoNiY’eY Də’MiY DRaKMə’ ŠiY Lə’DeYŠṬeNPReYYẒ
Də’YWuẒ Də’’eYNDiYVə’ ŠiYFeYṬeYYẒ ṬRWoẒiYẒiY Də’
DRaKMə’ ’eYDə’MiY’əH ŠiY ’eNDWoNeYYẒ ’WuN ’eN YWuẒ
Də’’iYNDiYVə’ ’aVeYQə’ ’WoQŠiY ZaQRa’ ¨
**’aPWoZiYMa’** ŠeṬ DeYQWoQẒiY’WoN QYi ’eṬ
BWoN ’aH La’Ğa’WoNiYẒə’ ’eY
PuWRĞə’ ’eYMWoNDə’ La’Na’ṬuWRə’ QYi ’eṬ Ča’WoDə’

**f. 173r10–173v6**

(10) roses apsensium espodi ana 3 drachm’ (11) laca reubarbari jus eupatorium maratri (12) anis semen purtulace esquinant ana drachm’ (13) et demie. Escamonie. Dragant (14) dus escruples et demie. Croco drachm’ 1 mana drachm’ 2 (15) et le destrenprez de jus de solatri et (16) de maratri et le bolez et le colez ben. (17) **Confectio** Johanes Damasinus (18) qui est bon à cete (19) meimes maladie. Laca espodi (20) 2 drachmas croco escrupel et demi reubarbari (21) une dragme canfora demi scrupel totes (173v1) pilez an podre si li donez aveque la decoccion (2) fete de prunes et oxifenicia c’est tamar (3) indi. Et se la jaunice est en (4) alée et departie do cors et la jaunice li (5) est demoré en les uez nos li feromes un (6) eternutacion de succo secle o aveque

---

רוֹשֵׁשׁ אַפְּצֵינְצִיאוּם אֶשְׁפּוֹדִי אַנַא ג֗ דְרַכמ/
לַאקַא רֶובַרְבַרִי יוּץ אֶופַאטוֹרִיאוּם מַרַאטְרִי
אַנִיש שֵׁמֶן פֶּורְטֻולַצֵי אֶשְׁקְוִינַנְט אַנַא דְרַכמְ/
אֵידְאמִיאָה ¨ אֶשְׁקַמוֹנִיאָה ¨ דְרַאגַאנְט
דוּץ אֶשְׁקְרֻופְּלֵייש ¨אֵידְאמִי ¨ קְרוֹקוֹ * מַנַא דְרַכמ/ ב֗[358] * דְרַכמ/ א֗[359]
אֵילְאדֵיישְׁטֵנְפְּרֵייץ דְאִיוּץ דְאשׁוֹלַאטְרִי אֵי
דְאמַארַאטְרִי אֵילְאבוֹלֵייץ אֵילְאקוֹלֵייץ בֵּיין ¨
**קוֹנְפֵּיקְשִׁיאוֹ** יוֹהַנֵיש דַאמַאשִׁינוּש
קִי אֵט בוֹן אַה שֵׁיטְא
מֵיאִימֵייץ מַאלַאדִיאָה ¨ לַאקַא אֵשְׁפּוֹדִי
ב֗ דְרַכמַש קְרוֹקוֹ אֵשְׁקְרֻופֵּל אֵידְאמִי רֶובַרבַרִי
אֻונָא דְרַכְמָא כַנְפּוֹרַא דְאמִי שְׁקְרֻופֵּל טוֹטֵייץ
פִּילֵייץ אַנְפּוֹדְרָא שִׁי לִי דוֹנֵייש אַבֵּיקָא לַאדְאקוֹקְצִיאוֹן
פֵּיטְא דְאפְרוּנֵייש אֵי אוֹקְשִׁי פְנִיסִיאַה שֵׁט תַמַר
אִינְדִי ¨ אֵי שְׁא לַאגַאוֹנִיצְא אֵט אֵן
אַלֵיאָה אֵי דְאפַּרְטִיאָה דוֹ קוֹרְץ אֵי לַאגַאוֹנִיצְא לִי
אֵט דְאמוֹרֵי אֵן לֵייש אוֵייש נוֹץ לִי פְּרוֹמֵייש אֻוֵן
אֵיטֵרְנֻוטַאשִׁיאוֹן דְא שֻׁוקוֹ שֵׁיקְלֵי אוֹ אַבֵּיקָא {ני'}

---

**358** דְרַכמ/ ב֗ wurde nachträglich auf dem rechten Rand eingefügt.
**359** דְרַכמ/ א֗ wurde nachträglich auf dem rechten Rand eingefügt.

**f. 173r10–173v6**

*(10) Je drei Drachmen Rosen, Absinth und Zinkoxyd, (11) je eineinhalb Drachmen (11) Schellack, Rhabarber, Salbeisaft, Fenchel, (12) Anis, Wegerichsamen und Kamelheu, (13) zweieinhalb Skrupel Harz der Purgierwinde und Tragantgummi, (14) eine Drachme Safran, zwei Drachmen Manna; (15) weicht es in Nachtschatten- und (16) Fenschelsaft ein und kocht es und seiht es gut ab. (17) Medikament nach Johannes von Damaskus, (18), das gut gegen (19) dieselbe Krankheit ist: Zwei Drchmen Schellack und Zinkoxyd, (20) eineinhalb Skrupel Safran, (21) eine Drachme Rhabarber, einen halben Skrupel Kampfer; (173v1), zerstoßt alles zu Pulver, gebt es ihm dann mit dem Absud (2) aus Pflaumen und Sauerdatteln, das sind Tamarinden. (3) Und wenn die Gelbsucht verschwunden (4) und aus dem Körper entwichen ist, und die Gelbsucht ihm (5) aber in den Augen geblieben ist, werden wir ihm ein (6) Niesmittel zubereiten aus Roggensaft oder mit*

---

RWoŠeŠ ’aPẒeYNẒiY’ WoM ’eŠPWoDiY ’aNa’ G` DRaKM\
La’ Qa’ RuWBaRBaRiY YWuẒ ’uWPa’ ṬWoRiYWoM MaRa’ ṬRiY
’aNiYŠ ŠeMeN PuWRṬuWLa’ ẒeY ’eŠQWYiNaNṬ ’aNa’ DRaKM\
’eYDə’ MiY’ əH ¨ ’eŠQaMWoNiY’ əH ¨ DRa’ Ga’ NṬ
DWuẒ ’eŠQRWuPLeYYŠ ’eYDə’ MiY ¨ QRWoQWo DRaKM\ ’` MaNa’ DRaKM\ B`
’eLə’ DeYYŠṬeNPReYYẒ Də’ YWuẒ Də’ ŠWoLa’ ṬRiY ’eY
Də’ Ma’ Ra’ ṬRiY ’eYLə’ BWoLeYYẒ ’eYLə’ QWoLeYYẒ BeYYN ¨
**QWoNFeYQŠiY’ Wo** YWoHaNeYŠ Da’ Ma’ ŠiYNWuŠ
QYi ’eṬ BWoN ’aH ŠeYṬə’
MeY’ iYMeYYẒ Ma’ La’ DiY’ əH ¨ La’ Qa’ ’eŠPWoDiY
B` DRaKMaŠ QRWoQWo ’eŠQRWuPeL ’eYDə’ MiY RuWBaRBaRiY
’uWNə’ DRaKMə’ KaNFWoRa’ Də’ MiY ŠQRWuPeL ṬWoṬeYYẒ
3v PiYLeYYẒ ’aNPWoDRə’ ŠiY LiY DWoNeYYŠ ’aVeYQə’ La’ Də’ QWoQẒiY’ WoN
FeYṬə’ Də’ PRWuNeYYŠ ’eY ’WoQŠiY FNiYSiY’ aH ŠeṬ TaMaR
’iYNDiY ¨ ’eY Šə’ La’ Ğa’ WoNiYẒə’ ’eṬ ’eN
’aLeY’ əH ’eY Də’ PaRṬiY’ əH DWo QWoRẒ ’eY La’ Ğa’ WoNiYẒə’ LiY
’eṬ Də’ MWoReY ’eN LeYYŠ ’WuYeYŠ NWoẒ LiY FRWoMeYYŠ ’WuN
’eYṬeRNuWṬa’ ŠiY’ WoN Də’ ŠuWQQWo ŠeYQLeY ’Wo ’aVeYQə’

**f. 173v7–174r3**

(7) nigela o aveque leit de feme o aveque (8) vinegre o aveque ule de roses. (9) **À l'eplen** enflé et se il est plein (10) de vent et de mavoises (11) omeurs fetez un epitima (12) **epitima** malva altea semene lini (13) fenogreci ces choses bolez (14) en eve et les pilez et les lesez gesir (15) uit jors apres si y metez ongements (16) mollificatif si com dialtea et bure (17) et ule de camomile et grese de geline et (18) de oie et de anete et moele de beuf (19) et moele de vel et moele de cerf (20) totes ces uiles et les greses meter (21) ensenble et en fetez un oignemente si (22) oignez le coté de l'eplen. Apres y (174r1) metez sur le coté de l'eplen des sansues. (2) **Uncore** nos metromes une (3) ventose qui anglotira tote

---

נִיגֵ֫ילַא אוֹ אַבֵ֫יקְא לֵייט דְאפֵ֫ימְא אוֹ אַבֵ֫יקְא {ויני}
וִינֵיגְרָא אוֹ אַבֵ֫יקְא אֵולְא דְארוֹזֵייש ¨
**אַה לֵיפְלֵיין** אֵנְפְלֵי אֵי שְׁא אִיל אֵט פְלֵיין
דְאבֵ֫יינְט אֵי דְאמַאבֿוֹייזֵייץ
אוֹמֵורְש פֵ֫יטֵייש אֵונְא אֵיפִיטִימַא ¨
**אֵיפִיטִימַא** מַלְבַ֫א אַלְטֵיאַה שֵׁמֵינֵי לִינִי
פֵ֫ינוֹגְרֵיצִי שֵׁייץ קֿוֹזֵייש בוֹלֵייש
אֵן אֵיבְא אֵי לֵיפִילֵייש אֵי לֵייש לֵישֵׁייש גְֿאזִיר
וִיט יוֹרְש אַפְרֵייש שִׁי אִימֵיטֵייש אוֹגְֿמֵינְץ
מוֹלִיפִ֫יקַאטִיף[360] שִׁי קוֹם דִיאַלְטֵיאַה[361] אֵי בֵורְא
אֵיאֵולְא דְאקַאמוֹמִילְא אֵי גְרֵישְׁא דְאגְלִינְא אֵי
דְאאוֹייאְה אֵי דְאאַנֵיטְא אֵי מוֹאֵילְא דְאבוֹף[362]
אֵי מוֹאֵילְא דְא וֵייל אֵי מוֹאֵילְא דְא צֵירְף[363] {טו}
טוֹטֵייץ שֵׁש אוֵילֵייץ אֵי לֵייש גְרֵישֵׁש מֵיטֵר
אֵנְשֵׁנְבְלְא אֵי אֵנפֵ֫יטֵייץ אוֵן אוֹיינְמֵינְטְא שִׁי
אוֹיינֵייץ לְאקוֹטֵי דְאלֵיפְלֵיין ¨ אַפְרֵייש אִי
17 מֵיטֵייש שוֵר לְאקוֹטֵי דְאלֵיפְלֵיין דֵי שַׁנְשׁוֵאֵייץ ¨
**אֵונְקוֹרְא** נוֹש מֵיטְרוֹמֵייץ אוֵנְא {וינב}
וֵינְטוֹזְא קִי אַנְגְלוֹטִירַא טוֹטְא {לי}

---

360 מוֹלִיפִ֫יקַאטִיף: em. ed., מוֹלִיפִיקַאטִיף Ms.
361 דִיאַלְטֵיאַה: em. ed., דִיאַלְטֵיאְה Ms.
362 דְאבוֹף: em. ed., דְאבוֹף Ms.
363 צֵירְף: em. ed., צֵירְף Ms.

**f. 173v7–174r3**

*(7) Schwarzkümmel oder mit Muttermilch oder mit (8) Essig oder mit Rosenöl. (9) Gegen eine geschwollene Milz, und wenn sie voll (10) von Gasen und schlechten (11) Körperflüssigkeiten ist, macht folgenden Umschlag: (12) Malve, Eibisch, Lein- und (13) Bockshornkleesamen – kocht diese Dinge (14) in Wasser, zerstoßt sie und lasst sie (15) acht Tage ruhen, gebt dann (16) weich machende Schmieren hinzu wie Eibischsalbe, Butter, (17) Kamillenöl, Hühner-, (18) Gänse- und Entenfett sowie Rinder-, (19) Kalbs- und Hirschmark; (20) all diese Öle und Fette mischt (21) zusammen und macht daraus eine Salbe; dann (22) cemt die Seite der Milz ein. (174r1) Setzt danach auf die Seite der Milz Blutegel. (2) Weiterhin setzen wir einen (3) Schröpfkopf, der die gesamte*

---

NiYĞeYLa' 'Wo 'aVeYə' LYeYṬ Də'FeYMə' 'Wo 'aVeYQə'
WiYNeYGRə' 'Wo 'aVeYQə' 'uWLə' Də'RWoZeYYŠ ¨
**'aH LeYPLeYYN** 'eNFLeY 'eY Šə' 'iYL 'eṬ PLeYYN
Də'VeYYNṬ 'eY Də'Ma'VWoYYZeYYẒ
'WoMuWRŠ FeYṬeYYŠ 'WuNə' 'eYPiYṬiYMa'
**'eYPiYṬiYMa'** MaLVa' 'aLṬeY'aH ŠeMeNeY LiYNiY
FeYNWoGReYẒiY ŠeYYẒ ČWoZeYYŠ BWoLeYYŠ
'eN 'eYVə' 'eY LeYPiYLeYYŠ 'eY LeYYŠ LeYŠeYYŠ Ğə'ZiYR
WiYṬ YWoRŠ 'aPReYYŠ ŠiY 'iYMeYṬeYYŠ 'WoĞMeYNẒ
MWoLiYFiYQa'ṬiF ŠiY QWoM DiY'aLṬeY'aH 'Y BuWRə'
'eY'uWLə' Də'QaMWoMiYLə' 'eY GReYŠə' Də'GLiYNə' 'eY
Də''WoYY'əH 'eY Də''aNeYṬə' 'eY MWo'eYLə' Də'BWoF
'eY MWo'eYLə' Də' WYeYL 'eY MWo'eYLə' Də' ẒeYRF
ṬWoṬeYYẒ ŠeŠ 'WuYYLeYYẒ 'eY LYeYŠ GReYŠəŠ MeYṬeR
'eNŠeNBLə' 'eY 'eNFeYṬeYYẒ 'WuN 'WoYəYNMeYNṬə' ŠiY
'WoYYNeYYẒ Lə'QWoṬeY Də'LeYPLeYYN ¨ 'aPReYYŠ 'iY
1r MeYṬeYYŠ ŠWuR Lə'QWoṬeY Də'LeYPLeYYN DeY ŠaNŠWu'eYYẒ ¨
**'uWNQWoRə'** NWoŠ MeYṬRWoMeYYẒ 'WuNə'
WeYNṬWoZə' QYi 'aNGLWoṬiYR'a ṬWoṬə'

**f. 174r4–21**

(4) l'eplen aveque un po de fu se il y a nule (5) ventosité il se departira ben tot et se (6) il y a en l'eplen nule omeur il (7) se departira ben tot si li fetez (8) menues plaies isinques fetez joc (9) il soit gueri. (10) **Eplastrum** al la vomite de l'estomaque (11) por retreinder qui ne (12) vamit. Prenez mastix un once (13) cimini un once et demie bacas lauri (14) pein roti et pilez totes ces choses et le (15) destrenprez aveque jus de rue o de minte (16) o de planteine o de vinegre si le metez (17) sur la forcele et l'estomaque. (18) Coscote il purge coleram non naturée si de- (19) -torne asustionem c'est colera qui est arse c'est (20) colera denaturée et au lu de coscote prenez (21) le jus de solatri o plantaginis car c'est notoire

---

לֵיפְלֵיין אַבֵּיקְא אוֵּן פוֹ דְאפּוּ שְׁא אִיל אִיאַה נֻולְא
בֵּנְטוֹזִיטֵי אִיל שְׁדְפַּרְטִירַא בֵּיין טוֹט אֵי שְׁא
אִיל אִיאַה אֵן לֵפְלֵיין נֻולְא אוֹמֵור אִיל {שאדאר}
שְׁדְאפַּרְטִירַא בֵּיין טוֹט שִׁי לִיפֵּיטֵייש {מאנואיי}
מְאנֻואֵייש פְלַאיֵיץ אִי שִׁינְקֵייש פֵּיטֵייש יוֹק
אִיל שׁוֹיֵיט גֵיירִי ¨
**אֵפְלַשְׁטְרוֹם** אַלאַבּוֹמִיטְא דְאלֵסְטוֹמַכְא
פוֹר רֵיטְרֵיידֵייר קִי נְא
בַּאמִיט ¨ פְרֵינֵייץ מַשְׁטִיק אוֵּן אוֹנְצְא {צי}
צִימִינִי אוֵּן אוֹנְצְא אֵי דְאמִיאְה בַּאקַש לַאוֹרִי
פֵּיין רוֹטִי אֵי פִילֵייש טוֹטֵייץ שֵׁש קוֹזֵייץ אֵילְא
דֵישְׁטְרֵינְפְּרֵייץ אַבֵּיקְא יוִץ דְארֻואְה אוֹ דְאמִינְטְא
אוֹ דְאפְלַאנְטֵיינְא אוֹ דְאוִינֵיגְרְא שִׁי לְאמֵיטֵייץ
שֻׁור לַאפּוֹרְשֵׁילְא[364] אֵילֵיסְטוֹמַכְא ¨
קוֹשְׁקוֹטֵי אִיל פֻּורגְא קוֹלְרַם נוֹן נַאטֻורֵיאְה שִׁי דֵי
טוֹרְנְא אַזֻושְׁטִיאוֹנֵם שֵׁט קוֹלְרַא קִי אֵט אַרְשְׁא שֵׁט
קוֹלְרַא דֵינַאטֻורֵיאְה אֵי אוֹ לוּ דְאקוֹשְׁקוֹטֵי פְרֵינֵייץ
לְאיוִץ דְאשׁוֹלַאטְרִי אוֹ פְלַאנְטַאגִּינִיש קַר שֵׁט נוֹטוֹיירְא

---

**364** לַאפּוֹרְשֵׁילְא: em. ed., לַאפוֹרְשֵׁילְא Ms.

**f. 174r4–21**

*(4) Milz ansaugt, mit ein wenig Feuer; wenn es keine (5) Blähungen gibt, trennt er sich bald. Und wenn (6) es in der Milz keine Säfte gibt, (7) wird er sich bald leicht trennen. Fügt ihm dann (8) kleine Wunden zu, und macht es so, bis (9) er geheilt ist. (10) Umschlag gegen Erbrechen des Magens, (11) um zu verhindern, dass (12) er erbricht. Nehmt eine Unze Mastix, (13) eineinhalb Unzen Kreuzkümmel, Lorbeerbeeren (14) und geröstetes Brot; zerreibt alle Dinge und (15) weicht sie mit Weinraute- oder Minz- (16) oder Wegerichsaft oder Essig ein, und legt ihn dann (17) auf die Brust und den Magen. (18) Flachsseide reinigt die unnatürliche Galle und (19) wendet "Asustio" ab, das ist die überhitzte und (20) unnatürliche Galle. Anstelle von Flachsseide nehmt (21) den Saft von Nachtschatten oder Wegerich, denn es ist bekannt,*

---

LeYPLeYYN ’aVeYQə’ ’WuN PWo Də’FWu Šə’ ’YiL ’iY’aH NuWLə’
VeNṬWoZiYṬeY ’YiL ŠDPaRṬiYRa’ BeYYN ṬWoṬ ’eY Šə’
’YiL ’iY’aH ’eN LePLeYYN NWuLə’ ’WoMuWR ’YiL
ŠDə’PaRṬiYRa’ BYeYN ṬWoṬ ŠiY LiYFeYṬeYYŠ
Mə’NuW’eYYŠ PLa’YeYẒ ’iY ŠiYNQeYYŠ FeYṬeYYŠ YWoQ
’YiL ŠWoYeYṬ GeYYRiY ¨
’**ePLaŠṬRWoM** ’aLa’VWoMiYṬə’ Də’LeSṬWoMaKə’
PWoR ReYṬReYYDeYYR QYi Nə’
Va’MiYṬ ¨ PReYNeYYẒ MaŠṬiYQ ’WuN ’WoNẒə’
ẒiYMiYNiY ’WuN ’WoNẒə’ ’eY DE’MiY’əH Ba’QaŠ La’WoRiY
PYeYN RWoṬiY ’eY PiYLeYYŠ ṬWoṬeYYẒ ŠeŠ ČWoZeYYẒ ’eYLə’
DeYŠṬReYNPReYYẒ ’aVeYQə’ YWuẒ Də’RuW’əH ’Wo Də’MiYNṬə’
’Wo Də’PLa’NṬeYYNə’ ’Wo Də’WiYNeYGRə’ ŠiY Lə’MeYṬeYYẒ
ŠWuR La’FWoRŠeYLə’ ’eYLeYSṬWoMa’Kə’ ¨
QWoŠQWoṬeY ’YiL PuWRGə’ QWoLRaM NWoN Na’ṬuWReY’əH ŠiY DeY
ṬWoRNə’ ’aZuWŠṬiY’WoNeM ŠeṬ QWoLRa’ QYi ’eṬ ’aRŠə’ ŠeṬ
QWoLRa’ DeYNa’ṬuWReY’əH ’eY ’Wo LWu Də’QWoŠQWoṬeY PReYNeYYẒ
Lə’YWuẒ Də’ŠWoLa’ṬRiY ’Wo PL’aNṬa’ĞiYNiYŠ QaR ŠeṬ NWoṬWoYYRə’

## f. 174r22–174v15

(22) chose que sirop qui est fet de jus de plantein (174v1) et suquer et un po de vin vaut à ictiricia (2) et vaut aussi à l'etopement do foie (3) **sirop** qui cure totes le maladies de (4) ictiricia de quele chose que (5) ele vent. Prenez le jus de lactuce (6) et le jus de morele atant de l'un come (7) de l'autre de vin de pome granate (8) egres à la quantité des dus jus de erbes (9) et y metez do suquer tant que il sofit (10) et se vos volez que il soit plus (11) penetrif c'est plus persant et entrant (12) parmi les voines si le fetez un po[365] (13) bolir[366] à la quantité de une livre et pus y (14) metez dus onces de rebarberi et y (15) metez confortant le foie com espodi rosas

---

קֺוזְא קְא שִׁירוֹף קִי אֵט פֵֿייט דְא יוִץ דְאפְּלַאנְטֵיין
אֵי סֻוקֵר אֵי אֻוֵן פוֹ דְאבִֿין אִיל בַֿאוֹט אַאִיקְטִירִיצִיאַה
אֵי בַֿאוֹט[367] אַאוֹשִׁי אַה לֵיטוֹפְמֵינְט דוֹפֿוֹייאְה[368]
**שִׁירוֹף** קִי[369] קֻוְרְא טוֹטֵייץ לֵימַאנֵירֵייץ דְא
אִיקְטִירִיצִיאַה דְאקֵוִילְא קֺוזְא קְא
אֵילְא בֵֿיינְא ̈ פְּרֵינֵייץ לְאיוִץ דְאלַקְטוּצֵי
אֵי לְאיוִץ דְאמוֹרֵילְא אַטַאנְט דְלוִֹן קוֹמְא {דא}
דְאלַאוֹטְרְא אֵי דְאבִֿיין דְאפּוֹמְא גְרַאנַאטְא {א}
אֵיגְרֵייץ אַלַאקְוַונְטִיטֵי דֵייש דוִץ יוִץ דְאֵירְבֵץ
אֵי אִי מֵיטֵייץ דוֹסֻוקֵר טַאנְט קְא אִיל שׂוֹפִֿיט
אֵי שְׁא בֿוֹש בֿוֹלֵייש קְא אִיל שׁוֹיֵיט פְּלוִֹש {פיני}
פֵּינֵיטְרִיף[370] שֵׁט פְּלוִֹש פֵּרְשַׁאנְט אֵי אֵנְטְרַאנְט
פַּרְמִי לֵיישְׁבֿוֹיינֵייץ שִׁי לְאפֵֿיטֵייש אֵון פוֹ[371] [372]
בוֹלִיר אַה לַאקְוַונְטִיטֵי דְא אֵונְא לִיבְֿרְא אֵי פּוִץ אִי
מֵיטֵייץ דוִץ אוֹנְצֵייץ דְא רֵיבַרְבְּרִי אֵי אִי {מיט}
מֵיטֵייץ קוֹנְפֿוֹרְטַאנְט לְאפֿוֹייאְה קוֹם אֵשְׁפּוֹדִי רוֹזַשׁ[373]

---

**365** Ergänzung auf dem Rand mit unklarer Lokalisierung im Text (vgl. Edition): fet po.

**366** Ergänzung auf dem Rand mit unklarer Lokalisierung im Text (vgl. Edition): et asez bolir fet asez penetraif.

**367** בַֿאוֹט: em. ed., בַאוֹט Ms.

**368** דוֹפֿוֹייאְה: em. ed., דוֹפוֹייאְה Ms.

**369** קִי: em. ed., קְי Ms.

**370** פֵּינֵיטְרִיף: em. ed., פֵּינֵיטְרַיף Ms.

**f. 174r22–174v15**

*(22) dass Sirup, der aus Wegerichsaft (174v1) und Zucker und ein wenig Wein gemacht ist, gegen Gelbsucht hilft; (2) und er hilft auch gegen die Verstopfung der Leber. (3) Sirup, der alle Krankheiten der (4) Gelbsucht heilt, von welcher Ursache (5) sie auch entstanden ist. Nehmt den Saft von Gartensalat (6) und den Saft von Schwarzem Nachtschatten, von dem einen so viel wie (7) vom anderen; Wein von sauren Granatäpfeln (8) in der Menge der beiden Kräutersäfte (9) und gebt so viel Zucker hinzu, dass es ausreichend ist. (10) Und wenn ihr wollt, dass er (11) penetrierender wird, das heißt eindringender, und (12) in die Venen gelangt, dann lasst ihn ein bisschen (13) einkochen, bis zur Menge von einem Pfund, und dann (14) gebt zwei Unzen Rhabarber dazu und (15) mengt ein die Leber stärkendes Medikament bei, wie Zinkoxyd, Rosen,*

---

ČWoZə' Q'ə ŠiYRWoP QYi 'eṬ FeYYṬ Də' YWuẒ Də'PL'aNṬeYYN
174v 'eY SuWQeR 'eY 'WuN PWo Də'ViYN Va'WoṬ 'a'iYQṬiYRiYẒiY'aH
'eY Va'WoṬ 'a'WoŠiY 'aH LeYṬWoPMeYNṬ DWoFWoYY'əH
**ŠiYRWoP** QYi QuWRə' ṬWoṬeYYẒ LeYMa'NeYReYYẒ Də'
'iYQṬiYRiYẒiY'aH Də'QWeYLə' ČWoZə' Q'ə
'eYLə' VeYYNṬ ¨ PReYNeYYẒ Lə'YWuẒ Də'LaQṬWuẒeY
'eY Lə'YWuẒ Də'MWoReYLə' 'aṬa'NṬ DLWuN QWoMə'
Də'La'WṬRə' 'eY Də'ViYYN Də'PWoMə' GRa'Na'Ṭə'
'eYGReYYẒ 'aLa'QWWaNṬiYṬeY DeYYŠ DWuẒ YWuẒ Də'eYRBeẒ
'eY 'iY MeYṬeYYẒ DWoSuWQeR Ṭa'NṬ Q'ə 'YiL ŠWoFiYṬ
'eY Šə' VWoŠ VWoLeYYŠ Q'ə 'iYL ŠWoYeYṬ PLWuŠ
PeYNeYṬRiYF ŠeṬ PLWuŠ PeRŠa'NṬ 'eY 'eNṬRa'NṬ
[374]PaRMiY LeYYŠVWoYYNeYYẒ ŠiY Lə'FeYṬeYYŠ 'uWN PWo[375]
BWoLiYR 'aH La'QWWaNṬiYṬeY Də' 'uWNə' LiYVRə' 'eY PWuẒ 'iY
MeYṬeYYẒ DWuẒ 'WoNẒeYYẒ Də' ReYBaRBRiY 'eY 'iY
MeYṬeYYẒ QWoNFWoRṬa'NṬ Lə'FWoYY'əH QWoM 'eŠPWoDiY RWoZaŠ

---

**371** Ergänzung auf dem rechten Rand: (פְּנֵיטְרַ׳יף Ms.) אֵיאַשֵׁיש בוֹלִיר פֵּט אַשֵׁש פְּנֵיטְרִ׳יף. Es ist unklar, wo dies im Text einzufügen ist.

**372** Ergänzung auf dem linken Rand: פֵּיֵיט פוֹ. Es ist unklar, wo dies im Text einzufügen ist.

**373** רוֹזַש wurde nachträglich auf dem linken Rand eingefügt.

**374** Nachtragung auf dem rechten Seitenrand: 'eY'aŠeYŠ BWoLiYR FeṬ 'aŠeŠ PNeYṬRaiYF.

**375** Nachtragung auf dem linken Seitenrand: FYYeṬ PWo.

**f. 174v16–175r11**

(16) laca et un po de canfora si en prenez (17) de ce sirop tres jors aveque le jus (18) de scariole si le garira tot mentenant. (19) **Sirop** qui vaut à ictiricia (20) prenez le jus de lactuce (21) portulace scariole lactucelle atant (22) de l'un come de l'autre et de vin de pome (175r1) granate egre si le fetez ben bolir se vos (2) volez qui soit ben penetratif tant que il (3) demeure une livre et y metez dus onces (4) de reubarbari et pus y metez le foie (5) confortant. Si come espodi 2 drachm' (6) roses tres lacca dragme et demie (7) canfora un scrupel si li donez de ce (8) buvrage neuf jors aveque le jus scariole (9) si sera curé verement. (10) **À ictiricia** bon et ben eprové (11) prenez sal armoniac

---

לַאקַא אֵי אֵון פוֹ דְא כַאנְפּוֹרַא שִׁי אֵנְפְּרֵינֵייץ
דְא שְׁא שִׁירוֹף טְרֵייש יוֹרְץ אַבֵּיקְא לְאיוּץ
דְא שְׁקַרִיאוֹלֵי שִׁי לְאגַרִירַא טוֹט מֵיינְטְאנַאנְט ¨
**שִׁירוֹף** קִי בַּאוֹט אַה אִיקְטִירִיצִיאַה
פְּרֵינֵייץ לְאיוּץ דְאלַקְטוּצֵי {פּוֹר}
פּוֹרְטוּלַאצֵי שְׁקַרִיאוֹלֵי לַאקְטוּצֵילְלֵי אַטַאנְט
דְאלוּן קוֹם דְאלַאוֹטְרְא אֵי דְאבִּין דְאפּוֹמְא {גר}
גְרַאנַטְא אֵיגְרְא שִׁי לְאפֵּיטֵייץ בֵּיין בּוֹלִיר שְׁא בּוֹש {ב}
בּוֹלֵייש קִי שׁוֹיֵיט בֵּיין פֵּינְטְרַטִיף[376] טַאנְט קְא אִיל {דא}
דְאמֵוּרְא אוּנְא לִיבְּרְא אֵי אִי מֵיטֵייץ דוּץ אוֹנְצֵייץ
דְארֵובַרְבַּרִי אֵי פוּץ אִי מֵיטֵייש לְאפּוֹייאְה {קו}
קוֹפּוֹרְטַאנְט ¨ שִׁי קוֹמְא אֵשְׁפּוֹדִי בֹּ דְרַכְמ/
רוֹזֵייש טְרֵייש לַאקַא דְרַכְמְא אֵי דְאמִיאְה {כנ}
כַנְפּוֹרַא אוּן שְׁקְרוּפֵּייל שִׁי לִי דוֹנֵייץ דְא שְׁא {ש}
בֵּוּבְרַאגְא {נ} נֵוּף[377] יוֹרְשׁ אַבֵּיקְא לְאיוּץ שְׁקַרִיאוֹלֵי
שִׁי שְׂרַא קֻורֵי בְּרֵימֵינְט[378] ¨
**אַאִיקְטִירִיצִיאַה** בּוֹן אֵי בֵּיין אֵפְּרוֹבֵּי
פְּרֵינֵייץ שַׁל אַרְמוֹנִיאַק

376 פֵּינְטְרַטִיף: em. ed., פֵּינְטְרַטִיף Ms.
377 נֵוּף: em. ed., נֵוּף Ms.
378 בְּרֵימֵינְט: em. ed., בְרֵימֵינְט Ms.

**f. 174v16–175r11**

*(16) Schellack und ein bisschen Kampfer, dann nehmt (17) von diesem Sirup drei Tage lang mit (18) von Endivensaft, so wird er ihn auf der Stelle heilen. (19) Sirup, der gegen Gelbsucht hilft: (20) Nehmt den Saft von Gartensalat, (21) Portulak, Endive und jungem Gartensalat, (22) von dem einen so viel wie vom anderen, und Wein von (175r1) sauren Granatäpfeln, dann lasst es gut einkochen. Wenn ihr (2) wollt, dass er stark eindringend wird, dann bis dahin, dass (2) ein Pfund übrig bleibt, gebt dazu zwei Unzen (4) Rhabarber und fügt dann ein die Leber (5) stärkendes Medikament hinzu, wie etwa zwei Drachmen Zinkoxyd, (6) drei Drachmen Rosen, eineinhalb Drachmen Schellack, (7) und einen Skrupel Kampfer. Gebt ihm dann von diesem (8) Trank neun Tage lang mit Endivensaft, (9) so wird er wirklich geheilt sein. (10) Ein gutes und oft erprobtes [Mittel] gegen Gelbsucht: (11) Nehmt Salmiak,*

---

La' Qa' 'eY 'uWN PWo Də' Ka' NFWoRa' ŠiY 'eNPReYNeYYẒ
Də' Šə' ŠiYRWoP ṬReYYŠ YWoRẒ 'aVeYQə' Lə' YWuẒ
Də' ŠQaRiY' WoLeY ŠiY Lə' GaRiRa' ṬWoṬ MeYYNṬə' Na' NṬ ¨
**ŠiYRWoP** QYi V' WoṬ 'aH 'iYQṬiYRiYẒiY' aH
PReYNeYYẒ Lə' YWuẒ Də' LaQṬWuẒeY
PWoRṬWuLa' ẒeY ŠQaRiY' WoLeY La' QTWuẒeYLLeY 'aṬa' NṬ
Də' LWuN QWoM Də' L' aWoṬRə' 'eY Də' ViYN Də' PWoMə'
GR' aNaṬə' 'eYGRə' ŠiY Lə' FeYṬeYYẒ BeYYN BWoLiYR Šə' VWoŠ
VWoLeYYŠ QYi ŠWoYeYṬ BeYYN PeYNṬRaṬiYF Ṭa' NṬ Q' ə 'YiL
Də' MWuRə' 'WuNə' LiYVRə' 'eY 'iY MeYṬeYYẒ DWuẒ 'WoNẒeYYẒ
Də' RuWBaRBaRiY 'eY PWuẒ 'iY MeYṬeYYŠ Lə' FWoYY' əH
QWoFWoRṬa' NṬ ¨ ŠiY QWoMə' 'eYŠPWoDiY B` DRaKM\
RWoZeYYŠ ṬReYYŠ La' QQa' DRaKMə' 'eY Də' MiY' əH
KaNFWoRa' 'WuN ŠQRWuPeYYL ŠiY LiY DWoNeYYẒ Də' Šə'
BuWVRa' Ǧə' NWuF YWoRŠ 'aVeYQə' Lə' YWuẒ ŠQaRiY' WoLeY
ŠiY ŠRa' QWuReY VReYMeYNṬ ¨
**'a' iYQṬiYRiYẒiY' aH** BWoN ,əY BeYYN 'ePRWoVeY
PReYNeYYẒ ŠaL 'aRMWoNiY' aQ

**f. 175r12–175v6**

(12) et nitrum si li donez à boivre (13) aveque rose. (14) **Ictiricia** une chemise de lin (15) fet ben etroite (16) et non lavée. (17) **Ictiricia** et à coliricis (18) prenez rasure eboris (19) et piper et spicam et le destrenprez aveque (20) eve chaude. (21) Ictiricia prenez tete soris et (22) morele et jubarbe (23) prenez le jus de checun onif et do jus de plantein (175v1) tant come tos les autres si y metez (2) de farine d'orge si le metez chaut sur (3) le coté detre. (4) **Platiarius** il met sa cure (5) ici de ictiricia (6) se le malade est sanguins o colera qui

---

[[אַרְמוֹנִיאַק]] אֵי נִיטְרוֹם שִׁי לִי דוֹנֵייץ אַבוֹייְבָרְא
אַבֵּיקְא רוֹזְא ¨
**אִיקְטִירִיצְיאַה** אֵונְא קָאמִיזְא דְלִין
פֵּיטְא בֵּיין אֵטְרוֹייטְא
אֵי נוֹן לַאבֵּיאְה ¨
**אִיקְטִירִיצְיאַה** אֵי אַה קוֹלִירִישִׁיש
פְרֵינֵייץ רַאזוּרֵי אֵיבוֹרִיש
אֵט פִּיפֵּייר אֵט שְׁפִּיקַם אֵי לְאדֵישְׁטֵנְפְּרֵייץ אַבֵּיקְא
אֵיבְא קַאוֹדְא ¨
**אִיקְטִירִיצְיאַה** פְרֵינֵייץ טֵיטְאשוֹרִיץ אֵי
מוֹרֵיילְא אֵי יֻובַרְבְרְא
פְרֵינֵייץ לְיוּץ דְאקֵיקוּןְ אוֹנִיף̄[379] אֵי דוֹ יוּץ דְאפְלַאנְטֵיין
טַאנְט קוֹמְא טוֹשׁ לֵישַׁאוֹטְרֵייץ שִׁי אִימֵיטֵייץ
דְא פַּארִינְא דְאוֹרְגָא שִׁי לְאמֵיטֵייץ קַאוֹט שׁוּר
לְאקוֹטֵי דֵיטְרְא ¨
**פְלַאטִיאַרִיוֹשׁ** אִיל מֵייט שַׁאקוּרְא
אִישִׁי דְאאִיקְטִירִיצְיאַה
שְׁא לְאמַאלַאדְא אֵט שַׁנְגְוִינְשׁ אוֹ קוֹלְרַא קִי

---

379 אוֹנִיף̄: em. ed., אוֹנִיף Ms.

**f. 175r12 – 175v6**

*(12) und Natron, so gebt es ihm zu trinken (13) mit Rosen. (14) [Gegen] Gelbsucht: ein Hemd aus Leinen, (15) eng gewickelt (16) und nicht gewaschen. (17) Gegen Gelbsucht und Coliricus: (18) Nehmt Elfenbeinspäne, (19) Pfeffer und Indische Narde und weicht es ein mit (20) warmem Wasser. (21) [Gegen] Gelbsucht: Nehmt Fetthenne, (22) Schwarzen Nachtschatten und Hauswurz; (23) nehmt den Saft von allem zu je gleichen Teilen und Wegerichsaft, (175v1) so viel wie alles andere, fügt dann (2) Gerstenmehl hinzu und legt es dann warm auf (3) die rechte Seite. (4) Platearius: Er bringt seine Behandlung (5) von Gelbsucht an dieser Stelle. (6) Wenn der Kranke sanguinisch ist oder es die Galle ist, von der*

---

'eY NiYṬRWoM ŠiY LiY DWoNeYYẒ 'aBWoYəYVRə'
'aVeYQə' RWoZə' ¨
**'iYQṬiYRiYẒiY' aH** 'uWNə' Čə' MiYZə' DLiYN
FeYṬə' BeYYN 'eṬRWoYYṬə'
'eY NWoN La' VeY' əH ¨
**'iYQṬiYRiYẒiY' aH** 'eY 'aH QWoLiYRiYŠiYŠ
PReYNeYYẒ Ra' ZWuReY 'eYBWoRiYŠ
'eṬ PiYPeYYR 'eṬ ŠPiYQaM 'eY Lə' DeYŠṬeNPReYYẒ 'aVeYQə'
'eYVə' Ča' WoDə' ¨
**'iYQṬiYRiYẒiY' aH** PReYNeYYẒ ṬeYṬə' ŠWoRiYẒ 'eY
MWoREYYLə' 'eY YuWBaRBə'
PReYNeYYẒ LYWuẒ Də' ČeYQWuN 'WoNiYF 'eY DWo YWuẒ Də' PLa' NṬeYYN
Ṭa' NṬ QWoMə' ṬWoŠ LeYŠ' a' WoṬReYYẒ ŠiY 'iYMeYṬeYYẒ
Də' Fa' RiYNə' D' WoRĞə' ŠiY Lə' MeYṬeYYẒ Ča' WoṬ ŠWuR
Lə' QWoṬeY DeYṬRə' ¨
**PLa' ṬiY' aRiYWuŠ** 'YiL MeYYṬ Ša' QuWRə'
'iYŠiY Də' 'iYQṬiYRiYẒiY' aH
Šə' Lə' Ma' La' Də' 'eṬ ŠaNGWuYNŠ 'Wo QWoLRa' QYi

**f. 175v7–24**

(7) est abondant nos le curomes par un po en (8) une manere il met deferance en la cure (9) quant ictiricia est come fevre et (10) sans fevre. Se la vertu et l'age est (11) bons et le eier est bon et nule chose l'enpeche (12) et le malade est en fevre joc à quarte (13) jor vos le poez fere segner de la veine (14) de epatica do bras dester. (15) **Sa diete** si est totes choses refredant si come (17) lactuca scariole portulace solatri (18) cicorea ces erbes o crues o cuites (19) **lur buvrage** si sera (20) eve bolie aveque (21) les quatre semences froides melonis (22) citrolli cocomeris cocorbite se il est (23) en fevre. Et se il n'a pas fevre si (24) li poez doner do vin blanche aveque eve bolie

---

אֵט אַבוֹנְדַאנְט נוֹץ לְאקֻורוֹמֵייש פַר אֻון פוֹ אֵן
אֻונְא מַאנֵייְרא אִיל מֵט דֵפְרַאנְצְא אֵן לַאקֻורְא
קַאנְט אִיקְטִירִיצִיאַה אֵט קוֹמְא פֵיבְרְא אֵי {שא}
שַׁאנְץ פֵיבְרְא ¨ שְׁא לַאבֵירְטוֹ אֵי לַאגְא אֵט
בוֹנְץ אֵי לְאאֵיֵיר אֵט בוֹן אֵי נֻולְא קוֹזְא לֵנְפֵיקְא
אֵי לְאמַאלַאדְא אֵט אֵנְפֵיבְרְא יוֹק אַקַארְטְא
יוֹר בוֹש לְאפוֹאֵייש פֵירְא שֵׁינֵייר דְא לַאבֵיינְא
דְא אֵיפַאטִיקַא דוֹ בְרַאץ דֵישְׁטֵר ¨
**שַׁאדִיאֵיטְא** שִׁי אֵט טוֹטֵייץ קוֹזֵייץ
רְאפְרֵידַאנְט שִׁי קוֹמְא
לַאקְטוּקַא שְׁקַארִיאוֹלֵי פוֹרְטוּלַאצֵי שׁוֹלַאטְרִי
שִׁיקוֹרֵיאַה שֵׁש אֵרְבֵייץ אוֹ קְרוּאֵייץ אוֹ קֻוִיטֵייץ
**לֻוֵר בוּבְרַאקְא** שִׁי שַׁרְא
אֵיבְא בוֹלִיאְה אַבֵיקְא
לֵייש קַאטְרְא שְׁאמֵינְשֵׁש פְרוֹיידֵייץ מֵילוֹנִיש
שִׁיטְרוֹלְלִי קוֹקוֹמְרִיש קוֹקוֹרְבִיטֵי שְׁא אִיל אֵט
אֵן פֵיבְרְא ¨ אֵי שְׁא אִיל נַא פַש פֵיבְרְא שִׁי
לִיפוֹאֵייץ דוֹנֵייר דוֹ בִיין בְלַנְקָא[380] אַבֵיקְא אֵיבְא בוֹלִיאְה

---

**380** בְלַנְקָא: em. ed., בְלַנְקְא Ms.

**f. 175v7–24**

*(7) zu viel vorhanden ist, behandeln wir ihn durch wenig. In (8) folgendem macht er einen Unterschied bei der Behandlung: (9) Ob die Gelbsucht mit Fieber oder (10) ohne Fieber ist. Wenn der Zustand und das Alter [des Patienten] (11) es erlauben, und die Luft gut ist, und nichts spricht, (12) und der Kranke bis zum vierten Tag fiebrig ist, (13) könnt ihr einen Aderlass machen an der (14) Basilarvene des rechten Armes. (15) Seine Diät besteht dann aus lauter kühlenden Dingen wie (17) Gartensalat, Portulak, Nachtschatten, (18) Chicorée – diese Kräuter werden entweder roh oder gekocht [gegessen]; (19) sein Getränk wird (20) gekochtes Wasser mit (21) den vier Samen mit kalten Eigenschaften sein: von Zuckermelone, (22) Wassermelone, Gurke und Kürbis, wenn er (23) Fieber hat. Und wenn er kein Fieber hat, dann (24) könnt ihr ihm Weißwein mit gekochtem Wasser geben*

---

’eṬ ’aBWoNDa’ NṬ NWoẒ Lə’ QuWRWoMeYYŠ PaR ’WuN PWo ’eN
’WuNə’ Ma’ NeYYRə’ ’YiL MeṬ DeFRa’ NẒə’ ’eN La’ QuWRə’
Qa’ NṬ ’iYQṬiYRiYẒiY’ aH ’eṬ QWoMə’ FeYVRə’ ’eY
Ša’ NẒ FeYVRə’ ¨ Šə’ La’ VeYRṬWu ’eY La’ Ğə’ ’eṬ
BWoNẒ ’eY Lə’ ’eYeYR ’eṬ BWoN ’eY NWuLə’ ČWoZə’ LeNPeYČə’
’eY Lə’ Ma’ La’ Də’ ’eṬ ’eNFeYVRə’ YWoQ ’aQ’ aRṬə’
YWoR VWoŠ Lə’ PWo’ YeYŠ FeYRə’ ŠeYNeYYR Də’ La’ VeYYNə’
Də’ ’eYPa’ ṬiYQa’ DWo BRa’ Ẓ DeYŠṬeR ¨
**Ša’ DiY’ eYṬə’** ŠiY ’eṬ ṬWoṬeYYẒ ČWoZeYYẒ
Rə’ FReYDa’ NṬ ŠiY QWMə’
La’ QṬWuQa’ ŠQa’ RiY’ WoLeY PWoRṬWuLa’ ẒeY ŠWoLa’ ṬRiY
ŠiQWoReY’ aH ŠeŠ ’eRBeYYẒ ’Wo QRWu’ YeYẒ ’Wo QWuYṬeYYẒ
**LWuR BWuVRRa’ Čə’** ŠiY ŠRa’
’eYVə’ BWoLiY’ əH ’aVeYQə’
LYeYŠ Qa’ ṬRə’ Šə’ MeYNŠeŠ FRWoYYDeYYẒ MeYLWoNiYŠ
ŠiYṬRWoiLLiY QWoQWoMRiYŠ QWoQWoRBiYṬeY Šə’ ’YiL ’eṬ
’eN FeYVRə’ ¨ ’eY Šə’ ’YiL Na’ PaŠ FeYVRə’ ŠiY
LYiPWo’ YeYẒ DWoNeYYR DWo ViYYN BLaNČə’ ’aVeYQə’ ’eYVə’ BWoLiY’ əH

## f. 176r1–18

(176r1) aveque les erbes de dessus dites et que (2) le vin soit feble. **La diete** doit (3) etre des poles (4) cuis à verdjus et à vinegre si donez le pes (5) et aureles de porc et oisias petits (6) et poisons à ecale d'eve corante et de (7) la jote des erbes de borache et de bete (8) et de violete et de malve et do crison de (9) fonteine. Si oignons le cors de ule (10) roses et de violes o de ule mandragore (11) et de poplion. Si fetez. (12) **Ipitima** de jus de erbes froides (13) si com jus de jubarbe et jus (14) de solatri et autres erbes qui les (15) resenble. si li fetez ipitima sur (16) le cote detre. Prenez sandali albo et rubeo (17) c'est sandali blanche et roge et roses si les (18) polverisez en podre si le destrenprez de

---

אַבֵּיקְא לֵייש אֶרבֵּייש דְא דְאשויש דִיטֵייץ אֵי קְא לְאבִּיין שוֹיֵיט פֵּיבְלְא ׃ **לַאדִיאֵיטְא** דוֹיֵט אֵיטְרְא דֵי פוֹלֵייש קְוִיש אַבֵּירְדגּוּש אֵי אַבִּינֵיגְרְא שִׁי לִי דוֹנֵייש לֵיפֵּייץ אֵי אוֹרֵילֵייש דְא פוֹרְק אֵי אוֹייזִיאַש פְּאטִיש {איפוי} אֵיפוֹיישוֹנְץ אַאֵיקַאלְא דְאֵיבְא קוֹרַאנְטְא אֵי דְא לַאיוֹטְא דֵייץ אֵירְבֵירְץ דְאבוֹרַאקְא אֵי דְא בֵּיטְא אֵי דְא וִיאוֹלֵיטְא אֵי דְא מַלְבְא אֵי דוֹ קְרִישוֹן דְא פוֹנְטֵיינְא ׃ שִׁי אוֹיינוֹץ לְא קוֹרְץ דְא אוּלְא רוֹזֵייש אֵי דְא וִיאוֹלֵייש אוֹ דְא אוּלְא מַנְדְרַאגוֹרֵי אוֹ דְא פוֹפְלִיאוֹן ׃ שִׁי פֵּיטֵייש ׃ **אִיפִּיטִימַא** דֵי יוִץ[381] דְאאֵרבֵּייץ פְּרוֹיידֵייץ שִׁי קוֹם יוִץ דְאיֻובַּרְבְא אֵי יוִץ דְאשוֹלַאטְרִי אֵי אַאוֹטְרֵייץ אֶרְבֵירְץ קִי לֵייץ {רא} רְאשֵׁנְבְלְא ׃ שִׁי לִיפֵּיטֵייץ אִיפִּיטִימַא שוּר {לא} לְאקוֹטֵי דֵיטְרְא ׃ פְּרֵינֵייש סַנְדַלִי אַלְבּוֹ אֵט רֻבֵּיאוֹ שֵׁט סַנְדַלִי בְּלַנְקְא[382] אֵי רוֹיְיאה אֵי רוֹזֵייש שִׁי לֵייש פוֹלְבְרִיזֵייץ אֵנפוֹדְרְא שִׁי לֵידֵישטֵנְפְּרֵייץ דְא {א}

---

**381** יוִץ: em. ed., ייץ Ms.
**382** בְּלַנְקְא: em. ed., בְּלַנְקְא Ms.

**f. 176r1–18**

*(176r1) mit den oben genannten Kräutern und wenn (2) der Wein schwach ist. Die Diät soll (3) aus Hühnchen bestehen, (4) die mit dem Saft unreifer Trauben und mit Essig gekocht wurden; gebt dann die Füße (5) und Ohren vom Schwein, kleine Vögel, (6) Fische mit Schuppen aus fließendem Gewässer sowie (7) die grünen Blätter der Kräuter Borretsch, Mangold, (8) Veilchen, Malve und Brunnenkresse. (9) Dann salben wir den Körper mit Rosen- (10) und Veilchenöl oder mit Alraunen- (11) und Pappelöl ein. Dann macht (12) einen Umschlag mit Saft von kalten Kräutern (13) wie Hauswurz- und (14) Nachtschattensaft oder [Saft von] anderen Kräutern, die ihnen (15) ähneln. Legt also den Umschlag auf (16) die rechte Seite. Nehmt Sandalum album und rubeum, (17) das ist weißes und rotes Sandelholz und Rosen, (18) zerreibt das zu Pulver und weicht es mit*

---

6r ’aVeYQə’ LYeYŠ ’eRBeYYŠ Də’ Də’ŠWYŠ DiYṬeYYẒ ’eY Qə’
Lə’ViYYN ŠWoYeYṬ FeYBLə’ ¨ **La’ DiY’ eYṬə’** DWoYeṬ
’eYṬRə’ DeY PWoLeYYŠ
QWuYŠ ’aVeYRDĞWuŠ ’eY ’aViYNeYGRə’ ŠiY DWoNeYYŠ LeYPeYYẒ
’eY ’WoReYLeYYŠ Də’ PWoRQ ’eY ’WoYYZiY’ aŠ Pə’ṬiYŠ
’eYPWoYəYŠWoNẒ ’a’ eYQa’ Lə’ D’ eYVə’ QWoRa’ NṬə’ ’eY Də’
La’ YWoṬə’ DYeYẒ ’eYRBeYRẒ Də’ BWoRa’ Čə’ ’eY Də’ BeYṬə’
’eY Də’ WiY’ WoLeYṬə’ ’eY Də’ MaLVə’ ’eY DWo QRiYŠWoN Də’
FWoNṬeYYNə’ ¨ ŠiY ’WoYəYNWoẒ Lə’ QWoRẒ Də’ ’WuLə’
RWoZeYYŠ ’eY Də’ WiY’ WoLeYYŠ ’Wo Də’ ’WuLə’ MaNDRa’ GWoReY
’eY Də’ PWoPLiY’ WoN ¨ ŠiY FeYṬeYYŠ ¨
**’iYPiYṬiYMa’** DeY YWuẒ Də’ ’eRBeYYẒ FRWoYYDeYYẒ
ŠiY QWoM YWuẒ Də’ YuWBaRBə’ ’eY YWuẒ
Də’ ŠWoLa’ ṬRiY ’eY ’a’ WoṬReYYẒ ’eYRBeRẒ QiY LeYYẒ
Rə’ ŠeNBLə’ ¨ ŠiY LiYFeYṬeYYŠ ’iYPiYṬiYMa’ ŠWuR
Lə’ QWoṬeY DeYṬRə’ ¨ PReYNeYYŠ SaNDaLiY ’aLBWo ’eṬ RuWBeY’ Wo
ŠeṬ SaNDaLiY BLaNČə’ ’eY RWoYəY’ H ’eY RWoZeYYŠ ŠiY LYeYŠ
PWoLVRiYZeYYẒ ’eYNPWoDRə’ ŠiY LeYDeYŠṬeNPReYYẒ Də’

## f. 176r19–176v13

(19) ule de roses o de violes et de verjus (20) si y metez un po de vinegre si en fetez (21) un enplaster si le renovelez et le remuez (22) sovent un po chaudelet. Si li donez (23) chescun matin do **sirop** acitosus (176v1) aveque une decoccion de dessus dit. (2) Le diz-uiteme jor le orine si se epesit (3) purgez lo aveque decoccion de melonis (4) citroli cocomeris cocorbite violarum (5) prunorum epatice capille vineris en cele (6) eve decoccion y metez dus onces (7) de casea fistole tamarindorum un once (8) manne un once et dus onces mirabelanorum (9) citrinorum le terze jor donez li reubarbari (10) en cete manere prenez reubarbari dragme (11) tres tenprez-le une nut le matin (12) si le colez si li donez aveque (13) sirop violacium o li donez trifera

---

אֻולְא דְא רוֹזֵייש אוֹ דְא וִיאוֹלֵייש אֵי דְא בֵּרְגֹוּש
שִׁי אִי מֵיטֵייש אוֻן פוֹ דְאבִֿינֵיגְרְא שִׁי אֵנְפֵֿיטֵייץ
אוֻן אֵנְפְּלַשְׁטֵר שִׁי לְא רְאנוֹבֵֿלֵייש אֵי לְא רְאמֻוְאֵייץ
שׁוֹבֵֿינְט אֻון פוֹ קַֿאוֹדְאלֵיט ̈ שִׁי לִי דוֹנֵייץ
קֵֿישְׁקוֻן מַאטִין דוֹ **שִׁירוֹף** אַשִׁיטוֹזוּש
אַבֵֿיקְא אֻונְא דְאקוֹקְצִיאוֹן דְא דְא שׁוּץ דִיט ̈
לְא דִיזְאוִיטֵיימְא יוֹר לְאוֹרִינְא שִׁי שְׂא אֵיפֵּשִׁישִׁיט
פֻּורגֵֿייש[383] לוֹ אַבֵֿיקְא דֵיקוֹקְצִיאוֹן דְאמֵילוֹנִיש {סי}
שִׁיטְרוֹלִי קוֹקוֹמִריש קוֹקוֹרְבִיטֵי וִיאוֹלַארוֹם {פר}
פְּרוֻנוֹרוֹם אֵיפַּאטִיצֵי קַאפִּילְלֵי וִינְרִיש אֵן שֵׁילְא
אֵיבְֿא דֵקוֹקְצִיאוֹן אִי מֵיטֵייש דוּץ אוֹנְצֵייש
דְאקַאשְׁיאַ פִֿישְׁטוֹלְא תַאמַארִינְדוֹרוֹם אֻון אוֹנְצְא
מַאְנְנֵי אוֻן אוֹנְצְא אֵי דוּץ אוֹנְצֵייש מִירַאבְלַנוֹרוֹם
סִיטְרִינוֹרוֹם לְאטֵרְצְא יוֹר דוֹנֵייש לִי רוֻבַֿרְבַּרִי
אֵנְשֵׁיטְא מַאנֵייְרְא פְּרֵינֵייש רוֻבַֿרְבַּרִי • דְרַכְמְא
טְרֵייש טֵינְפְּרֵייש לְא אוֻנְא נוּט לְאמַאטִין
שִׁי לְאקוֹלֵייץ שִׁי לִי דוֹנֵייץ {א} אַבֵֿיקְא {שי}
שִׁירוֹף וִיאוֹלַאשִׁיוֹם אוֹ לִידוֹנֵייש טְרִיפֿ̄רַא

---

**383** פֻּורגֵֿייש: em. ed., פֻּורגַֿייש Ms.

**f. 176r19–176v13**

*(19) Rosen- oder Veilchenöl und dem Saft unreifer Trauben ein. (20) Dann gebt ein bisschen Essig hinzu, macht daraus (21) einen lauwarmemen Umschlag und erneuert und wechselt ihn dann (22) häufig. Gebt ihm dann (23) jeden Morgen Sauerzucker (176v1) mit dem Absud, der oben beschrieben wurde. (2) Wenn am achtzehnten Tag der Urin dickflüssig wird, (3) reinigt ihn mit einem Absud aus Zuckermelone, (4) Wassermelone, Gurke, Kürbis, Veilchen, (5) Pflaumen, Leberkraut und Frauenhaarfarn; gebt in das (6) Absudwasser zwei Unzen (7) Purgierkassie und eine Unze Tamarinden, (8) eine Unze Manna und zwei Unzen gelbe Myrobolanen; (9) am dritten Tag verabreicht ihr ihm Rhabarber (10) auf folgende Weise: Nehmt drei Drachmen Rhabarber, (11) weicht ihn eine Nacht ein, (12) seiht ihn dann am Morgen und gebt ihn ihm mit (13) Veilchensirup; oder gebt ihm Tryphera*

---

'WuLə' Də' RWoZeYYŠ 'Wo Də' WiYWoLeYYŠ 'eY Də' VeRĞWuŠ
ŠiY 'iY MeYṬeYYŠ 'WuN PWo Də' ViYNeYGRə' ŠiY 'eYNFeYṬeYYẒ
'WuN 'eNPLaŠṬeR ŠiY Lə' Rə' NWoVeLeYYŠ 'eY Lə' Rə' MuW' eYẒ
ŠWoVeYNṬ 'WuN PWo Ča' WoDə' LeYṬ ¨ ŠiY LiY DWoNeYYẒ
ČeYŠQWuN Ma' ṬiYN DWo **ŠiYRWoP** 'aŠiYṬWoZWuŠ
6v 'aVeYQə' 'uWNə' Də' QWoQẒiY' WoN Də' Də' ŠWuẒ DiYṬ ¨
Lə' DiYZə' WiYṬeYMə' YWoR Lə' WoRiYNə' ŠiY Šə' 'eYPeYŠiYṬ
PuWRĞeYYŠ LWo 'aVeYQə' DeYQWoQẒiY' WoN Də' MeYLWoNiYŠ
ŠiYṬRWoLiY QWoQWoRBiYṬeY WiY' WoLa' RWoM
PRWuNWoRWoM 'eYPa' ṬiYẒeY Qa' PiYLLeY WiYNRiYŠ 'eN ŠeYLə'
'eYVə' DeQWoQẒiY' WoN 'iY MeYṬeYYŠ DWuẒ 'WoNẒeYYŠ
Də' Qa' ŠəY' a FiYŠṬWoLə' Ta' Ma' RiYNDWoRWoM 'WuN 'WoNẒə'
Ma' NNeY 'WuN 'WoNẒə' 'eY DWuẒ 'WoNẒeYYŠ MiYRa' BLaNWoRWoM
SiYṬRiYNWoRWoM Lə' ṬeRẒə' YWoR DWoNeYYŠ LiY RWuBaRBaRiY
'eNŠeYṬə' Ma' NeYYRə' PReYNeYYŠ RWuBaRBaRiY • DRaKMə'
ṬReYYŠ ṬeYNPReYYŠ Lə' 'WuNə' NWuṬ Lə' Ma' ṬiYN
ŠiY Lə' QWoLeYYẒ ŠiY LiY DWoNeYYẒ 'aVeYQə'
ŠiYRWoP WiY' WoLaŠiYWoM 'Wo LiYDWoNeYYŠ ṬRiYFRa'

**f. 176v14–177r8**

(14) saracinca aveque reubarbre. O aveque (15) suco solatri scariole. Et sovent li (16) donez mirabelane confit. Si li (17) fetez user ce (18) **sirop** epatica, capille (19) vineris si bolez ces (20) erbes en le jus scariole si le colez (21) si y metez do suquer si fetez en (22) la fen de la decoccion si y metez reubarbari (23) en tele porcion que en une livre de sirop (177r1) metez un once de reubarbre et se le malade (2) est si delicieus que il ne peut boivre la (3) reubarbre si la colez et li donez à boivre et (4) se le malade est de grose matire si li (5) lesez boivre la sotance. Veci un (6) **sirop** qui valt à ictiricia à (7) opilacion do foie et de li (8) l'eplen et à le foie qui est echafé et cure

---

צַארַאזִינְקַא אַבֵּיקָא רֵוּבַרְבְּרָא ¨ אוֹ אַבֵּיקָא[384]
שֻׁוקוֹ שׁוֹלַטְרִי[385] שְׁקַרִיאוֹלֵי ¨ אֵי שׁוֹבֵּינְט לִי
דוֹנֵייץ מִירַאבְלַאנְא קוֹנְפִּיט ¨ שִׁי לִי {פִּי}
פֵּיטֵייש אֻוזֵייר שֵׁא •
**שִׁירוֹף** אֵיפַּאטִיקַא • קַאפִּילְלֵי {וִי}
וִינְרִיש שִׁי בוֹלֵייש שֵׁש {אר}
אֵרְבֵייש[386] אֵן לְא יוּץ שְׁקַארִיאוֹלֵי שִׁי לְאקוֹלֵייץ
שִׁי אִימֵיטֵייץ דוֹ סֻוקֵר שִׁי פֵּיטֵייץ {אֵט} אֵן
לַאפִּין דְאלַאדֵיקוֹקְצִיאוֹן שִׁי אִימֵיטֵייץ רֵוּבַרְבַרִי
אֵן טֵילְא פּוֹרְצִיאוֹן קְאֵ אֵן אֻונְא לִיבְּרָא דְא שִׁירוֹף[387]
17 מֵיטֵייש אֻון אוֹנְצְא דְארֵיבַּרְבְּרָא אֵי שְׁא לְאמַאלַאדְא
אֵט שִׁי דְאלִישִׁיאוּש קָא אִיל נְא פּוּט בוֹיְיבְּרָא לַא
רֵיבַּרְבְּרָא שִׁי לַאקוֹלֵייץ אֵי לִי דוֹנֵייץ אַבוֹיְיבְּרָא אֵי
שְׁא לְאמַאלַאדְא אֵט דְא גוֹשְׁא מַאטִירְא שִׁי לִי
לֵישֵׁייש בוֹיְיבְּרָא לַאשׁוֹטַאנְצְא ¨ בֵּישִׁי אֻון
**שִׁירוֹף** קִי בַּאלְט אַה אִיקְטִירִיצִיאַה אַה
אוֹפִּילַאצִיאוֹן דוֹ פּוֹייאְה אֵי דְא לִי
לֵיפְלֵיין אֵי אַה לְאפּוֹייאְה קִי אֵט אֵיקַאפֵּי אֵי קֻורְא

---

**384** אַבֵּיקָא: em. ed., אַבֵּיקָש Ms.
**385** שׁוֹלַטְרִי ist zur Hälfte (rechts) von verzierenden Punkten umrahmt.
**386** אֵרְבֵייש: em. ed., אֵבְבֵייש Ms.
**387** Reklamant am Seitenende von f. 176v: מֵיטֵייש אֻון אוֹנְצְא.

## f. 176v14–177r8

*(14) saracenica mit Rhabarber. Oder mit (15) Nachtschatten- und Endivensaft. Und gebt ihm oft (16) kandierte Myrobolanen. Dann (17) lasst ihn diesen (18) Sirup nehmen: Leberkraut und (19) Frauenhaarfarn – kocht diese (20) Kräuter in Endivensaft und seiht ihn dann, (21) fügt Zucker hinzu und (22) beendet so den Absud: gebt Rhabarber hinzu, (23) in der Menge, die einem Pfund Sirup entspricht; (177r1) fügt hinzu eine Unze Rhabarber hinzu. Wenn der Kranke (2) so geschwächt ist, dass er den Rhabarber nicht trinken kann, (3) dann seiht ihn und gebt ihn ihm zu trinken. (4) Wenn der Kranke unter dickflüssigen Körpersäften leidet, dann lasst ihn (5) die Substanz trinken. Hier ein (6) Sirup, der gegen Gelbucht (7) aufgrund des Verschlusses der Leber und der (8) Milz und aufgrund der Erhitzung der Leber hilft. Er heilt außerdem*

---

Ẓa' Ra' ZiYNQa' 'aVeYQə' RuWBaRBRə' ¨ 'Wo 'aVeYQə'
ŠWuQWo ŠWoLaṬRiY ŠQaRiY' WoLeY ¨ 'eY ŠWoVeYNṬ LiY
DWoNeYYẒ MiYRa' BLa' Nə' QWoNFiYṬ ¨ ŠiY LiY
FeYṬeYYŠ 'uWZeYYR Še' •
**ŠiYRWoP** 'eYPa' ṬiYQa' • Qa' PiYLLeY
WiYNRiYŠ ŠiY BWoLeYYŠ ŠeŠ
'eYRBeYYŠ 'eN Lə' YWuẒ ŠQa' RiY' WoLeY ŠiY Lə' QWoLeYYẒ
ŠiY 'iYMeYṬeYYẒ DWo SWuQeR ŠiY FeYṬeYYẒ 'eN
La' FəYN Də' La' DeYQWoQẒiY' WoN ŠiY 'iYMeYṬeYYẒ RuWBaRBaRiY
'eN ṬeYLə' PWoRẒiY' WoN Q' ə 'eN 'uWNə' LiYVRə' Də' ŠiYRWoP[388]
7r MeYṬeYYŠ 'uWN 'WoNẒə' Də' ReYBaRBRə' 'eY Šə' Lə' Ma' La' Də'
'eṬ ŠiY Də' LiYŠiY' WuŠ Qə' 'YiL Nə' PWuṬ BWoYəYVRə' La'
ReYBaRBRə' ŠiY La' QWoLeYYẒ 'eY LiY DWoNeYYẒ 'aBWoYəYVRə' 'eY
Šə' Lə' Ma' La' Də' 'eṬ Də' GRWoŠə' Ma' ṬiYRə' ŠiY LiY
LeYŠeYYŠ BWoYəYVRə' La' ŠWoṬa' NẒə' ¨ VeYŠiY 'WuN
**ŠiYRWoP** QiY Va' LṬ 'aH 'iYQṬiYRiYẒiY' aH 'aH
'WoPiYLa' ẒiY' WoN DWo FWoYY' əH 'eY Də' LiY
LeYPLeYYN 'eY 'aH Lə' FWoYY' əH QiY 'eṬ 'eYČa' FeY 'eY QWuRə'

---

**388** Reklamant am Seitenende von f. 176v: MeYṬeYYŠ 'uWN 'WoNẒə'.

**f. 177r9–177v3**

(9) le ictiricia qui vent de etopement des (10) pertus do cuir dehors le cors et dedens mes (11) que il n'y a point de fevre si le curez (12) aveque le jus de feniculi et apei. Et adés (13) li donez: **sirop** apsentium o api (14) avecque suker à matin. Si (15) li donez le jus de apsentium et le jus (16) de planteine ana once demi.[389] Aveque suker. (17) Si li donez greins de aloe epatic. (18) Et si li vadra mont au greins eforbi (19) à la quantité dragme aveque un oef (20) à humer. Aussi nos li donrons: (21) **Oximel squiliticum** nos li (22) donrons (23) à rafani à manger et apres nos (177v1) li donrons de l'eve chaude une bone quantité (2) à boivre apres si se asoe pro vomir (3) et se ovre les condus et monde le sanc

---

לְאִיקְטִירִיצִיאַה קִי בֵּיינְט דְא אֵטוֹפְמֵינְט דֵי
פֵּרְטוּשׁ דוֹ קֻוִיר דְאהוֹרְץ לְא קוֹרְץ אֵי דְאדֵינְץ מֵייץ
קְא אִיל נִיאַה פּוֹיינְט דְאפֵּיבְרְא שִׁי לְאקֻוְרֵייץ {אבי}
אבֵּיקְא לְאיוְץ דְאפֵּינִיקֻוְלִי אֵט אַפֵּיאִי ¨ אֵי אַדֵייץ
לִידוֹנֵייץ ¨ **שִׁירוֹף** אַפְּצִינְטִיאוֹם אוֹ אַפִּי
אַבֵּיקְא סוּקֵר אַמַטִין ¨ שִׁי
לִי דוֹנֵייץ לְא יוְץ דְא אַפְּצֵינְטִיאוֹם אֵי לְא יוְץ {דאפל}
דְאפְּלַאנְטֵיינְא אַנַא אוֹנְצְא[390] דְמִי[391] ¨ אַבֵּיקְא סֵוכֵר ¨
שִׁי לִי דוֹנֵייש גְרֵיינְץ דְאאַלוֹאֵי אֵיפַּאטִיק ¨
אֵי שִׁי לִי בַּאדְרַא מוֹנְט אוֹ גְרֵיינְץ אֵיפּוֹרְבִי
אַה לַאקוּאַנְטִיטֵי דְאאוּנְא דְרַכְמְא אַבֵּיקְא אוֻן אוֻף[392]
אַהוּמֵייר ¨ אַאוֹשִׁי נוֹץ לִי דוֹנְרוֹנְץ ¨
**אוֹקְשִׁימֵל שְׁקֻוִילִיטִיקוּם** נוֹץ לִי {דונ}
דוֹנְרוֹנְץ {אבו}
אַבוֹייבְרְא רַאפַאנִי אַה מַאנְגֵייר אֵי אַפְּרֵייץ נוֹץ
לִי דוֹנְרוֹנְץ דְא לֵיבְא קַאוֹדְא אוּנְא בוֹנְא קוּאַנְטִיטֵי
אַבוֹייבְרְא אַפְּרֵייש שִׁי שְׁא אַשׁוֹייאְה פְּרוֹבוֹמִיר
אֵי שְׁא אוֹבְרְא לֵייש קוֹנְדוּץ אֵימוֹנְדְא לְאשַׁאנְק

---

389 Es ist unklar, wie die Zahlzeichen (?) über «once» und «demi» (vgl. Edition) zu interpretieren sind.

390 Über das צ in אוֹנְצְא wurde ein ב geschrieben (für '2'?).

391 Über das מ in דְמִי wurde ein א geschrieben (für '1'?).

392 אוֻף: em. ed., אוּף Ms.

**f. 177r9–177v3**

*(9) die Gelbsucht, die durch die Verstopfung der (10) Hautporen außerhalb und innerhalb des Körpers entsteht, (11) es sei denn, er hat kein Fieber, dann behandelt ihr ihn (12) mit dem Saft von Fenchel und Sellerie. Und (13) ihr gebt ihm sofort: Sirup [aus] Absinth oder Sellerie (14) mit Zucker am Morgen. Dann (15) gebt ihr ihm Absinthsaft und Wegerichsaft, (16) jeweils eine halbe Unze mit Zucker. (17) Dann gebt ihr ihm Pulver der Aloe hepatica. (18) Und wenn ihm das sehr gut tut, [dann gebt es ihm] mit Efeusamen (19) in der Menge einer Drachme mit einem Ei (20) zu schlürfen. Wir geben ihm auch: (21–22) Sauerhonig mit Meereszwiebeln (23) mit Meerrettich zu essen, und danach werden wir (177v1) ihm eine gute Menge warmes Wasser (2) zu trinken geben. Danach setzt er sich, um sich zu übergeben, (3) und es öffnen sich die Kanäle und es reinigt sich das Blut;*

---

Lə’ ’iYQṬiYRiYẒiY’ aH QiY VeYYNṬ Də’ ’eṬWoPMeYNṬ DeY
PeRṬWuŠ DWo QWuYR Də’ HWoRẒ Lə’ QWoRẒ ’eY Də’ DeYNẒ MYeYẒ
Qə’ ’YiL NiY’ aH PWoYYNṬ Də’ FeYVRə’ ŠiY Lə’ QWuRYeYẒ
’aVeYQə’ Lə’ YWuẒ Də’ FeYNiYQWuLiY ’eṬ ’aPeY’ iY ¨ ’eY ’aDeYYẒ
LiYDWoNeYYẒ ¨ **ŠiYRWoP** ’aPẒiYNṬiY’ WoM ’Wo ’aPiY
’aVeYQə’ SWuQeR ’aMaṬiYN ¨ ŠiY
LiY DWoNeYYẒ Lə’ YWuẒ Də’ ’aPẒeYNṬiY’ WoM ’eY Lə’ YWuẒ
Də’ PLa’ NṬeYYNə’ ’aNa’ ’WoNẒə’ DMiY ¨ ’aVeYQə’ SuWKeR ¨
ŠiY LiY DWoNeYYŠ GReYYNẒ Də’ ’aLWo’ eY ’eYPa’ ṬiYQ ¨
’eY ŠiY LY Va’ DRa’ MWoNṬ ’Wo GReYYNẒ ’eYFWoRBiY
’aH La’ QW’ aNṬiYṬeY DRa’ KMə’ ’aVeYQə’ ’WuN ’WuF
’aHWuMeYYR ¨ ’a’ WoŠiY NWoẒ LiY DWoNRWoNẒ ¨
**’WoQŠiYMeYL ŠQWYiLiYṬiYQWoM** NWoẒ LiY
DWoNRWoNẒ
’aBWoYYVRə’ Ra’ Fa’ NiY ’aH Ma’ NĞeYYR ’eY ’aPReYYẒ NWoẒ
’v LiY DWoNRWoNẒ Də’ LeYVə’ Ča’ WoDə’ ’WuNə’ BWoNə’ QW’ aNṬiYṬeY
’aBWoYəYVRə’ ’aPReYYŠ ŠiY Šə’ ’aŠWYəY’ əH PRWoVWoMiYR
’eY Šə’ ’WoVRə’ LeYYŠ QWoNDWuẒ ’eYMWoNDə’ Lə’ Ša’ NQ

**f. 177v4–21**

(4) apres si fase que le malade (5) eiet un bain qui puse suer. Si (6) preneie le somet de sanbuci et (7) l'estendons de ebuli c'est adec en ties (8) et sanbuci c'est holender et trefolium c'est (9) kle blat si boile ces erbes en eve (10) si enplisez une tine et sur la tine (11) metez une table qui soit menuement (12) percée et metez de la leine dessus et (13) metez le malade dessus cocher tot nu (14) et pus le covrez que il pusse suer et (15) quant il ecomceroit à suer si li (16) donez à boivre do jus de plantein avecs (17) suquer si come avons dit dessus. (18) Se ictiricia est par apostume (19) si corez l'apostume si com il nos (20) enseigne en son chapitre. Se il a (21) fevre curez la fevre primer si come il

---

אַפְרֵייץ שִׁי פַּאשְׁא קְא לְאמַאלַאדְא {אי}
אֵייֵט אוּןֶ בַּאיֵין קִי פּוּשְׁא שׁוּאֵייר ¨ שִׁי
פְּרֵינֵיְא לְאשׁוֹמֵייט דְאשַׁנְבוּצִי אֵי {ליישטנד}
לֵיישְׁטֵנְדוֹנְץ דְא אֵיבוּלִי שֵׁט אַדֵייק אֵן טִיאֵייץ
אֵי שַׁנְבוּצִי שֵׁט הוֹלֵינְדֵר אֵי טְרֵיפּוֹלִיאוֹם שֵׁט
קְלֵי בְּלַאט שִׁי בוֹיילְא שֵׁשׁ אֵרְבֵייץ אֵן אֵיבְא
שִׁי אֵנְפְּלִישֵׁשׁ אוּנְא טִינְא אֵי סוּר לַא טִינְא {מ'}
מֵיטֵייץ אֻנְא טַאבְלְא קִי שׁוֹיֵיט מֵינוּאֵימֵיינְט
פֵּרְצֵיאָה אֵימֵיטֵייץ דְאלַאלֵיינְא דְאשׁוּץ אֵי
מֵיטֵייץ לְאמַאלַאדְא דְא שׁוּץ קוֹקֵייר טוֹט נוּ
אֵי פּוּשׁ לְאקוֹבְרֵייץ קְא אִיל פּוּשְׁא שֵׁוּאֵייר אֵי
קַאנְט אִיל אֵיקוֹמְשְׁרוֹיֵיט אַשֻׁאֵייר שִׁי לִי {ד}
דוֹנֵייץ אַבוֹיְיבְרְא דוֹ יוּץ דְאפְלַאנְטֵיין אַבֵּיקְשׁ
סֵוּקֵר שִׁי קוֹמְא אַבוֹנְץ דִיט דְאשׁוּץ ¨
שְׁא אִיקְטִירִיצִיאָה אֵט פַּר אַפּוֹשְׁטֵוּמְא
שִׁי קוֹרֵייץ לַאפּוֹשְׁטֵוּמְא שִׁי קוֹם אִיל נוֹץ {א}
אֵנְשֵׁיינְא אֵנְשׁוֹן קַאפִּיטְרְא ¨ שְׁא אִיל אַה
פֵּיבְרְא קוֹרֵייץ לַאפֵּיבְרְא פְּרִימֵר שִׁי קוֹמְא אִיל

**f. 177v4–21**

*(4) danach wird veranlasst, dass der Kranke (5) ein Bad nimmt, damit er schwitzen kann. Dann (6) nehme man die Spitze von Sanbucus und (7) breite ihn mit Ebulus aus, das ist Attich auf deutsch, (8) und Sanbucus, das ist Holunder und Trifolium, das ist (9) Kleeblatt; koche also diese Kräuter in Wasser, (10) dann füllt einen Bottich, und auf den Bottich (11) legt eine Tischplatte, die fein (12) gelöchert ist, und legt Wolle darauf. (13) Bettet den Kranken ganz nackt darauf, (14) und deckt ihn zu, damit er schwitzen kann. (15) Wenn er zu schwitzen beginnt, gebt ihm (16) Wegerichsaft mit Zucker zu trinken, (17) so wie wir es oben gesagt haben. (18) Wenn die Gelbsucht durch einen Abzess entstanden ist, (19) dann behandelt den Abzess, wie er [d. h., Plateareus?] es uns (20) in seinem Kapitel lehrt. Wenn er (21) Fieber hat, behandelt das Fieber zuerst, so wie*

---

'aPReYYẒ ŠiY Fa'Šə' Qə' Lə'Ma'La'Də'
'eYeYṬ 'WuN Ba'YeYN QYi PWuŠə' ŠWu'eYYR ¨ ŠiY
PReYNəYYə' Lə'SWoMeYYṬ Də'ŠaNBWuẒiY 'eY
LeYYŠṬeNDWoNẒ Də' 'eYBWuLiY ŠeṬ 'aDeYYQ 'eN ṬiY'eYYẒ
'eY ŠaNBWuẒiY ŠeṬ HWoLeYNDeR 'eY ṬReYFWoLiY'WoM ŠeṬ
QLeY BLa'Ṭ ŠiY BWoYəYLə' ŠeŠ 'eRBeYYẒ 'eN 'eYVə'
ŠiY 'eNPLiYŠeŠ 'WuNə' ṬiYNə' 'eY SWuWR La' ṬiYNə'
MeYṬeYYẒ 'uWNə' Ṭa'BLə' QYi ŠWoYeYṬ MeYNWu'eYMeYYNṬ
PeRẒeY'əH 'eYMeYṬeYYẒ Də'La'LeYYNə' Də'ŠWuẒ 'eY
MeYṬeYYẒ Lə'Ma'La'Də'Də' SWuẒ QWoČeYYR ṬWoṬ NWu
'eY PWuŠ Lə'QWoVReYYẒ Q'ə 'YiL PWuŠə' ŠuW'eYYR 'eY
Qa'NṬ 'YiL 'eYQWoMŠRWoYeYṬ 'aŠuW'eYYR ŠiY LiY
DWoNeYYẒ 'aBWoYəYVRə' DWo YWuẒ Də'PLa'NṬeYYN 'aVeYQŠ
SuWQeR ŠiY QWoMə' 'aVWoNẒ DYiṬ Də'ŠWuẒ ¨
Šə' 'iYQṬiYRiYẒiY'aH 'eṬ PaR 'aPWoŠṬuWMə'
ŠiY QWoReYYẒ La'PWoŠṬuWMə' ŠiY QWoM 'YiL NWoẒ
'eNŠeYYNə' 'eNŠWoN Ča'PiYṬRə' ¨ Šə' 'YiL 'aH
FeYVRə' QWuReYYẒ La'FeYVRə' PRiYMeR ŠiY QWoMə' 'YiL

**f. 177v22–178r16**

(22) nos enseigne en son chapitre. Se (23) apres que il est cures de la fevre et (178r1) le ictiricia il demeure uncore si curez le (2) ictiricia si com nos avons desuz parlé. (3) **Veci un autre metre** (4) qui met sa pratique ensi: Celi qui la jaunice (5) a si prenee s'orine si se lave aveque tot (6) le cors et apres si epande dessus do grus (7) de forment si le lera un po joc il soit (8) sechi apres il se sera sur un lincel et (9) otera tot grus si le liera en un (10) drapel si le pendera en la fumee joc il (11) soient sechi et apres si les etuez en (12) lu la eve n'y atoche jemes. (13) **Ictiricia** il buvra epatica (14) cicorea morella jubarbe (15) cilidoine toz ces erbes il bodera en (16) vin blanc si li donez à boivre tres foiz

---

נוֹץ אֵינְשֵׁיינְא אֵן שוֹן קַאפִּיטְרְא ¨ שְׁא {אפּ}
אַפְּרֵייץ קְא אִיל אֵט קְוֵרייץ דְא לַאפֵּיבְרְא אֵי
לְאאִיקְטִירִיצִיאַה אִיל דְאמֵוּרְא אוֵנְקוֹרְא שִׁי קְוֵרייץ לְא
אִיקְטִירִיצִיאַה שִׁי קוֹם נוֹץ אַבוֹנְץ דְאשוִּץ פַּרלֵי ¨
**בֵּישִׁי אוֵן אַאוּטְרְא מֵיטְרְא**
קִי מֵייט שַׁאפְּרַאטִיקְא אֵנְשִׁי ¨ שְׁאלִי קִי לַאגַאוֹנִיצְא
אַה שִׁי פְּרֵינְיְיא שוֹרִינְא שִׁי שְׁאלַאבְא אַבֵיקְא טוֹט
לְאקוֹרְץ אֵי אַפְּרֵייץ שִׁי אֵפַּאנְדְא דְא שוִּץ דוֹגְרוִּץ
דְאפּוֹרְמֵינְט שִׁי לְאלֵירַא אוֵן פּוֹ יוֹק אִיל שוֹיֵיט
שֵׁיקִי אַפְּרֵייץ אִיל שְׁאשֵׁירַא שוֵּר אוֵן לִינְשֵׁייל אֵי
אוֹטְרַא טוֹט לְאגְרוִּץ שִׁי לְאלִיאֵירַא אֵן אוֵן {דרא}
דְרַאפֵּייל שִׁי לְאפֵּינְדְאַרַא אֵן לַאפֻּומֵיאְה יוֹק אִיל
שוֹאֵינְט שֵׁיקִי אֵי אַפְּרֵייץ שִׁי לֵייץ אֵיטוֵאֵייץ אֵן
לוּ לַא אֵיבְא נִי אַטוֹקְא גֵימֵייץ ¨
**אִיקְטִירִיצִיאַה** אִיל בֵּובְרַא אֵיפַּאטִיקַא
צִיקוֹרֵיאַה מוֹרֵילְלַא יוֵּבַרְבְרְא
צִילִידוֹיינְא טוֹש שֵׁש אֵרְבֵייץ אִיל בוֹדְרַא אֵן
בִּין בְלַנְק שִׁי לִי דוֹנֵייץ אַבוֹיבְרְא טְרֵייש פּוֹיֵיץ

### f. 177v22–178r16

*(22) er es uns in seinem Kapitel lehrt. Wenn (23) er danach von dem Fieber geheilt ist und (178r1) die Gelbsucht noch bestehen bleibt, so behandelt die (2) Gelbsucht, wie wir es oben gesagt haben. (3) Hier ein anderer Lehrmeister der Medizin, (4) der seine Behandlung wie folgt angibt: Der, der die Gelbsucht hat, (5) nehme seinen Urin und wasche damit den ganzen (6) Körper, und danach breite er (7) Weizengrütze darauf aus und lasse es ein bisschen [ruhen], bis es (8) getrocknet ist. Dann setze er sich auf ein Leinentuch und (9) entferne die ganze Grütze, wickle sie in ein (10) Tuch und hänge sie in Rauch auf, bis es (11) getrocknet ist, und bewahre es dann an einem (12) trockenen Ort auf. (13) Gelbsucht. Er trinke Leberkraut, (14) Chicorée, Nachtschatten, Hauswurz, (15) Schellkraut – diese ganzen Kräuter koche man in (16) Weißwein; gebt davon dreimal*

---

NWoẒ ’eYNŠeYYNə’ , eNŠWoN Ča’PiYṬRə’ ¨ Šə’
’aPReYYẒ Q’ə ’YiL ’eṬ QuWReYYẒ Də’ La’FeYVRə’ ’eY
8r Lə’ ’iYQṬiYRiYẒiY’aH ’YiL Də’MuWRə’ ’WuNQWoRə’ ŠiY QWuReYYẒ Lə’
’iYQṬiYRiYẒiY’aH ŠiY QWoM NWoẒ ’aVWoNẒ Də’ŠWuẒ PaRLeY ¨
**VeYŠiY ’WuN ’a’ WṬRə’ MeYṬRə’**
QYi MeYYṬ Ša’PRa’ṬiYQə’ ’eNŠiY ¨ Šə’LiY QY La’Ğa’WoNiYẒə’
’aH ŠiY PReYNYəY’ ŠWoRiYNə’ ŠiY Šə’La’Və’ ’aVeYQə’ ṬWoṬ
Lə’QWoRẒ ’eY ’aPReYYẒ ŠiY ’ePa’NDə’ Də’ ŠWuẒ DWoGRWuẒ
Də’FWoRMeYNṬ ŠiY Lə’LeYRa’ ’WuN PWo YWoQ ’YiL ŠWoYeYṬ
ŠeYČiY ’aPReYYẒ ’YiL Šə’ŠeYRa’ ŠWuR ’WuN LiYNŠeYYL ’eY
’WoṬRa’ ṬWoṬ Lə’GRWuẒ ŠiY Lə’LiY’eYRa’ ’eN ’WuN
DRa’PeYYL ŠiY Lə’PeYNDə’Ra’ ’eN La’FuWMeY’əH YWoQ ’YiL
ŠWo’eYNṬ ŠeYČiY ’eY ’aPReYYẒ ŠiY LYeYẒ ’eYṬWu’YeYẒ ’eN
LWu La’ ’eYVə’ NiY ’aṬWoČə’ ĞeYMeYYẒ ¨
**’iYQṬiYRiYẒiY’ aH** ’YiL BuWVRa’ ’eYPa’ṬiYQa’
ẒiYQWoReY’aH MWoReYLLa’ YWuBaRBRə’
ẒiYLiYDWoYəYNə’ ṬWoŠ ŠeŠ ’eRBeYYẒ ’iYL BWoDRa’ ’eN
VYiN BLaNQ ŠiY LiY DWoNeYYẒ ’aBWoYəYVRə’ ṬReYYŠ FWoYeYẒ

## f. 178r17–178v12

(17) le jor. (18) **Le ictiricia** farine d'orge aveque (19) le gruz et le petrisez (20) aveque le orine do malade et fetez un petit (21) tortel sant cuire le metez en un petit (22) drapel et le malade le portera sur sa tete (178v1) tres pas apres metez le tortel au lu qui (2) sechise donc itra la jaunice hors do cors (3) avant tres jors plus que devant et apres (4) neuf jurs garira. Et se il (5) cheet eve sur le tortel la jaunice (6) retorneroit. Autre: Prenez (7) cerfueil malve lancelée jubarbe de checun plein (8) poin orge bel et net et ben enlit plein (9) dus poins pilez menu si y fetez farine (10) si le metez de une part et apres prenez (11) les erbes checun par li si en fetez jus et (12) petrisez la farine aveque le jus et la

---

לְאיוֹר ¨
**לְאאִיקְטִירִיצִיאַה** פַּרִינְא[393] דְאוֹרְגָא אַבֵּיקְא
לְאגְרוּץ אֵילְאפֵּיטְרִיצֵייש
אַבֵּיקְא לְאוֹרִינְא דוֹמַאלַאדְא אֵיפֵּיטֵייץ אוֵּן פְּטִיט
טוֹרְטֵייל שַׁאנְט קְוִירְא לַאמֵיטֵייץ אֵן אוֵּן פְּטִיט
דְרַאפֵּייל אֵילְאמַאלַאדְא לְאפוֹרְטְארַא שוֵּר שַׁאטֵאטְא
טְרֵייש פַּץ אַפְּרֵייץ מֵיטֵייץ לְאטוֹרְטֵייל אוֹלוּ קִי {ש}
שֵׁיקִישְׁא דוֹנְק אִיטְרַא לַאגַאוֹנִיצְא הוֹרְץ דוֹקוֹרְץ
אַבַאנְט טְרֵייץ יוֹרְץ פּ לוּשׁ קְא דְאבַאנְט אֵי אַפְּרֵייץ
נֵוּף[394] יוּרְץ אִיל גַארִירַא ¨ אֵי שְׁא אִיל {קיאי}
קֵיאֵייט אֵיבְא שוֵּר לְא טוֹרְטֵייל לַאגַאוֹנִיצְא
רְאטוֹרְנְרוֹיֵיט ¨ אַאוֹטְרְא ¨ פְּרֵינֵייץ
צֵרְפּוֹיֵיל מַלְבָא[395] לַנְצְלֵיאְה יֻובַרְבְא דְאקֵיקוּן פְּלֵיין
פּוֹיֵין אוֹרגָא בֵּייל אֵי נֵייט אֵי בֵּיין אֵנְלִיט פְּלֵיין
דוּץ פּוֹיְנְץ פִּילֵייש מִינוּ שִׁי אִיפֵּיטֵייץ פַּרִינְא
שִׁי לְאמֵיטֵייץ דְא אוּנְא פַּרְט אֵיאַפְּרֵייץ פְּרֵינֵייץ
לֵישאֵרְבֵייץ קֵיקוּן פַּרְלִי שִׁי אֵנְפֵּיטֵייץ יוּץ אֵי
פֵּטְרִישֵׁייץ לַאפַּארִינְא אַבֵּיקְא לְאיוּץ אֵי לַא

---

**393** פַּרִינָא: em. ed., פַּרִינְא Ms.
**394** נֵוּף: em. ed., נֵוּף Ms.
**395** מַלְבָא: em. ed., מַלְבְא Ms.

**f. 178r17–178v12**

*(17) am Tag zu trinken. (18) Die Gelbsucht. Gerstenmehl mit (19) der Grütze, knetet sie (20) mit dem Urin des Kranken und macht einen kleinen (21) Kuchen ohne ihn zu backen; gebt ihn in kleines (22) Tuch, und der Kranke trage das auf seinem Kopf (178v1) drei Schritte; danach legt den Kuchen an einen Ort, an dem (2) er trockne, so wird die Gelbsucht aus dem Körper (3) vor dem Ablauf von drei Tagen weichen – eher noch früher –, und nach (4) neun Tagen wird er genesen sein. Und wenn er (5) Wasser auf den Kuchen gießt, wird die Gelbsucht (6) wiederkehren. Ein anderes [Rezept]: Nehmt (7) Kerbel, Malve, Spitzwegerich und Hauswurz – von allem eine Handvoll –, (8) schöne und saubere, gut ausgwählte Gerste, (9) zwei Handvoll – zerreibt es fein und macht so daraus Mehl. (10) Legt es dann zur Seite und nehmt anschließend (11) die [genannten] Kräuter und macht davon Saft. (12) Knetet das Mehl mit dem Saft und der*

---

Lə' YWoR ¨ **Lə' ' iYQṬiYRiẒiY' aH** FaRiNə' D' WoRĞə' ' aVeYQə' Lə' GRuẒ ' eYLə' PeYṬRiYẒeYYŠ ' aVeYQə' Lə' ' WoRiYNə' DWoMa' La' Də' ' eYFeYṬeYYẒ ' WuN PṬiYṬ ṬWoRṬeYYL Ša' NṬ QWuYRə' La' MeYṬeYYẒ ' eN ' WuN PṬiYṬ DRa' PeYYL ' eYLə' Ma' La' Də' Lə' PWoRṬə' Ra' ŠWuR Ša' Ṭe' Ṭə' ṬReYYŠ PaẒ ' aPReYYẒ MeYṬeYYẒ Lə' ṬWoRṬeYYL ' WoLWu QYi ŠeYČiYŠə' DWoNQ ' iYṬRa' La' Ğa' WoNiYẒə' HWoRẒ DWoQWoRẒ ' aVa' NṬ ṬReYYẒ YWoRẒ PLWuŠ Q' ə Də' Va' NṬ ' eY ' aPReYYẒ NWuF YWuRẒ ' YiL Ga' RiYRa' ¨ ' eY Šə' ' YiL ČeY' YeYṬ ' eYVə' ŠWuR Lə' ṬWoRṬeYYL La' Ğa' WoNiYẒə' Rə' ṬWoRNRWoYeYṬ ¨ ' a' WoṬRə' ¨ PReYNeYYẒ ẒeRFWuYeYL MaLVə' LaNẒLeY' əH YuWBaRBə' Də' ČeYQWuN PLeYYN PWoYeYN ' WoRĞə' BYeYL ' eY NYeYṬ ' eY BeYYN ' eNLiYṬ PLeYYN DWuẒ PWoYəYNẒ PiYLeYYŠ MəYNWu ŠiY ' iYFeYṬeYYẒ FaRiYNə' ŠiY Lə' MeYṬeYYẒ Də' ' WuNə' PaRṬ ' eY' aPReYYẒ PReYYNeYYẒ LeYŠ' eRBeYYẒ ČeYQWuN PaRLiY ŠiY ' eNFeYṬeYYẒ YWuẒ ' eY PeṬRiYŠeYYẒ La' Fa' RiYNə' ' aVeYQə' Lə' YWuẒ ' eY La'

## f. 178v13–179r8

(13) sotance des erbes jetés si prenez (14) do vinegre fort à la quanteté de tot le (15) jus et petrisez tot la farine et le (16) cuisez tot ensenble sur le fu en (17) une paile o en une autre vesel (18) juc ele soit un po cuite et pus si (19) le liez sur le ventre sur le coté (20) senestre chaut dus foiz le jor o tres (21) et il garira por certein. Autre (22) le malade ira au lu o la planten (179r1) croit si metra son pe sur le plantein si fera (2) orine sur le plantein et apres (3) le talera-il de là o il git et apres (4) si le pendra-il sur le fu sechir ensi com (5) il sechit isinques sechit la maladie. (6) Autre: Prenez sandali blanche (7) demi once sandali roge demi once (8) spodi demi once feuilles de roses demi once

---

שוֹטַנְצְא דֵייץ אֶרְבֵייץ גֵ̄יטֵייץ שִׁי פְּרֵינֵייץ
דוֹבִ̄ינֵיגְרְא פֿוֹרְט אַלַאקַאנְטֵיטֵי דְא טוֹט לְא
יוּץ אֵיפֵטְרִיצֵייש טוֹט לַאפַ̄ארִינְא אֵילְא
{ל} קְוִיזֵייש טוֹט אֶנְשֵׁינְבְלְא שוּר לְא פֿוּ אֶן {או}
אֻנְא פַאיילְא אוֹ אֶן אֻון אַאוֹטְרְא בֵ̄ישֵׁייל
יֻק אֵילְא שׁוֹייט אֻן פוֹ קְוִיטְא אֵיפוּץ שִׁי
לְא לִיאֵייץ שוּר לְא בֵ̄ינְטְרְא שוּר לְא קוֹטֵיאְה
שְׁאנֵיטְרְא קַ̄אוֹט דוּץ פֿוֹיֵיץ לְא יוֹר אוֹ טְרֵייץ
אֵיאִיל גַרִירַא פוֹר שֵׁרְטֵיין ¨ אַאוֹטְרְא
לְאמַאלַאדְא אִירַא אוֹ לוּ אוֹ לַאפְלַאנְטֵין
{ג} קְרוֹיֵיט שִׁי מֵטְרַא שוֹן פֵּי שוּר לְאפְלַאנְטֵיין שִׁי פְ̄רַא
אוֹרִינְא שוּר לְא פְלַאנְטֵיין אֵי אַפְרֵייץ {לאשא לא}
לְאטַאלְארַא אִיל דְאלַא אוֹ אִיל גִ̄יט אֵיאַפְרֵייץ
שִׁי לְאפֵינְדְרַא אִיל שוּר לְא פֿוּ שֵׁיקִיר אֶנְשִׁי קוֹם
אִיל שֵׁיקִ̄יט אִישִׁינְקֵייץ שֵׁיקִ̄יט לַאמַאלַאדִיאְה ¨
אַאוֹטְרְא ¨ פְּרֵינֵייץ סַנְדַלִי בְּלַנְקָ̄א[396]
דְאמִי אוֹנְצְא סַנְדַלִי רוֹיְיאה דְמִי אוֹנְצְא
שְׁפוֹדִי דְמִי אוֹנְצְא פֿ̄וֵיילֵייש דְרוֹזֵייש דְמִי אוֹנְצְא

---

**396** בְּלַנְקָ̄א: em. ed., בְלַנְקָא Ms.

**f. 178v13–179r8**

*(13) Substanz der beiseite gelegten Kräuter, nehmt dann (14) starken Essig in der Menge des gesamten (15) Saftes und knetet das ganze Mehl. (16) Kocht alles zusammen auf dem Feuer in (17) einer Pfanne oder in einem anderen Gefäß, (18) bis es ein bisschen eingekocht ist, und (19) bindet es dann warm auf den Bauch auf die (20) linke Seite, zweimal oder dreimal am Tag, (21) und er wird sicher genesen. Ein anderes [Rezept]: (22) Der Kranke geht zu einer Stelle, an der Wegerich (179r1) wächst, dann stelle er seinen Fuß auf den Wegerich und (2) uriniere dann auf den Wegerich, und danach (3) schneide er ihn ab von da, wo er sich befindet, und danach (4) hänge er ihn über das Feuer zum Trocknen, damit (5) er trocknet, und daher trocknet auch die Krankheit aus. (6) Ein anderes [Rezept]: Nehmt eine halbe Unze weißes Sandelholz, (7) eine halbe Unze rotes Sandelholz, (8) eine halbe Unze Spodium, eine halbe Unze Rosenblätter*

---

ŠWoṬaNẒə' DeYYẒ 'eRBeYYẒ ĞeYṬYeYẒ ŠiY PReYNeYYẒ
DWoViYNeYGRə' FWoRṬ 'aLa' Qa' NṬeYṬeY Də' ṬWoṬ Lə'
YWuẒ 'eYPeYṬRiYẒeYYŠ ṬWoṬ La' Fa' RiNə' 'YeLə'
QWuYZeYYŠ ṬWoṬ 'eNŠeYNBLə' ŠWuR Lə' FWu 'eN
'WuNə' Pa' YYLə' 'Wo 'eN 'uWN 'a' WoṬRə' VeYŠeYYL
YWuQ 'eYLə' ŠWoYYṬ 'WuN PWo QWuYṬə' 'eYPWuẒ ŠiY
Lə' LiY' eYYẒ ŠWuR Lə' VeYNṬRə' ŠWuR Lə' QWoṬeY' H
Šə' NeYṬRə' Ča' WoṬ DWuẒ FWoYeYẒ Lə' YWoR 'Wo ṬReYYẒ
'eY' iYL GaRiYRa' PWoR ŠeRṬeYYN ¨ 'a' WoṬRə'
Lə' Ma' La' Də' 'iYRa' 'Wo LWu 'Wo La' PLa' NṬeYN
QRWoYeYṬ ŠiY MeYṬRa' ŠWoN PeY ŠWuR Lə' PLa' NṬeYYN ŠiY FRa'
'WoRiYNə' ŠWuR Lə' PLa' NṬeYYN 'eY 'aPReYYẒ
Lə' Ṭa' Lə' Ra' 'YiL Də' La' 'Wo 'YiL ĞiYṬ 'eY' aPReYYẒ
ŠiY Lə' PeYNDRa' 'YiL ŠWuR Lə' FWu ŠeYČiYR 'eNŠiY QWoM
'YiL ŠeYČiYṬ 'iYŠiYNQeYYẒ ŠeYČiYṬ La' Ma' La' DiY' əH ¨
'a' WoṬRə' ¨ PReYNeYYẒ SaNDaLiY BLaNČə'
Də' MiY 'WoNẒə' SaNDaLiY RWoYəY' H DMiY 'WoNẒə'
ŠPWoDiY DMiY 'WoNẒə' FWuYYLeYYŠ DRWoZeYYŠ DMiY 'WoNẒə'

## f. 179r9–179v4

(9) farine de orge plein poin pilez totes (10) ces choses si le criblez si le detrenprez (11) de vinegre fort si y metez de ule roset (12) o ule violete si fetez un eplaster (13) do lonc et de large dus dors sur un drape (14) de chaunver si le metez le coté (15) detre aval de lecele encontre le foie (16) si demeure equi un jor enter apres (17) itra la jaunice et gara. (18) **Ce sirop** fetez à ome qui est (19) jaune o il a le foie (20) mavois o il a fevre aguë o (21) terceine et encontre totes maladies (22) qui venent de colera et enconter le foie (179v1) qui est echaufé. Prenez erbes froides (2) come jubarbe tetsoris politricon adiantos (3) capile veneris roses violes plein poin de (4) checun pilez les erbes et apres qui sont

---

פַּרִינְא[397] דְאאורְגָֿא פְּלֵיין פוֺיֵין פִּילֵייש טוֺטֵייש
שֵׁש קֿוֺזֵייש שִׁי לֵיקְרִיבְלֵייץ שִׁי לֵידִיטְרֵינְפְּרֵייץ
דְאוִינֵיגְרְא פֿוֺרְט שִׁי אִי מֵיטֵייץ דְא אוּלְא רוֺזֵייט
אוֺ אוּלְא וִיאוֺלֵיטְא שִׁי פֵּיטֵייץ אוּן אֵיפְּלַשְׁטֵר
דוֺלוֺנְק אֵי דְאלַארְגָֿא דוֺץ דוֺרְץ שׁוּר אוּן דְרַאפְּא
דְאקַֿאוֺנְבֵֿייר שִׁי לְאמֵיטֵייץ שׁוּר לְאקוֺטֵי {דיט}
דֵטְרְא אַבַֿל[398] דְאלֵיצֵיילְא אֵנְקוֺנְטְרְא לְאפֿוֺייאְה
שִׁי דְאמוֺרְא אֵיקִי אוּן יוֺר אֵנְטֵר אַפְּרֵייץ
אִיטְרַא לַאגַֿאוֺנִיצְא אֵיגַארַא
**שְׁא שִׁירוֺף** פֵּֿיטֵייץ אַאוֺמְא קִי אֵט
גַֿאוֺנְא אוֺ אִיל אַה לְאפֿוֺייאְה
מַאבֿוֺיֵיש אוֺ אִיל אַה פֵּֿיבְֿרְא אַגֻואְה אוֺ
טֵרצֵיינְא אֵיאֵנְקוֺנְטְרְא טוֺטֵייץ מַאלַאדִאֵייץ
קִי בֵּֿינֵיינְט דְא קוֺלְרַא אֵי אֵנְקוֺנְטֵר לְאפֿוֺייאְה
קִי אֵט אֶקַֿאוֺפֵֿי[399] פְּרֵינֵייץ פְּרֵינֵייץ אֵרְבֵייץ פְֿרוֺיידֵייץ
קוֺמְא יֻובַרְבְא טֵיטְשוֺרִיץ פוֺלִיטְרִיקוֺן אַדִיאַנְטוֺש[400]
קַפִּילֵי וֵנְרִיש רוֺזֵייש וִיאוֺלֵייש פְּלֵיין פוֺיֵין דְא
קֵֿיקוּן פִּילֵייש לֵייש אֵרְבֵייץ אֵיאַפְּרֵייץ קִי שוֺנְט

---

**397** פַּֿרִינְא: em. ed., פַּֿרִינְא Ms.
**398** אַבַֿל: em. ed., אַבַל Ms.
**399** אֵקַֿאוֺפֵֿי: em. ed., אֵקַֿאוֺפֵי Ms.
**400** אַדִיאַנְטוֺש: em. ed., אַדִיאַנְטוֺט Ms.

**f. 179r9–179v4**

*(9) eine Handvoll Gerstenmehl, zerreibt all (10) diese Dinge, siebt sie und weicht sie dann (11) in starken Essig ein, gebt dann Rosenöl (12) oder Veilchenöl hinzu und macht dann einen Umschlag, (13) [und zwar] zweimal vier Finger breit lang und breit auf einem Tuch (14) aus Hanf; legt ihn auf die (15) rechte Seite, unten gegenüber der Leber. (16) Dann bleibt er dort einen Tag, und inzwischen (17) wird die Gelbsucht verschwinden, und er wird genesen. (18) Diesen Sirup bereitet für einen Menschen, der (19) gelb ist oder der eine kranke Leber, (20) Hitzfieber oder (21) Wechselfieber hat, und [der Sirup wirkt] gegen alle Krankheiten, (22) die von der Galle kommen, und gegen eine überhitzte Leber. (179v1) Nehmt Kräuter mit kalten Eigenschaften (2) wie Hauswurz, Fetthenne, Frauenhaarfarn,*[401] *(3) Rosen und Veilchen, von allem eine Handvoll, (4) zerreibt die Kräuter, und danach werden sie*

---

FaRiYNə' Də' ' WoRĞə' PLeYYN PWoYeYN PiYLeYYŠ ṬWoṬeYYŠ
ŠeŠ ČWoZeYYŠ ŠiY LeYQRiYBLeYYẒ ŠiY LeYDeYṬReYNPReYYẒ
Də' WiYNeYGRə' FWoRṬ ŠiY ' iY MeYṬeYYẒ Də' ' WuLə' RWoZeYYṬ
' Wo ' WuLə' WiY' WoLeYṬə' ŠiY FeYṬeYYẒ ' WuN' eYPLaŠṬeR
DWoLWoNQ ' eY Də' La' RĞə' DWuẒ DWoRẒ ŠWuR ' WuN DRa' Pə'
Də' Ča' WoNVeYYR ŠiY Lə' MeYṬeYYẒ Lə' QWoṬeY
DeṬRə' ' aVaL Də' LeYẒeYYLə' ' eNQWoNṬRə' Lə' FWoYY' əH
ŠiY Də' MWoRə' ' eYQiY ' WuN YWoR ' eNṬeR ' aPReYYẒ
' iYṬRa' La' Ğa' WoNiYẒə' ' eYGa' Ra' ¨
**Šə' ŠiYRWoP** FeYṬeYYẒ ' a' WoMə' QYi ' eṬ
Ğa' WoNə' ' Wo ' YiL ' aH Lə' FWoYY' əH
Ma' VWoYeYŠ ' Wo ' YiL ' aH FeYVRə' ' aGuW' əH ' Wo
ṬeRẒeYYNə' ' eY' eNQWoNṬRə' ṬWoṬeYYẒ Ma' La' Di' eYYẒ
QYi VeYNeYYNṬ Də' QWoLRa' ' eY ' eNQWoNṬeR Lə' FWoYY' əH
v QYi ' eṬ ' eČa' WoFeY ¨ PReYNeYYẒ ' eRBeYYẒ FRWoYəYDeYYẒ
QWoMə' YuWBaRBə' ṬeYṬŠWoRiYẒ PWoLiYṬRiYQWoN ' aDiY' aNṬWoŠ
QaPiYLeY WeNRiYŠ RWoZeYYŠ Wi' WoLeYYŠ PLeYYN PWoYeYN Də'
Če' QWuN PiYLeYYŠ LYeYŠ ' eRBeYYẒ ' eY' aPReYYẒ QYi ŠWoNṬ

---

401 Die Termini *politricon, adiantos* und *capile veneris* sind Synonyme und bezeichnen den 'Frauenhaarfarn'.

## f. 179v5–22

(5) bolies si le colez si y metez sandali (6) blanc et roge et rerure de iveure et bolez (7) avecs les erbes de dessus dites et (8) apres que il sont bolies prenez do jus (9) qui est en la paele si est ce jus des (10) erbes clarifié si y metez de (11) la moele de casia fistole dus onces (12) et de tamarindi un once et melez tot en- (13) -senble si donez à au malade (14) checun matin dus onces aveque quatre (15) onces de eve chaude o est boli scariole. (16) **Ictiricia** le physicien (17) ira au lu o (18) asez de plantein cret si metra samen (19) li et dira plantein plantein par itel (20) covant je te quer que tu me eides (21) à garir *PLWoNiY* par nos de totes maladie (22) que il a et que sa colur li revene com

---

בוֹלִיאֵייץ שִׁי לֵיקוֹלֵייץ שִׁי אִימֵיטֵייץ סַנְדַלִי {א}
בְּלַאנְק   אֵי רוֹיְיא אֵירֵירֵוּרְא דְאִיבָֿוֺרָא אֵיבוֹלֵייץ
אַבֵּיקְש   לֵייש אֵרְבֵייץ דְא דְאשׁוּץ דִיטֵייץ אֵי
אַפְּרֵייץ   קְא אִיל שׁוֹנְט בוֹלִיאֵייץ פְּרֵינֵייץ דוֹ יוּץ
קִי אֵט   אֵנְלַאפַּאֵילְא שִׁי אֵט שְׂא יֵוּץ דֵייץ
אֵרְבֵייץ   קְלַארִיפִֿיאֵי שִׁי אִי מֵיטֵייץ דְא {לא}
לַאמוֹאֵילְא   דְאקַשְׁיאַ פִֿישְׁטוֹלְא דוּץ אוֹנְצֵייץ
אֵידְא תַמַרִינְדִי אֵוֹן אוֹנְצְא אֵי מֵילֵייץ טוֹט אֵן
שֵׁינְבְלְא שִׁי דוֹנֵייץ אַבוֹייבְֿרְא אוֹמַאלַאדְא
קֵיקוּן מַאטִין דוּץ אוֹנְצֵייץ אַבֵּיקְא[402] קַאטְרְא[403]
אוֹנְצֵייץ דְאֵיבְֿא קַֿאוֹדְא אוֹ אֵט בוֹלִי שְׁקַרִיוֹלֵי ¨
**אִיקְטִירִיצִיאַה**   לְאפֵֿוּזִיצִיאֵן {אי}
אִירַא אוֹלוּ לַא אוֹ {אצ}
אַצֵייש דְפְלַנְטֵיין קְרֵיט שִׁי מֵטְרַא שַׁאמֵיין שׁוֵר
לִי אֵידִירַא פְלַנְטֵיין פְלַנְטֵיין פַר אִי טֵייל {קוב}
קוֹבַֿאנְט גָֿא טְא קְוֵייר[404] קְאטוּ מְאאֵיידֵייץ {א}
אַגִירִיר פְלוֹנִ פִּי פַר נוֹץ דְא טוֹטֵייץ מַאלַאדִיאְה
קְא אִיל אַה אֵיקְא שַׁאקוֹלוֵר לִירְאבֵֿיינְא קוֹם

---

**402** אַבֵּיקְא: em. ed., אַבֵיקְא Ms.
**403** קַאטְרְא: em. ed., קַאטֵרְא Ms.
**404** קְוֵייר: em. ed., קְוֵייל Ms.

**f. 179v5–22**

*(5) gekocht, seiht sie dann und gebt (6) weißes und rotes Sandelholz hinzu und Elfenbeinspäne, kocht dies (7) mit den oben genannten Kräutern, und (8) nachdem sie gekocht sind, nehmt den Saft, (9) der in der Pfanne ist – das ist nämlich der geklärte Saft der (10) Kräuter –, fügt dann (11) zwei Unzen Mark der Purgierkassie hinzu (12) und eine Unze Tamarinde, und mischt alles (13) zusammen. Gebt es dann dem Kranken zu trinken, (14) jeden Morgen zwei Unzen mit vier (15) Unzen warmem Wasser, in dem Endive gekocht wurde. (16) Gelbsucht. Der Arzt (17) gehe zu dem Ort, an dem (18) genügend Wegerich wächst und streue dort Samen (19) und sage "Wegerich, Wegerich, bei diesem (20) Versprechen, ich bitte dich, dass du mir hilfst, (21) die Person X von allen Krankheiten zu heilen, (22) die sie hat, und dass ihre Hautfarbe zu ihr zurückkehre wie*

---

BWoLiY' eYYẒ ŠiY LeYQWoLYeYẒ ŠiY 'iYMeYṬYeYẒ SaNDaLiY
BL' aNQ 'eY RWoYəY' 'eYReYRuWRə' Də' YiVWuRə' 'eYBWoLeYYẒ
'aVeYQŠ LeYYŠ 'eRBeYYẒ Də' Də' ŠWuẒ DiYṬeYYẒ 'eY
'aPReYYẒ Qə' 'YiL ŠWoNṬ BWoLiY' eYYẒ PReYYNeYYẒ DWo YWẒ
QYi 'eṬ 'eNLa' Pa' YəYLə' ŠiY 'eṬ Šə' YWuẒ DYeYẒ
'eRBeYYẒ QLa' RiYFiY' eY ŠiY 'Yi MeYṬeYYẒ Də'
La' MWo' eYLə' Də' QaŠY' a FiYŠṬWoLə' DWuẒ' WoNẒeYYẒ
'eYDə' TaMaRiYNDiY 'WuN 'WoNẒə' 'eY MeYLeYYẒ ṬWoṬ 'eN
ŠeYNBLə' ŠiY DWoNeYYẒ 'aBWoYYVRə' 'WoMa' La' Də'
ČeYQWuN Ma' ṬiYN DWuẒ 'WoNẒeYYẒ 'aVeYQə' Qa' ṬRə'
'WoNẒeYYẒ Də' eYVə' Ča' WDə' 'Wo 'eṬ BWoLiY ŠQaRiYWoLeY ¨
**'iYQṬiYRiYẒiY' aH** Lə' FuWZiYẒiY' eN
'iYRa' 'WoLWu La' 'Wo
'aẒeYYŠ DPLaNṬeYYN QReYṬ ŠiY MeṬRa' Ša' MeYYN
LiY 'eYDiYRa' PLaNṬeYYN PLaNṬeYYN PaR 'iY ṬeYYL
QWoVa' NṬ Ğə' Ṭə' QWuYeYR Qə' ṬWu Mə' 'eYYDeYYẒ
'aGa' RiYR PLWoNiY PaR NWoẒ Də' ṬWoṬeYYẒ Ma' La' DiY' əH
Qə' 'YiL 'aH 'eYQə' Ša' QWoLWuR LiYRə' VeYYNə' QWoM

**f. 179v23–180r10**

(23) devant et que la maladie retorne (24) jemes joc je vos eie mis en fu et (180r1) en eve isinques dira-il tres foiz apres (2) ceci prenra-il de cele erbe neuf racines (3) si les pilera si prenra le jus si le donra (4) à boivre tot par li au malade et la sotance (5) qui demeure si le liera en un drapel si (6) le pendra sur le fu et en la manere qui il (7) sechit isinques sechira la maladie et (8) garira. (9) (Uncore volons parler de (10) ictiricia ...)[405]

---

דְּאבַֿאנְט אֵי קְא לַאמַאלַאדִיאְה רְאטוֹרְנְא
יֵימֵייץ יוֹק יְיא בַּֿוֹץ אֵיְיא מִיץ אֵן פַֿוּ אֵי
אֵן אֵיבְֿא אִישִׁינְקֵייץ דִּירַא אִיל טְרֵייץ פַֿוֹיֵיץ אַפְּרֵייץ
שְׁא שִׁי פְּרֵינְרַא אִיל דְא שֵׁילְא אֵרְבְא נֵוְףָ[406] רַאשִׁינֵייץ
שִׁי לֵייץ פִּילְאַרַא שִׁי פְּרֵינְרַא לְא יוּץ שִׁי לְאדוֹנְרַא
אַבוֹיְיבְֿרְא טוֹט פַּרְלִי אַאוֹמַאלַאדְא אֵילַאשׁוֹטַנְצְא
קִי דְּאמֵוֵיירְא שִׁי לְאלִיאְרַא אֵן אוֵּן דְּרַאפֵּייל שִׁי
לְאפֵּינְרַא שֵׁוֵר לְאפַֿוּ אֵי אֵן לַאמַאנֵירְא קִי אִיל
שֵׁיקִיט אִישִׁינְקֵייץ שֵׁיקִירַא לַאמַאלַאדִיאְה אֵי
גַּארִירַא
**(אֵוּנְקוֹרְא בַֿוֹלוֹנְשׁ פַּרְלֵייר דְּא**
**אִיקְטִירִיצִיאַה ...)**

[405] Ab 180r9–182r24 ed. Kiwitt (2001:73 ff., «Einige Mittel gegen Gelbsucht»).
[406] נֵוְףָ: em. ed., נֵוְף Ms.

**f. 179v23–180r10**

*(23) zuvor, und dass die Krankheit nie wiederkommt, (24) bis ich euch ins Feuer und (180r1) ins Wasser geworfen habe" – so spreche man drei Mal; danach (2) nehme man von diesem Kraut neun Wurzeln, (3) zerreibe sie und nehme den Saft, dann gebe man alles (4) dem Kranken zu trinken, und die Substanz, die übrig bleibt, binde man in ein Tuch und (6) hänge es übers Feuer, derart, dass es trockne, und ebenso trockne die Krankheit und (8) er wird genesen. (9) (Noch einmal wollen wir über (10) Gelbsucht sprechen ...)*

---

Də'Va'NṬ 'eY Qə' La'Ma'La'DiY'əH Rə'ṬWoRNə' YeYMeYYẒ YWoQ YYə, VWoẒ 'eYYə' MYiẒ 'eN FWu 'eY 'eN 'eYVə 'iYŠiYNQeYYẒ DiYRa' 'YiL ṬReYYẒ FWoYeYẒ 'aPReYYẒ Šə' ŠiY PReYNRa' 'YiL Də' ŠeYLə' 'eRBə' NWuF Ra'ŠiYNeYYẒ ŠiY LeYYẒ PiYLə'Ra' ŠiY PReYNRa' Lə' YWuẒ ŠiY Lə'DWoNRa' 'aBWoYəYVRə' ṬWoṬ PaRLiY 'a'WoMa'La'Də' 'eYLa'ŠWoṬaNẒə' QiY Də'MWuRə' ŠiY Lə'LiY'əRa' 'eN 'WuN DRa'PeYYL ŠiY Lə'PeYNDRa' ŠWuR Lə'FWu 'eY 'eN La'Ma'NeYRə' QYi 'YiL ŠeYČiYṬ 'iYŠiYNQeYYẒ ŠeYČiYRa' La'Ma'La'DiY'əH 'eY Ga'RiYRa' ¨

(**'uWNQWoRə' VWoLWoNŠ PaRLeYYR Də' 'iQṬiYRiYẒiY'aH** ...)

## 2.4 *De carteine* (ff. 239r5–240v25)

### f. 239r5–239r22

(5) **Veci l'ede et le consuel Isac à la cartene.** (6) Por ce que la carteine est fete de matire dure et grose (7) por ce doit le fusicien le consuel trover et enquere (8) par avis et s'aviser de quatre choses. Li une (9) si est do primer en le comencemet l'en ne doit (10) li doner nule choses trope chaudes car par ce poret (11) la matire etre echafée otre nature si (12) engendroit en ce malade dues fevres. Li une (13) fevre si sera enterpolata c'est entermelé de (14) plusurs omurs et sera longue. Et la segonde (15) si sera contenue et ague et par ce degatroit (16) la vertue et se amenroit le malade à peril de mort. (17) Car la nature n'est pas de si grant vertu que ele (18) puse sofrir la maladie qui est ague et la lonjur (19) de li. Et le segont si est nos ne deens doner (20) nules choses froides qui il ne font la matire (21) trop grose si se cailleroit par la froideur de la (22) medecine ce seroit cause et rusement

---

**בֵּישִׁי לְאֵידְא אֵי לְקוֹנְשׁוּיֵיל אִיזַק אַלְקַרְטֵינְא**
פּוֹרְצְא קְא לַאקַרְטֵיינְא אֵט פֵּיטְא דְאמַטִירְא דוּרֶא אֵי גְרוֹשְׁא
פּוֹרְצְא דוֹיֵיט לְאפֵּוּזִיצִיאֵן לְאקוֹנְשׁוּיֵיל טְרוֹבֵּייר[407] אֵי אֵנְקֵירְא

פַּר אַבִּישׁ אֵי שַׁאבִּיזֵייר דְא קַאטְרְא קוֹזֵייץ ¨ לִיאֻונְא
שִׁי אֵט דוּפְּרִימֵייר אֵנְלֵי קוֹמֵינְשְׁאמֵינְט לֵיין נְא דוֹיֵיט
לִי דוֹנֵייר נֻולְא קוֹזֵייץ טְרוֹפְּא קַאוֹדֵייץ קַר פַּר צְא פּוֹרֵייט

לַאמַטִירְא אֵיטְרְא אֵיקַאפֵּיאְה אוֹטְרְא נַאטוּרֶא שִׁי {אניינד}
אֵנְיֵינְדְרוֹיֵיט אֵנְשְׁאמַאלַאדְא דוֹיֵיץ פֵּיבְּרֵייץ ¨ לִיאֻונָא
פֵּיבְּרְא שִׁי שְׁרַא אֵינְטֵירְפּוֹלַטַא {פוֹ} שֵׁט אֵינְטֵרְמֵילֵיאְה דְא
פְּלֻזֻורֵץ אוֹמֻורְץ אֵי שְׁרַא לוֹנְגְא ¨ אֵילַאשֵׁיגוֹנְדְא
שִׁי שְׁרַא קוֹנְטֵינֻואְה אֵיאַגוּאְה אֵיפַּר צְא דְאגַאטְרוֹיֵיט
לַאבֵּרְטוּ אֵי שְׁא אַמֵנְרוֹיֵיט לְאמַאלַאדְא אַפְּרִיל דְמוֹרְט ¨
קַר לַאנַאטֻורְא נֵייט פַּשׁ דְאשִׁי גְרַאנְט בֵּרְטוּ קְא אֵילְא
פֻּשְׁא שׁוּפְּרִיר לַאמַאלַאדִיאְה קִי אֵט אַגֻואְה אֵי לַלוֹנְגוּר

---

407 טְרוֹבֵּייר: em. ed., טְרוֹבֵייר Ms.

**f. 239r5–239r22**

*(5) Hier die Behandlung und die Empfehlung des Isaac gegen Quartana. (6) Weil Quartana durch zähe und dickflüssige Materie enstanden ist, (7) muss der Arzt den [richtigen] Rat finden, (8) durch Beobachtung zu Erkenntnis gelangen und vier Dinge beachten. Das eine (9) ist erstens, dass man ihm [d. h., dem Patienten] am Anfang (10) keine zu warmen Dinge geben darf, denn dadurch könnten (11) sich die Körpersäfte übermäßig erhitzen und so (12) bei dem Kranken zwei Arten von Fieber auslösen. Das eine (13) Fieber wird das intermittierende sein, das bedeutet eine Vermischung von (14) mehreren Körpersäften, und dieses wird lange dauern. Das andere (15) ist das kontinuierliche Fieber und Hitzfieber, durch welche sich (16) die Kraft aufzehrt und der Kranke in Lebensgefahr gebracht wird. (17) Denn die Natur hat nicht eine so große Kraft, dass sie (18) die Krankheit aushalten kann, wenn sie hitzig ist und eine [so lange] Dauer hat. (19) Und zweitens dürfen wir (20) keine kalten Dinge geben, die die Materie (21) zu zäh machen, [denn] so gerinnt sie durch die Kälte der (22) Heilmittel. Das wäre der Grund für die Unterbindung*

---

**VeYŠiY L’eYDə’ ’eY LQWoNŠWYeYL ’iYZaQ ’aLaQaRaṬeYNə’**

PWoRẒə’ Q’ə La’QaRṬeYeYNə’ ’eṬ FeYṬə’ Də’MaṬiYRə’ DWuRə’ ’eY GRWoŠə’ PWoRẒə’ DWoYeYṬ Lə’FuZiYẒiY’eN Lə’QWoNŠWYeYL TRWoVeYYR ’eY ’eNQeYRə’ PaR ’aViYŠ ’eY Ša’ViYZeYYR Də’ Qa’ṬRə’ ČWoZeYYẒ ¨ LiY’uWNə’ ŠiY ’eṬ DWoPRiYMeYYR ’eNLeY QWoMeYNŠə’MeYNṬ LYeYN Nə’ DWoYeYṬ LiY DWoNeYYR NuWLə’ ČWoZeYYẒ ṬRWoPə’ Ča’WoDeYYẒ QaR PaR Ẓə’ PWoReYYṬ La’Ma’ṬiYRə’ ’eYṬRə’ ’eYČa’FeY’əH ’WoṬRə’ Na’ṬWuRə’ ŠiY ’eNYeYNDRWoYeYṬ ’eNŠə’Ma’La’Də’ DWuYeYẒ FeYVReYYẒ ¨ LiY’WuNə’ FeYVRə’ ŠiY ŠRa’ ’eYNṬeRPWoLaṬa’ ŠeṬ ’eYNṬeRMeYLeY’əH Də’ PLWuZWuRẒ ’WoMuWRẒ ’eY ŠRa’ LWoNGə’ ¨ ’eYLa’ŠeYGWoNDə’ ŠiY ŠRa’ QWoNṬeYNWu’əH ’eY’aGWu’əH ’eYPaR Ẓə’ Də’Ga’ṬRWoYeYṬ La’VeRṬWu ’eY Šə’ ’aMeNRWoYeYṬ Lə’Ma’La’Də’ ’aPRiYL DMWoRṬ ¨ QaR La’Na’ṬuWRə’ NYeYṬ PaŠ Də’ŠiY GRa’NṬ VeRṬWu Q’ə ’eYLə’ PWuŠə’ SWoFRiYR La’Ma’La’DiY’əH QYi ’eṬ ’aGWu’əH ’eY LaLWoNĞWuR

דְלִי ̈ אֵילְאשֵׁיגוֹנְט שִׁי אֵט נוֹץ נְא דֵייאֵיינץ דוֹנֵייר נִוֹלֵייץ קָוֹזֵייץ פָּרוֹיידֵייץ קְא אִיל נְאפָּוֹנְט לַאמַאטִירְא טְרוֹף גְרוֹשְׁא שִׁי שְׁאקַלֵיירוֹיֵיט פַּר לַאפָּרוֹיידוִֹר דְא לַא מֵידְאשִׁינְא שְׁא שְׁארוֹיְט קַאוֹזְא אֵי רוֶֹזֵימֵינְט {דאדיאש}

DLiY ¨ ’eYLə’ ŠeYGWoNṬ ŠiY ’eṬ NWoẒ Nə’ DeYY’ eYYNẒ DWoNeYYR NWuLYeYẒ ČWoZYeYẒ FRWoYYDeYYẒ Q’ ə ’YiL Nə’ FWoNṬ La’ Ma’ ṬiYRə’ ṬRWoP GRWoŠə’ ŠiY Šə’ Qa’ LYeYRWoYeYṬ PaR L’ aFRWoYYDWuR Də’ La’ MeYDə’ ŠiYNə’ Šə’ Šə’ RWoYəYṬ Qa’ WoZə’ ’eY RWuZeYMeYNṬ

## f. 239r23–239v16

(23) de digestion et cete cause fet longe maladie et (24) mavaise et perilleuse durement. (239v1) La terze si est tele que il ne detruce le cors par (2) viandes froides et sotives c'est à dire se (3) il avoit carteine longe il se voroit (4) tenir à ligere diete et à froide la matire (5) devenroit grose par la fredeur que ele ne poroit (6) etre meure et par la menue diete que il (7) tent si etroitement si se change la maladie (8) tant que il chet en itique et en tisis. (9) La quarte reson si est itele que il (10) ne detruce le cors par medecines laxatives (11) et pus tot se doit il garder que il ne li (12) done en l'ecomencement de la maladie avant (13) que la matire soit fluant et avant que ele (14) soit declineant à l'euvre naturée. (15) Et nos volons aviser en cete fevre de li doner (16) choses atendrisans et maturatives

---

דְאדִיאֶשְׁטִיאוֹן אֵי שֵׁיטְא קַאוֹזְא * לוֹנְגָא מַאלַאדִיאְה אֵי      פֵּייט[408]
מַאבַאיְיזְא אֵי פְּרִילוֹזְא דוּרְמֵינְט ¨
לַאטֵירְצְא שִׁי אֵט טֵילְא קְא אִיל נְא דֵטְרוּצְא לְאקוֹרְץ פַּר
וִיאַנְדֵייץ פְּרוֹיידֵייץ אֵי שׁוֹטִיבֵייש שֵׁט אַדִירְא שְׁא
אִיל אַבוֹיֵיט קַרְטֵיינְא לוֹנְגָא אֵי אִיל שְׁאבוֹרוֹיֵיט {ט}
טְאנִיר אַלִיגֵירְא דִיאֵיטְא אֵי אַה פְּרוֹיידְא לַאמַאטִירְא
דְאבֵינְרוֹיֵיט גְרוֹשְׁא פַּר לַאפְּרֵידוֹר קְא אֵילְא נְאפוֹרוֹיֵיט
אֵטְרְא מֵיאוּרְא אֵי פַּר לַאמֵינוּאְה דִיאֵיטְא קְא אִיל
טֵיינְט שְׁ אֵטְרוֹייטְמֵינְט שִׁי שְׁא קַאנְגָא לַאמַאלַאדִיאְה
טַאנְט קְא אִיל קֵייט אֵנְאִיטִיקְא אֵי אֵנְטִישִׁיס ¨
לַאקַארְטְא רֵיזוֹן שִׁי אֵט אִיטֵילְא קְא אִיל
נְאדֵיטְרוּצְא לְאקוֹרְץ פַּר מֵידְאשִׁינֵייש לַאקְשַׁאטִיבֵייש[409]
אֵיפּוּש טוֹט שְׁא דוֹיֵיט אִיל גַרְדֵייר קְא אִיל נְא לִי {דו}
דוֹיינְא אֵן לֵיקוֹמֵנְשְׁאמֵינְט דְלַאמַאלַאדִיאְה אַבַאנְט
קְא לַאמַאטִירְא שׁוֹיֵיט פְּלוּאַנְט אֵיאַבַאנְט קְא אֵילְא
שׁוֹיֵיט דֵיקְלִינְאַנְט אַלְאוּבְרְא נַאטוּרֵיאְה ¨
אֵי נוֹץ בוֹלוֹנְץ אַבִיזֵייר אֵן שֵׁיטְא פֵּיבְרְא דְא לִי דוֹנֵייר
קוֹזֵייץ אַטֵנְדְרִישַׁאנְש אֵי מַאטוּרַאטִיבֵייש {איהא}

---

**408** פֵּייט steht auf dem linken Seitenrand und ist an der markierten Stelle einzufügen.
**409** לַאקְשַׁאטִיבֵייש: em. ed., לַאקְשַׁאטִיבֵייש Ms.

## f. 239r23–239v16

*(23) der Zersetzung, und dieses verursacht eine lange Krankheit, die (24) sehr schlecht und gefährlich ist. (239v1) Das dritte ist das, dass man den Körper nicht durch (2) kalte und feine Lebensmittel schädigen darf. Das bedeutet, dass wenn (3) er eine lange [andauernde] Quartana hat und er sich (4) an eine leichte und kalte Diät hält, die Materie (5) durch die Kälte zäh wird, so dass sie (6) nicht reifen kann, und durch die leichte Diät, die er (7) strikt einhält, ändert sich die Krankheit (8) so, dass sie in hektisches Fieber und Schwindsucht übergeht. (9) Der vierte Punkt ist dann der, dass man (10) den Körper nicht durch abführende Arzneimittel schädigt. (11) Man muss [bereits] früher darauf achten, dass man ihm nicht (12) am Anfang der Krankheit, noch bevor (13) die Materie flüssig ist und (14) sie sich der natürlichen Kraft beugt, [die genannten Dinge] gibt. (15) Wir wollen bei diesem Fieber darauf achten, dass wir ihm (16) weich und reif machende Dinge geben*

---

Də' DiY' eŠṬiY' WoN 'eY ŠeYṬə' Qa' WoZə' FeYYṬ LWoNĞə' Ma' La' DiY' əH 'eY Ma' Va' YYZə' 'eY PRiYLWuZə' DWuRMeYNṬ ¨
9v La' ṬeYRẒə' ŠiY 'eṬ ṬeYLə' Q' ə 'YiL Nə' DeṬRWuẒə' Lə' QWoRẒ PaR WiY' aNDeYYẒ FRWoYYDeYYẒ 'eY ŠWoṬiYVeYYŠ ŠeṬ 'aDiYRə' Šə' 'YiL 'aVWoYeYṬ QaRṬeYYNə' LWoNĞə' 'YiL Šə' VWoRWoYeYṬ Ṭə' NYiR 'aLiYĞeYRə' DiY' eṬə' 'eY 'aH FRWoYYDə' La' Ma' ṬiYRə' Də' VeYNRWoYeYṬ GRWoŠə' PaR La' FReYDWuR Qə' 'eYLə' Nə' PWoRWoYeYṬ 'eYṬRə' MeY' WuRə' 'eY PaR La' MeYNWu' əH DiY' eYṬə' Q' ə 'iYL ṬeYYNṬ Ši 'eṬRWoYYṬMeYNṬ ŠiY Šə' Ča' NĞə' La' Ma' La' DiY' əH Ṭa' NṬ Q' ə 'iYL ČYeYṬ 'eN' iYṬiYQə' 'eY 'eNṬiYŠiYS ¨
La' Qa' RṬə' ReYZWoN ŠiY 'eṬ 'iYṬeYLə' Q' ə 'YiL Nə' DeYṬRWuẒə' Lə' QWoRẒ PaR MeYDə' ŠiYNeYYŠ La' QŠa' ṬiYVeYYŠ 'eYPWuš ṬWoṬ Šə' DWoYeYṬ 'YiL GaRDeYYR Q' ə 'YiL Nə' LiY DWoYəYNə' 'eN LeYQWoMeNŠə' MeYNṬ DLa' Ma' La' DiY' əH 'aVaNṬ Q' ə La' Ma' ṬiYRə' ŠWoYeYṬ FLWu' aNṬ 'eY' aVa' NṬ Q' ə 'eYLə' ŠWoYeYṬ DeYQLiYNə' aNṬ 'aLə' WuVRə' Na' ṬWuReY' əH ¨
'eY NWoẒ VWoLWoNẒ 'aViYZeYYR 'eN ŠeYṬə' FeYVRə' Də' LiY DWoNeYYR ČWoZeYYẒ 'aṬeNDRiYŠa' NŠ 'eY Ma' ṬWuRa' ṬiYVeYYŠ

**f. 239v17–240r8**

(17) et hatives à iter do cors. Si li donrons (18) sovent ligere vamite à jor de la sese à matin (19) ausi nos volons traveler mont à meter (20) consuil à foie et à l'eplen à le dieter (21) et à le conforter. Car le foie si norit sanc (22) et il le purge si le monde et se il (23) est feble et defalaine il donc ne le peut (24) monder par sa feblece se li sanc qui mavois (25) est si demeure au foie si se merle avecque (26) omeurs pories par quoi il meimes porit (240r) et devent ars et brulé et change nature do tot (2) en mavoité. Asi vos motre je de l'eplen (3) quant il est defalant et feble de à li trere (4) le lies do sanc et demeure la lie au sanc si (5) detruet la sanc et devent troble donc porit (6) le sanc si ça s'arte et se art par cete (7) reson que j'ai dit. **Le consuel qui** (8) mues vauret à cete fevre

---

אֵיהַאטִיבֵייש אַאִיטֵר דוּקוֹרְץ ¨ שִׁי לִי דוֹנְרוֹנְץ
שׁוֹבֵיינְט לִיגֵירְא בַּאמִיטְא אַיוֹר דְלַאשֵׁישְׁא אַמַטִין
אַאוֹשִׁי נוֹץ בוֹלוֹנְץ טְרַבְלֵייר מוֹנְט אַמֵיטְרְא
קוֹנְשׁוִייל אַפוֹיְיאְה אֵי אַלֵיפְלֵיין אַלֵידִיאֵיטֵר {איאלי}
אֵיאַלֵיקוֹנְפוֹרְטֵר ¨ קַר לְאפוֹייאְה שִׁי נוֹרִיט שַׁנְק
אֵי אִיל לֵיפוּרְגְא שִׁי לְאמוֹנְדְא {פּוֹיֵינְט} אֵי שְׁא אִיל
אֵט פֵיבְלְא אֵי דְאפַאלַיינְא אִיל דוֹנְק נְא לְא פוּט
מוֹנְדֵייר פַר שַׁאפֵיבְלֵישְׁא שְׁא לִי שַׁאנְק קִי מַאבוֹיֵיש
אֵט שִׁי דְמוֵּרְא אוֹ פוֹייאְה שִׁי שְׁא מֵירְלְא אַבֵיקְא
אוֹמֵוּרְש פוֹרִיאֵייץ פַר קוֹי אִל מֵיל מֵיאִימֵייץ פוֹרִיט
אֵי דְאבֵיינְט אַרְש אֵבְרוּלֵי אֵיקַאנְגְא נַאטֵוּרְא דוֹטוֹט
אֵנמַאבוֹייטֵי ¨ אַשִׁי בוֹץ מוֹטְרְא גְא דְלֵיפְלֵיין
קַאנְט אִיל אֵט דֵאפַאלַאנְט אֵי פֵיבְלְא[410] דְא אַלִי טְרֵירְא
לֵילִיאֵייץ דוֹשַׁנְק אֵי דְאמֵוּרְא לַאלִיאְה אוֹ שַׁנְק שִׁי
דֵטְרוִיֵט לְאשַׁאנְק אֵי דְאבֵיינְט טְרוֹבְלְא דוֹנְק פוֹרִיט
לְאשַׁאנְק שִׁי שַׁאשַׁרְטְא אֵי שְׁא אַרְט פַר שֵׁיטְא
רֵיזוֹן קְא יֵיא דִיט ¨ **לְקוֹנְשׁוִיֵיל קִי**
מוִיֵיש בוֹרֵייט אַשֵׁיטְא פֵיבְרְא

---

**410** פֵּיבְלְא: em. ed., פֵּילְא: Ms.

**f. 239v17–240r8**

*(17) und solche, die auf die Ausscheidung aus dem Körper beschleunigend wirken. Wir geben ihm dann (18) oft ein leichtes Brechmittel um sechs Uhr am Morgen. (19) Wir wollen uns auch sehr bemühen, (20) der Leber und der MIlz Beachtung zu schenken, indem wir sie richtig ernähren (21) und stärken. Denn die Leber bildet Blut, (22) und reinigt und säubert es, und wenn sie (23) schwach und kraftlos ist, kann sie es (24) aufgrund ihrer Schwäche nämlich nicht mehr reinigen. Und wenn das Blut, das unrein (25) ist, in der Leber bleibt und sich dann mit (26) verfaulten Körpersäften vermischt, wird es dadurch selbst verdorben, (240r1) wird erhitzt und verbrannt und verändert die Eigenschaften von allem (2) zum Schlechten. Daher sage ich euch von der Milz, (3) wenn sie kraftlos ist und [zu] schwach, um (4) die Trübstoffe des Blutes an sich zu ziehen, und die Sedimente im Blut verbleiben, dann (5) schädigen sie das Blut, und es wird trübe. Damit fault (6) das Blut und erhitzt sich dann; es erhitzt sich aus dem (7) Grund, den ich genannt habe. Die Empfehlung, die (8) am besten gegen dieses Fieber nützt,*

---

'eYHa' ṬiYVeYYŠ 'a' iYṬeR DWoQWoRẒ ¨ ŠiY LiY DWoNRWoNẒ
ŠWoVeYYNṬ LiYĞeYRə' Va' MiYṬə' 'aYWoR DLa' ŠeYŠə' 'aMaṬiYN
'a' WoŠiY NWoẒ VWoLWoNẒ ṬRaVLeYYR MWoNṬ 'aMeYṬRə'
QWoNŠWuYYL 'aFWYəY' əH 'eY 'aLeYPLeYYN 'aLeYDiY' eYṬeR
'eY' aLYeQWoNFWoRṬeR ¨ QaR Lə' FWoYY' əH ŠiY NWoRiYṬ ŠaNQ
'eY 'iYL LeYPuWRĞə' ŠiY Lə' MWoNDə' 'eY Šə' 'iYL
'eṬ FeYBLə' 'eY Də' Fa' LaYYNə' 'YiL DWoNQ Nə' Lə' PWuṬ
MWoNDeYYR PaR Ša' FeYBLeYŠə' Šə' LYi Ša' NQ QYi Ma' VWoYeYŠ
'eṬ ŠiY DMWuRə' 'Wo FWoYY' əH ŠiY Šə' MeYRLə' 'aVeYQə'
'WoMuWRŠ PWoRiY' eYYẒ PaR QWoY 'YiL MeY' iYMeYYẒ PWoRiYṬ
0r 'eY Də' VeYYNṬ 'aRŠ 'eBRWuLeY 'eČa' NĞə' Na' ṬuWRə' DWoṬWoṬ
'eNMa' VWoYYṬeY ¨ 'aŠiY VWoẒ MWoṬRə' Ğə' DLeYPLEYYN
Qa' NṬ 'YiL 'eṬ De' Fa' La' NṬ 'eY FeYBLə' Də' 'aLiY ṬReYRə'
LeYLiY' eYYẒ DWoŠaNQ 'eY Də' MuWRə' La' LiY' əH 'Wo ŠaNQ ŠiY
DeṬRWuYeYṬ Lə' Ša' NQ 'eY Də' VeYYNṬ ṬRWoBLə' DWoNQ PWoRiYṬ
Lə' Ša' NQ ŠiY Ša' ŠaRṬə' 'eY Šə' 'aRṬ PaR ŠeYṬə'
ReYZWoN Q' ə YYe' DYiṬ ¨ **LQWoNŠWuYeYL QYi**
MWuYeYŠ VWoReYYṬ 'aŠeYṬə' FeYVRə'

**f. 240r9–240r26**

(9) ce seroit de li doner. Oxizacra avecque (10) une decoccion qui est fete des racines des (11) erbes avecs sirop de apsention. Et (12) trocisci d'eupatori. Et d'escolopendrée. (13) Et si li metez rebarbe. Mes (14) en l'ecomencement de la maladie ne li donez (15) par quoi ne sechisent l'omeur devenra la matire (16) dure et pesante à etre decliné à la nature. (17) Mes nos li donrons apres que la matire (18) est digeste. Si li defendromes des poles (19) et des pertris et des atres osias à manger (20) quatre semenes par quoi le fevre ne s'echaufe (21) et la matire devenra arse. Et se la (22) matire n'est digeste en les quatre semenes (23) si li defendromes que il se garde des cars (24) desus dites juc à quarante jors la (25) vertu est si bone et si forte que il le puse (26) sofrir.

---

שְׁא שְׁרוֹיֵיט דְא לִי דוֹנֵייר ¨ אוֹקְשִׁי זַקְרַא אַבֵּיקְא
אֶונְא דֵיקוֹקְצִיאוֹן קִי אֵט פֵּיטְא דֵשְׁרַאשִׁינֵייץ דֵייץ
אֵרבֵייץ אַבֵּיקְש שִׁירוֹף דְאאַפְּסֶנטִיאוֹן ¨ אֵי {ארו}
טְרוֹצִיצִי דְאֵיפַּאטוֹרִי ¨ אֵי דְאֵסְקוֹלוֹפֵנדְרֵיאְה ¨
אֵי שִׁי לִי מֵיטֵייש רֵיבַּרְבְּרָא ¨ מֵייץ {אנליקומינש}
אֵנְלֵיֵקוֹמֵינְשְׁמֵינְט דְאלַאמַאלַאדִיאְה נְא לִי דוֹנֵייש
פַּר קוֹי נְא שֵׁיקִישַׁינְט לְאוֹמוֹר אֵי דְבֵּנְרַא לַאמַאטִירְא
דוּרֵא אֵי פְּזַאנְטְא אַה אֵטְרְא דֵיקְלִיינְאֵי אַלַאנַאטוּרֵא ¨
מֵייץ נוֹץ לִי דוֹנְרוֹנְץ אַפְּרֵייש קְאלַאמַאטִירְא
אֵט דִיאֵשְׁטְא ¨ שִׁי לִי דֵיפֵּנְדְרוֹמֵייץ דֵיפּוֹלֵייץ
אֵי דֵיפֵּרְטְרִיץ אֵי דֵייץ אַטְרֵייץ אוֹזִיאַץ אַמַנְגֵּייר
קַאטְרְא שְׁאמֵינֵייש פַּר קוֹי לַאפֵּיבְּרְא נְא שֵׁיקַאפְּא
אֵי לַאמַאטִירְא דְאבֵּנְרַא[411] אַרְשְׁא ¨ אֵי שְׁא לַא
מַאטִירְא נֵייט דִיאֵשְׁטְא אֵן לֵייש קַאטְרְא שְׁמֵנֵייץ
שִׁי לִי דֵיפֵּנְדְרוֹמֵייץ קְא אִיל שְׁא גַרְדְא דֵייש קַארְץ[412]
דְאשוּץ דִיטֵייץ יוּק אַקַרַאנְטְא יוֹרְץ שְׁא לַא
בֵּרְטוּ אֵט שִׁי בוֹנְא אֵי שִׁי פּוֹרְטְא קְא אִיל לְפּוּשְׁא
שוֹפְּרִיר ¨

411 דְאבֵּנְרַא: em. ed., דְאבֵּיֵנְרַא Ms.
412 קַארְץ: em. ed., קַארְץ Ms.

**f. 240r9–240r26**

*(9) wäre, ihm zu geben: Oxizacra mit (10) einem Absud, der aus den Wurzeln von (11) Kräutern mit Absinthsirup hergestellt ist. Und (12) Trochisken aus Salbei und aus Farnkraut. (13) Und dann gebt Rhabarber hinzu. Aber (14) gebt ihm am Anfang der Krankheit nichts, (15) wodurch die Körpersäfte austrocknen; dann wird die Materie (16) zäh und kann sich nur schwer der Natur beugen. (17) Wir geben es ihm aber, nachdem die Materie (18) zersetzt ist. Wir untersagen ihm Hühnchen, (19) Rebhühner und anderes Geflügel zu essen, (20) vier Wochen lang, damit das Fieber sich nicht erhöht (21) und die Materie erhitzt wird. Und wenn die (22) Materie in den vier Wochen nicht zersetzt ist, (23) ordnen wir an, dass er sich bis zu vierzig Tagen von dem Fleisch fernhält, (24) das oben genannt ist, (25) [wenn] die Verfassung so gut und stabil ist, dass er es (26) vertragen kann.*

---

Šə' ŠRWoYeYŢ Də' LiY DWoNeYYR ¨ 'WoQŠiY ZaQRa' 'aVeYQə' 'uWNə' DeYQWoQZ̧iY' WoN QYi 'eŢ FeYŢə' DeŠRa' ŠiYNeYYZ̧ DeYYZ̧ 'eRRBeYYZ̧ 'aVeYQS ŠiYRWoP Də' 'aPSeNŢiY' WoN ¨ 'eY ŢRWoZ̧iYZ̧iY D' eYPa' ŢWoRiY ¨ 'eY D' eSQWoLWoPeNDReY' əH ¨ 'eY ŠiY LiY MeYŢeYYŠ ReYBaRBRə' ¨ MeYYZ̧ 'eNLYeQWoMeYNŠMeYNŢ Də' La' Ma' La' DiY' əH Nə' LiY DWoNeYYŠ PaR QWoY Nə' ŠeYČiYŠeYNŢ Lə' WoMWuR DVeNRa' L' aMa' ŢiYRə' DWuRə' 'eY PZa' NŢə' 'aH 'eŢRə' DeYQLiYYNeY 'aL' aNa' ŢWuRə' ¨ MYeYZ̧ NWoZ̧ LiY DWoNRWoNZ̧ 'aPReYYŠ Qə' L' aMa' ŢiYRə' 'eŢ DiY' eŠŢə' ¨ ŠiY LiY DeYFeNDRWoMeYYZ̧ DeYPWoLeYYZ̧ 'eY DeYPeRŢRiYZ̧ 'eY DeYYZ̧ 'aŢReYYZ̧ 'WoZiY' aZ̧ 'aMaNĞeYYR Qa' ŢRə' Šə' MeYNeYYŠ PaR QWoY La' FeYVRə' Nə' ŠeYČa' oFə' 'eY La' Ma' ŢiYRə' Də' VeNRa' 'aRŠə' ¨ 'eY Šə' La' Ma' ŢiYRə' NYeYŢ DiY' eYŠŢə' 'eN LYeYŠ Qa' ŢRə' ŠMeNeYYZ̧ ŠiY LiY DeYFeNDRWoMeYYZ̧ Q' ə 'YiL Šə' GaRDə' DYeYŠ Ča' RZ̧ Də' ŠWuZ̧ DiYŢeYYZ̧ YWuQ 'aQaR' aNŢə' YWoRZ̧ L' a VeRŢWu 'eŢ ŠiY BWoNə' 'eY ŠiY FWoRŢə' Q' ə 'YiL LPWuŠə' ŠWoFRiYR ¨

## f. 240v1–240v18

(240v1) Por ce que cete fevre est norie de l'ardeur des omeurs (2) de sanc et de fleume et de colera nos volons enquere de quele (3) chose et de quele omeur ele est norie et nos (4) enqueromes en de quele manere comente. Je le vos (5) dirai se la fevre est de sanc que le malade est (6) sanguin o que sanc est potant à la conplesion do malade (7) donc est les conduis sont plein et le pos est large (8) et epeis. Et l'orine est roge et epese. Et le (9) boche est doce. Et le tens chaut c'est le tens (10) de ver c'est *LTQWPT NYSN* et l'aer est chaut et (11) moite. Et le dormir do malade est pesante (12) et la soif de li est petite. Et le malade si (13) se meintent coiement. Et quant sont trovés (14) totes ces enseignes donc por certein que ele (15) est fete de l'ardur do sanc. Et se (16) fevre terce s'est avancie devant que cete (17) carteine venit o atre omeur chaude et le (18) malade est ensarté et sec et si est colrics

---

פוֹרְצְא קְא שֵׁיטְא פֵּיבְֿרְא אֵט נוֹרִיאְה דְלַארְדוּר דֵישְׁאוֹמוֹרְץ דְאשַׁנְק אֵי דְפְּלוֹמְא אֵי דְאקוֹלְרַא נוֹץ בֿוֹלוֹנְץ אֶנְקֵיירְא דְאקֵילְא

קוֹזְא אֵי דְאקֵילְא אוֹמֵוּר אֵילְא אֵט נוֹרִיאְה אֵי נוֹץ {אנקירומי} אֶנְקֵירוֹמֵייש אֵן קֵילְא מַאנֵיירְא קוֹמֵינְטא ¨ ייְא לְא בֿוֹץ דִירַיי שְׁא לַא פֵּיבְֿרְא אֵט דְאשַׁנְק קְא לְאמַאלַאדְא אֵט {שנ} שַׁנְגְוִין אוֹ קְא שַׁנְק אֵט פוֹטַאנְט אַלַאקוֹנְפְּלֵישְׁיאוֹן דוֹמַאלַדְא דוֹנְק אֵט לֵיישקוֹנְדְוִייץ שוֹנְט פְלֵיין אֵי לְאפוֹץ אֵט לַרְגְא

אֵי אֵיפֵּייץ ¨ אֵי לְאוֹרִינְא אֵט רוֹגְא אֵי אֵיפֵּישְׁא ¨ אֵילַא בוֹקְא אֵט דוֹצְא ¨ אֵילְאטֵינְש קַאוֹט שֵׁיט לְאטֵינְש דְאוֵייר שֵׁט לתקופת ניסן אֵילַאֵייר אֵט קַאוֹט אֵי {מויי} מוֹיְיטְא • אֵילְאדוֹרְמִיר דוֹמַאלַאדְא אֵט פֵּיזַאנְטְא {אי} אֵילַאשוֹיֵיף[413] דְאלִי אֵט פְּאטִיטְא ¨ אֵילְאמַאלַאדְא שִׁי שְׁא מֵיינְטֵיינְט קוֹיְימֵינְט ¨ אֵיקַאנְט שוֹנְט טְרוֹבֵֿייץ טוֹטֵייץ שֵׁש אֶנְשֵׁיינֵייש דוֹנְק פוֹר שֵׁרְטֵיין קְא אֵילְא אֵט פֵּיטְא דְאלַארְדוּר דוֹ שַׁנְק ¨ אֵי שְׁא {פי} פֵּיבְֿרְא טֵרְצְא שֵׁט אַבַֿאנְצִיאְה דְבַֿאנְט קְא שֵׁיטְא קַרְטֵיינְא בְֿאנִיט אוֹ אַטְרְא אוֹמֵוּר קַאוֹדְא אֵילְא מַאלַאדְא אֵט אֶנְשַׁרְטֵי אֵי שֵׁייק אֵי שִׁי אֵט קוֹלְרִיקְש

---

413 אֵילַאשוֹיֵיף: em. ed., אֵילַאשוֹיֵיף Ms.

**f. 240v1–240v18**

*(240v1) Weil dieses Fieber aus der Überhitzung der Körpersäfte hervorgeht, (2) [d. h.,] von Blut, Schleim oder schwarzer Galle, wollen wir herausfinden, aus welchem (3) Grund und durch welchen Körpersaft es hervorgeht, und wir (4) werden ergründen, auf welche Art und Weise. Ich möchte euch (5) sagen, dass, wenn das Fieber vom Blut herstammt, wenn nämlich der Kranke (6) sanguinisch ist und das Blut in der Säftemischung des Kranken vorherrschend ist, (7) dann sind die Adern verstopft, der Puls langsam (8) und schwerfällig. Der Urin ist rot und dickflüssig, der (9) Mund süßlich. Die Jahreszeit ist warm, es ist (10) die Zeit des Frühlings, d. h., LTQWPT NYSN ('Frühjahrsäquinoktium'), und die Luft ist warm und (11) feucht. Der Schlaf des Kranken ist schwer, (12) sein Durst gering; der Kranke verhält sich ruhig. Und wenn (14) alle diese Anzeichen vorliegen, dann ist [das Fieber] ganz sicher (15) durch die Überhitzung des Blutes entstanden. Wenn (16) ein tertiäres Fieber vorangegangen ist, (17) bevor die Quartana eingetreten ist oder ein anderer Körpersaft heiß ist, der (18) Kranke überhitzt und trocken ist, wenn er cholerisch ist,*

---

PWoRẒə' Q'ə ŠeYṬə' FeYVRə' 'eṬ NWoRiY'əH DLa'RDWuR DeYŠ'WoMWoRẒ
Də'ŠaNQ 'eY DFLWuMə' 'eY Də'QWoLRa' NWoẒ VWoLWoNẒ 'eNQeYYRə' Də'QeYLə'
ČWoZə' 'eY Də'QeYLə' 'WoMWuR 'eYLə' 'eṬ NWoRiY'əH 'eY NWoẒ
'eNQeYRWoMeYYŠ 'eN Də'QeYLə' Ma'NeYYRə' QWoMeYNṬə' ¨ YəY' Lə' VWoẒ
DiYReYY Šə' La' FeYVRə' 'eṬ Də'ŠaNQ Q'ə Lə'Ma'La'Də' 'eṬ
ŠaNGWuYN 'Wo Q'ə ŠaNQ 'eṬ PWoṬa'NṬ 'aLa'QWoNPLeYŠiY'WoN DWoMa'LaDə'
DWoNQ 'eṬ LeYYŠQWoNDWuYeYẒ ŠWoNṬ PLeYYN 'eY Lə'PWoẒ 'eṬ LaRĞə'
'eY 'eYPeYYẒ ¨ 'eY Lə'WoRiYNə' 'eṬ RWoĞə' 'eY 'eYPeYŠə' ¨ 'eYLə'
BWoČə' 'eṬ DWoẒə' ¨ 'eYLə'ṬeYNŠ Ča'WoṬ ŠYeYṬ Lə'ṬeYNŠ
Də'WeYYR ŠeṬ LTQWPT NYSN 'eYLa'YeYR 'eṬ Ča'WoṬ 'eY
MWoYəYṬə' ¨ 'eYLə'DWoRMiYR DWoMa'La'Də' 'eṬ PeYZaNṬə'
'eYLa'ŠWoYeYF Də'LiY 'eṬ Pə'ṬiYṬə' ¨ 'eYLə'Ma'La'Də' ŠiY
Šə' MeYYNṬeYYNṬ QWoYəYMeYNṬ ¨ 'eYQa'NṬ ŠWoNṬ ṬRWoVeYYẒ
ṬWoṬeYYẒ ŠeŠ 'eNŠeYYNeYYŠ DWoNQ PWoR ŠeRṬeYYN Q'ə 'eYLə'
'eṬ FeYṬə' Də'La'RDWuR DWo ŠaNQ ¨ 'eY Šə'
FeYVRə' ṬeRẒə' ŠeṬ 'aVa'NẒiY'əH DVa'NṬ Q'ə ŠeYṬə'
QaRṬeYYNə' Və'NiYṬ 'Wo 'aṬRə' 'WoMWuR Ča'WoDə' 'eYLə'
Ma'La'Də' 'eṬ 'eNŠaRṬeY 'eY ŠYeYQ 'eY ŠiY 'eṬ QWoLRiYQŠ

## f. 240v19–240v25

(19) et le pus est ague trenchant et hatif (20) et l'orine est rose et enflanbée. Et (21) la soif est grande et fort. Et ne dort point. (22) Si est mont irus et coroçus. Et le (23) tens d'esté. Et l'aer et la contrée (24) et le pais son sec. Tonc devez savoir (25) que cete carteine est engendrée de colera.

---

אֵילְאפוּץ אֵט אַגֻואְה טְרֵינְקַ̄אנְט אֵי הַאַטִיףֿ[414]
אֵי לְאוֹרִינְא אֵט רוֹשְׁא אֵי אֵנְפְלַ̄אנְבֵיאְה ¨ אֵי
לַ̄אשׁוֹיֵיףֿ[415] אֵט גְרַנְדְא אֵי פֿ̄וֹרְט ¨ אֵי נְאדוֹרְט פוֹיֵינְט ¨
שִׁי אֵט מוֹנְט אִירוּשׁ אֵיקוֹרוֹשוּשׁ ¨ אֵילְא
טֵינְץ דְאֵישְׁטֵי {אֵישְׁטְא} ¨ אֵילְאַיֵיר אֵילַ̄אקוֹנְטְרֵיאְה
אֵילְאפַאִיץ שׁוֹנְט שֵׁיֵיק ¨ טוֹנְק דְאבֵייש שַׁאבֿ̄וֹיֵיר
קְא שֵׁיטְא קַרְטֵיינְא אֵט אֵנְיֵינְדְרֵיאְה דְאקוֹלְרַא ¨

---

**414** הַאַטִיףֿ: em. ed., הַאַטִיף Ms.
**415** לַ̄אשׁוֹיֵיףֿ: em. ed., לַ̄אשׁוֹיֵיף Ms.

**f. 240v19–240v25**

*(19) und der Puls heftig und rasend, (20) der Urin rötlich und brennend; (21) der Durst groß und heftig, [der Kranke] überhaupt nicht schläft; (22) wenn er sehr zornig und aufgebracht ist, die (23) Jahreszeit Sommer ist; die Luft, die Umgebung (24) und das Land trocken sind, dann sollt ihr wissen, (25) dass diese Quartana durch schwarze Galle hervorgerufen wurde.*

---

’eYLə’PWuẒ ’eṬ ’aGuW’əH ṬReYNČa’NṬ ’eY H’aṬiYF
’eY Lə’WoRiYNə’ ’eṬ RWoŠə’ ’eY ’eNFLa’NBeY’əH ¨ ’eY
La’ŠWoYeYF ’eṬ GRaNDə’ ’eY FWoRṬ ¨ ’eY Nə’DWoRṬ PWoYəYNṬ ¨
ŠiY ’eṬ MWoNṬ ’iYRWuŠ ’eYQWoRWoŠWuŠ ¨ ’eYLə’
ṬeYNẒ D’eYŠṬeY ¨ ’eYL’aYeYR ’eYLa’QWoNṬReY’əH
’eYLə’Pa’iYẒ ŠWoNṬ ŠYeYQ ¨ ṬWoNQ Də’VeYYŠ Ša’VWoYYeR
Q’ə ŠeYṬə’ QaRṬeYYNə’ ’eṬ ’eNYeYNDReY’əH Də’QWoLRa’ ¨

# 3 Glossare und Wortregister

## 3.1 Vorbemerkungen, Ordnungsprinzipien und Kommentare

Das *Altfranzösische Glossar* (3.2), das *Lateinische und griechische Glossar* (3.3) sowie das *Glossar anderer Sprachen* (3.4) sind nach den folgenden Prinzipien aufgebaut: Die Lexeme (Substantive, Adjektive, lexikalische Adverbien, Verben und – nur in Ausnahmefällen – grammatische Adverbien, Präpositionen und Konjunktionen) werden aufgrund der Graphie geordnet, die ihnen aufgrund der in 1.4.2 vorgestellten Regelhaftigkeiten zugewiesen wurde und in der sie im hypothetischen altfranzösischen Text vorzufinden sind. Die Lemmata erscheinen sodann in der Ordnung des lateinischen Alphabets; sie stehen im Fett- und Kursivdruck. In den Zeilen *über* dem Lemma werden alle Varianten und Flexionsformen eines Lexems in hebräischer Graphie mit Transkription unter Angabe der jeweiligen Textstelle notiert. Bei mehreren Varianten muss entschieden werden, welche Form das sich in der Zeile darunter befindlichen Lemma erhält (Lemmatisierungskriterien: 1. Häufigkeit, 2. in Texten in lateinischer Graphie belegte Variante). Das Lexem wird dann zunächst näher bestimmt im Hinblick auf Wortart, Genus, Verbtyp/Argumentstruktur. In Klammern folgen dann bei altfranzösischen Wörtern die Angabe von Zeitpunkt und Form des Erstbelegs, i.e., ist ein Wort in einer anderen Variante als derjenigen, in der es hier lemmatisiert wurde, zuerst nachgewiesen, wird diese kursiv nach dem Datum des Erstbeleges eingefügt, danach folgt die etymologische Herleitung. Anschließend erscheinen kursiv alle auftretenden Varianten und Flexionsformen in der altfranzösischen hypothetischen Form, unter Nennung der Formenbestimmung; es folgt die Angabe der Bedeutung.

Die Bedeutungszuweisung und der Variantenbeleg wird sodann in Klammern für das Altfranzösische systematisch durch die einschlägigen (etymologischen) Wörterbücher DEAF bzw. DEAFél,[416] TL, FEW, AND[417] und DAF durch-

416 Die Publikation in Printversion liegt zu den Buchstaben G–K (1974–2012) vor; sie ist auch als DEAFplus auf den Seiten des elektronischen DEAFél (http://deaf-server.adw.uni-heidelberg.de/) abrufbar. Die übrigen Buchstaben werden nach und nach im elektronischen DEAFpré (ebenfalls auf den Seiten des DEAFél) veröffentlicht, wobei zu beachten ist, dass «dans le DEAFpré, vous trouvez des matériaux lemmatisés, publiés uniquement en ligne, qui sont à consulter avec précaution. Quiconque utilisera le DEAFpré devra être conscient du fait que celui-ci constitue un outil de travail modifiable en permanence» (http://deaf-server.adw.uni-heidelberg.de/). Eine detaillierte Bedeutungsanalyse wurde im DEAFpré bisher nicht durchgeführt; semantische Angaben beschränken sich auf einfache Grundbedeutungen. Derzeit abrufbar sind die Buchstaben B, L, M, N, O, P, Q, R, T, U (Stand: 21.09.2015).

https://doi.org/10.1515/9783110490039-003

geführt. Zudem wird der DMF (*Dictionnaire du Moyen Français*) berücksichtigt, dessen Korpus zwar aus nahezu ausschließlich jüngeren Texten besteht, der jedoch aufgrund seiner modernen wissenschaftlichen Standards oftmals für die Kenntnis der Beleglage und für die Semantisierung untentbehrlich ist. In einigen Fällen – z. B., wenn die Variantendokumentation in den altfranzösischen Lexika unzureichend ist – wird für das Französische auch Gdf herangezogen. Für lateinische Lexeme (3.3) werden das mittellateinische MLWB und DuC sowie der klassisch-lateinische ThLL und GH konsultiert; lateinische Phytonyme werden zusätzlich durch Andrés *Noms des plantes dans la Rome antique* (NPRA) belegt, das v. a. hinsichtlich der fachsprachlichen Semantisierung detaillierte Angaben liefert. Griechische Lexeme werden im *Greek-English Lexicon* (LS) nachgewiesen. Hinsichtlich des Glossars anderer Sprachen (3.4) werden deutsche Wörter im *Mittelhochdeutschen Handwörterbuch* von Lexer und ggf. im *Wörterbuch des althochdeutschen Sprachschatzes* von Köbler, hebräische im *Hebrew and Aramaic Lexicon* (KB) und dem *Dictionary of the Targumim* (J) belegt.

Neben der Wörterbuchrecherche werden zudem Glossare in Textausausgaben konsultiert. Es wird stets vermerkt, ob das Wort bereits in der Edition von Kiwitt (2001) (= Kiwitt) und dem Glossar von Saye (1931) (= Saye) auftritt. Weiterhin wird das Glossar der Edition von Albucasis' *Traitier de cyrurgie* (Mitte des 13. Jahrhunderts) durch Trotter (2005) (= ATC) konsultiert, das durch die genannten gedruckten Lexika noch nicht berücksichtigt werden konnte. Dieser ca. 50 Jahre vor *Fevres* verfasste Text stammt aus Lothringen und weist einige gemeinsame sprachliche und lexikalische Züge auf. Im Hinblick auf altfranzösische Wörter in hebräischer Graphie wurden ferner folgende Werke konsultiert: die Rashi-Glossen (in der Edition von Darmesteter/Blondheim 1929 = DB), die *Recherches lexicographiques* von Lévy (= RLJ) und die *Parlers judéo-romans* von Blondheim (1925). Lateinischer medizinfachsprachlicher Wortschatz wird zudem mit dem der *Alphita*-Edition von García González (2007) (= GGA) und mit der *Sinonima delos nonbres delas medeçinas* (= Sin, ed. Mensching 1994), abgeglichen.

Nach der lexikographischen Erfassung erfolgt eine Kommentierung des Lexems samt seiner Varianten im Hinblick auf die Beleglage sowie auf graphische, dialektale und semantische Besonderheiten.

---

417 Buchstaben A–O, Q, U in der 2. Auflage als Online-Edition (2007–); Buchstaben P, R–T und V–Z in der 1. Auflage als Printversion (1977–1992; Stand: Juli 2015). Zu Details cf. http://www.anglo-norman.net/.

## 3.2 Altfranzösisches Glossar

**A**

אַבוֹנְדַאנְט - *'aBWoNDa'NṬ* (175v7)

***abondant***, *adj.* (1190; von altfrz. *abonder* < lat. ABUNDARE) 'im Überfluss vorhanden' (FEW 24, 59b; DMF I.A; Saye 21). Aufgrund der prädikativen Verwendung ist an dieser Stelle eher ein adj., das *colra* spezifiziert, als ein part. praes. des Verbs *abonder* anzunehmen, «colra qui est abondant» (ff. 175v6–7); TL (1, 57–58); AND2 OE (*abunder*); DAF (4a) belegen das Verb *abonder*, 'avoir, donner en abondance'. FEW (24, 59b = Blondheim 1910, 140) nennt ein «judfr.» *avonder* in der Bedeutung 'suffire', die hier nicht vorliegt.

אַקְצִידֵינְט - *'aQẒiYDeYNṬ* (163v3, 5, 8)
אַקְצִידֵינְץ - *'aQẒiYDeYNẒ* (165r21, 166r19)
אַקְצִידֵיינְץ - *'aQẒiYDeYYNẒ* (169v2)

***accident***, *m* (13. Jh.; von mlat. *accidentia*) *accidents (pl.)* 'Symptom' (TL 1, 72; FEW 24, 73b; AND2 OE; DMF *accident*$_1$ III.A.1; Kiwitt 94; Saye 25 *akçident* 'accident'). FEW gibt die Bedeutung 'infirmités' (*accidens*, pl.) erst für ca. 1400 an. TL verweist auf keine medizinischen Zusammenhänge. Mlat. *accidentia* bedeutet u. a. 'morbus, infortuitum' (DuC 1, 46a): «Accidentia Plinio idem est in morbis, quod Graecis σύμπτωμα, Latinis casus, Medicis affectus praeter naturam, Gallis etiam Accident». Bei der fachsprachlichen Verwendung von *accident* in *Fevres* handelt es sich um einen Zweitbeleg (cf. Kiwitt 94).

אַקְצִיאוֹן - *'aQẒiY'WoN* (164v6)

***accion***, *m* (Bedeutungserstbeleg; von mlat. *actio*) 'Folge(-erscheinung); Verhalten, Reaktion (des Körpers)' (DMF *action* II.C.1; Saye 25 *akçion* 'action, effect'). *Accion* ist im Altfrz. sonst in der Bedeutung von 'Handlung' (TL 1, 72; FEW 24, 114b *action*; AND2 OE) oder in der juristischer Fachsprache ('Klage, Prozess', TL 1, 72; FEW 24, 115a) nachgewiesen; für die Medizinsprache ist der Beleg in *Fevres* ein Erstbeleg. Der Artikel *un* (*'uWN*) sowie das part. *naturé* (*Na'ṬuWReY*) zeigen hier maskulines Genus an.

אַקוֹייזֵיאָה - *'aQWoYYZeY'əH* (170v2)

**[*acoiser*]**, *v. tr.* (1080; < vlat. **quietiare*) *acoisée (part. perf. f)* 'beruhigen' (TL 1, 95 *acoisier*; FEW 2, 1470a; DAF 7a; DMF *accoiser* I.A.1; Saye 25 *akoizér*). Die Verwendung des Verbs in der Medizinfachsprache («la trencheur de la fevre est acoisée», f. 170v1–2) fehlt TL; es wird ohne Semantisierung «Doulours ki onques ne m'acoise» (*Barb. u. M.* I 118, 193, Ende 13. Jh.[418]) zitiert (TL 1, 96). FEW (2, 1470a) belegt für das 17./18. Jh. *acoiser les humeurs* 'faire cesser le mouvement excessif des humeurs'. Fehlt AND.

שַׁאקוֹייזְא – *Ša'QWoYYZə'* (161v13)
**[acoiser]**, *v. refl.* (zur Etymologie cf. s. v. *acoiser, v. tr.*) *s'acoise (3. sg.)* 'sich beruhigen' (TL 1, 96 s'*acoicier*; DMF *accoiser* II.A.2). Der reflexive Gebrauch von *acoiser* in der Medizinfachsprache ist in TL zu ergänzen («la fevre s'acorce», f. 161v13); TL belegt das Verb in der Bedeutung 'sich beruhigen (von Personen)'. Fehlt FEW, AND und DAF.

אַדְהוֹרְט – *'aDHWoRṬ* (164r4, 12)
אַדְהוֹרְץ – *'aDHWoRẒ* (164r5, 7, 13, 24, 164v15, 165r4, 165v17, 167v23, 168v12, 22, u. v. m.)
***à dehors***, *adv.* (hap. leg.; von lat. AD DE FORAS) *a *dehort* '(nach) draußen'. Das Synthem *a dehors* ist außerhalb von *Fevres* nur in AND als *a defors* (AND2 OE s. v. *defors*) belegt, in *Fevres* tritt es gehäuft auf (cf. auch Saye 22). TL (2, 1296) und DMF (I.A) weisen *au defors* in der Bedeutung 'außerhalb' nach; *a dehors* ist jedoch in f. 164r4, 164r13, 164v15, 165r4 direktional zu verstehen ('nach draußen'). FEW (3, 703a) belegt die Zusammensetzungen *par dehors* und *en dehors*, 'du côté extérieur'. Fehlt DAF.

אַדֵייץ – *'aDeYYẒ* (177r12)
***adés***, *adv.* (11. Jh.; < lat. AD ID IPSUM S.C. TEMPUS) 'sofort; ununterbrochen' (TL 1, 139 *adès*; FEW 24, 141b; AND2 OE; DAF 9b; DMF; Kiwitt 167; Saye 22 *adéç*).

אַדוֹנְק – *'aDWoNQ* (101v3; 165r14; 166v12)
***adonc***, *adv.* (12. Jh.; von *donc* < vlat. *dunc*) 'dann' (TL 1, 149; FEW 3, 179a; AND2 OE *adonc s. v. adunc*; DAF 10b; DMF A; Kiwitt 167; Saye 23 *adonk*).

לַאֵייר – *La'YeYR* (240v10)
אַיֵיר – *'aYeYR* (240v23)
***aer***, *m* (13. Jh.; < lat. AEREM) 'Luft' (TL 1, 250 s. v. *air*; FEW 24, 221a; AND2 OE s. v. *air*; DMF *air* A; Kiwitt 167 *air*; Saye 23 aér). Eine lateinische Lesart wäre zwar ebenfalls denkbar; *aer* ist jedoch jeweils in einen französischen Satz eingebettet, so dass eine Interpretation des Wortes als altfrz. hier zu favorisieren ist.

418 Das Zitat stammt aus einem *Conte* des Baude Fastoul d'Aras (ed. Barbazan 1808, vol. 1).

שַאפֵֿיבְלִישְנְט – *Ša'FeYBLiYŠNṬ* (160r9)
**[*afeblir*]**, *v. refl.* (12. Jh.; von *feble* < lat. FLEBILEM) *s'afeblissent (3. pl.)* 'schwach werden (von Gliedmaßen)' (TL 1, 176 *s'afebliier*; DMF *affaiblir* II.B.1; Saye 23). Die Zitate in TL (1, 176) beziehen sich auf Personen; FEW (3, 616b); AND2 OE; DAF (12a); Kiwitt (167) belegen nur die transitive Verwendung des Verbs mit der Bedeutung 'schwächen'.

אַפֿוֹרְשְא – *'aFWoRŠə'* (158r5)
אַפֿוֹרְשַאנְט – *'aFWoRŠa'NṬ* (164r22)
**[*aforcer*]**, *v. tr.* (12. Jh. *esforcier*, 13. Jh. *aforcer*; von *forcier/force* < vlat. **fortia*) *aforce (3. sg.), aforçant (part. praes.)* 'kräftigen' (TL 3, 1044 *esforcier*; AND2 OE; Gdf 3, 458a–c *esforcier*; DAF 234a *id.*; DMF *afforcer*$_1$; Saye 24 *aforçér*). *Aforcer*, 'kräftigen', ist nur in AND OE und DMF dokumentiert. TL (1, 198) attestiert für die Variante *aforcier* 'jmd. zu etw. zwingen'; FEW (3, 733a) weist *aforter*, 'unterstützen, helfen', nach; *aforcer* als 'vergewaltigen' (FEW 3, 730b). Die hier vorliegende Bedeutung, deren Evidenz durch die Parallelstelle im *Lib. febrium* gegeben ist («eum tamen confortat», L, f. CCXVIIIr, col. A, entspricht f. 158r5 in *Fevres*), ist außerhalb des Angl.-Nor. für altfrz. *esforcier* und sonst erst ab 1354 (DMF) belegt. Cf. auch *aforcer, v. refl.*

שַאפֿוֹרְצְא – *Ša'FWoRẒə'* (160r6)
**[*aforcer*]**$_1$, *v. refl.* (13. Jh.; für die Etymologie cf. s. v. *aforcer, v. tr.*) *s'aforce (3. sg.)* 'sich verstärken, zunehmen' (AND2 OE; FEW 3, 727b *esforcier, v. refl.*; Gdf 3, 458b *id.*;). Saye (24) listet das Verb nur in transitiver Verwendung; das reflexive Verb ist in dieser Bedeutung fehlt TL.

שַאפֿוֹרְצְא – *Ša'FWoRẒə'* (164v14)
שַאאפֿוֹרְצְא – *Ša''FWoRẒə'* (164v13)
שַא-פֿוֹרְשְא – *Ša'-FWoRŠə'* (167v22–23)
**[*aforcer*]**$_2$, *v. refl.* (12. Jh. *esforcier*; < vlat. **fortiare*) *s'aforce (3. sg.)* 'sich bemühen, streben nach' (TL 3, 1046 *esforcier*; FEW 3, 731a *soi aforcier*; Gdf 9, 527b *esforcier*; AND2 OE; DMF *afforcer*$_2$ II. *s'aforcer de*). Für die Variante *aforcer* statt *esforcier* cf. s. v. *aforcer, v. tr.* Fehlt Saye und DAF in dieser Bedeutung.

אַגַרִיק – *'aGa'RiYQ* (171v13, 19)
***agaric***, *m* (1256; von lat. AGARICUM) 'Lärchenschwamm (Agaricum officinale)' (FEW 24, 256a 'genre de champignons très nombreux et dont le dessous du chapeau est garni de lames'; AND2 OE Polyporus officinalis, 'larch agaric, a fungus used medicinally'; DMF; Saye 24 *agarik*, 'mushroom'). Der dem Lat. entlehnte altfrz. Terminus ist in *Fevres* nach Aldebrandin de Sienne (1256) eventuell zum zweiten Mal belegt. Lat. *agaricum* (zu gr. ἀγαρικόν)

bezeichnete gemäß GH (1, 240, s. v. *agaricon*) den Lärchenschwamm, gemäß NPRA (7) 1. 'champignons orientaux de la famille des Polyporées (Fomes officinalis Bredasola, Polyporus sulphureus Fries)', 2. 'racine de la Bryone (Bryonica dioïca Jacq.)'. LAD (1, 332) bestätigt GH und NPRA (Bedeutung 1) und nennt Agaricum officinale (s. v. Fomes officinalis) als Synonym zu u. a. Polyporus officinalis und Fomes laricis, die alle wissenschaftliche Namen des Lärchenschwamm sind. Dieser Pilz der Familie der Polyporaceae wurde und wird «in der Volksheilkunde als Amarum (Bittermittel) und als Laxans sowie bei Bronchialasthma und Nachtschweiß» (LAD 1, 332) angewendet. Fehlt TL und DAF.

אַגְ֗א – *'aĞə'* (171r3)
לַאגְ֗א – *La'Ğə'* (175v10)
***age***, *m* (13. Jh.; < vlat. **aetaticum* < lat. AETATEM) 'Lebensalter' (TL 3, 7 *ëage* und *äage*; FEW 24, 236a; AND2 OE; DAF 187a id., 'âge mûr, majorité'; Saye 25 *aje*).

אַגוֻּאָה - *'aGWu'əH* (239r18, 240v19)
[***agu***], *adj.* (12. Jh.; < lat. ACUTUM) *ague (f)* 'heftig; hitzig' (TL 1, 215; FEW 24, 128a; AND2 OE; DAF 14b 'aigu'; DMF *aigu* B.6; Kiwitt 168; Saye 24 'sharp'). Das adj. als Epitheton zu *maladie* (in 239r18) ist in FEW in entsprechender Bedeutung nachgewiesen; in 240v19 spezifiziert es *pus* ('Puls'). Cf. auch unter *fevre ague*.

שְׁא אַגְ֗וֹשְׁטְא – *Šə' 'aĞWoŠṬə'* (169r4)
[***ajoster***], *v. refl.* (Bedeutungserstbeleg; von vlat. **juxtare*) *se ajoste (3. sg.)* 'sich verbinden (von Substanzen)' (TL 1, 270 'sich gesellen'; FEW 5, 97b *ajouster, v. tr.*, 's'unir (von Personen)'; AND2 OE s. v. *ajuster*; DAF 18b *v. tr.*, 'unir'; DMF *ajouter* II.B 's'ajouter à qqc'; Saye 25 *ajoter, v. tr.*). Die Verwendung des Reflexivums als medizinischer Terminus in genannter Bedeutung ist in den Lexika nicht belegt und zu ergänzen.

אַגְ֗וֹטֵייץ – *'aĞWoṬeYYẔ* (171v11)
[***ajoter***], *v. tr.* (12. Jh.; von vlat. **juxtare*) *ajotez (2. pl. imp.)* 'hinzufügen' (TL 1, 270 *ajoster*; FEW 5, 98a *ajouter*; AND2 OE *ajuter s. v. ajuster*; DAF 18b *ajoster*; DMF *ajouter* I.A; Saye 25).

לַאלֵיינְא – *La'LeYYNə'* (169v13)
***aleine***, *f* (13. Jh.; von *alener* < lat. ANHELARE) 'Atem' (TL 1, 279; FEW 24, 576b; AND2 OE *aleine*; DAF 20a *aleine, alenee*; DMF *haleine* A.1; Saye 27).

אַלאַטְא אַקַ֗אנְבְרְא – *'aL'aṬə''aČa'NBRə'* (161r11–12)
***aler a *chanbre***, *v. intr.* (13. Jh.; *chanbre* < lat. CAMERAM) *alate (3. sg. subj.) a chanbre* 'den Darm entleeren' (TL 2, 192 *aler a chambre*; FEW 2, 131b *aller*

*a chambre*; DMF s. v. *chambre* A.1.f *aller à chambre(s)*; Kiwitt 96; Saye 27). Für die Darstellung des Nasalvokals durch *-a'N-* cf. die Einleitung (1.4.2). Die Datierung durch FEW (15. Jh.) ist um zwei Jahrhunderte zu korrigieren. Das Syntagma fehlt DAF und AND.

שַׁא לִיגְא - *Ša' LiYǦə'* (101r4)
שַׁא-לִיגִיט - *Ša' - LiYǦiYṬ* (167v9–10)
***aligir***, *v. refl.* (< splat. *alleviare*) *s'alige (3. sg.), s'aligit (3. sg.)* 'sich mildern (von Krankheiten); Linderung empfinden (vom Patienten)' (TL 1, 279 s'*alegier* 'sich einer Sache entledigen'; FEW 24, 331a–b *s'alléger* 'devenir plus léger (d'un mal, d'une douleur)', *aligir* 'alléger, soulager'; AND2 OE *alegier* s. v. *aleger* 'to be alleviated, eased'; DMF *alléger* II.B; Kiwitt 168 s'*aligir*; Saye 28 *alijir*). FEW (24, 331b) dokumentiert das Verb mit Konjugationswechsel in erster Linie für ostfranzösische (alte und moderne) Dialekte. TL belegt das medizinfachsprachliche Verb nur als Transitivum; ein Reflexivum ist außerhalb von *Fevres* als Terminus technicus bisher nicht belegt. Fehlt DAF.

אַלוֹאֵיין - *'aLWo'eYYN* (170v17)
***aloen***, *m* (10. Jh.; von lat. ALOEN) 'Aloe (Aloe vera L.)' (TL 1, 307 *alöe*; FEW 24, 345b; AND2 OE s. v. *aloe*; DAF 22a *aloe*; DMF *aloès*; Kiwitt 168 *aloé*; Saye 128 *aloén*). Die altfrz. Variante auf *-n*, die auf den lat. acc. ALOEN zurückgeht, ist die ältere; *aloé* ist seit dem 13. Jh. belegt, cf. FEW (24, 345b–346a). TL (1, 308) setzt zudem ein Lemma *alöein* an, jedoch ohne Bedeutungsangabe. Cf. auch RLJ (60): אלואיין (*'LW'YYN*), id.

אַלוֹאֵי אֵיפַּאטִיק - *'aLWo'eY 'eYPa'ṬiYQ* (177r17)
***aloe epatic***, *m* (14. Jh. *aleopatic, aloés epatic*; von mlat. *aloe hepatica*) 'Aloe hepatica, Pflanzendicksaft der Aloe' (FEW 4, 403b *aleopatic*, 24, 345b *aloés epatic*; AND2 OE s. v. *aloe*; DMF s. v. *aloès* I. *aloès hépatique*; Saye 28 *aloé épatik*). Die Bezeichnung des Aloesaftes erklärt NPRA (11, für lat. *aloe hepatites*): «Varieté de suc dont la couleur rappelle celle du foie», i.e., 'Pflanzensaftart [der Aloe], deren Farbe an die der Leber erinnert'. Gemäß LAD (1, 32) wird der eingedickte äußerst bittere Saft der Blätter der Aloe als Laxans eingesetzt. Der Terminus in *Fevres* ist eventuell ein Erstbeleg. Fehlt TL und DAF.

שַׁאלוֹיְינְא - *Ša'LWoYəYNə'* (101v16)
**[*aloigner*]**, *v.refl.* (12. Jh.; von *lonc* < lat. LONGUM) *s'aloigne (3. sg.)* 'sich entfernen (zeitlich)' (TL 1, 312 *s'aloignier* 'sich entfernen (räumlich)'; FEW 5, 416b altfrz. *allonguier* 'faire attendre', nfrz. *s'allonger* 'augmenter de durée'; AND2 OE *alonjer, aloiner* s. v. *alonger* 'to become longer'; DAF 22b *aloignier* 'faire attendre'; DMF I.B 's'éloigner', II.B 's'allonger'; Saye 28 *alonjér* 'to

lengthen'). Eventuell handelt es sich bei dem Reflexivum in der angegebenen Bedeutung (im zeitlichen Sinne) um einen Erstbeleg in *Fevres*. Zur Repräsentation von [ɲ] cf. die Einleitung (1.4.2). Cf. auch Kiwitt (168) für das Transitivum *alonger*.

אַלוֹם – *'aLWuM* (163r19)
***alum***, *m* (11. Jh.; von lat. ALUMEN) 'Alaune (Kaliumaluminiumsulfat)' (TL 1, 320 *alun*; FEW 24, 376b 'sulfate double d'alumine et de potasse ou d'ammoniaque, doué de propriétés toniques, astringentes'; Gdf 8, 94c *alun*; AND2 OE 'alum, whitish transparent mineral salt'; DMF *alun*; DB 33a אלום; Saye 28).

אַמַאנְדֵייץ – *'aMa'NDeYYẒ* (172v13)
***amande***, *f* → siehe s. v. *ule d'amandes.*

שְׁא אַמֵנְרוֹיֵיט – *Šə' 'aMeNRWoYeYṬ* (239r16)
**[*amener*]**, *v. refl.* (Erstbeleg; von *mener* < vlat. *minare*) *se amenroit (3. sg. impf.)* 'führen, bringen zu' (Gdf 8, 102c 'être amené'; AND2 OE 'to behave, to live, to blend with'; DMF II.B.1). Das früheste Zitat belegt AND2 OE aus der zweiten Hälfte des 14. Jhs. Cf. auch TL (1, 337); DAF (25b); Kiwitt (168); Saye (29, *aménér*) für das Verbum transitivum (seit 1080). Zum Schwund des epenthetischen *-d-* innerhalb des Nexus *-nr-* cf. 1.5.1.

אַמֵינֻוזַאנְט – *'aMeYNuWZa'NṬ* (168r3)
**[*amenuser*]**, *v. tr.* (1120 *amenuiser;* von lat. MINUTIARE) *amenusant (part. praes.)* 'verringern, mindern; zerstückeln' (TL 1, 341 *amenuisier*; FEW 6-2, 132a *amenu(i)sier*; AND2 OE; DAF 25 *amenuiser*; DMF *amenuiser* I; Saye 30 *aménuzer*).

אַמֵירְמֵיאֶה – *'aMeYRMRe'H* (165v11)
**[*amermer*]**, *v. tr.* (1160; von *mermer* < lat. MINIMARE) *amermée (part. perf. f)* 'schwächen' (TL 1, 346 'mindern'; FEW 6-2, 113b 'diminuer, amoindrir'; DAF 26a; DMF; Saye 30). Die angegebene Bedeutung ist in TL und FEW zu ergänzen. Kiwitt (2008, 76ss.) diskutiert dieses Verb innerhalb einer Reihe von Lexemen, die in jüdischen Wissenschaftskreisen wahrscheinlich aufgrund von Bibelglossaren kanonisch wurden. In Texten in lateinischer Graphie ist *amermer* nur für die Regionen Poitou und Sainte-Terre belegt, erscheint jedoch auch in Bibelglossaren, die in Ostfrankreich und der Normandie kursierten;[419] cf. z. B. BlBâleB 509 (u. v. m.) אמירמי (*amèrmè*). Fehlt AND.

419 *Amermer* glossiert hierin bspw. Derivationen von חסר, 'mindern' oder גרע, id. (Kiwitt 2008, 78).

שַׁאמֵירְמְרַא - *Ša'MeYRMRa'* (165v7)
**[amermer]**, *v. refl.* (cf. s. v. *amermer, v. tr.*) *s'amermera (3. sg. fut.)* 'sich (ab-)schwächen, abnehmen'. Das Reflexivum ist bisher in den Lexika nicht belegt und jeweils zu ergänzen (für Referenzen und weitere Angaben cf. s. v. *amermer, v. tr.*).

אַמֵרְטֻונְא - *aMeRṬWuNə'* (167r6)
***amertune**, f* (13. Jh.; < lat. AMARITUDINEM) 'bitterer Geschmack' (TL 1, 347 *amertume*; FEW 24, 391a; AND2 OE s. v. *amertume* 'bitterness'; DMF *amertume* A; Saye 30 *amértune*). FEW belegt die auch in *Fevres* anzutreffende altfrz. Variante mit *-n-* in der Bedeutung 'saveur de ce qui est amer'. Fehlt DAF.

אַמִיש - *'aMiYŠ* (162r18)
**[*ami*]**, *m* (10. Jh.; < lat. AMICUM) *amis (pl.)* 'Freund, Vertrauter' (TL 1, 350; FEW 24, 445a; AND2 OE; DAF 26a; DMF).

אַנֵיאֵייץ - *'aNeY'eYYẒ* (172v2)
**[*anée*]**, *f* (1170; < lat. ANNUM) *anées (pl.)* '(Lebens-)jahr, Alter' (TL 1, 385; AND2 OE *annee*; DAF 28a; DMF A 'durée d'un an'; Kiwitt 168; Saye 31 *anééç*).

אַנֵיטְא - *'aNeYṬə'* (173v18)
***anete**, f* → siehe s. v. *grese de anete.*

אַנְגְלוֹטִירַא - *'aNGLWoṬiYR'a* (174r3)
**[**anglotir*]**, *v. tr.* (11. Jh.; < splat. *ingluttire*) *anglotira (3. sg. fut.)* 'an-, aufsaugen' (TL 3, 391 *englotir*; FEW 4, 172a *engloutir*; AND2 OE *englotir* s. v. *englutir*; DAF 205a *englotir*; DMF *engloutir*; Saye 32). Zur Repräsentation des initialen Nasalvokals cf. die Einleitung (1.5.1).

אַנִיש - *'aNiYŠ* (171v18, 173r12)
***anis**, m* (13. Jh.; < lat. ANISUM) 'Anis (Pimpinella anisum L.)' (TL 1, 397; FEW 24, 599a; AND2 OE; DMF A; Saye 32 'dill seed'). Die Semantisierung von *anis* als 'Dillsamen' durch Saye ist auch vor dem Hintergrund des lateinischen *Lib. febrium* nicht nachzuvollziehen («*drachmas* iij. maratri anisi», L, f. CCXVIIIv, col. A, bzw. «an*a drachmas* .iiij. anisi», L, f. CCXVIIIv, col. B). Fehlt DAF.

אֶנְפֵּייטְא - *'eNPeYYṬə'* (165r4)
**[*anpeider*]** → siehe s. v. **enpeider*.

אַפַּרְשֵׁיבוֹיֵיר - *'aPaRŠeVWoYeYR* (164r18)
***aparcevoir**, v. tr.* (1080 *apercevoir*; < vlat. **adpercipere*) 'wahrnehmen' (TL 1, 442; FEW 8, 217b *apercevoir*; AND2 OE *aperceivoir* s. v. *aparceivre*; DAF 33a

id.; DMF *apercevoir* I; Kiwitt 168; Saye $34_1$ *aparsevoir*). TL weist auch Varianten mit *apar-* (statt üblicherem *aper-*) nach, und zwar bemerkenswerterweise aus dem *Yvain* des champagn. Autors Chrétien de Troyes («Bien l'aparçoit et bien l'antant ...», *Ch. lyon* 3434).

אפַרֵילֵיאֵייץ – *'aPaReYLeY'əYYẒ* (157v14)
אַפַארֵילֵיאְה – *'aPa'ReYLeY'əH* (169v13)
אַפַארֵילֵיי – *'aPa'ReYLeYY* (172r4, 5)
[***apareiller***], *v. tr.* (1080 *apareillier*; < vlat. **appariculare*, für *apparare*) *apareillé (part. perf.), apareillée (part. perf. f), apareillées (part. perf. f pl.)* '(zu-)bereiten, zurecht machen' (TL 1, 424 *apareillier*, 425 *apareillié*, 'bereit zu'; FEW 25-1, 25b *apareillier* und *apareillié*, 'spontané, immédiat'; DAF 32a *apareillier* und *apareillié*, 'spontané, immédiat'; DMF II.A.1 *appareiller* 'préparer, accommoder'; Saye $34_1$ *aparelér*). Die in *Fevres* anzunehmende Bedeutung für das part. '(zu-)bereitet', ist in den altfrz. Lexika zu ergänzen. FEW und DMF attestieren für mfrz. *appareiller* speziell 'préparer des aliments'. Zur Infinitivendung *-er* statt *-ier* cf. 1.5.1.

אַפַארִישַנְט – *'aPa'RiYŠaNṬ* (101v13)
אַפַארִישַאנְט – *'aPa'RiYŠa'NṬ* (164r6, 169v7, 8)
אַפֵירְט – *'aPeRṬ* (167v2)
אַפֵיירְגֿא – *'aPeYYRĞə'* (167v3)
[***aparir***], *v. intr.* (1080; < lat. APPARERE) *aparisant (part. praes.), apert (3. sg.), aperge* (*3. sg. subj.*) 'erscheinen, zum Vorschein kommen' (TL 1, 429; FEW 25-1, 24a *apareir, aparoir*; AND2 OE *aparer* s. v. *apareir*; DAF 32b *aparoir*; DMF *apparoir* I.A; Kiwitt 168 *aparoir*). TL belegt die Form des part. praes. *aparissant* im *Yvain* (V. 5869) des champagn. Autors Chrétien de Troyes.

שַאפֵיירְט – *Ša'PeYYRṬ* (101r10, 164r5, 167v6)
שַאפִירְט – *ŠaPiYRṬ* (101r21)
שַא פֵיירְט – *Ša' PeYYRṬ* (164r1)
שַאפֵירְגֿא – *Ša'PeYRĞə'* (164r26)
שַאפֵירְט – *Ša'PeYRṬ* (164v10, 167r20)
[***aperir***], *v. refl.* (12. Jh.; < lat. APPARERE) *s'apert (3. sg.), s'apirt (id.), s'aperge (subj. praes.)* 'erscheinen, sich zeigen' (TL 1, 430–431 *aparir*; FEW 25-1, 24a *apareir*; AND2 OE *id.*; DMF *apparoir* III; Saye 33–34 *aparaître*). Rheinfelder (1967, 287) weist *apert* als reguläre altfrz. Form im praes. der 3. pers. sg. (des Intransitivums *apareir*) nach. Die graphische Trennung zwischen **s'a* und **pert* in f. 164r1 ist graphisch zu erklären. *S'aperge* (f. 164r26) ist 3. pers. sg. des subj. praes. (cf. Saye $34_1$) statt *s'apere* (Rheinfelder 1967,

287). Cf. auch Kiwitt (168) für das Intransitivum *aparoir*. Das Reflexivum fehlt DAF.

אַפְלֵי - *'aPLeY* (100v16)
אַפֵילְא - *'aPeYLə'* (158r16, 22, 160v1)
לַאפֵיילְא - *La'PeYYLə'* (163v9)
**[apeler]**, *v. tr.* (1080; < lat. APPELARE) *apelé (part. perf), (l')apele (3. sg.)* 'nennen' (TL 1, 436; FEW 25-1, 28a; AND2 OE; DAF 33a; DMF *appeler* I; Kiwitt 169; Saye $34_1$ *apélér*).

אַפֵיטֵיטִיבְא - *'aPeYṬeYṬiYVə'*
***apetetif**, *adj.* → siehe s. v. *vertu*.

אַפֵיטִיט - *'aPeYṬiYṬ* (162v6, 165v12, 168r14)
***apetit***, *m* (1150; < lat. APPETITUM) 'Verlangen' (TL 1, 449; FEW 25-1, 35a; AND2 OE; DAF 33b; DMF *appétit* A; Kiwitt 168 'Appetit'; Saye $34_2$ *apétit* 'appetite'). Die Bedeutungsspezialisierung auf das 'Verlangen zu essen', ist zwar laut TL auch bereits in altfrz. Texten belegt, für *Fevres* jedoch nicht unbedingt anzunehmen: An allen o. g. Stellen wird *apetit* durch «de manger» spezifiziert. Cf. auch FEW (25-1, 36a): «Seit dem 16. jh. spezialisierte es [i.e., das Wort] sich auch auf den wunsch zum essen».

שַאפְלַאנִיט - *Ša'PLa'NiYṬ* (167v9)
**[aplanir]**, *v. refl.* (1160 *aplanier*; von *plain* < lat. PLANUM) *s'aplanit (3. sg.)* 'sich beruhigen, abschwächen (von Krankheiten)' (TL 1, 452 *v.tr.* 'streicheln'; FEW 9, 28b altfrz. *aplanïer*, 'niveler', 9, 29a judfr. *aplanir*, 'nettoyer en frottant', mfrz. *aplanir* (1376) 'adoucir, calmer (une humeur)', frpr. *s'aplani* 'se ramasser'; AND2 OE 'to plane, level, smooth'; DAF 33b *aplaner, -ier, -oier*, 'aplanir, niveler'; DMF *aplanir* 'rendre lisse'; Saye $34_2$ 'to grow smooth'). Cf. 1.5.1 für den für ostfranzösische Dialekte typischen Konjugationswechsel *-ier* > *-ir*. Das Wort scheint in der Medizinfachsprache nicht belegt zu sein («la maladie s'aplanit», f. 167v9); auch eine reflexive Verwendung ist selten attestiert (gemäß FEW nur im modernen Dialekt des Isère). Die von FEW zitierte Variante mfrz. *aplanir* wurde offensichtlich nur auf die psychische Verfassung angewendet. Das als «judfr.» gekennzeichnete Verb stimmt aufgrund der von FEW angegebenen Bedeutung nicht mit dem Terminus in *Fevres* überein. TL weist es in nur einem einzigen Zitat in übertragener Bedeutung nach. Die Bedeutung sowie die reflexive Verwendung ist in den Lexika entsprechend zu ergänzen.

אֵיפּוֹשְטֻומְא - *'eYPWoŠṬWuMə'* (166r5)
אַפּוֹשְטֻומְא - *'aPWoŠṬWuMə'* (167v15, 177v19)
אַפּוֹטֻומְא - *'aPWoṬuWMə'* (168r4)

לַאפוֹשְׁטֻומְא – *La'PWoŠṬuWMə'* (177v19)
***apo(s)tume*, *epostume*** *f* (13. Jh.; < lat. APOSTEMAM) 'Abzess, Eiterbeule' (TL 1, 465 *apostume*; FEW 25-1, 18a *id.*, 25-1, 18b champagn. *apotume*; AND2 OE *apostume s. v. aposteme*; DMF *apostume*; Kiwitt 169 *apostume*; Saye $34_2$). Der Terminus ist vor *Fevres* in der Medizinfachsprache ausreichend belegt. Die Variante in f. 168v4 (*apotume*) zeigt den Schwund von vorkonsonantischem *-s-*; *apotume* ist in FEW als champagn. ausgewiesen. Cf. die ähnliche Variante *apoutume* in *Propr. chos.* (I 24,6), zitiert in TL. Zur Alternation zwischen *-a-* und *-e-* (*'eYPWoŠṬWuMə'*, f. 166r5) cf. die Einleitung (1.4.2). Fehlt DAF.

אַרְדוּר – *'aRDWuR* (102r9)
לַארְדוּר – *La'RDWuR* (240v1, 15)
***ardeur***, *f* (1130 *ardor* < lat. ARDOREM) 'Hitze, Überhitzung (von Körpersäften)' (TL 1, 507; FEW 25-1, 159a 'chaleur vive'; AND2 OE *ardur*; DAF 37b *ardor*; DMF $ardeur_1$ B (à propos de la fièvre, du sang…); Saye 36 'burning'). Cf. zur Repräsentation von [œ] 1.4.2. Weder *ardeur* noch das korrespondierende *incensio* im *Lib. febrium* des Constant. Afric. (L, f. CCXVr, col. B) haben in der fachspezifischen Bedeutung im Sinne der Humoralpathologie Eingang in die altfrz. bzw. lat. Lexika gefunden und sind entsprechend zu ergänzen.

אַרְאדֵינְץ – *'aRə'DeNẒ* (158r12)
[***ardre***], *v. tr.* (10. Jh.; < lat. ARDERE) **ardens (part. praes.)* 'überhitzen' (TL 1, 508 'verbrennen'; FEW 25-1, 142a 's'enflammer'; AND2 OE 'to burn'; DAF 37b 'brûler' s. v. *ardoir*; DMF I; Kiwitt 169 'brennen'; Saye 36 *ardér* 'to burn'). *Ardens* ist part. präs., das üblicherweise die Form *ardant* aufweist;[420] zur Alternation zwischen [ɛ̃] und [ã] cf. die Einleitung (1.5.1). Die Bedeutung 'überhitzen (vom Körper, von -säften)' im Sinne der humoralpathologischen Fachsprache ist in den Lexika nicht attestiert und entsprechend zu ergänzen. Cf. auch unter *arser*.

שְׁא אַרְטְא – *Šə' 'aRṬə'* (165r14)
שַׁרְטְא – *ŠaRṬə* (240r6)
שְׁא אַרְט – *Šə' 'aRṬ* (240r6)
[***ardre***], *v. refl.* (12. Jh.; < lat. ARDERE) *se art(e) (3. sg.), s'arte (subj.* in 240r6) 'heiß werden, sich überhitzen (von Körpersäften)' (TL 1, 508 'verbrennen'; FEW 25-1, 142a 'se détruire par le feu'; AND2 OE 'to be burned'; DMF II; Saye 36 *ardér, v. tr.* 'to burn'). Die Form *'aRṬ* (f. 240r6) zeigt die altfrz.

420 Cf. hierzu die Bildung des part. praes. in z. B. Moignet (1976, 57); eine Interpretation als Form des rect. sg. ist ausgeschlossen, da das part. *colra* (f) spezifiziert.

Auslautverhärtung; sie ist in Rheinfelder (1967, 243) belegt; *arte* ist eventuell ein Hyperkorrektismus anstelle von *arde* (cf. Rheinfelder 1967, 243). Für die dialektale Verwendung des *subj. praes.* (f. 240r6) in der Protase eines Konditionalsatzes cf. die Einleitung, 1.5.1. Auch für das Reflexivum (cf. *ardre, v. tr.*) ist die medizinfachsprachliche Bedeutung in den Lexika nicht belegt.

רוֹשְׁטוֹ בוֹבִֿיש - *RWoŠṬWo BWoViYŠ* (158r18)
רֵיישְׁטֵי בוֹבִֿיש - *ReYŠṬeY BWoViYŠ* (158r22)
אַרֵיטְא בֵּוּף - *'aReṬə' BuWF* (158r24)
***arete beuf/*reste bovis/*rosto bovis**, *f* (Erstbeleg; < mlat. *resta bovis* < vlat. **arrestare* lat. bovem) 'Ochsenbrech, Hauhechel (Ononis repens oder spinosa L.)' (AND2 OE *arestboef*, 645b *restebeof*, 'rest-harrow, cammock'; DMF *arreste-boeuf*; Saye 36 *aréte buf*, 201 *réste bovis*, 204 *rosto bovis*). Die drei Phytonyme sind für das Französische in *Fevres* erstmals belegt (cf. Zwink 2006, 256); sie bezeichnen eine Art des Ononis, wahrscheinlich Ononis antiquorum L. (NPRA 178 s. v. *ononis*, 'bugrane, arrête-bœuf') oder Ononis spinosa L. (synonym zu O. arvensis, O. campestris, O. vulgaris, 'dorniger Hauhechel, Ochsenbrech', LAD 11, 100). FEW (25-1, 313b) attestiert, neben angl.-nor. *arest-bœf*, frz. *arrête-bœuf* erst für das Mfrz. (1539) und gibt eine Vielzahl von modernen dialektalen Varianten an (25-1, 313b–316a), etwa champagn. *id.* Die Punktierung in *BuWF* (f. 158r24) repräsentiert den Vokalwert [œ] (cf. Einleitung, 1.4.2). **Reste bovis* (f. 158r22) ist eine unmittelbare Entlehnung aus mlat. *resta bovis*, das bspw. in der *Alphita* für Ononis antiquorum L. oder O. spinosa L. belegt ist (GGA 524; Sin 208b). Varianten ohne initiales *a-* werden sonst in erster Linie für den okzit. (z. B. *retabo*, ALP p. 920) und frpr. Sprachraum (z. B. *rétabou*, Isère) bezeugt. Formen mit **ro-* sind in FEW nicht nachgewiesen; **rosto bovis* (f. 158r18) ist wahrscheinlich korrupt. Die Bezeichnung der Ononisarten nach beschriebenem Muster ist in der gesamten Galloromania weit verbreitet und erfuhr umfangreiche phonische und morpholexikalische Entwicklungen (cf. FEW 25-1, 317a); der Basistypus *arrête-bœuf* ist dabei oftmals von Derivaten von lat. *retrobovem* beeinflusst (cf. FEW 25-1, 317b). Allen Bezeichnungen zugrunde liegt «une dénomination métaphorique transparente de la bugrane, dont les fortes racines, profondement enfoncées dans la terre, empêchent le bœuf attelé à la charrue d'avancer» (FEW 25-1, 317a). Cf. weiterhin ausführlich Bork (1990, 354 ff). Fehlt DEAFpré.

אַרגֵ'ינְט - *'aRĞeYNṬ* (160r17)
***argent***, *m* (10. Jh.; < lat. ARGENTUM) 'Geld' (TL 1, 521; FEW 25-1, 192a; AND2 OE; DAF 38b; DMF I; Kiwitt 169; Saye 36 *ajént* 'silver').

אַרְץ - *'aRẒ* (102r4)
אַרְצְא - *'aRẒə'* (163r18)
אַרְשְׁא - *'aRŠə'* (159v6, 7, 165v10, 174r19, 240r21)
אַרְש - *'aRŠ* (240r1)
***ars***, *adj.* (12. Jh. 'brûlé'; < *ardrer* < lat. ARDERE) *arse (f)* 'gebrannt; überhitzt' (TL 1, 550 *arsé* 'angebrannt'; FEW 25-1, 145a 'brûlé, grillé'; AND2 OE s. v. *arder*; DAF 40a *arser* 'brûler'; DMF s. v. *ardoir, ardre* IV; Saye 36 *arç* 'burnt'). Das adj. spezifiziert in ff. 102r4, 165v10, 174r19, 240r1, 240r21 Körpersäfte und bezeichnet, im Sinne der Humoralpathologie, deren erhöhte Temperatur, insbesondere *sanc* (z. B. «sanc ars», f. 102r4) und *colra* (z. B. «colra qui est arse», f. 174r19). Diese medinzinfachsprachliche Verwendung ist in den angegebenen Lexika nicht verzeichnet und ist entsprechend zu ergänzen.

אַרְצֵינִיק - *'aRẒe'NiYQ* (161v18, 163r24)
***arsenic*** → siehe s. v. **trociscus de arsenic*

אַרְצִינִיקַש - *'aRẒiYNiYQaŠ* (162r1)
אַרְצֵינִיקַש - *'aRẒeYNiYQaŠ* (162v12)
***arsenicas*** → siehe s. v. **trociscus arsenical*

אַרְצֵינִיקַש ... סֵיטְרִין - *'aRẒeYNiYQaŠ ... SeYṬRiYN* (163r15–16)
***arsenicas cetrin*** → siehe s. v. **trociscus arsenical*

אַרְצֵינִיקַש רוֹגְא - *'aRẒeYNiYQaŠ RWoĞə'* (163r15–16)
***arsenicas roge*** → siehe s. v. **trociscus arsenical*

אַרְצֵייץ - *'aRẒeYYẒ* (163r17)
**[*arser*]**, *v. tr.* (1281; < *ars*, part. perf. von *ardre* 'brennen', cf. supra) *arsés (part. perf. pl.)* '(ver-)brennen' (TL 1, 550 *arsé* 'angebrannt'; FEW 25-1, 146a; AND2 OE *arser* s. v. *arder*; DAF 40a; DMF s. v. *ardre, ardoir* IV; Saye 36 *arçeç* s. v. *arç*) *Arser* ist ohne Bedeutungsunterschied aus dem part. perf. von *ardre* entstanden (cf. FEW 25,1, 146b). Cf. auch unter *ardre* und *ars*.

שְׁא אַשוֹיְיאְה - *Šə' 'aŠWYəY'əH* (177v2)
**[*asoer*]**, *v. refl* (1050 *sei asseeir*; < vlat. **assedere*) *se asoe (3. sg.)* 'sich setzen' (TL 1, 586; FEW 11, 395b; AND2 OE *assoi(e)r*; DMF *asseoir* I.B; Saye 39 *s'asoier*). FEW belegt zahlreiche graphische Varianten des altfrz. Verbs, darunter *asoer* (13. Jh.), *asseoir* (seit 12. Jh.).

אַשֵׁינְץ - *'aŠeYNẒ* (159r22)
****asens***, *f* (Bedeutungserstbeleg, 1130 *essence* 'ce qui constitue la nature propre d'une chose'; < lat. ESSENTIAM) 'Essenz; Extrakt (aus gewissen Substanzen)' (TL 3, 1300 *essence* 'Wesen'; FEW 3, 247a nfrz. *essence* 'extrait concen-

tré de certaines substances'; AND2 OE *essence*; DAF 245a *essence* 'extrait'; Saye 38 *asénç*). Für **asence* in der Bedeutung 'Extrakt (bspw. aus Pflanzen)' liegt mit *Fevres* ein Erstbeleg vor. Die Bedeutung ist in TL zu ergänzen und in FEW um über 350 Jahre vorzudatieren (dort «seit Pom 1676», FEW 3, 247a). Die Konstruktion «asens balaustias» (f. 159r22), i.e., 'Extrakt von Granatapfelblüten', imitiert eventuell den hebr. *status constructus* (cf. 1.1.3.3). Zur Alternation zwischen [a] und [e] cf. die Einleitung (1.4.2).

אַטֵנְדו - *'aṬeNDW* (160r12)
אַטֵנדֵנְט - *'aṬeNDeNṬ* (160r14)
[***atendre***], *v. tr.* (11. Jh.; < lat. ATTENDERE) *atendent (3. pl.), atendu (part. perf.)* 'warten' (TL 1, 629; FEW 25-2, 702a; AND2 OE; DAF 45b; DMF *attendre*$_1$ II; Kiwitt 169; Saye 39 *aténder*).

אַטֵנְדְרִישַׁאנְש - *'aṬeNDRiYŠa'NŠ* (239v16)
[***atendrir***], *v. tr.* (13. Jh.; < *tendre* < lat. TENEREM) *atendrisans (part. praes.)* 'weich machen' (TL 1, 633 *atendrir* 'weich machen'; FEW 13-1, 207a *attendrir* 'rendre tendre et facile à manger'; AND2 OE *atendrier*; DAF 46a 's'attendrir, faiblir'; DMF *attendrir* I.A; Saye 39). Die Anwendung des Verbs auf Nahrungsmittel ist explizit in FEW belegt.

אַטוֹקָא - *'aṬWoČə'* (178r12)
[***atocher***], *v. tr.* (12. Jh.; < *tochier* < vlat. **toccare*) *atoche (3. sg.)* 'berühren' (TL 1, 645; FEW 13-2, 8b *atucher, atochier*; AND2 OE *atucher*; DAF 46b *atochier*; DMF *attoucher* A.1; Saye 40 *atochiér*).

שֵׁט אַבַֿאנְצִיאְה - *ŠeṬ 'aVa'NẒiY'əH* (240v16)
[***avancir***], *v. refl.* (12. Jh.; < vlat. **abantiare*) *s'est avancie (3. sg. perf. f)* 'fortschreiten' (TL 1, 701 *avancier*, 703 *avancir* 'zuvorkommen'; FEW 24, 11b *avancier, v. refl.*, 24, 12a *avancir, v. intr.*; AND2 OE s. v. *avancer*; DAF 48b *avancer, v. intr.*; DMF II; Kiwitt 170 *avancer, v. intr.*; Saye 40 *avansir*). Varianten des Verbs mit Konjugationswechsel (*-er* > *-ir*) belegt FEW (24, 12a) vornehmlich für nordostfranzösische Dialekte (cf. auch 1.5.1).

אַבֵֿינִיר - *'aVeYNiYR* (164v21)
***a venir***, *adv.* (12. Jh.; < lat. AD + VENIRE) 'künftig' (TL 11, 171; AND2 OE s. v. *venir* 'future, to come'; DMF *avenir* I 'futur, qui doit arriver'). Fehlt FEW, DAF und Saye.

אַבֵֿיינְט - *'aVeYYNṬ* (167r21)
[***avenir***], *v. intr.* (10. Jh.; < lat. ADVENIRE) *avent (3. sg.)* 'geschehen, vorkommen' (TL 1, 715–716; FEW 24, 189a; AND2 OE; DAF 49b; DMF *advenir* II.A; Kiwitt 170; Saye 41). Die Form *'aVeYYNṬ* (f. 167r21) zeigt die für *Fevres* typische Diphthongreduktion (cf. 1.5.1).

שַׁאבִֿירוֹנְא – *Ša'ViYRWoNə'* (165v23)
**[avironer]**, *v. refl.* (11. Jh.; < *viron* 'rund' < *virer* < lat. VIBRARE) *s'avirone (3. sg.)* 'sich umgeben mit' (TL 1, 738 *v. tr.*, 739 *v. refl.* 'sich rund aufstellen'; FEW 14, 389a *v. tr.*; AND2 OE s. v. *enviruner*; DAF 51a *v. tr.* 'placer autour'; DMF *avironner*$_2$ *v. tr.* I.A 'entourer, environner, encercler'; Saye 41 *avironér*). Das Reflexivum ist in den Lexika entweder nicht attestiert bzw. wird mit anderer Bedeutung belegt.

אַבִֿיש – *'aViYŠ* (239r8)
***avis***, *m* (1138; von *aviser* < vlat. **visare*, Intensivum von lat. VIDERE) 'Beobachtung; Kenntnisnahme' (TL 1, 739; FEW 14, 535b; AND2 OE 'opinion, advice'; DAF 51a; DMF I.A; Kiwitt 170; Saye 42 *aviç*). Zur alternativen Etymologie cf. FEW (14, 535b); cf. auch *aviser, v. tr.* und *v. refl.*

אַבִֿיזְרוֹנְץ – *'aViYZRWoNẒ* (167r23)
אַבִֿיזֵייר – *'aViYZeYYR* (239v15)
***aviser***, *v. tr.* (11. Jh.; von *viser* < vlat. **visare*) *aviserons (1. pl. fut.)* 'gewahr werden, erkennen' (TL 1, 741; FEW 14, 521b; AND2 OE 'to see, look at, examine, watch, observe'; DAF 51a; DMF II.A.2; Saye 42 *avizér*). Zum part. perf. von *videre* war im Lateinischen das Verb *visere* entstanden, das zu *visare* umgebildet wurde; *visare* ist in frühmittelalterlichen christlichen Texten belegt (cf. FEW 14, 522b). Cf. auch *aviser, v. refl.*

מַאבִֿיזֵי – *Ma'ViZeY* (162v18–19, 22)
בֿוֹשׁ אַבִֿיזֵייץ – *VWoŠ 'aViYZeYYẒ* (166r11–12)
שַׁאבִֿיזֵייר – *Ša'ViYZeYYR* (239r8)
***s'aviser***, *v. refl.* (cf. supra, *aviser, v. tr.*) *m'avisai (1. sg. p. simpl.), vos avisez (2. pl.)* 'bemerken; beachten' (TL 1, 742; FEW 14, 521b mfrz. *s'aviser*; AND2 OE 'to consider, reflect, take thought'; DAF 51a *v. tr.*; DMF II.D; Saye 42 *avizér*). FEW belegt das Reflexivum erst für das Mfrz.; die Datierung ist entsprechend zu korrigieren.

## B

בַּאיֵין – *Ba'YeYN* (177v4)
***bain***, *m* (11. Jh.; < vlat. **baneum* < lat. BALNEUM) 'Bad' (DEAFpré; TL 1, 806; FEW 1, 225b; AND2 OE; DMF A; Kiwitt 170; Saye 43 *baén*). Die Transkription des Nasalvokals mit Zere zeigt an, dass altfrz. *bain* wahrscheinlich nicht mehr [bãi̯n] ausgesprochen wurde, sondern zu [bɛ̃n] tendierte; die Monophthongierung von [ãi̯n] zu [ɛ̃n] «zeigt sich seit dem 12. Jh.» (Rheinfelder

1963, 86). Die Graphie *Ba'YeYN* zeugt wohl von der Unsicherheit der Verschriftlichung in der Transitionsphase. Fehlt DAF.

בַּאזִילִיקָא - *Ba'ZiYLiYQa'* (171r2)
***basilica*** → siehe unter *voene.*

בֵּייל - *BYeYL* (178v8)
***bel**, adj.* (11. Jh.; < lat. BELLUM) 'schön, gut' (DEAFpré; TL 1, 904; FEW 1, 219a; AND2 OE; DAF 61a; DMF s. v. *beau*; Kiwitt 170; Saye 45 *béle*).

בֵּילְאמֵינְט - *BeYLə'MeYNṬ* (166r18)
***belement**, adv.* (1080; von *bel*, v. supra) 'sanft, allmählich' (DEAFpré s. v. *bel*; TL 1, 909; FEW 1, 319a *bellement*; AND2 OE 'stealthily'; DAF 61a; RLJ 159; DMF *bellement* B). Die Lesart von Saye (71), *dotebélemént* 'doubtfully, uncertainly', ist zurückzuweisen. Zwar erscheint im Ms. tatsächlich דוֹטְבֵּילְאמֵינְט (*DWoṬBeYLə'MeYNṬ),* doch die Emendierung in טוֹטְבֵּילְאמֵינְט (*ṬWoṬBeYLə'MeYNṬ*), i.e., *tot belement*, ist vor dem Hintergrund von «paulatim» an entsprechender Stelle in Constant. Afric., Febr. (L, f. CCXVIIIr, col. b) zu rechtfertigen.

בֵּיין - *BeYYN* (157r9, 161v20, 162v14, 168v4, 5, 169v13, 172v4, 173r16, 175r1, 2, 78v8, u. v. m.)
***ben**, adv.* (11. Jh.; < lat. BENE) 'gut' (DEAFpré s. v. *bien*; TL 1, 962 *bien*; FEW 1, 322b; AND2 OE *bien*; DAF 65b *bien*; DMF *bien*; Kiwitt 170; Saye 45 *bén*). DEAFpré belegt *ben* in der *Chanson de Roland*; cf. auch die Einleitung, 1.5.1.

בֵּיטָא - *BeYṬə'* (176r7)
***bete**, f* (12. Jh.; < vlat. **betta*) 'Mangold (Beta vulgaris *subsp. vulgaris var.* vulgaris)' (DEAFpré *bete*[1]; TL 1, 954; FEW 1, 344a; AND2 OE; DMF *bette*; Saye 45 *béte* 'beet'; auch in Oesterreicher 1896). FEW semantisiert *bete* mit unterschiedlichen Kulturpflanzen bzw. Varietäten der Unterart Beta vulgaris vulgaris; die Bedeutung 'poirée' wird insbesondere für (nord-)ostfranzösische Dialekte attestiert; TL semantisiert generell 'Mangold'. Im Lateinischen bezeichnete *beta* (ursprüngliche Form von **betta*) mehrere Arten der Rübe: 1. Beta cicla L., 2. Beta vulgaris L., 3. Beta maritima L., 4. Rumex aquaticus L., 5. Arum italicum Mill., A. maculatum L. (NPRA 35). Fehlt DAF. Cf. auch unter *blete.*

בוֹף - *BWoF* (173v18)
***beuf**, m* (1155 *buef*; < lat. BOVEM) 'Ochse' (DEAFpré s. v. *buef*; TL 1, 1186–1187 *buef*; FEW 1, 445a id.; AND2 OE s. v. *boef*; DAF 80b id.; DMF *boeuf*; Kiwitt 170; Saye 46 *bof*). Die hebr. Graphemfolge *-Wo-* ist als [œ] zu interpretieren (cf. Einleitung 1.4.2). Cf. auch unter *moele.*

בְּלַנקְֶא – *BLaNQə'* (159v2, 7)
בְּלַנְקֵַייש – *BLaNČeYYŠ* (159v9)
בְּלַנְקָֽא – *BLaNČə'* (167r10, 168v5)
בְּלַאנְקָֽא – *BLa'NČə'* (168r22)
בְּלַנְקְ – *BLaNQ* (178r16)
***blanc**, adj.* (1080; < fränkisch **blank* 'glänzend') *blanche (f), blanches (f pl.)* 'weiß' (DEAFpré; TL 1, 984; FEW 1, 394b; AND2 OE; DAF 67a; DMF I.A). In f. 176r17 erläutert der Verfasser lateinisches *sandali albo* mit «c'est sandali blanche». Cf. auch *sandali blanc* im Lateinischen Glossar s. v. *sandali.*

פְּאטִיט בְּלַנְק – *Pə'ṬiYṬ BLaNQ* (100v21)
***petit blanc**, *adj.* (< vlat. **pettitus* und frk. **blank*) 'weißlich'. Für altfrz. *blanc, adj.* 'weiß', cf. supra. Altfrz. *petit, adv.* vor adj., 'wenig', dokumentiert TL (7, 862); FEW (8, 345a); Gdf (6, 132b); AND2 OE; DMF *petit* II.A 'peu'; cf. auch Saye (181) *petit, adv.* 'little'. Das Synthem ist ein Calque des lat. Ausdrucks, der bei Constant. Afric. als **parvum album* (*Lib. febrium*, L, f. CCXVr, col. A) steht.

בְּלֵיטֵי – *BLeYṬeY* (170r11)
***blete**, f* (11. Jh. בליטי; zur Etymologie cf. s. v. *bete*) 'Rübe (Beta vulgaris vulgaris)', besonders 'Mangold (Beta vulgaris vulgaris *var.* vulgaris)' (DEAFpré *blete*; TL 1, 1001 *id.*, «Pflanzenname»; FEW 1, 344a mfrz. *blette*; AND2 OE *blete*; DMF *blette*; DB 115 בליטי; Saye 46 *bléte* 'beet'). *BLeYṬeY* liegt in vergleichbarer Transkription in DB vor (dort unvokalisiert, v. supra). Außerhalb von Texten in hebr. Graphie stammt der früheste Beleg *blette* sonst aus einem Text von Jehan de Brie (*Vrai régime et gouvernement des bergers et bergères*, ca. 1379), siehe TL (1, 1001). Entsprechend situiert FEW das Wort erst im Mfrz. DEHF (85a) setzt *bette* (für *bete*, seit 12. Jh.) und *blette* (seit 14. Jh.) synonym; cf. jedoch für weitere mögliche Bedeutungen unter *bleda* im *Altokzitanischen Glossar* (3.4.1). Cf. auch unter *bete*. Fehlt DAF.

בְּלוֹ – *BLWo* (102r2, 10)
***blo**, adj.* (12. Jh.; < anfrk. **blāo*) 'fahl, blass; blau' (DEAFpré; TL 1, 1002–1003 *blo, bleu*; FEW 15-1, 146b *blo, bleu*; DAF 68a *blo*; AND2 OE *bloe* s. v. *bleu* 'discoloured, livid, bluish'; DMF *bleu* I; Saye 46 *blo*). Saye interpretiert *blo* als dt. *blau*; vor dem Hintergrund von belegtem altfrz. *blo* ist diese Lesart jedoch nicht unbedingt einleutend, auch deshalb, weil an anderer Stelle die Variante *BLa'Wo* (f. 102r14) auftritt, die in der Tat dt. *blao* repräsentieren könnte (cf. *Glossar anderer Sprachen*, s. v. *blao*).

בוֹק – *BWoQ* (161v2)
***boc**, m* (12. Jh. < gall. **bucco-*) 'Ziegenbock' (DEAFpré; TL 1, 1010; FEW 1, 587a *bouc*; AND2 OE *boc* s. v. *buc;* DMF *bouc*; Saye 47 *bok*). Neben der Annahme

eines gall. Etymons (cf. irisch *boc* 'Bock') wird auch fränk. **buk* diskutiert (cf. Gamillscheg 1, 129b). FEW weist neben der altfrz. Variante auch ein modernes dialektales *bǫk* speziell für ost- (Lorraine, Elsass) und nordfranzösische (Wallonien) Sprachgebiete nach. Fehlt DAF.

בוֹצְא - *BWoẔə'* (166r6)
***boce***, *f* (1160; < **bɔttia*) 'Beule, Schwellung' (DEAFpré; TL 1, 1010; FEW 1, 467a; AND2 OE; DAF 68b; Kiwitt 170; Saye 46 *boçe*). Ableitungen von **bɔttia* sind sonst in der Ostromania bekannt; das Etymon selbst hat unbekannten Ursprung (cf. FEW 1, 469b-470a).

בוֹקְא - *BWoČə'* (167r6, 167v16, 240v9)
***boche***, *f* (11. Jh.; < lat. BUCCAM) 'Mund; Ausgang' (DEAFpré 'bouche'; TL 1, 1014 id.; FEW 1, 581b id.; AND2 OE *bouche*; DAF 69a id.; DMF *bouche*$_1$ A bzw. D.1.a (d'un organe); Kiwitt 170 id.; Saye 46 id.). In f. 167v16 («boche do fel») liegt die erweiterte Bedeutung 'Ausgang (eines Organs)' vor. Der medizinfachsprachliche Terminus ist in den anderen altfrz. Lexika nicht belegt: TL (1, 1017) und FEW (1, 585b) geben allgemein 'Öffnung, Ausgang (von Gegenständen wie Kleidung, Ofen,...)' an. *Boche* hat in f. 240v9 einen maskulinen Artikel: «le boche est doce» (f. 240v8–9).

בוֹדְרוֹיֵיט - *BWoDRWoYeYṬ* (161v8)
בוֹדְרַא - *BWoDRa'* (178r15)
****bodre*** → siehe s. v. *bolir*

בוֹאֶה - *BWo'əH* (162r16, 166v15)
***boe***, *f* (Bedeutungserstbeleg, 12. Jh. 'Kot, Schlamm'; < gall. **bawa*) 'Schlamm; Eiter' (DEAFpré 'boue, fange'; TL 1, 1023 *böe* 'Schmutz, Schlamm'; FEW 1, 302a fr. *boue* id.; Gdf 8, 335a; AND2 OE *id.*; DAF 69a id.; DMF *boue*$_1$ A id.; Saye 46). Die Bedeutung 'Eiter' attestiert Gdf ab HMond; FEW gibt sie erst für moderne Sprachstufen an, und zwar u. a. speziell für die champagn. Mundart von Clairvaux (*boue*); cf. außerdem mfrz. *bouer* 'jeter du pus' (FEW 1, 302a). Offensichtlich liegt für *boe* in *Fevres* ein Bedeutungserstbeleg vor.

בוֹיְיאַש - *BWoYəY'aŠ* (157v23, 166v9)
בוֹייאַץ - *BWoYY'aẒ* (158r12, 161r12, 161v16, 161v24, 162v8, 162v19, 166v3, 12, 167r4)
בוֹיְיאַץ - *BWoYəY'aẒ* (160r8, 161v22, 165v22, 166v22)
בוֹייאֵייץ - *BWoYY'əYYẒ* (167v17)
[***boiel***], *f* (1080 *boele*; < lat. BOTELLUM 'Würstchen, *Darm') *boias, boies (pl.)* '(Dick-)Darm, Eingeweide' (DEAFpré *boël*[1], pl. *boiax;* TL 1, 1024 *böele*; FEW 1, 464a *bo(i)el, boele*; AND2 OE *boele*, pl. *boials*; DAF 69a *boele*; DMF *boël-*

*le*; Saye 46 *boiél*, pl. *boiaç*). Die Endung *-as* ist Kennzeichnung des Plural der Wörter auf *-el* (< lat. -ELLUM); cf. die Einleitung (1.5.1).

בוֹיְיבְֿרְא – *BWoYəYVRə'* (157r24, 157v7, 158v12, 160v9, 172r3, 175r12, 177r2, 3, 5, 177v2, 16, 178r16, u. v. m.)
בוֹיְיבֵֿייר – *BWoYəYVeYYR* (158v4)
בוֹייבֵֿר – *BWoYYVeR* (161r9, 171v1)
בוֹייבְֿרְא – *BWoYYVRə'* (172r19, 177r23, 179v13)
בֻובְֿרַא – *BuWVRa'* (178r13)
**[boivre, *-ver]**, *v. tr.* (10. Jh. *boivre*; < lat. BIBERE) *buvra (3. sg. fut.)* 'trinken' (DEAFpré *boivre;* TL 1, 1037–1038 *id.*; FEW 1, 348a *beivre*; AND2 OE *boevre* s. v. *beivre*; DAF 65a; DMF *boire*$_1$ A; Kiwitt 170; Saye 47 id.). Zur Repräsentation des Diphthong cf. die Einleitung (1.4.2). *Boiver* (ff. 158v4, 161r9, 171v1) ist durch Metathese bzw. durch Analogie zur Konjugation der Verben im Infinitiv auf *-er* zu erklären; cf. auch (modernes) zentralfranzösisch *beuver* (FEW 1, 348a); cf. auch 1.4.2.

בוֹל – *BWoL* (160v23)
***bol***, *m* (14. Jh.; < splat. *bolus*) 'Bolus armenicus, Tonerde' (FEW 1, 428b *bol* 'médicament préparé d'une telle épaisseur qu'on le peut avaler en un ou plusieurs morceaux'; AND2 OE s. v. *bole* 'Armenian bole, earth containing iron oxide'; DMF nur *bol armenic;* Saye 48 nur *bolus*). Gegenüber FEW muss die Datierung des Erstbelegs korrigiert werden (vordatiert in FEW 25-1, 271b in dem Synthem altfrz. *bolarmenicum*, 13. Jh.; siehe s. v. *bol armenicum*). Im Mlat. wurde unter dem Fachterminus *bolus* immer 'bolus armenicus' verstanden (so *Alphita* B51 nach GGA 373 und MLWB 1, 1512; mehr dazu s. v. *bolus* im *Lateinischen Glossar*); Entsprechendes gilt mit Sicherheit für frz. *bol*. Cf. hierzu *bol armenicum* im folgenden Eintrag. Fehlt DEAFpré, TL und DAF.

בוֹל אַרְמֵינִיקוֹם – *BWoL 'aRMeYNiYQWoM* (159r21)
***bol armenicum***, *m* (1256 *bolarmenicum*; < mlat. *bolus armenicus*, MLWB 1, 1512) 'Bolus armenicus, Tonerde' (FEW 25-1, 271b *bolarmenicum* 'bol d'Arménie, argile rouge et visqueuse qu'on faisait venir d'Orient et qui entrait dans la composition de certains médicaments'; AND2 OE *bole armenic(h)e* s. v. *bole*; DMF *bol armenic*, *bol armenique*, *bol d'Armenie*; Saye 48 *bol arménicom*). *BWoL 'aRMeYNiYQWoM* transkribiert die in FEW belegte latinisierende Variante, die morphologisch dem mlat. Modell folgt (cf. FEW 25-1, 272b); die Endung *-um* (acc.?) ist dabei nicht etymologisch zu erklären. *Bolarmenicum* ist vor *Fevres* nur einmal nachgewisen, und zwar in Aldebrandin de Siene (1256, cf. FEW 25-1, 271b), so dass hier ein Zweitbeleg

vorliegt. Für mlat. *bolus armenicus*, cf. s. v. im *Lateinischen Glossar*. Fehlt DEAFpré, TL und DAF.

בוֹלֵייץ - *BWoLeYYẒ* (157r8, 172r17, 173r16, 179v6)
בוֹלֵייש - *BWoLeYYŠ* (157r10, 161r18, 171v8, 173v13, 176v19)
בוֹלִי - *BWoLiY* (157v10, 158r18, 158v1, 161r5, 161v1, 162r2, 162v15, 172v4, 179v15)
בוֹלִיאֵייש - *BWoLiY'eYYŠ* (157v14)
בוֹלִיר - *BWoLiYR* (158v21, 172r9, 174v12, 13, 175r1)
בוֹלִיאֵייץ - *BWoLiY'eYYẒ* (161v5, 179v8)
בוֹדְרוֹיֵיט - *BWoDRWoYeYṬ* (161v8)
בוֹט - *BWoṬ* (172r14)
בוֹלִיש - *BWoLiYŠ* (172v15)
בוֹלִיאְה - *BWoLiY'əH* (175v20, 24)
בוֹיְילְא - *BWoYəYLə'* (177v9)
בוֹדְרַא - *BWoDRa'* (178r15)
**bolir, [*bodre]**, *v. tr.* (1080; < lat. BULLIRE 'Blasen werfen') *bot* (3. sg. ind.), *bolez (2. pl. imp.), boile (2. sg. imp.), bodra (3 sg. fut.), bodroit (3. sg. cond.), boli (part. perf.), bolie (part. perf. f), bolis (part. perf. pl.), bolies (part. perf. f pl.)* 'kochen, sieden' (DEAFpré; TL 1, 1045 *bolir, boudre*; FEW 1, 619a *bouillir, boudre*; AND2 OE *bolir* s. v. *buillir* 'to boil, heat'; DAF 71a; DMF *bouillir* I.B; Kiwitt 171 *bolir*; Saye 47). FEW belegt für das Altfrz. nur *bouillir* (neben *boudre*), gibt aber die moderne dialektale Variante *bolir* speziell für u. a. das Département Yonne (südliche Champagne/Burgund) an. Der Schreiber greift für die Formen des fut. und kond. auf Formen des Paradigmas der Variante **bodre* (für *boudre*, s. o.) zurück (*BWoDRWoYeYṬ*, f. 161v8 und *BWoDRa'*, f. 178r15 statt *boliroit, bolira*), eventuell in Analogie zu verbreitetem epenthetischem *-d-* im Futur-/Konditionalparadigma, das dann auftritt, wenn *-n-*, *-l-* oder *-s-* mit dem Futurmarker *-r-* aufeinandertreffen (cf. Buridant 268). Für die anderen konguierten Formen cf. Rheinfelder (1967, 245, *boillir*).

בוֹלוֹיֵין - *BWoLWoYəYN* (172r15)
**boloin**, *m* (1204; von lat. BULLIRE) 'Sud' (DEAFpré *boillon* u. a. s. v. *bolir* 'bouillon'; TL 1, 1029 *boullon, boillon* 'wallende Flüssigkeit'; FEW 1, 620b *bouillon*; AND2 OE *buillun, buliun* 'boiling'; DAF 71a *boillon*; DMF *bouillon* I; Saye 48 *boloién* 'boiling'). Die hebr. Graphie *-WoYəYN* suggeriert die Aussprache [-wɛ̃n] (cf. 1.4.2).

בוֹרַאקְא - *BWoRa'Čə'* (176r7)
**borache**, *f* (13. Jh.; < mlat. *borrago* < arab. *abū 'araq* oder *abū rāǧ*) 'Borretsch (Borrago officinalis L.)' (DEAFpré s. v. *borage*; TL 1, 1062 *borage*; FEW 19,

1b *bourrace, borage*; AND2 OE s. v. *borage*; DMF *bourrache*; Kiwitt 98–99 *borage*; Saye 48 *borache, borage*). FEW gibt *abū 'araq*, wörtl. 'Vater des Schweißes', MLWB (1, 1537, Lokotsch 13 folgend) *abū rāš*, id., als Etymon an. Für die ausführliche Diskussion des Etymon cf. Kiwitt (98–99), der Grab-Kempf (2000, 92–108) folgt und die im Arab. für den Borretsch übliche Bezeichnung *abū ḥurayš*, mit einer «auf Analogie beruhende[n] Anpassung des entlehnten ar. Wortes an die anderen lat. Pflanzennamen auf *-ago* (*plantago*, [...])» (Kiwitt 99), annimmt. Fehlt DAF.

בּוֹטְא - *BWoṬə'* (100v15, 16)
**[boter]**, *v. intr.* (Bedeutungserstbeleg, 1080 'stoßen'; < anfrk. **botan*) *bote (3. sg.)* 'auswerfen, abhusten' (DEAFpré 'frapper, pousser'; TL 1, 1092–3 'stoßen, vertreiben' u. Ä.; FEW 15-1, 210a–b 'pousser, jeter; respirer avec difficulté'; AND2 OE s. v. *bouter* 'to push, thrust'; DAF 74b 'pousser'; DMF *bouter* v.tr. 'pousser, frapper'; Saye 48 'to push, place'). Eine fachsprachliche Verwendung des Wortes in angenommener Bedeutung ist außerhalb von *Fevres* nicht belegt und ist entsprechend in den Lexika zu ergänzen.

בְּרַנְקֵייץ - *BRaNČYeYẒ* (156v18, 157v15)
***branche***, *f* (1080; < lat. BRANCAM) *branches (pl.)* 'Ast' (DEAFpré; TL 1, 1117; FEW 1, 496a; AND2 OE; DAF 76a; DMF; Kiwitt 171; Saye 49 *branchéç*).

בְּרַץ - *BRaẒ* (171r2)
בְּרַאץ - *BRa'Ẓ* (175v14)
***bras***, *m* (1080; < lat. BRACHIUM) 'Arm' (DEAFpré s. v. *braz*; TL 1, 1127–1128 *braz, bras*; FEW 1, 485b; AND2 OE; DAF 75a; DMF; Saye 49 *braç*).

בְּרִיזֻורְא - *BRiYZuWRə'* (159v20)
***brisure***, *f* (12. Jh.; < *briser* < vlat. **brisare*) 'Verletzung, Blutung, Wunde' (DEAFpré 'action de briser' s. v. *brisier*; TL 1, 1151 s. v. *briseüre* 'Bruch'; FEW 1, 532b *briseure* 'action de briser; partie brisée'; AND2 OE 'breaking'; DMF A.2; Saye 49 'fracture'). Die erweiterte Bedeutung 'Blutung, Wunde' («garit [i.e., die Trochiske] tote brisure et navre dedenz le cors», f. 159v19–20) ist jeweils zu ergänzen (auch bei Saye). Fehlt DAF.

בְּרֵייאֵייץ - *BReYY'eYYẒ* (156v13, 158r9, 159v23, 171r20)
בְּרֵיאֵי - *BReY'eY* (157r21)
בְּרֵיאֵייץ - *BReY'eYYẒ* (157r24, 160r1, 161r2, 6, 163r20)
בְּרֵייאֵייש - *BReYY'eYYŠ* (160v15)
**[broier]**, *v. tr.* (1283.; < germ. **brekan* 'brechen') *breez (2. pl. imp.), brée (part. perf. f)* 'zerreiben' (DEAFpré *broiier*; TL 1, 1163 *id.*; FEW 1, 510b; AND s. v. *braer*; DAF 78b; DMF *broyer* A; Kiwitt 171; Saye 49 *broiér* 'to break').

בְּרֻולֵי - *BRuWLeY* (157v4, 9, 11, 12, 158r9, 161v7)
בְּרוֻלֵי - *BRWuLeY* (240r1)
בְּרֻולֵייאֵץ - *BRuWLeYY'eZ* (157v4)
[***bruler***], *v. tr.* (11. Jh. *brusler*, 14. Jh.; < **brustulare*[421]) *brulé (part. perf.), brulez (2. pl. imp.)* '(ver-)brennen' (DEAFpré s. v. *brusler*; TL 1, 1183 *brusler*; FEW 14, 76a; AND2 OE; DAF 80b *brusler*; DMF *brusler*; Saye 50 *brulér*). Die Variante *brusler* ist bereits seit dem 11. Jahrhundert belegt (Gamillscheg 1, 159b). *Brulé* in f. 240r1 spezifiziert zusammen mit *ars* den Körpersaft *sanc*; an dieser Stelle ist die Bedeutung 'überhitzt' anzunehmen (cf. s. v. *ars*). Diese spezifische medizinterminologische Verwendung des Verbums ist durch die Lexika bisher nicht erfasst und entsprechend zu ergänzen. Cf. auch s. v. *pein*.

בֻורְא - *BuWRə'* (173v16)
***bure***, *m* (12. Jh.; < lat. BUTYRUM < gr. βούτυρον) 'Butter' (DEAFpré s. v. *burre*; TL 1, 1207 *bur(r)e*; FEW 1, 663b *bur(r)e*; AND2 OE; DAF 82 *burre*; DMF *beurre*; Saye 50).

בֻובְרַקְא - *BuWVRaČə'* (164r15)
בֻובְרַאקֵייץ - *BuWVRa'ČeYYẒ* (164r16)
בֻובְרַאקְא - *BuWVRa'Čə'* (172r20)
בֻובְרַאגְא - *BuWVRa'Ğə'* (175r8)
בוֻבְרַאקְא - *BWuVRRa'Čə'* (175v19)
***buvrage***, *m* (1231 *bevrage*; von *beivre* < lat. BIBERE) *buvrages (pl.)* 'Trunk, Getränk' (DEAFpré s. v. *boivre*; TL 1, 959; FEW 1, 349b *bevrage*; DAF 65a *bevrage*; DMF *breuvage*; AND2 OE *bev(e)rage*; Kiwitt 171; Saye 50 *buvrache*, *buvraje*). FEW (1, 350b, Fn. 7) erklärt das unetymologische epenthetische *-r-* durch Einfluss von *breuvage*.

## C

שְא קַלֵיירוֹיֵיט - *Šə'Qa'LYeYRWoYeYṬ* (239r21)
[***cailler***], *v. refl.* (< lat. COAGULARE) *se cailleroit (3. sg. impf.)* 'gerinnen' (TL 2, 11–12 *cailler, v. intr.*; FEW 2, 816a *id.*; AND2 OE *cailer*; DMF I.A 'se coaguler'

---

421 Das Etymon **brustulare* erklärt FEW (14, 81b) durch eine Kontamination von vlat. *ustulare* (Diminutiv von *urere*) entweder mit gall. **brusiare* oder germ. **brojan* (beide 'sengen') zurück. Der zusammengesetzte Typus **brustulare* muss als Ursprung für *brusler* > *bruler* gedient haben.

(du sang); Saye 117 *kalir*). TL (2, 12) attestiert *cailler* als intransitives Verb im Zusammenhang mit Milch; Belege für das altfrz. Reflexivum fehlen den Lexika; cf. jedoch FEW (2, 817a) fr. *se caillebotter* (seit 1320), ‘se coaguler’. Cf. unter 1.4.2 für die Repräsentation von [ʎ]. Fehlt DAF.

קַאמוֹמִילְא - *QaMWoMiYLə’*
***camomile**, f* → siehe s. v. *ule.*

כַאנְפּוֹר - *Ka’NFWoR* (159r14)
כַנְפּוֹר - *KaNFWoR* (172v10)
**canfor*, *m* (1256 *canfre*; < mlat. *camphora* < arab. *kāfūr*) ‘Kampfer’ (TL 2, 22 *canfre*; FEW 19, 77b *cafour, canfre*; AND2 OE *canfer* s. v. *camphre*; DMF *camphre*; Saye 52 *chaonvér* s. v. *chanvre*). Die Variante *canfor* (f. 172v10) ist für das Altfrz. nicht belegt; FEW dokumentiert mfrz. *canfore* (Moamin, 14. Jh.). Eventuell erscheint eine solche Variante (als Erstbeleg) hier ohne die Repräsentation des finalen [ə]. Alternativ wäre an eine – aus Quellen übernommene (?) – altokzit. Form zu denken (cf 1.1), die etwa in CB (267, Edition des *Thesaur de pauvres*) auftritt und genau mit *KaNFWoR* übereinstimmt: *canfor*; cf. auch der als altokzit. gelesene Terminus in ṢhD, Kaf 1: *K’NPR*; cf. ferner altsp. *canfor, canphor* (DETEMA 1, 67b). Fehlt DAF. Cf. auch im *Lateinischen Glossar* s. v. *canfora*.

קַאנְדֵייץ - *Qa’NDeYYẒ* (169r12)
**[*cant*]**, *pron. indef.* (11. Jh.; < lat. QUANTUM) *candes (pl.)* ‘wie viele’ (TL 2, 29; FEW 2, 1418a *quant*; Gdf 6, 478b *quant, cant*; AND2 OE *quant*; DAF 485b *id.*; DMF *quant* I; Saye 119 *kandéç*).

קַאנְטִיטֵי - *Qa’NṬiYṬeY* (167r15)
קַאנְטֵיטֵי - *Qa’NṬeYṬeY* (178v14)
***cantité, canteté*** → siehe s. v. *quantité*

קַרַטֵינְא - *QaRaṬeYNə’* (239r5)
קַרְטֵיֵינְא - *QaRṬeYeYNə’* (239r6)
קַרְטֵיינְא - *QaRṬeYYNə’* (239v3, 240v17, 25)
***carteine**, f* (1213 *quartaine*; von lat. QUARTANA) **cartene* ‘Viertagefieber, Quartana’ (TL 2, 56 *cartaine, quarteine, -aine*; FEW 2, 1427b; AND2 OE *quartaine*; DMF *quartaine*; Kiwitt 171; Saye 120 *kartaine*). *Carteine* ist eine Lehnübersetzung des lat. *quartana*. Es tritt an o. g. Stellen nicht als Epitheton zu *fevre* auf, sondern steht als eigenständiges Nomen. Die Verwendung von einfachem *quartana* ohne *febris* ist auch im Lat. seit Celsus attestiert (GH 2, 2140); für das Altfrz. stammen die ältesten Belege laut FEW sowohl für *fievre quartaine* als auch für *quartaine* von 1213. Fehlt DAF.

קַשְׁיַא פִּישְׁטוֹלְא – *QaŠYa’ FiYŠṬWoLə’* (170v4–5, 171v11)
קַאשְׁיאַ פִּישְׁטוֹלְא – *Qa’ŠəY’a FiYŠṬWoLə’* (176v7)
****casia fistole***, *f* (13. Jh. *cassiafistre*; von splat. *cassia fistula*) **cassea fistole* ‘Röhren-Kassie (Cassia fistula L.)’ (FEW 2, 462b mfrz. *cassefistre* ‘fruit du cassier’; AND2 OE *cassiafistule* s. v. *cassiafistre*; DMF *cassiafistre, cassiafistule*; Saye 98 *(kasia) fistolé*, 120 *kasia fittole* ‘Cassia fistula, purging cassia’). Die in *Fevres* erscheinenden Varianten sind Lehnübersetzungen des lat. *cas(s)ia fistula* (zu Referenzen cf. s. v. *casia fistola* im *Lateinischen Glossar*), wobei nur das Epitheton dem Frz. phonologisch und morphologisch adaptiert wurde; das Nomen bleibt lat. Der Terminus ist laut Beleglage in altfrz. Texten bisher nur im Angl.-Nor. nachgewiesen; ferner im Altokzit. (*cassia/cacia fistola/fistule*, siehe DAO 1174; cf. ferner ṢhD, Qof 14: *QŠY’PYŠṬWL’*, das dort als lat. oder altokzit./altkat. interpretiert wurde) und Altsp. (*casia fistola*, Sin 94,9, 240b). Der aus dem Orient eingeführte und in Indien heimische Baum fand wegen der laxativen Wirkung seiner in den Schoten enthaltenen Körner auch medizinische Anwendung im Westen (cf. FEW 2, 463a). Cf. auch s. v. *moele de casia fistole.*

קַטַרְטִיק – *QaṬaRṬiYQ* (171v3)
****catartic***, *m* (Erstbeleg; < mlat. *catharticum* < gr. καθαρτικόν) ‘Laxativ, Purgativ, Abführmittel’ (Gdf 9, 9b *catartique* ‘remède qui purifie’; Saye 121 *katartik*). Der medizinfachsprachliche Terminus ist in keinem altfrz. Wörterbuch erfasst. Der Erstbeleg aus Gdf stammt aus dem 16. Jh.; auch TLFi (s. v. *cathérétique*) nennt für nfzr. *cathérétique*,[422] *adj.* und *subst. m* ‘(substance) caustique d’action faible’ 1538 als Datum der Erstdokumentation (nfrz. Übersetzung der *Chirurgie* von Guy de Chauliac, «Guidon», f. 372) für das adj. bzw. 1561 (Ambroise Paré) für das subst. In *Fevres* liegt damit ein frz. Erstbeleg vor, der als Neologie durch Adaption des mlat. Terminus *cat(h)ar(c)ticum, adj* ‘purgativ’ bzw. id., *subst.* ‘Purgativ, Laxativ’ (MLWB 2, 373, cf. Matth. Platear. *gloss.* p. 384[c]: «catarcticum interpretatur laxativum», zit. nach MLWB 2, 373) dem Frz. phonologisch eingepasst wurde. Auch in den anderen romanischen Sprachen ist das Wort erst spät belegt (z. B. kat. *catàrtic*, id. seit 1839, siehe DECLC 2, 629b; sp. *catártico*, id. seit 1537, siehe DCECH 1, 922b). AND2 OE erfasst lat. *katartico*; fehlt TL, FEW, DAF, DMF.

---

**422** TLFi (s. v. *cathérétique*) gibt gr. καθαιρετικός, ‘reducing, catheretic’ (LS 849a) als Etymon für nfrz. *cathérétique* an (cf. φάρμακα καθαιρετικά in Galen 11,756, zit nach LS 849a), während καθαρτικόν die Basis von mlat. *catharticum* und vorliegendem altfrz. Terminus ist (cf. GDHW 1, 1282, φάρμακον καθαρτικόν ‘Purgirmittel’).

קָאטֶאיינֶייש – *Qa'Ṭe'YYNeYYŠ* (157v3)
**[*cateigne]**, *m* (12. Jh. *chastaigne*; < lat. CASTANEAM) *cateignes (pl.)* 'Kastanie (Castanea sativa Mill.)' (TL 2, 301–302 *c(h)astaigne*; FEW 2, 463a judfr. *chastaine* (= DB 192), altfrz. *chastaigne*; AND2 OE *chasteine*; DAF 101a *chastaigne*; DMF *chastaigne* A; Kiwitt 171 *casteigne*; Saye 120 *kasténe*). DB (192) führt mehrere Varianten an, die alle *-st-* aufweisen, z. B. קשטנייש (*QŠṬNYYŠ*); *kasténe* tritt in *Fevres* auch in f. 246v2 (cf. Kiwitt 171; Saye 120) auf. Ungewöhnlich ist der Anlaut [k-] vor [a], der sonst nur im Nordfranzösischen vorkommt (cf. infra). Formen mit *-t-* sind in FEW mehrfach belegt, jedoch nur für moderne Dialekte, z. B. wallon. *catagne*, pikard. *katẽn*; die champagn. Variante lautet *šatęñ*. Zum Schwund von vorkonsonantischem *s-* cf. 1.5.2 und zur Repräsentation von [ɲ] cf. 1.4.2.

קָאוֹזֵאי – *Qa'WoZe'Y* (162v2)
קָאוֹזְא – *Qa'WoZə'* (164r6, 7, 12, 20, 164v24, 165r6, 9, 166v18, 167v1, 168r7, u. v. m.)
קָאזְא – *Qa'Zə'* (165r1)
קָאוֹזְייש – *QaWoZeYYŠ* (169r13, 15, 169v2)
***cause***, *f* (1170; < lat. CAUSAM) *causes (pl.)* 'Ursache' (TL 2, 71; FEW 2, 542a; DMF I; Kiwitt 171; Saye 119 *kaoze*).
פַּר קָאוֹזְא – *PaR Qa'WoZə'* (166r5, 167v15, 16, 172r22)
***par cause de*** (13. Jh.) 'wegen' (TL 2, 72 *par cause de*; FEW 2, 542b altfrz. *pour cause de* AND2 OE *pur cause de* s. v. *cause*; DMF s. v. *cause* I.A.2.a). Nicht in DAF und Saye aufgeführt.

צֵירְףֿ – *ẒeYRF* (173v19)
***cerf*** → siehe s. v. *moele*; cf. auch *corne de cerf*.

צֵרְפֿוּיֵיל – *ẒeRFWuYeYL* (178v7)
***cerfueil***, *m* (12. Jh.; < lat. CAEREFOLIUM < gr. χαιρέφυλλον) 'Kerbel (Anthriscus cerefolium (L.) Hoffm.)' (TL 2, 128 *cerfueil*; FEW 2, 37b *cerfeuil*, *cerfeul*; AND2 OE *cerfueil* s. v. *cerfoil*; DMF *cerfeuil*; Saye 51 *çérfuiel*, Scandix cerefolium). FEW belegt den Namen der aus Westasien stammenden Pflanze als Gewürzkraut; TL zitiert ihn auch durch medizinische Texte. Die Graphie der letzten Silbe lässt möglicherweise die Lesart [-uei̯ʎ] zu (cf. auch Rheinfelder 1963, 113). Eine ähnliche hebr. Transkription dokumentiert DB (175, Ms. S), צירפוייל, interpretiert als frz. *cerfoil*.

שֵׁירְטֵיין – *ŠeYRṬeYYN* (160r6)
***certein***, *adj.* (12. Jh. *certain*; zu lat. CERTUM) 'sicher' (TL 2, 132 *certain*; FEW 2, 611a *certain*; AND2 OE; DAF 91b *certain* s. v. *cert*; DMF *certain* I.A; Kiwitt 172; Saye 215 *sértén*).

דְאשֶׁרְטַײַן - *Də'ŠeRṬYəYN* (167v11)
***de certein***, *adv.* (13. Jh. *de certain*) 'mit Sicherheit, gewiss' (TL 2, 132; FEW 2, 611a; AND2 OE s. v. *certein*; DMF s. v. *certain* I.A.3.b *de certain*). Nicht durch DAF und Saye erfasst.

פוֹר שֶׁרְטֵיין - *PWoR ŠeRṬeYYN* (178v21, 240v14)
***por certein***, *adv.* (13. Jh. *pour certain*) 'mit Sicherheit, gewiss' (TL 2, 132; FEW 2, 611a; DMF s. v. *certain* I.A.3.e *pour certain*). Nicht durch DAF und Saye erfasst.

שֶׁרְבִּיאַה - *ŠeRViY'aH* (165r10)
****cervia***, *f* (1080 *cerveau, cervel*; < lat. CEREBELLUM, dim. von *cerebrum*) 'Gehirn' (TL 2, 137 *cervel(e)*; FEW 2, 601b *cerveau*, 602a altfrz. *cervelle*, altpik. *cerviele*; AND2 OE *cervel*; DAF 91b *cervel(e)*; DMF *cerveau* A; ATC 224b *cerveil*; Saye 215 *sérvia*). Die Form **cervia* ist sonst im Altfrz. nicht belegt, tritt in *Fevres*, neben *cervel* (cf. Saye 215), jedoch mehrfach auf (zusätzlich in 29v11, 111v16, 133r10, 153r4, cf. Saye 215). Wahrscheinlich fand hier eine Rückbildung des Singular aus der (hypothetischen) Pluralform **cervias* durch Tilgung des Pluralmorphems *-s* statt. **Cervias* (nicht in *Fevres*) wäre die analoge Pluralform zu sonst im Text vorhandenen Wörtern auf *-iel* wie *boiel*, 'Darm' und *moiel*, 'Eigelb' (siehe jeweils s. v.), die im Plural als **boias* und **moias* erscheinen (cf. 1.5.1). Diese Hypothese wird durch die Tatsache gestützt, dass auch einmal **moia* auftritt, und zwar mit derselben Transkription der Endung (*MWoYY'aH*, f. 161r24). Eine Basisvariante mit *-iel* wäre Voraussetzung für die beschriebene Bildung, die vor dem Hintergrund von belegtem altpikard. *cerviele* (FEW 2, 602a) denkbar ist. Ein Zusammenhang mit der in FEW (2, 601b) angeführten ähnlichen, aber isolierten, modernen Variante *sęrvęa* ist aufgrund der Herkunft dieser Form (Vendée, Westfrankreich) jedoch auszuschließen.

סֵיטְרִין - *SeYṬRiYN* (163r16)
***cetrin*** → siehe s. v. **arsenicas*.

קָאלוּר - *Ča'LWuR* (165v8, 11)
קָאלוֹר - *Ča'LWoR* (165r12$_{2x}$, 165v7, 168r11)
קָאלוּר - *Ča'LWuR* (167r6, 172v9)
קְאלוּר - *Č'LWuR* (168v18)
***chaleur***, *f* (Bedeutungserstbeleg, 1155 *chalor*; < lat. CALOREM) '(Körper-)wärme' (TL 2, 187 'Hitze, Wärme'; FEW 2, 101b 'température élevée d'un corps'; AND2 OE *chalur, caleur*; DAF 95a *chalor*; DMF A.4 'température naturelle d'un organisme', 'fièvre'; Kiwitt 172 'Hitze, Wärme'; Saye 51 *chalur*). MLWB (2, 91) und GH (1, 936) belegen für lat. *calor* die Bedeutung 'Körperwärme';

diese spezielle Bedeutung, offensichtlich eine Lehnbedeutung, ist in den altfrz. Lexika zu ergänzen.

קַֿאלוֻרֵ נַאטֻורֵי – *Ča'LWuR Na'ṬuWReY* (102r5)
נַאטֻורֵאֶה קַֿאלוֻרֵ – *Na'ṬuWRe'eH Ča'LWuR* (102r12)
***chaleur naturé*, *naturée chaleur***, '(natürliche) Körperwärme' (AND2 OE *chalour naturele* s. v. *chalur*; DMF s. v. *chaleur* A.4.a *chaleur naturelle*). Das Synthem ist in den anderen altfrz. Lexika nicht belegt; cf. supra für *chaleur* und s. v. *naturé*. In der lateinischen Übersetzung des *Lib. febrium* durch Constant. Afric. lautet der entsprechende Fachbegriff *calor naturalis* (L, f. CCXVr, col. A).

קַֿאוֹדְאלֵיט – *Ča'WoDə'LeYṬ* (176r22)
***chaudelet***, *adj.* (Erstbeleg; von lat. CALIDUM) 'lauwarm' (Gdf 2, 95a 'un peu chaud'; DMF id.; Saye 52 *chaodelét, adv. [sic]*). Cf. zur Repräsentation des Diphthong [au̯] die Einleitung (1.4.2). Mit *Fevres* liegt für das adj. wahrscheinlich ein Erstbeleg vor; die ältesten Beleg gibt Gdf mit Zitaten aus Evrart de Conty (14. Jh.) und der frz. Übersetzung des *Lilium de medicine* des Bernard de Gordon (14. Jh.) an: «Si prenes une pomme granate et la coppes par le milieu et faictes la bouillir en vin aigre, et puis la broyes et mettes par dessus toute chaudelette» (B. de Gord., Pratiq. I, 18, zit. nach Gdf 2, 95a). Das adj. ist insgesamt wenig belegt (drei Zitate in Gdf 2, 95a); für 'lauwarm' war sonst *chaudet* verbreitet (cf. TL 2, 327; FEW 2, 88a). *Chaudelet* fehlt TL, FEW und DAF in o. g. Bedeutung; cf. dagegen TL (2, 327) *chaudelet, m* 'leckere Speise'; FEW (2, 90a) nfrz. *chaudelet, m* 'gâteau à l'anis'; AND2 OE *chaudelet* 'hot drink'.

קַֿאוֹנְגֵֿיאְה – *Ča'WoNĞeY'əH* (165r12)
[***chaunger***], *v. intr.* (12. Jh.; < splat. *cambiare*) *chaungée (part. perf. f)* 'sich ändern' (TL 2, 221 *changier, v. intr.*; FEW 2, 123a *changier, v. intr.*; AND2 OE s. v. *changer*; DAF 97a *changier;* DMF *changer* II *v. intr.*; Saye 52 *chanjer, chaonje* u. ä.). *Chaunger* mit dem Diphthong [au̯] (cf. zur graphischen Repräsentation die Einleitung, 1.4.2) ist nur für das Angl.-Nor. belegt; FEW dokumentiert moderne diphthongierte Formen wie *choinger* für Morvan (südl. Champgne/nördl. Burgund). Die Konstruktion *changer en*, die in *Fevres* vorliegt («qui est chaungée en chalor», f. 165r11–12), ist laut FEW (2, 125a) erst seit 1538 belegt.

שְׁא קַֿאנְגְֿא – *Šə' Ča'NĞə'* (102r10, 165r15, 239v7, 240r1)
שְׁא קַֿאוֹנְגְֿא – *Šə' Ča'WoNĞə'* (102r14, 168r1, 12)
שֵׁט קַֿאנְגֵֿיר – *ŠeṬ Ča'NĞeYR* (165v10)
[****cha(u)nger***], *v. refl.* (12. Jh.; < splat. *cambiare*) *se cha(u)nge (3. sg.), s'est *changer (3. sg. p. comp.!)* 'sich verändern' (TL 2, 222 *changier, v.refl.*; FEW 2, 123a

*changier, v. refl.*; AND2 OE s. v. *changer, v.refl.*; DMF *changer* II *v. refl.*; Kiwitt 172 *changer, v.refl.*; Saye 52 *chanjer, chaonje* u. ä.). Cf. s. v. *chaunger, v. intr.*

קָאוֹנְבֵייר - *Ča' WoNVeYYR* (179r14)
***chaunver**, *m* (12. Jh. *kenre*, 13. Jh. *chanvre*; < splat. *cannapus*) 'Hanf (Cannabis L.)' (TL 2, 233 *chanvre*; FEW 2, 210a *chanve*; Gdf 9, 41 *chanvre*; AND2 OE *chanver, chaunvre* s. v. *chanvre*; DMF *chanvre* A; Saye 52 *chaonvér* s. v. *chanvre* 'camphor'). Die Interpretation von Saye ist zu korrigieren, wenn auch eine Variante *chamffre*, 'Kampfer' (G. Cohen 1501, wallon.) mit initialem [ʃ] durch FEW (19, 78a, Fn. 1) belegt ist, die FEW als «nur Graphie für *c*-» erklärt. Der Diphthong [au̯] ist jedoch in keiner der in den Lexika zitierten Varianten für 'Kampfer' dokumentiert, ebensowenig die Endung *-er*. Zudem gibt bereits der Kontext ausreichend Hinweise auf eine Pflanze, deren Fasern sich zu Textilien verarbeiten lassen, «un drape de chaunver» (f. 179r13–14). Fehlt DAF.

קָאוֹשׁ אֵיטֵיינְא - *Ča' WoŠ 'eYṬeYYNə'* (163r17–18)
***chauz eteine**, *m* (Erstbeleg; < mlat. *calx exstincta*) 'gelöschter Kalk (Calciumhydroxid)' (FEW 2, 107b «*chaux éteinte* [...] seit 16. Jh.»; Gdf 9, 559c *chaulx ... extincte*, 1549; TL 2, 336 *chauz*; FEW 2, 107a *chaux*, 'Kalk', seit 12. Jh.; AND2 OE *chauz* 'lime'; TL 3, 1369 *esteindre*; FEW 3, 320a *esteindre*, 'löschen', seit 13. Jh.). **Chauz eteine* ist eine Lehnübersetzung des mlat. *calx exstincta (calx*, 'substantia ex lapidibus calcariis cocta inextincta vel exstincta – gebrannter od. gelöschter Kalk', MLWB 2, 99), das u. a. in der *Alphita II* (p. 7, 24) bezeugt ist: «Albesten ... i. calix viva, alcanni vero est calix extincta» (zit. nach MLWB 2, 99). Das Synthem ist in *Fevres* erstmals belegt; gegenüber FEW und Gdf ist eine Vordatierung um mindestens zwei Jahrhunderte vorzunehmen. Für den Schwund von vorkonsonantischem *s*- in **eteine* cf. 1.5.2; die fehlende Repräsentation von [-t-] scheint irrtümlich. Cf. ferner AND2 OE *vif argent esteint* (s. v. *argent*), 'triturated quicksilver'. Fehlt DAF, DMF. Die Interpretation von Saye (*chaos, adj.* 'warm', Saye 52) ist zu korrigieren.

קָאוֹדֵייץ - *Ča' WoDeYYẒ* (164r16, 239r10)
קָאוֹדְא - *Ča' WoDə'* (172r11, 173r9, 175r20, 177v1, 240v17)
קָאוֹט - *Ča' WoṬ* (175v2, 178v20, 240v9, 10)
קָאוּדְא - *Ča' WDə'* (179v15)
**chaut**, *adj.* (10. Jh.; < lat. CALIDUM) *chaudes (f pl.), chaude (f)* 'warm, heiß' (TL 2, 333; FEW 2, 87b; AND2 OE; DAF 95b *chalt*; DMF *chaud* I; Kiwitt 172; Saye 52).

קָאוֹט - *Ča' WoṬ* (167v13, 14, 168r10)
**chaut**, *m* (11. Jh. *chalt*; von *chaut, adj.*) 'Hitze' (TL 2, 335; FEW 2, 87b *chaud*; AND2 OE; DMF *chaud* II). Fehlt Saye und DAF als subst.

קַאפִּיטְרְא – *Ča'PiYṬRə'* (177v20, 23)
***chapitre***, *m* (1113; < lat. CAPITULUM) 'Buch; Kapitel' (TL 2, 246; FEW 2, 265b; AND2 OE; DAF 98a; DMF A.1; Saye 52).

קַאר – *Č'aR* (157r16)
קַאר – *Ča'R* (168r2)
קַארְץ – *Ča'RẒ* (240r23)
***char***, *f* (1080; < lat. CARNEM) *chars* 'Fleisch' (TL 2, 252; FEW 2, 383b; AND2 OE; DAF 99b; DMF *chair*; Kiwitt 172; Saye 52).

גַרְגֵי – *ǦaRǦeY* (168v19)
[***charger***], *v. tr.* (1080 *chargier*; < vlat. *carricare*) *chargé (part. perf.)* 'überlastet, überansprucht sein' (von Organen) (FEW 2, 415a *chargier* 'mettre un fardeau [...] pour le faire porter'; TL 2, 263 *chargier* 'beladen'; AND2 OE 'to load, charge'; DAF 99a *chargier*, 'faire porter'; DMF I.C.4 (d'un organe); Saye 113 *jarjer*). Die Verwendung des Verbs in humoralpathologischen Zusammenhängen ist durch die Lexika nicht nachgewiesen. Zur Infinitivendung *-er* statt *-ier* cf. die Einleitung (1.5.2). Die Transkription des initialen [ʃ] durch גֿ – *Ǧ* (statt קֿ – *Č*; cf. 1.4.2) ist für *Fevres* ungewöhnlich.

קֵיאֵיֵט – *ČeY'YeYṬ* (178v5)
קֵיֵט – *ČYeYṬ* (239v8)
[***cheir***], *v. intr.* (9. Jh. *cheoir*; < lat. CADERE) *che(e)t (3. sg.)* 'fallen; befallen werden (von einer Krankheit)' (TL 2, 349 *chëoir*; FEW 2, 24a–b; AND2 OE *cheir* s. v. *chair*; DAF 102b; DMF s. v. *choir* II.B.3.a *choir en (une) maladie*; Kiwitt 172 *cheoir*; Saye 53 *chéoér*). Die medizinfachsprachliche Bedeutung belegen TL (2, 349), FEW (2, 24b, *cheoir en maldie*) und DMF.

קְאמִין – *Čə'MiYN* (160r8)
***chemin***, *m* (1080; < gall. *camminus*) 'Weg, Richtung' (TL 2, 341; FEW 2, 144b; AND2 OE; DAF 102a; DMF; Saye 53 *chémin*).

קְאמִיזְא – *Čə'MiYZə'* (175r14)
***chemise***, *f* (11. Jh.; < gall. *camisia*) 'Hemd' (TL 2, 344; FEW 2, 140a; AND2 OE; DAF 93b *chainse;* DMF A; Saye 53 *chémize*).

קוֹזֵייץ – *ČWoZeYYẒ* (156v12, 157v5, 159v12, 161r18, 165r10, 170r2, 171r5, 171r21, 171v9, 174r14, 175v15)
קוֹזֵייש – *ČWoẒeYYŠ* (159r17, 160v6, 164r13, 17, 179r10)
קוֹזְא – *ČWoZə'* (161v21, 163v16, 172r21, 174v4, 175v11)
***chose***, *f* (842; < lat. CAUSAM) *choses (pl.)* 'Sache, Ursache' (TL 2, 414; FEW 2, 541a; AND2 OE; DAF 106b; DMF; Kiwitt 172; Saye 54 *choze*).

צִילְידוֹיְינְא – *ẒiYLiYDWoYəYNə'* (178r15)

***cilidoine***, *f* (13. Jh.; < mlat. *celidonia, cili-*) 'Schellkraut (Chelidonium majus L.)' (TL 2, 101 *celidoine* FEW 2, 634a *id.*; AND2 OE *id.*; DMF *chelidoine*; Saye 84 *çilidoine*). Die gegebene Variante ist eine Entlehnung aus mlat. *celidonia, cili-*, id. (MLWB 2, 531); sie existierte neben altfrz. *cherungne* < lat. CHELIDONIAM (FEW 2, 634a). Zur Alternation zwischen *-e-* und *-i-* cf. 1.4.2. Fehlt DAF.

שִׁיטֵי – *ŠiYṬeY* (162r12, 21)

***cité***, *f* (11. Jh. *citet*; < lat. CIVITATEM) 'Stadt' (TL 2, 448; FEW 2, 724b; AND2 OE; DAF 108 *citet*; DMF A; Saye 219 *sité*). Das Wort ist zuerst im Alexiuslied attestiert: «Rome la citet» (Alex. 3c, zit. nach TL 2, 448); auch in *Fevres* findet sich die Verbindung mit Rom: «La cité de Rome» (beide Stellen). Die Ersetzung von *urbs* durch *civitas* in Bezug auf Rom ist bereits bei Seneca und Tacitus anzutreffen (FEW 2, 725b). *Cité* ohne auslautendes [t] steht zuerst bei Chr. de Troyes (cf. TL 2, 448); cf. auch 1.5.1.

קְלַאְרִיפִּיאֵי – *QLa'RiYFiY'eY* (179v10)

[***clarifier***], *v. tr.* (Bedeutungserstbeleg; aus lat. CLARUM) *clarifié (part. perf.)* 'klären' (von flüssigen Substanzen) (TL 2, 463 mit Verweis auf Gdf 2, 147a, 9, 105c; FEW 2, 744a mfrz. nfrz. 'épurer, rendre clair (des sirops, de l'eau, etc.)', («seit 16. Jh.»); AND2 OE; DMF *clarifier*$_1$; Kiwitt 102; Saye 123 *klarifiér*). In dieser fachsprachlichen Bedeutung ist das Wort gegenüber FEW um zwei Jarhunderte vorzudatieren. Für weitere Referenzen und Diskussion cf. Kiwitt (102). Fehlt DAF.

קְלֵייר – *QLeYYR* (101r1, 102r3, 160r6)

***cler***, *adj.* (1080; < lat. CLARUM) 'hell, klar; verdünnt' (TL 2, 474; FEW 2, 741b; AND2 OE; DAF 110a 'limpide'; DMF *clair*$_1$ I.; Kiwitt 173 'hell'). FEW gibt die Bedeutung 'verdünnt', die in f. 160r6 angenommen werden muss, erst für 1393 an (cf. s. v. *clarifier*); sie ist somit um etwa 100 Jahre vorzudatieren. Bei DAF ist sie zu ergänzen.

קְלוֹזְא – *QLWoZə'* (166v9, 11)

[***clore***], *v. tr.* (11. Jh.; < lat. CLAUDERE) *close (part. perf.)* 'verschließen' (TL 2, 500 *clore*; FEW 2, 747a *id.*; Gdf 9, 113b *clos* s. v. *clore*; AND2 OE *clos* s. v. *clore*; DAF 111b *clore*; DMF I.A (en partic. un organe ouvrant sur l'extérieur); Saye 124 *klos* s. v. *klore*). Die Lexika verzeichnen das als Adjektiv verwendete part. perf. nur teilweise explizit. Eine Semantisierung im humoralpathologischen Sinne ist in den altfrz. Wörterbüchern zu ergänzen.

קוֹקֵייר – *QWoČeYYR* (177v13)
***cocher***, *v. intr.* (11. Jh.; aus lat. COLLOCARE) ‘sich hinlegen’ (TL 2, 956 *couchier*; FEW 2, 907a id.; AND2 OE s. v. *coucher*; DMF *coucher* I.B; Kiwitt 173; Saye 124 *kocher*). Fehlt DAF.

קוֹיְימֵינְט – *QWoYəYMeYNṬ* (240v13)
***coiement***, *adv.* (1080 *quiement*, 12. Jh. *coiement*; von *coi*, *adj.* < vlat. *quetum*) ‘ruhig’ (TL 2, 527; FEW 2, 1471a; AND2 OE; DAF 113a; DMF B; Saye 124 *koieménٹ*). Cf. zur Transkription von [wa] die Einleitung, 1.4.2.

קוֹיינְץ – *QWoYYNẒ* (156v15, 157v6, 158r17, 160v8, 10, 161r3)
קוֹיְינְץ – *QWoYəYNẒ* (157r5, 25)
**[*coin*]**, *m* (1160 *cooin*; < lat. CYDONEUM) *coins (pl.)* ‘Quitte (Cydonia oblonga Mill.)’ (TL 2, 824 *cöoing*, *coing*; FEW 2, 1605b *cooin*, *coing*, judfr. *codoin*; AND2 OE s. v. *coign*; DAF 113b *coing*, *cooin*; DMF *coing*; Saye *koinç*, *pl.*). Die Graphemfolge *-WoY(ə)YN-* transkribiert den nasalen Diphthong [wɛ̃] (cf. 1.4.2). Die Graphie *coin* ist ausschließlich in angl.-nor. Texten belegt; finales <g> in *coing* ist jedoch wahrscheinlich nur graphisch bedingt und ist auch in einem ostfranzösischen Text denkbar. Die in FEW als «judfr.» gekennzeichnete Form *codoin* ist in *Fevres* nicht transkribiert.

קוֹלֵייש – *QWoLeYYŠ* (158v22)
קוֹלֵייץ – *QWoLeYYẒ* (171v12, 172r15, 18, 173r16, 176v12, 20, 177r3, 179v5)
קוֹלֵי – *QWoLeY* (172v5)
**[*coler*]**, *v. tr.* (1170; < lat. COLARE) *colez (2. pl. imp.)*, *colé (part. perf.)* ‘seihen, filtrieren’ (TL 2, 561; FEW 2, 877b *couler*; AND2 OE; DAF 115a; Kiwitt 173; Saye 125 *kolér*).

קוֹלֵירִיקִיש – *QWoLeYRiYQiYŠ* (102r13)
קוֹלֵירֵיקְש – *QWoLeYReYQŠ* (164r17)
קוֹלֵירִיקְש – *QWoLeYRiYQŠ* (164r23)
קוֹלְרִיקְש – *QWoLRiYQŠ* (167r18, 240v18)
**[*colerique*]**, *adj.* (13. Jh.; < mlat. *colericum*) *coleriques*, *colereques*, *coleriques (pl.)* ‘gallig, durch Galle hervorgerufen’ (TL 2, 564 *colerique*; FEW 2, 643b *colérique*; AND2 OE *coleric*, *colerique*; DMF; Saye 125 *kolériks*). Der humoralpathologische Terminus ist eine Entlehnung aus mlat. *c(h)olericum* (MLWB 2, 542). Für die Oszillation zwischen *-e-* und *-i-* cf. die Einleitung, 1.4.2. Fehlt DAF.

קוֹלִיקַא פַּצִיאוֹן – *QWoLiYQa’ PaẒiY’WoN* (160v19, 167r2)
****colica pasion***, *f* ‘Blähung, Kolik’. Lat-altfrz. Synthem und Lehnübersetzung von mlat. *colica passio*, id. (MLWB 2, 824 s. v. *colicus*; ThLL 3, 1571 s. v. *colicus*); zur Erläuterung cf. Cass. Fel. 82, 194,7: «est … [colic]a passio tu-

mor cum ingenti dolore totius ipsius intestini quod Graeci consuete [colic]on appellant» (zit. nach ThLL 3, 1571). Der Terminus (in f. 167r2) entspricht im lat. Text des *Lib. febrium* einfachem *colica* (Constant. Afric., L, f. CCXVIIIv, col. A) in derselben Bedeutung (MLWB 2, 824.). Das Kompositum ist in AND2 OE als *passiun colike* s. v. *colik*, 'intestinal disorder, colic', und DMF s. v. *passion* C.2 *colique passion* 'douleurs, spasmes de l'intestin' belegt. Für altfrz. **pasion, f* (12. Jh.; von lat. PASSIONEM), 'Leiden, Krankheit', cf. ferner TL (7, 456 *passion*); FEW (7, 731b *id.*). Saye (125) verzeichnet lat. *kolika*, 'colic', altfrz. **pasion* fehlt Saye.

קוֹלֻר - *QWoLWuR* (102r11, 179v22)
קוֹלוֹרְץ - *QWoLWoRẒ* (102r3)
קוֹלוִּר - *QWoLWuR* (167r8, 168r2, 20)
***color*, -*ur*,** *f* (11. Jh.; < lat. COLOREM) *colors (pl.)* 'Farbe' (TL 2, 573 *color, colur*; FEW 2, 921b *colour*; AND2 OE *colur, color*; DMF *couleur* A; Kiwitt 173 *color*; Saye 125 *kolor*, 126 *kolur*). Fehlt DAF.

קוֹמֵינְשְׁאמֵינְט - *QWoMeYNŠə'MeYNṬ* (101v14, 239r8)
***comencement***, *m* (12. Jh.; < *comencier* < splat. *cominitiare*) 'Beginn' (TL 2, 603; FEW 2, 943b; AND2 OE; DMF *commencement* A; Saye 126 *koménçemént*). Cf. auch unter *ecomencement*. Fehlt DAF.

קוֹמִישְׁטִיאוֹן - *QWoMiYŠṬiY'WoN* (164v25, 167r14)
קוֹמִישִׁיאוֹן - *QWoMiYŠiY'WoN* (165r11, 24, 165v5)
***comistion***, *f* (Bedeutungserstbeleg; < mlat. *commixtionem*) 'Zusammensetzung, Mischverhältnis (der Körpersäfte)' (TL 2, 611 *comistïon* 'Vermischung'; FEW 2, 957b *commistion* 'Mischung'; Gdf 9, 134a *commission, commixtion* 'mélange'; AND2 OE *commixtion* 'mixing together, intermingling'; DMF *commixtion* A 'mélange des humeurs'; Saye 128 *konmision*). Der Nachweis des medizinischen Terminus technicus fehlt den Lexika; die Entlehnung aus mlat. *commixtionem* 'Mischverhältnis' (MLWB 2, 978) ist in der spezifischen Bedeutung in *Fevres* erstmals belegt. Fehlt DAF.

קוֹנְדַאנֵייש - *QWoNDa'NeYYŠ* (160r19)
[****condaner***], *v. tr.* (12. Jh.; < vlat. *condamnare*) *condanés (part. perf.)* 'verdammen' (TL 2, 662 *condamner*; FEW 2, 1017a *condemner, condampner*; AND2 OE *condenner* s. v. *condempner*; DMF *condamner*; Saye 127 *kondanés, adj.*). Fehlendes *-m-* in der Graphie ist phonetisch bedingt. Fehlt DAF.

קוֹנְדוִּץ - *QWoNDWuẒ* (165r13, 14, 177v3)
קוֹנדוִּט - *QWoNDWuṬ* (165v2)
קוֹנְדוִּיֵיט - *QWoNDWuYəYṬ* (165v3)

קוֹנְדוִּשׁ – *QWoNDWuŠ* (167r14)
קוֹנְדְוִּיֵייץ – *QWoNDWuYeYẒ* (240v7)
***condut**, **-uit**, m* (13. Jh.; aus *conduire* ‘leiten’) *condus, conduis (pl.)* ‘Gefäß, Kanal (anatomisch, im menschlichen Körper)’ (TL 2, 669 *conduit* ‘(Wasser)leitung, Speiseröhre (?)’; FEW 2, 1026a altchamp. *condut* ‘intestin’ (1398), mfrz. nfrz. (seit 14. Jh.) *conduit* ‘canal par lequel, dans le corps humain, passe une certain matière (t. d’anat.)’; AND2 OE *conduit, condut* ‘channel, passage (auch anat.)’; DMF *conduit* II.B ‘canal de l’organisme’; Kiwitt 104 *conduit* ‘structure tubulaire dans le corps humain, canal’; Saye 127 *konduç* ‘ducts, arteries’). Die anatomische Bedeutung fehlt TL; die Datierung des FEW ist zu korrigieren. Die in FEW als altchampagn. ausgewiesene Form stimmt mit den undiphthongierten Varianten in ff. 165v2, 167r14 überein. Für weitere Referenzen cf. Kiwitt (104). Fehlt DAF.

קוֹנְפִּיט – *QWoNFiYṬ* (176v16)
**[*confire*]**, *v. tr.* (1226; < lat. CONFICERE) *confit (part. perf.)* ‘mit Zucker einkochen; kandieren’ (TL 2, 680 ‘einmachen’; FEW 2, 1031b ‘traiter des fruits avec un liquide ou avec du sucre pour les conserver’; AND2 OE ‘to preserve, prepare, concoct’; DAF 122a ‘confire’; DMF ‘préparer, mêler, mélanger’; ATC 230a ‘confectionner’; Kiwitt 173 ‘zubereiten’; Saye 127 *konfire* ‘to mix’). Das part. spezifiert in f. 176v16 die Frucht *mirablane* (cf. s. v.).

קוֹנְפֿוֹרְטַאנְט – *QWoNFWoRṬa’NṬ* (174v15, 175r5)
***confortant***, *m* (Bedeutungserstbeleg; 14. Jh. ‘Unterstützung’; cf. s. v. *conforter, v. tr.*) ‘stärkendes Medikament’ (FEW 2, 1044a ‘remède qui fortifie’, 19. Jh.; Gdf 9, 154b ‘auxiliaire’; DMF s. v. *conforter* D.4 part. prés. en empl. subst. ‘celui qui soutient (une option, une attitude…)’). AND2 OE (s. v. *conforter*) zitiert das part. praes. *confortant* aus einem medizinischen Text in der Bedeutung ‘stärkend’ («confortant a malade», *Sz Med* 150), jedoch nicht als subst. Fehlt TL, DAF.

קוֹנְפֿוֹרְטַאנְט – *QWoNFWoRṬa’NṬ* (158r13)
קוֹנְפֿוֹרְטֵר – *QWoNFWoRṬeR* (162r24, 239v21)
***conforter***, *v. tr.* (11. Jh.; < lat. CONFORTARE) *confortant (part. praes.)* ‘stärken; entlasten’ (TL 2, 685; FEW 2, 1044a; AND2 OE; DAF 122a; DMF; Saye 127 *konfortér*). Für die adjektivische Verwendung cf. s. v. *confortant, m.*

קוֹנְפַּאנִיאְה – *QWoNPa’NiY’əH* (168r18)
*****conpagnie***, *f* (1080 *compagnie* ‘Gesellschaft’; < vlat. **compania*) ‘Begleitung, Anwesenheit’ (v. Substanzen im menschlichen Körper) (TL 2, 614–615 *compagnie* ‘Gesellschaft’; FEW 2, 966b *id.*, ‘présence d’une personne auprès d’une autre’; AND2 OE *id.* s. v. *compaignie*; DAF 117b *id.*, ‘association’; DMF

*compagnie* A 'fait d'être ensemble, de s'associer'; Saye 128 *konpanie*). In den Lexika ist *compagnie* nur im Zusammenhang mit Personen belegt; die Verwendung des Nomens als humoralpathologischer Terminus scheint in *Fevres* einmalig zu sein. Cf. 1.4.2 zur Repräsentation von [ɲ]. FEW dokumentiert jedoch auch eine moderne lothr. Variante mit [-n-]: *companie*. Die Transkription *-WoN-* zur Darstellung des Nasalvokals ist graphisch bedingt, cf. 1.4.2.

קוֹנְפְּלֵיקְשִׁיאוֹן - *QWoNPLeYQŠiY' WoN* (164v25)
קוֹנְפְּלֵישִׁיאוֹן - *QWoNPLeYŠiY' WoN* (240v6)
***conplexion**, f* (12. Jh.; von mlat. *complexionem*) 'Temperament, Blutmischung' (TL 2, 630; FEW 2, 983b; AND2 OE s. v. *complexion*; DAF 118b *complexion* 'Verfassung'; ATC 229a; DMF *complexion* A. (comme condition influant sur le tempérament d'une pers.) 'tempérament'; Saye 126 *konplé(k)sion*). TL belegt in mehreren Zitaten die Verwendung des aus dem Mlat. entlehnten medizinischen Terminus technicus in der angegebenen Bedeutung vor *Fevres*. Cf. zur Darstellung des Nasals [ɔ̃(n)] 1.4.2 der Einleitung.

קוֹנְרוֹנְפֻּאֵייץ - *QWoNRWoNPuW' eYYẒ* (166r21)
**[*conronpre]**, *v. tr.* (1260 *corrompre*; von mlat. *corrumpere*) *conronpues (part. perf. f pl.)* 'verderben, zersetzen' (TL 2, 900 *corrompre* 'verderben, verfaulen'; FEW 2, 1234a *corrompre* 'altérer (une substance) par décomposition'; AND2 OE *corrumpre, corompre*; DAF 133a *corompre* 'rompre'; DMF *corrompre* B 'altérer l'état naturel ou normal de qqc (par décomposition, par infection, par contamination, par la maladie...)'; ATC 232a *corrumpre* 'putréfier'; Saye 129 *konronpér*). Die fachsprachliche Bedeutung fehlt DAF; das Zitat in TL (2, 900) entstammt keinem medizinischen Text. Das Verb ist eine Entlehnung aus mlat. medizinfachsprachlich *corrumpere* 'verfaulen, sich zersetzen' (MLWB 2, 1939). *Con-* statt *cor-* ist hyperkorrekt.

קוֹנְרֻפְּשִׁיאוֹן - *QWoNRWuPŠiY' WoN* (167r13)
קוֹרוֹפְּשִׁיאוֹן - *QWoRWoPŠiY' WoN* (165v5, 167v25)
***conrupsion**, ***coropsion**, *f* (1170 *corruption*; von mlat. *corruptio*) 'Störung; Verderben, Zersetzung' (TL 2, 899 *corrupcïon* 'Verderben, Zerstörung'; FEW 2, 1234b *corruption* 'altération de ce qui est sain dans une substance'; AND2 OE *coruption* s. v. *corruptiun*; DAF 133a *corruption* 'corruption morale'; DMF *corruption* B 'altération (en partic. putréfaction, infection...)'; ATC 232b *corruption* 'matière pourrie'; Saye 129 *konrupsion*, 13 *koropsion*). Entlehnung des mlat. medizinischen Terminus *corruptio* 'Fäulnis, Zersetzung' (MLWB 2, 1944). Die humoralpathologische Semantisierung fehlt TL und DAF. *Conrupsion* (f. 167r13) ist eine etymologisierende Form (cf. s. v. **conronpre*); die Endung *-sion* ist eine graphische Variante.

קוֹנְשוֹלִידַא לַאגְרַאנְדְא - *QWoNŠWoLiYDa La'GRa'NDə'* (159v11)
***consolida la grande**, f* 'Echter Beinwell (Symphytum officinale, L.)'. Das lat.-altfrz. Synthem ist eine Lehnübersetzung von *consolida maior* (f. 159v10, für Referenzen cf. s. v. im *Lateinischen Glossar*). AND2 OE belegt *grant consoude* s. v. *consoude* 'great comfrey'; DMF s. v. *consoude* A *(grande/petite/menue) consoude*. Fehlt Saye (129) s. v. *konsode, konsolida.*
קוֹנְשוֹלִידַא ... לַאפֵּיטִיטְא - *QWoNŠWoLiYDa' ... La'PeYṬiYṬə'* (159v11)
***consolida la petite**, f* 'Kleine Braunelle (Prunella vulgaris L.)' oder 'Gänseblümchen (Bellis perennis L.)'. Das lat.-altfrz. Synthem ist eine Lehnübersetzung von *consolida minor*, Bellis perennis (f. 159v10, für Referenzen cf. s. v. im *Lateinischen Glossar*). Die Bedeutung Bellis perennis wird auch durch AND2 OE *petite consoude, conseude la petite* s. v. *consoude* 'daisy' bestätigt; DMF cf. supra. Fehlt Saye (129) s. v. *konsode, konsolida.*

קוֹנשוִייֵל - *QWoNŠWuYYeL* (160r14, 20)
קוֹנְשֱוייֵל - *QWoNŠuWYeYL* (160r15, 240r7)
קוֹנְשוייֵל - *QWoNŠWYeYL* (239r5, 7)
קוֹנְשוִייל - *QWoNŠWuYYL* (239v20)
***consuel, -uil**, m* (10. Jh. *conseil*; < lat. CONSĬLIUM) 'Rat, Empfehlung; Überlegung' (TL 2, 721–726 *conseil, consoil*; FEW 2, 1071a *conseil, consoil*, judfr. *consail*; AND2 OE *conseil*; DAF 124a *conse(i)l*; DMF *conseil*; Saye 129 *konsuil, konsuél*). In den konsultierten Lexika ist eine Form **consuel* nicht belegt; das Ergebnis einer ostfranzösischen Entwicklung Ĭ > [e] > [ói] > [wɛ] ist hier wahrscheinlich zugrunde zu legen.[423] Die in FEW als «judfr.» angegebene Form ist in *Fevres* nicht anzutreffen. In f. 239v20 («meter consuil à foe») ist eine Bedeutung wie 'Beachtung, Aufmerksamkeit schenken' anzunehmen, die sonst nicht belegt ist (cf. FEW 2, 1071 *mettre en conseil* 'faire délibérer sur').

קוֹנְטֵינֱוְאֶה - *QWoNṬeYNWu'əH* (239r15)
***contenu**, adj. contenue* → siehe s. v. *fevre*

קוֹנְטֵינֱוְאֵימֵינְטְא - *QWoNṬeYNuW'eYMeYNṬə'* (160v21)
***contenuemente**, adv.* (1272 *continu*; < lat. CONTINUUM) 'fortwährend' (TL 2, 773 *continüement* s. v. *continu*; FEW 2, 1109a–b mfrz. *continûment*; AND2 OE *contenuiement* s. v. *continuelment*; DAF 126b *continu* s. v. *continuer*; DMF *continument*; Saye 130 *kontenueméntˊ*). Die Datierung des FEW für den Erst-

423 In den östlichen Dialekten entwickelte sich sonst das [ei̯] zu [oi̯] (cf. 1.5.1); *-i-* vor *-l-* in *conseil* war also hier nicht nur, wie sonst im Afrz., graphisch für [ʎ] bedingt, was die Weiterentwickling zu *consoil* zeigt (Rheinfelder 1963, 116).

beleg des adv. («seit 1555», FEW 2, 1109b) ist entsprechend zu korrigieren. Für die Alternation zwischen *-e-* und *-i-* cf. die Einleitung (1.4.2).

קוֹנְטְרֵיאְה - *QWoNṬReY'əH* (240v23)
***contrée***, *f* (1080; aus lat. CONTRA) 'Gegend, Land' (TL 2, 793; FEW 2, 1111a; AND2 OE *contree*; DMF; RLJ 246 *contrede*; Saye 130 *kontrée*). Die in RLJ angegebene «judfr.» Variante ist in *Fevres* nicht vertreten. Fehlt DAF.

קוֹבֵֿינְט - *QWoVeYNṬ* (101v19)
קוֹבֵֿיינְט- *QWoVeYYNṬ* (165r3, 169v9, 21)
קוֹנְבֵֿיינרוֹיֵיט - *QWoNVeYYNRWoYeYṬ* (161r13)
***convent***, *v. impers.* (1080 *convient*; < lat. CONVENIT) *convenroit (3. sg. cond.)* 'es ist angemessen, es ist angebracht' (TL 2, 981 s. v. *covenir*; FEW 2, 1127a *il convient*; AND2 OE *co(n)venir, v. impers.*; DAF 136a *id.*; DMF s. v. *convenir* III; Kiwitt 173 s. v. *covenir*; Saye 130 *kovént* s. v. *konvenir*). *Convenroit* steht hier ohne Subjektpronomen. Das Fehlen eines epenthetischen *-d-* in *convenroit* entspricht den dialektalen ostfranzösischen Gegebenheiten des Texts (cf. 1.5.1); für die Diphthongreduktion cf. 1.5.1; für die Repräsentation von Nasalkonsonanten cf. 1.4.2.

קוֹרַל רוֹגְֿא - *QWoRaL RWoĞə'* (159v2)
***coral roge***, *m* (13. Jh.) 'rote Koralle' (TL 2, 813 *coral roge* s. v. *coral*). *Coral roge* ist eine Lehnübersetzung von lat. *corallus rubeus*, das in *Fevres* als **corali rubi* erscheint (f. 159v1). TL (2, 813) zitiert *Rég. du corps* 107, 28: «coral blanc et roge»). Weitere Referenzen zu *coral* (1125; < splat. *corallum*): FEW (2, 1178a); DAF (131a); AND2 OE; DMF *corail*$_1$; Saye (131 *koral*). Für Referenzen zu *roge* cf. s. v. Cf. auch im *Lateinischen Glossar* s. v. **coralum rubeum*.

קוֹרַאנְטְא - *QWoRa'NṬə'* (159v25, 176r6)
***corant***, *adj.* → siehe unter *eve* und *plae*.

קֻורְטְא - *QuWRṬə'* (166v11)
קוֹרִיר - *QWoRiYR* (167r4)
***corir***, **[*cu-*]**, *v. intr.* (12. Jh.; < lat. CURRERE) **curte (3. sg.)* 'fließen' (TL 2, 864 'laufen (vom Wasser)'; FEW 2, 1571b *courir*; AND2 OE *corir* s. v. *coure*; DAF 131b *cor(r)e* 'courir'; DMF *courir* I.B (d'un liquide) 'couler, s'écouler, se répandre'; Saye 131 *korir* 'to run'). FEW gibt *corir* als moderne nordostfrz. Variante Die Bedeutung 'fließen' (von Flüssigkeiten) fehlt DAF. *Curte* (f. 166v1) steht für *curt* (3. sg. ind. praes., Rheinfelder 1967, 251).

קוֹרְנְא דְאשֵׁירְפְֿא - *QWoRNə' Də'ŠeYRFə'* (159v7)
***corne de cerf***, *f* (13. Jh.; < mlat. *cornu cervinum*) 'Hirschhorn-Wegerich (Plantago cornopus L.)' oder Ammi maius L. (FEW 2, 614a mfrz. *corne-de-cerf* 'pes

milvi, espèce de plantain', 2-2, 1196a 'plantain'; AND2 OE *corn de cerf* s. v. *corn* 'hartshorn, plantain'; DMF s. v. *corne* I.A.3 *corne de cerf*, 'plantain'; Saye 131 *korne de serfe* 'hart's horn fern'). Der Terminus scheint im Frz. vor *Fevres* nur in *Pop Med* (13. Jh., zit. nach AND) belegt zu sein. *Pes milvi* (FEW 2, 614a) ist gemäß NPRA (194), auf CGL (3, 535, 38 und 549, 46) rekurrierend, gleichzusetzen mit *ami*, eventuell Ammi maius L. Weitere bei FEW (2, 1196a) angegebene (moderne) dialektale Bedeutungen sind 'lactuca perennis' (Poitou), 'cresson alénois' (Limousin, so auch DAO 824.3-1, *corno de cerf*), 'hydnum (esp. de champignon)' (nfrz.). Fehlt TL, Gdf und DAF.

קוֹרוֹפְּשְׁיאוֹן – *QWoRWoPŠiY' WoN* (165v5, 167v25)
***coropsion*** → siehe unter *conropsion*.

קוֹרוֹשׁוּשׁ – *QWoRWoŠWuŠ* (240v22)
****coroçus***, *adj.* (11. Jh.; von *corocier* < vlat. **corruptiare*) 'zornig, bekümmert' (TL 2, 899 *coroços* s. v. *corroços*; FEW 2, 1235b *coroçous*; Gdf 2, 307c *coroços*, *coroçous*; AND2 OE *coroz*, u. a. s. v. *corus*; DMF *courrouceus* B; DAF 132b *coroços* s. v. *corocier*; Saye 132 *korosus*, *s.*).

קוֹרְץ – *QWoRẒ* (158r12, 160r1, 5, 164r5, 7, 8, 12, 24, 164v19, 24, u. v. m.)
***cors***, *m* (9. Jh.; < lat. CORPUS) '(menschlicher) Körper' (TL 2, 903; FEW 2, 1212a; AND2 OE; DAF 133a; DMF I.A; Kiwitt 173; Saye 130).

קוֹטֵי – *QWoṬeY* (165r8, 168r4, 170r18, 173v22, 174r1, 175v3, 176r16, 179r14)
קוֹטֵייץ – *QWoṬeYYẒ* (168r5)
קוֹטֵיאְה – *QWoṬeY'H* (178v19)
***coté***, *m* (1080; < lat. COSTAM) *cotés (pl.)* '(Körper-)Seite' (TL 2, 932; FEW 2, 1251a; DAF 134b *coste*; DMF A.1; Kiwitt 173; Saye 132 *koté*).

קוֹטוֹמְא – *QWoṬWoMə'* (171r4)
****cotome***, *f* (1080 *costume* 'Gewohnheit'; < lat. CONSUETŪDINEM) 'Gewöhnung' (TL 2, 943 *costume* 'Brauch, Gewohnheit'; FEW 2, 1091a altfrz. *costume*, altwallon. *coustome*; AND2 OE *costome* s. v. *custume*; DAF 135a *costume*; DMF *coutume*; Saye 133 *kotome*). Eine Variante mit [o] in der Tonsilbe belegen FEW für den altwallonischen Dialekt um Lüttich sowie AND für das Angl.-Nor.; das adj. *costomier* ist auch für das Altchampagn. nachgewiesen (cf. FEW 2, 1091a). Vorkonsonantisches *-s-* ist in *Fevres* bereits geschwunden (cf. Einleitung, 1.5.2). Cf. auch **cotumer*, *adj.*

קוֹטֻומֵיר – *QWoṬuWMeYR* (163v12)
קוֹטֻומֵייר – *QWoṬuWMeYYR* (166v20)
****cotumer*** *adj.* (12. Jh. *costumier*; von *costume*, *f*) 'gewohnt' (TL 2, 945 *costumier*; FEW 2, 1091a *id*; AND2 OE *costumer* s. v. *custumer*; DAF 135 *costumel*; DMF

s. v. *coutumer* (verbe) A, part. passé en empl. adj. 'habituel'; Saye 133 *kotomér*). Zur Transkription von *-e-* in betonter Silbe cf. 1.4.2. Cf. auch s. v. **co-tome, f.*

קוֹבָאנְט – *QWoVa'NṬ* (179v20)
***covant***
→ פַר אִי טֵייל קוֹבָאנְט – *PaR 'iY ṬeYYL QWoVa'NṬ* (179v19–20)
***par itel covant**, adv.* (12. Jh. *par tel covent*; von *tel* < lat. TALEM bzw. < lat. CONVENTUM) 'bei diesem Versprechen' (TL 2, 988 *par tel covent/covant que* 'mit dem Versprechen, dass'; FEW 2, 1130b *par (tel) couvent que* 'à condition que'; Gdf 2, 348c *par covent* 'à condition'; AND2 OE *par tel covent que* s. v. *covent* 'on condition that'; DMF s. v. *convent* III *par (un) tel convent* 'à telles conditions'; DAF 136a *par un convent* 'je vous assure', *par covent que* 'à condotion que'; Saye 133 *kovant* 'covenant, agreement').

קוֹבֵייטֵינְט – *QWoVeYYṬeYNṬ* (160r17)
**[coveiter]**, *v. tr.* (12. Jh. *covoitier*; von *covoitié* < lat. CUPIDITATEM) *coveitent (3. pl.)* 'trachten nach, begehren' (TL 2, 1001–1002 *covoitier*; FEW 2, 1552a *covoitier, coveyter*; AND2 OE *coveiter, coveter*; DAF 136a *covoitier, coveitier*; DMF *convoiter* A; Saye 133 *kovétént* s. v. *konvoitér*).

קוֹבֵייטִיזְא – *QWoVeYYṬiYZə'* (160r19)
***coveitise**, f* (12. Jh. *covoitise*; von *covoitié* < lat. CUPIDITATEM) 'Gier, Verlangen' (TL 2, 1002; FEW 2, 1151b *covoitise*; AND2 OE *coveitise, covetise*; DAF 136a; DNF *convoitise* A; Saye 133 *kovétize*). Die Variante *coveitise* ist auch bei Chrétien de Troyes belegt (cf. TL 2, 1002).

קוֹבֵייטוּץ – *QWoVeYYṬWuẒ* (160r17)
***coveiteus**, adj.* (12. Jh. *covoitous*; von *covoitié* < lat. CUPIDITATEM) 'habgierig' (TL 2, 1002; FEW 2, 1552a altfrz. mfrz. *covoitous*, mfrz. *coveteux*; AND2 OE *coveitus, covetus*; DAF 136a *coveitos* 'désirable'; DMF *convoiteux* A.2; Saye 133 *kovétuç*). Diese Variante belegt TL auch für den champagn. Autor Chr. de Troyes. Für die Repräsentation von [ø] cf. die Einleitung, 1.4.2.

קוֹבְרֵייץ – *QWoVReYYẒ* (177v14)
**[covrir]**, *v. tr.* (1080; < vlat. **coperire* < lat. COOPERIRE) *covrez (2. pl. imp.)* 'bedecken, zudecken' (TL 2, 1003; FEW 2, 1140b altfrz. *couvrir*, judfr. *cuvrir*; AND2 OE s. v. *coverir*; DAF 137a; DMF *couvrir* I.A; Kiwitt 174; Saye 133 *kovrir*). Die in FEW als «judfr.» gekennzeichnete Variante *cuvrir* ist in *Fevres* nicht vorhanden. FEW belegt (modernes) lothr. *kǫvri* (Metz; FEW 2, 1141a).

קְרֵיאוֹיֵיט – *QReY' WoYeYṬ* (162v10)
**[creire]**, *v. tr.* (10. Jh.; < lat. CREDERE) *creoit (3. sg. impf.)* 'glauben' (TL 2, 1072 *croire*, 1073 *creire*; FEW 2, 1298b; AND2 OE; DAF 138b; DMF *croire* I).

קְרִיבְלֵייץ – *QRiYBLeYYẒ* (179r10)
**[cribler]**, *v. tr.* (13. Jh.; von lat. CRIBRARE) *criblez (2. pl. imp.* 'sieben, reinigen' (TL 2, 1052; FEW 2, 1333b mfrz. nfrz. *cribler*; AND2 OE *cribler* s. v. *cribrer*; DMF; Saye 134 *kriblér*). Die in TL angeführten Zitate stammen frühestens aus dem 14. Jh. (*Voc. Evr., Ménag.*); FEW (2, 1333b: «seit 1462»); AND kann das Verb aus *Pop Med* (13. Jh.) belegen. Fehlt DAF.

קְרִיזִי – *QRiYZiY* (101v21, 164v10, 167v6, 21, 169v6)
***crisi**, *m* (13. Jh. *crisim, crisis*; von lat. CRISIS) 'Krise, Wendepunkt (einer Krankheit)' (FEW 2, 1345a mfrz. *crisin* 'schwerer gesundheitlicher Anfall'; AND2 OE *crisis* 'crisis'; DMF *crise* méd. 'paroxysme de la manifestion d'une maladie qui décide de son évolution'; Kiwitt 105; Saye 134 *krisi, krizi* 'Krise'). Griechisch κρίσις bedeutet ursprünglich ganz allgemein 'Entscheidung' (LS 997a) und wurde als *crisis* ins Lateinische in Konkurrenz zu *discrimen* mit der Bedeutungserweiterung 'entscheidende Wendung (im Leben)' entlehnt (z. B. Seneca, *Epist.* 83,4; cf. ThLL 4, 1206; OLD 460a; GH 1, 1764). In dieser Bedeutung geht das Wort in die mittelalterlichen Medizinfachsprache über und wird speziell auf den entscheidenden Höhe- und Wendepunkt einer Krankheit angewandt, cf. z. B. MLWB (2, 2022b): *crisis*, 'discrimen morbi' (z. B. bei Pseudo-Galen, *Urin.* p. 9,10; Constant. Afric. *Theor. praef.* p. 1a[r;] Gloss. Salern. p. 14,10 oder DETEMA (1, 426c): *crisis*, 'mutación considerable que sobreviene en una enfermedad, ya sea para mejorarse, ya para agravarse el enfermo'. Das Wort ist im Altfrz. außerhalb von *Fevres* nur in angl.-nor. Medizintexten belegt. Die hebr. Graphie *QRiYZiY* spiegelt die französische Aussprache wieder: Finales [-s] ist bereits geschwunden (cf. 1.5.2). Fehlt TL, Gdf und DAF.

קְרִישׁוֹן דְא פוֹנְטֵיינְא – *QRiYŠWoN Də' FWoNṬeYYNə'* (176r8–9)
***crison de fonteine**, *m* (13. Jh.; aus anfrk. **kresso*; splat. *fontana*) 'Brunnenkresse (Nasturtium officinale R.Br.)' (TL 1, 1036 *cresson de fontaine* s. v. *cresson* 'Kresse'; FEW 16, 385a norm. *id.*; AND2 OE *id.* s. v. *cresson* 'watercress'; Saye 134 *krison de fontéine*). Für die Alternation von *-e-* und *-i-* (*cresson* – **crison*) cf. 1.4.2. Fehlt DAF (nur *cresson*, 139a); DMF (nur $cresson_1$).

קְרוֹייטְאַרַא – *QRWoYYṬə'Ra'* (165v7)
קְרוֶּאָה – *QRWu'əH* (166r6)
קְרוֹיֵיט – *QRWoYeYṬ* (179r1)
קְרֵיט – *QReYṬ* (179v18)
**[croitre, *creitre]**, *v. intr.* (1080 *creistre*; < lat. CRESCERE) *croit, *cret (3. sg.), croitera (3. sg. fut.), crue (part. perf. f)* 'wachsen, entstehen' (TL 2, 1083 *croistre*; FEW 2, 1323a *creistre*, 1323b *croistre*; AND2 OE *croistre* s. v. *creistre*; DAF 138b *creistre, croistre*; DMF *croitre, croistre* I.B; Kiwitt 174; Saye 135

*kroitér*). Vorkonsonantisches *-s-* ist in *Fevres* bereits geschwunden (cf. Einleitung, 1.5.2); die erst für das Nfrz. angegebene Form in FEW (2, 1323b) *croître* ist dort vorzudatieren. Das part. *crue* (f. 166r6) ist bei Saye (135, *krue*) unter *kru, adj.*, 'raw, crude', eingeordnet; vor dem Hintergrund des möglichen Quellentexts («est de apostemate in suo foramine orto», Constant. Afric. *Febr.*, f. CCXVIIIr, col. B) ist dies zu korrigieren.

קְרוּאֵייץ - *QRWu'YeYẒ* (175v18)
***cru***, *adj.*, (12. Jh.; < lat. CRUDUM) *crues (f pl.)* 'roh, ungekocht' (TL 2, 1102; FEW 2, 1368a; AND2 OE; DAF 141b; DMF *cru*$_2$ A,B; Saye 135 *kru*).

קְרוּץ - *QRWuẒ* (165r22, 166r20, 21)
***crus***, *m* (12. Jh.; von *crues, adj.* < gall.? **krosu-*) 'Loch, Öffnung, Kavität (eines Organs)' (TL 2, 1108 *crues, cros*; FEW 2, 1362b *crues*; AND2 OE *crus* s. v. *cros*; DAF 139b *creus, adj.*; Saye 135 *kruç*). Die Semantisierung des medizinfachsprachlichen Terminus ist in AND belegt, fehlt aber in TL und FEW. Eine Form mit *-u-* belegt FEW für den (modernen) okzit. Dialekt des Aveyron (Rouergue): *crus de l'estomac* 'Magengrube'; die Variante in *Fevres* ist evenell auch *creus* (cf. DAF 139b) zu lesen (cf. Einleitung, 1.4.2).

קֻוִיר - *QWuYR* (164v16, 20, 165v17, 166r1, 166v7, 168v22, 169r5, 170v14, 177r10)
***cuir***, *m* (1080; < lat. CORIUM) 'Haut, Epidermis' (TL 2, 1132; FEW 2, 1186b; AND2 OE; DAF 143a; DMF; Saye 136 *kuir*).

קֻוִיט - *QWuYṬ* (168v4)
קֻוִיש - *QWuYŠ* (169v23, 176r4)
קֻוִיטֵייץ - *QWuYṬeYYẒ* (175v18)
קֻוִירְא - *QWuYRə'* (178r21)
קֻוִיזֵייש - *QWuYZeYYŠ* (178v16)
קֻוִיטְא - *QWuYṬə'* (178v18)
***cuire***, *v. tr.* (10. Jh.; < vlat. **cocere) cuisez (2. pl. imp.), cuit (part. perf.), cuite (part. perf. f), cuis (part. perf. pl.), cuites (part. perf. f pl.)* 'kochen; verdauen (im Sinne der Humoralpathologie)' (TL 2, 1133–1134; FEW 2, 1162b; AND2 OE; DAF 143a 'cuire'; DMF II.C 'digérer'; Saye 136 *kuire*). Die medizinfachsprachliche Bedeutung fehlt DAF.

קֻומֻונַאמֵינְט - *QWuMuWNa'MeYNṬ* (168r2)
***cumunament***, *adv.* (1080; von *comun, adj.* < lat. COMMUNEM) 'gemeinsam' (TL 2, 641 *comunement*; FEW 2, 962a *communement*; AND2 OE *comunament* s. v. *communalment*; DAF 119b *comunement*; DMF *communement* A.1; Saye 136 *komunamént*). Eine Variante mit *cu-* belegt FEW für frankoprov. *cumun*, 'terrain qui appartient à la commune'. Cf. auch Kiwitt (103) für das adj. *comun* 'qui est ordinaire, qui se rencontre fréquemment'.

קוֻרְא - *QWuRə'* (162v26, 163r24)
קֻורְא - *QuWRə'* (163v1, 169r18$_{2x}$, 175v5, 8)
***cure***, *f* (1080; < lat. CURAM) 'Behandlung, Heilung' (TL 2, 1157; FEW 2, 1557b; AND2 OE; DAF 143b s. v. *curer*; DMF A,B; Kiwitt 174).

קֻורְא - *QuWRə'* (174v3, 177r8)
קוֻרֵי - *QWuReY* (175r9)
קֻורוֹמֵייש - *QuWRWoMeYYŠ* (175v7)
קוֻריֵיץ - *QWuRYeYẒ* (177r11, 21)
קוֹרֵייץ - *QWoReYYẒ* (177v19)
קֻורֵייץ - *QuWReYYẒ* (177v23)
קוֻרֵייץ - *QWuReYYẒ* (178r1)
[***curer***], *v. tr.* (12. Jh.; < lat. CURARE) *cure (3. sg.), curomes (1. pl.), curez (2. pl. imp.), curé (part. perf.), curés (part. perf. pl.)* 'heilen, behandeln' (TL 2, 1159; FEW 2, 1558b; AND2 OE; DAF 143b; DMF II.C; Kiwitt 174; Saye 136 *kurér*).

קֻורְטְא - *QuWRṬə'* (166v11)
***curir*** → siehe s. v. *corir*

D

דַאמְש - *Da'MŠ* (159v19)
דַאמְא - *Da'Mə'* (163r1)
***dame***, *f* (1080; < lat. DOMINAM) *dames (pl.)* 'Frau; (adlige) Dame' (TL 2, 1177; FEW 3, 123b; AND2 OE; DAF 145b; DMF; Saye 55). Cf. auch unter *fleur*.

דְאבוֹנֵייְרְא מֵינְטְא - *Də'BWoNeYYRə' MeYNṬə'* (162r24)
***deboneirement***, *adv.* (10. Jh.; von *de bon aire* < lat. BONAM AREAM) 'freundlich' (TL 2, 1237; FEW 1, 134b *de bon(e) aire, adj.*; AND2 OE; DAF 148a *debonaire, adj.*; DMF *debonnairement* B; Saye 56 *debonérement*).

דֵיקְלִינַאנְט - *DeYQLiYNa'NṬ* (101v9)
דֵיקְלִינְאַנְט - *DeYQLiYNə'aNṬ* (239v14)
דֵיקְלִיינְאֵי - *DeYQLiYYNeY* (240r16)
[***decliner***], *v. tr.* (Erstbeleg der Bedeutung, 1080 'sich neigen'; < lat. DECLINARE) *declin(e)ant (part. praes.), decliné (part. perf.)* 'sich beugen, nachgeben (von Substanzen im menschlichen Körper)' (TL 2, 1255 'sich neigen'; FEW 3, 26a 'pencher'; AND2 OE 'to incline'; DAF 149b 'pencher, incliner'; DMF *décliner* I.C; ATC 234b 'baisser, descendre'; Saye 58 s. v. *déklénér*, 'to turn aside, hinder'). Die in Saye angegebenen Bedeutungen sind für die vorliegenden Textstellen abzulehnen; der humoralpathologische Terminus be-

zeichnet hier das Nachgeben von Substanzen, insbes. Körperflüssigkeiten im menschlichen Organismus. Diese fachsprachliche Bedeutung ist in den Lexika zu ergänzen.

דֵיקוֹקְצִיאוֹן – *DeYQWoQẒiY'WoN* (173r7, 176v3, 22, 240r10)
דְאקוֹקְצִיאוֹן – *Də'QWoQẒiY'WoN* (173v1, 176v1)
דֵקוֹקְצִיאוֹן – *DeQWoQẒiY'WoN* (176v6)
***decoccion***, *f* (13. Jh.; < mlat. *decoctio*) 'Absud' (TL 2, 1257; FEW 3, 26a; AND2 OE s. v. *decoction*; ATC 235a 'mélange'; DMF *décoction* A 'liquide dans lequel certaines substances végétales ont été cuits, décoction'; Kiwitt 106 'liquide obtenu en faisant boillir dans l'eau une substance pour en extraire les composants solubles'; Saye 58 *dekokçion*). Entlehnung aus dem mlat. *decocotio*, 'Aufguss, Absud' (MLWB 3, 108). Für weitere Belege cf. Kiwitt (106).

דְאפַֿאלַיינְא – *Də'Fa'LaYYNə'* (239v23)
דֵאפַֿאלַאנְט – *De'Fa'La'NṬ* (240r3)
****defalant***, ****-ain***, *adj.* (1130; von *(de)falir* < lat. FALLERE) *defalaine (f)* 'geschwächt' (AND2 OE *defaillant* s. v. *defaillir*; GR 3, 214b *défaillant* 'qui s'affaiblit, décline'; DMF *défaillant* I.A 'qui fait défaut, qui est absent'; Saye 56 *defalaine, adj.* und *défalant* s. v. *defaillir*). Altfrz. *defalir*, 'mangeln', ist seit 1080 belegt (TL 2, 1273; DAF 150b *defaillir*); Derivationen des Typs *défaillant* gibt FEW (3, 388a-b) erst für spätere Sprachstufen an, z. B. mfrz. nfrz. *défaillant, m* 'celui qui fait défaut à l'assignation'. Das auf der Basis des part. praes. gebildte adj. ist in TL und FEW zu ergänzen. Die feminine Form *defalaine* scheint verschrieben.

דֵיפַֿאוֹט – *DeYFa'WoṬ* (169r6)
***defaut***, *f* (12. Jh. *defaut* 'Mangel' < lat. FALLERE) 'Ausbleiben, Versagen (von Kräften im menschlichen Körper)' (TL 2, 1274 'Mangel'; FEW 3, 388b *défaut* 'absence, manque de qqc', «seit 14. Jh.»; AND2 OE; DMF A.1 'manque, absence, défection, privation'; Saye 56 *défaot* s. v. *défate*). Die Datierung des Erstbelegs ist in FEW zu korrigieren. Eine humoralpathologische Semantisierung des Terminus ist durch die Lexika nicht gegeben. Für die Repräsentation von [au̯] cf. die Einleitung (1.4.2). Cf. auch s. v. *faute*.

דֵיפֵֿנְדְרוֹמֵייץ – *DeYFeNDRWoMeYYẒ* (240r18, 23)
[***defendre***], *v. tr.* (11. Jh.; < lat. DEFENDERE) *defendromes (1. pl.)* 'verbieten' (TL 2, 1278; FEW 3, 28b; AND2 OE; DAF 151a; DMF *défendre*$_1$ III.A; Kiwitt 174; Saye 56 *deféndér*).

דֵפְֿרַאנְשְׁא – *DeFRa'NŠə'* (102r7)
דֵיפְֿרַאנְצְא – *DeYFRa'NẒə'* (166r12, 169r11)
דֵפְֿרַאנְצְא – *DeFRa'NẒə'* (175v8)

***deferance***, *f* (1160; aus lat. DIFFERENTIAM) 'Unterschied' (TL 2, 1923 *diference*; FEW 3, 73b *différence*; AND2 OE *deferance* s. v. *difference*; DAF 179a *diference*; DMF *différence* I.A; Kiwitt 174; Saye 57 *déferançe*). Zur Oszillation zwischen *-e-* und *-i-* cf. die Einleitung, 1.4.2; für die Alternation zwischen [ã] und [ɛ̃] 1.5.1.

דֵיפִינְא – *DeYFiYNə'* (163v1)
**[*definer*]**, *v. intr.* (12. Jh.; von *finer* < lat. FINIRE) *define (3. sg.)* 'enden' (TL 2, 1286; FEW 3, 558a; AND2 OE; DAF 151b; DMF A; Kiwitt 174; Saye 57 *definir*).

דְאגַאשְׁטֵיאְה – *Də'Ga'ŠṬeY'əH* (164v26)
דְאגַאטְרוֹיֵיט – *Də'Ga'ṬRWoYeYṬ* (239r15)
**[*dega(s)ter*]**, *v. tr.* (1080; < *gaster* < vlat. **wastare* < lat. VASTARE) *degastée (part. perf.), degatroit (3. sg. impf.)* '(zer-)stören; aufzehren' (TL 2, 13032–1303 *degaster*; FEW 14, 204a *degaster*, Quimperfr. *dégâter*; AND2 OE *degaster*; DAF 152a *id*; DMF *dégaster* A.1.; Kiwitt 174 *degater*; Saye 57 *dégatér*). Ausnahmsweise erscheint in f. 164v26 in der hebr. Transkription vorkonsonantisches *s-*, das sonst in *Fevres* geschwunden ist (cf. Einleitung, 1.5.1). Cf. FEW (14, 206a) für den Einfluss des germanischen **wôstjan* auf den romanischen Anlaut *g-*.

דֵילִיאַץ – *DeYLiY'aẒ* (160r16)
**[**delial*]**, *adj.* (12. Jh. *desleal*; von *le(i)al* < lat. LEGALIS) *delias (pl.)* 'perfide, hinterlistig' (TL 2, 1629 *deslëal*; FEW 5, 240a *desleal*; AND2 OE *deleal* s. v. *desleal*; DAF 167a *id.*; DMF *desloyal* B 'qui manque de loyauté, de droiture'; Saye 58 *déliaç, pl.*). Vorkonsonantisches *s-* ist in *Fevres* geschwunden (cf. Einleitung, 1.5.1). Zur Alternation zwischen *-e-* und *-i-* cf. die Einleitung, 1.4.2. Des Weiteren ist hier die Reduktion in der Pluralendung von zu erwartendem *-aus* (cf. *deslëaus* in Chr. de Troyes, *Erec* 3650, zit. nach TL 2, 1629) zu *-as* eingetreten; eine ähnliche Entwicklung ist auch bei der Pluralbildung von *boiel* zu beobachten (cf. s. v. *boiel*; cf. 1.4.2).

דְאלִישִׁיאוּשׁ – *Də'LiYŠiY'WuŠ* (177r2)
***delicieus***, *adj.* (Erstbeleg für die Bedeutung; von lat. DELICIOSUM) 'geschwächt, anfällig (von der Gesundheit)' (TL 2, 1331 *deliciös*; FEW 3, 34a altfrz. *délicieux*; Gdf 2, 483c *delicieus*; AND2 OE *delicious* s. v. *delicus*; Saye 58 *delisius*). Der Erstbeleg des adj. in dieser Bedeutung stammt aus HMond (14. Jh.); der *Fevres*-Beleg ist früher anzusiedeln. Zur Repräsentation von frz. [ø] cf. die Einleitung, 1.4.2. Fehlt DAF; DMF.

דְאמַאנְדְא – *Də'Ma'NDə'* (160r15)
**[*demander*]**, *v. tr.* (1080; < splat. *demandare*) *demande (3. sg.)* 'fragen, verlangen' (TL 2, 1369; FEW 3, 36a; AND2 OE; DAF 155b; DMF I.A, II.A; Saye 59 *demandér*).

דְאמְיאָה - *Də'MiY'əH* (156v9, 11, 21, 157r23, 158r8, 24, 158v3, 159v4, 160v17, 24, u. v. m.)
דְאמְי - *Də'MiY* (157r7, 161r22, 162r2, 162v13, 173r21, 179r7)
דְמְי - *DMiY* (157r13, 172r19, 179r7, $8_{2x}$)
***demi***, *adj.* (11. Jh.; < vlat. **dimedius*) *demie* 'halb' (TL 2, 1374; FEW 3, 80b; AND2 OE; DAF 156a; DMF I; Kiwitt 175; Saye 59).

דְאמֻורְא - *Də'MuWRə'* (161r19, 164v20, 165r20, 165v14, 15, 22, 168r1, 19, 168v8, 10, u. v. m.)
דְאמֻויירְא - *Də'MuWYYRə'* (161v13)
דְאמֻורֵינְט - *Də'MuWReYNṬ* (168r21, 169r9)
דְאמוֹרֵי - *Də'MWoReY* (173v5)
דְאמוֹרְא - *Də'MWoRə'* (179r16)
דְמֻורְא - *DMWuRə'* (239v25)
***demorer***, *v. intr.* (1080; < lat. DEMORARI) *demeure (3. sg.), demeurent (3. pl.), demoré (part. perf.)* 'bleiben' (TL 2, 1383; FEW 3, 38a; AND2 OE s. v. *demurer*; DAF 156b; DMF *demeurer* B; ATC 235b; Kiwitt 175; Saye 59). Der Übergang von [u̯ɛ] zu [œ] war mit Ausgang des 13. Jh. in allen Dialekten der *langue d'oïl* abgeschlossen (cf. Rheinfelder 1963, 28), so dass davon ausgegangen werden kann, dass die Alternation der Transkription des Tonvokals zwischen *-o-* und *-u-* die Unsicherheit anzeigt, mit der der im Hebr. inexistente Laut [œ] wiedergegeben werden kann (cf. Einleitung, 1.4.2). Die endungsbetonten Flexionsformen haben *-o-* erhalten (f. 173v5).

דֵינַאטֻורֵייאָה - *DeYNa'ṬuWReYY'əH* (164r10, 164v8–9)
דֵינַאטֻורֵיאָה - *DeYNa'ṬuWReY'əH* (174r20)
**[*denaturé*]**, *adj.* (12. Jh. *desnaturé* (wallon.); von *naturé*, cf. ibid.) *denaturée (f)* 'unnatürlich, denaturiert, krankhaft verändert' (DEAFpré s. v. *nature*; FEW 7, 47b altfrz. *desnaturer* 'sich verstellen'; AND2 OE *denaturel* 'unnatural, perverse'; DMF s. v. *desnaturer* III part. passé en empl. adj.; Saye 60 *dénaturée* 'denatured'). Das gemäß FEW und AND in einer anderen Bedeutung belegte medizinterminologische adj., das entweder Substanzen wie Körpersäfte (*colra*, f. 174r20) oder humoralpathologische Kräfte spezifiziert, ist offensichtlich das Antonym zu *naturé* (cf. unter ibid.), und bezeichnet die Veränderung gegenüber natürlichen, nicht pathologischen Gegebenheiten. Cf. auch unter *euvre*. Fehlt TL und DAF.

דְאפַרְטִיר - *Də'PaRṬiYR* (168v20)
***departir***, *v. tr.* (1080; < *partir* < lat. PARTIRE) 'trennen' (TL 2, 1409; FEW 7, 648b; AND2 OE; DAF 157b; DMF; ATC 236a; Saye 60 *départir* 'to leave'). Die Auflistung aller Formen unter einem Lemma in Saye ist zu überdenken,

zumal die unterschiedlichen Valenzen des Verbs Bedeutungsveränderungen implizieren (s. u.).

דְאפַּרְטִיאְה – *Də'PaRṬiY'əH* (173v4)
[***departir***], *v. intr.* (1080; zur Etymologie cf. s. v. *departir, v. tr.*) *departie (part. perf. f)* 'verschwinden (von Krankheiten)' (TL 2, 1411; FEW 7, 684b; AND2 OE; DAF 158a; DMF III.B; Kiwitt 175; Saye 60 *départir*). Die Anwendung des Verbs auf Krankheiten ist in den Lexika nicht belegt.

שְׁא דְאפַאְרְט – *Šə' Də'Pa'RṬ* (166r10, 17)
שְׁדְפַּרְטִירַא – *ŠDPaRṬiYRa'* (174r5)
שְׁדְאפַּרְטִירַא – *ŠDə'PaRṬiYRa'* (174r7)
[***departir***], *v. refl.* (12. Jh.; zur Etymologie cf. s. v. *departir, v. tr.*) *se depart (3. sg.), se departira (3. sg. fut.)* 'sich trennen; sich verteilen' (TL 2, 1410; FEW 7, 684b; ATC 236b; AND2 OE; DAF 157a; DMF III.A; Saye 60 *départir* 'to leave').

דֵיפִּיטְא – *DeYPiYṬə'* (101r15)
[***depiter***], *v.tr.* (Erstbeleg der Bedeutung, 1272 *despiter* 'verachten'; < lat. DESPECTARE) *depite (3. sg.)* 'abstoßen' (TL 2, 1701 *despitier* 'geringschätzen, missachten'; FEW 3, 54b *id.* 'mépriser'; AND2 OE *id.*; DAF 169b *id.*; DMF *despiter* A 'mépriser'; Saye 60). Das Verbum wird in *Fevres* als medizinischer Terminus technicus für das Abstoßen von Substanzen aus dem menschlichen Körper verwendet. Zum Schwund von vorkonsonatischem *s-* cf. 1.5.1.

דְארְקֵֿיףֿ – *Də'RČeYF* (172r9)
***derechef***, *adv.* (1130; von *chief* < lat. CAPUT) 'von neuem' (TL 8, 415 *(de) rechief*; FEW 2, 337b *derechief*; AND2 OE s. v. *derechief*; DMF A; Saye 61 *déréchef*). Fehlt DAF.

דֵירֵיין – *DeYReYYN* (159r1)
***derein***, *adj.* (10. Jh. *derrain*; < **dererain* < lat. DE RETRO + gall. *-anus*) 'letzter' (TL 2, 1176 *däerrain, derrain*; FEW 3, 48b *derrain*; AND2 OE; DAF 159b *derrain*; DMF *id.*; Saye 61 *dérén*).

דְארוֹיֵיט – *Də'RWoYeYṬ*
***deroit***
→ פַּר דְארוֹיֵיט – *PaR Də'RWoYeYṬ* (168r16–17)
***par *deroit***, *adv.* (13. Jh.; von *droit* < lat. DIRECTUM) 'richiger-, natürlicherweise' (TL 2, 2080 *par droit* 'von Rechts wegen'; AND2 OE *par dreit* s. v. *dreit*; DAF 185a *par droit que* 'avec cette conséquence légitime que'; DMF s. v. *droit* B.1 *par/de droit* 'à juste titre, légitimement'; Kiwitt 176 *par droit* 'von

Rechts wegen'; Saye 71 *per droét*). Das Syntagma *par droit* fehlt vollständig in FEW; die Verwendung außerhalb der Rechtssprache ist sonst in den Lexika nicht dokumentiert. Für die Epenthese von [ə] cf. 1.4.2.

דְאשַׁאקֿיֵיר - *Də'Ša'ČYeYR* (169r8)
***desacher**, v. tr.* (12. Jh. *desachier* 'zerren'; von *sachier* < vlat. **saccare*) 'an sich ziehen (von humoralpathologischen Kräften im menschlichen Körper)' (TL 2, 1452 *sac(c)hier* 'zerren'; FEW 11, 28a *desachier* 'tirer par secousses'; Gdf 2, 530a id.; AND2 OE *desachier* s. v. *desaker* 'to tear to pieces, drag away, carry off'; DAF 160a id.; DMF *desachier* I 'tirer en tous sens, par secousses'). Für die Bedeutung des Verbs in *Fevres* muss gegenüber den in den Lexika angegebenen Semantisierungen eine Deintensivierung hin zu 'an sich ziehen' angenommen werden; eine in der Bedeutung enstprechende Ableitung von lat. SACCUM belegt FEW (11, 28a) mit altfrz. *asachier*, 'attirer'. Die Verwendung des Verbs als Terminus der Humoralpathologie ist außerhalb von *Fevres* nicht dokumentiert. Zur Diphthongreduktion in der Infinitivendung cf. die Einleitung, 1.5.1. Saye (205) listet nur *sachér*, 'to draw in' (cf. s. v. *sacher*).

דְאשֵׁינְדְא - *Də'ŠeYNDə'* (158r6)
דֵישֵׁינְטְא - *DeYŠeYNṬə'* (160r7)
דֵישֵׁינְדַאנְט - *DeYŠeYNDa'NṬ* (170v3)
[***desendre**], v. intr.* (1080; < lat. DESCENDERE) *desende, desente (3. sg.), desendant (part. praes.)* 'absinken; abnehmen, zurückgehen (v. Krankheiten)' (TL 2, 1487 *descendre*; FEW 3, 51a *id.*; AND2 OE *desendre* s. v. *descendre*; DAF 161b *id.*; DMF *descendre* I.A; Saye 61 *deséndre*). Nicht transkribiertes *-c-* ist graphiebedingt. Das part. praes. des Verbs wird in f. 170v3 als medizinischer Terminus verwendet, der den Rückgang von Krankheiten bezeichnet: «la maladie vet an desendant» (f. 170v2–3). Die Lemmatisierung eines Nomens *déséndant, m,* 'descent', durch Saye (61) ist zu überdenken; cf. TL (2, 1486) *descendant, m* 'Nachkomme'; FEW (3, 51b) id.

דֵישְׁקוֹנְפִּיט - *DeYŠQWoNFiYṬ* (162r23)
***desconfit**, adj.* (12. Jh.; von *confire* < lat. CONFICERE) 'verzweifelt' (TL 2, 1519; FEW 2, 1032b; AND2 OE nur *desconfire* s. v. *descomfire* 'to defeat, break, smash, destroy'; DAF 163a nur *desconfire* 'décourager'; DMF s. v. *desconfire* C.2 part. passé en empl. adj. 'moralement brisé, découragé, déconentancé'; Saye 62 *deskonfit*). Das part. perf. von *desconfire* 'entmutigen' hat sich als eigenständiges adj. etabliert.

דֵיזֵייְרְץ - *DeYZeYYRẒ* (163v25)
[***desert**], adj.* (1120; von lat. DESERTUM) *deserts (pl.)* 'verlassen, verödet' (TL 2, 1565; FEW 3, 52b; AND2 OE; DMF *désert*$_2$ I.; Saye 65 *dézérç, pl.*). Fehlt DAF.

דְאזֵירְט - *Də'ZeYRṬ* (163v13)
***desert*** *m* (12. Jh.; von *desert, adj.*) 'Wüste, Einöde' (TL 2, 1566; FEW 3, 52b; AND2 OE; DMF *désert*$_1$ I; Saye 65 *dézért*). Fehlt DAF.

דֵישֵׁבֵרֵי - *DeYŠeVeReY* (167v22)
***desevrer***, *v. tr.* (10. Jh.; von *sevrer* < vlat. **seperare*) *deseveré (part. perf.)* 'trennen, absondern' (TL 2, 1754 *dessevrer*; FEW 11, 473b *id.*; AND2 OE; DAF 172b *id.*; DMF *dessevrer* I 'séparer'; ATC 237a; Saye 61–62 *desérvér*). Das Verb wird hier als medizinischer Terminus technicus der Humoralpathologie verwendet, der das Absondern von Trübstoffen aus Körperflüssigkeiten bezeichnet.

דֵישֵׁבְרֵיאֵייץ - *DeYŠeVReY'eYYẒ* (164r21)
***desevrer***, *v. intr.* (10. Jh.; zur Etymologie cf. s. v. *desevrer, v. tr.*) *desevrées (part. perf. f pl.)* 'sich (unter-)scheiden' (TL 2, 1755 *dessevrer*; FEW 11, 473b *id.*; AND2 OE; DAF 172b *id.*; DMF *dessevrer* II.B.2; Kiwitt 175 *id.*; Saye 61–62 *desérvér*). Für die Form cf. auch ATC (237a), siehe s. v. *desevrer, v. tr.*

דֵישְׁפְּרֵיישׁ - *DeYŠPReYYŠ* (158r19)
**[*desperer*]**, *v. intr.* (11. Jh.; < lat. DESPERARE) *desperez (2. pl.)* 'die Hoffnung aufgeben, verzweifeln' (TL 2, 1573 *desesperer*; FEW 3, 55a; AND2 OE; DMF; ATC 237b; Saye 62 *déspérér*). Fehlendes *-e-* in *desprez* ist wahrscheinlich phonetisch bedingt. In TL ist die Variante *desperer* zu ergänzen. Fehlt DAF.

דֵי טוֹרְנְא - *DeY ṬWoRNə'* (174r18–19)
**[**detorner*]**, *v. intr.* (1080 *destorner*; von *torner* < lat. TORNARE) *detorne (3. sg.)* 'abwenden, verhindern' (TL 2, 1780 *destorner*; FEW 14-2, 67b *id.*; AND2 OE *desturner, destorner*; DAF 174a *id.*; DMF *destourner* II.B; Saye 63 *détornér* 'to turn away'). Die Verbform zeigt den für *Fevres* typischen Schwund vorkonsonantischen -*s* (cf. 1.5.1); *DeY ṬWoRNə'* transkribiert also keine Form von altfrz. *detorner* 'hinwenden, richten auf' (TL 2, 1835).

דֵיטְרְא - *DeYṬRə'* (165r8, 170r18, 171r2, 175v3, 176r16)
דֵייטְרְא - *DeYYṬRə'* (168r3)
דֵישְׁטֵר - *DeYŠṬeR* (175v14)
דֵטְרְא - *DeṬRə'* (179r15)
***detre***, ****dester*** *adj.* (1080 *destre*; < lat. DEXTERUM) 'rechts' (TL 2, 1787 *destre* 'nach rechts'; FEW 3, 61b *destre*; AND2 OE *id.*; DAF 174 *id.*; DMF *dextre* I; ATC 237b *id.*; Kiwitt 175 *detre*; Saye 62 *déstér*, 63 *détre*). Die meisten Varianten zeigen geschwundenes vorkonsonantischen -*s*; die Variante in f. 175v14 hingegen weist neben dessen unüblichen Erhalt zudem auch die die Endung -*er* (statt -*re*) auf (cf. Einleitung, 1.4.2); eine lat. Lesart kann ausge-

schlossen werden, da lat. [-ks-] regelmäßig -*QŠ*- transkribiert wird (cf. etwa אוֹקְשִׁי פְּנִיסִיאַה - *'WoQŠiY FNiYSiY'aH*, f. 170r4).

דֵטְרֵיינְפְּרִיאֵייץ - *DeṬReYYNPRY'eYYẒ* (157v6)
דֵיטְרֵינְפְּרֵייץ - *DeYṬReYNPReYYẒ* (157v21, 161r7, 163r20, 179r10)
דֵטְרֵינְפְּרֵיאֵייץ - *DeṬReYNPReY'eYYẒ* (160v8)
דֵיטְרֵינְפְּרֵייש - *DeYṬReYNPReYYŠ* (160v15)
דֵטְרֵנְפְּרֵי - *DeṬReNPReY* (170r16)
דְטְרֵינְפְּרֵייץ - *DṬReYNPReYYẒ* (171r21)
דֵיטְרֵינְפְּרֵי - *DeYṬReYNPReY* (171v13)
דֵטְרֵינפְּרוֹנְץ - *DeṬReYNPRWoNẒ* (172r1)
דֵישְׁטֵנְפְּרֵייץ - *DeYŠṬeNPReYYẒ* (173r3, 175r19, 176r18)
דֵיישטֵנְפְּרֵייץ - *DeYYŠṬeNPReYYẒ* (173r15)
דֵישְׁטְרֵינְפְּרֵייץ - *DeYŠṬReYNPReYYẒ* (174r15)
***detrenper**, *v. tr.* (11. Jh.; von *temprer* < lat. TEMPERARE) *detrenprons (1. pl.), detrenprez, destrenprez, destenprez (2. pl. imp.), detrenpré (part. perf.), detrenprées (part. perf. f pl.)* 'einweichen, einrühren' (TL 2, 1795 *destremper*; FEW 13-1, 172b *détremper*; AND2 OE *destemprer, detemprer* 'to moisten (with), dissolve (in)'; DAF 173a *destemp(r)er*; DMF *destremper*₁; Kiwitt 175; Saye 62 *détrémper*). Die Transkription des Nasalkonsonanten vor bilabialem Plosiv alterniert zwischen -*n*- und -*m*-; cf. 1.4.2. Die Varianten in ff. 173r3 173r15, 174r15 weisen, in *Fevres* sonst unüblich, die Transkription von vorkonsonantischem *s*- auf (*DeY(Y)ŠṬ(R)e*-); cf. 1.5.1.

דֵיטְרֵיצְא - *DeYṬReYẒə'* (101r3)
***detrece**, *f* (1160; < vlat. **districtia*) 'Bedrängnis' (TL 2, 1790 *destrece*; FEW 3, 100a *id.*; AND2 OE *detresce* s.v. *destrece*; DAF 174a–b *id.*; DMF *destresse* A; Saye 63 *détréçe*, 'pain'). *Detrece* zeigt den für *Fevres* typischen Schwund von vorkonsonantischem *s*- (cf. 1.5.1) Die Semantisierung 'pain' durch Saye ist auf psychisches Unwohlsein zu erweitern, cf. «detrese à l'eprit» (f. 101r3); diese Bedeutung ist auch in den konsultierten Lexika verzeichnet.

דֵטְרוִֹצְא - *DeṬRWuẒə'* (239v1)
דֵיטְרוִֹצְא - *DeYṬRWuẒə'* (239v10)
דֵטְרוִֹיֵיט - *DeṬRWuYeYṬ* (240r5)
[***detruere**], *v. tr.* (1080 *destruire*; < lat. DESTRUERE) *detruet (3. sg.), detruce (3. sg. subj. imp.)* 'zerstören, zersetzen' (TL 2, 1806 *destruire*; FEW 3, 56a *id.*; AND2 OE *destrure*; DAF 174b *id*; DMF *destruire*; Saye 64 *détrure*). Das Verb wird hier im Zusammenhang mit der Humoralpathologie als Terminus technicus verwendet («detruce les cors», f. 239v19; «detruet la sanc», f. 240r5). Vorkosonantisches *s*- ist in *Fevres* geschwunden (cf. Einleitung, 1.5.1). Graphische Unsicherheit besteht offensichtlich bei der Transkription

von [ɥi], das in f. 240r5 als -*WuYeY*- wiedergegeben wird. Die Entwicklung des Halbvokals [ɥ] in [ɥi] < [yi̯] fand im Altfrz. im 12. Jh. statt, gilt aber eigentlich gerade nicht für ostfranzösische Dialekte, in denen der Diphthong [yi̯] zu [y] monophthongiert wurde (cf. Rheinfelder 1963, 99). Saye (64) listet jedoch auch Formen des Typs *détrure, detrute* aus *Fevres.*

דֵיטְרוּֽצִיאוֹן – *DeYṬRWuẒiY' WoN* (165r6)
דֵיטְרוּֽשִׁיאוֹן – *DeYṬRWuŠiY' WoN* (165r24)
***detrucion**, f* (1119 *destrucion*; < lat. DESTRUCTIONEM) 'Zerstörung, Zersetzung' (TL 2, 1808 *destrüison, destruisïon*; FEW 3, 56b *destruction*; AND2 OE *id.*; DAF 174b *id.*; DMF *destruction*; Saye 64 *détruçion*). Der Terminus ist als medizinische Fachausdruck («detrucion de le oevre naturée», f. 165r6–7; «detrucion de la comision», f. 165r24) in den Lexika nicht belegt. Cf. zu lautgeschichtlichen Überlegungen s. v. **detruere.*

דְאבֵינִיר – *Də' VeYNiYR* (164r17)
***devenir**, v. intr.* (1080; < lat. DEVENIRE) 'werden' (TL 2, 1860; FEW 3, 59b; AND2 OE; DAF 177a; DMF I.A; Saye 64 *devénir*).

דְאבֵיר – *Də' VeYR* (166v6)
דְאבֵייר – *Də' VeYYR* (166v9)
***dever**, praep.* (1080 *devers*; von *vers* < lat. VERSUS) 'in Richtung von' (TL 2, 1864 *devers*; FEW 14, 313a *id.*; AND2 OE s. v. *devers*; DMF *devers* I.A; Saye 64 *dèver*). Fehlt DAF.

דְאבִיזֵייר – *Də' ViYZeYYR* (169v1)
***deviser**, v. tr.* (1155; < vlat. **divisare*) 'unterscheiden; ordnen; beschreiben' (TL 2, 1880–1881; FEW 3, 109a; AND2 OE; DMF; Kiwitt 175 'sprechen, berichten'; Saye 64 *devizér*).

דִיאֵטְא – *DiY' eṬə'* (157v13, 169v22, 171r4, 175v15, 176r2, 239v4, 6)
***diete**, f* (1256; < mlat. *di(a)eta*) 'Diät, enthaltsame Ernährung' (TL 2, 1914; FEW 3, 66a *diète*; AND2 OE; DAF 179a; DMF; Kiwitt 175; Saye 67 *diéte*). Entlehnung aus mlat. *di(a)eta*, 'regula ciborum' (MLWB 3, 560); cf. hierzu auch die Einleitung, 1.1.3.2.

דִיאֵיטֶר – *DiY' eYṬeR* (239v20)
***dieter**, v. tr.* (13. Jh.; < mlat. *di(a)etare*) '(enthaltsam, diätisch) ernähren' (TL 2, 1915; FEW 3, 66a; AND2 OE; DAF 179a; DMF I; Saye 67 *diétér*). Entlehnung aus mlat. *di(a)etare*, 'diaeta curare' (MLWB 3, 562).

דִיאֵשְׁטְא – *DiY' eŠṬə'* (101v4, 168r16, 168v5, 16, 240r18, 22)
***digerer**, v. tr.* (1287; < mlat. *digerere*) *digeste (part. perf. m* und *f)* 'durch Stoffwechsel verarbeiten, zersetzen' (TL 2, 1925 'verdauen'; FEW 3, 75a 'digérer';

DMF A 'transformer les aliments par la digestion'; Kiwitt 107 'transformer une substance en humeurs dans le corps humain'; Saye 66 *diérér* 'to digest'). Die in TL und FEW angegebenen Bedeutungen sind entsprechend zu spezifizieren. Altfrz. *digerer* gibt mlat. *digerere, -gessi, -gestum, v. tr.* 'verarbeiten, zersetzen' (MLWB 3, 625) wieder. Fehlt AND und DAF.

דִיאֱשטִיאוֹן – *DiY'eŠṬiY'WoN* (101v11, 13, 17, 156v16, 157r15, 161v15, 22, 162v7, 9, 163r4, 6, u. v. m.)
***digestion***, *f* (13. Jh.; < mlat. *digestio*) 'Verarbeitung, Zersetzung durch Stoffwechsel; Verdauung, Stuhlgang' (TL 2, 1926 *digestïon* 'Verdauung'; FEW 3, 75b *digestion* id.; Gdf 9, 381c id.; AND2 OE *digestion* s. v. *digestiun*; DMF A 'fait de digérer les aliments'; Kiwitt 107 'transformation d'une substance en humeurs dans le corps humain'; Saye 67 *dièstion* 'digestion, digested matter'). Das erste Yod ist als [ʒ] zu interpretieren (cf. Einleitung, 1.4.2). Die Erweiterung der fachsprachlichen Bedeutung auf 'Umwandlung eines Stoffes in einen anderen durch Prozesse im Körper' ist in TL und FEW zu ergänzen (cf. lat. *digestio* 'Stoffwechsel', MLWB 3, 627). Fehlt DAF.

דִיאֱשְטִיבֵֿא – *DiY'eŠṬiYVə'* (166v19 u. a.)
***digestif***, *adj. digestive* → siehe unter *vertu*

דוֹצְאֵמֵינְטֵא – *DWoẒə'MeYNṬə'* (162r24)
****docement***, *adv.* (1175 *doucement*; von *dous* < lat. DULCEM) 'auf sanfte Weise' (TL 2, 2051 *doucement*; FEW 3, 174b *id.*; AND2 OE *id.* s. v. *ducement*; DAF 182b *id.* s. v. *dolz*; DMF *doucement*; Saye 68 *doçemént*). Für die Transkription von [-o-] statt [-u-] cf. s. v. **dos, adj.*

דוֹלוֹיְיזוֹן – *DWoLWoYəYZWoN* (168r3)
***doloison***, *f* (Erstbeleg; von *doloir* < lat. DOLOREM) 'heftiger Schmerz' (TL 2, 1997 *doloison* mit Verweis auf Gdf 2, 740c *doloison* 'douleur'; DMF 'douleur'; Saye 69 *doloizon*). Das früheste Zitat aus Gdf stammt aus einem Text des 14. Jh. (*Livre de Fisique*), der in Ms. Turin L.V.17 (15. Jh.) vorliegt; *Fevres* liefert damit wahrscheinlich den Erstbeleg. FEW (3, 118a) gibt die modernen westfrz. Varianten *dolaison, dolẹzõ* (Mayenne) an; Varianten älterer Sprachstufen sind hier zu ergänzen. Für die Repräsentation des Diphthong [-wa-] cf. die Einleitung (1.4.2). Fehlt AND und DAF.

דוֹלֻור – *DWoLWuR* (157v23, 158r1, 165r7)
דוֹלֻור – DWoLuWR (167r1)
דוֹלוֹר – *DWoLWoR* (168r5)
***doleur, -or***, *f* (11. Jh. *dolor;* < lat. DOLOREM) 'Schmerz' (TL 2, 1997 *dolor, doleur*; FEW 3, 119b *dolo(u)r, doleur;* AND2 OE *dolor, douleur* s. v. *dolur*; DAF 182b

*dolor, doleure*; DMF *douleur* A; Kiwitt 175 *dolor*; Saye 69 *dolor, dolur*). Zur Repräsentation von [œ] cf. die Einleitung, 1.4.2.

דוֹרְמַאנְט - *DWoRMa'NṬ* (164r2)

***dormant***, *m* (13. Jh.; von *dormir* < lat. DORMIRE) 'Schlaf' (TL 2, 2033; FEW 3, 140b; AND2 OE *dormisoun*; DAF 183b; DMF II.; Saye 70). TL (2, 2033) verzeichnet speziell *en son dormant*, 'während seines Schlafes' (cf. *'eNŠWoN DWoRMa'NṬ*, f. 164r2).

דוֹרְץ - *DWoRẒ* (179r13)

**[*dor*]**, *m* (1155; < gall. **dŭrnos* 'Faust') *dors (pl.)* 'Maß von vier Finger breit' (TL 2, 2028; FEW 3, 192b; AND2 OE s. v. *dur* 'hand's breadth, palm'; DAF 183b; DMF *dor*$_2$; Saye 70 *dorç*).

דוֹרְט - *DWoRṬ* (164r2, 240v21)

***dormir***, *v. intr.* (1080; < lat. DORMIRE) *dort (3. sg.)* 'schlafen' (TL 2, 2033; FEW 3, 140a; AND2 OE; DAF 183b; DMF A; Kiwitt 175; Saye 70).

דוֹרְמִיר - *DWoRMiYR* (240v11)

***dormir***, *m* (1223; von *dormir* < lat. DORMIRE) 'Schlaf' (Gdf 2, 751c-752a; für Referenzen des Verbs cf. s. v. *dormir, v. intr*). Die Konversion [V → N] belegen lediglich Gdf und AND2 OE; sie ist in den anderen Lexika zu ergänzen.

דוֹטַנְצְא - *DWoṬaNẒə'* (100v20, 102r1)

***dotance***, *f* (1080; von *doter* < lat. DUBITARE) 'Besorgnis' (TL 2, 2041; FEW 3, 169b; AND2 OE s. v. *dutance*; DAF 184a; DMF *doutance*; ATC 239b *doutance*; Saye 70 *dotançe*).

דוֹטֵר - *DWoṬeR* (164v6)

***doter***, *v. intr.* (1080; < lat. DUBITARE) 'besorgt sein um' (TL 2, 2044; FEW 3, 169b 'fürchten'; AND2 OE s. v. *duter*; DAF 184a 'craindre'; DMF *douter* II.B/C; Kiwitt 176; Saye 70 *dotér*). Die spezielle Bedeutung 'fürchten für, besorgt sein um' ist in FEW und DAF zu ergänzen.

דוֹשֵׁייץ - *DWoŠeYYẒ* (170r2)
דוֹצְא - *DWoẒə'* (240v9)

***doz***, *adj.* (1080 *dolz*; < lat. DULCEM) *doce (f), doces (f pl.)* 'sanft; süß' (TL 2, 2051 *douz*; FEW 3, 174a *dols, dous*; AND2 OE s. v. *duz*; DAF 182b *dolz, dous*; DMF *doux* I.A; Saye 68 *doçe*). Moderne frankoprov. Varianten wie *dos* (Pkt. 918, Jura), *dose* (Pkt. 928, Jura, in «des pommes douces», ALF Karte Nr. 421B) sind durch ALF nachgewiesen. Zur Entwicklung des Nexus [-ol-] in vorkonsonantischer Stellung in der sonstigen *langue d'oïl* cf. die Einleitung (1.5.1).

דְרַכְמְש - *DRaKMŠ* (156v9, 10, 11, 12, 13, 159r20, 160v3, 161r5)
דְרַכְמֵייש - *DRaKMeYYŠ* (156v23, 157r13, 19, 22, 23, 157v7, 158r10, 159r14, 172r3)
דְרַכמֵש - *DRaKMeŠ* (157r11, 160v13, 14, 22, 24)
דכֿ - *DK* (157v1)
דרכֿ - *DRK* (157v1)
דְרַכמ - *DRaKM* (157v2, 158r7, 160v16, 173r10, 12, $14_{2x}$, 175r5)
דְרַכמְא - *DRaKMə'* (159r15, 21, 159v4, 161r1, 8, 163r22, 171r17, 19, 20, 171v8, 13, 173r21, u. v. m.)
דְרַיכְמְא - *DRaYKMə'* (161r4)
***dragme***, *f* (14. Jh *dra(g)me*; < gr. δραχμή) *dragmes (pl.)* 'Drachme (1/8 Unze; ca. 3,7 g)' (TL 2, 2059; FEW 3, 150a; AND2 OE; DMF *drachme* A; Kiwitt 176 *id.* [*sic*]; Saye 71 *drakme,* listet frz. und lat. Formen ohne Kennzeichnung in einem Eintrag). Der stimmhafte Velar [-g-] ist hier ausnahmsweise mit Kaf wiedergegeben und ist wahrscheinlich als Analogie in der Graphie zu lateinischem *drachma* (z. B. דְרַכְמַמ - *DRaKMaM*, f. 158v2) zu interpretieren (cf. 1.4.2). Cf. auch im Lateinischen Glossar s. v. *drachma*. Fehlt DAF.

דְרַאגַאנְט - *DRa'Ga'NṬ* (173r13)
***dragant***, *m* (13. Jh.; von altokzit. *dragant* < splat. *dragantum*) '(Gummi des) Bocksdorn, Tragant (Astragalus gummifer Labill.)' (FEW 13-2, 158a *mfrz. tragacanth*; AND2 OE *dragant* s. v. *dragance*; DMF 'gomme adragante'; Saye 71). *Dragant* (neben weiteren Varianten, siehe AND2 OE s. v. *dragance*) ist zuerst im Angl.-Nor. belegt. FEW dokumentiert *tragacanth* erst für das 16. Jahrhundert als gelehrte Neuentlehnung. *(Goma) dragant* erscheint häufiger im Altokzit./Altkat. (DAO 567; FEW 13-2, 158a; DCVB 4, 589a); cf. auch splat. *draga(ga)ntum, dracantum* (NPRA 262; MLWB 3, 1001 *draga(ga)ntum* mit Verweis auf *tragacanthum*).
דְרַאגַנְט בְלַנקְא - *DRa'GaNṬ BLaNQə'* (159v7)
***dragant blanque***, *m* (Erstbeleg). Ein romanisches Kompositum für den 'weißen Tragant' ist für das Altokzit. nachgewiesen, und zwar in dem Synthem *goma dragan blanca* sowie als lat.-altokzit. Hybrid *draganti blanc* (RPA 514) und als altokzit.-hebr. Hybrid *DRG' G'N LBN* (hebr. *LBN*' 'weiß', ṢhD, Dalet 1c). Für *blanque* cf. s. v. *blanc*.

דְאַרַאפֵל - *Də'Ra'PeL* (158v23)
דְרַאפֵייל - *DRa'PeYYL* (178r10, 22, 180r5)
דְרַאפְא - *DRa'Pə'* (179r13)
***drape(l)***, ****derapel***, *m* (12. Jh. *drapel*; < splat. *drappus*) '(Stück) Tuch' (TL 2, 2061 *drapel*; FEW 3, 154b–155a; AND2 OE *drape, drapel*; DAF 184b *drapel*; DMF *drap*; ATC 239b *drapel*; Kiwitt 176 *id.*; Saye 71 *drape* und *drapél*). (Moderne) dialektale Varianten ohne [-l] belegt FEW (3, 155a) für lothr. *drapĕ*,

norm. *drape*, 'Windel'; für den Verlust auslautender Konsonanten cf.1.5.2. Für die Epenthese von [ə] cf. 1.4.2.

דֻּורְא - *DuWRə'* (101v8, 239r6)
**[*dur*]**, *adj.* (10. Jh.; < lat. DURUM) *dure (f)* 'zäh, unnachgiebig' (TL 2, 2100 'hart'; FEW 3, 192b-193a id.; AND2 OE; DAF 186b id.; DMF I.A; Kiwitt 176 id.; Saye 71 id.). Die spezifisch humoralpathologische Bedeutung 'zäh (von Substanzen)' ist in den Lexika zu ergänzen.

דוּרְמֵינְט - *DWuRMeYNṬ* (239r24)
***durement***, *adv.* (1080; von *dur* < lat. DURUM) 'heftig; sehr' (TL 2, 2102; FEW 3, 193a; AND2 OE; DAF 186b; DMF C; Saye 72).

דוּרְאטֵי - *DWuRə'ṬeY* (168r6)
דֻּורְטֵי - *DuWRṬeY* (168v19)
***dur(e)té***, *f* (13. Jh.; von *dur* < lat. DURUM) 'Verhärtung (von Gewebe im menschlichen Körper)' (TL 2, 2110 *durté* 'Härte'; FEW 3, 193b *dureté* 'caractère de ce qui est dure'; Gdf 2, 785 *durté* 'souffrance', 9, 420c *dureté* 'qualité de ce qui est dur'; AND2 OE *dureté*; DAF 186b *durté* 'souffrance'; DMF *dureté* A méd. 'induration, callosité'; Saye 72 *duréte*). Die medizinische Semantisierung ist erst ab dem Mfrz. belegt.

## E

אֵיקַאלֵיישׁ - *'eYQa'LeYYŠ* (159r13)
אֵיקַאלְא - *'eYQa'Lə'* (176r6)
***ecale***, *f* (1112 *escaille*; < germ. **skalja* 'Schale') *ecales (pl.)* '(Eier-)schale; (Fisch-)schuppe' (TL 3, 829 *escale, eschaille, escaille*; FEW 17, 88a *escaille*; AND2 OE *ecale* s. v. *eschale*; DAF 223a *escale, escaille*; DMF *escaille* B; Kiwitt 176 'Schuppe'; Saye 74 *ékale*). Für den Schwund von vorkonsonantischem *s-* cf. die Einleitung (1.5.1).

אֵיקַאפֵי - *'eYČa'FeY* (165r13, 177r8)
אֵיקַאפֵיאָה - *'eYČa'FeY'əH* (165v9, 239r11)
אֵיקַאוֹפֵי - *'eČa'WoFeY* (168r10, 11, 179v1)
**[**echa(u)fer*]**, *v. tr.* (12. Jh. *eschaufer*; < lat. EXCALEFACERE) *echa(u)fé (part. perf.), echafée (part. perf. f)* 'erhitzen' (TL 3, 873 *eschaufer*; FEW 3, 265b *id.*; AND2 OE *eschaufer, eschafer*; DMF *eschauffer* II.A; ATC 244b *eschaufer*; Saye 72 *écha(o)fér*). Für die Repräsentation von [au̯] cf. 1.4.2; für den Schwund von vorkonsonantischem *s-* cf. 1.5.1. Varianten ohne Diphthong belegt neben AND auch FEW etwa für (modernes) lothr. *ẹšafi*. Cf. auch *chaut*. Fehlt DAF.

שֵׁיקַֿאוֹפֵֿינְט - *ŠeYČa'WoFeYNṬ* (167r15)
שֵׁיקַֿאפֿאְ - *ŠeYČa'oFə'* (240r20)
**[*echaufer]**, *v. refl.* (12. Jh. *s'eschaufer*; < lat. EXCALEFACERE) *s'echaufe (3. sg.), s'echaufent (3. pl.)* 'sich erhitzen' (TL 3, 874; AND2 OE; DMF *eschauffer* I.A; Saye 72 *écha(o)fér*). Zur Transkription cf. s. v. *echa(o)fer, v. tr.* Den reflexiven Verbtyp belegt FEW (3, 265b) nur für burgund. *échaufer*. Fehlt DAF.

אֵיקַֿאפְּא - *'eYČa'Pə'* (160r21)
אֵיקַֿאפֵּר - *'eYČa'PeR* (162r19)
***echaper***, *v. intr.* (12. Jh. *eschaper*; < vlat. **excappare*) *echape (3. sg.), echapée (part. perf. f )* 'entkommen' (TL 3, 844 *eschaper*; FEW 3, 268a *id.*; AND2 OE *echaper* s. v. *eschaper*; DMF *eschapper* I.B; Saye 73 *échapér*). Zum Schwund von vorkonsonantischem *s-* cf. die Einleitung, 1.5.1. Fehlt DAF.

לֵיקוֹמֵינְשְׁאמֵינְט - *LeYQWoMeYNŠə'MeYNṬ* (101v16, 102r13, 239v12)
לֵיקוֹמֵינְשְׁאמֵינְטְא - *LeYQWoMeYNŠə'MeYNṬə'* (101v22)
לְיֵקוֹמֵינְשְׁמֵינְט - *LYeQWoMeYNŠMeYNṬ* (240r14)
***ecomencement(e)**, m* (12. Jh. *encommencement*; von *encomencier* < splat. *cominitiare*) 'Beginn' (TL 3, 228; FEW 2, 944a *encomencement*; Gdf 3, 112b *id.*; DMF *encommencement* A; Saye 75 *ékoménçement*). Für die Repräsentation von Nasalen cf. 1.4.2. Cf. auch s. v. *comencement, *ecomencer*. Fehlt DAF.

אֵיקוֹמֵינְצְא - *'eYQWoMeYNẒə'* (101r12)
אֵיקוֹמְשְׁרוֹיֵיט - *'eYQWoMŠRWoYeYṬ* (177v15)
**[*ecomencer]**, *v. tr.* (12. Jh. *encommencier*; von *comencier* < splat. *cominitiare*) *ecomence (3. sg.), ecomceroit (3. sg. impf.)* 'beginnen' (TL 3, 228 *encommencier*; FEW 2, 944a *encomencier*; Gdf 3, 112c *encommencier*; AND2 OE *encomencer* s. v. *acomencer*; DMF *encommencer* I.A; Saye 75 *ékoménsér*). Für die Repräsentation von Nasalen cf. 1.4.2. Cf. auch s. v. *(e)comencement*.

אֵיקוֹרְצְא - *'eYQWoRẒə'* (161r13, 161v9)
***ecorce**, f* (1175 *escorce*; < vlat. *scortea*) 'Rinde' (TL 3, 964 *escorce*; FEW 11, 328a *id.*; AND2 OE *ecorce* s. v. *escorce*; DAF 231a *escorce*; DMF A.1 *id.*; Saye 75 *ékorçe*). Für den Schwund von vorkonsonantischem *s-* cf. die Einleitung, 1.5.1.

אֵיקְרַאקַֿאץ בוֹן - *'eYQRa'Ča'Ẓ BWoN* (100v13, 14)
***ecrachaz bon***, cf. zu **ecrachaz* im *Altokzitanischen Glossar* (3.4.1), altfrz. *bon*, 'gutartig'. *Bon* als Epithet zur Spezifizierung von Krankheiten ist in den Lexika zu ergänzen (cf. TL 1, 1047; FEW 1, 433b; AND2 OE; DAF 71b; *bon* ist sonst im *Register häufiger Wörter* genannt, 3.5). Die lateinische Entsprechung des gutartigen Sputum lautet bei Constant. Afric. *sputum laudabile* (L, f. CCXVr, col. A).

אֵיקְרַאקַֿאץ מַאבֵֿאייץ – *'eYQRa'Ča'Ẓ Ma'Ve'YYẒ* (100v14)
******ecrachaz maveis***, cf. **ecrachaz* im *Altokzitanischen Glossar* (3.4.1), altfrz. **maveis*, 'bösartig'. Für Varianten und Referenzen für **maveis* cf. unter *mavais*. FEW (6-1,95b–101b) belegt zahlreiche Ausdifferenzierungen in der Bedeutung, darunter auch die Qualifikation von Krankheiten und des Gesundheitszustandes (stets in pränominaler Position), z. B. mfrz. *mauvaise dent*, belg. *mauvais doigt* (FEW 6-1, 100a). Cf. die lat. Entsprechung *sputum illaudabile* bei Constant. Afric. (L, f. CCXVr, col. A).

מֵילְוֵיין אֵיקְרַאקַֿאץ – *'eYQRa'Ča'Ẓ MeYLWeYYN* (100v14)
******ecrachaz meluein***, cf. **ecrachaz* im *Altokzitanischen Glossar* (3.4.1), altfrz. **meluein* 'dazwischenliegend'. Für Formen und Referenzen des Epithets cf. unter **meluein*. Das ohnehin seltene adj. (altfrz., insbesondere angl.-nor. *meiloain*) ist als Spezifikum in der Medizinfachsprache bisher nicht belegt. Die lat. Ensprechung lautet *sputum mediocre* Constant. Afric. (L, f. CCXVr, col. A).

אֵקְרִיט – *'eQRiYṬ* (159r1)
אֵקְרִיבֵֿייר – *'eQRiYVeYYR* (159r5)
אֵקְרִיטֵייץ – *'eQRiYṬeYYẒ* (159r23)
**[*ecriver]**, *v. tr.* (1080 *escrire*; < lat. SCRIBERE) *ecrit (part. perf.), ecrites (part. perf. f pl.)* '(be-)schreiben' (TL 3, 1004 *escrire*; FEW 11, 331b altfrz. *escrire, escrivre*; AND2 OE *ecriver* s. v. *escrivre*; DAF 232b *escrire*; DMF *escrire* I.B; Kiwitt 177 *ecrire* [*sic*]; Saye 76 *ékrivér*). Der den flektierten Formen in *Fevres* zugrunde liegende Infinitiv ist offensichtlich **ecriver*, im Wechsel mit *ecrivre* (Saye 76 *ékrivre* in f. 360v1). Zur Metathese der Endung *-re* zu *-er* cf. Einleitung (1.4.2); für den Schwund von vorkonsonantischem *s-* cf. 1.5.1.

יְלֵיקוּמֵייץ – *LeYQWuMeYYẒ* (172r17)
אֵיקוּמֵייץ – *'eYQWuMeYYẒ* (172r18)
**[*ecumer*]**, *v. tr.* (12. Jh.; von *escume* < germ. **skūm-*) *ecumez (2. pl. imp.), ecumés (part. perf. rect. sg.)* 'abschäumen' (TL 3, 1026 *escumer*; FEW 17, 138a *écumer*, 13. Jh.; AND2 OE *escumer*; DMF *id.* II.A; Saye 76 *ékumér*). In f. 172r18 liegt mit *ecumes* (»quant il [i.e. le let] sera ecumés«) eventuell eine Rectusform und damit morphosyntaktische Merkmale des Zwei-Kasus-Systems vor (cf. Einleitung, 1.5.1). Fehlt DAF.

אֵיקוּמוּזָא – *'eYQWuMuWZə'* (166v14, 16)
**[*ecumeus*]**, *adj.* (Erstbeleg; von *escume* < germ. **skūm-*) *ecumeuse (f)* 'schaumig' (TL 3, 1027 *escumos* mit Verweis auf Gdf; Gdf 9, 525c *escumeus*, 14. Jh.; FEW 17, 138a *écumeux*, seit 14. Jh.; REW 8191 *id.* s. v. *spumosus*; DMF *escumeux*; Saye 76 *ékumuze*). Das adj. ist für das Altfrz. insgesamt wenig doku-

mentiert; in *Fevres* liegt wahrscheinlich ein Erstbeleg vor. Die Verwendung als Spezifizierung von Körpersäften belegt auch Gdf (9, 525c): «Li sans en ist escumous» (Brun de Long Borc). Für den Schwund von vorkonsonantischem *s-* cf. die Einleitung, 1.5.1. Fehlt AND, DAF.

אֵיקֻורְא – *'eYQuWRə'* (168r21)
[***ecur**], *adj.* (1190 *escur*; < lat. OBSCURUM) *ecure (f)* 'dunkel' (TL 6, 1326 *oscur, escur*; FEW 7, 280a *escur*; AND2 OE *oscur*; DAF 430a *oscur*; DMF *obscur* I.A; Saye 76 *ékure*). Für den Schwund von vorkonsonantischem *s-* cf. die Einleitung, 1.5.1.

דֵיפַֿאנְט – *DeYFa'NṬ* (166v16)
***efant***, *m* (11. Jh. *enfant*; < vlat. *infans*) 'Kind' (TL 3, 319–320 *enfant, effant*; FEW 4, 658b altfrz. *id.*; AND2 OE *efant* s. v. *enfant*; DAF 202a *enfant*; DMF *id.*; Saye 73 *éfant*). Varianten ohne Nasalvokal in der ersten Silbe weist FEW bspw. für modernes lothr. *éfant* nach. Möglicherweise ist die Variante auch als *enfant* zu interpretieren (cf. zur Transkription von Nasalen 1.4.2).

אֵגְרֵייץ – *'eGReYYẒ* (156v15, 157r21, 157v4, 174v8)
אֵגְרֵייש – *'eGReYYŠ* (157r3)
אֵיגְרְא – *'eYGRə'* (175r1)
***egre***, *adj.* (1130; < vlat. **acrum*) *egres (pl.)* 'sauer' (TL 1, 233 s. v. *aigre*; FEW 24, 94b; AND2 OE; DAF 16a s. v. *aigre*; DMF *aigre* I.A; Saye 74 *éigre*).

אֵיידְא – *'eYYDə'* (167v5)
אֵידְא – *'eYDə'* (239r5)
***e(i)de***, *f* (Bedeutungserstbeleg, 1080 *aïe* 'Hilfe', 13. Jh. *aide*; von *aidier* < lat. ADJUTARE) 'Hilfe; Therapie' (FEW 24, 162a *aïe, aide;* AND2 OE *eide* s. v. *aide*; DAF 16a *aide*; DMF $aide_1$ A.3.b) 'remède', A.3.c) 'conseil'; Saye 74 *éide*). Aufgrund der schwankenden hebr. Graphie kann nicht eindeutig festgestellt werden, ob der initiale Vokal als Monophthong [e] oder als Diphthong [ei̯] zu interpretieren ist, da *-YY-* sonst auch Kennzeichen eines langen Vokals ist (cf. Einleitung, 1.4.2). Die Variante *'eYDə'* (f. 239r5) lässt die Leseart [e-] vermuten. FEW (24, 162b) belegt modernes wallonisches *êde*. Eine medizinfachsprachliche Semantisierung als 'Therapie' ist erst ab dem Mfrz. nachgewiesen.

אֵיידֵר – *'eYYDeR* (160r13)
אֵיידֵייר – *'eYYDeYYR* (169v21, 170r1)
אֵיידֵייץ – *'eYYDeYYẒ* (179v20)
***eider***, *v. tr.* (1080 *aidier*, Bedeutungserstbeleg; < lat. ADIUTARE) *eidez* 'nützen, helfen; behandeln' (TL 1, 226 *aidier, äider*; FEW 24, 161a *aid(i)er*, «judfr.» *ahider* = RLJ 39; AND2 OE s. v. *aider*; DAF 16a *aidier*; DMF *aider* I.A.1.e)

'apporter une aide médicale à qqn'; Kiwitt 176; Saye 74 *éidér*). Die Formen des edierten Abschnitts weisen den Diphthong [ei̯] in der ersten Silbe auf (cf. 1.4.2). Varianten mit *ei-* attestiert FEW (24, 161b) für champagn. [*ęydę*]. Die als «judfr.» angegebene Variante (aus Levy 1932) ist offensichtlich in *Fevres* nicht vertreten. Zur Diphthongenreduktion der Infinitivendung von [je] > [e] cf. 1.5.2. In f. 169v21–22 («eider cete ictiricia») und f. 170r1–2 («nos li volons eider par choses doces») nimmt das Verb die Bedeutung '(eine Krankheit) behandeln' an, die durch die Lexika nicht belegt ist.

אֵיֵיר – *'eYeYR* (175v11)
***eir***, *m* (12. Jh. *air*; < lat. AEREM) 'Luft' (TL 1, 250 s. v. *air*; FEW 24, 221a altfrz. *air, aer*; AND2 OE *air, eire*; DMF *air*; Saye 74 *éiér*). Die hebr. Graphie repräsentiert hier wahrscheinlich den Diphthong [ei̯] (cf. 1.4.2).

אֵילַרגִ̇יאֵייץ – *'eYLaRǦiY'eYYẒ* (161v25)
[***elargir***], *v. tr.* (1150 *eslargir*; < lat. LARGUM) *elargies (part. perf. f pl.)* 'erweitern, ausdehnen' (TL 3, 1084–1085 *eslargir*; FEW 5, 187a *id.*; AND2 OE *id.* s. v. *enlargir*; DMF *eslargir* B.1; ATC 245a *id.*). Für geschwundenes vorkonsonantisches *s-* cf. die Einleitung (1.5.1). Saye (76) führt das adj. *élarji* 'enlarged' an. Cf. auch s. v. *larger*. Fehlt DAF.

אֵנְקַ̄אשֵׁי – *'eNČa'ŠeY* (164r23)
לֵיין-קַ̄אשֵׁיר – *LYeYN-Ča'ŠeYR* (164v14–15)
לֵינְקַ̄אשְׁא – *LeYNČa'Šə'* (164v17)
אֵנְקַ̄אשְׁא – *'eNČa'Šə'* (165v19)
לֵנְקַ̄אשֵׁר – *LeNČa'ŠeR* (167v23)
אֵנְקַ̄אשֵׁייר – *'eNČa'ŠeYYR* (168v9)
***enchacer***, *v. tr.* (1080; < vlat. **incalceare*) *enchace (3. sg.), enchacé (part. perf.)* 'verjagen, vertreiben' (TL 3, 180 *enchacier*; FEW 2, 323a *id.* s. v. **captiare*; AND2 OE; DAF 196 *enchalcier*; DMF *enchasser* B; Kiwitt 176 *enchasser*; Saye 78 *enchaçer*). Für die Diphthongenreduktion [je] > [e] der altfrz. Verba auf *-ier*, cf. die Einleitung (1.5.2).

אֵינְדְא – *'eYNDə'* (102r14)
*****ende***, *adj*, (1175 *inde*; < lat. INDICUM) 'indigofarben (dunkles Blau-Violett)' (TL 4, 1370–1371 *inde*; FEW 4, 645a *id.*; AND2 OE *id.*; DAF 317a *id.*; DMF *id.* I.; Saye 78 *énde*). Die Form **ende* unterliegt der frequenten Oszillation zwischen *-e-* und *-i-* (cf. 1.4.2), die offensichtlich auch Nasalvokale betrifft.

אִינְדִיבֵ̄י – *'iYNDiYVeY* (172v4)
אֵינְדִיבְ̄א – *'eYNDiYVə'* (173r4)
אִינְדִיבְ̄א – *'iYNDiYVə'* (173r6)
***endive***, *****in-***, *f* (1300; von lat. INTYBUM) 'Endivie (Cichorium endivia L.)' (TL 3, 287 *endive* mit Verweis auf Gdf 9, 457b; FEW 4, 784b altfrz. *endive*, mfrz.

*indivie*; AND2 OE *endive*; DMF *endive*; Kiwitt 114 *indive*; Saye 78 *éndive*, 111 *indive*). Die Graphie oszilliert zwischen *en-* und *in-* (cf. Einleitung, 1.4.2). Für weitere Belege cf. Kiwitt (114). Cf. auch *cicorea* im *Lateinischen Glossar*. Fehlt DAF.

אֵנְפֵֿר - *'eNFeR* (160r19)
***enfer***, *m* (1080; < lat. INFERNUM) 'Hölle' (TL 3, 326; FEW 4, 666a; AND2 OE s. v. *enfern*; DAF 202b *enfern*; DMF; Saye 79 *énfér*).

אֵנְפְֿלַנְבֵי - *'eNFLaNBeY* (167r16)
אֵנְפְֿלַאנְבֵיאָה - *'eNFLa'NBeY'əH* (240v20)
**[*enflanber]**, *v. intr.* (Bedeutungserstbeleg, 12. Jh. *enflamber* 'enflammer'; von lat. FLAMMULAM) *enflanbé (part. perf.)*, *enflanbée (pert. perf. f)* 'sich erhitzen (von Körpersäften)' (TL 3, 337 *enflamber* 'entflammen'; FEW 3, 604a *id.*; AND2 OE *id.*; DAF 203a *id.*; DMF *id.* A; Saye 79 *énflanbér*). Die humoralpathologische Verwendung des Verbs, das in f. 167r16 *sanc*, in 240v20 *orine* spezifiziert, ist in den Lexika nicht verzeichnet; **enflanbé* entspricht lat. *incensus*. Einen medizinischen Terminus *enflammer*, 'mettre dans un état inflammatoire (une partie du corps)', weist FEW (3, 601a s. v. flamma) «seit 1690» nach. Zur Repräsentation des Nasalkonsonanten vor bilabialen Plosiven cf. 1.4.2.

אֵינְפְֿלְא - *'eYNFLə'* (168r21)
אֵנְפְֿלֵי - *'eNFLeY* (173v8)
***enfler***, *v. intr.* (1130; < lat. INFLARE) *enfle (3. sg.)*, *enflé (part. perf.)* 'anschwellen' (TL 3, 340–341; FEW 4, 672a; AND2 OE; DAF 203a; DMF A; ATC 242a; Saye 79 *énflér*). Die medizinfachsprachliche Verwendung des Terminus ist in den Lexika ausreichend belegt.

אֵינְפֿוֹרְצֵי - *'eYNFWoRẒeY* (159v18)
***enforcer***, *v. tr.* (12. Jh. *enforcier*; < vlat. **infortiare*) *enforcé (part. perf.)* 'sich verstärken, zunehmen' (TL 3, 350–351 *enforcier*; FEW 3, 727b *id.*; AND2 OE s. v. *aforcer*; DAF 203a *enforcier*; DMF *enforcer*$_1$ I.A; Saye 79 *énforsér*). Cf. zum Schwund des Diphthong in der altfrz. Infinitivendung *-ier* > *-er* die Einleitung, 1.5.2.

אֵנגֵ֗ינְדְרְא - *'eNĞeYNDRə'* (167r5, 168r20)
אֵנְיֵינְדְרוֹיֵיט - *'eNYeYNDRWoYeYṬ* (239r12)
אֵנְיֵינְדְרֵיאָה - *'eNYeYNDReY'əH* (240v25)
***engendrer***, *v. tr.* (11. Jh. 'procéer par voie de génération', 1226 'causer'; < lat. INGENERARE) *engendre (3. sg.)*, *engendroit (3. sg. impf.)*, *engendré (part. perf.)* 'auslösen' (TL 3, 380 'erzeugt werden, entstehen'; FEW 4, 684b 'causer'; AND2 OE; DAF 204a 'engendrer'; DMF I.B 'produire, causer, occasion-

ner, susciter'; Saye 80 *énjénderér*). Die Varianten in ff. 239r12, 240v25 zeigen die Transkription von [ʒ] durch Yod (cf. Einleitung, 1.4.2).

אֶנְלִיט – *'eNLiYṬ* (178v8)
[***enlire***], *v. tr.* (1080 *eslire*, 13. Jh. *enlire*; von lat. ELIGERE) *enlit (3. sg.)* 'auswählen' (TL 3, 1094 s. v. *eslire*; FEW 3, 214a; AND2 OE s. v. *eslire*; DAF 236a *eslire*; DMF *enlire*; Saye 80 *énlire*).

אֶנְמֵינְדוֹיֵיט – *,eNMeYNDWoYeYṬ* (162r17)
[***enmender***], *v. intr.* (Bedeutungserstbeleg, 13. Jh. 'wiedergutmachen'; < lat. EMENDARE) *enmendoit (3. sg. impf.)* 'genesen' (TL 3, 457 'wiedergutmachen, abhelfen'; FEW 3, 217a 'amender, réparer'; AND2 OE *amender*; DAF 237a *esmender* 'corriger'; DMF *amender* I.C.2.a 'aller mieux, se rétablir'; Saye 81 *énméndér*). *Enmender* in der Bedeutung 'genesen' scheint außerhalb von *Fevres* nicht belegt zu sein; cf. das Derivat *amender*, 'guérir', 13. Jh. in FEW (3, 218a).

אֶנְפֵיקֿא – *'eNPeYČə'* (172r21)
לֶנְפֵיקֿאֽ – *LeNPeYČə'* (175v11)
[***enpecher***], *v. tr.* (1120 *empeechier*, 1300 *empechier*; zu splat. *impedicare*) *enpeche (3. sg.)* 'abhalten, hindern' (TL 3, 93 *empëechier*; FEW 4, 579a *empe(e)chier*; AND2 OE s. v. *empescher*; DAF 192b *empeechier*; DMF *empescher* A; Saye 81 *énpéchér*). Cf. die Einleitung für die Repäsentation des Nasanlkonsonanten vor Bilabialen (1.4.2) sowie für die Reduktion des Diphthong [je] > [e] 1.5.2. Die Formen in *Fevres* zeigen bereits das Ergebnis der Entwicklung von hiatischem *-ee-* > *-e-*.

לַאנְפֵיידֵר – *La'NPeYYDeR* (164v15)
אֶנְפֵייטְא – *'eNPeYYṬə'* (165r4)
[****enpeindre***], ****anpeinder*** *v. tr.* (Bedeutungserstbeleg; 1080 *empeindre* 'stoßen'; < lat. IMPINGERE) *enpeinte (part. perf. f)* 'ausstoßen (von Körperflüssigkeiten)' (TL 3, 95 *empeindre* 'stoßen; stürzen'; FEW 4, 589a *id.* 'stoßen, werfen'; AND2 OE *id.*; DAF 192b *id.* 'jeter avec violence'; DMF *empeindre* 'frapper, pousser'; Saye 33 *anpédér*). Zur Alternation der Repräsentation von Nasalvokalen zwischen *an-* und *en-* cf. die Einleitung (1.5.1). Die Transkription weist keinen Nasalkonsonanten in der zweiten Silbe auf (cf. Einleitung, 1.4.2). Belege für die Zugehörigkeit des Verbs in die Klasse der Verba auf *-er* gibt FEW nur für Ableitungen des Typs mfrz. *empaigner* an. Das part. **enpeinte* (fem. sg.) wiederum folgt der Flexion eines **enpeindre*; hier mit *en-* in der ersten Silbe (cf. Rheinfelder 1967, 288 für *peindre* – part. *peint* < vlat. **pinctum*). Erstbeleg in dieser Bedeutung und der Verwendung in humoralpathologischen Zusammenhängen.

אֵנְפִּירוֹיֵיט – *'eNPiYRWoYeYṬ* (162r17)

אֵנְפִּירֵיאְה – *'eNPiYReY'əH* (164v26)

***enpirer**, *v. tr.* (11. Jh.; < vlat. **impeiorare*) *enpiroit (3. sg. impf.), enpirée (part. perf. f)* 'verschlechtern, schaden' (TL 3, 108 *empir(i)er*; FEW 8, 156a *empirier, empoirier, empe(i)rer*; AND2 OE *empirer* s. v. *empeirer*; DAF 193a *empirier*; DMF *empirer* II.; RLJ 92 *apirer*; Saye 81). Die Wiedergabe des Nasals im Hebr. durch Nun ist graphisch bedingt (cf. 1.4.2). Die «judfr.» Variante des RLJ ist in *Fevres* nicht wiedergegeben.

אֵנְפְּלַשְׁטֵר – *'eNPLaŠṬeR* (157v17, 176r21)

לֵנְפְּלַשְׁטֵר – *LeNPLaŠṬeR* (157v24)

לֵינְפְּלַאשְׁטֵר – *LeYNPLa'ŠṬeR* (158r2)

פְּלַאשְׁטֵייר – *PL'aŠṬeYYR* (170r14)

אֵיפְּלַשְׁטֵר – *'eYPLaŠṬeR* (179r12)

***(en)plaster***, *m* (12. Jh. emplastre; < lat. EMPLASTRUM) 'Pflaster, Verband, Umschlag' (TL 3, 113 *emplastre*; FEW 3, 221b *id.*; AND2 OE *enplastre* s. v. *emplastre*; DMF *emplastre* s. v. *emplâtre*$_1$ A; Kiwitt 177; ATC 241a *emplastre*; Saye 77 *émplaster, énplaster*). Die Transkription *en-* (statt *em-*) vor Bilabialen ist die für *Fevres* typische graphische Variante (cf. Einleitung, 1.4.2). Für die Endung *-er* statt *-re*; cf. die Einleitung (1.4.2). Fehlt DAF.

אֵנְפְּלִישֵׁש – *'eNPLiYŠeŠ* (177v10)

[****enplir***], *v. tr.* (1150 *emplir*; < vlat. **implire*) *enplisez (2. pl. imp.)* 'füllen' (TL 3, 115 *emplir*; FEW 4, 590b altfrz. *id.*, judfr. *anprir* = RLJ 84; AND2 OE *emplir*; DAF 193b *id.*; DMF *id.* I.A; Saye 81 *énplir*). Cf. die Einleitung für die Repäsentation des Nasanlkonsonanten vor Bilabialen (1.4.2). Die in FEW als «judfr.» etikettierte Variante *anprir* ist in *Fevres* nicht vertreten.

אֵנְקִיץ – *'eNQiYẒ* (162r25, 162v5)

אֵנְקֵירְא – *'eNQeYRə'* (163v16, 164r18, 239r7)

אֵנְקֵיירְא – *'eNQeYYRə'* (240v2)

אֵנְקֵירוֹמֵייש – *'eNQeYRWoMeYYŠ* (240v4)

***enquere***, *v. tr.* (11. Jh.; < lat. INQUIRERE) *enqueromes (1. pl.), enquis (3. sg. passé simpl.), enquere (subst. convert.)* 'zu erfahren suchen, erforschen, erkennen' (TL 3, 484 *enquerre*; FEW 4, 706b *id.*; Gdf 3, 217a, 9, 473c *id.*; AND2 OE s. v. *enquerre*; DAF 208b *enquerre*; DMF *enquerir* A; Saye 80 *énkére*). Auf f. 164r18 muss eine Konversion des Verbs in ein subst. angenommen werden («par enquerre do malade»), die in keinem der konsultierten Lexika nachgewiesen ist.

אֵנְשַׁרְטֵי – *'eNŠaRṬeY* (240v18)

[****ensarter***], *v. intr.* (Bedeutungserstbeleg 1138 *essarter* 'défricher'; von *essart* < vlat. **exsartum*) *ensarté (pert. perf.)* 'abmagern' (TL 3, 1292 *essarter v. tr.*

'ausroden; verheeren'; FEW 3, 318a id.; AND2 OE *essarter* 'to clear' (ground); DAF 244b–245a id.; DMF *essarter* 'arracher, défricher'; Saye 87 *ensareté* s. v. *ésartér* 'to burn'). Das Verb erfuhr hier offensichtlich eine metaphorische Bedeutungserweiterung, die in den konsultierten Lexika nicht belegt ist, sich jedoch vor dem Hintergrund des lat. Quellentexts ergibt; cf. *Lib. febrium* V,14 (f. CCXXIVv, col. A), «patiens fuerit [...] macilentus [...]». Zudem liegt für das Verb in *Fevres* eine veränderte Verbstruktur vor. Das Präfix *en-* ist unetymologisch.

אֵינְשֵׁיינְא - *'eYNŠeYYNə'* (167v3)
אֵישֵׁיינֵייץ - *'eYŠeYYNeYYẒ* (169v9, 10)
אֵנְשֵׁיינֵייץ - *'eNŠeYYNeYYẒ* (169v17)
אֵנְשֵׁיינֵייש - *'eNŠeYYNeYYŠ* (240v14)
***enseigne***, *m* (12. Jh.; < lat. INSIGNIAM) *enseignes (pl.)* '(An-)Zeichen' (TL 3, 510; FEW 4, 714b; AND2 OE; DAF 210a; DMF A, B; Kiwitt 177; Saye 82 *énséne*). Die hebr. Transkription des altfrz. subst. ist als *enseigne* zu interpretieren; cf. 1.4.2 für die Wiedergabe von [ɲ] und für die fehlende Repräsentation des Nasalkonsonanten *-n-* in der ersten Silbe.

אַשֵׁיינְא - *'aŠeYYNə'* (100v20)
אֵינְשֵׁיינְא - *'eYNŠeYYNə'* (101r14, 177v23)
אֵנְשֵׁיינְא - *'eNŠeYYNə'* (101v1, 101v13, 192r11, 157r17, 167v3, 8, 169v6, 177v20)
**[*enseigner*]**, **[****anseigner*]**, *v. tr.* (11. Jh. *enseignier*; < vlat. **insignare*) *anseigne, enseigne (3. sg.)* '(an-)zeigen; lehren' (TL 3, 517 *enseignier*; FEW 4, 713a *id.*; AND2 OE *enseigner*; DAF 210a *id.*; DMF *id.* I, II; Kiwitt 177 *enseigner*; Saye 82 *énsénér*). Zur Lesart der Variante **enseigner* cf. s. v. *e(n)seigne*. Die Variante **anseigne* zeigt zum einen die fehlende Repräsentation des Nasalkonsonanten in der hebr. Graphie und zum andern die häufig anzutreffende Oszillation zwischen [ã] und [ɛ̃] (cf. 1.4.2 und 1.5.1).

אֵנְשֵׁינְקֵייש - *'eNŠeYNQeYYŠ* (168v3)
***ensenques*** → siehe s. v. *isenques*

אֵנְטֵנדֵר - *'eNṬeNDeR* (163v16)
***entender***, *v. tr.* (11. Jh.; < lat. INTENDERE) 'verstehen' (TL 3, 576 *entendre*; FEW 4, 741b *id.*; AND2 OE s. v. *entendre*; DAF 212b *entendre*; DMF *entendre* III; Saye 82 *énténdér*). Zur Metathese von *-er* zu *-re* cf. die Einleitung (1.4.2).

אֵנְטֵינְשִׁיאוֹן - *'eNṬeYNŠiY' WoN* (169r20)
***entencion***, *f* (1190; < lat. INTENTIONEM) 'Absicht' (TL 3, 578 *entencïon*; FEW 4, 747a; AND2 OE; DAF 212b; DMF *entention* III.B; Saye 82 *énténsion*).

לֵנְטְרִינְאמֵינְט - *LeNṬRiYNə'MeYNṬ* (163v15)

***enterinement***, *m* (Bedeutungserstbeleg, 13. Jh. 'Erfüllung'; von *enterin/entier* < lat. INTEGRUM) 'Beschaffenheit(?)' (TL 3, 589 'Ausfertigung (jur.)'; FEW 4, 735a 'parfait accomplissement'; AND2 OE 'fulfilment, completion'; DAF 213a id.; DMF *enterinement*$_1$ 'parfait accomplissement'; Saye 83 *énterinemént* 'completion'). AND weist das Wort in Urkunden aus dem 13. Jh. (Gironde). In Bezug auf die Bedeutung muss eventuell gegenüber den konsultierten Lexika und Saye eine Spezifizierung auf die 'Beschaffenheit' (der Auswirkungen der Gelbsucht) vorgenommen werden: «La definitio de l'ictericia si est plus poper en ses parties seloncl'enterinement de s'euvre» (f. 163v14–15). Es lässt sich an dieser Stelle keine eindeutige Parallelität zum Constantin-Text (*Lib. febrium* (IV,17) L, f. CCXVIIIr, col. B) herstellen, so dass nicht ganz klar ist, was mit *enterinement* ausgedrückt wird.

אֵינְטֵרְמֵילֵיאָה - *'eYNṬeRMeYLeY'əH* (239r13)

**[*entermeler*]**, *v. tr.* (1160 *entremesler*; von *mesler* < vlat. *misculare*) *entermelée (part. perf. f)* 'vermischen' (TL 3, 664 *entremesler*; FEW 6-2, 162b *id.*; AND2 OE *entermeller* s. v. *entremeller*; DMF *entremesler* A; Saye 83 *éntérmélé, adj.*). Cf. die Einleitung für den Schwund von vorkonsonantischem *-s-* (1.5.1) sowie für die in *Fevres* häufig anzutreffende Metathese von *-re* zu *-er* (1.4.2). Fehlt DAF.

אֵנטוֹמִי - *'eNṬWMiY* (164r2)

**[*entomir*]**, *v. tr.* (13. Jh.; von ahd. *tumb* 'dumm') *entomi (part. perf.)* '(die Sinne) betäuben' (TL 3, 604; FEW 17, 383b; AND2 OE *entumer* s. v. *estoner*; DAF 214a; DMF I, II *entomi*, 'frappé d'inertie, engourdi'; Saye 83 *éntomir*). TL belegt das part. perf. *entom(b)i* in der Bedeutung 'erstarrt, starr, steif', die auch an dieser Stelle in *Fevres* anzunehmen ist. FEW stellt fest, dass sich das Verbreitungsgebiet des Verbum v. a. auf die Picardie und in Lothringen erstreckt.

אֵנְטְרַאנְט - *'eNṬRa'NṬ* (174v12)

**[*entrer*]**, *v. intr.* (11. Jh.; < lat. INTRARE) *entrant (part. praes.)* 'ein-, durchdringen' (TL 3, 677; FEW 4, 773a; AND2 OE; DAF 216b; DMF I.; Kiwitt 177; Saye 83 *éntrér*).

אֵנְבִישִׁיאָה - *'eNViYŠiY'əH* (165r1)

**[**envisié*]**, *adj.* (12. Jh.; von *viez* < lat. VETUS) *envisiée (f)* 'alt, chronisch (v. Krankheiten)' (TL 3, 718 *enviesié*; AND2 OE *enviesir* s. v. *enviellir* 'to become feeble'; DMF s. v. *enviesir* 'vieillir'). Die Variante in *Fevres* zeigt den dialektal bedingten Monophthong [i] statt [ie] in der zweiten Silbe (cf. Einleitung, 1.5.1). *Enviesié* ist insgesamt vor *Fevres* nicht häufig belegt. TL dokumentiert speziell die Verwendung des aus dem part. perf. von altfrz. *enviesier* 'altern' entstandenen adj. im Zusammenhang mit seit langer Zeit bestehenden bzw. chronischen Krankheiten. In FEW (14, 364b) und DAF (218b) ist unter *enviesi(e)r, -vecir,* 'altern', jeweils die spezielle medizinische Bedeutung zu ergänzen. Fehlt Saye.

אֵנְבַוֹייאְה – *'eNVWoYY'əH* (165r5)
אֵנְבַוֹייאֵיאְה – *'eNVWoYY'eY'əH* (165v21)
**[envoier]**, *v. tr.* (10. Jh. *enveiier*, 12. Jh. *envoyer* 'faire aller qn/qch'; < lat. INVIARE) *envoie (3. sg.), envoiée (part. perf. f)* 'erzeugen; aussondern (von Körpersäften)' (TL 3, 727s. *envoiier* 'schicken, veranlassen'; FEW 4, 796a 'faire aller qn ou qch vers'; AND2 OE *envoier* s. v. *enveier*; DAF 218b *env(e)ier* 'envoyer'; Saye 84 *énvoyér* 'to send'). Die Verwendung des Verbs als Terminus technicus der Humoralpathologie («la colra […] ne put etre envoyée en l'estomaque», f. 165v20–21) ist durch die Lexika bisher nicht belegt.

אֵיפַאשְׁא – *'eYPa'Šə'* (101v20)
דֵיפַאשְׁא – *DeYPa'Šə'* (101v22)
***epace***, *f* (12. Jh. *espace*; < lat. SPATIUM) 'Zeitraum' (TL 3, 1137 *espace*; FEW 12, 145a *id.*; AND2 OE s. v. *espace*; DMF *espace* II.A; Saye 84 *épase*). Zum Schwund von vorkonsonantischem *s-* cf. die Einleitung (1.5.1). Fehlt DAF.

אֵיפַאנְדֵייץ – *'eYPaNDeYYẒ* (160r2)
אֵפַאנְדְא – *'ePa'NDə'* (178r6)
**[*epandre]**, *v. tr.* (1080 *espandre*; < lat. EXPANDERE) *epandez (2. pl. imp.), epande (3. sg. subj.)* 'ausbreiten' (TL 3, 1141 *espandre*; FEW 3, 302a *id.*; AND2 OE *id.*; DAF 238b *id*; DMF *id.*; ATC 245b *id.*; Saye 84 *épandér*). Für den Schwund von vorkonsonantischem *s-* cf. die Einleitung (1.5.1).

שֵׁיפַאנְט – *ŠePa'NṬ* (164r4)
שְׁא אֵיפַאנְטְא – *Šə' 'eYPa'NṬə'* (165v16)
**[*epandre]**, *v. refl.* (12. Jh.; *s'espant*; < lat. EXPANDERE) *s'epant(e) (3. sg.)* 'sich ausbreiten' (TL 3, 1143 *espandre v. refl.*; FEW 3, 302a *espandre v. tr.*; AND2 OE; DAF 238b *id.*; DMF *espandre* A.1.b, A.2; Saye 84 *épandér*). Der reflexive Verbtyp ist in FEW und DAF zu ergänzen. Für den Schwund von vorkonsonantischem *s-* cf. die Einleitung (1.5.1). Die Auslautverhärtung in der 3. pers. sg. (*-t*) ist auch bei dem in TL aufgeführten Erstbeleg *s'espant* anzutreffen. Die Form *se epante* (f. 165v16) mit [-tə] scheint verschrieben (kein Konjunktiv).

אֵיפַאטִיק – *'eYPa'ṬiYQ* (177r17)
***epatic*** → siehe s. v. *aloe*

אֵיפַאטִיקַא - *'eYPa'ṬiYQa'* (175v14)
***epatica*** → siehe s. v. *voene*

אֵיפֵייש - *'eYPeYYŠ* (157r11)
אֵיפֵישְׁא - *'eYPeYŠə'* (166v2, 168v6, 240v8)
אֵיפֵייץ - *'eYPeYYẒ* (240v8)
****epe(i)s***, *adj.* (12. Jh. *espes*; < lat. SPISSUM) *epese (f)* 'dick, zähflüssig' (TL 3, 1196 *espès*; FEW 12, 198a *espes;* AND2 OE *espés*; ATC 246a *id.*; DAF 230b *espe(i)s*; DMF *espais* A*;* Kiwitt 177 *epeis*; Saye 85 *épéç*). Für den Schwund von vorkonsonantischem *-s-* cf. die Einleitung (1.5.1).

שְׁא אֵיפֵשִׁישִׁיט - *Šə' 'eYPeYŠiYṬ* (176v2)
[***epesir***], *v. refl.* (12. Jh. *epessir v. intr.*, 16. Jh. *espessir v. refl.*; von *espes* < lat. SPISSUM) *se epesit (3. sg.)* 'sich trüben (von Substanzen)' (TL 3, 1237 *espessir v. intr.*; FEW 12, 199a-b *espessir v. refl.* 'devenir plus dense'; AND2 OE *espessir*; DMF *espaissir* 'devenir plus épais, plus dense'; Kiwitt 177 *epeissir* 'sich verdichten, dick werden'; Saye 85 *épesir* 'to thicken'). AND belegt die medizinfachsprachliche Bedeutung. Fehlt DAF.

דֵיפְלֵיין - *DeYPLeYYN* (167r21)
לֵיפְלֵיין - *LeYPLYeYN* (169r7)
לֵיפְלֵיין - *LeYPLeYYN* (172v19, 173v9, 22, 174r1, 4, 6, 177r8, 239v20, 240r2)
****eplen***, *m* (1240 *esplen*; < lat. SPLEN) 'Milz' (TL 3, 1218 *esplein*, *esplien*; FEW 12, 200a altfrz. *esplen*, 200b judfr. *esplain*; Gdf 3, 535c *esplen*; AND2 OE *esplen* s. v. *espleen*; DAF 241b *esplen*; DMF *esplein*; ATC 246b *id.*; Kiwitt 178 *id.*; Saye 86 *éplén*). Die diphthongierte «judfr.» Variante mit *-ai-* aus FEW ist in *Fevres* nicht repräsentiert. Für den Schwund von vorkonsonantischem *s-* cf. die Einleitung (1.5.1).

אֵיפוֹיֵיר - *'eYPWoYeYR* (161v24)
****epoir***, *adv.* (12. Jh.; von *espoir* (1. sg. v. *esperer*) < lat. SPERARE) 'vielleicht' (TL 3, 1183 s. v. *esperer*; FEW 12, 165b *espoir*; AND2 OE *espoir* s. v. *espeir*; DAF 242b *id.*; DMF $espoir_2$; Saye 86 *époiér*). Zum Schwund von vorkonsonantischem *s-* cf. die Einleitung (1.5.1) und für die Transkription des Diphthong [wa̭] in der letzten Silbe 1.4.2.

אֵיפוֹשְׁטוֻמְא - *'eYPWoŠṬWuMə'* (166r5)
***epostume*** → siehe s. v. *apostume*

לֵיפְּרִיט - *LeYPRiYṬ* (101r3)
****eprit***, *m* (10. Jh. *espirit*; < lat. SPIRITUM) 'Befinden' (TL 3, 1186 *esperit* 'Seele'; FEW 12, 192b id.; AND2 OE *esprit* s. v. *espirit*; DAF 240b id.; DMF *esprit*; Kiwitt 178 *esprit* 'Geist'; Saye 86 *éprit* 'mind, brain, spirit'). Zum Schwund

von vorkonsonantischem *s-* cf. die Einleitung (1.5.1). Nur AND belegt die erweiterte Bedeutung auf die ‘Gemütsverfassung’.

אֶפְרוֹבֵֿי – *’ePRWoVeY* (175r10)
[***eprover**], *v. tr.* (1080 *esprover*; von *prover* < lat. PROBARE) *eprové (part. perf.)* ‘erproben’ (TL 3, 1261 *esprover*; FEW 9, 405a *id.*; AND2 OE *eprover* s. v. *esprover*; DAF 243a *id.*; DMF *esprouver* A; ATC 247a *id.*; Kiwitt 177; Saye 86 *éprovér*). Für den Schwund von vorkonsonantischem *s-* cf. die Einleitung (1.5.1).

אֵיפֻּורְגָֿא – *’eYPuWRǦə’* (172r10, 13)
****epurge***, *f* (13. Jh. *espurge*; von *espurgier* < lat. EXPURGARE) ‘Purgierkraut (Euphorbia lathyris L.)’ (TL 3, 1268 *espurge*; FEW 3, 314b *id.*; Gdf 3, 555c; AND2 OE *id.*; DAF 243b *id.*; DMF *expurge* I.A; Saye 86 *épurje*). Das Phytonym **epurge* ist eine genuin französische Bildung; die mlat. Bezeichnung war *titimalus*; cf. die Synonymie «hic titimalus [...]: espurge» (zit. nach TL 3, 1268) in den *Glosses de Glasgow* (ed. Meyer 1867). Für den Schwund von vorkonsonantischem *s-* cf. die Einleitung (1.5.1).

אֵיקִי – *’eYQYi* (171v12, 179r16)
****equi***, *adv.* (1080 *enqui*; < lat. ECCE HIC) ‘da (hinzu)’ (TL 3, 1430 *iqui*, *enqui*; FEW 3, 424a altfrz. *iki*, altchampagn. u. a. *iqui* ‘ici’; AND2 OE *enqui* ‘today’; DAF 208b ‘dort’; DMF *enqui*$_1$ ‘là’; Saye 74 *eki* ‘where’). Der Kontext «et melez equi iera pigra [...]» legt eine Bedeutungserweiterung des adv. im Sinne einer Zielrichtung nahe. Für die Alternation zwischen *-e-* und *-i-* cf. die Einleitung (1.4.2). Die Variante steht für *enqui* (zur Transkription von Nasalen cf. 1.4.2).

אֶרְבְא – *’eRBə’* (157v2, 180r2)
אֶרְבֵייץ – *’eRBeYYẒ* (170r12, 175v18, 176r12, 177v9, 178r15, 178v11, 178v13, 179v1, 4, 7, u. v. m.)
אֶרְבֵירְץ – *’eRBeRẒ* (172v7)
אֵירְבֵץ – *’eYRBeẒ* (174v8)
אֶרבֵייש – *’eRBeYYŠ* (176r1, 176v20)
אֵירְבֵירְץ – *’eYRBeYRẒ* (176r7, 14)
***erbe***, *f* (1080; < lat. HERBAM) *erbes*, **erbers (pl.)* ‘Kraut’, insbes. ‘Heilkraut’ (TL 3, 747; FEW 3, 404a *herbe*; AND2 OE s. v. *herbe*; DMF *herbe* A; ATC 258a *id.*; Kiwitt 177; Saye 87 *érbe*). Die Varianten in f. 172v7, 176r7 (*’e(Y)RBe(Y)RẒ* – **erbers*), weisen in der zweiten Silbe ein epenthetisches *-r-* auf.

אֶרְבְא אַצִיטוֹזַא – *’eRBə’ ’aẒiYṬWoZa’* (157v2)
****erbe acitosa***, *f* ‘Sauerampfer (Rumex acitosa L.)’. Das Synthem ist ein Hybrid aus altfrz. *erbe* (für Etymologie un Referenzen cf. s. v. *erbe*) und lat. *acitosa*.

Das in dieser Variante nicht belegte altfrz. komplexe Phytonym gibt mlat. *herba acitosa*, id. (MLWB 1, 114) wieder. Die alternative Lesart von *erbe acitosa* als 'das Heilkraut *acitosa*' scheint vor dem Hintergrund des genannten mlat. Terminus, der hier offensichtlich als Vorlage diente, weniger plausibel. Cf. auch s. v. **acitos* und im *Lateinischen Glossar* (3.3) s. v. *erba acitosa*.

אֶשְׁקַמוֹנִיאְה – *'eŠQaMWoNiY'əH* (171v21, 173r13)
אֶשְׁקַמוֹנִיאֵי – *'eŠQaMWoNiY'eY* (173r3)
***escamonie**, f* (1180; < lat. SCAMMONIUM) 'Harz der Purgierwinde (Convolvulus scammonia L.)' (TL 3, 812; FEW 11, 276a; AND2 OE s. v. *escamunie*; DMF *scammonée*, 'résine, gomme utilisée comme purgatif'; Saye 88 *éskamonie*). Den altfrz. medizinisch-botanischen Terminus erläutert FEW (11:276a): «résine tirée du convulvus [*sic*] scammonia et utilisée comme purgatif (t. de méd.)». Erst ab dem 16. Jh. wurde der Terminus im Frz. auch als Phytonym verwendet; davor bezeichnete er ausschließlich das aus der Purgierwinde gewonnene *simplex* (cf. FEW 11, 276b). Eine ähnliche Entwicklung erfuhr *scam(m)onia* im Lat.: «la gomme-résine extraite de la racine était utilisée en médicine sous le nom de *scammōnium* (depuis Caton, *Agr*. 157, 12; pour la plante, depuis Cicéron)» (NPRA 228). Die Variante **escamoniée* ist im Altfrz. nicht belegt; *'eŠQaMWoNiY'eY* ist entweder verschrieben für *escamonee* (TL 3, 812) oder transkribiert den gen. sg. von mlat. *escamonia* (MLWB 3, 1386 mit Verweis auf *scammonia*) mit *-i-* statt *-e-* (cf. Einleitung, 1.4.2). Fehlt DAF.

אֶסְקוֹלוֹפֵנְדְרֵיאְה – *'eSQWoLWoPeNDReY'əH* (240r12)
****escolopendrée**, f* (1300 *scolopendre*; von splat. *scolopendria*) 'Farnkraut' (FEW 11, 317a *scolopendrie* 'fougère à longues feuilles qui croît dans les régions humides'; AND2 OE *scolopendre* 'hart's tongue, scolopendrium'; DMF *scolopendre* 'variété de capillaire'; Saye 88 *eskolopendréé* 'hart's-tongue fern'). Der einzige altfrz. Beleg, der aus ungefähr derselben Zeit wie *Fevres* stammt, ist im *Glossario-arabo-francese* (zit. nach AND) attestiert, später ist er bei HMond (14. Jh., cf. FEW 11, 317a) dokumentiert. Lat. *scolopendrium* (Var.: *scolopendria*) bezeichnete verschiedene Pflanzen, darunter die Farnarten Ceterach officinarum Willd. und Scolopendrium hemionitis Lag. (NPRA 230; cf. auch GH 2, 2537 *scolopendrion* mit Verweis auf *scolibrochon*). In der *Alphita* wird *scolopendria* mit *lingua cervina* gleichgesetzt (S89); die Herausgeber identifizieren das Phytonym mit den Farnen Phyllitis scolopendrium Newmann, Scolopendrium officinale Sm. oder Ceterach officinarum Willd. (GGA 534–535). Die Transkription des Terminus hier gibt entweder eine unbelegte altfrz. Variante **escolopendrée* oder den gen. sg.

von mlat. **escolopendria* (mit *-e-* statt *-i-*, cf. Einleitung, 1.4.2) wieder. Cf. auch altsp. «asplemo, i. escoloprendia, i. lengua çervina» (Sin 72,3). Fehlt TL, DAF.

אֶשְׁקְרַאקָֿאְמֵינְט – *'eŠQRa'Čə'MeYNṬ* (100v16)
***escrachement***, *m* (Erstbeleg; von *crachier, escrachier* < **krakk-*?) 'Auswurf, Sputum' (FEW 2, 1268a mfrz. *escrachement* 'Speien', «seit 14. Jh.»; Gdf 3, 436b; *escrachement* 'crachement', ca. 1330; DMF 'crachement, crachat'; Saye 88 *éskrachement* 'spitting'). Als Terminus technicus für 'Sputum' ist *escrachement* vor *Fevres* in der hebr. Handschrift Vatican ebr. 363 (14b, l.5) als romanisches אשקראקאמנט – *'ŠQR'Q'MNṬ* belegt; der hebr. Text mit eingebetteten romanischen Wörtern stammt aus dem altokzitanischen Sprachraum (cf. 1.2.1). Dieser in Ms. Va überlieferte Text wurde in 1.2.2.1 als mögliche Quelle für *Fevres* diskutiert. Auffällig bei diesem Wort ist das erhaltene vorkonsonantische *s-*, das eventuell als Einfluss des Vorlagetexts gedeutet werden kann.[424] In diesem Fall wäre von der Präsenz eines altokzit. Wortes in *Fevres* auszugehen. AND2 OE belegt substantiviertes *escracher*, 'spitting'. Cf. auch unter *ecrachaz* im *Altokzitanischen Glossar* (3.4.1).

אֶשְׁקְרוּפְלֵייש – *'eŠQRWuPLeYYŠ* (173r14)
אֶשְׁקְרוּפֵל – *'eŠQRWuPeL* (173r20)
***escrupel***, *m* → siehe s. v. *scrupel*

אֶשפוֹדִי – *'eŠPWoDiY* (157r12, 19, 157v1, 160v3, 22, 24, 170v7, 172v10, 21, 173r10, 19, u. a.)
***espodi***, *m* (Bedeutungserstbeleg, 13. Jh. *spode* 'ivoire calciné à blanc'; < lat. SPODIUM) 'Metallasche, Ofenbruch (Metalloxyde, die beim Schmelzen von Metallen durch Sauerstoffaufnahme entstehen, insbesondere von Zink), Zinkoxyd' oder 'gebranntes Elfenbein' (TL 3, 1227 'Zinkoxyd'; FEW 12, 201a altfrz. *spode* 'ivoire calciné à blanc', mfrz. *espodi* 'oxyde de zinc'; cf. auch LS 1629a σπόδιον 'oxide of certain metals'; DMF *espode* 'ivoire calciné à blanc'; Saye 89 *éspodi*, 'kind of spice' («acc. to Gf.»); 'ashes of certain burnt roots' («acc. to Med.-Bot. Gl.»)); 'Spodium'.[425] Ursprünglich bezeichnete lat. *spodium* die beim Schmelzen von Metallen an Ofenwänden und -decken sich absetztende Metallschlacke; im Mittelalter wurde dieses Material oftmals durch Surrogate ersetzt, etwa gebranntes Elfenbein oder gebrannte

---

424 Für okzit. **escrac(h)ement*, cf. LR (1–2, 505b): *escracar* 'cracher'; TdF (1, 663a): *crachamen* 'crachement'; TdF (1, 1005a): *escrachadisso* 'crachement fréquent'.

425 Cf. ferner altokzit. *espodi* 'oxyde de zinc' (DAO 360); altokzit. *spodi* 'ivore calciné' (Index RMA 170); altkat. *espodi* 'òxid de zinc obtingut per sublimació' (DCVB 5, 446b).

Wurzeln von bestimmten Pflanzen (cf. GGA 547; Kiwitt 154). Cf. hierzu auch die *Alphita* (S17), «Spodium quidam dicunt esse ebur combustum, quidam radicem cuiusdam canne combustam, quod nichil est; sed spodium est fuligo quedam que invenitur in domibus ubi funduntur metalla, que, postquam ceciderit, dicitur spodium [...]» (zit. nach GGA 288); im Gegensatz dazu sagt das *Circa instans* (209va), «Spodium [...]. Optimum spodium fit ex ossibus elefantis combustis. Sophisticatur sepe ex radice cuiusdam canne, et ex marmore [...]» (zit. nach GGA 547). Die Variante *espodi* ist ein Latinismus, der auch sonst in frz. Texten erscheint (frühester Beleg in TL und FEW aus dem *Moamin*, 14. Jh.). Alternativ wäre auch an eine Interpretation von *espodi* als gen. sg. eines mlat. **espodium* zu denken; dagegen spricht jedoch erstens die Tatsache, dass diese Variante im Mlat. unbelegt ist (cf. DuC; MLWB[426]) und zweitens die häufige syntaktische Einbettung von *espodi* in einen frz. Satz wie «quatre [dragmes] de espodi» (f. 157r12); «trocici de espodi, canfor [...]» (f. 172v10). Die Lesart von Saye (89), 'kind of spice' (in Anlehnung an Gdf s. v. *espode*) ist vor dem Hintergrund des Quellentextes an entsprechender Stelle (*Lib. febrium* IV,16 und 17) mit *spodium*, id., zu verwerfen. Cf. auch s. v. *spodium* im *Lateinischen Glossar*. Fehlt AND und DAF.

אֶשְׁקְוִינַנְט - *'eŠQWYiNaNṬ* (173r1, 12)

***esquinant***, *m* (13. Jh.; von lat. SQUINANTHUM, Variante von *schœnanthus*, cf. NPRA 229) 'Kamelheu (Cymbopopgon schœnanthus Spreng.)' (FEW 11, 299b; AND2 OE; Saye 220 *skvinant*). Zweitbeleg in *Fevres*. Im Altfrz. ist das Phytonym nur noch in Aldebrandin de Siena (1256) und im *Moamin* (14. Jh.) belegt. Die lat. Bezeichnung («squinantum palea camelorum idem» in *Alphita* (S7), cf. GGA 287; Sin 145,11) wurde, mit oder ohne prothetischem *e*-, u. a. ins Altokzit. (*squinant*, RPA 512; *'ŠQYNNṬY*, ShŠ-1, Taw 18) und Altkat. (*esquinant*, DECLC 3, 701b) entlehnt, wobei die Alphita-Synonymie auch in RPA aufgenommen wurde: «squinant so es palha de camel». Fehlt TL, DAF und DMF. Cf. auch im *Lateinischen Glossar* s. v. *squinantus*.

אֵטֵי - *'eṬeY* (164r1)
אֵישְׁטֵי - *'eYŠṬeY* (240v23)

***e(s)té***, *m* (1080 *estet;* < lat. AESTATEM) 'Sommer' (TL 3, 1367 *esté*; FEW 24, 229b *id.*; AND2 OE *esté*; DMF *esté* A; Kiwitt 178 *id.*; Saye 89 *ésté* und *été*). Die Form *été* weist FEW erstmals 1636 nach; sie muss aber schon früher bestanden haben; in *Fevres* oszilliert die Graphie zwischen *'eṬeY* und *'eŠṬeY* (cf.

426 In MLWB sind derzeit Lemmata bis *fr-* zu konsultieren; eine eventuelle Variante *esp-* wäre jedoch mit dem Verweis auf *spodium* aufgeführt.

auch Kiwitt 79 und Saye 89). Für den Schwund von vorkonsonantischem *s-* cf. die Einleitung (1.5.1). Fehlt DAF.

אֵיטֵיינְדֵייר – *'eYṬeYYNDeYYR* (172v14)
לֵיישְׁטֵנְדוֹנְץ – *LeYYŠṬeNDWoNẒ* (177v7)
**[estender]**, ***eten-** *v. tr.* (13. Jh.; < lat. EXTENDERE) *estendons (1. sg.)* 'strecken, auseinanderziehen' (TL 3, 1377 *estendre*; FEW 3, 325b *id.*; AND2 OE *estender* s. v. *estendre*; DAF 248b *id.*; DMF *estendre* (*étendre*$_1$) A; ATC 247b *estendre*; Saye 90 *éténdér*). Cf. die Einleitung für den Schwund von vorkonsonantischem s- (1.5.1) und die Metathese in der Infinitivendung *-er* statt *-re* (1.4.2).

לֵיסְטוֹמַאכְא – *LeYSṬWoMa'Kə'* (157r1, 4, 160v20, 165v21, 166v3, 19, 170r14, 170v1)
לֵסְטוֹמַאכְא – *LeSṬWoMa'Kə'* (166v8, 20, 167r5, 7, 169r2)
לֵייסְטוֹמַאכְא – *LeYYSṬWoMa'Kə'* (166v10)
לֵיסְטוֹמַאק – *LeYSṬWoMa'Q* (168v4)
לֵסְטוֹמַכְא – *LeSṬWoMaKə'* (174r10, 17)
***estomac, -que,*** *m* (13. Jh. *estomak*; von lat. STOMACHUM) 'Magen' (TL 3, 1406 *(e)stomac, stomaque*; FEW 12, 281a *stomac* und judfr. *estomaqe*; Gdf 9, 563c *estomac, stomaque, estomacque*; AND2 OE *estomac*; DMF *estomac* A; Kiwitt 178 *id.*; Saye 89 *éstomake*). FEW gibt *estomaqe* als «judfr.» an (= DB 436, z. B. Ms. ρ אסטומכא). Die Verwendung des seltenen Kafs (cf. Einleitung, 1.4.2) deutet eventuell auf einen Einfluss des aus dem Griechischen entlehnten aramäischen oder rabbinisch hebr. Wortes אִסְתּוֹמְכָא ('the thick part, or the protection of an organ of the body', J 98; *'sṭwmk(')*, 'stomac' CAL OE) hin. *Stomacque* belegt Gdf seit dem 15. Jh. Fehlt DAF.

אֵיטַנְקֵייר – *'eYṬaNČeYYR* (159v19)
***etancher***, *v. tr.* (1150 *estanchier*; < vlat. **stanticare*) '(eine Flüssigkeit) zum Stillstand bringen' (TL 3, 1353 *estanchier*; FEW 12, 231a *id.*; AND2 OE *estancher*; DAF 247b *id.*; DMF *estancher* I.D; ATC 247a *esta(i)nchier*; Saye 89 *étanchér*). Für die fehlende Diphthongierung der Infinitivendung *-er* nach palatalem Konsonant cf. 1.5.2; zum Schwund von vorkonsonantischem *s-* cf. 1.5.1.

אֵטֵיינְטְא – *'eṬeYYNṬə'* (102r6, 12)
אֵיטַאנְט – *'eYṬa'NṬ* (168v15)
**[*eteindre]**, *v. intr.* (1160 *esteindre, v. tr.*, 1210, *v. intr.*; < vlat. **estingere*) *etant (part. praes.), eteinte (part. praes. f)* 'erlöschen, versiegen (v. d. Körperwärme)' (TL 3, 1370 *esteindre* 'erlöschen (Feuer)'; FEW 3, 320a *id.*; Gdf 3, 605a *id.*, 9, 559c *id.*; AND2 OE *id.*; DAF 248a *id.*, *v. tr*; DMF *id.* A, D.; Saye 89 *étédére, p. part. éténte*). Die fachsprachliche Verwendung des Verbums als Terminus der Humoralpathologie ist in den Lexika nicht belegt. Cf. die Einleitung für den Schwund von vorkonsonantischem *s-* (1.5.1).

אֵיטֵרנֻוטַאשִׁיאוֹן - *'eYṬeRNuWṬa'ŠiY'WoN* (173v6)

***eternutacion**, *f* (Erstbeleg; von *esternuer* < lat. STERNUTARE) 'Niesmittel' (TL 3, 1391 *esternüaison*, 'Niesen'; FEW 12, 263a *esternuatore* 'remède pour faire éternuer'; Gdf 3, 610c *esternutoire* id., *esternuation* éternuement'; DMF *esternutation*, id.; Saye 90 *étérnutasion* 'a sneezing potion'). Cf. die Einleitung für den Schwund von vorkonsonantischem *s*- (1.5.1). Der Terminus *esternu(t)acion* ist laut DMF, FEW und Gdf seit 1495 belegt und bedeutet dann 'Niesen'. Termini mit der Bedeutung 'Niesmittel' sind nur in dem Typus *esternuatore* (hap. leg., 13. Jh.), *esternutoire* (1495) attestiert (cf. FEW 12, 263a). *Fevres* liefert also einerseits den Erstbeleg für die Form und scheint andereseits ein hap. leg. für die Bedeutung aufzuweisen. Fehlt AND, DAF.

אֵיטוֹפְּאמֵינְט - *'eYṬWoPə'MeYNṬ* (166r4)
אֵיטוֹפְּמֵינְט - *'eYṬWoPMeYNṬ* (168r6, 169r1, 172v19)
לֵיטוֹפְּמֵינְט - *LeYṬWoPMeYNṬ* (174v2)
אֵטוֹפְּמֵינְט - *'eṬWoPMeYNṬ* (177r9)

***etopement**, *m* (1270 angl.-nor. *estupement* 'ce qui bouche'; von angl.-nor. *estuper*/altfrz. *estoper* < vlat. **stuppare*) 'Verstopfung; Verschluss' (TL 3, 1410 *estopement*; FEW 12, 317b angl.-nor. *estupement* 'ce qui bouche'; Gdf 3, 629b *estoupement*; AND2 OE *estopement*; DAF *id.* 250a; DMF *estoupement*; Kiwitt 178; Saye 90 *étopement*). Cf. die Einleitung für den Schwund von vorkonsonantischem *s*- (1.5.1). FEW weist *estoupement*, 'action de boucher', erst für das Mfrz. nach. In f. 166r4 gibt *Fevres* die Synonymie «etopement c'est opilacions» an, die auch in Guillaume Briton (122a) auftritt: «opilatio: estoupemens» (zit. nach TL 3, 1410). Die Verwendung des Terminus in medizinischen Zusamenhängen ist ausreichend vor *Fevres* belegt.

אֵיטוֹפֵּיאֵייש - *'eYṬWoPeY'eYYŠ* (160r11)
אֵיטוֹפֵּיאֵייץ - *'eYṬWoPeY'eYYẒ* (164v20)
אֵיטוֹפֵּי - *'eYṬWoPeY* (167r3)

**[etoper]**, *v. tr.* (12. Jh.; < vlat. **stuppare*) *etopé (part. perf.), etopées (part. perf. f pl.)* 'verstopfen' (TL 3, 1410 *estoper*; FEW 12, 316a *id*; AND2 OE *id.*; DAF 250a *id*; DMF *estouper* A.2.; Kiwitt 178; Saye 90). Das Wort ist auch im medizinsichen Kontext vor *Fevres* gut belegt (cf. TL 3, 1410–1411; FEW 12, 316a–b). Zum Schwund von vorkonsonantsichem *s*- cf. die Einleitung (1.5.1).

אֵטְרוֹייטְא - *'eṬRWoYYṬə'* (175r15)

***etroit**, *adj.* (1080 *estreit*, 12. Jh. *estroit*; < lat. STRICTUM) *etroite (f)* 'eng' (TL 3, 1483 *estroit*; FEW 12, 298b *estreit, estroit*; AND2 OE *estroit s. v. estreit*; DAF

252b *id.*; DMF *estroit* s. v. *étroit*$_1$ I.A; ATC 249a *estroit*; Saye 92 *étréte, étroite*). Für den Schwund von vorkonsonantischem *s-* cf. die Einleitung (1.5.1).

אֵטְרוֹייטְמֵינְט – *’eṬRWoYYṬMeYNṬ* (239v7)
***etroitement**, *adv.* (12. Jh. *étroitement* ‘strictement’; von *estroit* < lat. STRICTUM) ‘streng, vorschriftsgemäß’ (TL 3, 1485 *estroitement* ‘streng’; FEW 12, 300a *étroitement* ‘rigoureusemet, strictement’; AND2 OE *estroitement* s. v. *estreitement*; DMF *estroitement* s. v. *étroitement*$_1$ II.C.1; ATC 259 *id.* ‘étroitement’; Saye 92 *étroitemént*). Fehlt DAF.

אֵיטֻאֵייץ – *’eYṬWu’YeYẒ* (178r11)
[***etuier**], *v. tr.* (1160 *estuier*; < vlat. **studiare*) *etuiez (2. pl. imp.)* ‘aufbewahren’ (TL 3, 1497 *estuiier*; FEW 12, 310a *estuier*; AND2 OE *id.* s. v. *estuer*; DAF 254a *id.*; DMF *estuyer* C; Saye 92 *etuier*). Zum Schwund von vorkonsonantischem *s-* cf. die Einleitung (1.5.1).

אֻורְא – *’uWRə’* (160r20)
***eure***, *f* → s. v. *tens*

שֻׁובֿרְא – *ŠuWVRə’* (163v15)
אוּבֿרא – *’WuVR’* (163v19)
***euvre***, *f* (Erstbeleg für die Bedeutung, 1132 *uevre*; < lat. OPERAM) ‘Wirksamkeit, Kraft (von Körperfunktionen)’ (TL 11, 16 *uevre, oevre* ‘Tun’; AND2 OE s. v. *ovre* ‘act; function’; FEW 7, 358b ‘action’; Gdf 5, 574b, 10, 821c ‘manière d’agir’; DAF 419b *oeuvre, uevre* ‘action, manière d’agir’; DMF *oeuvre* A.6 ‘fonctionnement’*;* Saye 241 *uvre* ‘work, function, effect’). Das Wort ist bisher nicht medizinfachsprachlich in der Bedeutung ‘Kraft (von Körperfunktionen)’ belegt. Der Autor von *Fevres* übersetzt damit mlat. *actio* (cf. entsprechende Stellen in *Lib. febrium*, L, f. CCXVIIIr, col. B) für ‘efficientia, vis’, das auch sonst in medizinischen Texten dokumentiert ist; cf. bspw. «caliditatis actione corrumpuntur» (Urso *qual.* 179 *(de humoribus)*) (MLWB 1, 133). Gdf belegt die Variante *euvre* in einem Text von 1382 aus dem Département Yonne (südl. Champagne) (*Ch. d’affr. de Charbuy*, Gdf 5, 574b). *ŠuWVRə’* (163v15) zeigt die kontrahierte Form des fem. Possessivpronomens *sa* vor vokalischem Anlaut (cf. Rheinfelder 1967, 157), *s’euvre*. Für die Repräsentation von [œ], cf. die Einleitung (1.4.2).

נַאטֻורֵייאְה אֻובֿרְא – *’uWVRə’ Na’ṬuWReYY’əH* (101v9, 164r9–10, 164v8, 165r7)
אֻובְרְא נַאטֻורֵי – *’uWVRə’ Na’ṬuWReY* (169v5)
אוּבֿרְא נַאטוּרֵיאְה – *’WuVRə’ Na’ṬWuReY’əH* (239v14)
***euvre naturé(e)**, *f*, ‘natürliche Kraft (von Körperfunktionen)’. Für *euvre* und *naturé* cf. supra s. v. In der angegebenen Bedeutung handelt es sich bei dem komplexen Terminus um einen Erstbeleg, der *actio nature* wiedergibt;

so in *Lib. febrium* (L, f. CCXVIIIr, col. B) an entsprechenden Stellen. Das Synthem «oevre naturee» (*Dits de Watriquet de Couvin*, 14. Jh.) ist sonst in TL (6, 529) ohne Übersetzung und Kontext («von der Natur geschaffenes Werk»?) zitiert.

דֵינַאטֻורֵייאְה אֱובְּרְא - *'uWVRə' DeYNa'ṬuWReYY'əH* (164r10, 164v8–9)
**euvre denaturée***, *f*, 'unnatürliche, pathologische Kraft (von Körperfunktionen)'. Für *euvre* und *denaturé* cf. supra s. v. **Euvre denaturée* entspricht mlat. *actio non nature* (*Lib. febrium*, L, f. CCXVIIIr, col. B).

אֵיבְּא - *'eYVə'* (157r14, 16, 25, 157v8, 158r11, 17, 158v5, 160v17, 161r19, 161v7, u. v. m.)
אֵיבֵּייץ - *'eYVeYYẒ* (157v15)
***eve***, *f* (12. Jh.; < lat. AQUAM) *eves (pl.)* 'Wasser, Gewässer' (TL 1, 236; FEW 25-1, 63b; AND2 OE s. v. *ewe*; DAF 255a; DMF *eau* I.; Kiwitt 178; Saye 93 *éve*).
אֵיבְּא קוֹרַאנְטְא - *'eYVə' QWoRa'NṬə'* (176r6)
**eve corante***, *f* (1080 *ewe curant*) 'fließendes Gewässer' (TL 2, 867 *ewe curant, eves corantes* s. v. *corir*; Gdf 9, 222b *eves curant* s. v. *courant*; DMF *eau corant* s. v. *eau* I.A.2.b). Cf. auch für *corant, adj.* (11. Jh.; von *corir* < lat. CURRERE), 'fließend (von Gewässern)', FEW (2, 1571b *courant*); cf. weiterhin AND2 OE *ewe curante* s. v. *ewe*; DAF (131b) *corant, adj.* 'vif, rapide' und Saye (131) *korante* s. v. *korir* 'to run'. Cf. auch s. v. *plae*.
אֵיבֵּא דְאפְּלֻואְה - *'eYVe' Də'PLWu'əH* (158v22, 25)
***eve de plue*** 'Regenwasser'. Für *plue* (1080 *pluie*; < vlat. **ploia*), 'Regen', cf. TL (7, 1204 *pluie* u. a.); FEW (9, 105a); AND2 OE; DAF (463a *pluie*); DMF s. v. *eau* I.A.4; Saye (184). Die Variante *plue* ohne *-i-* belegt FEW seit dem 13. Jh. Fehlt in TL, DAF und Saye.
אֵיבֵּא דְארוֹזֵייש - *'eYVə' Də'RWoZeYYŠ* (156v20, 157r3–4)
אֵיבְּא רוֹזְא - *'eYVə' RWoZə'* (157r8, 159v23, 170v13)
***eve rose, eve de roses*** 'Rosenwasser'. Das Synthem *eve rose* (TL 8, 1480; FEW 10, 477a, «seit ca. 1200»; AND2 OE *ewe rose* s. v. *ewe*; DMF s. v. *eau* II.A.2) ist mehrfach in medizinischen Rezepten belegt (cf. weitere Refernzen s. v. *aigue rose* in TL 1, 237). Für Referenzen zu *roses* cf. s. v. *rose*. Synthem fehlt DAF und Saye.

## F

פַּאלַנְשְׁא - *Fa'LaNŠə'* (160v19)
פַּאלַאנְצְא - *Fa'La'NẒə'* (166r14, 167r10, 172r22)
***faillance***, *f* (11. Jh.; von *faillant/faillir* < lat. FALLERE) 'Schwäche; Versagen (von Kräften, Körpersäften)' (TL 3, 1558; FEW 3, 387b; AND2 OE; DAF 258a; DMF;

Saye 93 *falançe*). Das Lexem ist in den Wörterbüchern nicht explizit als Terminus der Humoralpathologie belegt. Cf. die Einleitung für die nicht repräsentierte Palatalisierung von [-l-] (1.4.2).

פַֿאלְיאְה – *Fa'LiY'əH* (101v10, 157r18, 165r2, 19, 168r14)
פַֿאלְי – *Fa'LiY* (165v12, 13)
פַֿאוֹט – *Fa'WoṬ* (165v18, 166v19, 169r7)

**[*faillir*]**, *v. intr.* (11. Jh.; < vlat. **fallire*) *faut (3. sg.), failli (part. perf.), faillie (part. perf. f)* 'fehlen; schwach werden, sich erschöpfen (von Kräften, Organen)' (TL 3, 1611; FEW 3, 386b; AND2 OE; DAF 258a; DMF I.A.2 'disparaître, s'anéantir'; Kiwitt 178 *falir* 'fehlgehen'; Saye 94 *falir* 'to weaken' und *faillir* 'to be lacking'). Die spezielle humoralpathologische Semantisierung fehlt den Lexika. Cf. die Einleitung für die nicht repräsentierte Palatalisierung von [-l-] sowie für die Repräsetation von [au̯] (Graphie: *-a'Wo-*) die Einleitung (1.4.2). Cf. auch s. v. **fa(u)te.*

פַֿאוֹטְא – *Fa'WoṬə'* (167r21, 167v14)
פַֿאטְא – *F'aṬə'* (168v7)

***faute*, **fate*,** *f* (12. Jh. *faute* 'Fehler'; < vlat. **fallita*) 'Mangel; Versagen (von Kräften, Organen im menschlichen Körper)' (TL 3, 1662–1663 *faute* 'Fehler, Mangel'; FEW 3, 389b *id.* 'fait de manquer où l'on serait necessaire'; AND2 OE *id.*; DMF *id.* II.B 'défaillance, erreur, manquement'; Saye 94 *faote, fate*). Zur Repräsentation von [au̯] (Graphie: *-a'Wo-*) cf. die Einleitung (1.4.2). Die Variante in f. 168v7 (*F'aṬə'*) repräsentiert dialektales *fate*, das FEW u. a. in der modernen burgund. Wendung *aivoi fate,* 'avoir besoin de', attestiert. Das subst. ist als humoralpathologischer Terminus in den Lexika nicht belegt; *faute* spiegelt lat. *defectio* wieder. Cf. auch ATC (250b): *faute d'alainne*, 'manque de souffle'. Cf. auch s. v. *defaut* und *faillir*. Fehlt DAF.

פַֿארִינְא – *Fa'RiYNə'* (159v16, 178v12, 15)
פַֿרִינְא – *FaRiYNə'* (178v9)

***farine***, *f* (12. Jh.; < lat. FARINAM) 'Mehl' (TL 3, 1637; FEW 3, 419; AND2 OE; DMF; Kiwitt 178; Saye 94).

פַֿארִינְא דְאוֹרְגְֿא – *Fa'RiYNə' D'WoRĞə'* (175v2)
פַֿרִינְ דְאוֹרְגְֿא – *FaRiNə' D'WoRĞə'* (178r18)
פַֿרִינְ דְאאוֹרְגְֿא – *FaRiNə' Də''WoRĞə'* (179r9)

***farine d'orge*, ... *de orge*** *f* 'Gerstenmehl, Mehl des Hordeum vulgare L.' (TL 3, 1638 *ferine d'orge*; AND2 OE *farin d'orge* s. v. *farine*). Die Verwendung von Gerstenmehl in medizinischen Rezepten war verbreitet und ist v. a. durch den ersten Eintrag der *Alphita* bekannt: «Alphita, farina ordei idem» (A1, zit. nach GGA 141). Für weitere Referenzen zu *orge*, siehe s. v. *orge*. Cf. auch *farina ordei* im *Lateinischen Glossar* (3.3).

פֵֿיבְלֶא – *FeYBLə'* (159r4, 176r2, 239v23, 240r3)
פֵֿייבְלֶא – *FeYYBLə'* (162r23)
***feble, feible**, adj.* (1080; < lat. FLEBILEM) 'schwach (von Indivuen und Kräften im menschlichen Körper)' (TL 3, 1971 s. v. *foible*; FEW 3, 615b *feble*, «judfr.» *feible* und *foible*; AND2 OE; DAF 262a; DMF *faible* A, B.1.c 'qui est défaillant' (du corps, d'un organe); Kiwitt 178; Saye 94). Die in FEW als «judfr.» Variante *feible* des adj. ist eventuell in f. 162r23 (*FeYYBLə'*) repräsentiert. Die Variante *feble* ist laut FEW speziell bei dem champagn. schreibenden Autor Chr. de Troyes dokumentiert. Für die Bedeutungsentwicklung vom lat. zum altfrz. adj. cf. FEW (3, 617a–b).

פֵֿיבְלֵישְׁא – *FeYBLeYŠə'* (239v24)
***feblece**, f* (11. Jh.; von *feble* < lat. FLEBILEM) 'Schwäche, Versagen (von Organen im menschlichen Körper)' (TL 3, 1679 *feblece*; FEW 3, 616a *febles(s)e*; AND2 OE *feblece* s. v. *feblesce*; DAF 262a *id.*; DMF *faiblesse* A, B.1.b 'manque de force' (d'un organe); Saye 94 *féblése*). Die humoralpathologische Semantisierung fehlt den Lexika.

פִֿיל – *FiYL* (165r18, 22, 23)
פֵֿילֶא – *FeYLə'* (165v2, 3, 4 $_{2x}$)
פֵֿיל – *FeYL* (165v13, 166r9, 20, 21, 167r3)
פֵֿייל – *FeYYL* (166r7, 8, 166v1, 5, 167v12, 168v10, 169v19)
***fel, feil, *fele, *fil**, m* (1160 *fiel* < lat. FELLEM) 'Galle, Gallenblase' (TL 3, 1819 *fiel*; FEW 3, 445a *id.*; AND2 OE *fel, feil, fiel*; DAF 266a *fiel.*; DMF *fiel* A; Kiwitt 178 *fel* 'Gallenblase'; Saye 95 *fél*, 97 *fil*). Zur für *Fevres* typischen Diphthongreduktion [jɛ] > [ɛ] sowie zur graphischen Alternation zwischen *-e-* und *-i-* cf. die Einleitung (1.5.1 bzw. 1.4.2). *Fel* und *feil* sind auch für das Angl.-Nor. belegt. Im Lat. bezeichnete ursprünglich *fel* 'Gallenblase' und *bilis* 'Gallenflüssigkeit'; bereits in der Antike erweiterte jedoch *fel* seinen Bedeutungsumfang und bezeichnete auch die Flüssigkeit (cf. FEW 3, 445b). Diese erweiterte Bedeutung ist auch in *Fevres* wiederzufinden. Cf. auch im *Lateinischen Glossar* (3.3) s. v. *colera*.

פְֿין – *FəYN* (176v22)
****fen**, f* (10. Jh. *fin*; < lat. FINEM) 'Ende' (TL 3, 1859 *fin*; FEW 3, 560a *id.*; AND2 OE *id.*; DAF 267b *id.*; DMF *id.*; Kiwitt 179 *id.*; Saye 97 *id.*). Die hebr. Graphie zeugt von der Unsicherheit bei der Transkription bzw. von der ähnlichen Artikulation von *-en-* und *in-* oder das Wort ist in der Punktierung verschrieben (Schwa statt Chireq).
אַלַא פִֿין – *'aL'a FiYN* (162r19–20, 162v11)
***à la fin**, adv.* (1212) 'schließlich' (FEW 3, 561a; AND2 OE *a la fin*; DMF s. v. *fin* I.B.2.a). Der in FEW mit 1596 angegebene Erstbeleg ist zu korrigieren. Fehlt TL und DAF.

אֵין לַאפִּין – *'eYN La'FiYN* (158r23)
***en la fin***, *adv.* (12. Jh.) 'zuletzt, endlich' (TL 3, 1861 AND2 OE; DMF s. v. *fin* I.B.2.b). Fehlt FEW und DAF.

פֵּיזַאנְט – *FeYZa'NṬ* (169v23)
***fesant***, *m* (1170 *faisant*, 1255 *fesant*; < lat. PHASIANUM) 'Fasan (Phasianus colchicus L.)' (TL 3, 1593 *faisan(t)*; FEW 8, 374b *faisant, fesanti;* AND2 OE; DMF *faisan*). Fehlt DAF und Saye.

פֻּויילְא – *FuWYYLə'* (172r1)
פוּיילֵייש – *FWuYYLeYYŠ* (179r8)
***feuille***, *f* (1160 *fueille*; < splat. *foliam*) *feuilles (pl.)* 'Blatt' (TL 3, 2324 *fueille*; FEW 3, 677b altfrz. *fueille, foyle*, mfrz. nfrz. *feuille*; AND2 OE s. v. *fuille*; DAF 270b *foille, fueille*; DMF *feuille* A; ATC 252b *foille, fuelle, fueille*; Kiwitt 180 *feuille*; Saye 103 *fuile*). Cf. die Einleitung für die Repräsentation von [œ] sowie von [ʎ] (1.4.2), das wahrscheinlich hier durch den Nexus Yod-Lamed transkribiert wird.

פֵּיבְרְא – *FeYVRə'* (159r2, 3, 6, 8, 161v12, 162r13, 163v3, 164v1, 10, 167v1, 169r19, 169v4, 16, 170v2, 6, 14, u. v. m.)
פֵּבְרֵייש – *FeVReYYŠ* (169v1)
***fevre***, *f* (12. Jh. *fièvre*; < lat. FEBREM) *fevres (pl.)* 'Fieber' (TL 3, 1833 *fievre*; FEW 3, 440b fr. *fièvre*; AND2 OE s. v. *fevere*; DMF *fievre*; Kiwitt 179; Saye 97 *févre*). FEW belegt zudem die westfrz. moderne Variante *fevre* (Poitou); die Variante in *Fevres* ist jedoch unter dem Aspekt der typischen Diphthongreduktion zu betrachten. (cf. Einleitung, 1.5.1). Fehlt DAF.
פֵּיבְרְא אַגוּאְה – *FeYVRə' 'aGWu'əH* (164r25)
פֵּיבְרְא אַגֻוֺאְה – *FeYVRə' 'aGuW'əH* (164v3, 179r20, 239r13–15)
****fevre ague***, *f* (12. Jh. *fièvre aguë*; von mlat. *(febris) acuta*) 'Hitzfieber (Febris acuta)' (TL 1, 215 *fièvre aguë*; AND2 OE *fevere ague* s. v. *fevere*; DMF *fièvre aguë* s. v. *fievre* A.2; ATC 251b *fievre ague*; Kiwitt 179). Auch FEW (24, 128a) gibt altfrz. *agu* mit der speziellen Bedeutung «violent (de la fièvre, d'une maladie)» an. Saye (24) *ague*, 'intermittent fever'; DAF (14b) nur *agu*, 'spitz'. Cf. zu mlat. *acuta, -ae, f*, 'febris vel morbus vehemens, ardens' (MLWB 1, 146): «Cum ergo homo acutam habet, humores ... in multum fervorem ardoris mutati sunt» (Hildeg. caus. 2 p. 164,13, zit. nach MLWB 1, 146) sowie die entprechende Stelle im lat. *Lib. febrium* (V,14): «[D]ue febres generent*ur*, una videl*icet* interpolata *et* diuturna, alia acuta et co*n*tinua» (L, f. CCXXIVb, col. A).
פֵּיבְרְא ... קוֹנְטֵינוּאְה – *FeYVRə' ... QWoNṬeYNWu'əH* (239r13–15)
****fevre contenue***, *f* (1300 *fievre contenue*; von mlat. *febris continua*) 'kontinuierliches Fieber (Febris continua)' (TL 1, 773 *contenue* 'Dauerfieber'; FEW 2,

1109a *fievre contenue, fièvre continue*; AND2 OE *continue* 'continuous fever'; DAF 126b *id*; DMF *fievre continue* s. v. *fievre* A.2; Saye 129 *konténue* 'continual'). An dieser Stelle gibt der Autor lat. *(febris) continua* an entsprechender Stelle im *Lib. febrium* wieder; cf. das Zitat s. v. **fevre ague*. Cf. zu mlat. *(febris) continua* 'i. q. febris non intermissa – stetiges Fieber' (MLWB 2, 1741): «Febris continua est illa, que existens in corpore usque ad sui creticam declinationem» (Maurus *urin*. II, p. 19ª, 28, zit. nach MLWB 2, 1741).

פֵּיבְֿרְא טֵרְצְא - *FeYVRə' ṬeRẒə'* (240v16)

***fevre terce**, f* (Variantenerstbeleg, cf. *fevre terceine*; von lat. FEBREM und mlat. *tertia*) 'Wechselfieber, tertiäres Fieber' (TL 10, 298 *fievre tierce* s. v. *terz*; FEW 13, 267a mfrz. nfrz. *fièvre tierce* «seit 1538», 'fièvre qui revient périodiquement de 2 jours l'un'; AND2 OE *fevere terceine* s. v. *fevere* 'tertian fever'; DMF *fievre tierce* s. v. *fievre* A.2 'fièvre intermittente qui revient tous les trois jours'; Kiwitt 113[427] *fevre terce* 'fièvre tierce, avec crise le troisième jour'; Saye 231 *térçe*). Der Beleg aus TL stammt aus dem *Ménagier de Paris* (1393). Für die Variante **fevre terce* liegt mit *Fevres* der Erstbeleg vor (cf. das verbreitetere *fevre terceine*). Cf. die parallele Stelle im *Lib. febrium* (V, 14): «Q*uod* si ha*n*c febr*em* tertiana*m* [...]» (Constant. Afric. L, f. CCXXIVb, col. A). Cf. zu altfrz. *terce, adj*., 'troisième', FEW (13, 266b). Fehlt AND und DAF.

פֵּיבְֿרְא ... טֵרְצֵיינְא - *FeYVRə'* ... *ṬeRẒeYYNə'* (179r20–21)

**fevre terceine**, *f* (13. Jh.; von lat. FEBREM TERTIANAM) 'Wechselfieber, tertiäres Fieber' (TL 10, 294 *fievre tierçaine*; FEW 13, 267b *fievre terceine* 'fièvre tierce'; Gdf 7, 709 *fievre tierçaine* 'fièvre tierce'; AND2 OE *fevere terceine* s. v. *fevere* 'tertian fever'; DMF *fievre tierçaine* s. v. *fievre* A.2 'fièvre intermittente qui revient tous les trois jours'; Saye 231 *térçéne, adj*, 'tertain'). **Fevre terce* und *fevre terceine* sind synonym. Cf. bereits lat. *febris tertiana*, 'dreitägiges Fieber', bei Cic. *De nat. deor*. 3, 24 (GH 2, 3083) und häufigeres subst. *tertiana, f*, id.. Auch im Altfrz. steht *tierçaine, m* neben dem *fievre* spezifizierenden adj. (cf. TL, FEW, Gdf). Fehlt DAF.

פִּיל - *FiYL* (165r18, 22, 23)

***fil*** → siehe s. v. **fel*.

פִּין - *FiYN* (158r23, 162r20, 162v11)

***fin*** → *siehe s. v. *fen*

427 Belegstellen in TL und FEW fehlen in Kiwitt (113).

פְּלַאנְבִיר – *FLa'NBiYR* (164r16)
***flanbir*** *v. tr.* (12. Jh. *flamber*; von *flamble* < lat. FLAMMŬLAM) 'erhitzen (von Körpersäften)' (TL 3, 1902 *flamber* 'anzünden'; FEW 3, 603a id.; AND2 OE *flambier* s. v. *flamboier* 'to burn, blaze'; DMF *flamber* 'être en flammes'; Saye 98 'to burn'). *Flamber* ist sonst im Altfrz. nur als Verbum mit der Infinitivendung *-er* und nicht mit *-ir* nachgewiesen; für dieses dialektale morphologische Merkmal cf. 1.5.1. Zur Transkription von Nasalen vor Bilabialen cf. 1.4.2. In den Lexika fehlt der Nachweis einer Verwendung des Verbs in humoralpathologischen Kontexten; **flanbir* gibt hier lat. *incendere* wieder («incendens sanguine*m*», Constant. Afric. in L, fol. CCXVIIIr, col. B, *Lib. febrium* IV, 17). Fehlt DAF.

פְּלֵירוֹר – *FLeYRWuR* (101r2)
***flereur***, *f* (12. Jh.; von *flairier* < lat. FRAGRARE) 'Geruch' (TL 3, 1896 *flairor* 'Geruch, Gestank', FEW 3, 746b altfrz. *flairor* 'puanteur'; AND2 OE *flerur* s. v. *fleirur*; DAF 269a *fleror*; DMF *flaireur*; Saye 98 *flerur*). Die Graphie *-WuR* gibt wahrscheinlich [-œr] wieder; cf. Einleitung, 1.4.2. FEW belegt ein entsprechendes (modernes) wallon. *flêreûr*, id.

פְּלֻומְא – *FLWuMə'* (168r19, 168v17)
פְּלוֹמְא – *FLWuMə'* (240v2)
***fleume***, *f* (13. Jh.; < splat. *fleuma*) 'Schleim (als einer der vier Körpersäfte)' (TL 3, 1927; FEW 8, 391a 'lymphe, un des 4 pricipes du corps humain'; AND2 OE; DAF 269b; DMF *flegme* A; ATC 252a; Kiwitt 179; Saye 99 s. v. *fluma*). Zur Repräsentation von [-œ-] durch *-Wu-* cf. die Einleitung, 1.4.2. Der Terminus als humoralpathologischer Fachbegriff ist durch die Lexika ausreichend belegt.
פְּלֵימְא בְלַנְקָא – *FLeYMə' BLaNČə'* (166v18)
פְּלֻומְא בְלַנְקָא – *FLWuMə' BLaNČə'* (166v21)
***fleume blanche***, ***fleme blanche*** *f* (Erstbeleg; 1362 *fleume blanc*) 'weißer Schleim' (DMF s. v. *flegme* A; cf. s. v. *fleume* und *blanc*). Das Synthem ist erst ab dem Mittelfranzösischen nachgewiesen. Eine attestierte altfrz. Spezifizierung des 'Schleims' ist *fleume saus(s)e*, 'Art Geschwür' (TL 3, 1929; FEW 8, 391a). An den entsprechenden Stellen im lat. *Lib. febrium* (IV,17) schreibt Constant. Afric. einfaches *phlegma* (L, fol. CCXVIIIr, col. B). Die Variante in f. 166v18, *fleme*, attestiert FEW (8, 391a) etwa für das Pikard.
פְּלוֹר דְאפוֹמֵייש – *FLWuR Də'PWoMeYYŠ* (157v20)
***fleur de pomes***, *f* 'Apfelblüte'. Für *fleur*, *f* (1080; < lat. FLOREM), 'Blüte', cf. TL (3, 1934 s. v. *flor*); FEW (3, 630a *flo(u)r*; mfrz. nfrz. *fleur*); AND2 OE (s. v. *flur*); DAF (269b *flor*); DMF *fleur*; für *pomes* s. v. *pome*.

פְּלוֹר דְאפּוּיירֵש - *FLWuR Də'PWuYYReŠ* (157v21)

***fleur de puires***, *f* 'Birnenblüte'. Zu *fleur* cf. supra, zu *puires* s. v. *puire*.

פְּלֻורְש דְאבִינְא - *FLuWRŠ Də'ViYNə'* (157r2)

פְּלוֹר דְאבִינְא - *FLWuR Də'ViYNə'* (157v20)

***fleur de vigne***, *f* 'Weinblüte'. Zu *fleur* cf. supra, zu *vigne*, *f* (1120 *vigne*; < lat. VINEAM), 'Weinrebe (Vitis vinifera L.)', cf. TL (11, 449 *vigne, vine*); FEW (14, 471b *vigne, vinne*); AND2 OE *vigne, vine*; DAF (620a *vigne*); DMF *vigne* I; Kiwitt (197 *vigne*); Saye (247 *vine*). Wahrscheinlich ist Variante als *vigne* zu lesen (-*YN*- für [ɲ], cf. Einleitung, 1.4.2).

פְּלֻורְש אַדַאמְש - *FLuWRŠ 'aDa'MŠ* (159v19)

***fleurs***, *f pl.* (12. Jh. angl.-nor. *flors*; < lat. FLUOREM) 'Menstruation' (TL 3, 1940 *flor*, «meist plur.»; FEW 3, 643b angl.-nor. *flors*, mfrz. nfrz. *fleurs*; Gdf 4, 40a 9, 631a *flueur*; AND2 OE *fleurs* s. v. *flurs*; DMF *fleurs* s. v. *fleur*$_2$ A.1; ATC 252a *id.*; Saye 99 *flurs* s. v. *flurç*). Die Graphemfolge -*uW*- ist als [œ] zu interpretieren (cf. Einleitung, 1.4.2); FEW dokumentiert die Variante *fleurs* «seit 1314».

פְּלוֹאַנְט - *FLWu'aNṬ* (239v13)

****fluant***, *adj.* (Bedeutungserstbeleg; von *fluer* oder *fluir*[428] < lat. FLUERE) 'leichtflüssig, sich lösend (von Substanzen im menschlichen Körper)' (FEW 3, 642a *fluent* 'qui coule, fluide'; Gdf 4, 39c *fluant* s. v. *fluent*; AND2 OE *fluer* 'to flow'; DMF *fluent* I 'qui se répand'; Saye 98 *fluant*). Das adjektivisch verwendete part. ist außerhalb von *Fevres* etwas später belegt (Beginn des 14. Jh., cf. Gdf 4, 39c). Für *fluer*/*fluir*, *v. intr.* 'fließen' cf. TL (3, 1954 *flüer*, 3, 1956 *flüir*); FEW (3, 642a *fluer, fluir*) DAF (270a id.). Als medizinischen Terminus technicus belegt FEW («seit Oresme») mfrz. nfrz. *fluer* 'épancher de l'humeur, du sang'; die hier vorliegende Bedeutung ist sonst nicht nachgewiesen (cf. FEW 3, 642a). Für die oszillierende Transkription von Nasalen cf. die Einleitung 1.4.2.

פְּלֻוקְש דוֹבֵינְטֶר - *FLuQS DWo VeNṬeR* (158r15)

פְּלוֹש דוֹבֶנְטֶר - *FLWuŠ DWoVeNṬeR* (158v13, 163v7)

פְּלוֹש דוֹבֶנְטֵייר - *FLWuŠ DWoVeNṬeYYR* (159r8, 16)

פְּלֻוקְש דְאבֶנְטֶר - *FLuWQŠ Də'VeNṬeR* (159v17)

***flus, flux do *venter, flux de *venter***, *m* (1272 *flus de ventre*; aus mlat. *fluxus ventris*) 'Durchfall, Dysenterie' (TL 3, 1959 *flus de ventre* 'Durchfall'; FEW 3, 645b *flux dou ventre* 'Dysenterie'; AND2 OE *flux de ventre* s. v. *flux*; DMF

---

**428** In *Fevres* treten beide Formen des Infinitiv auf (cf. Saye 98): *fluer*, f. 335r13; *fluir* ff. 334v6, 335v12.

*flux de ventre* 'diarrhée, dysenterie' s. v. *flux* A; Saye 99 *fluksus (véntris)*). Die Oszillation zwischen *flus* und *flux* resultiert aus der Unsicherheit [ks] graphisch zu repräsentieren. Zur Metathese von *-re* > *-er* bei *venter* (statt *ventre*) cf. die Einleitung, 1.4.2. Der Terminus ist eine Lehnübersetzung von mlat. *fluxus ventris*, id. (MLWB 4, 339). Fehlt DAF s. v. *flux* (270a).

פוֹייְאה - *FWoYYə'H* (157r17)
פוֹייאְה - *FWoYY'əH* (160r7, 11, 165r11, 21, 165v2, 4, 9, 15, 22, 166r10, u. v. m.)
פוייְאְה - *FWYəY'əH* (239v20)
***foie***, *m* (1080; < vlat. FICATUM) 'Leber' (TL 3, 1973; FEW 3, 490b; AND2 OE s. v. *feie*; DAF 270b; DMF; Kiwitt 179; Saye 99).

פוֹיְיזוֹן - *FWoYəYZWoN* (163r8)
***foison***, *f* (11. Jh.; < lat. FUSIONEM) 'große Menge' (TL 3, 1990; FEW 3, 913b; AND2 OE s. v. *fuison*; DAF 271a; DMF A; Saye 100 *foizon*). *Foison* ist zuerst in den Rashi-Glossen belegt, und zwar in ähnlicher Transkription, z. B. פויזון (*PWYYZWN*, DB 494a, Yeb. 63a). Zur Repräsentation des Diphthongs [wa] cf. 1.4.2.

פוֹייֵש - *FWoYeYŠ* (162v16, 17, 163r10, 166v21, 167r19, 168r4)
פוֹייאֵייץ - *FWoYY'YeYẒ* (166v7)
פוֹייֵץ - *FWoYeYẒ* (178r16, 178v20, 180r1)
***foiz***, *f* (11. Jh. *foiz*, < lat. VICES *acc. pl.*) 'Mal' (TL 3, 1994 *foiz*; FEW 14, 410b *id.*; AND2 OE *foies s. v. feiz*; DAF 271a *foiz* mit Verweis auf *feiz*; DMF *fois*; Kiwitt 179 *id.*; Saye 99 *foéç*). Zur Repräsentation des Diphthongs [wa] cf. die Einleitung, 1.4.2. Cf. FEW (14, 412b) zur Problematik des stimmlosen Anlautes [f-].

פוֹר - *FWoR* (164r1)
***for***, *adv.* (10. Jh. *fors*; < lat. FORAS) 'außer' (TL 3, 2141 *fors*; FEW 3, 701b *id.*; AND2 OE s. v. *fors*; DAF 275b *fors*; DMF *fors* I.A). Für 'außer' in adverbialer Verwendung ist ist den konsultierten Quellen lediglich *fors* belegt; die altfrz. Variante *for* dokumentiert FEW (3, 700b) in der Bedeutung 'außen, hinaus'. Cf. auch Kiwitt (179) und Saye (100) für den präpositionalen Gebrauch von *for*.

אֲפוֹרְצְא - *'aFWoRẒə'* (165r3)
***force***
→ ***a force***, *adv.* (12. Jh.; von *force* < lat. FORTIAM) 'gewaltsam' (TL 3, 2065; FEW 3, 727b 'contre son gré; AND2 OE s. v. *force*; DMF s. v. *force* I.A.1.a). Cf. auch Kiwitt (179) *force*, 'Kraft'; Saye (100) *forçe*, 'force, strength'.

פֿוֹרְשֵׁילְא - *FWoRŠeYLə’* (174r17)
***forcele***, *f* (1200; < lat. FURCILLAM ‘kleine Gabel’) ‘Brust’ (TL 3, 2069; FEW 3, 894b; Gdf 4, 65c; AND2 OE s. v. *furcele* ‘clavicle’; DMF *forcelle*; Saye 100 *forséle*). Fehlt DAF.

פֿוֹרְמֵינְט - *FWoRMeYNṬ* (178r7)
***forment*** → siehe s. v. *gru*.

פֿוֹרְטֵייץ - *FWoRṬeYYẒ* (156v17)
פֿוֹרְטְא - *FWoRṬə’* (159v17, 169v11, 240r25)
פֿורְט - *FWRṬ* (160v16)
פֿוֹרְט - *FWoRṬ* (169v20, 178v14, 179r11)
***fort***, *adj*. (1080; < lat. FORTEM) *forte (f)*, *fortes (f pl.)* ‘stark, heftig, kräftig’ (TL 3, 2153; FEW 3, 732b; AND2 OE; DAF 276a; DMF I.A; Kiwitt 179; Saye 101).

פְֿרֵיקֿא - *FReYČə’* (157r16)
פְֿרֵייץ - *FReYYẒ* (172v15)
***fres***, *adj*. (1080; < germ. **frisk*) *freche (f)* ‘frisch’ (TL 3, 2285 *freis*, f: *fresche*; FEW 3, 807a *freis*; AND2 OE *fres* s. v. *fresch*; DAF 278b *fre(i)s*, f: *fraische*; DMF $frais_2$ I.; ATC 253b *fres*, f: *fresche*; Kiwitt 180 *freis*, f: *freiche*; Saye 101 *fréche*).

פְֿרוֹיידֻור - *FRWoYYDWuR* (168r13, 239r21)
פְֿרוֹיידֻורְא - *FRWoYYDuWRə’* (172v1)
פְֿרֵידוּר - *FReYDWuR* (239v5)
***froideur***, ***froidure***, ****fredeur***, *f* (12. Jh. *froidor*; von *froit* < lat. FRIGIDUM) ‘Kälte’ (TL 3, 2280 *froidor*, *froidure*; FEW 3, 798b altfrz. *froidor*, mfrz. nfrz. *froideur*, 799a *froidure*; AND2 OE *froideure* s. v. *freidure*; DAF 280a *froidor*; DMF *froideur* A; ATC 253b *froidor*, *froidures*; Kiwitt 180 *froideur*; Saye 102 *froidur*). Die finale Silbe der Varianten in ff. 168r13, 239r21 und 239v5 ist als [-dœr] zu interpretieren (cf. Einleitung, 1.4.2). [-e-] in der ersten Silbe wie in *FReYDWuR* (f. 239v5) belegt FEW (3, 799a) bspw. für die moderne zentralfrz. Variante *fredure* oder burgund. *ferdure* (mit Metathese).

פְֿארוֹיידְא - *Fə’RWoYYDə’* (157r25)
פְֿרוֹיידְא - *FRWoYYDə’* (157v8, 158r11, 158v5, 160v18, 170v12, 172r13, 239v4)
פְֿרוֹיידֵייץ - *FRWoYYDeYYẒ* (175v21, 176r12, 239r20, 239v2)
פְֿרוֹייְדֵייץ - *FRWoYəYDeYYẒ* (179v1)
[***froit***], *adj*. (1080; < lat. FRIGIDUM) *froide*, *froides* ‘kalt’ (TL 3, 2293; FEW 3, 797a; AND2 OE; DAF 280a; DMF *froid* A; Kiwitt 180). Die Variante *Fə’RWoYYDə’* (157r25) zeigt ein epenthetisches *-e-* in der ersten Silbe (vgl. 1.4.2). Das adj. dient auch zur Spezifizierung von Pflanzen im Sinne der humoralpathologischen Vierersystematik («erbes froides», ff. 175v21, 176r12).

פְּרוֹמֵייץ - *FRWoMeYYẒ* (170r13)
[***fromer**], *v. tr.* (11. Jh. *former*; < lat. FORMARE) *fromez (2. pl. imp.)* 'formen; anbringen' (TL 3, 2114 *former*; FEW 3, 716b *id.*; AND2 OE *id.*; DAF 274b *id.*; DMF *id.*; Kiwitt 179 *id.*; Saye 100 *formér*). Die vorliegende Form weist in zweierlei Hinsicht Schwierigkeiten auf: Zum einen ist eine metathetische Form nicht belegt; zum anderen kongruieren die Flexionsendung *-ez* (*2.. pl. imp.*) und das Subjekt (*nos*) nicht. Im *Lib. febrium* (IV,17) formuliert Constant. Afric. passivisch («cathaplasmentur stomachus *et* epar», L, fol. CCXVIIIv, col. A)., so dass dieser Text keine weiteren Hinweise auf eine Interpretation des Verbs geben kann.

פְּרוֹטֵייץ - *FRWoṬeYYẒ* (172r11)
[***froter***], *v. tr.* (12. Jh.; < lat. FRICTARE) *frotez (2. pl. imp.)* 'reiben' (TL 3, 2310; FEW 3, 786a *frotter*; AND2 OE; DMF *frotter*; Saye 102). Fehlt DAF.

פּוּ - *FWu* (157v5, 160v7, 172r9, 174r4, 178v16, 179r4, 179v24, 180r6)
***fu***, *m* (10. Jh.; < lat. FOCUM) 'Feuer' (TL 3, 1785; FEW 3, 652a altfrz. *feu, fou*, altpik., angl.-nor. *fu*; AND2 OE s. v. *feu*; DAF 265b *feu*; DMF *feu*$_1$; Kiwitt 179 *id.*; Saye 103 *fu*). Die Graphie *FWu* ist als [fy] zu interpretieren (cf. Einleitung, 1.4.2). Cf. auch GlBâleB 1119 *lu* (< LOCUM), siehe s. v. *lu*.

פֻּומֵיאָה - *FuWMeYə'H* (164v18, 178r10)
***fumee***, *f* (Bedeutungserstbeleg; von lat. FUMATA) 'Rauch; Ausdünstung, Schweiß' (TL 3, 2351 'Rauch'; FEW 3, 853a 'Rauch; Dampf'; Gdf 9, 673b id.; AND2 OE 'smoke, vapour'; DAF 281b id.; DMF *fumee*$_1$ A 'vapeur qui se dégage d'un corps en combustion, fumée'; Saye 103 'vapor'). *Fumee* in der Bedeutung 'Ausdünstung (eines Körpers)' ist außerhalb von *Fevres* nicht belegt und in den Lexika zu ergänzen. Cf. auch Kiwitt (180) für *fumee* in der Bedeutung 'Rauch'.

פֻּוזִיצִיאֵינֵייץ - *FuWZiYẒiY'eYNeYYẒ* (160r16)
פֻּוזִיצִיאֵיינְץ - *FuWZiYẒiY'eYYNẒ* (162r14, 162v4)
פֻּוזִיצִיאֵינְץ - *FuWZiYẒiY'eYNẒ* (162r18)
פֻּוזִיצִיאֵן - *FuWZiYẒiY'eN* (179v16, 239r6)
***fusicien***, *m* (12. Jh. *fisicien*; von *fisique* 'art médical' < lat. PHYSICAM) *fusiciens (pl.), fusicienes (f pl.)* 'Arzt, Ärztin' (TL 3, 1881 *fisici(i)en*; FEW 8, 406b altfrz. *fisici(i)en, physicien, fusicien*, «judfr.» *fisicien*; AND2 OE *fisicien* s. v. *phisicien*; DMF *physicien* A; Kiwitt 179 *fisicien*; Saye 103 *fuziçién*). Die Variante *fusicien* ist laut FEW vom 13.–15. Jh. in altfrz. Texten belegt; die «judfr.» Variante ist in *Fevres* offensichtlich nicht repräsentiert. Die feminine Form *fusiciene* belegt FEW für das Jahr 1223; TL (3, 1882): *fusicïenne*. Fehlt DAF.

פֿוּזִיקֵייץ - *FuWZiYQeYYẒ* (170r9)
***fusiques**, f pl.* (von *fisique*, cf. supra) 'Medikamente' (FEW 8, 406b *fisiques* (pl.); DMF *physique*$_1$ B 'art médical, médecine'; Saye 103 *fuzike, fuzikéç*). Die Dokumentation des Terminus in FEW ist als hap. leg. (ohne Herkunftsbeleg) gekennzeichnet. Mit *Fevres* liegt mindestens ein Zweitbeleg vor. Fehlt TL, AND, DAF, Gdf.

## G

גַלֵייש - *GaLeYYŠ* (159r21)
גַלֵי - *GaLeY* (160v13)
***galee**, f* (Erstbeleg; von *gale* ('Gallapfel') < lat. GALLAM) *galees (pl.)* 'bestimmte Menge von Galläpfeln' (DEAF G, 80 *gallee* s. v. *gale*; TL 4, 66; FEW 4, 32b altfrz. *gale*, mfrz. *galee*; Gdf 4, 211a, 9, 681b; AND2 OE s. v. *galle*; DAF 285a *gale*; DMF *galle* I; ATC 254a *gales*; DB 534 גלש, גלא, u. a.; Saye 104 *galé, galés*). *Galee* ist sonst erst seit *Moamin* (14. Jh.) belegt (cf. DEAF G, 80). Für die Unterscheidung der beiden Formen *gale* und *galee* cf. DEAF (G, 81); demnach sind sie nicht synonym, sondern *galee* (*-ee* < -ata) «désignerait une certaine quantité de *gale* utilisée dans une préparation pharmaceutique». Die medizinische Verwendung mit adstringierender Wirkung von Galläpfeln ist ferner mehrfach dokumentiert; cf. z. B. «autant fait pourre de galles arses, et pourre de tiere arse rouge, [...] totes ces pourreş estraignent le sanc» (*Rég. du corps* 44,17, zit nach TL 4, 65).

גַארְדְא - *Ga'RDə'* (162r14)
***garde**, f* (11. Jh.; von *garder* < germ. **wardon*) 'Obhut, Sorge' (DEAF G, 151; TL 4, 126; FEW 17, 515b; AND2 OE; DAF 287a; DMF *garde*$_1$ I.A; Saye 104 'care'). Das an dieser Stelle vorliegende Syntagma *prendre garde de* («si prenoient de li garde», f. 162r13–14) ist in DEAF (G, 154) TL (4, 127) mit der Bedeutung 'Sorge tragen für' belegt; cf. auch FEW (17, 515b), *id.*, 'faire attention à'.

גַרְדְא - *GaRDə'* (158r5)
**[garder]**, *v. tr.* (1215; < germ. **wardôn*) *garde (3. sg.)* 'erhalten; bewachen' (DEAF G, 172; TL 4, 148; FEW 17, 514b; DAF 287a; DMF C; Saye 104 *gardér*). Cf. auch *garder, v. refl.*

בוֹש גַרְדֵייש - *VWoŠ GaRDeYYŠ* (161v19)
בוֹש גַרְדֵייץ - *VWoŠ GaRDeYYẒ* (163r23)

שְׁא גַרְדֵייר – *Šə' GaRDeYYR* (239v11)
שְׁא גַרְדְא – *Šə' GaRDə'* (240r23)
**[garder]**, *v. refl.* (11. Jh.; Etymologie siehe *garder, v. tr.*) *se garde (3. sg. subj.), vos gardez (2. pl. imp.)* 'sich hüten' (DEAF G, 172; TL 4, 143; FEW 17, 514a; AND2 OE; DMF B.3; Kiwitt 180; Saye 104 *gardér*). Die refelexive Verwendung fehlt DAF (287a). Cf. auch *garder, v. tr.*

גַארִיט – *Ga'RiYṬ* (159v19)
גַרִירַא – *GaRiYRa'* (160r3, 174v18, 178v21)
גֵירִיר – *GeYRiYR* (162r10)
גֵיירִי – *GeYYRiY* (174r9)
גַארִירַא – *Ga'RiRa'* (178v4)
גַארַא – *Ga'Ra'* (179r17)
גַירִיר – *Ga'RiYR* (179v21)
גַארִירַא – *Ga'RiYRa'* (180r8)
***garir*, *guerir***, *v. tr.* (1050 *guarir*, 1090 *guerir*; < fränk. **warjan*) *garit (3. sg.), garira (3. sg. fut.), *gara (3. sg. fut.)* 'heilen; retten' (DEAF G, 268 *garir, guerir* 'sauver', G, 271 'rendre la santé; TL 4, 158 *garir, guerir* 'retten', 162 *id.* 'heilen'; FEW 17, 526a *garir* 'sauver', 527a *guerir* 'faire revenir à la santé'; AND2 OE; DAF 287b *garir* 'protéger, guérir'; DMF *guerir* B.1 'recouvrer la santé', B.2 'faire que qqn recouvre la santé en le soignant'; Saye 105 *garir, gérir*). Die Variante **gara* (f. 179r17) ist wahrscheinlich für *garira* verschrieben.

גֵירִיזוֹן – *GeYRiYZWoN* (164r26)
גַרִיזוֹן – *GaRiYZWoN* (164v1)
***garison*, *guerison***, *f* (1080 *guarison*, 12. Jh. *guerison*; von *garir* < fränk. **warjan*) 'Genesung' (DEAF G, 274 *garison, guerison*, G, 275 'retour à l'état de santé; TL 4, 168–169; FEW 17, 526b nur *g(u)arison*; Gdf 4, 231a, 9, 732c *garison, guerison*; AND2 OE *garison* s. v. *garisun*; DAF 287b *garison*; DMF *guerison* B; ATC 254b *id.*; Saye 105 *garizon, gérizon*). Cf. auch *garir*.

גַ׳אלִינְא – *Ǧə'LiYNə'* (163r13)
***geline***, *f* (1190; < lat. GALLINAM) 'Henne' (DEAF G, 440; TL 4, 228; FEW 4, 38a; AND2 OE; DAF 289a; DMF A; ATC 254b; Kiwitt 180; Saye 104 s. v. *galini*, 114 *jeline*). Vgl auch s. v. *grese* und *oef*.

גֵ׳ינְץ – *ǦeYNẒ* (160r14)
***genz***, *m.* und *f. pl.* (980; < lat. GENTES) 'Leute' (DEAF G, 510; TL 4, 262; FEW 4, 107a; AND2 OE *genz* s. v. *gent*; DAF 290a; DMF *gens*; Saye 114 *jénç*).

גָאזִיר - *Ǧə'ZiYR* (173v14)
גִיט - *ǦiYṬ* (179r3)
**[gesir]**, *v. intr.* (1050; < lat. IACERE) *git (3. sg.)* 'ruhen, liegen' (DEAF G, 592 'être étendu par terre', G, 622 'laisser reposer'; TL 4, 1623 s. v. *jesir*; FEW 5, 1a; Gdf 4, 267a; AND2 OE *gesir* s. v. *gisir*; DAF 290b; DMF A; ATC 254b; Saye 115 *jézir*).

גְלוּאַנְט - *GLWu'aNṬ* (158v7)
***gluant***, *adj.* (1256; von *gluer* – *glud* < splat. *glutem*[429]) 'zähflüssig, viskos (von Substanzen im menschlichen Körper)' (DEAF G, 905 'visqueux et collant comme la glu'; TL 4, 402 *glüant* 'klebrig'; FEW 4, 170a 'visqueux comme la glu'; Gdf 9, 705b 'qui est visqueux'; AND2 OE *gluer* 'sticky, adhesive'; DMF 'visqueux, collant comme la glu'; ATC 255a *gluans* s. v. *gluer* 'coller, gluer'; Saye 106 'viscous'). Eine explizit humoralpathologische Semantisierung fehlt den Lexika. Cf. auch DAF (293b): *gluer*, 'coller', und *glueus*, 'visqueux'.

גוֹבֵרְנָא - *GWoVeRNə'* (160r9, 10)
***governe***, *f* (13. Jh.; von *gouverner* < lat. GUBERNARE) 'Versorgung (von Organen, Gliedmaßen)' (DEAF G, 1094 'nourriture, entretien', «sens discuté»; TL 4, 483 'Unterhalt, Nahrung' = RLJ 493 גוֹרבֵינָא; FEW 4, 301a judfr. *gouverne* 'nourriture' = RLJ; DMF *gouverne* B.3 'entretien, nourriture, soins'; Saye 106 'nourishment'). Wie bereits in Zwink (2006, 255) beschrieben, ist *governe* eines der Lexeme, das in der angegebenen Bedeutung ausschließlich in frz. Texten in hebr. Graphie auftritt.[430] Die Verwendung des Terminus im humoralpathologischen Zusammenhang ist zudem außerhalb von *Fevres* nicht dokumentiert. Cf. auch Gdf (4, 325a) und DAF (296a): 'auberge'; diese Interpretation wird von FEW (4, 302b) verworfen und zugunsten von 'nourriture' emendiert. Für ein ähnliches Konzept der >ERNÄHRUNG< cf. auch s. v. *norir*.

גְרַאנְדְאמֵינְט - *GRa'NDə'MeYNṬ* (166v23)
***grandement***, *adv.* (12. Jh. *gramment*, 1280 *grandement*; von *grant* < lat. GRANDEM) 'sehr, in hohem Maße' (DEAF G, 1228; TL 4, 556; FEW 4, 220a; AND2 OE s. v. *grantment*; DMF II.A.3, 5; Saye 107 *grandemént*). Fehlt DAF.

429 Lat. GLUTEN (n) ist im Splat. zu *glutis* mit dem acc. *glutem* geworden; zu letzterem ist wiederum der nom. *glus* entstanden. Die Wörter der Galloromania mit ihren Ableitungen beruhen auf *glus, glutem* (cf. FEW 4, 171a).

430 Z. B. in den Rashi-Glossen, dem *Glossaire de Bâle* und anderen durch Levy erfassten altfrz. Texten in hebr. Graphie.

גְרַאנְדְא - *GRa'NDə'* (102r8, 159v11, 165v9, 172v9, 240v21)
גְרַאנְט - *GRa'NṬ* (160r13, 21, 162v16, 163r1, 8, 167r1, 239r17)
גְרַאנְטְא - *GRa'NṬə'* (167r6)
גְראַנְט - *GR'aNṬ* (167v13)
***grant***, *adj.* (10. Jh.; < lat. GRANDEM) *grande, *grante (f)* 'groß' (DEAF G, 1218; TL 4, 546; FEW 4, 219a; AND2 OE; DAF 297a; DMF *grand*; Kiwitt 180; Saye 107). Cf. auch s. v. *orine*.

גְרַאפֵייש שַׁאבַֿאגֵֿייש - *GRa'PeYYŠ Ša'Va'ĞeYYŠ* (157v8)
גרַאפֵיץ שַׁאבַֿאגֵֿייץ - *GRa'PeẒ Ša'Va'ĞeYYẒ* (157v16–17)
****grape savage***, *f*, (1125; < germ. **krappa*[431]) *grapes savages (pl.)* 'wilde Weintraube (Frucht der Vitis vinifera L.)'. Für *grape*, cf. DEAF (G, 1235); TL (4, 564); FEW (16, 359b); AND2 O;E DAF (297b); DMF *grappe*$_1$; Saye (107); für *savage, adj.* (1175 *salvage*; < vlat. **salvaticum*) 'wild', cf. TL (9, 233 *sauvage* und *salvage*); FEW (11, 616b); AND2 OE; DAF (541a *salvage*). *Savage* ist laut FEW im Angl.-Nor. belegt. Das adj. spezifiziert jeweils Pflanzenarten; TL gibt explizit das adj. als Attribut wild wachsender (im Gegensatz zu kultivierten) Pflanzen an. Cf. auch s. v. *resin, viole*.

גְרֵיינְץ - *GReYYNẒ* (157v4, 11, 161r12, 177r17, 18)
**[*grein*]**, *m* (11. Jh.; < lat. GRANUM) *grens (pl.)* 'Korn, Same; Pulver' (DEAF G, 1159 *grain, gren*, G, 1160 'fruit ou partie du fruit de plantes autres que les graminée qui constitue également sa semence'; TL 4, 519 *grain*; FEW 4, 227b *id.*; Gdf 9, 715a *id.*; AND2 OE s. v. *grain*; DMF *grain* I; Kiwitt 113; Saye 107 *grén*). DEAF (G, 1159) attestiert eine undiphthongierte Variante *gren* u. a. im lothr. *Glossaire de Bâle* (GlBâleB, 7916). Fehlt DAF.

גְרֵישֵׁש - *GReYŠəŠ* (173v20)
***grese***, *f* (12. Jh. *graisse*, 1210 *gresse*; < vlat. **crassia*) *greses (pl.)* 'Fett' (TL 4, 530 *graisse*; FEW 2, 1276 *id.*, 'substance onctueuse répandue dans le tissu cellulaire des êtres vivants'; Gdf 9, 715b *gresse* s. v. *graisse*; AND2 OE s. v. *gresse*; DMF *graisse* A.1; Saye 107 *grése*). Die monophthongierte Variante *gres(s)e* ist v. a. in (angl.-)nor. Texten belegt. Fehlt DAF.
דְאאַנֵיטְא ... - ... *Də''aNeYṬə'* (173v18)
***(grese) de anete***, *f* 'Entenfett'. Cf. supra und für *anete, f* (12. Jh.; < lat. ANATEM), '(weibliche) Ente', TL (1, 387); FEW (24, 523a); AND2 OE (*anete*); DMF *anette*$_1$; Saye (32 *anéte*). Fehlt DAF.

431 Grundbedeutung des germanischen Wortes ist 'das Gekrümmte', das sich semantisch ausdifferenziert hat. Das Wort ist in der ganzen Romania so weit verbreitet, dass von einer Entlehnung ins Vulgärlateinische ausgegangen werden muss (cf. FEW 16, 366a).

גְרֵיישְׁא דאְגְלִינְא - *GReYŠə' Də'GLiYNə'* (173v17)
***grese de geline***, *f* 'Hühnerfett' (AND2 OE *gres de geline* s. v. *gresse*). Cf. supra und s. v. *geline*.

... דְאאוֹיייאָה - ... *Də''WoYY'əH* (173v18)
***(grese) de oie***, *f* 'Gänsefett'. Cf. supra und für *oie* (1175; < lat. AUCAM), 'Gans', TL (6, 985); FEW (25-2, 756a); AND2 OE (*owe*); DAF (419b *oe*); DMF *oie* A; Saye (168).

גְרוֹץ - *GRWoẒ* (163r12)
גְרוֹשֵׁשׁ - *GRWoŠeŠ* (164v18, 166r20, 21)
גְרוֹשׁ - *GRWoŠ* (166r23)
גְרוֹשְׁא - *GRWoŠə'* (166v12, 17, 177r4, 239r6, 21, 239v5)
***gros***, *adj.* (1080; < vlat. *grossum*) *grose (f)*, *groses (f pl.)* 'dick; weit; dickflüssig' (von Substanzen im menschlichen Körper) (DEAF G, 1487 'gros', G, 1483 *en parlant du sang (soit «qui est considéré comme épais»)*; TL 4, 701 'dick'; FEW 4, 274a 'qui dépasse le volume ordinaire en épaisseur'; 4, 279a 'gros'; Gdf 9, 729b; DAF 301a; DMF II.C.1 'qui est dense, compact' (d'une substance du corps); Kiwitt 181 'dick'; Saye 108 *groç* 'large, abundant'). Die humoralpathologische Spezifizierung ist seit 1256 (Aldebrandin de Siene) nachgewiesen (cf. DEAF G, 1483). Cf. auch unter *orine*.

גְרוֹץ - *GRWoẒ* (163r11, 12)
***gros***, *m* (1080; von *gros, adj.*, cf. s. v.) 'Dicke, Umfang' (DEAF 1483; TL 4, 707; FEW 4, 274b; AND2 OE; DAF 301a s. v. *gros*; DMF s. v. *gros*, adj. I.A.1; Kiwitt 180).

גְרוֹשׁוּר - *GRWoŠWuR* (166v3)
***grosseur***, *f* (12. Jh. *grosseur* 'volume'; von *gros, adj.*, cf. s. v.) 'Viskosität (von Substanzen im menschlichen Körper)' (DEAF G.1487 *grossor*, mfrz. *grosseur*; TL 4, 712 *grossor* 'Dicke'; FEW 4, 275a 'volume, dimension'; DMF II.B 'état de ce qui est dense, compact'; ATC 256b *groissor* 'grosseur'; Saye 108 *groçur* 'large size'). Eine Verwendung des Lexems als humoralpathologischer Terminus ist durch die Lexika bisher nicht belegt und ist auch bei Saye zu ergänzen. Fehlt AND, DAF.

גְרוּץ - *GRWuẒ* (178r6, 9, 19)
**[*gru*]**, *m* (1220 *gru*; < anfrk. **grût*) *grus (pl)*, 'Grütze' (DEAF G, 1503; TL 4, 713; FEW 16, 97a; Gdf 10, 505c; AND2 OE s. v. *gruel*; DAF 301a; DMF; Saye 108 *gruç*, pl.). FEW (16, 96b) gibt zudem *grus* als moderne Variante aus der Gegend südl. Lothringen/Franche-Comté an; unsere Form ist jedoch wahrscheinlich als Plural von *gru* zu interpretieren; so auch in den meisten Belegstellen des Gdf, z. B. «Les blez, orges, *grus*, pois, feves» (1391, *Denombr.*

*du baill. de Caux*, zit. nach Gdf 10, 505c). Cf. ferner TL (4, 718) und FEW (16, 94a): *gruis*, 'Kleie' (< mndl. *gruis*, id.). *Gru* (< **grût*) ist dabei von *gruis* (< mndl. *gruis*), 'Schrot', zu trennen (cf. zu weiterer Diskussion DEAF G, 1502).

גְרוּץ דְאפּוֹרְמֵינְט – *GRWuẒ Də'FWoRMeYNṬ* (178r6–7)

***gru de forment***, *m grus (pl.) de forment*, 'Weizengrütze'. Cf. supra und für *forment*, *m* (12. Jh. *froment*; < lat. FRUMENTUM), 'Weizen', TL (3, 2111); FEW (3, 828a *froment, froument*); AND2 OE *forment* s. v. *furment* 'wheat'; DAF (280b *froment*); DMF *froment* A; Saye (101 *forménṭ*). In *Fevres* tritt ausschließlich die metathetische Variante *forment* auf (cf. Saye 101).

גֻומָא אֲרַאבִיק – *GuWMə' 'aRa'BiYQ* (159r20–21)

***gume arabic**, *m* 'Gummi arabicum'. Lat.-altfrz. Synthem (?). **Gume* ist möglicherweise lat. für in Plin *nat.* belegtes *gumme*, 'Kautschuk' (ThLL 4, 1380,2 s. v. *cummi*; für weitere Referenzen cf. im *Lateinischen Glossar* (3.3) s. v. *gumi*); sie ist auch in einem angl.-nor. Text belegt, *gume arabie* 'gum Arabic' (AND2 OE s. v. *arabie*). Für das Altfrz. sind Varianten des Terminus durch DEAF (G, 981 *gomme arabique*); TL (4, 430 *gom arabic*); DMF s. v. *gomme* A.1 *gomme arabique*; ATC (255 *gomme arabique*); Saye (108 *gume arabik*) dokumentiert. FEW (4, 324a) belegt *gomme arabique* erst für das Mfrz. Cf. auch *gumi arabicum* im *Lateinischen Glossar* (3.3).

## H

הַאטַאט – *Ha'Ṭa'Ṭ* (101v15)

***hatant***, *adj.* (12. Jh. *hastant* 'pressé'; von *haster* – *haste* < anfrk. **haist*) 'zügig' (DEAF H, 268 s. v. *hastant* 'qui est rapide'; Gdf 4, 432a *hastant* 'pressé'; FEW 16, 124a mfrz. *hastant* id., «ende 14. Jh.»; Saye 109 *hatat*, adj. 'quick'). Cf. die Einleitung für den Schwund von vorkonsonantischem *s-* (1.5.1) und für die Repräsentation von Nasalvokalen ohne *-n-* (1.4.2). Im *Glossaire de Bâle* findet sich die Variante הַאטַאנץ (*hatants*, GlBâleB 2167, zit. nach DEAF H, 268). Das adj. ist in *Fevres* erstmals als im medizinischen Kontext belegt; es spezifiziert, wie sein Antonym *tarçant*, 'verzögert' (cf. s. v. *tarçant*), den Zeitpunkt des Eintretens der Genesung. Cf. ferner TL (4, 966), AND2OE; DAF (308b); DMF, nur altfrz. *haster*, 'eilen'.

הַאטִיבֵיייש – *Ha'ṬiYVeYYŠ* (239v17)

הַאֲטִיף – *H'aṬiYF* (240v19)

***hatif***, *adj.* (1080 *hastif*; von *haste* < anfrk. **haist*) *hatives (f pl.)* 'schnell, beschleunigend; rasend (vom Puls)' (DEAF H, 260 'qui est caractérisé par une grande rapidité'; TL 4, 977 *hastif* 'rasch, eilig'; FEW 123b id.; AND2 OE *id.*;

DMF *id.*; Kiwitt 181 id.; Saye 109 'rapid; excited, violent'). Cf. die Einleitung für den Schwund von vorkonsonantischem *s-* (1.5.1). Das adj. spezifiert *pus* in f. 240v19; diese medizinische Semantisierung ist durch die Lexika nicht abgedeckt, so dass hier ein Erstbeleg der Bedeutung vorliegt.

הֻומֵייר - *HWuMeYYR* (177r20)
***humer***, *v. tr.* (11. Jh.; < **hum*) 'schlürfen' (DEAF H, 715; TL 4, 1226; FEW 4, 506b; AND2 OE; DB 585; DMF A; ATC 258b; Saye 110). DB dokumentiert u. a. הוּמֵיר (DB 585b). Fehlt DAF.

## I

אִידְרוֹפִּיאָה - *'iYDRWoPiY'əH* (168v1)
***idropie***, *f* (13. Jh.; von *idrope* < lat. HYDROPEM/gr. ὕδρωψ) 'Wassersucht' (DEAF I, 28; TL 4, 1283; FEW 4, 523b 'accumulation morbide de liquide séreux dans une cavité du corps'; Gdf 4, 540a; AND2 OE; DMF *hydropie* 'hydropisie'; ATC 258b *idropisie*; Saye 110). DEAF weist die Behandlung von *idropie* unter dem Etymon HYDROPISIS durch FEW zurück; vielmehr sei *idropie* auf das adj. *idrope* zurückzuführen. Eine Art der *idropie* wird mit *iposarca* (cf. s. v. *iposarca* im *Lateinischen Glossar*, 3.3) identifiziert: «une manere de idropie que l'en apele iposarca» (f. 168r22–168v1). Fehlt DAF.

אִינְדִיבֵי - *'iYNDiYVeY* (172v4)
אִינְדִיבָא - *'iYNDiYVə'* (173r6)
***indive*** → siehe s. v. *endive*.

אִיקִי - *'iYQiY* (167r16)
***iqui*** → siehe s. v. *equi*

אִירוּשׁ - *'iYRWuŠ* (240v22)
***irus***, *adj.* (1138 *irous*, 13. Jh. *irus*; von *ire* < lat. IRAM) 'zornig' (TL 4, 1460 *irus* s. v. *iros*; FEW 4, 811b altfrz. *irous*, mfrz. *ireus*; Gdf 4, 609b *irus* s. v. *iros*; AND2 OE; DAF 318b *irois*; DMF *ireux* B; Saye 111).

אֱנְשֵׁינְקֵייש - *'eNŠeYNQeYYŠ* (168v3)
אִישֵׁינְקֵייץ - *'iYŠeYNQeYYẒ* (169v5, 172r5)
אִי שִׁינְקֵייש - *'iY ŠiYNQeYYŠ* (174r8)
אִישִׁינקֵייץ - *'iYŠiYNQeYYẒ* (179r5, 180r1, 7)
****isenques***, ****isinques***, ****ensenques***, *adv.* (1250 *einsiques*; von *ensi que*) 'so, also, daher' (TL 1, 245 *ainsiques, einsiques*, 4, 1477 *issiques*; FEW 11, 574b *id.*; Gdf 4, 617c *issiques, einsinques, ainsinques*; AND2 OE *isinkes* s. v. *issi*;

DAF 319a *issiques*; Saye 111 *isinkés*). Varianten mit Nasal in der zweiten Silbe der intensivierten Form von *ensi* (Fernassimilation) ist nur durch Gdf belegt (z. B. *einsinques* in administrativen Texten aus dem 13. Jh.) belegt; cf. auch dort für weitere Varianten.

אִיט – *'YiṬ* (100v15, 101r1, 14, 157r15, 160r5, 161v14, 168v5)
אִישׁוֹיְיט – *'iYŠWoYəYṬ* (101r5, 6)
אִישִׁיט – *'iYŠiYṬ* (101r8)
אִיטֵר – *'iYṬeR* (101r12, 161v21, 239v17)
אִישְׁא – *'iYŠə'* (161v16, 163v22)
אִישִׁי – *'iYŠiY* (162v15, 163r8, 10)
אִיצִי – *'iYẒiY* (162v18)
אִישֻׁואְה – *'iYŠuWə'H* (163r11)
אִיטְרַא – *'iYṬRa'* (178v2, 179r17)
***iter**, *v. intr.* (1080; < lat. EXIRE) *it (3. sg.), isoit (3. sg. impf.), isit, isi (3. sg. passé simpl.), ise (3. sg. subj.), itra (3. sg. fut.), isue (part. perf. f)* 'herausfließen' (TL 4, 1484 *issir, (e)istre*; FEW 3, 295b *(e)issir*; Gdf 3, 18a *(e)issir*; AND2 OE *iser* s. v. *issir*; DAF 319b; DMF *issir* B.2; ATC 259b *issir*; Kiwitt 181; Saye 112 *itér*). Die Verwendung von *issir* im medizinischen Kontext belegt auch TL (4, 1484): «En tel maniere que l'ordure de cele plaie puisse eistre francement» (HMond *Chir.* 1138). Cf. Rheinfelder (1967, 274) für das Verbalparadigma von *(e)issir*. Eine Variante **iter* ist nicht belegt.

אִיטִיקְא – *'iYṬiYQə'* (239v8)
**itique**, *f* (13. Jh. *etique*, *f*; aus lat. (FEBREM) HECTICAM) 'Auszehrung, hektisches Fieber' (TL 3, 1519 *etique* 'Schwindsucht'; Gdf 9, 572a *etique*, *adj* 'maigre'; AND2 OE *etique* 'hectic fever'; DMF *etique* II.A 'malade atteint de fièvre consumante', II.B 'étisie'; Saye 112 *itike adj.* 'hectic, consumptive'). *Itique* ist an entsprechender *Fevres*-Stelle als subst. zu interpretieren und allgemein als 'Zustand der Auszehrung', der u. a. eine Folge der Tuberkulose ist, zu deuten (cf. die Bedeutung bei Gdf). TL (3, 1518) als adj. auch 'hektisch'. Cf. die Einleitung für die Oszillation zwischen *-e-* und *-i-* (1.4.2) sowie ferner Kiwitt (142) für lat. *itica* (Var. von *(febris) ethica*, ThLL 6-3, 2587) 'Zehrfieber, hektisches Fieber'.

דְאִיבֻֿורָא - *Də'YiVWuRə'* (179v6)
**iveure** → siehe s. v. **rerure*.

## J

יַשְׁפְא – *YaŠPə'* (159v1)
**jaspe**, *f* → siehe s. v. **lapis jaspe*.

גַֿאוֹנְא - *Ǧa'WoNə'* (102r13, 170v15, 179r19)
גַֿוֹנְא - *ǦaWoNə'* (166v17)
***jaune**, *adj.* (1100 *jalne*, 12. Jh. *jaune*; < lat. GALBINUM) 'gelb' (DEAF J, 208; TL 4, 1599; FEW 4, 24a; Gdf 10, 36b; AND2 OE *jaune* s. v. *gaune*; DAF 322a *jalne*; DMF A; Saye 113). Für die Repräsentation des Diphthong [au̯] cf. die Einleitung (1.4.2).

קַֿאֲוֹנִיצְא - *Ča'aWoNiYẒə'* (163v10)
גַֿאוֹנִיצְא - *Ǧa'WoNiYẒə'* (164v4, 168v15, 173r8, 173v3, 4, 178r4, 178v2, 5, 179r17)
גֿאונִיצְא - *Ǧ'WNiYẒə'* (172v18)
***jaunice***, *f* (11. Jh.; von altfrz. *jaune*) 'Gelbsucht' (DEAF J, 213–214 'maladie caractérisée par une coloration jaunâtre de la peau, ictère'; TL 4, 1602; FEW 4, 25a *jaunisse*; Gdf 10, 40c; AND2 OE s. v. *gaunice*; DMF *jaunisse*; ATC 260a; Kiwitt 182; Saye 113 *jaoniçe, jaonise*). Für die Repräsentation des Diphthong [au̯] cf. die Einleitung (1.4.2). Die laut FEW «judfr.» Formen *janlice, jaloncie* (= RLJ 518) sind in *Fevres* nicht vertreten. Fehlt DAF.

גֵֿיטְא - *ǦeYṬə'* (101r20)
גֵֿייטֵר - *ǦeYYṬeR* (101v5)
גֵֿיטֵר - *ǦeYṬeR* (101v6)
גֵֿיטוֹיֵיט - *ǦeYṬWoYeYṬ* (162r16)
גֵֿיטֵייץ - *ǦeYṬYeYẒ* (178v13)
***jeter***, *v. tr.* und *intr.* (10. Jh. 'werfen'; < splat. *jectare*[432]) *jete (3. sg.), jetoit (3. sg. impf.), jetés (part. perf. pl.)* 'hinausbefördern, aussondern' (DEAF J, 282 'faire sortir de soi (en parlant de personnes), produire (cris, larmes etc.)'; TL 4, 1643 'etw. wegwerfen'; FEW 5, 16a; AND2 OE *jeter* s. v. *geter*; DAF 290b; DMF IV.A.1.b 'laisser sortir de soi' (un liquide ou une matière quelconque); Saye 115 'to throw').

גֿוֹיינְט - *ǦWoYYNṬ* (101r1)
***joint***, *adj.* (1180; von *joindre* < lat. IUNGERE) 'verbunden' (DEAF J, 455 'qui présente un extérieur, une silhouette bien ramassés et lissés'; TL 4, 1729 *joindre* 'sich verbinden', 4, 1730 *joint* 'stramm' (von Personen); FEW 5, 67a *joindre* 'approcher une chose d'une autre de façon qu'elles se touchent ou se tiennent', 5, 68a *joint* 'bien bâti'; AND2 OE s. v. *joindre*; DAF 324b *joindre* 'relier', *joint* 'bien fait'; DMF s. v. *joindre* III. A 'qui est tout contre'; Saye 115 *joint* s. v. *joindér* 'to join'). Das part. qualifiziert hier die Eigenschaft des

432 Lat. IACTARE ist früh zu *jectare* geworden; auf dieser Form beruhen alle romanischen Varianten (cf. DEAF J, 262; FEW 5, 22a).

Sputum («joint ensemble», f. 101r1); der medizinische Terminus ist in den Lexika nicht nachgewiesen.

יוֹרְץ - *YWoRẒ* (101r10, 171v14, 174v17)
יוֹר - *YWoR* (160v5, 164v1, $10_{2x}$, 22, 167v2, 167v21, 169v6, 175v13, 239v18)
גֿוֹר - *ĞWoR* (164r2)
יוֹרְש - *YWoRŠ* (173v15)
***jor***, *m* (11. Jh.; < lat. DIURNUM) *jors (pl.)* 'Tag' (DEAF J, 548; TL 4, 1768; FEW 3, 102b; AND2 OE s. v. *jur*; DAF 325a; DMF *jour*; Kiwitt 182; Saye 116). Für die oszillierende Graphie zwischen -*Y*- und -*Ğ*- für [ʒ] cf. 1.4.2.

יוֹרְנֵיאְה - *YWoRNeY'əH* (162v24)
***jornee***, *f* (1160; von *jor*, siehe s. v.) 'Tag (in seinem Verlauf gesehen)' (DEAF J, 567; TL 4, 1791; FEW 3, 103a; AND2 OE; DAF 325a s. v. *jor*; DMF *journee*; Kiwitt 182; Saye 116).

יוֹטְא - *YWoṬə'* (176r7)
***jote***, *f* (12. Jh.; von mlat. *jutta* < gall. *jutta* 'Brühe') 'grüne Blätter' (von Küchengemüse) (DEAF J, 622 'sorte de légume qui est utilisé pour préparer une soupe, une étuvée (chou, bette, betterave, poiré, et sim.'; TL 4, 1812 'eine Art Gemüsesuppe, das hierzu verwendete grüne Gemüse'; FEW 5, 90b alorr. *jotes* 'feuilles de légumes', 5, 91a *joute* 'feuille verte de bette'; AND2 OE *jote* s. v. *jute* 'pottage, soup made from vegetables'; ATC 260b *joutes* 'choux (froids)'; DAF 325b 'bette, sorte de légume'; DMF *jotte* A 'bette, légume'; Saye 116 'beet'). Der Kontext legt hier nahe, dass es sich um das Blattwerk von Gemüse (etwa Rüben) und nicht um dieses selbst, wie TL, DAF und Saye vermuten lassen, handeln muss: «la jote des erbes de borache et de bete» (f. 176r7).

יֻובַרְבְרְא - *YuWBaRBə'* (175r22, 176r13, 178v7, 179v2)
יְוֻבַרְבְרְא - *YWuBaRBRə'* (178r14)
***jubarbe***, *f* (12. Jh.; aus lat. IOVIS BARBAM) 'Hauswurz (Sempervivum L.)' (DEAF J, 367 s. v. *jobarbe* 'plante grasse à fleurs roses ou jaunâtres, et dont l'espèce la plus commune croît ordinairement sur les toits et les vieux murs, joubarbe'; TL 4, 1682 s. v. *jobarbe*; FEW 5, 78b; AND2 OE; DMF *joubarbe*; Kiwitt 182; Saye 116). Cf. die Synonymie in LSimplMed D 1057: «Semperviva et jusbarbe est tote une chose» (zit. nach DEAF J, 367). Fehlt DAF.

גֻֿוגֻֿובֵי - *ĞuWĞuWBeY* (171r10)
***jujube***, *m* (1256; von vlat. **zizupum*[433]) 'Jujube, Brustbeere (Zizyphus jujuba Meikl.)' (DEAF J, 736 'petit fruit comestible d'un arbuste de la famille des

433 «[D]ont le *i* est devenu [y] par assimilation [...], var. du lt. *ziziphum* 'jujube'» (DEAF J, 736).

rhamnacées, de couleur rouge et d'une chair jaune au goût doux, employé comme sédatif contre la toux, jujube'; TL 4, 1683 *jujube* 'Brustbeere'; Gdf 10, 53c *id.* 'fruit du jujubier'; AND2 OE *id.*; Saye 116).

יוּץ - *YWuẒ* (156v14, 20, 23, 157r20, 157v6, 22, 158r13, 159v16, 21, 24, u. v. m.)
***jus***, *m* (13. Jh.; < lat. IUS) 'Pflanzensaft' (DEAF J, 768 'liquide qui peut être extrait ou qui peut s'écouler de fruits, de plantes, d'aliments etc., ou qui peut se produire par un processus naturel (p.ex. exsudation) ou artificiel'; TL 4, 1891 'Saft'; FEW 5, 83b; Gdf 10, 55a 'partie liquide de quelque chose que l'on obtient par pression ou par coction'; AND2 OE; DMF 'suc d'un fruit, d'un végétal'; Kiwitt 182; Saye 116 *juç*). Fehlt DAF.

יוּבְנְא - *YWuVNə'* (172v3)
***juvene***, *adj.* (12. Jh. *jovene*; < lat. IUVENEM) 'jung' (DEAF J, 667–668 *juv(e)ne*; TL 4, 1827 *juvene* s. v. *juene*; FEW 4, 92b *jovene*; Gdf 10, 43c s. v. *jeune*; AND2 OE s. v. *joevne*; DAF 325b *jovene*; DMF *jeune*$_1$ I.; Saye 117 *juvéne*).

## L

לַנְצְלֵיאְה - *LaNẒLeY'əH* (178v7)
***lancelée***, *f* (12. Jh.; von lat. LANCEOLAM) 'Spitzwegerich (Plantago lanceolata L.)' (DEAFpré *lancelee* s. v. *lancele*; TL 5, 121; FEW 5, 158a; Gdf 4, 709a; AND2 OE *lancelee*; DMF 'plante'; Saye 138 *lançelée, adj.* '(leaf) having the form of a lance-head'). Die Bedeutungsangabe bei Saye ist zu korrigieren. Fehlt DAF.

לַאפִּיש יַשְׁפְּא - *La'PiYŠ YaŠPə'* (159v1)
****lapis jaspe***, *f* (1118; von lat. IASPIS) 'Jaspis'. Lat.-frz. Hybrid; cf. hierzu die Einleitung, 1.6.5.3. Für altfrz. *jaspe* cf. DEAF (J, 192 'roche silicieuse à base de quartz à calcédoine, finément rubanée, à couleurs variées dans les verts, rouges, bruns ou noirs, jaspe'); TL (4, 1595); FEW (5, 32a); AND2 OE; DMF; Saye (114). Für *lapis* sowie weitere Steinarten cf. s. v. *lapis* in 3.3. *Jaspe* fehlt DAF.

לַרְגְּא - *LaRĞə'* (240v7)
***large***, *adj.* (Bedeutungserstbeleg, 1050 'weit'; < lat. LARGUM) 'ruhig (vom Puls)' (DEAFpré 'vaste'; TL 5, 173 'weit, breit'; FEW 5, 183b, 186a id.; AND2 OE 'large, broad, wide, extensive'; DAF 333b *larc, -ge* id.; DMF I.A 'qui a, dans les sens de la largeur, un étendue supérieure à la moyenne'; Saye 138 *large* 'big'). Das adj., das an dieser Stelle zusammen mit *epes* den Pulsschlag als 'ruhig' (und 'langsam') spezifiziert, ist in dieser Bedeutung durch die Lexika nicht erfasst. Der Autor von *Fevres* gibt wahrscheinlich lat. «pulsus latus

spissus»[434] (*Lib. febrium* V,14, gemäß L, f. CCXXIVb, col. A) durch wortgetreue Lehnübersetzung wieder; cf. «le poz est large et epes» (f. 240v7–8).

לַארְגְא – *La'RĞə'* (179r13)

***de large***, *adv* (1200; von *large*, siehe s. v.) 'der Breite nach' (TL 5, 176). TL belegt das Syntagma *de large* in Jourd. Bl. (1065); FEW (5, 186b) dokumentiert *3 mètres de large*. AND2 OE s. v. *large*. Cf. auch *do lonc* («do lonc et de large», f. 179r13).

לַארְגֵייש – *La'RĞeYYŠ* (164v17)

**[*larger*]**, *v. tr.* (Erstbeleg; von *large* < lat. LARGUM) *largés (part. perf. pl.)* 'erweitern (von Körperöffnungen)' (DEAFpré 'rendre plus large' s. v. *large*; TL 5, 184 *largir v. refl.* 'sich ausbreiten'; FEW 5, 184b mfrz. *largir* 'étendre, grossir', nfrz. *larger* 'gagner du terrain en s'éloignant du centre de la volte (d'un cheval)'; Gdf 4, 725c *largir* o. Bed.; AND2 OE; DMF *largir* II 'répandre, donner largement'). Das part. perf. muss auf ein *larger* zurückzuführen sein, das nur im Nfrz. in anderer Bedeutung belegt ist; das Verb wird hier wie *elargir* verwendet (cf. s. v.).

לַאבֵיאְה – *La'VeY'əH* (157r16, 175r16)
לַאבֵייר – *La'VeYYR* (161v9, 162r5)
לַאבֵי – *La'VeY* (161v10)
לַאבוֹנְץ – *La'VWoNẒ* (170v9)

***laver***, *v. tr.* (980; < lat. LAVARE) *lavons (1. pl.), lavé (part. perf.), lavée (part. perf. f)* 'waschen' (DEAFpré; TL 5, 241; FEW 5, 213a; AND2 OE; DAF 335b; DMF A.1.a; ATC 262b; Kiwitt 183; Saye 139).

שְׁאלַאבְא – *Šə'La'Və'* (178r5)

**[*laver*]**, *v. refl.* (12. Jh.; < lat. LAVARE) *se lave (3. sg. subj.)* 'sich waschen' (TL 5, 244; FEW 5, 213b; AND2 OE; DMF A.1.b). DEAFpré (v. supra), DAF (335b) und Saye (139) belegen nur die transitive Verwendung des Verbs (siehe s. v. *laver, v. tr.*).

לַאקְשַׁאטִיבֵייש – *La'QŠa'ṬiYVeYYŠ* (239v10)

**[*laxatif*]**, *adj.* (13. Jh.; aus mlat. *laxativum*) *laxatives (f pl.)* 'abführend' (DEAFpré s. v. *laschier*; TL 5, 248; FEW 5, 226b 'qui relache le ventre'; Gdf 10, 67c id.; AND2 OE; DMF I; ATC 262b *lassatis*). Cf. auch Kiwitt (115, *laxatif, m*) und Saye (138 *laksatif*) für das subst. sowie Saye (138) *laksatikom, adj.*, 'laxative'. Entgegen der Interpretation von Saye ist *laxatives* hier als adj.

---

434 Mlat. *latus, adj.* '(of pulse) widely spaced'), bspw. Gilb. VII 352.2: «pulsus illius cui accedit nocumentum propter elleborum est in principio latus [...]» (DMLBS 1, 1569a); lat. *spissus* 'langsam' (GH 2, 2767).

zu lesen («il ne detruce le cors par medecines laxatives», f. 239v9–10). Für weitere Referenzen cf. Kiwitt (115).

לֵיינְא - *LeYYNə'* (177v12)
***leine***, *f* (12. Jh.; < lat. LANAM) 'Wolle' (DEAFpré s. v. *laine*; TL 5, 70–71; FEW 5, 147a *laine*; Gdf 10, 59c; AND2 OE *lene* s. v. *laine*; ATC 262a *laine*; DAF 331a *id.*; DMF *id.* A; Saye 139 *léine*).

לֵינְטִילֵייץ - *LeYNṬiYLeYYẒ* (157v13)
לֵינְטִילֵייש - *LeYNṬiYLeYYŠ* (161r15, 161v4, 170r11)
**[lentile]**, *f* (12. Jh.; < lat. LENTICULAM) *lentiles (pl.)* 'Linse (Lens culinaris Medik.)' (DEAFpré *lentil(l)e*; TL 5, 327 *id.*; FEW 5, 251a *lentille* 'vicia lens'; Gdf 10, 71c *lentil(l)e* 'plante légumineuse dont la graine est employée comme aliment'; AND2 OE *id.*; DAF 338a; DMF *lentille* A; Kiwitt 183 *lentelle*; Saye 140 *lentille, léntilés*). Zur Repräsentation von [ʎ] cf. die Einleitung, 1.4.2. DEAFpré, TL, AND2 OE und Gdf belegen auch Varianten mit unpalatalisiertem *-l-*.

לֵישֵׁי - *LeYŠə'* (170v14)
לֵישֵׁייש - *LeYŠeYYŠ* (173v14, 177r5)
לֵירַא - *LeYRa'* (178r7)
**[leser]**, *v. tr.* (10. Jh. *laissier*; < lat. LAXARE) *lesez (2. pl. imp.), lera (3. sg. fut.), lesé (part. perf.)* 'lassen; verlassen' (auch vom Fieber) (DEAFpré s. v. *laissier*; FEW 5, 220b *lessier, laissier*; AND2 OE s. v. *lesser*; DMF *laisser* I; Saye 140 *lésér*). Die Form *lera* (f. 178r7, *fut. simpl.*) ist eine der «merkwürdige[n] Kurzformen», die Rheinfleder (2, 276) belegt; für das fut. etwa *lerrai*.

לֵידֵייש - *LeYDeYYŠ* (163r4)
**[let₁]**, *adj.* (1080 *lait*; < germ. **laiþ*) *ledes (f pl.)* 'abscheulich' (DEAFpré s. v. *lait*[1]; TL 5, 92 *lait*; FEW 16, 439a *lait, -de*; AND2 OE s. v. *laid*; DAF 331b *lait* und *laid*; DMF *laid*; Saye 139 *léde*).

לֵיט - *LeYṬ* (172r4)
***let₂***, *m* (1120; < vlat. *lactem*) 'Milch' (DEAFpré s. v. *lait*[2]; TL 5, 99 *lait*, 100 *let*; FEW 5, 110a *lait*; AND2 OE s. v. *leit*; DAF 331b *lait*; DMF *lait₁* A; Kiwitt 183 *leit*; Saye 140 *lét*). *Let* zeigt die für *Fevres* typische Diphthongreduktion (cf. Einleitung, 1.5.1). In einem Zitat aus den *Biens d'un ménage* (109,28) belegt TL (5, 100) die mit der in *Fevres* übereinstimmenden Form *let*.
לֵייט דְאַמַאנְדֵייץ - *LeYYṬ D'aMa'NDeYYẒ* (157v10)
***leit d'amandes***, *m* (13. Jh. *lait d'amandes*; < vlat. *lactem* supra) 'Mandelmilch' (DEAFpré *lait d'amandes* 'émulsion d'amandes' s. v. *lait*[2]; TL 5, 101 *id.*; FEW 5, 110b *id.*; AND2 OE *leit d'alemandes* s. v. *leit*; DMF s. v. *lait* B.2 'émulsion

d'amandes broyées'). Das Synthem *let d'amandes* ist an den angegebenen Stellen in den Lexika belegt und seit dem 13. Jh. nachgewiesen (FEW 5, 110b). Cf. auch s. v. *ule*.

לֵייט דְאקֵֿיבְֿרְא – *LeYYṬ Də'ČeYVRə'* (171v15)
לֵייט דְאקֵֿייבְֿרְא – *LeYYṬ Də'ČeYYVRə'* (172r6–7)
***leit de chevre**, m* 'Ziegenmilch'. Für *chevre* (12. Jh. *chievre*; < lat. CAPRAM) cf. TL (2, 403 *chievre*); FEW (2, 294b altfrz. *chievre*, mfrz. nfrz. *chèvre*); Gdf (10, 76c *id.*); AND2 OE *leit de chevre* s. v. *leit*; DAF (105b *chievre*); DMF s. v. *lait* A.1.c; Kiwitt (172); Saye (54 *chévre*). Zur Diphthongreduktion cf. die Einleitung (1.5.1); *chèvre* tritt sonst erst ab dem 16. Jh. auf (cf. FEW 2, 294b; Gdf 10, 76c).

ליֵיט דְאפֵֿימְא – *LYeYṬ Də'FeYMə'* (170v11, 173v7)
***leit de feme**, m* 'Muttermilch' (TL 5, 100 *lait de feme* s. v. *lait* AND2 OE s. v. *leit*; DMF s. v. *lait* A.1.c). TL zitiert *lait de fame* aus den *Rec. méd.* (20) und *lait de feme* aus *Moamin* (II,47,18) jeweils als medizinisches Simplex.

לֵיטְוַורְא – *LeYṬWaWRə'* (157r5, 159v15)
לֵיטְוַואְרְא – *LeYṬWaW'Rə'* (160r4)
***letuaure**, m* (1180 *leituaire*; < splat. *electuarium*) 'Latwerge (Art Medikament, Sirup)' (DEAFpré *laituare*, u. a. s. v. *leitüaire*; TL 5, 319 *leitüaire*; FEW 3, 211a *leituaire*; AND2 OE *letuare* s. v. *letuaire*; DAF 337b *leituaire*; DMF *lectuaire*; Saye 141 *létuare*). *Electuarium* findet sich zuerst bei Isidor und ist als Ausdruck der medizinischen Fachsprache auch in die Volkssprache eingegangen (cf. FEW 3, 211b). Der Triphthong [uau̯] (-*WaW*-) in der zweiten Silbe ist sonst nicht belegt. Cf. auch s. v. *electuarium* im *Lateinischen Glossar* (3.3).

לֵיבֵֿ֣יאוֻרְא – *LeYVeY'WuRə'* (166r6)
לֵיבֿוֻרְא – *LeYVWuRə'* (166v5)
***levure**, f* (13. Jh. 'tumeur'; von altfrz. *lever* 's'élever, pousser (d'une tumeur etc.)' (FEW 5, 276b) 'Schwellung' (DEAFpré *levëure* 'tumeur' s. v. *lever*; TL 5, 379 s. v. *levëure* 'Gebälk; Hefe, Bodensatz'; FEW 5, 277a altfrz. *levure* 'tumeur'; Gdf 4, 769a *leveure* 'levée; charpente, travée', 10, 77a *levure* 'tumeur'; DAF 339 *leveure* 'action de lever' u. a.; DMF II. 'substance provoquent la fermentation, levure'; Saye 141 *lévure*). Das sonst in nur einem einzigen Text vor *Fevres* belegte Lexem fehlt TL, DAF und DMF (in dieser Bedeutung); fehlt AND.

לִיאֵייץ – *LiY'eYYẒ* (101r11, 167v22, 240r4)
לִיאֵייש – *LiY'eYYŠ* (163r16, 164v14)

לִיאֵייש - *LiY'YeYŠ* (167r22, 169r8)
לִיאָה - *LiY'əH* (240r4)
***lie***, *f* (1120; < gall. **liga* 'Ablagerung') *lies (pl.)* 'Bodensatz, Ablagerung; Ausfällung (in Körperflüssigkeiten)' (DEAFpré; TL 5, 406 'Bodensatz' (in Wein, Öl usw.); FEW 5, 314b id.; Gdf 10, 80a id.; AND2 OE; DAF 341a id.; DMF 'dépôt qui se forme au fond d'un tonneau qui contient du vin'; Kiwitt 183 'Bodensatz'; Saye 142). Die fachsprachliche Spezifizierung der Bedeutung von *lie* im Hinblick auf die Ablagerung in Blut, Urin, usw. zur diagnostischen Bestimmung ist in den Lexika zu ergänzen.

לִיאֵיש - *LiY'eYŠ* (158v23)
לִיאֵירַא - *LiY'eYRa'* (178r9)
לִיאֵייץ - *LiY'eYYẒ* (178v19)
לִיאָרַא - *LiY'əRa'* (180r5)
[***lier***], *v. tr.* (10. Jh.; < lat. *ligare*) *liez (2. pl. imp.), liera (3. sg. fut.)* 'binden' (DEAFpré s. v. *liier*; TL 5, 459 *liier*; FEW 5, 319a; AND2 OE; DAF 341a; DMF I.B.2; Kiwitt 183; Saye 142 *liér*).

לִיגֵייר - *LiYĞeYYR* (169v12)
לִיגֵירְא - *LiYĞeYRə'* (239v4, 18)
***liger***, *adj.* (1080 *legier*; < vlat. **leviarium*) *ligere (f)* 'leicht (von Gliedmaßen; von Diäten)' (DEAFpré s. v. *legier*; TL 5, 309 *legier*, 312 *ligier*; FEW 5, 287b altfrz. *legier*, mfrz. *liger* 'qui a peu de poids'; Gdf 4, 576a *legier, ligier* 'qui ne pèse guère', 10, 69c; AND2 OE s.v *ligger*; DAF 337a *id.*; DMF *leger* I.A 'dont le poids est faible qui ne pèse pas'; Kiwitt 183; Saye *lijér*). *Liger(e)* spezifiziert *mebres* (f. 169v12), *diete* (f. 239v4), *vamite* (f. 239v18); die entsprechenden Semantisierungen sind durch die Lexika nicht abgedeckt. Zum Diphthongenschwund in *Fevres* cf. die Einleitung (1.5.1).

לִיגֵירְאמֵינְט - *LiYĞeYRə'MeYNṬ* (101r2)
****ligerement***, *adv.* (12. Jh. *legierement*; von *legier*, siehe s. v.) 'leicht, ohne Schwierigkeiten' (DEAFpré *ligeremant* s. v. *legier*; TL 5, 314 *legierement*; FEW 5, 287b *id.*; Gdf 4, 756c *legierement, ligierement*; DAF 337 *legierement*; DMF *legerement*; Saye 142 *lijéremént*). **Ligerement* leitet sich von der in *Fevres* auftretenden Variante *ligere* (siehe s. v.) ab. Fehlt AND.

לִין - *LiYN* (175r14)
***lin***, *m* (12. Jh.; < lat. LINUM) 'Leinen(-stoff)' (DEAFpré *lin*[1]; TL 5, 482; FEW 5, 368a; AND2 OE; DAF 342b; DMF $lin_1$; Saye 143 'flax').

לִינְשֵׁייל - *LiYNŠeYYL* (178r8)
***lincel***, *m* (12. Jh.; < lat. LINTEOLUM) 'Leinen(-tuch)' (DEAFpré s. v. *linçuel*; TL 5, 484 'Laken'; FEW 5, 367a 'drap, vêtement de lin'; Gdf 4, 789b id.; AND2

OE; DAF 342b id.; DMF id.; RLJ 541; Saye 143 *linsél* ‘a linen cloth’). In RLJ (541b) wird לִינְצִיאַשׁ (*LiYNẒiY’aŠ*) belegt, das die Flexionsendung *-ias* im Plural annimmt (*lincias*), die auch in *Fevres* bei den subst. auf *-el* auftritt (cf. Einleitung, 1.5.1).

לִיבְרְא – *LiYVRə’* (164v4)
***livre₁***, *m* (1080; < lat. LIBRUM) ‘Buch’ (DEAFpré *livre¹*; TL 5, 530; FEW 5, 296b; AND2 OE; DAF 344a; DMF *livre₁*; Kiwitt 183; Saye 143).

לִיבְרְא – *LiYVRə’* (156v20, 157r6, 7, 158r24, 159r14, 171v9, 172r20, 174v13, 175r3, 176v23)
לִיבְרֵייש – *LiYVReYYŠ* (161r19, 20, 172r6)
***livre₂***, *f* (10. Jh.; < lat. LIBRAM) *livres (pl.)* ‘Pfund’ (DEAFpré *livre³*; TL 5, 532; FEW 5, 306b; AND2 OE; DAF 344a; DMF *livre₂*; Kiwitt 183; Saye 143).

לִיבְרֵייט – *LiYVReYYṬ* (169r20)
***livret***, *m* (1200; von *livre*, siehe s. v. *livre₁*) ‘Büchlein’ (DEAFpré s. v. *livre¹*; TL 5, 541; FEW 5, 297b; Gdf 10, 89b; AND2 OE; DMF A; Kiwitt 183; Saye 143 *livrét*). Fehlt DAF.

לוֹנְגֵייש – *LWoNGeYYŠ* (159r18, 159v18)
לוֹנְקְא – *LWoNQə’* (169r17)
לוֹנגְא – *LWoNGə’* (239r14, 23, 239v3)
**[lonc]**, *adj.* (10. Jh.; < lat. LONGUM) **lonque, longue (f), longues (f pl.)* ‘lang (zeitl.); weitläufig; aufwändig(?)’ (DEAFpré; TL 5, 627; FEW 5, 414b; AND2 OE s. v. *lung*; DAF 347b; DMF *long* I.B; Kiwitt 183; Saye 144 *lonk*). Die Form *longue* (f. 239r14 u. a.) ist in den konsultierten Lexika als fem. belegt; **lonque* (f. 169r17) ist mask. sg.; die Transkription der finalen Silbe mit Schwa dürfte phonologisch zu erklären sein: **lonque* steht am Satzende.
דוֹלוֹנְק – *DWoLWoNQ* (179r13)
****do lonc***, *adv.* (12. Jh.; von *lonc*, siehe s. v.) ‘der Länge nach’ (TL 5, 634 *del lonc* ‘längs’; Gdf 5, 25c *du lonc*, 16. Jh.; AND2 OE *de lung* s. v. *lung*; DMF s. v. *long* III.A.1 *de long/du long*). FEW belegt nur mfrz. *du long* (praep.) ‘le long de’ (5, 407b). *Do* steht in *Fevres* für *de le* und ist dialektal (cf. 1.5.1). Cf. auch *de large* («do lonc et de large», f. 179r13) s. v. *large*.

לוֹנגְֲא מֵינטְא – *LWoNĞə’ MeYNṬə’* (158v22)
לוֹגְמֵינְטְא – *LWoGMeYNṬə’* (165r1)
***longement***, *adv.* (1080; von *lonc*) ‘lange Zeit’ (DEAFpré s. v. *lonc*; TL 5, 643; FEW 5, 415b; AND2 OE s. v. *lungement*; DMF *longuement₂* A; Kiwitt 183; Saye 144 *longemént*). Cf. zur Repräsentation von Nasalvokalen die Einleitung (1.4.2). Fehlt DAF.

לְלוֹנְגֿוּר - *LWoNĞWuR* (239r18)
***lonjur**, f* (13. Jh. *longor*; von *lonc*, siehe s. v.) '(lange) Dauer' (DEAFpré *longor* s. v. *lonc*; TL 5, 644 *longor, lungur*; FEW 5, 416a *longur de temps* 'certain laps de temps', mfrz. nfrz. *longueur* '(grande) durée'; Gdf 10, 93b *longor*; AND2 OE *lungur*; DMF *longueur* A.2; Saye 144). Fehlt DAF.

לוּ - *LWu* (101v1, 158r3, 4, 6, 161v12, 178r12, 178v1, 22, 179v17)
לוּש - *LWuŠ* (163v25)
***lu***, *m* (10. Jh.; < lat. LOCUM) *lus (pl.)* 'Ort, Platz, Stelle' (DEAFpré s. v. *lieu*; TL 5, 419 *lieu*; FEW 5, 391b *id.*; AND2 OE *liu*; DAF 341a *lieu*; DMF $lieu_1$; Kiwitt 183 *leu*; Saye 145 *lu*). Cf. die Einleitung zum Vokalwert des Shureq (1.4.2). Das Wort erscheint in derselben Transkription mehrfach auch im *Glossaire de Bâle*: לוּ - *LWu* (z. B. GlBâleB 1119).

אוֹ לוּ דְא - *'Wo LWu Də* (174r20)
***au lu de***, *adv.* (Erstbeleg; aus *lieu*) 'anstelle von' (FEW 5, 394a mfrz. nfrz. *au lieu de*, «seit 1538»). TL (5, 424) nur *en lieu de*, id. AND2 OE *en liu de* s. v. *liu*; Fehlt DAF und DMFund Saye.

## M

מַאלְא - *Ma'Lə'* (169v4, 20)
**[*mal*]**, *adj.* (9. Jh.; < lat. MALUM) *male (f)* 'schwer, bösartig (von Krankheiten)' (TL 5, 935 'schlecht, übel, böse'; FEW 6-1, 123b 'mauvais, méchant'; AND2 OE; DAF 359b 'redoutable'; DMF $mal_2$ I.B. 'mauvais, néfaste'; Saye 145).

מַאלַאדְא - *Ma'La'Də'* (162r11, 163r6, 164v6)
***malade***, *adj.* (1160; < lat. MALE HABITUM[435]) 'krank' (DEAFpré; TL 5, 961; FEW 6-1, 87b; AND2 OE; DAF 360a; DMF I; Saye 145).

מַאלַאדְא - *Ma'La'Də'* (157r13, 15, 158r5, 19, 160r18, 161v3, 14, 162r20, 164r19, 171r3, 171r5, u. v. m.)
מַאלְאַדְא - *Ma'L'aDə'* (161v11)
***malade***, *m/f* (1126; cf. zur Etymologie s. v. *malade, adj.*, Fn.) 'Kranke(r)' (TL 5, 961; FEW 6-1, 87b; AND2 OE; DMF II; Kiwitt 184; Saye 145).

435 Klassisch lat. *aeger* (bzw. *morbus* für das subst.) haben sich erbwörtlich im Romanischen nirgends erhalten. Als Etymon von *malade* nimmt FEW MALE HABITUS 'schlecht genährt' an. Tatsächlich kennt das klassische Lat. *habitus* als passives part. zu *habere* in der Bedeutung 'wohl genährt'; als Gegenteil zu diesem erscheint schon bei Masurius Sabinus *male habitus* im Sinne von 'heruntergekommen, unterernährt' (cf. FEW 6-1, 92b). Indes ist die lautliche Entwicklung in der Galloromania nicht leicht zu erklären; vergleiche hierzu die verschiedenen Ansätze bei FEW (6-1, 93a).

מַאלַאדִיאְה - *Ma'La'DiY'əH* (157r26, 158r3, 5, 160r22, 160v2, 162r12, 162v1, 163r1, 3, 163v8, 165r1, 10, 18, 23, 167v4, 9, 12, u. v. m.)
מַאלַאדִיאֵייש - *Ma'La'DiY'eYYŠ* (163v3)
מַאלַאדִאֵייץ - *Ma'La'Di'eYYẒ* (179r21)
***maladie***, *f* (1150; cf. zur Etymologie s. v. *malade, adj.*) *maladies* 'Krankheit' (DEAFpré s. v. *malade*; TL 5, 964; FEW 6-1, 90a; AND2 OE; DMF; Kiwitt 184; Saye 146).

מַלְבָא - *MaLVə'* (176r8, 178v7)
***malve***, *f* (13. Jh.; von lat. MALVAM) 'Malve (Genus Malva L.)' (DEAFpré s. v. *mauve*; TL 5, 1320 s. v. *mauve*; FEW 6-1, 129a altfrz. *mave*, mfrz. *maule*, mfrz. nfrz. *mau(l)ve* 'plante du genre des malvacées et qui a des propriétés émollientes'; Gdf 10, 113b *malve*, id.; AND2 OE; DMF *mauve* 'plante herbacée dont l'infusion a des propriétés émollientes, mauve'; Saye 146). Die Variante *malve* ist in FEW zu ergänzen. Fehlt DAF. Cf. auch im *Lateinischen Glossar* (3.3) s. v. *malva*.

מַאנְדֵייר - *Ma'NDeYYR* (162r21)
מַאנְדַא - *Ma'NDa'* (163r2)
***mander***, *v. tr.* (1246; < lat. MANDARE) *manda (3. sg. passé simpl.)* 'schicken' (DEAFpré; FEW 6-1, 148b; AND2 OE; DAF 365a; DMF; Saye 146 *mandér* 'to send, send for'). TL (5, 1034 'durch Boten jmd. etw. wissen lassen') fehlt die Bedeutung 'schicken'. Die Verbindung *mander apres qn* 'nach jemandem schicken' ist in den Lexika zu ergänzen.

מַאנֵיירְש - *Ma'NeYYRŠ* (159r22, 163v17)
מַאנֵירֵייץ - *Ma'NeYReYYẒ* (159v10, 169v1, 174v3)
מַאנֵיירֵייש - *Ma'NeYYReYYŠ* (159v13, 168r9, 169r15)
מַאנֵיירְא - *Ma'NeYYRə'* (162r19, 25, 162v2, 163v22, 167r18, 175v8, 176v10, 240v4)
מַאנֵיירְץ - *Ma'NeYYRẒ* (100v18, 163v20, 164r21, 167v19, 169r13)
מַאנֵיירֵייץ - *Ma'NeYYReYYẒ* (164r6, 9, 167v13)
מַאנִירְא - *Ma'NiYRə'* (167v24)
מַאנֵירְא - *Ma'NeYRə'* (168v1, 180r6)
***manere, manire*** *f* (1120; aus lat. MANUARIUM) *maneres (pl.)* 'Art; Unterart' (DEAFpré s. v. *manier, adj.*; TL 5, 1063 *maniere*; FEW 6-1, 280b *man(i)ere*; AND2 OE; DMF *maniere* II; Kiwitt 184 *manere*).

מַאנְגֵ׳ייר - *Ma'NǦeYYR* (160r4, 161v4, 11, 162v6, 165v12, 168r14, 170r10, 172v12, 177r23)
מַאגֵ׳ייר - *Ma'ǦeYYR* (166r15)
מַנגֵ׳ייר - *MaNǦeYYR* (240r19)
***manger***, *v. tr.* (980 *mangier*, 1080 *manger* < lat. MANDUCARE) 'essen; verarbeiten (von Organen in humoralpathologischen Zusammenhängen)' (DEAFpré

s. v. *mangier*; TL 5, 1044 *mangier*; FEW 6-1, 160a; AND2 OE; DAF 365b *mangier*; DMF I.A.1, I.B.; Kiwitt 184).

מַאנְגֵֿיירש - *Ma'NĞeYYRŠ* (164r16)
מַנְגֵֿייר - *MaNĞeYYR* (168v3, 169r7, 169v14)
***manger***, *m* (980; von *manger*, siehe s. v.) *mangers (pl.)* 'Essen, Speise' (TL 5, 1052 *mangier*; FEW 6-1, 165a *mangier*; AND2 OE *mangel*; DMF *mangeaille*; Kiwitt 184). Für die fehlende Diphthongierung cf. die Einleitung (1.5.1).

מַאטִין - *Ma'ṬiYN* (158v4, 24, 176r23, 176v11, 179v14)
מַטִין - *MaṬiYN* (158v12, 177r14, 239v18)
***matin***, *m* (980; < splat. *matutinum*) 'Morgen' (DEAFpré; TL 5, 1263; FEW 6-1, 536b; AND2 OE; DAF 373a; DMF I; Kiwitt 184; Saye 148).

מַאטִירְא - *Ma'ṬiYRə'* (101v8, 161v15, 162v8, 22, 166v23, 177r4, 239r5, 11, 20, 239v4, u. v. m.)
***matire***, *f* (13. Jh. < lat. MATERIAM) 'Substanz, Materie (im menschlichen Körper); Körpersaft; Eiter' (DEAFpré s. v. *matiere*; TL 5, 1256 'Materie, Stoff'; FEW 6-1, 481b altfrz. 'substance dont une chose est faite', 6-1, 482a nfrz. *matière* 'substance quelconque évacuée par le haut ou le bas' («seit 1673»); AND2 OE 'bodily fluid, pus'; DAF 373a 'matière'; DMF I 'substance qui constitue les corps; substance fabriquée par le corps humain'; Kiwitt 184 'Stoff'; Saye 148 'matter, pus'). Die medizinischen Semantisierungen des Terminus sind lediglich durch AND2 OE und DMF abgedeckt; die in FEW (6-1, 482a) angegebene Bedeutung ist um mindestens 350 Jahre vorzudatieren.

מַאטוּרַאטִיבֵֿייש - *Ma'ṬWuRa'ṬiYVeYYŠ* (239b16)
**[*maturatif*]**, *adj.* (Bedeutungserstbeleg, 1300 'qui fait mûrir'; von lat. MATURUM) *maturatives (f pl.)* 'die Reife (von humoralpathologischen Substanzen im menschlichen Körper) beschleunigend' (DEAFpré 'qui fait mûrir' s. v. *matur, adj.*; TL 5, 1278 'zur Reife zu bringen geeignet'; FEW 6-1, 535b 'qui hâte la suppuration d'un abcès, d'une tumeur phlegmoneuse' («seit HMond»); Gdf 10, 134a id., 5, 204b 'qui fait mûrir'; AND2 OE 'encouraging suppuration'; DMF 'qui fait mûrir (les matières), qui hâte la suppuration'; Saye 148). Das adj. in humoralpathologischer Bedeutung liegt hier erstmals vor. Fehlt DAF.

מַאבֵֿאייץ - *Ma'Ve'YYẒ* (100v14)
מַאבֿוֹייזְא - *Ma'VWoYYZə'* (101r2)
מַאבֿוֹיֵיש - *Ma'VWoYeYŠ* (101r7, 167v4, 179r20, 239v24)

מַאבֿוייזֵייץ - *Ma'VWoYYZeYYẒ* (173v10)
מַאבַֿאייזְא - *Ma'Va'YYZə'* (239r24)
**mavais, -veis, -vois,** *adj.* (1080; von lat. MALIFATIUM) *mavoise (f), mavoises, mavaises (f pl.)* 'schlecht' (DEAFpré *mavais, maveis, mavoys* s. v. *mauvais*; TL 5, 1310–13 *mauvais, malvais*; FEW 6-1, 95b-101b *mavais, mauvais* u. a.; AND2 OE s. v. *malveis*; DAF 363b *malvais*; DMF *mauvais*; Kiwitt 184 *mavais*; Saye 148 *mavoeç, mavoiç* u. a.). Für die Vielzahl an graphischen Varianten cf. DEAFpré.

מַאבֿוייטֵי - *Ma'VWoYYṬeY* (240r2)
***mavoité,** *f* (1120 *malvaistié*; von *malvais*, siehe s. v. *mavais*) 'schlechter Zustand (von Körperfunktionen)' (DEAFpré *mauvaiseté*, u.a s. v. *mauvais*; TL 5, 1320 *mauvaisté* 'Schändlichkeit', *mauvaistié* 'schlechte Beschaffenheit'; FEW 6-1, 97b-98a *malvaistié, mauvaistié, mavesté* 'méchanceté', 6-1, 100a Mons *tourner ain mauvaiseté* 's'aggraver (en parlant d'une maladie)'; Gdf 5, 129c *mavoistié* u. v. m. 'qualité de ce qui est mauvais'; AND2 OE *mavoité* s. v. *malveisté*; DAF 363b *malvaistié* id.; DMF *mauvaiseté* 'malveillance, malfaisance, méchanceté; qualité dégradée de qqc.'; Saye 148 *mavoieté*). Cf. die Einleitung zum Schwund von vorkonsonantischem *s-* (1.5.1).

מֵידְאצִינִייש - *MeYDə'ẒiYNiYYŠ* (159r18)
מֵידֵישִׁינְא - *MeYDeYŠiYNə'* (160r12)
מֵידְאצִינֵייץ - *MeYDə'ẒiYNeYYẒ* (170r3)
מֵידְאשִׁינְא - *MeYDə'ŠiYNə'* (239r22)
מֵידְאשִׁינֵייש - *MeYDə'ŠiYNeYYŠ* (239v10)
**medecine,** *f* (1135; von lat. MEDICINAM) *medecines (pl)* 'Heilmittel' (DEAFpré s. v. *medecin*; TL 5, 1334; FEW 6-1, 599b; AND2 OE s. v. *medicine*; DAF 374a; DMF *medecine* s. v. *médecine*$_1$ A; Kiwitt 184; Saye 149 *médeçine, médésine*). Die gelehrte Entlehnung verdrängt nach und nach die erbwörtliche altfrz. Form *mecine* (FEW 6-1, 598b, cf. FEW 6-1, 602a).

מֵיזְא - *MeYZə'* (171v15)
מֵיגְֿא - *MeYǦə'* (172r4)
**mege,** *m* (11. Jh. *mesgue* = DB 704; < gall. **mesigum*) 'Molke' (DEAFpré *mesgue*; TL 5, 1340 s. v. *megue*; FEW 6-2, 43b altfrz. *mesgue*, mfrz. *mége*; Gdf 5, 283c *me(s)gue*; AND2 OE s. v. *meghe*; DB 704e מישגא - *MYŠG'*; DMF *megue*; Kiwitt 184 *megue*; Saye 149 *mége*). Wahrscheinlich gehört die Form *MeYZə'* (171v15) trotz der ungewöhnlichen Transkription des [(d)ʒ] durch Zayin auch hier her. Das altfrz. Wort ist in den Rashi-Glossen erstmals belegt; für den Schwund von vorkonsonantischem *s-* cf. die Einleitung (1.5.1). Fehlt DAF.

מֵיגְרְאטֵי - *MeYGR'ṬeY* (165r7)
***megreté***, *f* (12. Jh. *maigreté*; von *maigre* < lat. MACRUM) ‘Ausgezehrtheit, Magerkeit’ (DEAFpré *maigreté, megreté* (= Saye 149) s. v. *maigre*; TL 5, 794 *maigreté*; FEW 6-1, 7a *id.*; Gdf 5, 71c; AND2 OE; DAF 355a *maigreté*; DMF *id.*; Saye 149 *mégreté*).

מֵיינְץ - *MeYYNẒ* (162v18)
***meins***, *adv.* (1190; < lat. MINUS) ‘weniger’ (DEAFpré s. v. *moins*; TL 6, 142 *moins, meins*; FEW 6-2, 126b *moins*; AND2 OE; DAF 375a; DMF *moins* I.A; Saye 151 *menç*).

שְׁא מֵיינְטֵיינְט - *Šə' MeYYNṬeYYNṬ* (240v13)
**[*meintenir*]**, *v. refl.* (1225 *maintenir v. refl.*; < lat. MANU TENERE) *se meintent (3. sg. praes.)* ‘sich (ver-)halten’ (DEAFpré s. v. *maintenir*; TL 6, 848 *maintenir, v. refl*; FEW 6-1, 298a. *id.* ‘se comporter’; AND2 OE s. v. *maintenir*; DMF ‘se conduire, se comporter (de demeurer dans tel état)’ s. v. *maintenir* II.B.1; Kiwitt 185 ‘sich aufrecht halten’; Saye 152 *méntènir* ‘to maintain’). Für die Repräsentation von [ẽ] cf. 1.4.2; für die Diphthongreduktion cf. 1.5.1.

מֵיאֱוּרְא - *MeY'uWRə'* (101r19)
מֵיאוּר - *MeY'WuR* (101v3)
***meiur*** → siehe s. v. **me(l)iur*.

מֵייל - *MeYYL* (162r8, 163r7)
***mel***, *m* (980; < lat. MELLEM) ‘Honig’ (DEAFpré s. v. *miel*; TL 6, 18; FEW 6-1, 646a; AND2 OE; DMF *miel* A; Kiwitt 185; Saye 150 *mél*). Fehlt DAF.

מֵילְאמֵינְט - *MeYLə'MeYNṬ* (164r3)
****melement***, *m* (12. Jh.; *mesler* < vlat. *misculare*) ‘Vermischung (von Körpersäften)’ (DEAFpré *meselment, melement* (= Saye 150) s. v. *mesler*; TL 5, 1642 *meslement*; FEW 6-2, 159b *id.*; DAF 383b *id.*; DMF *id.*; Saye 150). Das Wort tritt hier als medizinischer Terminus der Humoralpathologie auf: «ictiricia si est le melement de colra et de sanc» (f. 164r3–4). Die hebr. Graphie legt nahe, dass vorkonsonantisches -*s* nicht gesprochen wurde (cf. Einleitung, 1.5.1). FEW dokumentiert außerdem «judfr.» *meslement* in der Bedeutung ‘Verbindung, Zusammentreffen’. Cf. auch s. v. *me(r)ler*. Bedeutung fehlt AND s. v. *medlement*.

מֵילֵינְט - *MeYLeYNṬ* (166v1)
מֵילְא - *MeYLə'* (168v11)
מֵילֵייץ - *MeYLeYYẒ* (171v12, 172r7, 8, 179v12)
***meler*** → siehe s. v. *me(r)ler*.

מֵלְיוּר - *MeLYWuR* (101r7)
מֵיאֻורְא - *MeY'uWRə'* (101r19)
מֵיאוֹר - *MeY'WuR* (101v3)
***me(l)iur**, adj.* (1080; < lat. MELIOREM) *meiure (f)* 'besser' (DEAFpré *meliur*, *meiure* (= Saye 150) s. v. *meillor*; TL 5, 1340 *meillor*; FEW 6-1, 665b altfrz. *meilur, meillur*, frpr. *mieur, meyeur*; Gdf 5, 216a–217a *meillur*; AND2 OE *meliur* s. v. *meillur*; DAF 375a *meillor*; DMF *meilleur* I; Saye 150 *méiure, méliur*). Die hebr. Graphie *-eY'-* zeigt bei den Varianten ohne *-L-* ausnahmsweise den Diphthong [ɛi̯] an (cf. die Einleitung, 1.4.2); Varianten ohne *-l-* sind sonst etwa für das (moderne) Frpr. belegt.

מֵילְוֵיין - *MeYLWeYYN* (100v14, 21)
****meluein**, adj.* (1165 *meiloain*; von *milieu* < lat. MEDIUM LOCUM) 'dazwischenliegend' (DEAFpré *miloain* s. v. *lieu*; TL 6, 53 *milöain, miliuein*; FEW 5, 394b *meiloain, miluan, miluein, meloain* u. a.; AND2 OE *miluen* u. a. s. v. *miluein*; DMF *meloain*; Saye 151 *mélvéne*). Die in *Fevres* bezeugte Variante zeigt die typische Alternation von *-e-* und *-i-*; cf. Einleitung (1.4.2). Das finale *n* belässt FEW ohne Erklärung; evtl. ist es als Analogie zu den adj. zu deuten, die von lat. -ANUS abgeleitet sind. *Miloain* usw. ist auf frz. *milieu* (seit 12. Jh.) zurückzuführen (cf. FEW 5, 394b, 396a, Fn. 23.). Die in FEW (5, 394b) aufgeführten altfrz. Varianten stammen aus Texten aus dem angl.-nor. Sprachraum. Fehlt DAF.

מֵימְבְרֵייץ - *MeYMBReYYẒ* (160r9$_{2x}$)
מֵינְבְרֵייץ - *MeYNBReYYẒ* (164r4)
מֵיבְרֵייש - *MeYBReYYŠ* (165v1, 169v12)
***membre, menbre**, m* (1080 *membre*; < lat. MEMBRUM) *membres, menbres (pl.)* 'Körperglied; Organ' (DEAFpré *membre, menbre*; TL 5, 1365 *id.* 'Glied des Leibes'; FEW 6-1, 689b *id.*, 'appendice du tronc de l'homme ou des animaux, disposé par paires et servant avant tout à l'exercise des fonctions de locomotion', 6-1, 690a nfrz. (seit 14. Jh.) 'tout membre du corps (œil, cœur, etc.)'; AND2 OE *membre*; DAF 376b *id.* 'partie du corps humain'; DMF A.3 'toute partie ou organe du corps'; Kiwitt 185 *membre* 'Glied'; Saye 151 *mémbre* 'member, limb'). Für die Bedeutung 'Organ' (f. 160r9, 164r4, 165v1) liegt mit *Fevres* ein Erstbeleg vor (dagegen HMond, *Chir.* 50 ff: «Membre est ferme partie du corps», zit nach TL 5, 1367); cf. 1.1.4. Für die Repräsentation der Nasallaute cf. die Einleitung (1.4.2).
מֵימְבְרְא אוֹפִּיצִיאַל - *MeYMBRə' 'WoFiYẒiY'aL* (165v1, 166r16–17)
מֵימְבְרֵייץ אוֹפְצִיאָה - *MeYMBReYYẒ 'WoFẒiY'aH* (166r3)
מֵיבְרְא אוֹפִּיצִיאַל - *MeYBRə' 'WoFiYẒiY'aL* (166r13)
***membre oficial**, m* 'Offizial-, Kardinalorgan'. Für *membre*, 'Organ', cf. supra; für *oficial*, adj. (13. Jh. *offisial* 'serviable'; von *official* 'officier public' < lat.

OFFICIALEM), 'fundamental, wesentlich', cf. TL (6, 995 'hauptsächlich'); FEW (7, 334a altfrz. *offisial* 'serviable', nfrz. (parties) *officiales* 'qui travaillent au bénéfice de tout le corps (cœur, etc.)'); Gdf (4, 576c *official* 'principal'); AND2 OE (*official* 'official'); DMF *membre official* 'organe administrant une fonction' s. v. $official_3$ C; Saye (168 *ofiçial* 'important'). Das Synthem *membre official* ist seit Mitte des 14. Jh.s dokumentiert (J. le Fevre, *La Vieille* 210, cf. TL 6, 995; Gdf 4, 576c); für die medizinfachsprachliche Verwendung liegt hier jedoch ein Erstbeleg vor. Der Autor von *Fevres* erläutert die Bedeutung des Terminus, der eine Lehnübersetzung des lat. *officiale membrum* (Constant. Afric., *Lib. febrium*, IV,17) ist, wie folgt: «[...] il [i.e., *le icetricia*] vent do membre oficial c'est les mebres qui servent à fele c'est le condut qui vet do foe» (f. 165r24–165v2). Cf. auch für das Altsp. DETEMA (2, 1046b *miembro oficial*, 'orgáno', mit Belegen aus dem 15. Jh.). Zu weiteren sachlichen Erläuterungen cf. die Einleitung, 1.1.4. Fehlt DAF.

מֵנְטֵי - *MeNṬeY* (158r22)
מִינְטְא - *MiYNṬə'* (174r15)
***mente, minte***, *f* (13. Jh. *mente*; < lat. MENTAM) 'Minze (Mentha L.)' (DEAFpré *mente*[1]; TL 5, 1439 *mente, minten*; FEW 6-1, 730a *mente*; Gdf 10, 140b *id.*; AND2 OE; DAF 378a *mente*; DMF *menthe*). Für die Alternation zwischen *-e-* und *-i-* cf. 1.4.2; FEW belegt ferner ein modernes wallon. *minte*. Cf. auch s. v. *vert*. Feht Saye.

מְאנֻוְאֵייש - *Mə'NuW'eYYŠ* (174r8)
מֵינֻוְאָה - *MeYNWu'əH* (239v6)
**[*menu*]**, *adj.* (11. Jh.; < lat. MINUTUM) *menue (f), menues (f pl.)* 'klein, fein' (DEAFpré; TL 5, 1455; FEW 6-2, 134b; AND2 OE; DAF 378b; DMF; Kiwitt 185; Saye 152 *ménu*).

מְינוּ - *MəYNWu* (178v9)
***menu***, *adv.* (1160; siehe supra s. v. *menu, adj.*) 'fein' (TL 5, 1460; FEW 6-2, 136a 'fréquemment'; AND2 OE; DAF 378b 'finement'; DMF B; Saye 152 *ménu*).

מֵינֻוְאֵימֵיינְט - *MeYNWu'eYMeYYNṬ* (177v11)
***menuement***, *adv.* (12. Jh.; siehe supra s. v. *menu, adj.*) 'fein' (DEAFpré s. v. *menu*; TL 5, 1463 *menüement*; FEW 6-2, 136a; AND2 OE 'in small pieces, in detail'; DAF 378b; DMF A 'en menus morceaux, finement'; Saye 152 *ménueménte*).

מֵירְלֵי - *MeRLeY* (160v1)
***merlé***, *m* (Bedeutungserstbeleg, 14. Jh. *meillee* 'Gemisch'; von *merler*, siehe s. v. *me(r)ler, v.*) 'unverdaute Reste (?)' (DEAFpré *meslee* 'querelle'; TL 5, 1653 *meslé* 'Stoff von gemischter Farbe'; FEW 6-2, 159a *meillee* 'mélange'; Gdf 5,

289a; AND2 OE *medlé* s. v. *medlee*; DAF 382b *mesle, melle* ‘mélange’; DMF *meslee* ‘mélange (de choses)’; Saye 153 *mérlée* ‘mixture’). Das Wort ist sonst in der Medizinfachsprache nicht belegt; die Bedeutung ist nicht gesichert.

מֵירְלֵי – *MeRLeY* (157r3)
מֵרְלֵייר – *MeRLeYYR* (161r14)
מֵירְלֵיאְה – *MeYRLeY’əH* (162v7)
מֵילֵייץ – *MeYLeYYẒ* (171v12, 172r7, 8, 179v12)
***me(r)ler***, *v. tr.* (980 *mescler*; < vlat. *misculare*) *melez (2. pl. imp.), merlé (part. perf.), merlée (part. perf. f)* ‘mischen; verquirlen’ (DEAFpré *mesler, meller*; TL 5, 1644 *mesler, meller, merler*; FEW 6-2, 158a altfrz. *mesler* ‘mélanger’, nfrz. *meler*, 6-2, 158b pikard. *merler*; Gdf 5, 288b *mesler, meller, merler*; AND2 OE *meler* s. v. *medler*; DAF 380a *merler* mit Verweis auf *mesler*, 383b *mesler, meller*; DMF *mesler* A.1; Saye 150 *mélér*, 153 *mérlér*). *Meler* zeigt den für *Fevres* typischen Schwund von vorkonsonantischem *s-* (cf. Einleitung, 1.5.1).

שְׁא מֵילֵינְט – *Šə’ MeYLeYNṬ* (166v1)
שְׁא מֵירְלְא – *Šə’ MeYRLə’* (166v6, 239v25)
שְׁא מֵילְא – *Šə’ MeYLə’* (168v11)
***me(r)ler***, *v. refl.* (12. Jh. *se mauler*; cf. supra) *se me(r)le (3. sg.), se melent (3. pl.)* ‘sich vermischen’ (TL 5, 1647 *mesler, meller, merler*; FEW 6-2, 158a mfrz. *mesler, v.r.*; Gdf 5, 288b *mesler, meller, merler*; AND2 OE *meler* s. v. *medler*; DMF *mesler* A.2; Saye 150 *mélér*, 153 *mérlér*). Der reflexive Typus fehlt DAF.

מֵירְטִילֵי – *MeYRṬiYLeY* (156v10, 14, 23, 157v3, 160v4, 14)
מֵרְטִלֵייש – *MeRṬiLeYYŠ* (157v22)
מֵרְטִילֵי – *MeRṬiYLeY* (158v16, 160v24, 161r17)
מֵרְטִלֵיש – *MeRṬiLeYŠ* (161r7)
מֵרְטֵילֵי – *MeRṬeLeY* (161v9)
***mertille***, ****mertelle*** *f* (13. Jh.; von lat. MYRTAM[436]) *mertilles (pl.)* ‘Myrte(-nbeere) (Myrta communis L.)’ (DEAFpré *mertille, mertelle* s. v. *mirtille*; TL 6, 88 *mirtille*; FEW 6-3, 317a *mertille*; Gdf 5, 342c *id.*; AND2 OE *mirtile* s. v. *mirtelle* ‘bilberry, whortleberry’; DMF *myrtille*; Saye 153 *mértil(l)e, mértéle*). Für die Repräsentation von [ʎ] cf. die Einleitung, 1.4.1. Eine Variante mit *-e-* in der ersten Silbe (*mertille*) ist bspw. in Aldebrandin de Sienne (1256, *Rég. du corps*) nachgewiesen; **mertelle* (f. 161v9) ist nicht dokumentiert; zur Alter-

436 Von lat. MYRTA, ‘Myrtenbaum’, wurde im Mlat. ein Diminutiv *mirtilli* für die Beeren gebildet; *myrtillus* ist dann ins Französischen entlehnt worden und hat auch Bedeutungserweiterungen auf andere Beeren (z. B. ‘Heidelbeere’) erfahren (cf. FEW 6-3, 317b).

nation von *-e-* und *-i-* die Einleitung, 1.4.1. Cf. auch s. v. *sirop* und *ule* sowie s. v. **mertillus* im *Lateinischen Glossar* (3.3). Fehlt DAF.

מֵייץ קְא - *MeYYẒ Q'ə* (164r26)
***mes que***, *conj.* (10. Jh.; < lat. MAGIS QUAM) 'ausgenommen (dass); nur wenn' (TL 5, 165–167; FEW 6-1, 30a-b; AND2 OE *mes que* s. v. *mes*; DMF *mais que* s. v. $mais_1$ II.B). Fehlt DAF und Saye.

מֵיזֻורְא - *MeYZWuRə'* (167r15)
***mesure*** → siehe s. v. **oter mesure*.

מֵיטֵר - *MeYṬeR* (101v19, 159v22, 25)
***meter***, *m* (10. Jh. *mestier*; < vlat. **misterium*, für lat. MINISTERIUM) 'Notwendigkeit, Aufgabe' (DEAFpré *avoir mestier* 'avoir besoin' s. v. *mestier*; TL 5, 1697 *mestier*; FEW 6-2, 118b *mistier, mestier, mester*; AND2 OE s. v. *mester*; DAF 385a *mestier*; DMF *id.* II.A; Saye 154 *métér* 'need'). Eine nicht diphthongierte Variante ist auch bei Wace (1155) belegt (cf. FEW 6-2, 118b). Zum Schwund von vorkonsonantischem *s-* cf. die Einleitung (1.5.1). Die Konstruktion «et meter en a» (f. 101v19) wurde durch Saye nicht erkannt («émétér» irrtümlicherweise als Verb unter «Unknown words», Saye 19).

מֵיטְרְא - *MeYṬRə'* (178r3)
***metre***, *m* (13. Jh. *maistre* 'Arzt'; < lat. MAGISTRUM) 'Lehrermeister der Medizin' (DEAFpré s. v. *maistre*; TL 5, 907 *maistre* 'Arzt, Lehrer'; FEW 6-1, 39b id.; AND2 OE *metre* s. v. *mestre*; DAF 359a *maistre, mestre* 'médecin'; DMF *maistre, maistre en medecine* s. v. *maître₁* II.A; Kiwitt 185 'Lehrmeister'; Saye 154 *métre* s. v. *métér*). Cf. die Einleitung (1.5.1) für den Schwund von vorkonsonantischem *s-*. TL (5, 910) dokumentiert in anderem Kontext die Form *metre* (*Erec* 1630); ebenso Blondheim (1925, 70, Nr. 87): *metre*, 'Rabbi'.

מֵיאֻורְא - *MeY'uWRə'* (101r19)
מֵיאֻור - *MeY'uWR* (101v3)
מֵיאוּרָא - *MeY'WuRə'* (239v6)
***meur***, *adj.* (1256; < lat. MATURUM) *meure (f)* 'reif' (TL 5, 1775–6 *mëur*; FEW 6-1, 533a–534b («en parlant des produits de la terre» u. a.); AND2 OE *meur* s. v. *maur*; DAF 386b id.; DMF *meur* s. v. $mûr_1$ A; ATC 266b *meure*; Saye 162 *muur*). Die humoralpathologische Verwendung des adj. ist auch durch TL (5, 1776) belegt: «Si le fleume est plus grosse, apriès, quant ele sera mëure, si le porra on conoistre par l'orine» (*Rég. du corps*, 52,1).

מֵיאוּרִיר - *MeY'WuRiYR* (164v13)
מֵיאֻורֵר - *MeY'uWReR* (165r3)
***meurer, -ir*** *v. tr.* (Erstbeleg für *meurir*, 13. Jh. *meurer*; < lat. MATURARE) 'zur Reife bringen' (TL 5, 1778 *mëurer* 'reif machen'; FEW 6-1, 528a altfrz. *meurer*

'faire mûrir', 6-1, 529b nfrz. *mûrir un rhume, un abcès* 'en amener la résolution, amener au point où il convient de le percer'; Gdf 5, 320b *meurer* 'faire mûrir'; AND2 OE *meurer* s. v. *maurer*; DMF *meurer, meurir* II.A 'faire mûrir'; GRe *meürir* s. v. *mûrir* (seit 1350); Saye 161 *murir* 'to ripen'). Der humoralpathologische Kontext ist auch durch TL attestiert: «Ki vieut fleume purgier ki trop abunde, si le couvient mëurer premierement» (*Rég. du corps*, 51,26, zit. nach TL 5, 1778); ebenso durch Gdf. Die Variante *meurir* ist laut FEW (6-1, 530a) erst ab mfrz. Zeit (Mitte des 14. Jhs.) belegt; der Konjugationswechsel wird durch Analogiebildung erklärt. Der transitive Verbtyp fehlt DAF. Fehlt DEAFpré.

מוֻרִיט – *MWuRiYṬ* (101r10)
***meurir***, *v. intr.* (Bedeutungserstbeleg, 12. Jh. 'reifen (von Früchten)'; < lat. MATURARE) 'reif werden (humoralpathologisch)' (TL 5, 1777 *mëurir* 'reifen' (von Früchten); FEW 6-1, 529a mfrz. *meurir* 'devenir mûr' («ca. 1350»); AND2 OE *meurer* s. v. *maurer*; DAF 386b *meurir* 'pourrir'; DMF I.A 'arriver à maturation, mûrir'; Gdf 10, 151b mfrz. *meurir* («en parlant d'un abcès») 'arriver au point où on peut l'ouvrir'; ATC 266–267 *meurer*; Saye 161 *meurir* 'to ripen'). Die medizinfachsprachliche Verwendung des intr. Verbs ist durch Gdf erst für das Mfrz. (16. Jh.) dokumentiert: «Les emplastres ont vertu d'amollir et de faire *meurir* les apostumes» (Joub., *Pharmacop.*, p. 326, zit. nach Gdf 10, 151b). Die Graphie *MWu-* ist wahrscheinlich als [mœ-] zu interpretieren, cf. 1.4.2. Fehlt DEAFpré.

מוֻרִיזוֹן – *MWuRiZWoN* (101r9)
מֻורִיזוֹן – *MuWRiYZWoN* (101r10, 13, 14, 101v12)
***meurison***, *f* (Bedeutungserstbeleg, 1259 *meurisson*; von *meurer* < lat. MATURARE) '(Prozess der) Reifung (humoralpathologisch)' (TL 5, 1776 *mëurison* (von Früchten, Wein usw.); FEW 6-1, 529b mfrz. *meurisson* 'action de mûrir'; Gdf 5, 320c *meurison* id.; AND2 OE *murance* 'maturity'; DAF 386b *meurisson* 'maturité'; DMF *murison* 'maturité, mûrissement' (à propos d'une plante, d'un fruit, d'un être vivant); Saye 161 *murison*). Cf. zur Repräsentation von [œ] supra (s. v. *meurir*) und die Einleitung (1.4.2). Die medizinfachsprachliche Sematisierung ist durch die Lexika nicht abgedeckt; es liegt eine Lehnbedeutung auf der Grundlage der Bedeutung von *meurir*, *v.* (cf. supra) vor. Die lat. Übersetzung des *Lib. febrium* durch Constant. Afric. hat an den entsprechenden Stellen (L, f. CCXVr, col. A) *digestio* oder *coctio* ('Verarbeitung, Verstoffwechslung', MLWB 3, 627, 2, 765). Fehlt DEAFpré.

מִי - *MiY* (164r1)

***mi***, *m* (1260; < lat. MEDIUM) 'Mitte' (TL 6, 1781; FEW 6-1, 619a; AND2 OE; DAF 386b; DMF II). Saye (156) und DEAFpré (s. v. *lieu*) verzeichnen nur *milu* 'middle'.

מִיגְרַייְנֵייש - *MiYGRaYYNeYYŠ* (156v15)
מִיגְרֶינֵייץ - *MiYGReYNeYYẒ* (157v4)
מֵיגְרֶיינֵייץ - *MeYGReYYNeYYẒ* (157v12)
מִיגְרַייְנָא - *MiYGRaYYNə'* (160v13)
מִיגְרַאנָא - *MiYGRa'Nə'* (161r17)
מֵיגְרַאנָא - *MeYGRa'Nə'* (161v9)

***migra(i)ne, *migrene, *megrane, *megrene*** *f* (Erstbeleg; von altokzit. *milgrana* < lat. MILLE GRANAS[437]) *migraines, migrenes, megrenes (pl.)* 'Granatapfel (Punica granatum L.)' (DEAF G, 1178 *migraine, migrene* (= Saye 155) s. v. *grain*; FEW 4, 237a mfrz. nfrz. *migraine*; DMF *migraine*$_3$; Saye 155 *migraine, migréne*). *Migra(i)ne* (mit Varianten) ist sonst für das Altfrz. nicht dokumentiert. Der Terminus ist entweder eine Entlehnung aus altokzit. *milgrana*, id. (CB 286, u. a.), die laut FEW seit dem 15. Jh. belegt ist, oder aus mlat. *migrana*, 'granatum, malum punicum' (DuC 5, 377a). Als «judfr.» belegt FEW (4, 237b) *migrenier* für den Baum. Neben den Varianten des Typus *migraine* steht in *Fevres* auch das im Altfrz. übliche *pome granate* (cf. s. v.) Die Formen auf *meg-* zeigen die typische Oszillation zwischen *-e-* und *-i-* (cf. Einleitung, 1.4.2). Allen anderen konsultierten altfrz. Lexika fehlt das Wort in dieser Bedeutung.

מִירַאבְּלַאנָא - *MiYRa'BLa'Nə'* (176v16)

****mirabelane***, *m* (13. Jh. *mirobolan*; von lat. MYROBALANUM, aus gr. μυροβάλανος) 'Myrobalane (Terminalia L.)' (DEAFpré *mirabolan, mirabelane* (= Saye 156); TL 6, 69 *mirabolan, mirobolain* 'Myrobalane'; FEW 6-3, 315b *mirobolan, mirabolain, myrobalan* 'fruit des arbres du genre badamier, des Indes, employé dans certaines préparations médicinales'; Gdf 10, 157a *mirobalan, myrobolan* 'fruit de certains arbustes des Indes, du genre *terminalia*, employé dans plusieurs préparations pharmaceutiques'; AND2 OE *mirabolan*; DAF 389b *mirobolanz*; DMF *mirabolan* 'petit fruit de l'Inde de la grosseur d'une petite prune, employé dans les préparations médicinales'; Saye 156 *mirabelane* 'myrabolan'). Eine altfrz. Variante **mirablane* ist so in den

437 Der romanische Typus *melograno/melagrana* (von lat. MALUM GRANATUM; die Bezeichnung bestand neben *malum punicum*) wurde in der Romania häufig volksetymologisch umgdeutet: «sachlich nahe liegend war der ersatz durch MILLE» (FEW 4, 240a); hierauf beruhen die okzit. Varianten; cf. weitere Erläuterungen s. v. *pome granate*.

Quellen nicht belegt; cf. jedoch FEW (6-3, 316a): «Die verschiedenen formen des Wortes sind durch assimilation und dissimilation der vokale entstanden». Die Art der Myrobalane ist in f. 176v16 nicht spezifiziert (für die Unterarten cf. bspw. den *Alphita*-Eintrag M4: «Mirabolanorum species sunt quinque bonorum: citrinus, kebulus, belliricus, emblicus, indus», GGA 244; ferner Heyd 1885–1886, 640–641). Laut GGA (481–482) wurden im Mittelalter mit den Arten der Myrobalane verschiedene Spezies der Gattung Terminalia bezeichnet; ebenso Sin (268a) für altsp. *mirabolano*, ‘fruto de varias especies de plantas pertenecientes al género Terminalia’; cf. hingegen NPRA (167): *myrobalanum*, ‘noix de Ben, fruit du Moringa (Moringa arabica pers.)’. **Mirablane* ist in f. 176v16 durch *confit* spezifiziert; mit hoher Wahrscheinlichkeit ist das Synthem als ‘kandierte Myrobalane’ und nicht als die Art *mirabolan condi* (Moamin; cf. auch altokzit. *mirabolatz conditz*, zit. nach FEW 6-3, 316a, Fn. 3) zu verstehen; das Manuskript ist eindeutig. Cf. auch infra **mirablana citrin* sowie im *Lateinisches Glossar* (3.3) s. v. *mirablanum citrinum* und *mirablanum kibuli.*

מִירַאבְלַאנַשׁ סִיטְרִין – *MiYRa'BLa'NaŠ SiYṬRiYN* (171r9)
מֵירַאבְלַאנַשׁ סִיטְרִי – *MeYRa'BLa'NaŠ SiYṬRiY* (171v4)

**[*mirabelana citrin]**, **[*merabelana citri]**, *f* (13. Jh.; Entlehnung aus mlat. *mirabolanus citrinus*) **mirablanas citrin, *merablanas citri (pl.)* ‘(Frucht der) Gelben Myrobalane (Terminalia citrina Roxb. = Myrobalanus citrina Gaertn.)’. Lat.-altfrz. Synthem. Der Terminus (**mirablane*, *-*a*, **mera-*) *citrin* ist bisher nicht in o. g. Bedeutung belegt; für *citrin, adj.*, ‘zitronenfarbig’, cf. TL (2, 452); FEW (2, 720b); Gdf (9, 102b); AND2 OE *mirabolan citrin* s. v. *mirabolan* – mit weiteren Arten der Myrobalanen; DMF B.1; ATC (227); Kiwitt (172). Für Diskussion und Referenzen zu mlat. *mirabolanus citrinus* cf. im *Lateinischen Glossar* (3.3) s. v. **mirablanum citrinum.* Cf. die Einleitung zur Alternation zwischen *-e-* und *-i-* (1.4.2, *mira-*, *mera-*) sowie zur fehlenden Repäsentation von Nasalkonsonanten (1.4.2, **citri).* Saye (219) führt *sitrin* als ‘citron’ auf; dies ist zu korrigieren. *Citrin* fehlt DAF. Cf. auch s. v. **arsenica citrin.*

מוֹאֵילְא דְאבוֹף – *MWo'eYLə' Də'BWoF* (173v18)

***moele de beuf***, *f* ‘Ochsenmark’. Für *moele, f* (1256; < lat. MEDULLAM), ‘Knochenmark’, cf. TL (6, 1468) *möele*; FEW (6-1, 633b *moele* ‘substance qui remplit la cavité des os’); AND2 OE *moele* s. v. *meule* ‘marow’; DAF (390b); DMF *moelle* A.1; Saye (156) *moéle*. Für *beuf* cf. supra s. v. *beuf.*

מוֹאֵילְא דְא צֵירְף – *MWo'eYLə' Də' ẒeYRF* (173v19)

***moele de cerf***, *f* ‘Hirschmark’. Für *moele* cf. supra; für *cerf, m* (1080; < lat. CERVUM) ‘Hirsch (Cervus elaphus L.)’ cf. TL (2, 127); FEW (2, 613b); AND2 OE; DMF; Saye (51 *çérf*).

מוֹאֵילְא דְא וִיֵיל - *MWo'eYLə' Də' WYeYL* (173v19)

***moele de vel***, *f* 'Kalbsmark'. Für *moele* cf. supra. Die Variante *vel*, *m* (10. Jh. *vedel*, 1200 *viël*; < lat. VITELLUM), 'Kalb', mit Schwund von intervokalischem *-d-* und Zusammenfall von *-ee-* bzw. *-iё-* ist nur für das (moderne) Frkpr. und Okzit. belegt (FEW 544a–b); sie ist eventuell auch als *viël* zu interpretieren. Cf. auch TL (11, 130) *vëel*; AND 846a *vel* s. v. *veel* 'calf'; DAF (612a) *veel*; DMF *veau* A; Saye (242) *vél.*

מוֹאֵילְא דְאקַשְׁיאַ פִֿישְׁטוֹלְא - *MWo'eYLə' Də'QaŠY'a FiYŠṬWoLə'* (179v11)

***moele de *casia fistole***, *f* 'Mark der Röhren-Kassie'. Die Bedeutung 'substance molle et spongieuse qui se trouve dans la tige de certains arbres' belegt FEW (6-1, 635a) für altfrz. *moele* seit 1218; ebenso TL (6, 1469) in Zitaten und DMF *moelle* B.1. Für **casia fistole* cf. supra s. v.

מוֹייאַץ - *MWoYY'aẒ* (156v21)
מוֹייאַה - *MWoYY'aH* (161r24)
מוֹיְיאַש - *MWoYəY'aŠ* (162v13)

****moia***, *m* (1160 *moieul*; < splat. *mediolum*[438]) **moias* 'Dotter' (DEAFpré *moiel* s. v. *moiuel*; TL 6, 171 *moiuel, mo(i)el*; FEW 6-1, 616a *id.*; AND2 OE s. v. *muel*; DAF 391b *moieul*; DMF *moyeu*$_2$; ATC 268a *moieuf*; Saye 157). In *Fevres* tritt die dialektale Pluralform **moias* auf, die die typische Endung *-ias* der Wörter auf *-iel* zeigt (cf. Einleitung, 1.5.1, und den analogen Fall **boias* als Pl. von *boiel*). Die sg.-Form **moia* (f. 161r24) steht daher für *moiel*, seit dem 13. Jh. belegte Variante des geläufigeren *moieul*/*moieuf*[439] (cf. FEW 6-1, 616a), und ist als Rückbildung aus dem Plural zu erklären (für den analogen Fall cf. s. v. **cervia*). Die Stellen in *Fevres* lauten jeweils *moias de oes* (ff. 156v21, 162v13) bzw. *moia de l'oef* (f. 161r24), also 'Eidotter' (cf. ATC 268a: *moieuf d'uef*, id.). Cf. auch s. v. *oef.*

מוֹיילֵייש - *MWoYYLeYYŠ* (172r10)
מוֹיילֵייץ - *MWoYYLeYYẒ* (172r13)

***moiler***, *v. tr.* (11. Jh. *moiler*; < vlat. **molliare*) *moilez (2. pl. imp.)* 'befeuchten, nass machen' (DEAFpré s. v. *moillier*; TL 6, 130 s. v. *moillier*; FEW 6-3, 43b *moillier*; AND2 OE s. v. *moiller*; DAF 391b *moil(l)er*; DMF *mouiller* I.A; ATC 268b *moillier*; Saye 157 *moilér*).

---

**438** DAF (391b) gibt als Etymon vlat. *modiolum*, den Diminutiv von MODIUS, 'Scheffel', an. Diese von Gröber (ALL 4, 119, zit. nach FEW 6-1, 616b) aufgestellte Hypothese wurde jedoch bereits von FEW mit dem Hinweis auf die ältesten Belege wie nordfrz. *mieul* oder gaskogn. *mizo(l)* widerlegt (cf. FEW 6-1, 616b).

**439** *-f* ist mit volksetymologischem Einfluss durch *œuf* zu erklären.

מוֹייטְא – *MWoYYṬə'* (162r5)
מוֹיְיטְא – *MWoYYəṬə'* (162r9)
מוֹיְיטֵייץ – *MWoYəYṬeYYẒ* (162v23, 163r14)
מוֹיְיטְא – *MWoYəYṬə'* (240v11)
***moite**, adj.* (1260 *moiste*; < vlat. *mucidum*) *moites (m* und *f pl.)* 'feucht' (DEAFpré *moiste*; TL 6, 162 *id.*; FEW 6-3, 183b *id.*; AND2 OE *moite* s. v. *moiste*; DAF 392a *id.*; DMF *moiste* A; ATC 268a *id.*; Kiwitt 185; Saye 157b). Eine Variante ohne *-s-* dokumentiert FEW erst ab 1637; für den Schwund vorkonsonantischen *s-* in *Fevres cf.* die Einleitung (1.5.1). Zur Repräsentation von [wa] cf. die Einleitung (1.4.2).

מוֹייטֵי – *MWoYYṬeY* (161v1, 171v10)
**moité**, *f* (1080 *meitiet*; < lat. MEDIETATEM) 'Hälfte' (DEAFpré s. v. *moitié*; TL 6, 165 *moitié*; FEW 6-1, 606b *id.*; AND s. v. *meité*; DAF 375b *meitié*; DMF A; Kiwitt 185; Saye 157). Cf. die Einleitung zur Reduktion des Diphthong [je] (1.5.1).

מוֹל – *MWoL* (157r9)
**mol**, *adj.* (1130; < lat. MOLLEM) 'weich' (DEAFpré; TL 6, 172; FEW 6-3, 49b; AND2 OE; DAF 392b; DMF *mou* I.A; Saye 157).

מוֹלְיפִּיקַאטִיףֿ – *MWoLiYFiYQa'ṬiF* (173v16)
**mollificatif**, *adj.* (13. Jh.; von *mollifier*, aus lat. MOLLEM) 'weich machend' (DEAFpré s. v. *mol*; FEW 6-3, 57a mfrz. nfrz. *mollificatif* 'émollient'; Gdf 10, 376a *id.*; AND2 OE *id.*; ATC 268a *id.*; DMF *mollificatif*; Saye 158 *molifikatif* 'softening'). FEW dokumentiert das adj. erst ab 1495 (aus Bernard de Gordon, *Pratiq.* II, 26: «cristere mollificatif», zit. nach Gdf 10, 376a). Es erscheint hier in dem Synthem *ogements molificatif* (f. 173v15–16). Eine früherer Beleg ist in HuntAgnMed (13. Jh., cf. ATC 268a) und anderen angl.-nor. medizinischen Texten (cf. AND) zu finden. Fehlt TL und DAF.

מוֹמִי – *MWoMiY* (158v1)
*__momi__, *f* (13. Jh. *momie*; von mlat. *mumiam*, dies von arab. *mūmiyā*) 'Erdpech, Mumia' (DEAFpré *momi* (= Saye 158) s. v. *momie*; FEW 19, 130b *momie*; Gdf 10, 167b *id.*, 'substance brune tirée du bitume dont les momies étaient enduites, et, par extens., nom donné au malthe, usité dans la médicine ancienne'; AND OE2 *mumie* 'medicinal preparation using (Egyptian) mummies (either liquified or powdered); DAF 394a *momie* 'sorte de préparation médicinale pour les humains'; DMF *id.* A 'substance dont sont enduites les momies égyptiennes'; Saye 158). Als Heilmittel kam die Substanz, ein Kohlenwasserstoffprodukt, aus der arab. Medizin in den Okzident; Vermittler war die Medizinschule von Salerno (cf. FEW 19, 131a). Cf. zur Semantisierung auch altsp. *mumia*, 'pisasfalto, asfalto mezclado con pez que susti-

tuye la mumia de los árabes, la cual se hace con pisasfalto y el líquido que existe en el vientre de los cadáveres' (DETEMA 2, 1085a) und *momia* in Sin (127, 20–26): «Momia, i. superfluydat [que vocatur in ulgari moo] que se falla enlos rrencones delas sepolturas delos omnes muertos balsamados. E en lugar della [quidam] ponen carrne de omne (seca)». Zu einer detaillierten Beschreibung der natürlich vorkommenden Substanz *mumia* aus heutiger Sicht und ihren Ersatzstoffen cf. Ebermann & Kartnig (2007, 151ss.).[440] Cf. auch *momia* im *Lateinischen Glossar* (3.3). Fehlt TL.

מוֹנְדֵייץ - *MWoNDeYYẒ* (157r5, 162r4)
מוֹנְדֵיאֵייץ - *MWoNDeY'əYYẒ* (157r7, 157v14)
מוֹנְדֵי - *MWoNDeY* (161r15, 168v17)
מוֹנְדֵיאֵייש - *MWoNDeY'eYYŠ* (161r15)
מוֹנְדֵיאֵייץ - *MWoNDeY'eYYẒ* (161v5, 171v8)
מוֹנְדַאנְט - *MWoNDa'NṬ* (170r3)
מוֹנְדְא - *MWoNDə'* (173r9, 177v3, 239v22)
מוֹנְדֵייר - *MWoNDeYYR* (239vf24)
***monder***, *v. tr.* (Bedeutungserstbeleg, 1170 'reinigen'; < mundare) *monde (3. sg.), mondant (part. praes.), mondé (part. perf.), mondée (part. perf. f), mondés (part. perf. pl.), mondées (part. perf. f pl.)*, 'reinigen; enthülsen' (FEW 6-3, 215a). Im Sinne von 'reinigen' ist das Wort seit 1170 belegt und so auch bei DEAFpré; TL (6, 206); AND2 OE *monder* s. v. *munder*; DAF (394b s. v. *monde*); DMF I.A; ATC (269b); Kiwitt (185) nachgewiesen. Die Bedeutung 'enthülsen' gibt FEW erst ab 1549 an; sie ist somit um mindestens 300 Jahre vorzudatieren und in den anderen Lexika zu ergänzen. Saye (158) semantisiert *mondér* mit 'to winnow, fan'. Diese Bedeutung ist eventuell im Zusammenhang mit Getreide zu vertreten, doch ist gerade frz. *orge mondé* («orge mondé» in f. 161r3) als 'orge débarassé de sa pellicule' durch FEW (6-3, 215a) belegt (Text von 1393); in einem Kontext wie «le sanc est digeste et mondé» (f. 168v16–17) ist sie schließlich eindeutig zu verwerfen.

מוֹנְט - *MWoNṬ* (157r26, 158v22, 159v18, 160r3, 161v20, 162r11, 22, 23, 162v16, 163r4, u. v. m.)
***mont***, *adv.* (980 *mout;* < lat. MULTUM) 'sehr' (DEAFpré s. v. *mout*; TL 3, 364 s. v. *mout*; FEW 6-3, 210b *mou(l)t*; AND2 OE *mont* s. v. *mut*; DAF 393a *molt, mout,*

---

440 Die «als 'Mumia' bezeichneten Kohlenwasserstoffprodukte konnten in vorindustrieller Zeit nie in bedarfsdeckenden Mengen gewonnen werden. [...] So wurde der Begriff *mūmiya* bereits im 12. Jh. durch den arabische [*sic*] Arzt ABD AL-LATIF auf die ägyptischen Mumien, die mit einer wie Teer wirkenden Balsamierungsmasse versehen sind, übertragen» (Ebermann & Kartnig 2007, 151).

*mot*; DMF *moult* I.A; Kiwitt 185; Saye 158). Pope (1934, 177) weist *mont* als champagn. aus.

שְׁא מוֹנְטְאפְּלְיאֶה – *Šə' MWoNṬə'PLiY'əH* (168v11)
[***monteplier***], *v. refl.* (13. Jh. *monteplier, v. refl.*; < lat. MULTIPLICARE) *se monteplie (3. sg.)* 'sich vermehren (von Körpersäften)' (DEAFpré s. v. *mouteplíier*; TL 6, 370; FEW 6-3, 204a *monteplier, v.n.;* AND2 OE s. v. *multiplier*; DAF 395b mit Verweis auf *molteplier*; DMF *multiplier, moulteplier* II.A; ATC 269b *multiplier*; Saye 159 *montépliér*).

מוֹנְטְא – *MWoNṬə'* (167r4)
[***monter***], *v. intr.* (13. Jh.; < splat. **montare*) *monte (3. sg.)* 'aufsteigen (humoralpathologisch, von Körpersäften)' (DEAFpré; TL 6, 232; FEW 6-3, 106b; AND2 OE s. v. *munter*; DAF 396a; DMF I.A.2; Saye 158 *montér*). Die Anwendung des Verbs auf humoralpathologische Prozesse ist in den Lexika nicht dokumentiert.

מוֹרֵילְא – *MWoReYLə'* (174v6)
מוֹרֵיילְא – *MWoReYYLə'* (175r22)
***morele***, *f* (13. Jh.; < lat. MAURELLAM) 'Schwarzer Nachtschatten (Solanum nigrum L.)' (DEAFpré; TL 6, 270 'Nachtschatten'; FEW 6-1, 544a *morelle* 'solanum nigrum'; Gdf 10, 174a s. v. *morelle*; AND2 OE; DMF *morelle*; ATC 268b *id.*; Kiwitt 185 *id.* 'Nachtschatten'; Saye 159 *moréle* 'black-berried nightshade'). TL (6, 270–271) belegt den pharmazeutischen Terminus in mehreren medizinischen Texten. Fehlt DAF.

מֻורְטְא – *MuWRṬə'* (160r18)
מֻורְט – *MuWRṬ* (163v5)
[***morir***], *v. intr.* (980; < vlat. **morire*) *meurt (3. sg.), meurte (3. sg. subj. praes.)* 'sterben' (DEAFpré; TL 6, 276; FEW 6-3, 131b; AND2 OE; DAF 397a; DMF *mourir* I; Kiwitt 185; Saye 159). Zur Repräsentation von [œ] cf. die Einleitung (1.4.1). Die Entwicklung [wɛ] (<muert>, Moignet 2002, 64) > [œ] (<meurt>) ist bereits im 13. Jh. abgeschlossen (cf. Rheinfelder 1963, 28).

מוֹרְשֻׁורְא – *MWoRŠuWRə'* (164r14)
***morsure***, *f* (11. Jh.; von *mors* < lat. MORSUM) 'Biss' (DEAFpré s. v. *mors*; TL 6, 295; FEW 6-3, 144a; AND2 OE; DAF 397b; DMF B; Saye 159).

מוֹרְטְא – *MWoRṬə'* (160r15)
מוֹרְט – *MWoRṬ* (160r19, 21, 164v2, 167v5)
***mort***, ****morte***, *f* (10. Jh. *mort*; < lat. MORTEM) 'Tod' (DEAFpré *mort*; TL 6, 296 *id.*; FEW 6-3, 141a *id.*; AND2 OE *id.*; DAF 397b *id.*; DMF *mort*$_1$; Saye 159 *mort*, 160 *morte*). Die Variante **morte* ist in den konsultierten Quellen nicht

belegt; sie tritt in *Fevres* noch zwei weitere Male auf (cf. Saye 160). Cf. auch *peril de mort.*

מוֹטְרְא - *MWoṬRə'* (101v7, 102r1, 5, 163v17, 240r2)
מוֹטְרֵינְט - *MWoṬReYNṬ* (101v8, 102r4)
מוֹטְרַא - *MWoṬRa'* (163r3)
**[*motrer]**, *v. tr.* (980 *mostrer;* < lat. MONSTRARE) *motre (3. sg.), motra (3. sg. passé simpl.)* 'zeigen, sagen' (DEAFpré *mostrer, motrer* (= Saye 160); TL 6, 334 *mostrer* und *monstrer*; FEW 6-3, 94b; AND2 OE *mostrer s.v. mustrer*; DAF 395b *mostrer, monstrer*; DMF *monstrer* I.A, II.; Saye 160 *motrér*). Zum Schwund vorkonsonantischen *s-* cf. die Einleitung, 1.5.1.

## N

נַאטֻורְא - *Na'ṬuWRə'* (101r9, 15, 163v18, 23, 164v13, 17, 165r2, 167v19, $20_{2x}$, 21, 24, 168r12, 173r9, u. v. m.)
נַאטֻורֵא - *Na'ṬuWRe'* (165r3)
***nature***, *f* (1119; < lat. NATURAM) 'Natur; Wesen; Zustand (des Körpers)' (DEAFpré; TL 6, 518; FEW 7, 46a; AND 441b; DAF 404b–405a; DMF; ATC 270b; Kiwitt 186; Saye 163 'nature, strength, habit, charcter').

נַאטֻורֵי - *Na'ṬuWReY* (102r5, 164v7)
נַאטֻורֵאֶה - *Na'ṬuWRe'eH* (102r12)
נַאטֻורֵיאְה - *Na'ṬuWReY'əH* (174r18)
***naturé***, *adj.* (12. Jh. 'de pure origine', von *naturer*/*nature* < lat. NATURAM) *naturée (f)* 'von der Natur geschaffen, natürlich' (DEAFpré s. v. *nature*; TL 6, 529 'von der Natur geschaffen'; FEW 7, 47a 'de bonnes dispositions'; Gdf 5, 475b 'formé, façonné de la nature'; AND 441, b 'natural, innated'; DAF 405a 'de pure origine'; DMF 'qui est façonné, créé'; Kiwitt 117 'qui s'est produit de manière naturelle, propre à l'organisme'; Saye 163 *nature* 'natural, habitual'). Der früheste Beleg aus TL stammt aus dem 14. Jh. (Bast.); frühere Belege dokumentiert DEAFpré. Cf. auch das Antonym *denaturée;* cf. auch s. v. *euvre.*

נַאטֻורֵייל - *Na'ṬuWReYYL* (167r16, 167v25)
***naturel***, *adj.* (1245; < lat. NATURALEM) 'natürlich, der Natur gemäß' (DEAFpré; TL 6, 525 'der Natur entsprechend'; FEW 7, 49a 'qui est conforme à la nature de chaque espèce'; AND 441, b; DAF 405a 'qui est de naissance'; DMF B.3 'qui est conforme à la nature, aux lois de la nature, normal'; ATC 271a; Kiwitt 186; Saye 163 *naturél* 'natural').

נַאטֻורֵימֵינְט – *Na'TuWReYMeYNṬ* (168v14)

***naturement**, adv.* (12. Jh. *natureument*; von *naturel*, siehe s. v.) 'auf naturgemäße Art und Weise' (DEAFpré 'conformément à la nature'; TL 6, 528 *naturelment, naturalment, naturaument* 'natürlich'; FEW 7, 50b *natureument* 'par la loi de nature, spontanément'; Gdf 5, 475a s. v. *natureement*; AND 442, a; DMF *natureement*; ATC 271a *naturelment*; Saye 163 *naturémént*). TL (6, 528–529) dokumentiert das adv. mehrfach in medizinischen Texten (z. B. *Rég. du corps*, 13. Jh.). Fehlt DAF.

נַאטֻורִיאֵינְץ – *Na'ṬuWRiY'eYNẒ* (169r12)

**naturien**, *m* (13. Jh.; von lat. NATURAM) *naturiens* 'Arzt' (DEAFpré s. v. *nature*; TL 6, 530 *naturiien*; FEW 7, 47a; Gdf 5, 476a 'savant dans la connaissance de la nature, physicien'; DMF II 'naturaliste, savant versé dans la connaissance de la nature'; Saye 163 *naturiénç*). Fehlt AND; DAF.

נַאבְֿרְא – *Na'VRə'* (159v20)

***navre**, f* (1240; von altnord. **nafra* 'durchbohren') 'Verwundung' (DEAFpré s. v. *navrer*; TL 6, 541; FEW 16, 594b; DAF 405b s. v. *navrer*; DMF). Saye (163) interpretiert *navre* als Verbform; dies ist zurückzuweisen; cf. «et garit tote brisure et navre dedenz le cors o dehors» (f. 159v19–20).

נַאבְֿרֻורְא – *Na'VRWuRə'* (166v4)

***navrure*** (1298; cf. s. v. *navre*) 'Wunde, Geschwür' (DEAFpré s. v. *navrer*; TL 6, 543 *navrëure*; Gdf 5, 480c *navreure, navrure*; AND 440bb *nafrure, navreure* 'wound'; DAF 405b; DMF; Saye 162 *navrure*). Die Form ist eventuell auch als *navreure* wiederzugeben (cf. zur Repräsentation von [œ] die Einleitung, 1.4.2); undiphthongiertes *navrure* ist jedoch durch Gdf belegt. Eventuell Zweitbeleg.

נֵירְשִׁיט – *NeYRŠiYṬ* (169r10)

**[nercir]**, *v. tr.* (1240 *noicir*; < vlat. **nigricire*) *nercit (3. sg.)* 'schwärzen' (DEAFpré s. v. *noir*; TL 6, 599; FEW 7, 137a altfrz. *nercir*, judfr. *necir*, *v. intr.* 'devenir noir' (seit 1140; = RLJ 590), *noircir* 'rendre noir' (seit 1240); Gdf 5, 515b *id*; AND 444b; DAF 411a *id.*; DMF *id.* A; Saye 164 *nérsir*). Die «judfr.» Variante ohne *-r-* des FEW ist in *Fevres* nicht wiedergegeben.

נִייֵט – *NYYeṬ* (157r22)

נִיֵיט – *NYeYṬ* (178v8)

***net**, adj.* (12. Jh.; < lat. NITIDUM) 'rein, sauber' (DEAFpré; TL 6, 615; FEW 7, 147b; AND 445a; DAF 407b; DMF I.; Kiwitt 186; Saye 164 *nét*).

נֵיטֵייאֵייץ – *NeYṬeYY'eYYẒ* (162r4)

נֵיטוֹייְאֵייץ – *NeYṬWoYYə'eYYẒ* (162r7)

נֵיטוֹייאֵייר - *NeYṬWoYY'eYYR* (162r8)
נֵיטוֹייאֵייש - *NeYṬWoYY'eYYŠ* (162v20)
***netoier***, ***neteier***, *v. tr.* (1175 *netoiier*; < vlat. **nitidare*) *neteiés (part. perf. pl.)*, *netoiées (part. perf. f pl.)* 'reinigen, säubern' (DEAFpré s. v. *netoiier*; TL 6, 622 *netoiier*; FEW 7, 144a altfrz. mfrz. *netoier*; Gdf 10, 201a *nettoyer*; AND 445b s. v. *nettoier*; DAF 407b *neteier* s. v. *net*; DMF *nettoyer* I.A; Saye 164 *nétoiér*). Gdf belegt in einem Zitat auch die altfrz. Form *netteier* (*Machab.* II, x, 7); FEW (7, 144b) dokumentiert *néteïer* (burgund.) und *nettéier* (Centre) als moderne diatopische Varianten. Cf. ferner die «judfr.» Variante *noyer* (RLJ 597), die in *Fevres* nicht wiedergegeben ist.

שְׁנֵיישֵׁינְט - *ŠəNeYYŠeYNṬ* (165r22)
**[*neitre*]**, *v. refl.* (1080 *naistre, v. intr.*, ca. 1350; < vlat. **nascere*) *neisent (3. pl.)* 'entstehen, seinen Ursprung haben (von Krankheiten)' (DEAFpré s. v. *naistre, v. intr.*; TL 6, 492 *naistre, nestre, v. intr.*; FEW 7, 18b mfrz. *soi naistre de, v. refl.* 'être originaire de (d'un endroit)', *naître, neistre, v. intr.*; Gdf 5, 471c *naistre, nestre, v. intr.* 'poindre'; AND 445a *nestre, v. intr.*; DAF 403b *naistre, v. intr.* 'naître, apparaître'; DMF *se naistre* 'apparaître, se produire' s. v. *naistre* I.C.4; Saye 164 *nétre*). Die Anwendung des Verbs auf medizinische Vorgänge belegt TL (6, 492) z. B. in *Moamin Table* (42); ebenso FEW. Die pronominale Verbalkonstruktion ist durch FEW und DMF erst für das Mfrz. (seit ca. 1350) belegt. Zum Schwund vorkonsonantischen *s-* cf. die Einleitung, 1.5.1.

נִינוֹפַר - *NiYNWoFaR* (158v8)
****ninofar***, *m* (13. Jh. *nenufar*; aus mlat. *nenufar* < arab. *nainūfar*) 'Seerose (Nymphaea L.)' (DEAFpré *nenufar*; TL 6, 590 *id.*; FEW 19, 137a *nénufar*; Gdf 10, 198a *nenufar*; AND 449a *ninifar*; DMF *nenufar*; Saye 163 *nénofar*, *ninofar* 'white water-lily'). Die Form mit *-i-* ist in den konsultierten Wörterbüchern nicht belegt; zur Alternation zwischen *-e-* und *-i-* cf. die Einleitung, 1.4.2. Fehlt DAF.

נוֹיֵיר - *NWoYeYR* (102r11, 14, 158v15)
נוֹייְרְא - *NWoYYRə'* (167r20)
נוֹיְיְרְא - *NWoYəYRə'* (169r6)
נוֹיֶר - *NWoYeR* (169r10)
***noir***, *adj.* (1080 *neir*, 1175 *noir*; < lat. NIGRUM) *noire (f)* 'schwarz' (DEAFpré; TL 6, 718; FEW 7, 129b; AND 443b *noier* s. v. *neir*; DAF 406b; DMF; Kiwitt 186; Saye 165 *noir*, *noér*). Cf. zur Repräsentation von [wɛ] die Einleitung, 1.5.1.

נוֹמֵי - *NWoMeY* (161v17, 172r20)
נוֹמֵיאְה - *NWoMeY'əH* (163v25)
נוֹמֵיאֵייץ - *NWoMeY'eYYẒ* (169r16)
[***nomer***], *v. tr.* (980 *nomner,* 1155 *nomer;* < lat. NOMINARE) *nomé (part. perf.), nomée (part. perf. f ),* 'nennen, benennen' (DEAFpré; TL 6, 760; FEW 7, 179a; AND 451a; DAF 411b s. v. *nom;* DMF *nommer* I; Kiwitt 186; Saye 165 *nomé(e)* s. v. *nombér*).

נוֹן - *NWoN* (163v10, 11, 20, 23, 24)
***non,*** *m* (10. Jh. *nom;* < lat. NOMINEM) 'Name' (DEAFpré s. v. *nom;* TL 6, 738; FEW 7, 175a; AND 450b *nom;* DAF 411b; DMF *nom;* Kiwitt 186; Saye 166).

נוֹרְיאְה - *NWoRiY'əH* (164r24, 240v1, 3)
נוֹרְיט - *NWoRiYṬ* (168v6, 239v21)
[***norir***], *v. tr.* (11. Jh.; < lat. NUTRIRE) *norit (3. sg.), norie (part. perf. f)* 'nähren; auslösen' (DEAFpré *norrir;* TL 6, 815 *id.;* FEW 7, 250a; AND 460s *norir* s. v. *nurrir;* DAF 413b; DMF *nourrir* I; ATC 272a *norrir;* Kiwitt 186; Saye 166). Die Verwendung des Verbs als Terminus der Humoralpathologie (z. B. «cete fevre est norie de l'ardeur des omeurs», f. 240v1) ist durch die konsultierten Lexika nicht belegt; für ein ähnliches Konzept der >ERNÄHRUNG< von Organen oder Körperfunktionen cf. s. v. *governe.*

שְׁא נוֹרְשֵׁינְט - *Šə'NWoRiYŠeYNṬ* (166r19)
[***norir***], *v. refl.* (12. Jh.; cf. s. v. *norir, v. tr.*) *se norisent (3. pl.)* 'entstehen (medizinfachsprachlich)' (DEAFpré *se norrir;* TL 6, 820 'sich ernähren'; Gdf 5, 529c 'prendre des forces'; DMF *nourrir* II.B.2 'se développer'; Kiwitt 186 'sich ernähren'). Der humoralpathologische Kontext von 166r19 («les accidens qui se norisent au crus do fel», f. 166r19–20) verlangt eine übertragene Bedeutungszuweisung des Verbs, wie sie in mfrz. Texten durch DMF belegt ist. Das Reflexivum fehlt Saye, AND, DAF.

נוֹטוֹיירְא - *NWoṬWoYYRə'* (174r21)
***notoire,*** *adj.* (1238; von lat. NOTORIUM) 'bekannt' (DEAFpré; TL 6, 844 'allgemein bekannt, offenkundig'; FEW 7, 200b 'connu généralement'; Gdf 10, 211b 'qui est à la connaissance publique'; AND 452b; DAF 414b 'bien connu'; DMF A.1 'connu généralement, connu de tous'; Kiwitt 117 'de caractère manifeste, notoire'; Saye 166 'noteworthy'). Die Semantisierung Sayes ist für die Stelle f. 174r21 zu korrigieren. Cf. Kiwitt (118) für weitere Belege.

נוֹבֵיילְא - *NWoVeYYLə'* (101v21, 23)
נוֹבֵייל - *NWoVeYYL* (172v15)
***novel,*** *adj.* (11. Jh.; < lat. NOVELLUM) *novele (f)* 'neu, frisch' (DEAFpré; TL 6, 848; FEW 7, 201b; AND 453a; DMF *nouveau* I.A; Kiwitt 186; Saye 167 *novél*).

נוּ - *NWu* (177v13)
***nu***, *adj.* (1080; < lat. NUDUM) ‘nackt, unbekleidet’ (DEAFpré; TL 6, 868; FEW 7, 228a; AND 453b; DAF 415a; DMF A; Saye 167). Cf. zur Transkription von [y] durch Shureq die Einleitung, 1.4.2.

נֻוט - *NuWṬ* (160v6)
נוּט - *NWuṬ* (176v11)
***nut***, *f* (11. Jh. *nuit*, 12. Jh. *nut*; < lat. NOCTEM) ‘Nacht’ (DEAFpré s. v. *nuit*; TL 6, 896 *nuit*; FEW 7, 212b fr. *nuit*, altfrz. *nut*; AND2 OE s. v. *nuit*; DAF 415b *nuit*; DMF *nuit* A; Kiwitt 186). Die Variante *nut* ist bspw. im *Tristan* und bei Fouke (beide angl.-nor.) belegt (cf. DEAFpré); für lothr. Sprachgebiet dokumentiert FEW (7, 213a) modernes [ny] (cf. 1.5.1).

## O

אוִץ - *’WuẒ* (156v21, 162v13)
אוִש - *’WuŠ* (159v13)
לוִף̄ - *LWuF* (161v1)
אֻוף̄- *’uWF* (163r13)
אוֻף̄ - *’WuF* (177r19)
***oef***, *m* (1119 *of*, 13. Jh. *oef*; < lat. OVUM) *oes (pl.)* ‘Ei’ (DEAFpré s. v. *uef*; TL 11, 5; FEW 7, 447a; Gdf 10, 821a; AND 462b; DAF 419b; DMF *oeuf*; Saye 239 *uç*). Mit der hebr. Graphie -וִ- wird der Laut [œ] wiedergegeben (cf. Einleitung, 1.4.2). Die gebräuchlichsten Varianten sind im Altfrz. *uef*, *oef*, *of* (in allen Lexika verzeichnet); *oef* ist zuerst bei Chr. de Troyes belegt (cf. FEW 7, 447a). Den Plural *oes* belegt DEAFpré bspw. im *Bestiaire* des Philippe de Thaun (13. Jh.).

אוֹיְיֵדֵר - *’WoYYəDeR* (161v11)
אוֹיְינֵייץ - *’WoYYNeYYẒ* (173v22)
אוֹיְינוֹץ - *’WoYəYNWoẒ* (176r9)
***oigner***, ****oinder*** *v. tr.* (1120 *oindre*; < lat. UNGUERE) *oignez (2. pl. imp.)*, *oignons (1. pl.)* ‘einsalben’ (DEAFpré *oigner* s. v. *oindre*; TL 6, 1020–1021 *oindre*, *oignier*; FEW 14, 36a *id.*; Gdf 5, 582a *oigner* s. v. *oignier*; AND1 OE *oindre* s. v. *uindre*; DAF 420b *oignier*; DMF *oigner*, *oindre*; Kiwitt 186 *id.*; Saye 168 *oidér*, 169 *oindre*). Im Altfrz. bestand *oindre* (*’WoYYəDeR*, f. 161v11; zur Transkription cf. 1.4.2) neben *oignier* (cf. TL, FEW). Die Transkriptionen *’WoYYNeYYẒ* (f. 173v22) und *’WoYəYNWoẒ* (f. 176r9) zeugen von der Unsicherheit des Schreibers [wɛ̃n-] bzw., wahrscheinlicher, [wɛ̃ɲ-] in hebr. Graphie darzustellen (cf. 1.4.2 und 1.5.2).

אוֹגְמֵינְץ – *'WoĞMeYNẒ* (173v15)
אוֹיְינְמֵינְטְא – *'WoYəYNMeYNṬə'* (173v21)
**[ongement]**, ***oignemente**, *m* (12. Jh. *oignement*; von *oindre* < lat. UNGUERE) *ongements (pl.)* 'Salbe, Schmiere' (DEAFpré *oignement, ongement*; TL 6, 1012 *id.*; FEW 14, 36a *oignement*; Gdf 5, 581b *oenement* s. v. *oignement*; AND1 OE *oignment* s. v. *uignement*; DAF 420b *oignement*; DMF *id.*; ATC 273b *id.*; Saye 169 *oineménṫ, ojement*). Cf. zur Transkription von [wɛ̃] und [ɲ] die Einleitung, 1.4.2. TL belegt *ongement;* diese Variante könnte eventuell durch *'WoĞMeYNẒ* wiedergegeben sein, hier ohne Repräsentation des Nasals (cf. Einleitung 1.4.2).

אוֹייאְה – *'WoYY'əH* (173v18)
***oie*** → siehe s. v. *grese de oie.*

אוֹיִר – *'WoYiR* (160r20)
אוֹאִיר – *'Wo'iYR* (162r20)
***oïr***, *v. tr.* (1080; < lat. AUDIRE) 'hören' (DEAFpré; TL 6, 1030; FEW 25-2, 837b; AND 464b; DAF 421a; DMF *ouïr* I.; Saye 169).

אוֹיִיזֵייל – *'WoYiYZeYYL* (163v12, 25)
לוֹיְיזֵייל – *LWoYəYZeYYL* (164r1)
אוֹייזִיאַש – *'WoYYZiY'aŠ* (176r5)
אוֹזִיאַץ – *'WoZiY'aẒ* (240r19)
***o(i)sel***, *m* (1080; < lat. AUCELLUM) **oisias, *osias (pl.)* 'Vogel' (DEAFpré *oisel*; TL 6, 1042 *id.*; FEW 25-1, 775b *id.*; Gdf 10, 228a *oisel, ozel*; AND 464b *oisel, ossel*; DAF 421b *oisel*; DMF *oiseau* A; ATC 273b *id.*; Kiwitt 187 *id.*; Saye 169 *oizél*). Zur Pluralendung *-ias* der subst. auf *-el* cf. die Einleitung (1.5.1).

לוֹמְא – *LWoMə'* (160r19, 163r6)
אוֹמְא – *'WoMə'* (162r11, 163v4, 179r18)
***ome***, *m* (980 *omne*, 11. Jh. *ome*; < lat. HOMINEM) 'Mann; Mensch' (DEAFpré; TL 6, 1090, 1092; FEW 4, 453b; AND 355b; DAF 423b; DMF *homme*; Kiwitt 187; Saye 170).

לוֹמֻור – *LWoMuWR* (164v16)
אוֹמֻורץ – *'WoMuWRẒ* (166r20)
אוֹמֻורש – *'WoMuWRŠ* (173v11, 239v26)
אוֹמֻור – *'WoMuWR* (174r6, 240r15, 240v3, 17)
אוֹמֻורְץ – *'WoMuWRẒ* (239r14)
אוֹמוֹרְץ – *'WoMWoRẒ* (240v1)
***omeur***, *f* (1125 angl.-nor. *umur*; < lat. HUMOREM) *omeurs (pl.)* 'Körpersaft' (DEAFpré *umor, omor* (= Saye 170); TL 11, 44 *umor* 'Flüssigkeit'; FEW 4, 513a *humeur* 'flüssige Substanz in einem organischen Körper'; Gdf 9, 528b

*humeur* 'humidité'; AND2 OE *humor, humeure*; DAF 606a *umor* 'humeur (méd.)'; DMF *humeur*$_1$ B 'matière liquide corporelle, quatre substances principales du corps humain'; Kiwitt 118; Saye 170 *omor, omur*). Die fachsprachliche Bedeutung ist trotz zahlreicher entsprechender Zitate in TL und Gdf nur implizit erfasst (cf. auch Kiwitt 118). Varianten mit initialem *o-* sind in den konsultierten Quellen nicht belegt.

אוֹנְצֵייץ – *'WoNẒeYYẒ* (156v22, 163r17, 19, 174v14, 175r3, 179v11, 14, 15)
אוֹנְצָא – *'WoNẒə'* (157r13, 158r21, 158v24, 159v14, 161r22, 161v2, 162v14, 163r15, 163r20, 174r12, u. v. m.)
אוֹנְצֵייש – *'WoNẒeYYŠ* (159r9, 161r18, 24, 161v19, 162r2, u. v. m.)
***once**, f* (1260; < lat. UNCIAM) *onces (pl.)* 'Unze' (DEAFpré *once*[2]; TL 6, 1103; FEW 14, 27a; Gdf 10, 231b; AND2 OE *ounce* s. v. *unce*; DAF 424a; DMF A; ATC 274 *onces*; Kiwitt 187; Saye 170 *onçe*). Laut FEW entsprechen einer mittelalterlichen Unze 34,25 gr., laut Gdf 31,25 gr.

אוֹנִיף – *'WoNiYF* (175r23)
***onif**, adv.* (1250 *oni, adj.*; < lat. UNITUM) 'gleichviel, zu gleichen Teilen' (DEAFpré 'uniforme'; TL 6, 1124 *oni, adj.* 'gleichartig'; FEW 14, 46b *id.*; Gdf 5, 604b *id.*; DAF 424b *id.*; DMF *id.* C 'égal, pareil'; Kiwitt 187 *onif, adj.* 'gleichartig'; Saye 170 *id.*). Das sonst als adj. belegte Wort wird hier adverbiell verwendet (hierfür sonst *oniement*, cf. TL 6, 1125). FEW dokumentiert vergleichbares mfrz. *tout onny, adv.*, 'également'. Varianten mit finalem [-f] sind außerhalb von *Fevres* nur in Levy (1964) belegt (cf. DEAFpré). Fehlt AND.

אוֹפִילַאצִיאוֹנְץ – *'WoPiYLa'ẒiY'WoNẒ* (166r4)
אוֹפִילַאצִיאוֹן – *'WoPiYLa'ẒiY'WoN* (167v16, 177r7)
אוֹפְלַאצִיאוֹן – *'WoPLa'ẒiY'WoN* (169r1)
***opilacion**, f* (Erstbeleg; von *opiler* < lat. OPPILARE) *opilacions (pl.)* 'Verstopfung von Kanälen im menschlichen Körper' (DEAFpré *opilacïon* s. v. *opiler*; TL 6, 1152 *opilacïon* 'Verstopfung'; FEW 7, 375a fr. *opilation* 'obstruction des conduits naturels' («seit 14. Jh.»); AND2 OE; Gdf 10, 234c id.; DMF *opilation*; Saye 171 *opilaçion*). Der bisherige Erstbeleg stammt aus dem *Poème moralisé sur les propr. des choses* (2. Viertel des 14. Jh.s, cf. Gdf). Fehlt DAF.

אוֹפְּרֵאשִׁיאוֹן – *'WoPRe'ŠiYWoN* (163v18)
*****opresion**, f* (13. Jh. *opression* 'contrainte'; von lat. OPPRESSIONEM) 'Unterdrückung' (DEAFpré *opression* s. v. *opresser*; TL 6, 1158 *opression* 'Bedrückung'; FEW 7, 377a *oppression* 'contrainte'; Gdf 10, 236a *id.* 'gène, contrainte pénible'; AND 4466a; DAF 425b id.; DMF *oppression* B). Die hier anzunehmende Bedeutung (cf. «l'on doit entender en tres maneres o la

definitio qui motre sa nature o son opresion qui motre son euvre», f. 163v16–19) des insgesamt im Altfrz. wenig belegten Wortes ist so in den konsultierten Lexika nicht nachgewiesen. Da es sich hierbei um einen eigenen Zusatz des Autors von *Fevres* handelt, kann kein Quellenvergleich vorgenommen werden. Fehlt Saye.

אוֹר – *’WoR* (163v12)
***or***, *m* (10. Jh.; < lat. AURUM) ‘Gold’ (TL 6, 1160; FEW 25-2, 1019b; AND 466a; DAF 426a; DMF $or_1$ A; Saye 171).

אוֹרדֻורְא – *’WoRDuWRə’* (162r16)
***ordure***, *f* (1119 ‘Schmutz’, 13. Jh. ‘putrefying, septic matter’; von *ort*, cf. s. v.) ‘Eiter, infektiöse Materie’ (DEAFpré s. v. *ort*[1]; TL 6, 1209; FEW 4, 486b; Gdf 10, 239c ‘tout ce qui rend sale ou malpropre’; AND2 OE ‘putrefying, septic matter’; DAF 426b; DMF A ‘suppuration, pus’; ATC 274b ‘matière corrumpue’; Saye 172 ‘dirt’). Der Terminus ist auf dem Kontinent außerhalb von *Fevres* zum ersten Mal in HMond (14. Jh.) belegt (cf. TL 6, 1209; FEW 4, 486b). Die Semantisierungen durch Gdf und Saye sind zu korrigieren.

אוֹרֵילֵייש – *’WoReYLeYYŠ* (176r5)
**[*orele*]**, *f* (1080 *oreille*; < lat. AURICULAM) *oreles (pl.)* ‘Ohr’ (DEAFpré *oreille*; TL 6, 1230 *or(e)ille*; Gdf 10, 240a *orelle* s. v. *oreille*; AND 468b s. v. *oreille*; DAF 427b *oreille*; DMF *id.* A; ATC 274b *id.*; Saye 172 *oréle*).

אוֹרְגָא – *’WoRǦə’* (157v9, 161r15, 175v2, 178r18, 178b8, 179r9, 240v8)
***orge***, *f* (12. Jh.; < lat. HORDEUM) ‘Gerste (Hordeum vulgare L.)’ (DEAFpré; TL 6, 1254; FEW 4, 481b; AND 469a; DAF 428a; DMF A; Kiwitt 187; Saye 173 *orje*). Cf. auch s. v. *farine*.

אוֹרִינְא – *’WoRiYNə’* (101r11, 167r7, 168r22, 168v5, 176v2, 178r20, 179r2, 2, 240v20)
שוֹרִינְא – *ŠWoRiYNə’* (178r5)
***orine***, *f* (12. Jh.; < lat. URINAM) ‘Urin’ (DEAFpré *orine*[2]; TL 6, 1281; FEW 14, 62a; Gdf 10, 824a *orine* s. v. urine; AND 480b; DAF 428b; DMF $orine_2$; ATC 302a *urine*; Kiwitt 187; Saye 172).
גְרַאנְט אוֹרִינְא – *GRa’NṬ ’WoRiYNə’* (168v13)
****grant orine***, *f*, ‘Stuhlgang, Kot’. Das Synthem, Antonym zu **petite orine*, cf. infra, ist nicht in den konsultierten Quellen belegt;[441] für Referenzen cf. jeweils s. v. *orine* und *grant*. Es handelt sich offensichtlich um eine sponta-

441 Ebensowenig in anderen mittelalterlichen romanischen Medizintexten; cf. etwa DETEMA s. v. *orina* (2, 1151c–1151a) oder Index zu CB.

ne Bildung des Autors oder um einen alltagssprachlichen Begriff. Die in Frage kommenden Textvorlagen verwenden jeweils übliches lat. *egestio* (*Lib. febrium*, z. B. L, f. CCXVIIIv, col. A), id. (MLWB 3, 1143; GH 1, 2365) bzw. hebr. תוצאות (Va, z. B. f. 17v, Z. 34), id. (Bos in Vorb.). Bei Saye nicht als Synthem verzeichnet.

גְרוֹשְׁא אוֹרִינְא - *GRWoŠə' 'WoRiYNə'* (166v12, 13, 14, 15, 17, 23–24)
גְרוֹצְא אוֹרִינְא - *GRWoẒə' 'WoRiYNə'* (167r10, 169v7)
***grose orine**, *f*, 'Stuhlgang, Kot'; für Referenzen cf. jeweils s. v. *orine* und *gros*. Für die Beleglage des Synthems gelten dieselben Festellungen wie für das synonym gebrauchte *grant orine*. Die Semantisierung durch Saye (108) von *groçe urine* als 'anus' ist für genannte Stellen zurückzuweisen. Cf. auch das Antonym **petite orine*.

אוֹרִינְא ... לַאפְּטִיטְא - *'WoRiYNə' ... La'PṬiYṬə'* (166v12–13)
פֵּיטִיטְא אוֹרִינְא - *PeYṬiYṬə' 'WoRiYNə'* (168v14, 169v7)
***petite orine**, *f*, 'Harn, Urin'. Das Synthem ist durch die konsultierten Quellen nicht erfasst; für Referenzen cf. jeweils unter *petit* und *orine*. **Petite orine* ist synonym zu einfachem *orine* und wird parallel zu diesem immer als explizites Antonym zu **grant orine* oder **grose orine* gebraucht. Die eventuellen Textvorlagen von *Fevres* verwenden jeweils das gängige lat. *urina* (*Lib. febrium*, L, z. B. f. CCXVIIIv, col. A), id. (DuC 8, 383c; GH 2, 3315) bzw. hebr. שתן (Va, z. B. f. 17v, Z. 34), id. (J 1639). Bei Saye nicht als Synthem verzeichnet.

אוֹרְדְא - *'WoRDə'* (162v21)
**[ort]**, *adj.* (Bedeutungserstbeleg, 1160 'schmutzig'; < lat. HORRIDUM) *orde (f)* 'eitrig, infektiös' (DEAFpré *ort*[1] 'sale'; TL 6, 1308 'schmutzig'; FEW 4, 486a 'sale'; Gdf 5, 616a id.; AND2 OE s. v. *ord* 'putrefying, septic' (14. Jh.); DAF 426b id.; DMF *ord* A 'sale, répugnant'; Saye 173 'unclean'). «Orde matire» (f. 162v21–22) ist als 'eitrige Substanz' zu interpretieren (cf. *ordure* s. v.); die medizinfachsprachliche Bedeutung ist in den Lexika zu ergänzen.

אוֹטְרַא - *'WoṬRa'* (178r9)
**[oter]**, *v. tr.* (1119; < lat. OBSTARE) *otera (3. sg. fut.)* 'entfernen, wegnehmen' (DEAFpré *oster*; TL 6, 1377 *id.*; FEW 7, 287b *ôter*; Kiwitt 187; AND2 OE s. v. *oster*; DMF *oster* I.A; Saye 173 *otér*). *Oter* ist neben *oster* bereits im Altfrz. belegt (zu den Formen cf. FEW 7, 287b).

אוֹטֵר מֵיזֻורְא - *'WoṬeR MeYZWuRə'* (167r15)
***oter mesure**, *adv.* (12. Jh. *outre mesure*; aus *outre* < lat. ULTRA, cf. FEW 14, 8a, und *mesure* < lat. MENSURAM) 'über das richtige Maß hinaus' (TL 5, 1715 *outre mesure* 'über alle Maßen'; FEW 6-1, 720b *id.* 'avec excès'; AND 473a *outre mesure* s. v. *outre* 'excessively'; DMF *outre mesure* 'extrêmement' s. v.

*mesure* B.1; Saye 155 *mézure* 'proportion'). Zur Metathese *-re* > *-re* cf. die Einleitung (1.4.2). Die Wendung fehlt DEAFpré s. v. *outre* und s. v. *mesure*; Gdf s. v. *mesure* (10, 147c) und DAF (385b).

אוֹבְרַאנְא – *'WoVRa'Nə'* (100v17)
שוֹבְרַאיְינְא – *ŠWoVRa'YəYNə'* (163v21)
***ovraigne, overagne*** *f* (Bedeutungserstbeleg, 1155 *ovraigne* 'Tun'; < lat. OPERAM, 'Arbeit, Mühe') 'Wirkung; Anstrengung' (DEAFpré *ovraigne* 'ouvrage, travail' s. v. *ovrer*; TL 6, 1448–51 *ovraigne* 'Werk, Tun'; FEW 7, 361b *ovraigne* 'activité'; AND 474a *ovraigne, overagne*; DAF 432b *ovraigne* 'ouvrage'; DMF *ouvraigne* 'action, activité; ouvrage'; Saye 174 *overa(i)ne* 'effect'). Die in Saye angenommene Bedeutung 'Wirkung, Effekt' ist für die Stelle f. 100v17 zu überdenken und eventuell zu korrigieren, cf. den Kontext «escrachement o il le bote hors par acune overagne» (f. 100v16–17). Da es sich bei diesem Satz um einen Zusatz des Autors von *Fevres* handelt, der weder in der lat. noch in der hebr. Textvorlage vorhanden ist, lassen sich aus den Quellen keine Rückschlüsse ziehen. Weder 'Wirkung' noch 'Anstrengung' ist in den Lexika belegt. Die Elision von [-a] beim fem. Possessivpronomen (*s'ovraine*, f. 163v21) ist auch bei *ŠuWVRə'* (*s'euvre*, 163v15) anzutreffen. Hebr. Nun in der letzten Sibe repräsentiert hier [ɲ] (cf. Einleitung 1.4.2).

אוֹבְרֵייאֵינְט – *'WoVReYY'eYNṬ* (162r15)
אוֹבְרֵירֵינְט – *'WoVReYReYNṬ* (162r16)
אוֹבְרֵי – *'WoVReY* (162v4)
אוֹבְרֵר – *'WoVReR* (163r24, 165r2)
***ovrer***, *v. intr.* (980; < splat. *operare*, für lat. OPERARI) *ovreient (3. pl. impf.), ovré (part. perf.)* 'handeln, operieren' (DEAFpré 'travailler'; TL 6, 1452; FEW 7, 365a; AND 474b; DAF 432b; DMF *oevrer* I.A.2.c 'faire une intervention' (méd.); ATC 275a; Saye 174 *ovrér*). Belege in der Edition von Kiwitt suggerieren die Bedeutung 'wirksam sein' (cf. Kiwitt 187).

שְׁא אוֹבְרְא – *Šə' 'WoVRə'* (177v3)
***ovrir***, *v. refl.* (1080 *ovrir, v. tr.*, 13. Jh. *ouvrir, v. refl.*; < vlat. *operire*, für lat. APERIRE) *se ovre (3. sg.)* 'sich öffnen' (DEAFpré; TL 6, 1463 *v. refl.*; FEW 25-1, 1a *ovrir, v. tr., ouvrir, v. refl.*; AND 474b; DAF 432b *v. tr.*; DMF *ouvrir*$_1$ I.A.1a; Saye 174).

אוֹקְשִׁימֵיל- *'WoQŠiYMeYL* (177r21)
***oximel***, *m* (1220; von lat. OXIMEL/gr. ὀξύμελι) 'Sauerhonig (Wasser, Honig, Essig)' (DEAFpré; TL 6, 1466; FEW 7, 452a 'préparation pharmaceutique qui se fait avec de l'eau, du miel et du vinaigre'; Gdf 5, 679b; AND 475a; DAF 432b; DMF *oxymel*; Saye 169). Das lat. Lehnwort ist in altfrz. medizinischen Texten mehrfach belegt. Cf. auch im *Lateinischen Glossar* (3.3) unter *oximel squiliticum*.

## P

פַּאלְא - *Pa'Lə'* (172r12, 16)
פַּאיילְא - *Pa'YYLə'* (178v17)
פַּאיְילְא - *Pa'YəYLə'* (179v9)
***paele***, ***paile***, ***pale***, *f* (13. Jh. *paele*; < lat. PATELLAM) 'Schale, Pfanne' (DEAFpré *paele, paile*; TL 7, 9 *päele, paiele*; FEW 8, 1b *paelle, paielle*; Gdf 5, 684c *paelle, paielle*, 10, 253b *palle* s. v. *paele*; AND2 OE s. v. *paele*; DAF 433a *paele*; DMF *poele*$_3$; Saye 175 *paile, pale*). Die hebr. Graphie gibt in f. 179v9 wohl nicht den Hiat [ae], sondern, wie in f. 178v17, [ai̯] wieder.

פַּאִיץ - *Pa'iYẒ* (240v24)
***pais***, *m* (10. Jh.; von lat. PAGENSEM) 'Gegend, Land' (DEAFpré *païs*; TL 7, 64 *id.* 'Land'; FEW 7, 569a *id.* 'région, contrée'; AND 486a; DAF 434b *pais* id.; DMF *pays* E.1 'contrée, région'; RLJ 622 *païs*; Saye 174 *paiç*).

פְּנִיל - *PNiYL* (161v6)
***panil***, *m* (11. Jh.; < PANICIUM) 'Kolbenhirse (Setaria italica Beauv.)' (DEAFpré s. v. *paniz*; TL 7, 132 *paniz*; FEW 7, 542a *pani(t)z*, u. a.; Gdf 5, 721b *panis, peniz, panic*, u. a.; AND OE; DB 773c פניל - *PNYL*, פַּנִייל - *PaNiYL*, u. a.: *panil*; DAF 437b *panis(e)*; DMF *panic* 'graminée (dont le millet)'). Die Variante *panil* scheint vornehmlich in frz. Texten in hebr. Graphie belegt zu sein, ist jedoch auch in einer angl.-nor. Heldensage aus dem 12. Jh. nachzuweisen. Das bei Saye (19) als *épnil* mit der Vermutung «perh. é pnil for 'and fennel'» unter die «Unknown Words» eingeordnete Wort ist zu korrigieren.

פַּאוֹר - *Pa'WoR* (102r2)
***paor***, *f* (10. Jh. *pavor*, 1200 *paor*; < lat. PAVOREM) 'Furcht' (DEAFpré s. v. *peor*; TL 7, 691 *päor* s. v. *pëor*; FEW 8, 86a; AND OE *pour* u. a.; DAF 438a; DMF *peur*; ATC 276a; Kiwitt 188 *peur*; Saye 175).

פַּארְפֵירְא - *Pa'RFeYRə'* (101v11)
***parfere***, *v. tr.* (1250; von lat. PERFICERE) 'vollziehen, vollenden (Vorgänge im menschlichen Körper)' (DEAFpré s. v. *parfaire*; TL 7, 249 *parfaire* 'achever'; FEW 8, 238b *id.*; Gdf 10, 276b *id.*; AND 495a; DMF *parfaire* I.A; Saye 175 *parfére* 'to accomplish'). Als medizinfachsprachlicher Terminus ist das Verb in den Lexika nicht dokumentiert. Zur Reduktion von Diphthongen cf. die Einleitung. Cf. auch Kiwitt (119) für das Reflexivum. Fehlt DAF.

פַּרְלְא - *PaRLə'* (162r13)
פַּרְלֵי - *PaRLeY* (169r11, 178r2)
פַּרלֵייר - *PaRLYeYR* (169r17)

***parler***, *v. intr.* (980; < vlat. **paraulare*, für splat. *parabolare*) *parle (3. sg.)*. *parlé (part. perf.)* ‘sprechen’ (DEAFpré; TL 7, 286; FEW 7, 606a; AND 497a; DAF 443a; DMF I; Kiwitt 188; Saye 176 *parlér*).

פַּארוֹלֵייש – *Pa’RWoLeYYŠ* (162r25)
***parole***, *f* (1080; < vlat. **paraula*, für splat. *parabola*) *paroles (pl.)* ‘Wort’ (DEAFpré; TL 7, 327; FEW 7, 603b; AND 498b; DAF 444a; DMF D; Kiwitt 188; Saye 176).

פַּרְט – *PaRṬ* (178v10)
***part***, *f* (842; < lat. PARTEM) ‘Seite’ (DEAFpré *part*[1]; TL 7, 356; FEW 7, 670b; Gdf 6, 3c; AND 500a; DAF 444b; DMF *part*$_1$ B; Saye 177 ‘part, direction’). *Part* steht in f. 178v10 in dem Kontext «le [i.e., *la farine*, Anm. Autor] metez de une part» (‘stellt es zur Seite’); FEW (7, 671b) belegt nur die altfrz. Wendung mit *a*: *metre a une part*, ‘écarter’; cf. auch Gdf (10, 283b) mfrz. *mettre a part* ‘laisser de côté’.

פַּרְטִיאֵייץ – *PaRṬiY’eYYẒ* (160r1)
פַּארְטִיאֵץ – *Pa’RṬiY’eẒ* (163v14)
פַּרְטִי אְה – *PaRṬiY ,əH* (165v13)
***partie***, *f* (1119; von *partir*, siehe s. v.) *parties (pl.)* ‘Teil’ (DEAFpré s. v. *partir*; TL 7, 374; FEW 7, 680a; AND 501b; DAF 445a s. v. *partir*; DMF II.; Kiwitt 188; Saye 177).

פַּרְטִי – *PaRṬiY* (100v17)
פַּארְטִיאְה – *Pa’RṬiY’əH* (164r8)
[***partir***], *v. tr.* (10. Jh.; < lat. PARTIRE) *parti (part. perf.)*, *partie (part. perf. f)* ‘aufteilen’ (DEAFpré; TL 7, 381; FEW 7, 678b; AND 502b; DAF 445a; DMF I.B; Kiwitt 188; Saye 177).

פַּץ – *PaẒ* (178v1)
***pas***, *m* (10. Jh.; < lat. PASSUM) *pas (pl.)* ‘Schritt’ (TL 7, 399; FEW 7, 736a; AND 503b; DAF 445b; DMF *pas*$_2$ I.A; Saye 177).

פַּאשַׁאגֵֿייש – *Pa’Ša’ĞeYYŠ* (160r11)
פַּאצַאגֵֿייץ – *Pa’Ẓa’ĞeYYẒ* (166r6)
[****pasage***], *m* (Bedeutungserstbeleg, 1080 ‘Durchgang’; von *passer*, siehe s. v.) *passages (pl.)* ‘Kanal, Gefäß im menschlichen Körper, bes. Arterie, Vene’ (DEAFpré s. v. *passer*[1]; TL 7, 425 *passage* ‘Durchgang’; FEW 7, 713b *id.* ‘lieu par où on passe’; Gdf 10, 288c *id.*; AND 504a *passage* ‘path, way’; DAF 446b *id.* s. v. *passer*; DMF *passage* C.1 ‘endroit par où on passe’; Saye 177 *pasajéç* ‘arteries, veins’). Belege aus medizinischen Fachtexten in hier anzunehmender Bedeutung fehlen den konsultierten Lexika. Cf. etwa altsp.

*pasaje* ‘paso, conducto’ (DETEMA 2, 1181a, z. B. «el passaje de la orina» in einem Text von 1481).

פַּאשְׂא - *Pa’Šə’* (101r19, 167r14)
פַּאשֵׁיאְה - *Pa’ŠeY’əH* (164r7, 20)
פַּאשֵׁייר - *Pa’ŠeYYR* (166r7)
**[*paser*]**, *v. intr.* (11. Jh.; < vlat. **passare*) *pase (3. sg.), pasée (part. perf. f)* ‘hindurchgehen (*loc.*); vorübergehen (*tempor.*)’ (DEAFpré s. v. *passer*[1]; TL 7, 431 *passer* ‘hindurchgehen’, 7, 437 ‘vorübergehen’; FEW 7, 707a *id.* ‘traverser un lieu’, 7, 708a ‘s’écouler (du temps)‘; AND 504b *passer*; DAF 446a *id.* ‘passer, traverser’; DMF $passer_1$ I.A (*loc.*), I.B (*tempor.*); Kiwitt 188 *id.* ‘hindurchgehen, überschreiten’; Saye 177 *pasér* ‘to pass’).

פַּצִיאוֹן - PaẒiY’WoN (160v19, 167r2)
***pasion*** → siehe s. v. **colica pasion*.

פֵּייץ - *PeYYẒ* (176r4)
פֵּי - *PeY* (179r1)
***pe***, *m* (10. Jh. *piet*; < lat. PEDEM) *pes (pl.)* ‘Fuß, Klaue’ (DEAFpré s. v. *pié*; TL 7, 879, 7, 881 *pié*; FEW 8, 293a *id.*, AND 508a *pé*; DAF 456b *pié*; DMF *pied* I; Kiwitt 188; Saye 178 *pé*). Varianten des Typus [pe] belegt FEW mehrfach für moderne Dialekte, bspw. pikard. *pẹ*, westfrz. *pé* (Poitou). Zur Reduktion von Diphthongen cf. die Einleitung, 1.5.1.

פֵּיין - *PeYYN*
***pein***, *m* (11. Jh. *pain*; < lat. PANEM) ‘Brot’ (DEAFpré *pain*; TL 7, 40 *id.*; FEW 7, 543b *id.*; AND 486a s. v. *pain*; DAF 434a *pain* und *pan*; DMF *pain* A). *Pein* ist eine graphische Variante für *pain*. *Pein* erscheint in den edierten Passagen in folgenden Zusammensetzungen:
פֵּיין אַפְֿרִיקְא - *PeYYN ’aFRiYQə’* (157r3)
****pein afrique***, *m* (Erstbeleg; aus lat. PANEM und AFRICANUM) ‘Zwieback’. **Pein afrique* ist eine Lehnübersetzung des mlat. *panis aphricanus*, das in der *Collectio Salernitana* erläutert wird: «panis africani. id est biscocti» (Commentarium Magistri Bernardi Provincialis super Tabulas Salerni, ca. 1150, Arles, in *Coll. Salern.*, vol. 5, S. 309). *Panem aphricanum* erscheint auch in der lateinischen Übersetzung durch Constant. Afric. an entsprechender Stelle (*Lib. febrium*, L, f. CCXVIIv, col. B).[442] Das Synthem ist sonst in kei-

442 Im Kommentar zum *Regimen sanitatis* des Arnaldus de Villanova wird der von Villanova verwendete Terminus *biscoctus* (AVR c.8,6) erläutert: «Pan secado dos veces al horno, característico de los países de oriente y que, al ser muy facil de conservar, será el que adopten los marinos. En los escritos salernitanos se le denomina *panis africanus*, mientras que al final de la edad media se le llama *panis alexandrinus*» (Gil-Sotres in García-Ballester et al. 1996, 677).

nem altfrz. oder lat. Lexikon erfasst. Lediglich DETEMA (2, 1168a) dokumentiert altsp. *pan africano*, das im *Tratado de las fiebras*, der spanischen Übersetzung des *Lib. febrium* (15. Jh.), auftritt; hier jedoch an anderer Stelle (Buch V, über Phrenesis): «De gallas drachmas ij sandal ruta pan africano onças ij todas estas tornaras en poluo» (ed. Richards 1984, fol. 109v1). Die Bedeutung (DETEMA 2, 1168a: «non resuelto») kann in DETEMA entsprechend ergänzt werden. Cf. auch 1.6.

פֵּיין בְּרֻולֵי – *PeYYN BRuWLeY* (157v11, 161v7)

***pein brulé***, *m*, 'gebranntes, geröstetes Brot'. Für *pein* cf. supra, für *brulé* cf. s. v. *bruler*. Das Synthem ist eine Lehnübersetzung von lat. *panis assatus*,[443] das an der entsprechenden Stelle zu f. 157v11 im *Lib. febrium* (L, f. CCXVIIIr, col. A) steht.

פֵּיין בֻּולְטֵי – *PeYYN BuWLṬeY* (161v9–10)

***pein buleté***, *m*, 'Brot aus gebeuteltem Mehl; Weißbrot' (DMF *pain bluté* 'pain fait avec de la farine blutée' s. v. *bluter* B). Für *pein* cf. supra, für *buleter*, *v. tr.* (12. Jh.; < mhd. *biuteln* 'Mehl beuteln'), 'beuteln, mit dem Beutel sieben', DEAFpré (s. v. *bureter*); TL (1, 1205 s. v. *bureter*); FEW (1, 387a); Gdf (8, 394a); AND2 OE; DMF *bluter* A 'passer (la farine) au blutoir pour la séparer du son'; Saye (80 *buleté*, «applied to bread made from flour passed through ‹*bluteau*›»). Das Synthem ist mehrfach in TL und Gdf attestiert, z. B.: «pain bluté, dont la farine a été passé au tamis» (Glossar zu *Aym Narb.*, 2170, zit nach TL 7, 44), ist jedoch nur in DMF semantisiert. In mehreren Zitaten findet sich der Zusatz «blanc» (z. B. «blanc pain buleté», *God. Buill.* 203, zit. nach TL 7, 43).

פֵּיין רוֹטִי – *PYeYN RWoṬiY* (174r14)

***pein roti***, *m* 'geröstetes Brot'. Für *pein* cf. supra, für *roti* cf. s. v. *rotir*, 'rösten'. Das Synthem ist in keinem der konsultierten Lexika belegt und ist, als spontane Bildung des Autors, wahrscheinlich synonym zu *pein brulé* (cf. supra) zu verstehen. Ein Quellenvergleich ist hier nicht möglich, da die dazugehörige Vorlage nicht bekannt ist.

פֵּינֵיטְרִיף – *PeYNeYṬRiYF* (174v11)
פֵּינֵיטְרַיף – *PeYNeYṬRaiYF* (174v12, Fn. in der Edition)
פֵּינְטְרַטִיף – *PeYNṬRaṬiYF* (175r2)

***penetratif***, ****penetr(a)if***, *adj.* (13. Jh.; von *penetrer* < lat. PENETRARE) 'eindringend (von Substanzen in den menschlichen Körper)' (DEAFpré *penetratif*

Das Epithet erklärt sich also durch den Import des Zwiebacks durch die Seemänner aus dem Orient bzw. Nordafrika.

443 Für lat. *assare*, 'trocken braten', cf. GH (1, 645).

(= Saye 178) s. v. *penetrer*; TL 7, 647 'durchdringend'; FEW 8, 187a mfrz. nfrz. *pénétratif* 'qui passe à travers, entre dans l'intérieur'; Gdf 6, 80b 'pénétrant, profond'; 10, 312b 'qui a la propriété de pénétrer'; DMF *penetratif* A 'qui s'introduit dans le corps et qui agit'; Saye 178 *pénétratif, pénétraif, pénétrif*, 'penetrative'). Der Erstbeleg in TL stammt aus dem ausgehenden 14. Jh. (*Eustache Deschamps*, VIII 289), in Gdf aus dem 15. Jh. (*Glossarium gallico-latinum*). FEW nennt als Belegzeitraum «13. Jh. – Ac 1789», jedoch ohne Literaturangabe für den Erstbeleg. Die fachsprachlichen Belege sind jedoch alle jünger. Dass der Terminus wenig geläufig war, zeigt auch die Erklärung des Autors: «plus penetrif c'est plus persant» (f. 174v10–11). Die Variante in f. 174v12 suggeriert ein **penetraif* mit Schwund des intervokalischen Plosivs; in f. 174v11 fehlt zusätzlich die Vokalisierung mit Patach für [a]. Fehlt AND; DAF.

פֵּינְדְאַרַא - *PeYNDə'Ra'* (178r10, 179r4)
פֵּינְדַרַא - *PeYNDRa'* (180r6)
**[pendre]**, *v. tr.* (10. Jh.; < lat. PENDERE) *pendera, pendra (3. sg. fut.)* 'aufhängen' (DEAFpré; TL 7, 623; FEW 8, 173a; AND 513b; DAF 451a; DMF I.A; Saye 178 *péndre*). Cf. auch Kiwitt (188) für das Intransitivum.

פֵּיירְץ - *PeYYRẒ* (159r23)
פֵּיירְא - *PeYYRə'* (159v5, 163r10, 12)
***pere***, *f* (1080; < lat. PETRAM) *peres (pl.)* 'Stein' (DEAFpré s. v. *piere*; TL 7, 919; FEW 8, 313b; AND 517a; DAF 457a *pier(r)e*; DMF *pierre* I; Kiwitt 188; Saye 179 *pére*).

פֵּרְשֵׁייר - *PeRŠeYYR* (158r4)
פֵּירְשֵׁר - *PeYRŠeR* (166r9)
פֵּרְשֵׁר - *PeRŠeR* (166v2)
פֵּרְצֵיאְה - *PeRẒeY'əH* (177v12)
***percer***, *v. tr.* (1080; < vlat. **pertusiare*) *percée (part. perf. f)* 'durchbohren; durchdringen' (DEAFpré s. v. *percier*; TL 7, 717 *percier* 'durchbohren, -löchern'; FEW 8, 285a 'faire un trou'; AND 515b; DAF 453a *percier* 'percer, trouer'; DMF I; ATC 277b *percier*; Saye 180 *pérser*). *Percer* hat in f. 177v12 die wörtliche Bedeutung («une table qui soit menuement percée», f. 177v11–12); an allen anderen Stellen liegt ein medizinischer Terminus technicus vor, der im Zusammenhang mit Substanzen verwendet wird, die im Körper durch eine Barriere (z. B. Haut, Membran) diffundieren; dieser semantische Gehalt ist in den Lexika zu ergänzen. Cf. auch *persant, adj.*

פְּרִיל דְמוֹרְט - *PRiYL DMWoRṬ* (239r16)
***peril de mort***, *m* 'Lebensgefahr' (Gdf 10, 319a *perill de mort*; AND 517b *peril de mort* s. v. *peril;* DMF *peril de mort* s. v. *peril* B.1). Für *peril, m* (10. Jh.; < lat.

PERICULUM), ‘Gefahr’, cf. DEAFpré; TL (7, 750); FEW (8242a); Gdf (6, 101b, 10, 319a); ATC (278a); DAF(453b); Saye (180) *péril*; für *mort, f,* ‘Tod’, cf. s. v. *mort*.

פְּרִילוֹזְא – *PRiYLWoZə’* (163v1)
פְּרִילֻוזְא – *PRiYLWuẒə’* (169v4, 239r24)
[***perillos, perilleus***], *adj.* (1155 *perillos*; von *peril*, siehe s. v.) *perillose, perilleuse (f)* ‘gefährlich’ (TL 7, 756 *perillos, perilleus*; FEW 8, 242b *id.*; AND 518a *perilleus s. v. perillus*; DMF *perilleux* A; Kiwitt 188 *perilleus*; Saye 180 *perilos*). *Prilleus* ist gemäß FEW seit dem 13. Jahrhundert in pikard. Mundart belegt. Die Graphie -פְּרִיל (*PRiYL-*) lässt keine eindeutigen Rückschlüsse über die Aussprache der ersten (beiden) Silbe(n) zu ([pəril-] oder [pril-]), da Schwa ohne *mater lectionis* steht. Für die Transkription von [ʎ] cf. die Einleitung, 1.4.1. Fehlt DAF.

פֵּייְרְץ – *PeYYRẒ* (102r2)
פֵּירְץ – *PeYRẒ* (102r3)
***pers***, *adj.* (1080; < lat. PERSUM) ‘dunkelblau, violett’ (DEAFpré; TL 7, 781; FEW 8, 277a; AND 519a ‘blue, livid’; DAF 453b; DMF I.A; Saye 179 *pérç*).

פֵּרְשַׁאנְט – *PeRŠa’NṬ* (174v11)
***persant***, *adj.* (1270 *persant*; von *percer*, siehe s. v.) ‘durchdringend, eindringend (von Substanzen in den menschlichen Körper)’ (FEW 8, 286a *perçant* ‘violent et pénétrant (du froid)’ («seit 1559»); Gdf 10, 315a *id.* ‘qui perce’; DMF *perçant* ‘qui perce, qui perfore, qui pénètre’, ‘pénétrant, fort’; ATC 277b *persant* ‘qui perce (la peau)’; Saye 180 *pérsant* s. v. *pércér*). Vor *Fevres* liegt der Terminus nur in der frz. Übersetzung der *Chirurgie* des Albucasis von ca. 1270 (cf. ATC 3) vor; er spezifiziert dort Krankheiten wie *fistule, brisure* (cf. ATC 277b–278a). Der früheste Beleg in Gdf stammt aus einem (nicht-medizinischen) Text aus dem ausgehenden 14. Jh. (D. Foulechat). Das adj. wird hier synonym gesetzt zu *penetratif* (cf. s. v.). Cf. auch *percer*. Fehlt TL; AND; DAF.

פֵּרְטְאִרִיש – *PeRṬə’RiYŠ* (169v23)
פֵּרְטְרִיץ – *PeRṬRiYẒ* (240r19)
***pertris***, *m* (1190; von lat. PERDICEM) ‘Rebhuhn (Perdix perdix L.)’ (DEAFpré s. v. *perdriz*; TL 7, 737 s. v. *perdriz*; FEW 8, 226a; AND 516b *pertriz, perdris*; DAF 453a *perdriz*; DMF *perdrix*; Kiwitt 188; Saye 180).

פֵּירטוּץ – *PeYRṬWuẒ* (164v16, 19, 167r2)
פֵּרְטוּש – *PeRṬWuŠ* (166r7, 177r10)
***pertus***, *m* (13. Jh.; von *pertusier* < vlat. **pertusiare*) ‘Öffnung, Zugang (von Organen), Pore’ (DEAFpré s. v. *pertuisier*; TL 7, 807 ‘Leibesöffnung’; FEW 8,

289a 'trou, ouverture'; Gdf 6, 117a id.; AND 520a; DAF 454a *pertuis* 'Öffnung'; DMF *id.* A 'trou, ouverture, passage'; ATC 278b 'trou (du corps)'; Saye 180–181 *pértuç, pértus* 'pores'). Trotz eindeutiger Belege (z. B. «les piertruis [*sic*] de la char» im *Rég. du corps* 11,15) fehlt in TL (7, 807) die Präzisierung der Bedeutung zu 'Pore'; FEW gibt zahlreiche Belege mit speziellen Bedeutungen an; es fehlt jedoch auch hier, ebenso wie in DAF, 'Pore'. In ATC werden mit *pertus* größere Leibesöffnungen wie Nasenlöcher, Ohren bezeichnet (cf. ATC 278b).

פֵּייזַאנְטֵייש - *PeYZa'NṬeYYŠ* (164v19)
פְּזַאנְטְא - *PZa'NṬə'* (240r16)
פֵּייזַנְטְא - *PeYZaNṬə'* (240v11)
[***pesant***], *adj.* (1080; von *peser*, cf. s. v.) *pesante (f), pesantes (f pl.)* 'schwer' (TL 7, 834; FEW 8, 190a; AND 511a *peisant*; DAF 454b; DMF I.A; Saye 182 *pézant*).

פֵּייזַאנְט - *PeYZa'NṬ* (161r8)
***pesant***, *m* (1155; von *peser*, cf. s. v.) 'Gewicht' (DEAFpré s. v. *peser*; TL 7, 837; FEW 8, 190b; AND 511a *pesance* s. v. *peisance*; DAF 454b; DMF II.A; Saye 182 *pézant*).

פֵּייזַאנְטוּמְא - *PeYZa'NṬWuMə'* (165r8)
***pesantume***, *f* (12. Jh.; von *peser*, cf. s. v.) 'Schwere (als Körperempfinden)' (DEAFpré s. v. *peser*; TL 7, 818 'Schwere'; FEW 8, 191a 'pesanteur'; Gdf 6, 121a id.; AND 511a *peisantume*; DAF 454b id.; DMF 'masse, poids, charge; pesanteur, lourdeur'; Saye 182 *pézantume*). Gdf zitiert eine Textstelle (13. Jh.), in der der Terminus ähnlich wie hier («doleur et pesantume do detre côté», f. 165r7–8) zu verstehen ist: «Si œil estoient agravé et si mambre lassez de grant pesantume» (*Vie et mir. de plus. s. confess.*, Maz. 568, f° 198[c]).

פֵּייזַאנְט - *PeYZa'NṬ* (163r21)
***peser***, *v. intr.* (11. Jh.; < vlat. **pesare*, für *pensare* < lat. PENDĒRE) *pesant (part. praes.)* 'wiegen' (DEAFpré; TL 7, 830; FEW 8, 189b; AND 511b; DAF 454b; DMF *peser*$_1$ IV; Saye 182 *pézer*). Das part. praes. hat hier verbalen Charakter («trocisi pesant de drachme et demie», f. 163r21–22) und ist daher von dem adj. *pesant*, 'schwer' (cf. supra) zu unterscheiden.

פֵּיטִיטְא - *PeYṬiYṬə'* (159v11)
פֵּיטְא - *PeYṬə'* (166v12)
פְּאטִיש - *Pə'ṬiYŠ* (176r5)

פְטִיט - *PṬiYṬ* (178r20, 21)
פְאטִיטְא - *Pə'ṬiYṬə'* (240v12)
***petit**, adj.* (1080; < vlat. **pettitum*[444]) *petite (f), petits (pl.)* 'klein' (DEAFpré; TL 7, 851; FEW 8, 342b; AND 522b; DAF 455b; DMF I.A; Kiwitt 188; Saye 181 *pétit*). Die Variante in f. 166v12 (*PeYṬə'* – **pete*) ist wohl verschrieben. Bei der Form *Pə'ṬiYŠ* (f. 176r5) repräsentiert finales Shin wahrscheinlich [ts] (mit Flexionsendung des m pl., «oisias petiz» in f. 176r5). Cf. auch s. v. *orine*. Für *petit* als adv. ('wenig') cf. s. v. *blanc* (*petit blanc*).

פֵטִיטְאטֵי - *PeṬiYṬə'ṬeY* (167r9)
***petiteté**, *f* (hap. leg.; von *petit*) 'geringe Menge' (DEAFpré s. v. *petit*; Kiwitt 119 'petite proportion, petite quantité'; Saye 181 'small size', für 167r9 'paucity'). Das subst. scheint außerhalb von *Fevres* bisher nicht belegt zu sein (cf. Kiwitt); auch DEAFpré zitiert Saye über Levy (1964). In derselben Bedeutung ist sonst im Altfrz. *petitet, m* (seit 12. Jh., FEW 8, 345b; Gdf 6, 133a; DAF 455b) attestiert. Die spezielle Semantisierung durch Saye für f. 167r9 als 'Mangel' ist zu hinterfragen: Für «le orine est aques com colur de safran par la petiteté de colra que ele ne la put tender» (f. 167r7–9) schreibt Constant. Afric. an entsprechender Stelle im *Lib. febrium* «fit quae vrina citrina propter paruitatem cholere eam tingentem» (L, f. CCXVIIIv, col. A); **petiteté* gibt also *parvitas*, 'Geringheit' (GH 2, 1495) wieder. Cf. auch DMF *un petitet, adv.* 'un petit peu' s. v. *petitet, adj.*). Fehlt AND.

פֵיטְרִיצֵייש - *PeYṬRiYẒeYYŠ* (178r19, 178v15)
פֵטְרִישֵׁייץ - *PeṬRiYŠeYYẒ* (178v12)
**[*petrir]**, *v. tr.* (12. Jh.; < splat. *pistrire*) *petrisez (2. pl. imp.)* 'kneten' (DEAFpré *pestrir*; TL 7, 847 *pestrer, pestrir*; FEW 8, 603a *id.*; AND 522a *pestrir* s. v. *pestrer*; DAF 455b *pestrer*; DMF *pestrir*; Kiwitt 188; Saye 181 *pétrir*). *Pétrir* belegt FEW erst ab 1740; für den Schwund vorkonsonantischen *s-* cf. die Einleitung (1.5.1).

פוּ - *PWu* (167v24)
***peu*** → siehe *peu et peu* s. v. *po*

פִילֵייש - *PiYLeYYŠ* (171v16, 172r2)
***pile***, *f* (1190; < lat. PILULAM 'kleiner Ball') *piles (pl.)* 'pharmezeutische Pille' (DEAFpré *pile*[3]; TL 7, 935 s. v. *pille*; FEW 8, 508b 'pilule médicale'; Gdf 6, 157c; AND 525a; DAF 457b; DMF $pile_2$ B.3; Kiwitt 189; Saye 182 *pilés*).

444 *Petit* muss auf eine Basis **pettitum* zurückgehen, deren Ursprung nicht geklärt ist (cf. FEW 8, 346a).

פִּילֵיאֵייץ - *PiYLeY'eYYẒ* (156v19)
פִּילֵייש - *PiYLeYYŠ* (157r8, 173v14, 174r14, 178v9, 179r9, 179v4)
פִּילֵיאֵייש - *PiYLeY'eYYŠ* (160v7)
פִּילֵייץ - *PiYLeYYẒ* (173v1)
פִּילְארַא - *PiYLə'Ra'* (180r3)
**[piler]**, *v. tr.* (1165; < lat. PILARE) *pilez (2. pl. imp.), pilera (3. sg. fut.), pilées (part. perf. f pl.)* 'zerstoßen' (DEAFpré *piler*[1]; TL 7, 936; FEW 8, 489b; AND 525a; DAF 457b; DMF; Kiwitt 189; Saye 182 *pilér*).

פְּלַאאְה - *PLa''əH* (160r3)
פְּלַאייאְה - *PLa'YY'əH* (160r5)
פְּלאַיְיא - *PL'aYəY'* (161v25)
פְּלַאֵייץ - *PLa'YeYẒ* (162r4, 162v19, 174r8)
***pla(i)e***, *f* (1080 *plaie;* < lat. PLAGAM) *plaies (pl.)* 'Wunde' (DEAFpré; TL 7, 1016 *plaie;* FEW 9, 10b *plaie*, burgund. *plae;* Gdf 10, 348a *plaie* 'solution de continuité dans les parties molles d'un corps, qui communique avec le dehors, et qui est produite soit par une cause externe, soit par une cause interne'; AND 528b *id;* DAF 460a *id.*; DMF *id.* A; Saye 183 *plaie, plae*). Die Variante in f. 160r3 (*PLa''əH*) entspricht *plae*, die FEW aus einem burgund. Text (14. Jh.) dokumentiert. Cf. auch RLJ (672) *proie*, 'plaie'; diese «judfr.» Variante ist in *Fevres* nicht vertreten.

פְּלַאאְה קוֹרַאנְטְא - *PLa''əH QWoRa'NṬə'* (159v25)
***plae corante**, f,* 'offene Wunde'. Für *plae* cf. supra. Zwar ist das adj. *corant*, 'offen', in dieser Bedeutung nicht belegt; FEW (2, 1571b) attestiert jedoch das moderne (normann.) Verb *courir* 'épancher de l'humeur (d'une plaie)'. Cf. ferner Gdf (9, 222b) *courant, adj.*, 'qui coule'; AND2 OE *curant* 'running'; DAF (131b) *corant*, 'vif, rapide'; DMF *courant* C.3 'qui circule' (d'une maladie); Saye (131) *korante* s. v. *korir*, 'to run'. Cf. auch *eve corante.*

פְּלַאנְטֵיין - *PLa'NṬeYYN* (159v16, 21, 24, 174r22, 175r23, 177v16, 179r1, 2)
פְּלַאנְטֵיינְא - *PLa'NṬeYYNə'* (174r16, 177r16)
פְּלַאנְטֵין - *PLa'NṬeYN* (178v22)
פְּלַנְטֵיין - *PLaNṬeYYN* (179v18, $19_{2x}$)
***plantein(e)***, ****planten***, *m* (13. Jh. *plantain;* < lat. PLANTAGINEM) 'Breitwegerich (Plantago maior L.)' (DEAFpré *plantein, planteine;* TL 7, 1098 *id.;* FEW 9, 19b *plantain;* Gdf 10, 351a *id.;* AND 529b *planteine*; DMF *plantain*; Kiwitt 189 *planteine;* Saye 184 *plantén, planténe*). TL zitiert mehrere lat.-frz. Glossare, in denen *plantein* mit lat. *plantago* gleichgesetzt wird. Neben der ursprünglich fem. Form *plantaine* ist v. a. die mask. belegt. Cf. auch im *Lateinischen Glossar* (3.3) s. v. *plantago*. Fehlt DAF.

פְּלֵיין - *PLeYYN* (173v9, 240v7)
***plein***, *adj.* (1080; < lat. PLENUM) 'voll' (DEAFpré; TL 7, 1123; FEW 9, 59a; AND 530b; DAF 461b; DMF I.A; Kiwitt 189; Saye 184 *plén*).

פְּלֵיין פוֹיֵין - *PLeYYN PWoYeYN* (178v7–8, 179r9, 179v3)
פְּלֵיין ... פוֹיְנְץ - *PLeYYN ... PWoYəYNẒ* (178v8–9)
***plein poin***, *m*, *plein ... poins*, 'Hand voll' (TL 7, 1300 *plein poing;* AND 531a; DMF *plein poing* 'quantité, volume qui tient dans la main fermée' s. v. *poing* C). Cf. ferner für *poin* (11. Jh. *puing*; < lat. PUGNUM), 'Faust', FEW (9, 514a); Gdf (10, 365a); DAF (465a *poing*); Kiwitt (189). In f. 178v8–9 steht *plen dus poins*, 'zwei Hände voll'. Saye (185) semantisiert bereits einfaches *poén* als 'handfull'; diese Bedeutung steht weder im Einklang mit den Kontexten der hier edierten Passagen noch mit den Belegen aus den konsultierten Lexika. Zur Repräsentation von [wẽ] cf. die Einleitung, 1.4.2.

פְּלֵיין - *PLeYYN* (164r5)
***plein***, *m* (Bedeutungserstbeleg, 1080 *plain* 'Ebene'; < lat. PLANUM) 'Oberfläche des Körpers, Haut'. Die Verwendung des medizinischen Terminus in dieser Bedeutung ist bisher laut der konsultierten Quellen nicht belegt; cf. TL (7, 1031 'Ebene, flaches Feld'); FEW (9, 29b *plain*, 'terrain plat'); AND 528b; DAF (460a *plain*, 'partie plate d'un objet'); DMF *plain* II.A 'ce qui est plan'. Saye (86) interpretiert die Form in f. 164r5 als zu *eplen*, 'Milz', gehörig (cf. s. v. *eplen* für Referenzen); dagegen spricht jedoch zunächst die Vokalisierung des vorangehenden Artikels mit Schwa (*Lə'PLeYYN*), so dass eine Lesart *le plein* plausibler als *l'eplen* erscheint, das etwa in f. 172v19 (*LeY-PLeYYN*) vorliegt. Zudem legt der Kontext einen sichtbaren Teil des Körpers nahe («s'apert sur le plen do cors a dehors», f. 164r5, i.e., 'erscheint auf der äußeren Oberfläche des Körpers'). Diese Hypothese wird durch entsprechende lat. Textstelle in Constant. Afric. gestützt: «per totum corpus diuisa exteriora corporis tingens» (*Lib. febrium*, L, f. CCXVIIIr, col. B). Fehlt DEAFpré s. v. *plain*.

פְּלוּאֶה - *PLWu'əH* (158v22, 25)
***plue*** → siehe s. v. *eve*

פְּלוּמְא - *PLWuMə'* (163v12)
***plume***, *f* (1175; < lat. PLUMAM) 'Feder' (DEAFpré; TL 7, 1208; FEW 9, 83a; AND 533b; DAF 463b; DMF; Saye 184).

פְּלוּזוּרֶץ - *PLWuZWuRẒ* (164r21, 166v7)
פְּלוּזוּרֶץ - *PLWuZWuRẒ* (239r14)
***plusurs***, *pron. indef.* (1080; < vlat. **plusiores*) 'mehrere' (DEAFpré s. v. *plusor;* TL 7, 1234; FEW 9, 101b; AND 535b; DAF 463b *plusor*; DMF *plusieurs* II.A;

Saye 185 *pluzurç*). *Plusur* ist auch die die Variante des Erstbeleges im Rolandslied (champagn., cf. TL; FEW).

פוֹ - *PWo* (167v14)
***po***, *adv.* (12. Jh. *po*, 13. Jh. *peu;* < lat. PAUCUM) '(zu) wenig'. (DEAFpré *poi* u. a.; TL 7, 1259 *po, peu* u. a.; FEW 8, 51a *id.*; AND 537a *poi*; DAF 464b *poi* u. a.; DMF *peu* I; Kiwitt 189 *po*; Saye 185 *id.*).

פוֹ אַה פוֹ - *PWo 'aH PWo* (166r18)
***po à po***, *adv.* (14. Jh.; cf. s. v. *po*) 'nach und nach' (TL 7, 1275 *po a po* s. v. *poi a poi;* FEW 8, 52b *pou a pou;* AND 537a *poi a poi s. v. poi*; DMF *peu à peu* s. v. *peu* I.A.2; Saye 185 *po a po*).

פוֹ אֵי - פוֹ *PWo 'eY PWo* (167v24)
***po et po***, *adv.* (12. Jh.; cf. s. v. *po*) 'nach und nach' (TL 7, 1275 *poi et poi;* FEW 8, 54a *id.;* Saye 185 *po é po*). Fehlt DMF.

פוֹדְרְא - *PWoDRə'* (157r18, 24, 158r7, 9, 159v14, 160r2, 160v7, 15, 161r2, 6, 20, 23, 163r20, 171r21, 173v1, u. v. m.)
***podre***, *m* (1080 *poldre;* < lat. PULVEREM[445]) 'zerriebene Substanz, Pulver' (DEAFpré s. v. *poudre;* TL 7, 1662 *poudre, poldre* u. a.; FEW 9, 563b *id.;* Gdf 10, 371a *poldre;* AND 565a *podre* s. v. *pudre;* DAF 466b *poldre*; DMF *poudre* A, B; Kiwitt 189; Saye 185). Vorkonsonantisches *-l-* ist dialektal bedingt geschwunden (*podre* für *poldre*, cf. Einleitung, 1.5.1).

פוֹדְרֵיאְה - *PWoDReY'əH* (159v7)
**podrer*, *v. tr.* (12. Jh. *poudrer;* < *poudre*, cf. s. v. **podre*) *podré* 'zu Pulver zerkleinern, zerreiben' (DEAFpré *poudrer*, 'couvrir de poudre', s. v. *poudre;* TL 7, 1663 *poudrer;* FEW 9, 564a *id.;* AND 565a *pudrer;* DAF 466b *id.*; DMF *poudrer* A 'réduire en poudre'; Saye 185 *podrér*). Cf. zum Schwund von vorkonsonantischem *-l-* die Einleitung, 1.5.1 und s. v. *podre*.

פוֹיְינְט - *PWoYəYNṬ* (168v16)
***point***, *m* (11. Jh., *point;* < lat. PUNCTUM) 'Augenblick' (DEAFpré 'point'; TL 7, 1310 *point;* FEW 9, 588b *id.*; AND 538a; DAF 465b *point*; DMF $point_1$ II.B.1; Saye 187 *id.*). «En un point» bedeutet in f. 168v16 wahrscheinlich 'in einem Augenblick'. Zur Repräsentation von [wã] cf. die Einleitung, 1.4.2.

445 Zur Darstellung der Entwicklung des Wortes (*l-r* < *ldr*) cf. Rheinfelder (1963, 240).

פּוֹייְרֵייץ – *PWoYYReYYẒ* (157r6)
פּוֹייְרֵשׁ – *PWoYYReŠ* (157v21)
**[*poire*]**, *f* (1175; < lat. PIRUM[446]) *poires (pl.)* 'Birne (Pyrus L.)' (DEAFpré; TL 7, 1328; FEW 8, 572b; AND 517a *pe(i)re*; DMF A; Kiwitt 189; Saye 187 *poiréç, poirés*). Fehlt DAF.

פּוֹיישׁוֹן – *PWoYYŠWoN* (172v14)
פּוֹיְישׁוֹנְץ – *PWoYəYŠWoNẒ* (176r6)
***poison***, *m* (1180; < lat. PISCONEM) *poisons (pl.)* 'Fisch' (DEAFpré *poisson* s. v. *peis;* TL 7, 1348 *id.*; FEW 8, 583b *id.*; Gdf 10, 307a *peisson*; AND 521b *poisson*; DMF *id.* A; Kiwitt 189 *id.*; Saye 187). Für die Repräsentation von [wa] cf. die Einleitung, 1.4.1.

פּוֹלֵייץ – *PWoLeYYẒ* (169v23, 172v15, 240r18)
פּוֹלֵייש – *PWoLeYYŠ* (176r3)
**[*pol*]**, *m* (12. Jh.; < lat. PULLUM 'Tierjunges') *poles (pl.)* 'Hähnchen, Hühnerfleisch' (DEAFpré; TL 7, 1367 'Hahn, junges Huhn'; FEW 9, 535a 'coq'; Gdf 6, 346b id.; DAF 466a 'poulet, coq'; DMF *poule*$_1$ 'femelle du coq, poule'; Saye 187 *poleç*). Fehlt AND.

פּוֹלְשַׁאטִיבְא – *PWoLŠa'ṬiYVə'* (167v15 u. a.)
***polsatif***, *adj.* → siehe unter *vertu.*

פּוֹלְבְרִיזֵייץ – *PWoLVRiYZeYYẒ* (176r18)
**[*polveriser*]**, *v. tr.* (Erstbeleg; von lat. PULVEREM) *polverisez (2. pl. imp.)* 'zerreiben, zu Pulver zerstoßen' (TL 7, 2081 *polveriser* s. v. *pulveriser*; FEW 9, 569b mfrz. *pulvériser*; Gdf 10, 448a; DMF *pulveriser*; Saye 187 *polvérizéç* s. v. *pulverisér*). Das früheste Zitat stammt in TL aus HMond, (*Chir.* 1760): «coumin pulverisé» (14. Jh.); FEW belegt das part. perf. *polverisé* für 1390; andere Formen des Verbs erst ab 1549. Fehlt DEAFpré, AND.

פּוֹמֵייש – *PWoMeYYŠ* (157r3, 6, 157v20)
**[*pome*]**, *f* (1080 *pume*, 1155 *pome;* < lat. POMUM) *pomes (pl.)* 'Apfel (Malus L.)' (DEAFpré s. v. *pon;* TL 7, 1382; FEW 9, 152b; AND 566b; DAF 467as. v. *pom*; DMF *pomme* A; Kiwitt 189; Saye 187).

פּוֹמְא גְרְנַאטְא – *PWoMə' GRN'aṬə'* (157r20–21)
פּוֹמְא גְרַאנַאטְא – *PWoMə' GRa'Na'Ṭə'* (170r6, 174v7)

446 Im größten Teil der Romania ist das Fem. an die Stelle des lateinischen Neutrum getreten, enstanden aus dem Pl. auf *-a*; dieses Phänomen ist häufig anzutreffen (cf. FEW 8, 576a).

פּוֹמְא גְרַאנַטְא - *PWoMə' GR'aNaṬə'* (174v22–175r1)

***pome grenate, p. gra-**, f* (12. Jh. *pum de grenat*, 1175 *pome grenate;* zurückgehend auf lat. POMUM und GRANATUM[447]) 'Granatapfel (Punica granatum L.)' (DEAFpré *pomme grenate* s. v. *pon;* TL 4, 613 *pome grenate* s. v. *grenade;* FEW 4, 237b *pomme grenate, pomme granate*, u. a.; AND2 OE *pume gernete* s. v. *gernet;* DAF 299a *pome grenate*; DMF *pomme (de) grenade* s. v. *pomme* C.1.d; Saye 187 *pomegranate*). *Pome grenate* steht in *Fevres* neben dem Okzitanismus **migra(i)ne*, cf. s. v. Cf. auch *pome*.

פּוֹפֶר - *PWoPeR* (163v14)

***poper**, adj.* (1090; < lat. PROPRIUM) 'eigen' (DEAFpré *propre;* TL 7, 1991 *id.;* FEW 9, 457a *id.;* AND 560b *proper* s. v. *propre;* DAF 480b *propre*; DMF *id.* I.A; Saye 188 *popér*). Fehlendes Resh in der ersten Silbe ist wahrscheinlich irrtümlich. FEW attestiert ein altlothr. *prope;* zu beachten ist die Abwesenheit des Liquids nach dem Plosiv hier in der zweiten Silbe. Für die metathetische Endung *-er* statt *-re*, ein in *Fevres* öfter anzutreffendes Phänomen, cf. die Einleitung (1.4.2).

פּוֹפְּלִיאוֹן - *PWoPLiY'WoN*

***poplion*** → siehe s. v. *ule*.

פּוֹרְשְׁא - *PWoRŠə'* (164v6)

פּוֹרְצְא - *PWoRẒə'* (101r8, 101v12, 165r3, 166r9, 167r16, 168v20, 169r5, 239r7)

***por ce**, adv.* (12. Jh.; aus *por* (< lat. PRO) und *ce*) 'deshalb; dann' (TL 7, 1454 'deshalb'; FEW 9, 401a 'à cause de cela'; AND 567a *pur ço;* DAF 468a; DMF *pour ce* s. v. *pour* II.C.1; Saye 188 *porçe* 'consequently'). Fehtl DEAFpré.

פּוֹרְצְא קְא - *PWoRẒə' Qə'* (101v2, 160r10–11, 239r6, 240v1)

***por ce que**, conj.* (12. Jh.; cf. s. v. *por ce*) 'weil; damit; falls' (TL 7, 1455, 7, 1457, 7, 1459; FEW 9, 400a–b; AND 568a *pur ço que;* DAF 468a–b; DMF *pour (ce) que* s. v. *pour* II.A.3.c 'afin que', II.C.1 *pour (ce) que* 'parce que'. Fehlt DEAFpré, Saye.

---

447 Aufgrund des Importes aus Nordafrika nannten die Römer die Frucht zunächst *malum punicum*, daneben, wegen seiner vielen Kerne, auch *malum granatum*. Von Norditalien aus, wo *melo* durch *pomo* ersetzt war (cf. z. B. modernes lombardisches *pom granat*), verbreitete sich die Bezeichnung durch den Export der Frucht nach Nordfrankreich. In Südfrankreich setzte sich hingegen der Typus *melograno/melagrana* durch. Daher zunächst auch die «noch fast ganz oberit. Form» *pum* (m) (FEW 4, 240a), die dann durch bestehendes *pomme* (f) substituiert wurde (cf. FEW 4, 239b–240a).

פּוֹרְק - *PWoRQ* (176r5)

***porc***, *m* (1080; < lat. PORCUM) 'Schwein (Sus domesticus Erxleben)' (DEAFpré; TL 7, 1475; FEW 9, 189a; AND 541a; DAF 468b; DMF A; Kiwitt 190; Saye 189 *pork*).

פּוֹרְצִיאוֹן - *PWoRẒiY'WoN* (176v23)

***porcion***, *f* (1226 'Anteil'; von lat. PORTIONEM) 'Menge' (DEAFpré; TL 7, 1496 *porcïon* 'Anteil', 7, 1497 'Teil'; FEW 9, 225a *portion* 'partie d'un tout qui revient à qn dans un partage'; Gdf 10, 383a *id.* 'part qui revient à qqu'un dans une distribution'; AND 541b; ATC 282a 'portion, quantité'; DAF 472b *id.* 'part, portion'; DMF *id.* A 'part qui revient à qqn dans un partage, dans un bien communautaire'; Saye 188 *porçion* 'portion (proportion)'). Die spezifische Bedeutung des Terminus als 'Menge' in einer Rezeptzutat («si y metez rubarbari en tele porcion que en une livre de sirop», f. 176v22–23) ist durch die Lexika nicht abgedeckt; *porcion* wird jedoch ähnlich in ATC verwendet.

פּוֹרְטֻורְא - *PWoRṬuWRə'* (162v7, 16, 18, 163r5)
פּוֹרְטוּרְא - *PWoRṬWuRə'* (163r8)

***poreture***, *f* (1120 *purreture*, 12. Jh. *poreture;* von *porrir*, siehe s. v. **porir*) 'Fäulnis, Zersetzung' (DEAFpré s. v. *porrir;* TL 7, 1558 s. v. *porreture;* FEW 9, 641b *porreture;* Gdf 10, 394a s. v. *pourriture;* AND 573a *purriture, poriturre;* DAF 471b *porreture*; DMF *pourriture* A; ATC 282b *id.;* Saye 188). Die Variante *poreture* ist erstmals bei Wace (um 1150) belegt.

פּוֹרגַאנְט - *PWoRGa'NṬ* (170r3)

***porger*** → siehe s. v. *purger*

פּוֹרְפּוֹזְא - PWoRPWoZə' (167r12)

***porposer***, *v. tr.* (10. Jh.; von *poser* < lat. PAUSARE) 'vor Augen führen' (DEAFpré s. v. *poser;* TL 7, 1988; FEW 8, 70b *proposer;* Gdf 6, 493b 'exposer'; AND 572a; DMF *proposer* B 'poser, mettre en avant, présenter'; Saye 189 *porposér* 'to propose, maintain'). Fehlt DAF.

פּוֹרִיאְה - *PWoRiY'əH* (161v15, 163r5)
פּוֹרִיאֵייץ - *PWoRiY'eYYẒ* (161v25, 239v26)
פּוֹרִיט - *PWoRiYṬ* (239v26, 240r5)

**[*porir*]**, *v. intr.* (11. Jh.; < vlat. **putrire) porit (3. sg.), porrie (part. perf. f), porries (part. perf. f pl.)* 'verfaulen, sich zersetzen' (DEAFpré s. v. *porrir;* TL 7, 1559 *porrir;* FEW 9, 639b *id.*; Gdf 10, 393c *id.;* ATC 282a *id.;* AND 573a; DAF 471b *porrir*; DMF *pourrir* I.A; Kiwitt 190; Saye 188). Geminaten werden in *Fevres* in der hebr. Graphie nicht repräsentiert.

פוֹרְטְא - *PWoRṬə'* (101v20, 163v23)
פוֹרְטְארַא - *PWoRṬə'Ra'* (178r22)
**[*porter*]**, *v. tr.* (980; < lat. PORTARE) *porte (3. sg.), portera (3. sg. fut.)* 'tragen; bringen' (DEAFpré; TL 7, 1588; FEW 9, 202b; AND 542a; DAF 472a; DMF *porter*$_1$ I.A/ II.A; Kiwitt 190; Saye 189 *portér*).

פוֹזְא - *PWoZə'* (163v25)
**[*poser*]**, *v. intr.* (10. Jh.; < lat. PAUSARE) *pose (3. sg.)* 'ruhen' (DEAFpré; TL 7, 1631; FEW 8, 60b; AND 543a; DAF 473a; DMF I; Kiwitt 190; Saye 191 *pozér*).

פוֹטַאנְט - *PWoṬa'NṬ* (101r17, 240v7)
****potant***, *adj.* (Erstbeleg; von lat. POTENTEM) 'vorherrschend (von Körpersäften und Kräften)' (Saye 190 s. v. *potér* 'to dominate'). In f. 101r17 wird der humoralpathologische Terminus auf die *vertu retentive* bezogen; in f. 240v7 spezifiziert er *sanc* und bezeichnet die Überproportionalität des Blutes in der Säftemischung. Mit «est potant» wird lat. *dominare* (cf. *Lib. febrium*, L, f. CCXVr, col. A bzw. f. CCXXIVb, col. A) wiedergegeben. Das Adjektiv ist durch die konsultierten Lexika erst ab dem Mfrz. erfasst (ab ca. 1330): cf. mfrz. *potent*, 'puissant' (FEW 9, 252b; DMF). Für die Alternation zwischen *-an-* und *-en-* zur Repäsentation von [ã(n)], cf. die Einleitung, 1.4.2. Fehlt AND.

פוֹץ - *PWoẒ* (240v7)
פוּץ - *PWuẒ* (240v19)
***pos***, ***pus***, *m* (12. Jh. *pulz*, 1180 *poz;* < splat. *pulsum*) 'Puls' (DEAFpré s. v. *pous;* TL 1670–1671 s. v. *pous;* FEW 9, 560b *poz, pouz;* Gdf 10, 396a *pous, pouz;* AND 566a; DMF *pouls*$_1$; Kiwitt 190 *poz;* Saye 185 *poç*).

פְרַאטִיקְא - *PRa'ṬiYQə'* (178r4)
***pratique***, *f* (1256; von mlat. *practica* < gr. πρακτική) 'Verfahren, Praxis' (TL 7, 1695; FEW 9, 274a 'application des règles, par oppos. à la théorie; méthode, procédé pour faire certaines choses'; Gdf 10, 398c 'application des certains préceptes; emploi de certains moyens'; DMF *pratique*$_1$ A.1.a 'manière de faire'). Cf. auch Kiwitt (120) für *practique* in der Bedeutung 'traité expliquant la pratique d'un art, et spécialement de la médecine', sowie Saye (9) unter «Proper Names»: *Praktika*, 'a book of remedies', für die Stelle f. 39v15. Fehlt DEAFpré, AND, DAF.

פְרֵיזֵינְץ - *PReYZeYNẒ* (164r7)
פְרֵיזֵיינְט - *PReYZeYYNṬ* (164r12)
פְרֵיזֵיינְטֵייץ - *PReYZeYYNṬeYYẒ* (164r13)
**[*present*]**, *adj.* (11. Jh.; von lat. PRAESENTEM) *presens (f [sic]), presente (f), presentes (f pl.)* 'anwesend, gegenwärtig' (DEAFpré; TL 7, 1790; FEW 9, 306b;

AND 550b; DAF 476a; DMF *present*₁ I.A; Kiwitt 190; Saye 192 *prézént*). Die Form in f. 164r7 (פְּרֵיזֵינְץ – *PReYZeYNẒ*) scheint in der Endung verschrieben; das adj. spezifiziert *cause (f sg.)*.

פְּרִימֵר – *PRiYMeR* (102r9, 177v21)
פְּרִימֵייר – *PRiMeYYR* (169v11)
***primer**, *adv.* (13. Jh.; von *primer, adj.* < lat. PRIMARIUM) 'zuerst' (DEAFpré *primer, adj.* s. v. *premier, adj.*; TL 7, 1728 *primier, adj.*, 7, 1730 *premier, adv.*; FEW 9, 376a *primer, adj.*, 9, 377b *premier, adv.*; AND 553a; DAF 475b *premiers;* DMF *premier*₁ I.A.1; Saye 193 *primér*). Das adv. *primier* belegt FEW als breton. Variante aus dem 15. Jh. Für die Reduktion von Diphthongen cf. die Einleitug, 1.5.1. Cf. auch *primer, prumer* im *Register häufiger Wörter.*

פְּרוֹיידֵר – *PRWoYYDeR* (163v13)
***proider**, *v. tr.* (11. Jh. *preder;* < lat. PRAEDARE) 'erbeuten, jagen' (DEAFpré *preer;* TL 7, 1715 *prëer, preder* 'plündern, rauben'; FEW 9, 287a *proier* 'plündern'; Gdf 6, 373c *proier, preder* 'piller, ravager'; AND 546b *proier;* DAF 475a *proier* 'ramener du butin'; DMF *preder, préer*). **Proider* ist eine Variante von *proier* mit Erhalt des intervokalischen Plosivs.

פְּרוּנֵייש – *PRWuNeYYŠ* (170r5, 173v2)
פְּרוּנְיֵיש – *PRWuNYeYŠ* (171r10)
**prune**, *f prunes* (13. Jh.; < lat. PRUNAM) 'Pflaume (Prunus domestica L.)' (DEAFpré; TL 7, 2029; FEW 9, 493a; AND 564a; DMF A; Kiwitt 190; Saye 193 *prunés*). Fehlt DAF.

פֻּור – *PuWR* (158r17)
**pur**, *adj.* (1170[448]; < lat. PURUM) 'rein, ungemischt' (TL 7, 2088; FEW 9, 618b 'qui est sans mélange'; AND 567a; DAF 483a; DMF I, II; Saye 194). Fehlt DEAFpré.

פֻּורְגֵֿייץ – *PuWRĞeYYẒ* (162v21)
פֻּורְגֿיֵר – *PuWRĞYeR* (162v22)
פֻּורגֵֿי – *PuWRĞeY* (162v24)
פֻּורְגֵֿייר – *PuWRĞeYYR* (166v21)
פוֹרגֲֿאנְט – *PWoRĞa'NṬ* (170r3)
פוּרְגֵֿייר – *PWuRĞeYYR* (170v3)
פֻּורְגְֿארוֹמְש – *PuWRĞə'RWoMŠ* (171r8)
פֻּורְגֵֿינְט – *PuWRĞeYNṬ* (171r13)

448 *Pur* in der übertragenen Bedeutung 'ungetrübt' ist bereits seit 980 belegt (cf. FEW 9, 618b).

פֻורְגֵ̄א – *PuWRĞə'* (173r9, 174r18
פֻורגֵ̄ייש – *PuWRĞeYYŠ* (176v3)
פֻורְגֵ̄א – *PuWRĞə'* (239v22)

***purger*, *por-***, *v. tr.* (1270 *purgier;* von lat. PURGARE) *purge (3. sg.), purgeromes (1. pl.), purgez (2. pl. imp.), purgent (3. pl.), porgeant (part. praes.), purgé (part. perf.)* 'purgieren, abführen, (den Körper von Substanzen) befreien' (TL 7, 2098 *purgier* 'reinigen (auch physiol.)'; FEW 9, 612b *purger* 'purgieren'; Gdf 10, 449c *purgier* 'faire sortir les impuretés du corps au moyen de médicaments, d'eaux, de régime'; AND 570a; DAF 483b *purgier* 'purger'; DMF *purger* II.1 'débarasser qqn, son corps, de mauvaises humeurs, stimuler son évacuation intestinale, purger'; ATC 284a *id.;* Kiwitt 190 'reinigen'; Saye 188 *porgér,* 189 *porjér,* 195 *purjér* 'to purge'). Cf. zum Schwund des Diphthong in der altfrz. Infinitivendung *-ier* (nach palatalen Konsonanten) > *-er* die Einleitung, 1.5.1. Varianten mit *-o-* sind nur in angl.-nor. Texten belegt. Der Erstbeleg wird durch FEW und Gdf auf das zweite Viertel des 14. Jh.s datiert; *purgier* findet sich auch schon in ATC (ca. 1270). Zweitbeleg in *Fevres.* Fehlt DEAFpré.

## Qu

קַאנְטִיטֵי – *Qa'NṬiYṬeY* (167r15)
קֻוַנְטִיטֵי – *QWWaNṬiYṬeY* (174v8, 13)
קֻואַנְטִיטֵי – *QW'aNṬiYṬeY* (177r19, 177v1)
קַאנְטֵיטֵי – *Qa'NṬeYṬeY* (178v14)

***quantité*, *quanteté***, *f* (1190; von lat. QUANTITATEM) 'Menge' (TL 2, 34 *cantité, quantité;* FEW 1418a *quantité;* AND 578a; DAF 486a *quantité*; DMF *quantité* A; Saye 119 *kantité*). Zur Alternation zwischen *-e-* und *-i-* cf. die Einleitung, 1.4.2. Fehlt DEAFpré.

קֻוַרְטְארוֹן – *QWWaRṬə'RWoN* (156v22)

***quarteron***, *m* (1268; von lat. QUARTARIUM[449]) 'ein viertel Pfund' (TL 2, 58 *carteron;* FEW 2, 1425b; AND 579a; DAF 487a; DMF A.3; Saye 120 *karteron*). Fehlt DEAFpré.

קְאמַאנְדֵא – *Qə'Ma'NDə'* (163r9, 14)

[***quemander***], *v. tr.* (10. Jh.; < vlat. **commandare*) *quemande (3. sg.)* 'befehlen, anordnen' (TL 2, 578 *com(m)ander;* FEW 2, 949b altfrz. *commander*, angl.-

449 Im Lateinischen bezeichnete *quartarius* das 'Viertel eines Flüssigkeits- oder Getreidemaßes (ca. 0,14 Liter)' (cf. GH 2, 2140).

nor. *quemander;* AND2 OE *kemander* s. v. *comander;* DAF 488b *quemander* mit Verweis auf *comander*; DMF *commander* II; Saye 122 *kemandér*). Fehlt DEAFpré.

קָאנוֹייטֶר – *Qə'NWoYYṬeR* (102r7)
קָאנוֹיֵיץ – *Qə'NWoYeYẒ* (162v19)
***quenoiter**, *v. tr.* (11. Jh.; < lat. COGNOSCERE) *quenois (1. sg. passé simpl.)* 'erkennen' (TL 2, 706 *conoistre;* FEW 2, 847a *id.;* Gdf 2, 346c *id.*, 9, 160c *id.;* AND2 OE *id.;* DAF 123a *id.;* DMF *connoistre* II; Saye 122 *kenoitér*). **Quenois* steht für *conois* (Buridant 2000, 282) und ist ind. praes. Zur metathetischen Infinitivendung *-er* statt *-re* cf. die Einleitung, 1.4.2. Varianten mit *que-* statt *co-* sind in den Lexika nicht belegt. Fehlt DEAFpré.

קְוֵייר – *QWuYeYR* (179v20)
**[quere]**, *v.tr.* (11. Jh.; < lat. QUAERERE) *quer (1. sg.)* 'bitten' (DEAFpré s. v. *querre;* TL 8, 66 *querre;* FEW 2, 1408a *id.*; DAF 488b; DMF *querir* II.; AND OE; Saye 122 *kérre*).

## R

רַאשִׁינֵייץ – *Ra'ŠiYNeYYẒ* (180r2, 240r10)
**[racine]**, *f* (1175; < lat. RADICINAM) *racines (pl.)* 'Wurzel' (TL 8, 135; FEW 10, 18b; Gdf 10, 469c; AND 589a; DAF 494a; ATC 284b; DMF A; Saye 196 *rasine*). Fehlt DEAFpré.

שְׁא רֵידוֹנְא – *Šə' ReYDWoNə'* (166v5)
***redoner**, *v. refl.* (13. Jh.; < lat. REDUNDARE) *se redone (3. sg.)* 'überfließen, im Überfluss vorhanden sein' (DEAFpré *redonder;* TL 8, 534 *redonder, v. intr.;* FEW 10, 184a *id.* 'être surabondant (en parlant des humeurs)'; Gdf 6, 607b *id.;* AND1 OE *id.* s. v. *redunder;* DAF 508a *id.*; DMF *redonder* A 'déborder, s'écouler', B.1 'abonder, être en abondance'). Die spezifische humoralpathologische Bedeutung des Terminus belegen FEW und Gdf erst ab Paré (16. Jh.); allgemein 'abonder' bereits ab 1226. Die Form in f. 166v5 scheint verschrieben für *redonder*. Dies wurde durch Saye (197) nicht erkannt, der *redoner* als 'to return' (wohl aufgrund des Kontexts: «Le fel se redone et se tret dever le foe», f. 166v5–6) interpretiert. Der Vergleich mit dem lat. Text zeigt jedoch, dass die hier vorgeschlagene Lesart zu favorisieren ist; Constant. Afric. schreibt: «abundans in felle convertitur ad epar» (Lib. febrium, L, f. CCXVIIIr, col. B). Der reflexive Verbtyp ist durch die Lexika nicht erfasst.

רְאדוֹטַאבְלְא - *Rə'DWoṬa'BLə'* (169v21)
***redotable***, *adj*. (12. Jh.; von *doter* < lat. DUBITARE) 'furchterregend, gefährlich' (TL 8, 536; FEW 3, 170a *redoutable;* AND 611a *redutable, redoutable;* DAF 508a; DMF *redoutable* A; Saye 197). Fehlt DEAFpré.

רְאפְֿרוֹיידַאנְט - *Rə'FRWoYYDa'NṬ* (158r13)
רְאפְֿרוֹיידַאנְש - *Rə'FRWoYYDa'NŠ* (170r13)
רְאפְֿרֵידַאנְט - *Rə'FReYDa'NṬ* (175v16)
[***refroider, refreder***], *v. tr.* (12. Jh. *refroidier;* von *froit* < lat. FRIGIDUM) *refroidant (part. praes.), refroidans (part. praes. pl.)* 'abkühlen, beruhigen (im Sinne der Humoralpathologie)' (TL 8, 576 *refroidier;* FEW 3, 800a *refroidier;* Gdf 6, 726c *id., refroider, refreder;* AND 613b *refroidir, refroider;* DAF 509a *refroidier*; DMF *refroider* '(faire) devenir froid'; ATC 286a *refroidier* 'se refroidir'). Als explizit medizinischer Terminus ist das Verb in den Lexika nicht erfasst; die übertragene Bedeutung 'beruhigen' ist jedoch gut dokumentiert. Das part., das hier unterschiedliche Heilmittel (z. B. *clester, erbes*) spezifiziert, erscheint jeweils in Rezepten, die keine Entsprechung im lat. *Lib. febrium* haben. Varianten mit *-e-* in der zweiten Silbe belegt Gdf für das Mfrz.; FEW (3, 799b) etwa für den modernen Dialekt im Poitou (Westfrkr.), jedoch nur für den Verbtyp auf *-ir* (cf. infra): *refrédir*. Saye (197) verzeichnet nur *refroidir*. Fehlt DEAFpré.

רְאפְֿרוֹיידִישַׁאנְץ - *Rə'FRWoYYDiYŠa'NẒ* (170r4)
[***refroidir***], *v. tr.* (12. Jh.; cf. supra) *refroidisant (part. praes.)* 'abkühlen, beruhigen (von Medikamenten, im Sinne der Humoralpathologie)' (TL 8, 578; FEW 10, 799b; Gdf 10, 518a; AND 613b *refroidir, refroider;* DMF; Saye 197 *refroidir*). Cf. supra, *refroider*. Fehlt DEAFpré, DAF.

רְאמִיט - *Rə'MiYṬ* (163r9)
[***remetre***], *v. tr.* (1175; < lat. REMITTERE) *remit (3. sg.)* 'wieder einsetzen' (DEAFpré; TL 8, 731; FEW 10, 239a *remettre;* AND 625b *remetre s. v. remettre;* DAF 513a; DMF *remettre* I.A; Saye 199).

רְאמֻואֵיץ - *Rə'MuW'eYẒ* (176r21)
***remuer***, *v. tr.* (1080; von *muer* < lat. MUTARE) *remuez (2. pl. imp.)* 'wechseln' (DEAFpré s. v. *müer;* TL 8, 760 *remüer;* FEW 6-3, 288a; Gdf 7, 15a; AND 627a; DAF 515a; DMF I.A; Saye 199 *rémuér*). Cf. auch Kiwitt (191) *remuer, v. refl.* 'sich in Bewegung setzen'.

רֵינְא - *ReYNə'* (165r12)
***regner***, *v. intr.* (10. Jh. *régner* 'exercer le pouvoir souverain dans un etat monarchique', 1228 *regnier* 'prévaloir'; < lat. REGNARE) *regne (3. sg.)* 'vorherrschen (von Zuständen im menschlichen Körper)' (DEAFpré; TL 8, 628; FEW 10,

214b; Gdf 10, 524b; AND 617a; DMF C.1; Kiwitt 191; Saye 199 *rénér*). Als humoralpathologischer Terminus («regne cele chalor par tot les condus do cors», f. 165r12–13) ist das Verb durch die Lexika nicht semantisiert. Cf. supra in ähnlicher Bedeutung *(etre) potant*. Zur Transkription von [ɲ] cf. 1.4.2.

רְאנוֹבֵֿלֵייש – *Rə'NWoVeLeYYŠ* (176r21)
***renoveler***$_1$, *v. tr.* (13. Jh. in dieser Bedeutung; von *novel* < lat. NOVELLUM) *renovelez (2. pl. imp.)* 'erneuern' (DEAFpré *renoveler*[1] s. v. *novel;* TL 8, 834; FEW 7, 205a *renouveler* 'rendre nouveau en substituant une chose une autre de même espèce'; Gdf 10, 543c 'retablir sans un état nouveau, en remplaçant ce qui ne convient plus'; AND1 OE s. v. *renuveler*; DMF *renouveler* A.1). Cf. auch Kiwitt (191) für *renoveler, v. intr.* 'sich erneuern'. Fehlt DAF (516b) und Saye (199) in dieser Bedeutung.

רְאנוֹבֵֿיילְא – *Rə'NWoVeYYLə'* (100v19)
רֵינוֹבֵֿילֵינְט – *ReYNWoVeYLeYNṬ* (101r9)
רֵינוֹבֵֿילְא – *ReYNWoVeYLə'* (164r25)
רְאנוֹבְֿלֵייר – *Rə'NWoVLeYYR* (164v21)
רְאנוֹבֵֿילְא – *Rə'NWoVeYLə'* (167v5, 10, 168r22, 169v18)
***renoveler***$_2$, *v. tr.* (1080; von *novel* < lat. NOVELLUM) *renovele (3. sg.), renovelez* 'künden von, anzeigen' (DEAFpré *renoveler*[2] s. v. *novel;* TL 8, 836; FEW 7, 204b–205a; AND 631a *renoveler s. v. renuveler* 'to renew, make valid again'; DAF 516b–517a 'avertir de nouveau'; Saye 199 'to bring news'). Fehlt DMF.

רְאפְּרֵיין – *Rə'PReYYN* (164r11)
**[*reprendre*]**, *v. tr.* (1170; < lat. REPREHENDERE) **repren (1. sg.)* 'wieder erzählen, aufnehmen' (DEAFpré; TL 8, 933; FEW 10, 273b 'raconter'; AND 635b; DMF I.B.3.d, II.A.1; Saye 200 *réprendre*). Die unvollständige Repräsentation der Endung (eigentl. *(je) reprends*) zeigt die nicht mehr vorhandene Artikulation der Endung an (cf. 1.5.2). Fehlt DAF (519a) in dieser Bedeutung.

רֵירֵוּרְא דְאיִבֿוּרְא – *ReYRuWRə' Də'YiVWuRə'* (179v6)
*****rerure de iveure***, *f* (hap. leg.; von *rere*, 'raser', < lat. RADERE und < lat. EBOREUM) 'Elfenbeinspäne'. Der Terminus ist eine Lehnüberstezung von lat. *rasura eboris;* cf. s. v. im *Lateinischen Glossar* (3.3). Das sonst nicht dokumentierte Wort **rerure*, 'Späne, Abgeschabtes', scheint eine spontane Bildung des Autors auf der Basis von altfrz. *rere, v. tr.* (< lat. RADERE) 'abschaben, rasieren' (TL 8, 975; FEW 10, 14b; Gdf 7, 78c; AND 595b *rasure* 'scrapings'; DAF 520a; DMF; Kiwitt 191) zu sein; wohl in Analogie zu altfrz. *rasure* mit derselben Bedeutung (< lat. RASURAM, Ableitung von RADERE; cf. FEW 10, 98b-99a). Der Terminus ist sonst als *rasure d'yvoire*, 'ivoire grossement

râpé', durch FEW (10, 99a) jedoch erst für das Mfrz. (1573) belegt; so auch Gdf (6, 615a): *razure d'ivoire* in einem Text von 1605. Die Interpretation von Saye (200), **rérure*, 'ashes', scheint auf der Grundlage von afrz. *rere*, 'brûler' (DAF 520a), entstanden zu sein, ist aber nicht vor dem Hintergrund von der mehrfach in *Fevres* auftretenden Rezeptzutat 'Elfenbeinspäne' (cf. lat. *rasura eboris*) wenig plausibel. Für *iveure, m* (12. Jh. *ivoire*), 'Elfenbein', cf. DEAF (I, 525–526 *ivoire, ivuire* 'matière dure [...] qui constitue les défenses d l'éléphant', angl.-nor. *ivure, iveure*); TL (4, 1507 *ivoire, ivuire*); FEW (3, 199a *ivoire, iveure*); Gdf (10, 34b *ivoire, ivuire, ivurie*); AND2 OE *iveure* s. v. *ivoire;* DAF (320b *ivoire*); DMF *ivoire*; Saye (112 *ivure*). Die hier vorliegende Transkription legt die Lesart *iveure* oder *ivure* nahe, die jeweils nur für das Angl.-Nor. belegt ist; eventuell ist sie auch als *ivuire* zu interpretieren.

רְאשֵׁינְבְלְא – *Rə'ŠeYNBLə'* (163v12, 166v15, 176r15)
רְאשֵׁינְבלַאנְט – *Rə'ŠeYNBLa'NṬ* (170r9)
**[*resenbler*]** *v. intr.* (1080; von *sembler* < lat. SIMILARE) *resenble (3. sg.), resenblant (part. praes.)* 'ähneln' (TL 8, 1006; FEW 11, 624b *ressembler*, judfr. *resambler;* Gdf 7, 94b, 10, 555b *ressembler, resanbler;* AND 640b *ressembler;* DMF *id.*; Kiwitt 191; Saye 200 *resénblér*). Die graphische Wiedergabe des Nasalkonsonanten alternierte im Altfrz. zwischen *-m-* und *-n-* (cf. die Belege in TL 8, 1006; cf. auch die Einleitung, 1.4.2). Fehlt DEAFpré, DAF.

רֵייזִינְש שוֹבַאגֵייש – *ReYZiYNŠ ŠWoVa'ĞeYYŠ* (157r20)
[**resin sauvage*], *m* (1200; < vlat. **racimum*) *resins sauvages (pl.)* 'wilder Wein'. Für *resin* cf. TL (8, 204 *raisin*); FEW (10, 11b); AND 591a *resin* s. v. *raisin;* DAF (521b); DMF *raisin*; Saye (203 *rézinç*); für *sauvage* cf. s. v. *grape*. Fehlt DEAFpré.

רֵייזוֹן – *ReYZWoN* (165r2, 239v9, 240r7)
***reson***, *f* (12. Jh.; < lat. RATIONEM) 'Grund' (TL 8, 221 *raison;* FEW 10, 109b *raison;* AND 591b *reson s. v. raisun;* DAF 497a *raison*, DMF III; Kiwitt 191 *reison;* Saye 203 *rézon*). Für den Monophthong [e] statt [ai] cf. die Einleitung, 1.5.1. Fehlt DEAFpré.

פַר רֵייזוֹן – *PaR ReYZWoN* (162v6, 169v15)
***par *reson*** (1155; < lat. PER und RATIONEM) 'im richtigen Maße; zu Recht' (TL 8, 218 *par raison* s. v. *raison;* FEW 10, 108b, 110a *par raison;* AND 592a *par raisun* s. v. *raisun;* DAF 497a *par raison* s. v. *raison*; DMF *par, pour raison* s. v. *raison* I.C.2).

רֵישְׁטֵי בוֹבִיש – *ReYŠṬeY BWoViYŠ*
****reste bovis*** → siehe unter **arete beuf.*

רְאטֵיינְט - *Rə'ṬeYYNṬ* (101r17)
רְאטֵינִיר - *Rə'ṬeYNiYR* (101r18)
רֵיטֵינֻוּאֱה - *ReYṬeYNWu'əH* (165v20, 166r8)
***retenir***, *v. tr.* (1260; < vlat **retenire*) *retent (3. sg.), retenue (part. praes.)* 'zurückhalten (von humoralpathologischen Kräften)' (DEAFpré; TL 8, 1118; FEW 10, 333b; Gdf 7, 141b, 10, 563b; AND 648a; DAF 524b; DMF B; ATC 289a; Kiwitt 191; Saye 201 *réteni*r). Das Verb ist als humoralpathologischer Terminus nicht in den Lexika erfasst.

רֵיטֵנְטִיבְֿא - *ReYṬeNṬiYVə'* (101r16, 157r17)
***retentif***, *adj.* → siehe unter *vertu*

רְאטוֹרְנְא - *Rə'ṬWoRNə'* (179v23)
רְאטוֹרְנְרוֹיֵיט - *Rə'ṬWoRNRWoYeYṬ* (178v6)
[***retorner***], *v. intr.* (842 *returner;* von *torner* < lat. TORNARE) *retorne (3. sg.), retorneroit (3. sg. cond.)* 'wiederkehren' (DEAFpré s. v. *torner;* TL 8, 1153; FEW 13-2, 63b *retourner, returner;* DAF 525a; DMF *retourner* II.B.1; Kiwitt 192; Saye 202).

שְׁא רֵיטוֹרְנְא - *Šə' ReYṬWoRNə'* (166r10)
[***retorner***], *v. refl.* (12. Jh.; cf. supra, *retorner, v. intr.*) *se retorne (3. sg.)* 'umkehren' (DEAFpré s.v *torner;* TL 8, 1151; FEW 13-2, 64a; AND 651b; DAF 525a; DMF *retourner* I.B.1; Saye 202).

רֵיטְרֵינְאנַטא - *ReYṬReYNə'NaṬ'* (161r10)
***retregnant***, *adj.* (1270 *restraignant;* von **retrendre* < lat. RESTRINGERE) 'zusammenziehend, adstringierend' (DEAFpré *restraignant* s. v. *restreindre;* FEW 10, 325b mfrz. *retregnant* 'qui resserre'; ATC 288b *restraignant;* Saye 202 *retrénat* s. v. *restréindre* 'to astringe'). Für die fehlende Repräsentation des Nasalkonsonanten in der letzten Silbe sowie für die Transkription von [ɲ] cf. die Einleitung (1.4.2). Das adj. bezeichnet eine Eigenschaft von Medikamenten (hier von bestimmten Siruparten, cf. FEW 10, 325b). Für die Verwendung von Formen von **retrendre* in medizinischen Texten cf. infra s. v. **retrendre, *retreider*. Fehlt TL, Gdf, AND, DAF und DMF.

רֵטְרֵינְץ - *ReṬReYNẒ* (164v19)
רֵיטְרֵיידֵייר - *ReYṬReYYDeYYR* (174r11)
[****retreindre***], ****retreinder***, *v. tr.* (12. Jh. *restreindre* 'réparer', 13. Jh. *restraindre*, t. médical; < lat. RESTRINGERE) *retrens (part. perf. pl.)* 'zusammenziehen, adstringieren; verhindern' (DEAFpré *retraindre* s. v. *restreindre*; TL 8, 1094 *restreindre*; FEW 10, 324b *restraindre* 'resserrer (les veines, le ventre) (t. médical)'; Gdf 7, 130b *restreindre* 'bander, panser'; AND 646b *id.*; DAF 524a *restraindre* 'bander, panser'; DMF *restreindre* I.A.1 'resserrer, modérer (un

écoulement)'; ATC 288b *id.*; Saye 202 *retréndér, retrénç* s. v. *retéindre* 'to astringe'). Die in *Fevres* auftretende Formen zeigen den Verlust von vorkonsonantischem *-s-* (cf. Einleitung, 1.5.1); in f. 174r11 (*retreinder*) ist zudem die fehlende Repräsentation des Nasalkonsonanten (cf. Einleitung, 1.4.2) sowie die Metathese der Infinitivendung (*-er* statt *-re*, cf. Einleitung, 1.4.2) festzustellen. TL (8, 1095) zitiert das Wort mehrfach im medizinsprachlichen Kontext (z. B. «li pains qui est fais d'orge ... restraint le ventre», *Rég. du corps* 113, 3); die Verwendung von **retreindre* im Zusammenhang mit Hautporen («les pertus do cors sont retrens», f. 164v19) ist bisher nicht attestiert. Die erweiterte Bedeutung von **retreinder*, 'verhindern', in f. 174r11 («Emplastrom a la vomite de l'estomaque por retreider qui ne vamit», f. 174r10–12) ist auch durch TL (8, 1095) belegt ('arrêter les vomissements'): «Vers jus [...] et de restraindre lo vomir» (*Rég. du corps*, 119, 25). Cf. auch supra **retrenant* und infra *retreignement*.

רֵיטְרֵייְנְאמֵינְט - *ReYṬReYYNə'MeYNṬ* (167r1)

***retreignement**, m* (Bedeutungserstbeleg; von **retreindre, cf. supra*) 'Verstopfung' (DEAFpré *restreignement* 'contraction, restriction'; TL 8, 1094 *restreignement* 'Unterdrückung, Hemmung (des Blutlaufes)'; FEW 10, 325b *retraignement* 'action de reprimer'; Gdf 7, 130a *retraignement*, id.; DAF *id.;* Saye 202 *retrénemént* 'contraction, retraction'). Zur Repräsentation von [ɲ] cf. 1.4.2. Der Terminus ist hier als 'Verstopfung' zu deuten (cf. die entsprechende Stelle in *Lib. febrium*, L, f. CCXVIIIv, col. A: *constipationem*[450]). Die hier anzunehmende Bedeutung des Terminus ist außerhalb von *Fevres* nicht dokumentiert. Die Belege aus DEAFpré in der o. g. Bedeutung stammen aus *Fevres* (= Saye 202) und HMond. Cf. ferner FEW (10, 325b): altokzit. *restrengement*, 'resserrement (t. médical)' und DETEMA (2, 1377): altsp. *restriñimiento*, 'estreñimiento'. Fehlt AND, DMF.

רֵובַּרְבְּרְא - *RuWBaRBRə'* (176v14)
רֵיבַּרְבְּרְא - *ReYBaRBRə'* (177r1, 3, 240r13)

***reubarbre, *re-**, m* (13. Jh. *reubarbe;* von lat. REUBARBARUM) 'Rhabarber' (DEAFpré *reubarbe;* TL 8, 1186 *reubarbe, rubarbe;* FEW 10, 348a altfrz. *reubarbe, reaubarbre*, nfrz. *rhebarbe;* Gdf 7, 159c *reubarbe* s. v. *reu*, 10, 575a *reubarbe* s. v. *rhubarbe;* AND 652a; DAF 526a *reubarbe*; DMF *rhubarbe*; Saye 196 *rébarbe*). Die in *Fevres* vorliegenden Varianten zeigen alle ein etymolgisches *-r-* in der letzten Silbe. *RWu-* (f. 176v14) ist wohl *reu-* zu lesen (cf. Einleitung, 1.4.2). Varianten mit *re-* sind nur für das Neufrz. belegt; cf. zudem prov. *rebarbe* (FEW 10, 248b).

---

450 Mlat. *constipatio*, 'Verstopfung' (MLWB 2, 1623).

רִיש - *RYiŠ* (161r17, 162r2, 162v13)
***ris**, m* (1270; aus it. *riso*, von mgr. ῥύζι[451]) ‘Reis (Oryza sativa)’ (DEAFpré *ris*[1]; TL 8, 1318; FEW 7, 425; Gdf 10, 579b; AND 659b; DMF *riz*; ATC 289b; Saye 203).

רוֹגְ̆א - *RWoǦə’* (157v19, 21, 166v14, 240v8)
***roge**, adj.* (1140; < lat. RUBEUM) ‘rot’ (DEAFpré *roge*[1]; TL 8, 1382; FEW 10, 532a; AND 664b *roge s.v. ruge;* DAF 531b; DMF *rouge* I.A; Kiwitt 192; Saye 203 *roge, roje*). Cf. in zusammengesetzten Termini s. v. *arsenicas, coral, sandali.*

רוֹיֵיט - *RWoYeYṬ* (157r10)
***roget**, adj.* → siehe s. v. *sirop*

רוֹיינוֹש - *RWoYYNWoŠ* (161v1)
*****roinos**, m pl.* (12. Jh. *reins;* < lat. RENES) ‘Nieren’ (DEAFpré *reins, roins;* TL 8, 654 *id.;* FEW 10, 248a *reins;* Gdf 10, 527a *id.;* AND 619a *reines s.v. reins*; DMF *rein* A; RLJ 711 *royon;* Saye 203 *roinos* s. v. *roine*). Die Bezeichnung der ‘Nieren’ kommt sowohl im Lat. als auch in den romanischen Sprachen fast nur im Pl. vor (cf. FEW 10, 251a); Saye belegt jedoch auch *roine* aus *Fevres*. Die hier vorliegende Pluralform auf *-os* ist ungeklärt; ähnliche Formen des Wortes finden sich an anderen Stellen in *Fevres*, bspw. *roinoç, roinnos* (zit. nach Saye 203).[452] Das epenthetische *-o-* könnte eventuell phonologisch als Bindevokal erklärt werden. Die «judfr.» Variante *royon* des RLJ liegt in *Fevres* nicht vor. Fehlt DAF.

רוֹזֵייש - *RWoZeYYŠ* (156v20, 22, 157r4, 157v20, 22, 158r14, 18, 20, 158v21, 159r9, 160v3, 161v8, 12, 162v14, 170r15, 170v8, 171r16, u. v. m.)
רוֹשֶׁש - *RWoŠeŠ* (157v1, 172v21, 173r10)
רוֹזֵייץ - *RoZeYYẒ* (161r10)
רוֹזְא - *RWoZə’* (175r13)
***rose**, f* (1155; < lat. ROSAM) *roses (pl.)* ‘Rose (Rosa L.)’ (TL 8, 1473; FEW 10, 477a; AND 662b; DAF 533b; DMF I.A; Kiwitt 192; Saye 204 *rosés, rozéç*). Cf. auch s. v. *eve* und *ule*. Fehlt DEAFpré.

רוֹשְׁא - *RWoŠə’* (166v15, 240v20)
***rose**, adj.* (1204; von *rose*, cf. supra) ‘rosarot’ (TL 8, 1480; AND 662b *rosé;* DAF 533b; DMF II; Saye 204 *roze*). FEW (10, 481a) belegt das Farbadj. für ältere

451 Wegen des selteneren Umgangs mit der Pflanze wurde der Name im Lateinischen (*oryza*) nicht volkstümlich und blieb daher auch nicht erbwörtlich in den romanischen Sprachen erhalten (cf. FEW 7, 426a).
452 Die Varianten des Typus *roinoç* werden in DEAFpré nicht aufgenommen.

Sprachstufen nur in der Verbindung *gotte rose* ('roséole'); als isoliertes Wort (zur Bezeichnung von 'rouge pâle') dort erst «seit 1812». Cf. auch s. v. *eve, ule*. Fehlt DEAFpré.

רוֹזֵייט – *RWoZeYYṬ* (179r11)
***roset***, *adj.* → siehe s. v. *ule*

רוֹשְׁטוֹ בוֹבִֿיש – *RWoŠṬWo BWoViYŠ* (158r18)
****rosto bovis***, *f* → siehe s. v. **arete beuf*

רוֹטִי – *RWoṬiY* (162v14)
[****rotir***], *v. tr.* (1175 *rostir* < germ. **raustjan*) *roti (part. perf.)* 'braten, rösten' (TL 8, 1501 *rostir;* FEW 16, 682b *id.;* AND 663a *id.;* DAF 534a *id.*; DMF *id.*; Kiwitt 192; Saye 204). *Rôtir* (ohne -*s*-) tritt laut FEW erst seit 1487 auf; für den Schwund vorkonsonantischen *s*- cf. die Einleitung, 1.5.1. Cf. auch s. v. *pein.* Fehlt DEAFpré.

רֻואְֶה – *RuW'əH* (174r15)
***rue***, *f* (12. Jh.; < lat. RUTAM) 'Weinraute (Ruta graveolens L.)' (TL 8, 1531 *rüe;* FEW 10, 597a; Gdf 10, 599a; AND 664b; DMF *rue*$_2$; ATC 290a; Kiwitt 192; Saye 205). FEW nennt zudem «judfr.» *rude;* diese Variante ist in *Fevres* offensichtlich nicht vertreten. Fehlt DEAFpré, DAF.

רֻוזֵימֵינְט – *RWuZeYMeYNṬ* (239r22)
***rusement***, *m* (Bedeutungserstbeleg, ca. 1355 'repoussement'; von *reüser* < lat. RECUSARE) 'Unterbindung (von organischen Vorgängen)' (TL 8, 1190 'Zurückweichen'; FEW 10, 168b 'repoussement'; Gdf 7, 161a id.; DMF 'action de faire reculer, de repousser'). Das Wort ist vor *Fevres* nur in der (militärischen) Bedeutung 'Zurückweichen, -drängen' belegt. «Rusement de digestion» (f. 239r22–23) ist die Entsprechung zur lat. Stelle in *Lib. febrium* V, 14: «moret ad digerendum» (L, f. CCXXIVb, col. A). Der Terminus *rusement* wird hier erstmals medizinfachfachsprachlich verwendet. Cf. auch AND1 OE *reuser*, 'to repulse'. Fehlt DEAFpré, DAF, Saye.

## S

שַׁשְׁא – *ŠaŠə'* (157r2)
****sace***, *f* (11. Jh. *sauz;* < lat. SALICEM) 'Weide (Salix L.)' (TL 9, 248–250 *sauz, saus, sauce,* u. a.; FEW 11, 100b altfrz. *sauz*, altlütt. *sas*, altchampagn. *sauce*, 101a altwallon. *sasse*, Montbél. *sâce;* Gdf 7, 328b *sas, sauce, sage* u. a. s. v. *saus;* AND 679b *sauce s. v. sauz;* DMF *sauz*; RLJ 724 *saus;* Saye 207 *sase* s. v. *sas*). Finales [-ə] zeigt ferner auch altchampagn. *sauce*. Der Gra-

phie *ŠaŠə'* entspricht altwallon. *sasse*. Die «judfr.» Variante aus RLJ ist in *Fevres* nicht wiedergegeben. Fehlt DAF.

שַׁאקֵייר – *Ša'ČeYYR* (165r20)
שַׁאקֵיר – *Ša'ČeYR* (165v13)
שַׁאקְיֵיר – *Ša'ČYeYR* (167r22)
***sacher**, *v. tr.* (1170 *sachier;* < vlat. **saccare*, von lat. SACCUM) 'von etw. befreien, reinigen (von humoralpathologischen Kräften im menschlichen Körper)' (TL 9, 21 *sachier* 'ziehen, zerren'; FEW 11, 27a *sachier, saquer;* Gdf 7, 274b *sachier, sacer* u.v. a. 'débarasser, purger'; AND 671a *sacher* s. v. *saker;* DAF 537b *sachier*; DMF *sacher* II.A.4 'enlever, ôter'; Saye 205 *sacher* 'to draw in, inhale'). Das Verb ist in großem semantischem Umfang dokumentiert; einen Beleg aus einem medizinfachsprachlichen Texten fehlt jedoch den Lexika. In vergleichbarer Bedeutung zitiert Gdf (7, 274b): «Li mur ki novelement sunt fait trabuchent tost s'il ne *sunt* anceois bien *sachiet* de lor humor» (12. Jh., *Greg. pap. Hom.*). Cf. die Einleitung (1.5.2) für die Diphthongreduktion der Infinitivendung *-ier* zu *-er* nach palatalem Konsonant. Cf. auch **desacher.*

שַׁפְּרַן – *SaFRaN* (167r8)
***safran***, *m* (12. Jh.; aus it. *zafferano*, von arab. *za'farān*) 'Safran (Crocus sativus L.)' (TL 9, 42; FEW 19, 202a 'crocus sativus; stigmates jaunes de cette plante qui, réduits en poudre, sont employés comme matière colore, comme assaisonnement et comme remède'; AND 670a *saffran* s. v. *saffron;* DAF 538b; DMF *safran*$_1$; Kiwitt 192; Saye 205).

שַׁל אַרְמוֹנִיאַק – *ŠaL 'aRMWoNiY'aQ* (175r11)
***sal armoniac***, *m* (1253; von mlat. *sal armoniacum*) 'Salmiak, Ammoniumchlorid ($NH_4Cl$)' (TL 1, 360 *sel armoniac* s. v. *amoniac*, 9, 374 *sel armoniac* s. v. *sel, sal;* FEW 11, 77a *sal ammoniac*, 24, 459a *sel armoniac* 'chlorhydrate d'ammoniaque'; Gdf 8, 107b s. v. *ammoniac;* AND2 OE *sel amoniac* s. v. *amoniac*; DMF *sel ammoniac* s. v. *ammoniac* I; Saye 37 *sal armoniak*). Cf. zur Erläuterung des epenthetischen *-r-* in *armoniac* den Kommentar zum Eintrag Nun 1 in ShS-1 (Bos et al. 2011, 335), hier in Bezug auf altokzit. oder altkat. *armoniac*, 'Ammoniak-Gummi': «The epenthetic *-r-* might be explained by through the influence of words referring to medical substances imported from Armenia and which were thus designated by adjectives *armenic*». Salmiak wurde im Mittelalter vornehmlich aus Armenien improtiert;[453] gr. ἀμμωνιακός bedeutet hingegen 'Libyen' (cf. FEW 24,

453 «Sal armoniacum dicitur, quia in Armenia reperitur» (Geberus, *clar.* 2,73, ca. 1250, zit. nach MLWB 1, 572–573).

459b–460a; cf. ibid. auch für weitere historische Eräuterungen). Cf. auch s. v. *sel*.

שַׁנְקְא - *ŠaNQə'* (158v7, 14, 160r5, 160v1)
שַׁאקְא - *Ša'Qə'* (159r8, 159v18)
שַׁאנְקְא - *Ša'NQə'* (102r9, 160r6, 161v15, 163v6, 165v14, 168r18, 169r4)
שַׁאנְק - *Ša'NQ* (102r4, 160r7, 163v7, 164r4, 17, 165r14, 165v10, 15, 16, 23, u. v. m.)
***sanc, sancgue***, *m* (980 *sang*, 1080 *sanc;* < lat. SANGUINEM) 'Blut' (TL 9, 136 *sanc, sange;* FEW 11, 170a altfrz. *sanc*, ahain. *sancgue;* Gdf 10, 623c *sanc;* AND 675a *sanc, sanqe;* DAF 541b *id.;* DMF *sang* A; Kiwitt 192 *id.;* Saye 207 *sank, sanke*). Eine Variante mit finalem [-ə] belegt FEW für einen altwallon. Dialekt; cf. auch *aveque* neben *avec* (Register häufiger Wörter). *Ša'Qə'* (ff. 159r8, 159v18) zeigt fehlende Repräsentation des Nasalkonsonanten (cf. Einleitung, 1.4.2). Cf. auch unter *ars*.

סַנְדַלִי בְּלַנְקָא - *SaNDaLiY BLaNČə'* (176r17, 178v6)
סַנְדַלִי בְּלַאנְק - *SaNDaLiY BL'aNQ* (179v5–6)
***sandali blanc**, *m*, ***sandali blanche**, *f* 'weißes Sandelholz (Santalum album L.)' (AND 676a *sandali blanc* s. v. *sandali*). Hybrides lat.-altfrz. Synthem aus dem gen. sg. oder nom. pl. von lat. *sandalus* (für Referenzen sowie den Kommentar zu den drei Sandelholzarten – weiß, rot und gelb – cf. im *Lateinischen Glossar* (3.3) s. v. *sandalus*) und altfrz. *blanc/blanche* (cf. s. v. *blanc* für Referenzen); Wiedergabe von mlat. *sandalus albus* (*Alphita* S56, cf. GGA 530b). Im Altfrz. war sonst für 'Sandelholz' auch *sand(a)le, sandal* gebräuchlich (cf. TL 9, 143; FEW 19, 153a; DMF A).
סַנְדַלִי ... רוֹיְיאה - *SaNDaLiY ... RWoYəY'H* (176r17, 179r7)
סַנְדַלִי ... רוֹיְיא - *SaNDaLiY ... RWoYəY'* (179v5–6)
***sandali roge**, *m* 'rotes Sandelholz (Pterocarpus santalinus L.)' (AND 676a *sandali ruge* s. v. *sandali*). Hybrides lat.-altfrz. Synthem aus dem gen. sg. oder nom. pl. von lat. *sandalus* (cf. im *Lateinischen Glossar* (3.3) s. v. *sandalus*) und altfrz. *roge* (cf. s. v. *roge* für Referenzen); Wiedergabe von mlat. *sandalus rubeus* (*Alphita* S56, cf. GGA 530b). [ʤ] in *roge* wird unterschiedlich transkribiert, entweder durch -*Ǧ*- (cf. s. v. *roge*) oder, wie hier, durch -*Y*- (cf. Einleitung, 1.4.2). In f. 176r17 erläutert der Verfasser lateinisches *sandali rubeo* mit «c'est sanadali [...] roge».

שַׁנְגְוִינְש - *ŠaNGWuYNŠ* (175v6)
שַׁנְגְוִין - *ŠaNGWuYN* (240v6)
***sanguin***, *adj.* (1138; von lat. SANGUINEUM) *sanguins (m rect. sg.)* 'sanguinisch (im Sinne der Humoralpathologie)' (TL 9, 153; FEW 11, 165a 'd'un tempérament où le sang prédomine'; AND 676a 'blood-red'; DAF 542a; DMF B 'qui

a trait au sang comme humeur'; Saye 207). Die Form *sanguins* ist als rect. sg. zu deuten: «se le malade est sanguins» (f. 175v6); cf. Einleitung, 1.5.1.

שַׁנְשְׂוּאֵייץ - *ŠaNŠWu'eYYẒ* (174r1)
***sansue***, *f* (12. Jh.; < lat. SANGUISUGAM) *sansues (pl.)* 'Blutegel' (TL 9, 160 *sansüe;* FEW 11, 180b; Gdf 10, 626a; AND 675b; DMF *sangsue* A; ATC 291b; Saye 207 *sansuéç*).

שַׁאבַאגֵייש - *Ša'Va'ĞeYYŠ* (157r14, 157v8)
שׁוֹבַאגֵייש - *ŠWoVa'ĞeYYŠ* (157r20)
שַׁאבַאגֵייץ - *Ša'Va'ĞeYYẒ* (157v17)
***sauvage, savage***, *adj.* → cf. s. v. *grape*

אֶשְׁקְרוּפְלֵייש - *'eŠQRWuPLeYYŠ* (173r14)
אֶשְׁקְרוּפֵל - *'eŠQRWuPeL* (173r20)
שְׁקְרוּפֵל - *ŠQRWuPeL* (173r21)
שְׁקְרוּפֵייל - *ŠQRWuPeYYL* (175r7)
***scrupel, *escrupel***, *m* (Erstbeleg; < lat. SCRUPULUM) *escruples (pl.)* 'Skrupel, 24. Teil einer Unze (ca. 1,3 gr.)' (TL 9, 376 *scrupel* 'kleines Gewicht' mit Verweis auf FEW; FEW 11, 343b *scrupel* 'petit poids de 24 grains (t. de pharm.)'; Gdf 10, 642c *scruple* 'très faible poids, la 24$^{e}$ partie de l'once'; AND2 OE *escruple*; DMF *scrupule*$_2$; Saye 88 *éskrupel*, 220 *skrupél* 'apothecary's weight of 24 grains'). *Scrupel* als mittelalterliche Maßeinheit der Apotheker ist laut FEW erst seit dem 14. Jh. belegt. Die Formen in f. 173r14 und f. 173r20 weisen prothetisches *e-* auf; entsprechende Varianten sind nur in AND belegt. Gemäß Gdf (10, 231b) betrug die mittelalterliche Unze 31,25 gr. (laut FEW 14, 27a jedoch 34,25 gr.); nach Gdf entsprechen einem *scrupel* also ca. 1,3 gr. Fehlt DAF.

שֵׁייק - *ŠeYYQ* (159v8)
שֵׁיקָא - *ŠeYČə'* (165v8)
שְׁיֵיק - *ŠYeYQ* (240v18, 24)
***sec$_1$***, *adj.* (980; < lat. SICCUM) *seche (f)* 'trocken, getrocknet' (TL 9, 289; FEW 11, 584b; AND 683b; DAF 545b; DMF I.A; Kiwitt 193; Saye 209 *séche*, 210 *sék*). TL gibt nur die Bedeutung 'trocken' an; 'getrocknet (von Pflanzen)' ist zu ergänzen. Spezifiziert in 240v24 *contrée* und *pais*.

שְׁיֵיק - *ŠYeYQ* (240v18)
***sec$_2$***, *adj.* (1270; < lat. SICCUM) 'mager' (TL 9, 292; FEW 11, 585a; Gdf 10, 644c 'qui n'a presque pas de chair'; DMF I.B 'maigre, peu charnu; décharné'). *Sec* gibt lat. *macilentus*[454] an enstprechender Stelle im *Lib. febrium* wieder

454 Lat. *macilentus, adj.*, 'mager' (GH 2, 749).

(L, f. CCXXIVb, col. A). Die erweiterete Bedeutung ‘mager’ fehlt DAF, AND und Saye.

שֵיקֻֿור - *ŠeYČuWR* (165v18)
שֵיקֿוֻר - *ŠeYČWuR* (167r6)
***secheur***, *f* (13. Jh.; von *sec*, cf. s. v.) ‘Trockenheit’ (TL 9, 299 *sechor;* FEW 11, 588b *sécheur;* Gdf 7, 346a *secheur* s. v. *sechor;* DAF 545b *sechor* s. v. *sec*; DMF *secheur*$_1$; ATC 292b *sechor;* Saye 209 *séchur*). Cf. zur Repräsentation von [œ] durch die Graphemfolge -*Wu*- bzw. -*uW*- die Einleitung, 1.4.2.

שֵיקִֿיאְה - *ŠeYČiY’əH* (156v10, 163r18)
שֵיקִֿי - *ŠeYČiY* (156v11, 157r21, 158r9, 161r5, 161r24, 178r8, 11)
שֵיקִֿיאֵייץ - *ŠeYČiY’eYYẒ* (157v11, 161r16, 21)
שֵיקֵֿייש - *ŠeYČeYYŠ* (159v9, 22)
שֵיקיִר - *ŠeYČYiR* (159v25, 179r4)
שֵיקִֿיאֵייש - *ŠeYČiY’eYYŠ* (160v6)
שֵיקִֿיט - *ŠeYČiYṬ* (166v23, 179r5$_{2x}$, 180r7)
שֵיקִֿישְא - *ŠeYČiYŠə’* (178v2)
שֵיקִֿירַא - *ŠeYČiYRa’* (180r7)
שֵיקִֿישֵינְט - *ŠeYČiYŠeYNṬ* (240r15)
***sechir***, *v. tr.* (12. Jh. *sechir;* < vlat. **siccire) sechez (2. pl. imp.)’ sechit (3. sg.), sechise (3. sg. subj.), sechisent (3. pl.), sechira (3. sg. fut.), sechi (part. perf.), sechie (part. perf. f), sechis (part. perf. pl.), sechies (part. perf. f pl.), sechés (part. perf. pl)* ‘(aus-)trocknen; trocken legen’ (TL 9, 296 *sechier*, 9, 299 *sechir* ‘austrocknen’; FEW 11, 580b *sechier, sécher* ‘faire évaporer l’humidité (des fruits, etc.), rendre sec’, 11, 580b *sechir;* AND 684a s. v. *secher;* DAF 545b *sechier* s. v. *sec*; DMF; Saye 209 *séchir*). «Nach dem Vorbild von *blanchir*» (FEW 11, 583b, Fn. 4) sind Varianten belegt, bei denen ein Konjugationswechsel (*-ier* > *-ir*) stattgefunden hat; sie sind insbesondere im lothr. Sprachraum anzutreffen (cf. FEW 11, 583b, Fn. 4).

שֵיקְלֵי - *ŠeYQLeY* (173v6)
**secle*, *m* (1172 *soigle*, 13. Jh. *segle, seicle;* < lat. SĒCALE) ‘Roggen (Secale cereale L.)’ (TL 9, 759 *segle* s. v. *soigle;* FEW 11, 360a *segle*, 11, 360b *seicle;* Gdf 10, 653c *segle, seicle* s. v. *seigle;* AND 678a *segle*; DMF *seigle* A; Saye 209 *seklé*). FEW (11, 361b) dokumentiert die moderne Variante *séclé*, die genau der *Fevres*-Variante entspricht (cf. 1.5.2), jedoch einer südwestfrz. Mundart entstammt; ferner wird dort «judfr.» *sigle* (11, 360b) belegt, das hier nicht vorliegt.

שְׂא שֵׁירַא – *Šə' ŠeYRa'* (178r8)
**[seer]**, *v. refl.* (12. Jh.; < lat. SEDERE) *se sera (3. sg. fut.)* 'sich setzen' (TL 9, 595 *seer* s. v. *söoir;* FEW 11, 392a *see(i)r, seoir* u. a.; AND 685b; DAF 550b *seoir*; DMF *seoir* I.A; Saye 214 *séra* 'he will sit').

שֵׁיגֻור – *ŠeYGuWR* (161v23)
שֻׁוגֻור – *ŠuWGuWR* (162v9)
**segur**, ***su-**, *adj.* (1080 *soür*, 1224 *segur;* < lat. SECURUM) 'sicher' (TL 9, 590; FEW 11, 388a; AND 704b; DAF 553b *seur*; DMF *secur*; Saye 209 *ségur*, 226 *sugur*). DAF belegt nur die älteren Varianten; *segur* wurde wohl neu entlehnt, da es sich enger an das lat. Etymon anlehnt. *Sugur* steht für *segur;* Saye (226) belegt auch *sugurement* neben *segurement*, cf. infra.

שְׂאגֻורְאמֵינְט – *Šə'GuWRə'MeYNṬ* (171r6)
**segurement**, *adv.* (12. Jh.; von *segur*, cf. supra) 'sicher, ohne Bedenken' (TL 9, 595; FEW 11, 389b; AND 705a; Saye 209 *segureménť*). Fehlt DAF, DMF.

שֵׁיינוֹנְץ – *ŠeYYNWoNẒ* (171r1)
שֵׁיינֵייר – *ŠeYYNeYYR* (171r7)
שֵׁינֵייר – *ŠeYNeYYR* (175v13)
**se(i)gner**, *v. tr.* (1130 *seigner*, 13. Jh. *seiner;* < lat. SANGUINARE) *seignons (1. pl.)* 'zur Ader lassen' (TL 9, 59 *saignier, seignier;* FEW 11, 157b *seiner, seigner, segner;* Gdf 10, 610a *saignier, sainier;* AND 687b *seiner* s. v. *seigner;* DAF 539a *saignier* 'saigner'; DMF *saigner* I.B 'tirer du sang (de qqn) en incisant une veine, pratiquer la saignée'; ATC 290b *sainier;* Saye 212 *sénér*). Zur Repräsentation von [ɲ] cf. 1.4.2. Cf. auch Kiwitt (193) für *seigner*, 'bluten'. Cf. auch **segnée*.

שֵׁייל – *ŠeYYL* (162r8, 163r7, 172r17)
**sel**, *m* (1150; < lat. SALEM) 'Salz' (TL 9, 372; FEW 11, 76b; Gdf 10, 657a; AND 692a; DMF A; Saye 210 *sél*). Cf. auch s. v. *sal armoniac*. Fehlt DAF.

שְׁלוֹנְק – *ŠLWoNQ* (163v15)
**selonc**, *praep.* (1050 *sulunc*, 1175 *selonc;* von lat. SECUNDUM) 'entsprechend, gemäß' (TL 9, 378; FEW 11, 385b; DMF *selon* II; Kiwitt 193; Saye 211 *selonk*). Die Variante *selonc* liegt auch bei dem champagn. Autor Chr. de Troyes vor.

שְׁמֵנְשְׁא – *ŠMeNŠə'* (157v2)
שֵׁימֵינְשְׁא – *ŠeYMeYNŠə'* (171v20)
שְׂאמֵינְשֵׁש – *Šə'MeYNŠeŠ* (175v21)
**semence**, *f* (1285; < lat. SEMENTIAM) *semences (pl.)* 'Samen, Saat' (TL 9, 405; FEW 11, 430a; AND 694a; DMF A; ATC 293b; Kiwitt 193; Saye 211 *séménçe, semenses*). Fehlt DAF.

שְׁאמֵינֵייש - *Šə'MeYNeYYŠ* (240r20)
שְׁמֵנֵייץ - *ŠMeNeYYẒ* (240r22)
***semene**, f* (1050 *sameine*, 12. Jh. *semaine;* < lat. SEPTIMANAM) *semenes (pl.)* 'Woche' (TL 9, 384 *semaine;* FEW 11, 482a *sameine, semaine;* Gdf 7, 367c *semeine* u. a., 10, 658a *semaine* u. a.; AND 692b; DAF 584a *semaine*; DMF *id.* A; Saye 211 *seméne*). Cf. zur Reduktion von Diphthongen die Einleitung, 1.5.1.

שֵׁיין - *ŠeYYN* (161v24)
***sein**, adj.* (1175; < lat. SANUM) 'gesund; unverletzt' (TL 9, 66–67; FEW 11, 189a *sain;* Gdf 10, 610c; AND 688b; DAF 539b *sain*; DMF $sain_1$ A; Saye 211 *sén*). Bereits lat. *sanus* bedeutet sowohl 'gesund (von Lebewesen)' als auch 'unverletzt (von Leblosem)' (cf. FEW 11, 190a).

שֵׁנְבְלְטוֻנְא - *ŠeNBLṬWuNə'* (164r19)
*****senbletune**, f* (13. Jh.; von *semble* < lat. SIMILEM) 'Anblick, äußere Erscheinung' (TL 9, 403 *sembletune* 'Ähnlichkeit' (aus Gdf); FEW 11, 629a judfr. *sembletune* = Blondheim 1923b, 547–548; Gdf 7, 370c *sembletune, sanbletune* 'ressemblance' = Blondheim 1923b, 547–548; Saye 212 *sénblétune* mit Verweis auf 211, *sémbletune*, «L. similitudo», Verweis auf Blondheim 1925, 113–114). Das subst. scheint außerhalb von *Fevres* nur in frz. Texten in hebr. Graphie dokumentiert zu sein (cf. Blondheim 1925, 113–114, ohne Transkription). Die vorliegende Bedeutung variiert jedoch in *Fevres*; **senbletune* auf f. 164r19 muss sich, wie *vision* (cf. s. v.), auf das Aussehen des Patienten beziehen («par la vision et la senbletune de li», f. 164r19). Die entsprechende Stelle fehlt im lat. *Lib. febrium*, so dass hieraus keine Anhaltspunkte zur Semantisierung gewonnen werden können. Cf. auch Blondheim (1925, 113s., Nr. 138) «judfrz.» *sanbletune, sombletune*, ohne hebr. Transkription und Bedeutungsangabe. Fehlt DAF, DMF.

שֵׁינֵיאְה - *ŠeYNeY'əH* (172r21)
*****segnée**, f* (1160 *saigniee*; von *saignier*, cf. supra) 'Aderlass' (TL 9, 57 *saigniée*; FEW 11, 158b *saigniee, sanie*; Gdf10, 610a *saigniee, sainiee*; AND 687b *seigné*; DMF *saignee* A; ATC 290b *sainie*; Saye 212 *sénée*). Die Transkription zeigt bei diesem Terminus nur einfaches Yod in der ersten Silbe, so dass hier eine Lesart ohne Diphthong und [n] anzunehmen ist; cf. zur Reduktion von Diphthongen die Einleitung, 1.5.1. Cf. auch *seigner*. Fehlt DAF.

שֵׁנְפִּיאְה - *ŠeNFiY'əH* (164v2)
[***senefier**], v. tr.* (1080; < lat. SIGNIFICARE) *senefie (3. sg.)* 'bedeuten' (TL 9, 439 *senefiier*; FEW 11, 603b; AND 711; DAF 546b *segnefier*; DMF *signifier* B; Saye 212 *sénefiér*).

שֵׁינְאטֵי – *ŠeYNə'ṬeY* (100v19, 169v10)
***seneté**, *f* (13. Jh.; von lat. SANITATEM) 'Genesung' (TL 9, 155 *sanité*; FEW 11, 185b *id.* 'santé'; Gdf 7, 309a *sanité, saneté* 'état de ce qui est sain'; AND 676b *sanité* s. v. *santé* 'health'; DAF 542b *sanité*, id.; DMF *sanité* 'bonne santé, bon état de santé'; Saye 212 *séneté* 'health'). Cf. die Einleitung zur graphischen Darstellung von [-ã(n)-] durch -*eYN*- (1.4.2) sowie zur Oszillation zwischen zwischen -*e*- und -*i*- (1.4.2). Die Bedeutung 'Genesung' nennt nut TL explizit. Cf. auch **senté*.

שְׁאנֵיטְרְא – *Šə'NeYṬRə'* (178v20)
**senetre**, *adj.* (1080 *senestre*; < lat. SINISTRUM) 'links' (TL 9, 445 *senestre*; FEW 11, 648b *id.*; AND 696a *id.*; DAF 549b *id.*; DMF *id.* I.A; ATC 293 *id.*; Saye 212 *sénétre*). Cf. zum Schwund vorkonsonantischen -*s* die Einleitung, 1.5.1.

שֵׁנְטֵי – *ŠeYNṬeY* (101v2, 4, 15, 18, 164r26, 164v21, 167v10, 169v18)
***senté**, *f* (11. Jh.; < lat. SANITATEM) 'Gesundheit; Genesung' (TL 9, 162 *santé* 'Gesundheit', 9, 163 *id.* 'Genesung'; FEW 11, 184b *id.* 'état de ce qui est sain'; Gdf 7, 310c *id.*, 10, 626c *id.*; AND 676b *id.*; DAF 542b *id.*; DMF *id.* A; Saye 213 *sénté* 'health'). Die Variante *ŠeYNṬeY* zeigt die graphische Variante -*eYN*- des Nasals [-ã(n)-], cf. die Einleitung, 1.5.1. **Senté* nimmt in *Fevres* beide Bedeutungen 'Geundheit' und 'Genesung' an; letztere dokumentiert nur TL. Cf. auch **seneté*.

שֵׁינְטֵיר – *ŠeYNṬeYR* (169v12)
***senter**, *m* (Erstbeleg; von *sentir* < lat. SENTIRE) 'Gefühl' (FEW 11, 467a mfrz. nfrz. *sentir* 'fait de recevoir des impressions physiques'). Die Substantivierung des Infinitivs fehlt TL (s. v. *sentir*, 9, 478), Gdf (s. v. *id.*, 10, 662c), AND (s. v. *id.*, 697b); DAF (s. v. *id.*, 550b); DMF (s. v. *id.*); Saye (s. v. *séntir, séntér* 213). Laut FEW ist die Konversion erst seit Du Bellay (16. Jh.) gebräuchlich. Der Konjugationswechsel von -*ir* zu -*er* ist in keinem der konsultierten Lexika verzeichnet. Cf. auch Kiwitt (193) *sentir, v. tr.*

שֵׁייר – *ŠeYYR* (158v12)
**seir**, *m* (980 *ser*; von lat. SERO) 'Abend' (TL 9, 773; FEW 11, 516b; Gdf 10, 656c; AND 690a; DMF *soir*; Kiwitt 193; Saye 214 *sér*).

שֵׁרְפִּילְא – *ŠeRPiYLə'* (164r14)
***serpile**, *f* (13. Jh. *serpille*; von altokzit. *serp* (?) < lat. SERPENTEM) 'Kriechtier' (TL 9, 543 *serpille* = RLJ 734;[455] FEW 11, 522a *id.* = RLJ 734; Gdf 7, 395c *id.*; Saye 214 *sérpile*). Laut der zitierten Lexika ist das Wort, das eine unbe-

455 Leider ohne hebr. Transkription.

stimmte Art von Kriechtier bezeichnet, ausschließlich in altfrz. Texten attestiert, die auf einen jüdischen Autor zurückgehen. Neben RLJ zitiert Gdf Hagin, der die astrologischen Werke Abraham ibn Esras ins Altfrz. übersetzte (in lat. Graphie, Ende 13. Jh.; cf. 1.1.3.3). Cf. auch Blondheim (1925, 112s., Nr. 137): «judfrz.» *serpille, serpeille* (ohne hebr. Transkription), 'reptile'. Fehlt den übrigen Lexika.

שֶׁרְבֵ֗יינְט – *ŠeRVeYYNṬ* (165v2)
**[*servir*]**, *v. intr.* (10. Jh. *servir, v. intr.* 's'acquitter de certaines fonctions'; < lat. SERVIRE) *servent (3. pl.)* 'versorgen (von Organen)' (TL 9, 569 *servir a aucun* 'dienen'; FEW 11, 537b *servir à* 'être utile à qn.'; Gdf 10, 669b *servir à* 'fournir à (qqn)'; AND 702b; DAF 552b 'servir'; DMF I.B; Saye 215 *sérvir* to serve'). Das in zahlreichen Bedeutungen und Verbindungen belegte Verb ist bisher als Terminus der Humoralpathologie durch die Lexika nicht erfasst.

שֵׁיטֵיין – *ŠeYṬeYYN* (164r18)
***setein***, *adj.* (1215; < vlat. **septanum*) 'siebenter' (TL 9, 582 *se(p)tain*; FEW 11, 479a *septain* u. a.; AND 698a; DAF 551a *septain*; DMF *septain*$_2$). Auf f. 164r18 ist «jor» zu ergänzen («... poons aparcevoir et savoir le setein par enquerre do malade», f. 164r18–19).

שִׁיףֿ – *ŠiYF* (161v1)
***sif***, *m* (1170 *sieu*, 1213 *sif*; < lat. SEBUM) 'Talg' (TL 9, 1068 *suif*; FEW 11, 358b *sif, cif*, u. a.; Gdf 10, 673b *cif* s. v. *sieu*; AND 731a *siw*; DAF 553 *seu, siu, sui*; DMF *suif*; Saye 217 *sif*). Die Variante *cif* belegen FEW und Gdf durch einen Text von 1382 aus dem (heutigen) Département Aube (Champagne). Aus der Gegend um Orléans liegen vergleichbare Varianten wie *si(e)f, suif* (1340, cf. FEW) vor.

שִׁינְפְּלֵייץ – *ŠiYNPLeYYẒ* (170r2)
**[*sinple*]**, *adj.* (12. Jh.; von lat. SIMPLICEM) *sinples (pl.)* 'einfach, ungemischt'[456] (TL 9, 662 *simple* 'einfach'; FEW 11, 634b *id.* 'qui n'est pas composé, sans mélange'; Gdf 10, 676b *id.* 'qui n'a point de parties'; AND 712a *sinple* s. v. *simple*; DAF 556b *id.* 'simple, doux'; DMF *id.* B 'qui n'est pas composé ou complexe'; Kiwitt 194; Saye 219). Zur Alternation des Nasalkonsonanten zwischen *-m-* und *-n-* cf. die Einleitung, 1.4.2.

---

456 Das adj. liegt wahrscheinlich nicht als medizinischer Terminus im Sinne von 'plantes médicinales' (FEW 11, 635b, dokumentiert seit dem 15. Jh.) vor.

שִׁירוֹף – *ŠiYRWoP* (157r14, 25, 157v7, 158r10, 15, 20, 158v4, 6, 13, 159r1, 7, 9, 160v9, 161r9, 10, 171r12, 174r22, u. v. m.)

***sirop***, *m* (1175; von mlat. *sirupum* < arab. *šarāb*) 'Sirup' (TL 9, 679; FEW 19, 170b 'liquide visqueux fait avec du sucre cuit et des substances aromatiques (p. ex. fruits) ou médicinales'; Gdf 10, 678c; AND 714a; DMF; ATC 299a; Kiwitt 194; Saye 219). Fehlt DAF.

שִׁירוֹף אֲשִׁיטוֹזוּש – *ŠiYRWoP 'aŠiYṬWoZWuš* (176r23)

****sirop acitosus***, *m* (1256 *sirop acetous*; Lehnübersetzung von mlat. *syrupus acetosus*, MLWB 1, 113) 'Sauerzucker' (FEW 24, 101b *sirop acetous* 'sirop de vinaigre'; Gdf 10, 678c *cyrub acetus* s. v. *sirop*). Das Synthem ist ein hybrides Kompositum aus altfrz. *sirop* (cf. supra) und mlat. *acetosus* (MLWB 1, 113; DuC 1, 54a). Vor *Fevres* ist die Bezeichnung für den Sauerzucker zweimal belegt, bei Aldebrandin de Sienne als *sirop acetous* und bei Pierre d'Abernun als *cyrub acetus*. *Fevres* liefert damit den Dritttbeleg für den pharmazeutischen Terminus. Saye (22) hat nur *asitozus* s. v. *açetoza*, 'sour'.

שִׁירוֹף מֵרְטִינִי – *ŠiYRWoP MeRṬiYNiY* (158r10)

****sirop mertini***, *m* 'Myrtensirup'. Frz.-lat. Synthem. Für das mlat. adj. **mertinus*, 'Myrten-' cf. GGA (483 *mirtinum*); Sin (127,4 *id.*); ThLL (8, 1749 *myrtinus, murt-, mirt-*); GH (2, 1065 *murtinus, myrt-*). In Sin (127,4) ist das altsp.-lat. Synthem *xirop mirtinum* belegt; ThLL dokumentiert Verbindungen mit *vinum* und *oleum*. Zur Alternation zwischen *-e-* und *-i-* cf. die Einleitung, 1.4.2; FEW (6-3, 317a) belegt das altfrz. adj. *mertin* in der Verbindung *oile mertin*, 'huile de myrte'.

שִׁירוֹף רוֹיֵיט – *ŠiYRWoP RWoYeYṬ* (157r10)

****sirop roget***, *m* 'Rosensirup(?)'. Das Synthem gibt lat. *sirupus rosarum* (cf. die entsprechende Stelle in *Lib. febrium*, L, f. CCXVIIv, col. B) wieder. FEW (10, 477a) belegt altfrz. *sirupe rose* (Moam.), 'sirop de roses' und das adj. *rosat* (seit 13. Jh.), 'où il entre des roses (huile, onguent, sirop, vinaigre, etc.) (FEW 10, 481b); cf. auch TL (6, 679): *syrop rosat*. Anstelle von *rosat* gebraucht der Autor von *Fevres roget, adj.* (1160; < lat. RUBEUM), 'rötlich' (cf. DEAFpré 'qui est rougeatre'; TL 8, 1385; FEW 10, 533b 'un peu rouge'; Kiwitt 192). Für die modernen Dialekte belegt FEW (10, 534a) diverse Pflanzenbezeichnungen durch das subst. *rouget* (bspw. Normandie, *rougets*, 'fruits du crataegus oxyacantha', *rouget*, 'papaver rhaeas', frkpr. *ružé*, 'groseille à maquereau'). Wahrscheinlich fehlerhaft für *rosat*. Das adj. fehlt Saye. Cf. auch **ule roset*.

שִׁירוֹף וִיאוֹלַאשִׁיוֹם – *ŠiYRWoP WiY' WoLaŠiYWoM* (176v13)

****sirop violacium***, *f* (13. Jh. *syrop vïolat*) 'Veilchensirup'. Hybrides frz.-lat. Synthem; für *sirop*, cf. supra. Das den Sirup spezifizierende Element erscheint hier als subst. (cf. GH 2, 3502 *violacium* s. v. *violatum* 'Veilchenwein'; Kiwitt

158 *violatium* 'Electuarium mit Veilchen'; Saye 248 *violasiom* s. v. *violés* 'violet'; cf. ferner das dem Lat. entlehnte frz. *violat, m* 'médicament ou sirop fait avec des violettes', Gdf 8, 253c). Die Konstruktion ist eventuell als Anlehnung an den hebr. *status constructus* zu interpretieren (cf. 1.1.3). Der 'Veilchensirup' ist sonst als *syrop vïolat* (TL 6, 680) belegt; für das adj. *violat*, 'préparé avec des violettes (huile, sirop, sucre)' cf. FEW (14, 485b); Gdf (8, 253c): *violat*, 'fait avec des violettes'.

שוֹקוֹרֵי - *ŠWoQWoReY* (162v24)

***socorer**, v. tr.* (1080 *secorre*, 12. Jh. *socorre*, 1260 *secorer*; < lat. SUCCURRERE) *socoré (part. perf.)* 'helfen, retten' (TL 9, 307 *socorre, secorer* s. v. *secorre*; FEW 12, 382b *socorre*; Gdf 7, 347b *secorre*; DAF 545b *secorer* s. v. *secorre*; DMF *secourir*; Saye 221 *sokorer*). Neben *socorre* ist ab dem späten Mittelalter (cf. Rheinfelder 1967, 251) auch *secourir* mit Konjugationswechsel belegt; «es ist schwer zu bestimmen, wann dieser wechsel stattgefunden hat, da das vebum meist in konjugierten formen belegt ist, die konjugation aber beibehalten worden ist» (FEW 12, 384a). Einen Infinitiv **socorer* legt das hier auftrenden part. perf. **socoré* (für *socurut*, cf. Rheinfelder 1967, 251) nahe; nur TL und DAF belegen das Verbum in dieser Konjugationsklasse (aus einem altwallon. Text). Die in den konsultierten Lexika angegebene Bedeutung 'helfen' muss noch zugunsten von 'retten' erweitert («il fut [...] socoré en cele jornée», f. 162v23–24).

שוֹיֵיף - *ŠWoYeYF* (167r7, 240v12, 21)

***soif**, f* (1050 *seiz*, 1175 *soif*; < lat. SITEM) 'Durst' (TL 9, 753; FEW 11, 662a, judfr. *seif*; Gdf 10, 656c; AND 687a *seif*; DAF 546 *sei, soi*; DMF A; Saye 220 *soéf*). Cf. zur Transkription des Diphthong [wa] die Einleitung, 1.4.2. Die in FEW als «judfr.» gekennzeichnete Variante ist in *Fevres* nicht vertreten.

שוֹפִּיט - *ŠWoFiYṬ* (157v13, 159v12, 174v9)

**[*sofire*]**, *v. intr.* (1155, < vlat. **sufficere*[457]) *sofit (3. sg.)* 'genügen' (TL 9, 714; FEW 12, 404a; AND 734b *soffire*; DAF 558b; DMF *suffire* I; Kiwitt 194 *sofir*; Saye 221).

שוֹפְּרִיר - *SWoFRiYR* (239r18, 240r26)

***sofrir**, v. tr.* (12. Jh.; < lat. SUFFERRE) 'ertragen' (TL 9, 736; FEW 12, 399b altfrz., judfr. *sofrir*; AND 736b; DAF 559a; DMF *souffrir* I; Kiwitt 194; Saye 221).

---

457 Laut FEW (12, 406a) fand unter dem Einfluss von *dīcere* bei SUFFĬCERE eine Dehnung des -Ĭ- zu -ī- statt; *so(u)fire* entwickelte sich also aus **sufficere*. Entsprechendes gilt für *despire* > **despīcere* und *confire* > **conficere*.

שׂוֹלֵייט – *ŠWoLeYYṬ* (165r20)
***soloir***, *v. intr.* (10. Jh.; < lat. SOLERE) *solet (3. sg.)* 'gewöhnlich tun' (TL 9, 807; FEW 12, 45a; Gdf 7, 512c; AND 720b; DMF *souloir* A; Kiwitt 194 *soloir, soleit*; Saye 222 *solét* als «pres. ind.»). Die Form *solét* ist nicht eindeutig zu interpretieren; der ind. praes. müsste stammbetont sein (etwa *solt*, cf. TL 9, 807). *Soleit* (Lesart Kiwitt) ist die reguläre Form des Impf. (cf. Rheinfelder 1967, 302 und zahlreiche Zitate in TL), der hier aus inhaltlichen Gründen eher auszuschließen ist. Eventuell liegt, entgegen der Lesart von Saye, eine Nebenform des subj. praes. vor (cf. die Konj.-endung der 3. pers. sg. *-et*, Rheinfelder 1967, 195, und die undiphthongierte Form des Stammes beim subj. *sołe*, ibid. 2, 302).

שׂוֹלוּשִׁי – *ŠWoLWuŠiY* (160r22)
****soluci***, *f* (1119 *soluciun* 'explication', 14. Jh. *solution* 'Diarrhoe'; von lat. SOLUTIONEM) 'Durchfall, Diarrhoe' (TL 9, 811 *solucïon* 'Lösung, Auflösung', *soluce*, id.; FEW 12, 83a altlütt. *solution* 'relâchement du ventre' (14. Jh.); Gdf 7, 462b *solucion* 'paiement', 10, 684c *solution* 'séparation des parties'; AND 720b *solucion*; DAF 562b *solucion* 'action de dissoudre', 563a *soluce* 'solution'; DMF *solution* C.3 'diarrhée'; Saye 222 *solusion*). **Soluci* ist entweder für *soluce* oder für *solution* verschrieben. FEW belegt die Bedeutung, die auch bei der *Fevres*-Stelle angenommen werden muss («soluci de venter», f. 160r22–161v1) für altwallon. *solution*.

שׂוֹמֵייט – *SWoMeYYṬ* (177v6)
***somet***, *m* (Erstbeleg für die Bedeutung, 1125 *sumet* 'point le plus élevé d'une montagne'; von lat. SUMMUM) 'Spreitenspitze (von Blättern)' (AND 741a 'top, summit, head of plant'). Cf. auch TL (9, 826 'höchstes Ende, Spitze'); FEW (12, 429a altfrz. *somet* 'point, extrémité', nfrz. *sommet* 'partie supérieure d'une tige, d'une feuille, d'un pétale'); Gdf (10, 686a *sommet* 'la partie la plus élevée, extrémité'); DMF *sommet* A; Saye (222 *somét* 'top of leaves (of a plant)'). Den hier vorliegenden botanischen Terminus («somet de sanbuci», f. 177v6) belegt FEW erst für das Nfrz. (seit 1771). Fehlt DAF.

שׂוֹטַאנְצָא – *ŠWoṬa'NẒə'* (161v16, 165r17, 177r5)
שׂוֹטֵינְצָא – *ŠWoṬeYNẒə'* (161v22, 23, 165r14)
שׂוֹטַנְצָא – *ŠWoṬaNẒə'* (178v13, 180r4)
****sotance***, ****sotence***, *f* (Bedeutungserstbeleg, 1230 *sostance*; < lat. SUBSTANTIAM) '(feste) Materie; Substanz (von Körpergewebe)' (TL 9, 1095 *sustance* 'Stoff, Materie, Gehalt, Wesen'; FEW 12, 355a *sostance* 'bien qu'on possède; nourriture'; Gdf 10, 720b *sustance* 'matière dont une chose est formée'; AND 732a *id.*; DAF 570a *sostance* 'bien, fortune'; DMF *substance* A.2; ATC 298a *substance* 'substance, matière'; Saye 224 *sotançe*, *sotençe* 'sub-

stance'). Cf. die Einleitung für den Schwund vorkonsonantischen *s-* (1.4.2) und für die Alternation zwischen *<a'N>* und *<eYN>* für [ã(n)] (1.4.2). Varianten mit *-o-* in der ersten Silbe sind bei TL zu ergänzen. **Sotance* deckt in *Fevres* zwei wesentliche Referenzbereiche ab: Zum einen bezeichnet der Terminus die feste Materie im Gegensatz zu Flüssigem: «sotance de herbes» (vs. *jus*, f. 178v13), zum andern das Gewebe von Organen: «sotance de boias» ('Darmsubstanz', f. 161v16), «sotance de fil» ('Substanz der Gallenblase', f. 165r17–18). Für die medizinfachsprachliche Bedeutung liegt ein Erstbeleg vor.

שוֹטֵיינְאמֵינְטְא – *ŠWoṬeYYNə'MeYNṬə'* (166r17)
***sotenemente**, adv.* (1160 *soudainement*; von *soudain, adj.* < lat. SUBITANUM) 'plötzlich' (TL 9, 700 *sotainement*; FEW 12, 335a *sodainement, soutenement*; Gdf 10, 692b *sodeinement* u. a.; AND 733b *sudainement, so-*; DMF *soudainement* A; Kiwitt 194 *soteinement*; Saye 224 *soténeménte*).

שוֹטִיאְה – *ŠWoṬiY'əH* (160r13)
***sotie**, f* (1190; < **sott-*) 'Dummheit' (TL 9, 983; FEW 12, 509b; Gdf 7, 487c; AND 724b; DMF; Saye 224). Fehlt DAF.

שוֹטִיבֵֿייש – *ŠWoṬiYVeYYŠ* (164r23, 239v2)
***sotif**, adj.* (Bedeutungserstbeleg, 13. Jh. *soutif*; von *sotil* < lat. SUBTILEM) *sotives (f pl.)* 'fein, zart' (TL 9, 984 '(geistig) fein; geschickt'; FEW 12, 366a id.; AND 724b; DAF 570b id.; DMF $soutif_1$ A.2 'fin, aigu'; Saye 224 'subtle, fine'). *Sotif* ist eine Variante von *sotil* (cf. infra), die in Analogie zu anderen mit *-if* suffigierten adj. gebildet wurde (cf. FEW). *Sotif* hat an dieser Stelle die ursprüngliche lat. Bedeutung 'dünn, zart', die laut FEW (12, 367b) im Galloromanischen nicht fortlebt.

שוֹטִילְא – *ŠWoṬiYLə'* (164v16)
**[sotil]**, *adj.* (Bedeutungserstbeleg; < lat. SUBTILEM) *sotile (f)* 'dünn(flüssig)' (TL 9, 984 '(geistig) fein'; FEW 12, 365b id.; AND 724b; DAF 571a id.; Saye 224 *sotile* 'fine, light'). *Sotil* qualifiziert in f. 164v16 den Körpersaft **colra;* das adj. erfuhr eine sonst nicht nachgewiesene Bedeutungsverschiebung. Die von Saye für diese Stelle angenommene Bedeutung ist zu korrigieren. Fehlt DMF.

שוֻאֵייר – *ŠWu'eYYR* (177v5, 14)
שֻואֵייר – *ŠuW'eYYR* (177v15)
***suer**, v. intr.* (10. Jh. *suder*, 12. Jh. *suer*; < lat. SUDARE) 'schwitzen' (TL 9, 1064 *süer*; FEW 12, 391b; AND 734b; DAF 572a; DMF I; Kiwitt 194 *süer*; Saye 226 *suér*).

שֻׁואוֹר – *ŠuW'WuR* (164v17)
***sueur***, *f* (1155 *suor*, 1380 *sueur*; < lat. SUDOREM) 'Schweiß' (TL 9, 1072–1073 *süor, süur, süeur*; FEW 12, 398a *suor, sueur*; AND 757b *suur, suour*; DAF 572a *suor*; DMF *sueur*$_1$ A; Kiwitt 194 *süeur*; Saye 226 *suur*). Zur Lesart [œ] für -וֹ- (*-Wu-*) cf. die Einleitung (1.4.2). Es gilt hierbei jedoch zu bedenken, dass frz. *sueur* erst seit 1380 belegt ist (cf. FEW 12, 398a). Die alternative Lesart *süur* belegt TL für angl.-nor. Texte, FEW (12, 398b) nur für einige (moderne) Varianten aus dem nordokzit. Sprachgebiet.

סֻוקֵר – *SuWQeR* (158r19, 159r14, 159v12, 170r1, 172v16, 174v1, 9, 176v21, 177r14, 177v17)
סֻוכֵר – *SuWKeR* (158v23, 177r16)
****suker***, *m* (1160 *sucre*; < arab. *sukkar*) 'Zucker' (TL 2, 1111 *sucre* s. v. *çucre*; FEW 19, 161b *sucre*; AND 733a *id.*; DMF *sucre* A; Kiwitt 194; Saye 226 *sukér*). Kaf (ff. 158v23, 177r16) tritt in *Fevres* nur selten auf (cf. 1.4.2). Zur Metathese [-er] < [-rə] cf. die Einleitung, 1.4.2.

סוֻמַק – *SWuMaQ* (157r22)
שוֻמַק – *ŠWuMaQ* (157v3, 159r11)
סֻומַק – *SuWMaQ* (157v12, 158r18, 21, 158v8, 159v7, 160v14, 161r1)
שֻׁומַק – *ŠuWMaQ* (158v16)
***sumac***, *m* (13. Jh.; von altsp. *zumaque* < arab. *summāq*) 'Essigbaum (Rhus coriaria L.)' (TL 9, 1072 'Essigbaum, Sumach'; FEW 19, 164b; Gdf 10, 726c 'plante de la famille des térébinthacées'; AND 740b; DMF; Saye 227 *sumak*). Das arab. Wort ist wohl über Spanien, wo es schon im 10. Jh. belegt ist (*zumaque*), in die anderen romanischen Sprachen gelangt. Die erste Anpflanzung des in der Medizin verwendeten Baumes in Europa fand auf Sizilien durch die Araber statt (cf. FEW 19, 164b). Fehlt DAF.

שֻׁורְקְארוֹיֵיט – *ŠuWRQə'RWoYeYṬ* (166v18, 22)
**[*surcroitre*]**, *v. intr.* (13. Jh. *sorcroistre*; von *croistre* < lat. CRESCERE) *surcroit (3. sg.)* 'übermäßig zunehmen (von humoralpathologischen Substanzen im menschlichen Körper)' (TL 9, 878 *surcroistre* 'überquellen; heranwachsen'; FEW 2, 1326b altfrz. *sorcroistre*, nfrz. *surcroître* 'croître au-delà de la mesure ordinaire'; Gdf 9, 698b 'être en plus'; AND 745b *surcreistre*; DMF *surcroistre* II; Saye 227 *surkroitér*). Für den Schwund vorkonsonantischen *s-* cf. die Einleitung, 1.5.1. Als humoralpathologischer Terminus ist das Verb durch die Lexika bisher nicht semantisiert (cf. «fleme blanche [...] surcroit», f. 166v18, «colra [...] surcroit», f. 166v22).

## T

טַאבְלְא – *Ṭa’BLə’* (177v11)
***table***, *f* (1080; < lat. TABULAM) ‘Tisch’ (DEAFpré; TL 10, 8; FEW 13, 14a; AND 761a; DAF 575a; DMF I; Saye 227).

טַאלְאַרַא – *Ṭa’Lə’Ra’* (179r3)
[***taler***], *v. tr.* (10. Jh. *talier*; < splat. *taliare*) *talera (3. sg. fut.)* ‘schneiden’ (DEAFpré s. v. *taillier*$^{1}$; TL 10, 44 *talier* s. v. *taillier*; FEW 13, 39a *id.*; Gdf 10, 740a *id.* s. v. *taillier*; AND 763a *id.* s. v. *tailler*; DAF 576a *taillier*; DMF *tailler* I.A; Saye 228 *taillér*). Zur Diphthongreduktion von *-ier* nach palatalem Konsonant cf. 1.5.1; zur Repräsentation von [ʎ] cf. 1.4.2.

טַרְזְאמֵינְט – *ṬaRZə’MeYNṬ* (101v5, 7)
****tarzement***, *m* (12. Jh. *targement*; von *targer* < vlat. **tardicare*) ‘Verzögerung’ (DEAFpré *terzement* (= Saye 228) s. v. *targier*$^{2}$; TL 10, 115 *targement*; FEW 13, 117a *id.*; Gdf 7, 647c *id.* AND 770b *id.*; DAF 578b *id.*; DMF $targement_2$; Saye 228 *tarsement*). Eine Variante mit [-s-] statt [-ʒ-] – analog zu *tarzer* für *targer* – ist in den Lexika nicht belegt.

טַרְזַאנְט – *ṬaRZa’NṬ* (101v18)
[***tarzer***], *v. intr.* (1080 *targier*; < vlat. **tardicare*) *tarzant (part. praes.)* ‘sich hinauszögern’ (DEAFpré s. v. *targier*$^{2}$; TL 10, 116 *targier, tarzier*; FEW 13, 116b *targ(i)er*, 117a Reims *tarzer, v.n.*; Gdf 7, 648b *tarzer* s. v. *tarzier*; AND 770b; DAF 578b *targier*; DMF *tarsier*, $targer_1$ I; Saye 228 *tarzant, adv.* ‘late’).

שְׁא טַארְזְא – *Šə’ ṬaRZə’* (101v4, 6)
[***tarzer***], *v. refl.* (1080 *targier*; < vlat. **tardicare*) *se tarce (3. sg.)* ‘sich hinauszögern’ (DEAFpré s. v. *targier*$^{2}$; TL 10, 117 *targier, tarzier, v. refl.*; FEW 13-1, 117a *targer, v. refl.*, Reims *tarzer, v. tr.*; Gdf 7, 648c; AND 770b; DMF *tarsier*, $targer_1$ I; Saye 228 *tarzér*). Das Reflexivum fehlt DAF (cf. supra, *v. intr.*).

טֵימוֹיינְא – *ṬeYMWoYYNə’* (160v11)
טֵימוֹיְינְא – *ṬeYMWoYəYNə’* (164v3)
טֵימוֹנְא – *ṬeYMWoNə’* (168v3)
[***temoigner, *temogner***], *v. intr.* (1175 *tesmoigner*; von *tesmoing* < lat. TESTIMONIUM) *temoigne, temogne (3. sg.)* ‘von etw. zeugen, bezeugen’ (DEAFpré *temoigner* s. v. *tesmoin*; TL 10, 276 *tesmoigner*; FEW 13-1, 285b *temoigner*; AND 792b *tesmoigner, tesmoner*; DAF 584b *tesmoignier* s. v. *tesmoing*; DMF *tesmoigner*; Saye 229 *temoigner*). Die spätere Form ohne vorkonsonatisches *s-* ist laut FEW bereits für das Altfrz. belegt, und zwar zuerst bei Chr. de Troyes; diese Variante ist bei TL und DAF zu ergänzen. Zur Transkription

von [ɲ] durch einfaches Nun cf. die Einleitung, 1.4.2. Die Form *ṬeYMWoNə'* in f. 168v3 zeigt fehlende Repräsentation des Diphthong.

טֵימוֹיינְא – *ṬeYMWoYYNə'* (171v6)
***temoine***, *m* (1175 *tesmoign*; < lat. TESTIMONIUM) 'Zeugnis, Beweis' (DEAFpré s. v. *tesmoin*; TL 10, 275 *tesmoine* s. v. *tesmoigne*; FEW 13-1, 284b *tesmoine, temoin*; Gdf 7, 699b *tesmoin, temoyen*; AND1 OE s. v. *tesmoigne*; DAF 584b *tesmoing*; DMF *tesmoin* I). Zum Schwund von vorkonsonantischem *s-* cf. die Einleitung, 1.5.2; für Varianten des Verbs wie *temoigner* cf. s. v. **temoigner*. Fehlt Saye.

טֵיינְטְא – *ṬeYYNṬə'* (164v21)
טֵיינְט – *ṬeYYNṬ* (166r1, 166v7, 168v12, 169r5)
טֵיינְץ – *ṬeYYNẒ* (166v13)
טֵיינְדֵר – *ṬeYYNDeR* (167r9, 11)
טֵיינֵיינְט – *ṬeYYNeYYNṬ* (168r21)
*__teinder__, *v. tr.* (13. Jh. *teindre*; < lat. TINGERE) *teignent (3. pl.) teinte (part. perf. f), teins (part. perf. pl),* 'färben' (DEAFpré *teindre*; TL 10, 151–152 *id.*; FEW 13-1, 343b *id.*, judfr. *taindre*; Gdf 7, 660b *teindre*; AND 773b *id.*; DAF 580a *id.*; DMF *teindre*$_1$ I.; Saye 230 *tenter*). Ein Infinitiv **teinder* ist sonst nicht dokumentiert und ist wohl in Analogie zu den Verba auf *-er* entstanden (cf. auch die Einleitung, 1.4.2). Die Verwendung des Verbums zur Bezeichnung des Verfärbens von Haut durch eine Krankheit ist in TL gut belegt, z. B. «de liepre tut teinz et tuz vertiz» (Wace, *Roman de Rou*, II, 239, zit nach TL 10, 152).

טֵנְפְרֵי – *ṬeNPReY* (157r20, 160v5)
טְרֵינְפֵייץ – *ṬReYNPeYYẒ* (161r2)
טֵינְפְרֵייש – *ṬeYNPReYYŠ* (176v11)
**[*tenprer*, **trenper*]**, *v. tr.* (12. Jh. *temprer*; < lat. TEMPERARE) *trenpez, tenprez (2. pl. imp.), tenpré (part. perf.)* 'nässen, einweichen' (DEAFpré *tenprer, tremper* s. v. *temprer*; TL 10, 178–179 *temprer*; FEW 13-1, 168a *id.*; AND 776b *id*; DMF *tremper* B.1; Kiwitt 195 *tenprer*; Saye 230 *ténprér*). Zur Repräsentation des Nasalkonsonanten durch *-n-* statt *-m-* cf. die Einleitung (1.4.2). Die Variante *trenpez* (f. 161r2) zeigt die mfrz. und nfrz. Entwicklung mit metathetischem *-r-*. Fehlt DAF.

טֵיינְץ – *ṬeYYNẒ* (171r3)
טֵינְצְא – *ṬeYNẒə'* (172v1)
טֵינְש – *ṬeYNŠ* (240v9$_{2x}$)

טֵינְץ - *ṬeYNẒ* (240v23)
***tens, *tense***, *m* (10. Jh. *temps*, 12. Jh. *tens*; < lat. TEMPUS) ‘(Jahres-)zeit; Wetter’ (DEAFpré *tens*; TL 10, 228 *id.*; FEW 13-1, 185a *id.*; AND 784b *id.*; DAF 582b *id.*; DMF *temps* I.A; Kiwitt 195 *id.*; Saye 229 *ténç*). Varianten mit [-ə] sind nicht belegt.

אַטֵינְץ אֵי אַה אֻורְא - *'aṬeYNẒ 'eY 'aH 'uWRə'* (160r20)
***à tens et à eure***, *adv.* (ca. 1350 *a heure et a tens*) ‘rechtzeitig’ (TL 6, 1213 *a ore et a tens*). Cf. sonst mit *tens* belegte Wendungen in FEW (13-1, 187b *a tens* ‘au moment voulu’); AND 785b *a tens*; DAF (582b *à tens* ‘bientôt’); DMF s. v. *temps* I.B.1.c *à temps* ‘au moment voulu, opportun, suffisament tôt’; für *eure* cf. FEW (z. B. 4, 469a *en l'eure* ‘aussitôt’); DAF (427a *ore, eure*, ‘heure; moment’); DMF *heure* I.A; Kiwitt (178 *eure* ‘Stunde’); Saye (240 *ure* ‘hour’). Der Beleg aus TL (6, 1213) lautet: »Mais trop lor couste chier ce qu'il ne paieront a heure et a tens« (Phil. Nov. QT 126); die beiden Elemente sind in *Fevres* vertauscht.

טֵייְנְטְא - *ṬeYYNṬə'* (160v20)
**[*tenter*]**, *v. intr.* (Bedeutungserstbeleg, 1120 *tempter Dieu*, 13. Jh. *tenter* ‘donner envie’ < lat. TEMPTARE) *tente (3. sg.)* ‘reizen, aufkommen (vom Würgereiz)’ (DEAFpré; TL 10, 236 ‘in Versuchung führen’; FEW 13-1, 182b ‘donner envie, inspirer le désir de faire qch’; Gdf 10, 754a ‘exciter le désir de’; AND 776b; DAF 582b ‘tenter’; DMF *tenter*$_1$ *v. tr.*). In f. 160v29 ist das Verb im Sinne von ‘reizen’ zu semantisieren, cf. «la vamite qui tente contenuemente» (f. 160v20–21). Fehlt Saye.

טֵרְצֵייְנְא - *ṬeRẒeYYNə'* (179r20–21)
***tercene***, *adj.* → siehe unter *fevre*

טֵירְמִינְא - *ṬeYRMiYNə'* (101v2$_{2x}$, 101v20)
***termine***, *m* (12. Jh.; von lat. TERMINUM) ‘Zeit(-raum), Frist’ (DEAFpré; TL 10, 251; FEW 13-1, 242a; AND 789b; DAF 583a; DMF; Kiwitt 195; Saye 231).

טֵירְא - *ṬeYRə'* (164r14)
***tere***, *f* (10. Jh.; < lat. TERRAM) ‘Erde, Land’ (DEAFpré s. v. *terre*; TL 10, 258; FEW 13-1, 244b; AND 790b; DAF 583b; DMF *terre*; Saye 231 *tére*).

טֵאטְא - *Ṭe'Ṭə'* (178r22)
***tete***, *f* (1080 *teste*; < lat. TESTAM) ‘Kopf’ (TL 10, 282 *teste*; FEW 13-1, 272a *id.*; Gdf 10, 760c *id.*; AND 793b *tete s. v. teste*; DAF 584b *id.*; DMF *teste* A; ATC 301b *id.*; Kiwitt 195; Saye 232 *téte*). Zum Schwund von vorkonsonantischem *s-* cf. die Einleitung, 1.5.2. Die Variante *tête* ist laut FEW (13-1, 272a) seit 1636 belegt. Fehlt DEAFpré.

טֵיטְאשׁוֹרִייץ - *ṬeYṬə'ŠWoRiYẒ* (175r21)
טֵיטְשׁוֹרִייץ - *ṬeYṬŠWoRiYẒ* (179v2)
***tete soris,*** *f* (13. Jh. angl.-nor. *tetesorice*) 'Fetthenne (Genus Sedum L.)' (DEAFpré; *tetesorice*; FEW 13-1, 275b s. v. TESTA mfrz. *teste de souris*, Sedum maximum, FEW 17, 334a s. v. **titta* mfrz. *tette de souris, testesorix, teste de souris*, Sedum acre; AND 794a *tetesorice*). Der botanische Terminus scheint in *Fevres* erstmalig für das Kontinentalfranzösische dokumentiert zu sein. Der Erstbeleg von *teste de souris* wird durch FEW (13-1, 275b) auf das 15. Jh. datiert (hap. leg.). Komposita mit Vertretern von *teste* zur Bezeichnung von Pflanzen sind sonst zahlreich ab dem Mfrz. attestiert (etwa mfrz. *teste de chien*, 'herbe aux puces', mfrz. *teste de grue*, 'géranium', Norm. *tête de loup*, Agrimonia eupatoria, Norm. *tête de jument*, Chrysanthemum inodorum, u. v. a. m., FEW 17, 334a). FEW dokumentiert o. g. Varianten für Sedum acre auch s. v. germ. **titta*, dort zudem auch neufrz. *tétine de souris, tétine de chat* für 'Fetthenne' (FEW 17, 334b). Die Herkunft von altfrz. *tete* in **tete soris* scheint nicht abschließend geklärt zu sein. Cf. auch DAO (1160) altokzit. *teta sorosina*, Sedum acre (Text aus Montpellier, 14. Jh.). Saye (223) interpretiert *soriç* fälschlicherweise als 'mouse'.

טִיאֵייץ - *ṬiY'eYYẒ* (177v7)
***ties***, *adj.* (1080; < germ. **theudisk*) 'deutsch, germanisch' (DEAFpré *tiés* s. v. *tiois*; TL 10, 315 *tïès* s. v. *tïois*; FEW 17, 393b; Gdf 7, 723c s. v. *tiois*; AND 794b *tieis*; DAF 586b *tieis* s. v. *tiois*; DMF *tiois* I; Saye 232 *tiéç* o. Bed.). Die bei Saye ungeklärte Bedeutung kann hiermit ergänzt werden.

טִינְא - *ṬiYNə'* (177v10$_{2x}$)
***tine***, *f* (12. Jh.; < lat. TINAM) 'Bottich' (DEAFpré; TL 10, 311; FEW 13-1, 334a; AND 795b; DAF 586b; DMF A; Saye 232).

טִיזַיינְא - *ṬiYZaYYNə'* (157v9)
טִיזַאנְא - *ṬiYZa'Nə'* (170r9, 170v8)
טִיזֵיינְא - *ṬiYZeYYNə'* (172v14)
***tisane, tisene,*** *f* (13. Jh.; von lat. PTISANAM) 'Aufguss, Absud' (DEAFpré; TL 10, 329 *tisane*; FEW 9, 503a *id.* 'décoction d'orge mondé'; Gdf 10, 771b *id.* 'orge mondée'; AND 796a *id*, DMF *id.* B; Saye 232 *tisané* 'ptisan, a draught'). Altfrz. *tisane* bezeichnete ursprünglich, wie lat. *ptisana*, den Gerstenabsud (cf. gr. πτισάνη, 'gestampfte Gerste'); die Bedeutungserweiterung auf Aufgüsse aller Art belegt FEW erst ab 1690. *Tisane* verliert jedoch offensichtlich bereits im Laufe des 13. Jh.s seine Spezifizierung (cf. RE s. v. *tisane*: 'boisson contenant une faible proportion d'une substance médicamenteuse végétale (obtenue par macération, solution, infusion ou décoction de plantes)'; Bedeutungsbeleg ebenso ab 1690). Fehlt DAF.

טִישִׁיס – *ṬiYŠiYS* (239v8)
***tisis***, *f* (Erstbeleg? 14. Jh. *ptisis*, 1495 *tisis*; von lat. PHTHISIS < gr. φθίσις) 'Schwindsucht; Tuberkulose' (DEAFpré *tisis* (= Saye 232) s. v. *tisique*; FEW 8, 404b; DMF *phtisie*; Saye 232 'consumption'). Die aus dem gr.-lat. subst. entlehnte Krankheitsbezeichnung belegt nur FEW für das Altfrz. TL und Gdf dokumentieren lediglich altfrz. Entlehnungen des gr.-lat. adj. *phthisicus*, 'schwindsüchtig' (cf. TL 10, 330 *tisique*; Gdf 10, 332a *ptisique, thisique*). *Fevres* liefert eventuell den Erstbeleg. Fehlt AND, DAF.

שְׁא טוֹרְנְא – *Šə' ṬWoRNə'* (166v11)
***torner***, *v. refl.* (12. Jh.; < lat. TORNARE) *se torne (3. sg.)* 'sich wenden' (DEAFpré; TL 10, 432; FEW 13-2, 47a *tourner, v. refl.* 'se mouvoir en rond', *tourner, v. intr.* 'revenir'; Gdf 10, 789a *se torner* 's'en retourner'; AND 835a; DAF 591a *torner, v. intr.* 'se diriger vers, *s'en toner* 's'en aller'; DMF *tourner* I *v. intr./refl.*; Kiwitt 195; Saye 234 *tornér*).

טוֹרְטְא – *ṬWoRṬə'* (160r8)
**[*tort*]**, *adj.* (1119; < lat. TORTUM, part. perf. von *torquere*) *torte (m [sic])* 'verdreht, umgekehrt' (TL 10, 451; FEW 13-2, 86b; AND 801a; DAF 592a; DMF *tort*$_2$ I 'mal tourné, pervers, fourbe'; Saye 234 'wrong'). Das adj. in der Form *torte* (f. 160r8) bezieht sich auf ein mask. subst. (*chemin*). Fehlt DEAFpré.

טוֹרְטֵייל – *ṬWoRṬeYYL* (178r21, 178v1, 5)
***tortel***, *m* (11. Jh.; von *torte* < lat. TORTAM) 'kleines rundes Brot' (DEAFpré s. v. *torte*; TL 10, 458; FEW 13-2, 110a altfrz. *turtel*, judfr. *tortel* = DB 1012 'galette cuite sous la cendre'; Gdf 7, 765a; AND 836b; DMF *tourteau*$_1$ A; Kiwitt 195; Saye 234 *tortél*). Cf. die – bis auf die Vokalisierung – identische Transkription in DB (1012, Sab. 19b, k): טורטייל.

טוֹשׁ – *ṬWoŠ* (100v15)
***tos***, *f* (12. Jh.; < lat. TUSSEM) 'Husten' (DEAFpré *tos*$^2$; TL 10, 465; FEW 13-2, 433b; AND 837a; DAF 592b; DMF *toux*; Saye 254). Die lat. Entsprechung lautet bei Constant. Afric. (*Lib. febrium*, f. CCXVr, col. A) *screatus*, 'Räuspern' (GH 2, 2541).

טוֹט – *ṬWoṬ* (162v2, 163r3, 163v5)
***tot***, *adv.* (10. Jh. *tost;* < vlat. *tostum*) 'bald' (DEAFpré; TL 10, 469 *tost*; FEW 13-2, 118a *id.*; AND 802; DAF 592b *id.*; DMF *id.* B; Saye 235). Zum Schwund vorkonsonantischen *s-* cf. die Einleitung, 1.5.1. *Tôt* ist laut FEW erst seit 1636 belegt.

טוֹטבֿוֹיֵייש – *ṬWoṬVWoYeYŠ* (161r14)

***totevoies***, *adv.* (1160; von *tote voie*) ‘dennoch’ (TL 11, 635 *totes voies* s. v. *voie*; FEW 14, 378a; AND 848a *tut vois*; DAF 593a; DMF *toutevoie* B; Saye 235 *totvoiés*). Fehlt DEAFpré.

טְרַבְֿלֵייר – *ṬRaVLeYYR* (239v19)

***traveler***, *v. intr.* (12. Jh. *travaillier*; < vlat. **tripaliare*) ‘sich mühen’ (DEAFpré *travélér* (= Saye 235) s. v. *traveillier*; TL 10, 542 *travaillier, traveillier*; FEW 13-2, 288b *travailler*; Gdf 8, 24c *travaillier, traveler* ‘souffrir une peine quelconque’; AND 810a *traveller;* DAF 595a *travaillier*; DMF *travailler* II.B ‘prendre de la peine, faire effort en vue de qqc’; Kiwitt 196 *traveiller*; Saye 235 *travélér* ‘to work’). Gdf (8, 25b) belegt nur *travaillier, v. refl.* in der hier relevanten Bedeutung ‘employer tous ses efforts’.

טְרֵינְקַֿאנְט – *ṬReYNČa’NṬ* (240v19)

***trenchant***, *adj.* (hap. leg. für die Bedeutung, 1080 ‘qui coupe bien’, 12. Jh. ‘schneidend’; von *trenchier* < vlat. **trinicare*) ‘schnell, heftig (vom Puls)’ (DEAFpré s. v. *trenchier* ‘qui tranche’; TL 10, 586–587 ‘schneidend’; FEW 13-2, 279b ‘qui coupe bien; poignant; aigu’; Gdf 10, 798a tranchant ‘qui tranche; poignant’; AND 815a *trenchant s. v. trencher* ‘sharp, peremptory, keen’; DMF I.B ‘qui tranche’; Saye 236 ‘cutting’). Das adj. spezifiziert *pus*; mit «le pus est ague trenchant et hatif» (f. 239v19) wird lat. «pulsus acutus[458] et velox» (*Lib. febrium*, L, f. CCXXIVv, col. A) wiedergegeben, wobei *trenchant* hier eine Hinzufügung des Autors sein dürfte. Die medizinische Verwendung des Terminus ist durch die Lexika bisher nicht belegt. Das aus dem part. praes. gebildete adj. fehlt DAF s. v. *trenchier* (596b).

טְרֵינְקֿוֹר – *ṬReYNČWoR* (170v1)

****trencheur***, *f* (hap. leg. für die Bedeutung, 12. Jh. ‘Schnitt’; von *trenchier* < vlat. **trinicare*) ‘Heftigkeit, Intensität (von Krankheiten)’ (DEAFpré *trencheüre* ‘action de couper’ s. v. *trenchier*; TL 10, 582 *trenchëure* ‘Schnitt’; FEW 13-2, 281a *trancheure* ‘action de couper, coupure’; Gdf 8, 12a *trench(e)ure*, id.; AND 815a *trenchure* ‘cutting’; Saye 236 *trenchur* ‘colic, gripes’). Der Terminus in hier anzunehmender Bedeutung ist außerhalb von *Fevres* nicht belegt. *Trencheur de la fevre* (f. 170v1–2) entspricht im lat. Text des Constant. Afric. *acumen*[459] *febris* (*Lib. febrium*, L, f. CCXVIIIv, col. A). Für die Repräsentation von [œ] cf. die Einleitung, 1.4.2. Cf. auch Kiwitt (125): *trenchante-*

458 Mlat. *acutus*, *adj.* ‘schnell, heftig, lebhaft’ (MLWB 1, 146).

459 Lat. *acumen*, *n* ‘Heftigkeit (von Krankheiten)’ (MLWB 1, 143). *Acumen* in angegebener Bedeutung wird hier mehrfach in medizinischen Texten attestiert.

*té*, 'caractère aigu et intense d'une affection morbide'. Die Semantisierung durch Saye ist auf die Interpretation anderer Textstellen zurückzuführen. Fehlt DAF.

טְרֵירְא- *ṬReYRə'* (240r3)
***trere***, *v. tr.* (12. Jh.; < lat. TRAHERE) '(an-)ziehen' (DEAFpré s. v. *traire*; TL 10, 500; FEW 13-2, 177a; Gdf 8, 1a; AND 804a; DAF 593b 'attirer'; DMF *traire* I.A; Saye 236 *trére*).

שְׁא טְרֵט - *Šə' ṬReṬ* (166v5)
**[*trere*]**, *v. refl.* (11. Jh.; < lat. TRAHERE) *se tret (3. sg.)* 'sich hin zu ... bewegen, sich annähern' (TL 10, 507 *soi traire*; FEW 13-2, 180a *traire, v. refl.* 'se rendre, se diriger quelque part'; Gdf 8, 3c *traire, trere, v. refl.* 'se diriger'; AND 804a *trere*; DAF 593b *v. refl.* 'sortir, s'en aller'; DMF *traire* II.C; Saye 236 *trére*). Zur Diphthongreduktion cf. die Einleitung, 1.5.1.

טְרֵייש - *ṬReYYŠ* (160r13, 162r23, 163r1, 8)
טְרֵי - *ṬReY* (161r20, 162v2, 163r3)
***tre(s)***, *adv.* (1080 *tres*; < lat. TRANS) 'sehr' (TL 10, 597; FEW 13-2, 197b; AND 815b; DAF 597b; DMF *très* II; Kiwitt 196; Saye 237 *trés, tre*). Die in *Fevres* auftretenden Varianten legen nahe, dass die Artikulation von finalem [s] im 13./14. Jh. oszillierte, und zwar unabhängig von darauffolgendem Laut (160r13, 163r3, 8: *tres grant*; 162r23: *tres feble* vs. 161r20: *tre ben*; 162v2, 163r3: *tre tot*); cf. 1.5.2. Fehlt DEAFpré.

טְרוֹבְלְא - *ṬRWoBLə'* (166r23, 166v14, 168v6, 169r10, 240r5)
***troble***, *adj* (13. Jh.; von vlat **turbulum*) 'trüb' (TL 10, 401; FEW 13-2, 427a 'qui est brouillé, qui n'est pas limpide (eau, etc.)'; AND 828b *truble*; DAF 590a *torble* 'trouble, mêlé'; DMF $trouble_2$ A.1 'dont la limpidité est altérée, qui n'est pas ou qui n'est plus transparent'; Saye 238). Fehlt DEAFpré.

טְרוֹבְלְא - *ṬRWoBLə'* (169r8)
***troble***, *m* (hap. leg. für die Bedeutung, 1195; von *troble, adj.*, cf. supra) 'Trübung, Ausfällung (in Körperflüssigkeiten)' (DEAFpré *torble* 'partie épaisse, troublé, du vin' s. v. *trobler*; TL 10, 403 'Verwirrung, Störung'; FEW 13-2, 424b altfrz. *tourble* 'inquiétude, agitation de l'esprit'; Gdf 10, 785a 'état où la limpidité est altérée'; AND 829a *truble*; DAF 590a *torble* 'partie épaisse du vin'; DMF $trouble_1$ II; Saye 238 'trouble'). Die Verwendung des subst. als Terminus technicus der Medizin ist bisher nicht nachgewiesen; DEAFpré dokumentiert eine singuläre Stelle aus einem literarischen pikard. Text.

טְרוּבְלְטֵי- *ṬRWoBLṬeY* (167r23)
***trobleté**, *f* (Erstbeleg; von *troble, adj.*, cf. supra) ‘Ausfällung (in Körperflüssigkeiten)’ (DEAFpré (= Saye 238) s. v. *torble*; FEW 13-2, 425a mfrz. *troubleté* ‘impureté dans un liquide’; Gdf 7, 749a–b *torbleté*; Saye 238 ‘unsettled condition’). Gdf datiert den Erstbeleg auf die zweite Hälfte des 14. Jh.s; die Dokumentation durch *Fevres* ist früher anzusetzen. FEW etikettiert *troubleté* als ein hap. leg. aus dem 16. Jh. Die Interpretation von Saye ist zu korrigieren. Fehlt TL, AND, DAF und DMF.

טְרוֹצִיצִי דְאאַרְצֶאנִיק – *ṬRWoẒiYẒiY Də’’aRẒe’NiYQ* (161v18, 163r24)
טְרוֹצִיצִי אַרְצִינִיקַשׁ – *ṬRWoẒiYẒiY ’aRẒiYNiYQaŠ* (162r1)
טְרוֹצִיצִי אַרְצֵינִיקַשׁ – *ṬRWoẒiYẒiY ’aRẒeYNiYQaŠ* (162r12)
**[*trociscus de arsenic, *t. arsinical, *t. arsenical (?)]**, *m* (Erstbeleg) *trocisci de arsenic, t. arsnicas, t. arsenicas (pl.)* ‘Arsentrochiske’. Lat.-altfrz. Hybrid, das mlat. *trociscus arsenicus* wiedergibt (so an den entsprechenden Textstellen in *Lib. febrium* nach L, f. CCXVIIIr, col. A und col. B). Zu *trociscus*, ‘Trochiske’, cf. s. v. im *Lateinischen Glossar* (3.3).[460] Das subst. *arsenic, m* (14. Jh.; von splat. *arsenicum*) bedeutet ‘Auripigment (Arsensulfid)’ (TL 1, 550; FEW 25-1, 350a; AND2 OE *arsenik*; DMF *arsenic* I.A; Saye 36 *arçénic*). FEW attestiert die Bezeichnung für diverse chemische Verbindungen. Die ursprüngliche Bedeutung, die ἀρρενικόν im Griechischen und in der lateinischen Entlehnung *arrhenicum* (*arsenicum* seit Isidor) hatte, war ‘Auripigment’, ein Arsensulfid (cf. Caelius Aurelianus, «*auripigmenti*, quod Graeci *arsenicon* vocant», zit. nach ThLL 2, 636, oder mlat. Glossen, z. B. «arsenicum, auripigmentum, operment», Gloss. III 525,29, zit. nach MLBW 1, 985). In dieser Bedeutung wurde *arsenic*, gemäß FEW (25-1, 353a), im 14. Jh. ins Frz. (und Okzit.) entlehnt und ist bereits für sich genommen wohl ein Erstbeleg in *Fevres*.

Die Form **arsenicas*/*-sini-* (Saye 36 *arçanikas, arçénikas, arçinikas* ‘orpiment, arsenic’) ist als subst. im pl. zu interpretieren, da sie auch mit *de* verbunden wird (*trocisi de arsenicas roge et cetrin*, f. 163r15–16, cf. infra). In diesem Fall ist anzunehmen, dass *arsenica*, pl. von lat. *arsenicum* (‘Auripigment’, MLWB 1, 985; GH 1, 592), lexikalisiert ins Frz. entlehnt wurde und flektiert werden konnte; eine vergleichbare Form findet sich auch bei *balaustias* (cf. unter **balaustia*). Ebenso wäre an eine ad-hoc-Bildung auf der Basis des seit dem Mfrz. belegten adj. *arsenical* ‘qui contient de l’arsenic’ (FEW 25-1, 351a) zu denken; FEW belegt Formen wie nfrz. *arsenical*

---

460 In Goltz (1976, 178) werden unterschiedliche Trochsikenarten genannt, etwa *trocisci diarodon, t. de tyro*, u. a.

(sg.), 'médicament dérivé de l'arsenic' sowie *arsénicaux* (pl.), 'remède pourissant'. Das Kompositum **trocisci arsenicas/-sini-* wäre damit als präpositionslose Genitivkonstruktion zu lesen, die den hebr. *status constructus* imitiert (cf. Einleitung, 1.1.3). Alterativ ist auch eine mit mfrz. *arsenical* vergleichbare adjektivische Form im Plural (*arsenicaux*) in Betracht zu ziehen. Die Variante in f. 162r1 (*'aRẒiYNiYQaŠ*) zeigt die häufig zu beobachtende Alternation zwischen [e] und [i] (cf. Einleitung, 1.4.2); moderne dialektale Formen mit *arsi-* belegt FEW (25-1, 350a–b) für den wallon. Sprachraum, z. B. *arsinicque, arsinic* 'acide aersénieux'; auch das Mlat. kannte *arsinicum* (cf. MLWB 1, 985).

טְרוֹצִיצִי דְאַארְצֵאנִיקַשׁ ... סֵיטְרִין – *ṬRWoẒiYẒiY Də''aRẒeYNiYQaŠ ... SeYṬRiYN* (163r15–16)

[**trociscus de arsenica cetrin*], *m* (Erstbeleg) *trocisci de arsenicas cetrin (pl.)* 'Trochsike aus gelbem Auripigment'. Spontane Bildung aus *trociscus* (cf. s. v. im *Lateinischen Glossar*, 3.3) und *arsenica cetrin* (TL 2, 452 *arsenic citrin* s. v. *citrin*; FEW 25-1, 350a nfrz. *arsenic citrin* 'orpiment'), wobei Letzteres eine Lehnübersetzung des mlat. *arsenicum citrinum* (MLWB 1, 985) und Antonym zu **arsenica roge* (cf. infra) ist. Für die Form **arsenicas* cf. supra. Die entsprechende Stelle im *Lib. febrium* sagt: «*Recipe* arsenici rubei et citrini» (*Lib. febrium*, L, f. CCXVIIIr, col. B). Constant. Afric. erläutert an anderer Stelle: «Arsenicum duobus modis est, citrinum et rubeum» (Constant. Afric. *grad.* p. 383, 1, zit. nach MLWB 1, 985); die *Alphita* (A2) sagt: «Arsenicum, auripigmentum citrinum. Sandaraca, auripigmentum rubium. Quando auripigmentum simpliciter invenitur, de citrino intelligitur» (zit. nach GGA 141). FEW (25-1, 353a) bemerkt zur Differenzierung der beiden Auripigmentarten: «Comme les composés principaux de l'arsenic natif dans l'alchimie médiévale, les sulfures naturels réalgar (AsS) et orpiment (As2S3), ne diffèrent que par la proportion de soufre et la couleur (*arsenic rouge* = réalgar; *arsenic jaune* = orpiment), et comme ils sont employés dans le même but, il lest parfois difficile de les distinguer dans les anciens textes. Les dictionnaires, en tout cas, les ont souvent confondus». Cf. sonst für *cetrin, adj.* (12. Jh. *citrin*; von lat. CITRUM), 'zitronenfarbig, gelb', TL (2, 452 *citrin*); FEW (2, 720b *id.*); AND2 (OE *id.*); Kiwitt (172); Saye (216 *sétrin*). Eine frz. Variante von *citrin* mit *-e-* gibt FEW (2, 720b) sonst nur für den zitronenfarbenen Stein *cetrine* an (15. Jh.); für die Alternation zwischen *-e-* und *-i-* cf. die Einleitung, 1.4.2. Cf. auch s. v. **mirablana citrin*.

טְרוֹצִיצִי דְאַארְצֵאנִיקַשׁ רוֹגְא – *ṬRWoẒiYẒiY Də''aRẒeYNiYQaŠ RWoĞə'* (163r15–16)

[**trociscus de arsenica roge*], *m* (Erstbeleg) *trocisci de arsenicas roge (pl.)* 'Trochsike aus rotem Auripigment, Realgar'. Spontane Bildung aus *trocis-*

*cus* (cf. s. v. im *Lateinischen Glossar*, 3.3) und **arsenica roge* (FEW 25-1, 350a mfrz. *arsenic ros, arsenic rouge* 'réalgar'), Lehnübersetzung des mlat. *arsenicum rubium* (cf. supra, MLWB 1, 985) und Antonym zu **arsenica cetrin*. Cf. zur Erläuterung supra. Für *roge, adj.*, cf. s. v. *roge*.

טְרוֹבֵּי- *ṬRWoVeY* (162r22, 162v5)
טְרוֹבֵּייר- *TRWoVeYYR* (239r7)
טְרוֹבֵּייץ- *ṬRWoVeYYẒ* (240v13)
***trover***, *v. tr.* (1080; < vlat. **tropare*[461]) *trovai (1. sg. passé simpl.), trovés (part. perf. pl.)* '(vor-)finden; erlangen' (DEAFpré; TL 10, 697; FEW 13-2, 319b; AND 827b; DAF 603a; DMF *trouver*; Kiwitt 196; Saye 238 *trovér*).

## U

אֻוֵייש - *'uWYeYŠ* (170v10)
אוּיֵייש - *'WuYeYŠ* (173v5)
**[*uel*]**, *m* (10. Jh. *ol*, 13. Jh. *uel*; < lat. OCULUM) *uez (pl.)* 'Auge' (DEAFpré *uez* s. v. *ueil*; TL 11, 7 *ueil, oel* u. a. pl. *ieuz* u. a.; FEW 7, 310a *ue(i)l* u. v. a. m., pl. *eus*; Gdf 10, 226c *oel* s. v. *oil*, pl. *eus*; AND2 OE *oel* s. v. *oil*; DAF 419b *ueil* u. a., pl. *ieus* u. a.; DMF *oeil* A; Saye 239 *uil, uiél, ul*). Die graphische und dialektale Repräsentation zur Bezeichnung des Auges weist eine große Bandbreite auf. Auch in *Fevres* variiert die Transkription für dasselbe Lexem (cf. die Varianten bei Saye 239). Der Beleg aus DEAFpré stammt aus einem südostfrz. Text aus dem beginnenden 13. Jh.

אוּיילֵייץ - *'WuYYLeYYẒ* (173v20)
**[*u(i)le*]**, *f* (1120 *oile*, 1250 *huile* < lat. OLEUM) *uiles (pl.)* 'Öl' (DEAFpré *uile*; TL 11, 21 *uile, ole*; FEW 7, 341a–b *oile, huile*, altpik. *ole*, lothr. *ûle*; AND2 OE *ulie* s. v. *oile*; DAF 420b *oile*; DMF *huile*; ATC 273b *oile*, pl. *oiles*; Kiwitt 196; Saye 239 *uile, ule*, pl. *uiléç*). In *Fevres* erscheint im sg. *ule* (cf. infra), im pl. *uiles*. Die moderne Variante *ûle* stammt aus der Gegend um Verdun (cf. FEW 7, 341b). Für die alten Dialekte weist FEW nur diphthongierte Formen wie *oile* u. a. nach; eine Ausnahme bildet altpik. *ole*. Verbindungen des

461 FEW (13-2, 321s.) korrigiert die Auffassung DIEZ', *trouver* sei aus lat. TURBARE entstanden (der semantische Weg gehe danach über 'verwirren' > 'durchsuchen' > 'finden'), indem er die Entwicklung aus lat. *tropos* (< gr. τρόπος) 'bildlicher Gebrauch eines Wortes' über **tropare* 'in Allegorien reden' und somit 'dichten' aufzeigt, das dann auch die Bedeutung 'finden' angenommen habe, als das lat. Wort *invenire* (auch: 'finden' und 'dichten') ausstarb. Sicher ist, dass bei **tropare* die Bedeutung 'erfinden, erdichten' die ältere ist und 'finden' sekundär dazu entstanden ist.

Typus *ule de* (nom de plante ou d'animal), 'composition obtenue en faisant infuser dans de l'huile d'olive des fleurs, des racines, des animaux, etc', belegt FEW (7, 342a *huile de*) erst ab Paré. Dass derartige Syntheme schon früher dokumentiert sind, ist durch ATC belegt; cf. bspw. *oile d'amandres douces, oile d'anet, oile de camomille, oile roset*, u. v. m. (cf. auch infra).

אֻולְא דְאַמַאנְדֵייץ - *'uWLə' Də'aMa'NDeYYẒ* (172v13)

***ule de amandes**, f*, 'Mandelöl' (AND2 OE *oile de alemandes* s. v. *oile*; DMF *huile d'amandes* s. v. *huile* B.2). Für *ule* cf. weiterhin supra; für *amande, f* (13. Jh.; < splat. *amandula*, für *amygdala* < gr. ἀμυγδάλη), 'Mandel (Amygdalus sativa Mill.)', cf. TL (1, 333); FEW (24, 501b); DMF *amande*; Saye (28 *amandéç*, pl.). Fehlt DAF. Cf. auch ATC (273b): *oile d'amandres douces*; cf. auch *let d'amandes*.

אֻולְא דְאקַאמוֹמִילְא - *'uWLə' Də'QaMWoMiYLə'* (173v17)

***ule de camomile**, f*, 'Kamillenöl' (DMF *huile de camomille* s. v. *huile* B.2; ATC 273b *oile de camomille*). Für *ule* cf. supra; für *camomile, f* (ca. 1250 *camomille*; < lat. CAMOMILLAM), 'Kamille (Chamomila recutita (L.) Rauschert, Matricaria chamomila L.)', cf. TL (2, 19 s. v. *camemile*); FEW (2, 148a *camomille*); AND2 OE *camomille* s. v. *camamille*; DMF *camomille*; ATC (222b id.); Kiwitt (99 id.); Saye (118 *kamomile*). Den Erstbeleg von *camomille* liefert ATC; die Datierung durch FEW («seit 1322», FEW 2, 148a) ist entsprechend zu korrigieren. Auch TL (2, 19) hat mit Harl. Gl. 140a einen späteren Beleg (Ende 13. Jh.). Zu diversen synonymen Nomenklaturen der Kamille cf. LAD (1, 180). Fehlt DAF.

אֻולְא מַנְדְרַאגוֹרֵי - *'WuLə' MaNDRa'GWoReY* (176r10)

***ule mandragore**, f*, 'Alraunenöl'. Das Synthem, Lehnübersetzung von lat. *oleum mandragoratum* (s. u.), besteht aus altfrz. *ule* (cf. supra) und dem lat. gen. sg. von *mandragora, -ae, f* (von gr. μανδραγόρας) 'Alraune (Mandragora L.)', siehe DuC (5, 214a); GGA (474); Sin (71,7 u. a.); GH (2, 793 *mandragoras, -ae, m*); NPRA (153s. *id., mandragora*); Kiwitt (145 *mandragorus, m*); Saye (146 *mandragoré*); cf. AND2 OE *oile mandragorat s. v. mandragorat*;. Cf. die *Alphita* (M14): «Mandragora herba est de cuius pomis fit oleum mandragoratum» (zit. nach GGA 245). Cf. ferner *madregole*, id., in Blondheim (1925, 75, Nr. 90).

אֻולְא דְאמֵירְטִילֵי - *'uWLə' Də'MeYRṬiYLeY* (157r1–2)

***ule de mertile**, f*, 'Myrtenöl' (TL 6, 88 *oile de mirte* s. v. *mirte*; FEW 6-3, 317a *oile mertin* 'huile de myrte'; AND2 OE *oile de mirte* s. v. *mirte*;). Für *ule* cf. supra; für Referenzen und Besprechung zu **mertile* cf. supra s. v.

[אֻולְא] דְא פּוֹפְּלִיאוֹן - [*' WuLə'* ] *Də' PWoPLiY' WoN* (176r11)

***ule de poplion**, f*, 'Pappelöl'. Für *ule* cf. supra. **Poplion*, 'Pappel (Populus L.)', ist laut TL (7, 1434), FEW (9, 181a) und Gdf (7, 352b) in alt-mfrz. Zeit (13.–

14. Jh.) als *poupelin, popelin,* 'peuplier', attestiert. Formen auf *-on* sind gemäß FEW seit dem 16. Jh. (mfrz. *pouplion*) in der Bedeutung 'onguent de peuplier' belegt; moderne dialektale Varianten (z. B. *popilion*) mit derselben Bedeutung stammen fast ausschließlich aus der Region Poitou. Varianten des Typus **poplion* zur Bezeichnung des Pappelbaumes (cf. Saye 188 'poplar tree') sind außerhalb von *Fevres* nicht dokumentiert.

אֻולְא דְא רוֹזְא – *'uWLə' De' RWoZə'* (161v19)

אֻולְא דְארוֹזֵייש – *'uWLə' Də'RWoZeYYŠ* (156v22, 158r14, 161v12, 162v14, 173v8, 176r19)

אוּלְא רוֹזֵייש – *'WuLə' RWoZeYYŠ* (176r9–10)

***ule de rose(s), *ule roses,*** *f,* 'Rosenöl'. Für *ule* cf. supra, für *rose* cf. supra s. v. Das Synthem *uile, oile rose* belegen TL (8, 1481) und FEW (10, 477a *id.*) in Marbode (*Lapid. A* 793) und Moamin (II, 48,19). Cf. auch *eve rose, eve de roses.*

אוּלְא רוֹזֵייט – *'WuLə' RWoZeYYṬ* (179r11)

***ule roset,*** *f,* 'Rosenöl' (TL 8, 1472 *uile, ole rosat*; Gdf 10, 591c *huile rosat*; ATC 273b, 289b *oile roset;* AND2 OE *oile rosat s. v. oile*; DMF *huile rosat* s. v. *huile* B.2). Cf. weiterhin für *rosat, adj.* (13. Jh.; von *rose*), 'Rosen-', FEW (10, 481b 'où il entre des roses (huile, onguent, sirop, vinaigre, etc.)); DAF (533b *eve rosade*). *Roset, adj.* fehlt Saye.

[אוּלְא] דְא וִיאוֹלֵייש – [*' WuLə'* ] *Də' WiYWoLeYYŠ* (176r19)

***ule de violes,*** *f,* 'Veilchenöl'. Für *ule* cf. supra, für *viole* infra s. v. TL (11, 516) dokumentiert *oile viole* (aus Moamin II, 20,2). Das Synthem ist sonst nicht belegt; zur Spezifizierung des Öls war im Altfrz. das adj. *violat/ -et* gebräuchlicher (cf. infra). Cf. zur medizinischen Verwendung des Veilchenöls LAD (2, 393).

אוּלְא וִיאוֹלֵיטְא – *'WuLə' WiY'WoLeYṬə'* (179r12)

***ule violete,*** *f,* 'Veilchenöl' (TL 11, 515 *uile vïolat*; Gdf 8, 253c *uile violat*; ATC 307b *oile violet*; AND2 OE *oile violate* s. v. *oile*). *Violete* ist hier ein adj. (f sg.), das Medikamente spezifiziert, die mit Hilfe von Veilchen hergestellt sind (TL 11, 515 *vïolat* 'Veilchen-'; FEW 14, 485b *violat* 'préparé avec des violettes (huile, sirop, sucre)'; Gdf (8, 253c) *violat* 'faite avec des violettes'; DMF *violat* 'préparé avec des violettes'), analog zu *roset,* und ist nicht mit *violete, f,* zu verwechseln. Lehnübersetzung von lat. *oleum violaceum.* Cf. zur medizinischen Verwendung des Veilchenöls LAD (2, 393).

אֻונְקוֹרְא – *'uWNQWoRə'* (162v25, 165r16, 167r12, 168v13, 15, 174r2, 178r1)

אֻון קוֹרץ – *'uWN QWoRẒ* (164v23)

אֻונְקוֹרֵייץ – *'uWNQWoReYYẒ* (168r7)

***uncore, *uncor(e)s,*** *adv.* (11. Jh. *uncor*; < lat. HANC AD HORAM) 'noch; außerdem' (TL 3, 244ss. *uncor, onquors*; FEW 4, 473b–475a *encore, encors, uncor*

u. a.; Gdf 9, 455a *encore, onquors*; AND 478b *uncore*; DAF 606b *uncor(e)* mit Verweis auf *onquore*; DMF *encore*; Gamillscheg 1, 366b *uncor*; Kiwitt 196; Saye 240 *unkore, unkorç*, u. a.). Die Trennung von **un* und **cors* in f. 164v23 ist graphisch bedingt.

אֻוזַאֵיא - *'uWZa'YeY'* (163v24)
***usage***, *m* (12. Jh.; < mlat. *usagium*) 'Brauch, Gewohnheit' (DEAFpré s. v. *user*; TL 11, 59; FEW 14, 84b; AND 481a; DAF 607a; DMF II, III; Saye 241 *uzaje*[462]). Cf. die Einleitung für die Verwendung von Yod als Repräsentation von [ʒ] (1.4.2). Auffällig bei der hebr. Graphie ist finales - *eY'*, wodurch sonst [-e] und nicht [-ə] transkribiert wird; an dieser Stelle ist jedoch ein subst. und kein part. (wie etwa *usagé*, cf. FEW 14, 85a) erforderlich (Textstelle: «par usage», f. 163v24).

אֻוזֵייר - *'uWZeYYR* (164r15, 176v17)
***user***, *v. tr.* (1080; < splat. *usare*) 'zu sich nehmen' (DEAFpré; TL 11, 63 'essen, zu sich nehmen'; FEW 14, 70a 'faire usage (d'un aliment, etc.)'; AND 481b 'to use, practise'; DAF 606b; DMF I.C.2 'consommer qc'; Saye 241 *uzér* 'to use, partake').

## V

וַאלַאנְט - *Wa'La'NṬ* (162r11)
***valant***, *adj.* (13. Jh. *vaillant* 'qui a du mérite'; < *valoir*, cf. infra) 'verdient' (TL 11, 104 *vaillant* s. v. *valoir* 'wert'; FEW 14, 131a *id.* 'qui a du mérite'; Gdf 8, 131c *vaillant, vailant*, u. a. 'd'un haut mérite, doué de grandes qualités'; AND 840b; DAF 609b id.; DMF *vaillant* I.A 'qui a de la valeur, qui est de valeur'; Saye 241 'strong, healthy'). Die Semantisierung des adj. durch Saye kann zwar durch die Lexika belegt werden (cf. z. B. Gdf 8, 131c 'robuste, vigoureux'); der Kontext lässt jedoch an dieser Stelle auf einen schlechten Gesundheitszustand des Patienten schließen (cf. weiter unten: «les physiciens vont dire à ses amis que il ne poet echaper en nule manere», f. 162r18–19), so dass eine andere Interpretation wahrscheinlicher ist. Der lat. Text spricht nur von einem «Romanus» (*Lib. febrium*, L, f. CCXVIIIr, col. A). Durch einfaches Lamed wird auch [ʎ] transkribiert (cf. Einleitung, 1.4.2); Rheinfelder (1967, 226) belegt auch ein «später[es]» *valant*.

---

**462** Für *uzajé*?

בַּאוֹט – *Va'WoṬ* (101r12)
בַּאלֵיינְט – *Va'LəYYNṬ* (159r16, 160r22)
בַּאלְט – *Va'LṬ* (159v16, 160v19, 177r6)
בַּאלֵינְט – *Va'LeYNṬ* (160v12, 172v17)
בַּאדְרַא – *Va'DRa'* (177r18)
בוֹרֵייט – *VWoReYYṬ* (240r8)
**[*valoir*]**, *v. intr.* (1080; < lat. VALERE) *vaut, valt (3. sg.), valent (3. pl.), *vadra (3. sg. fut.), vauret (3. sg. cond.)* 'helfen, nützlich sein' (TL 11, 99; FEW 14, 131a; AND 842a s. v. *valer*; DAF 610b; DMF I.B.1 'avoir de la valeur, être utile, efficace'; Kiwitt 196; Saye 241 *valér*). *Va'DRa'* (f. 177r18) scheint verschrieben für *vaudra. Vauret* (*VWoReYYṬ*, f. 240r8) zeigt die reguläre Basis *vau-*, die neben *vaud-* steht (für die Formen cf. Buridant 2000, 292). Saye (251) ordnet *VWoReYYṬ* (f. 240r8, als *vorét*) irrtümlicherweise s. v. *vouloir* ein (3. sg. cond.).

בֵּישִׁי – *VeYŠiY* (159r7, 159v4, 160v10, 18, 169r18, 177r5, 178r3, 239r5)
***veci***, *adv.* (1175. Jh. *vez ci*; Imperativ von *veioir ci* < lat. VIDE ECCE) '(seht) hier' (TL 11, 235 *vez ci, veci*; FEW 14, 426b *vez ci, vez ici*, judfr. *vesci* u. a.; AND 847a *ves ci*; DMF *voici*; Saye 246 *vési* s. v. *vésé*). Fehlt DAF.

ויֵיל – *WYeYL* (173v19)
***vel*** → siehe s. v. *moele de vel*

וֵינִינֻוזְא – *WeYNiYNuWZə'* (164r14, 15)
*****venineux***, *adj.* (12. Jh. *venimos*, 13. Jh. *venimeux*; von lat. VENENUM) *venineuse (f)* 'giftig' (TL 11, 163 *venimos*; FEW 14, 235b *venimos, venimeux*; Gdf *id.*; AND 854a *venimus*; DAF 613b *venimos*; DMF *venimeux* A). Das die letzte Silbe einleitende Nun (anstelle eines zu erwartenden Mem) ist wahrscheinlich spontan durch Assimilation entstanden; die Endung auf [-ø] (<-*eux*>) ist seit dem 13. Jh. belegt (cf. FEW 14, 235b).

בֵּיינְט – *VeYYNṬ* (173v10)
***vent***, *m* (11. Jh. 'déplacement plus ou moins rapide de l'air, suivant une direction déterminée'; < lat. VENTUM) 'Luft (in Organen des menschlichen Körpers)' (TL 11, 185; FEW 14, 258a mfrz. *vent* 'air en général'; AND 856a; DMF *vent* C.2.a 'souffle, toute matière aérienne du corps'; ATC 306a *vens* 'air'; Saye 244 *vént*). TL zitiert Kontexte, in denen *vent* im Sinne von Luft im Körper verwendet wird («la vesie du buef qui de vent est enflée», *Méon* II, 294,29). Die Datierung des Erstbelegs bei FEW ist zu korrigieren. Fehlt Gdf und DAF in dieser Bedeutung.

וֵינְטוֹזְא - *WeYNṬWoZə'* (174r3)
***ventose***, *f* (1256 *venteuse*; von mlat. *ventosa (cucurbita)*) 'Schröpfkopf' (TL 11, 200; FEW 14, 254a *vent(u)euse*, *ventouse* 'vase qu'on applique sur la peau pour produire une congestion locale en raréfiant l'air'; Gdf 10, 842a *ventouse*, *venteuse*; AND 857b; DMF *ventouse*$_1$; ATC 306b *ventouse*; Saye 244 *véntoze*). Fehlt DAF.

בֵּנְטוֹזִיטֵי - *VeNṬWoZiYṬeY* (174r5)
***ventosité***, *f* (13. Jh.; von *ventous*, adj. < lat. VENTOSUM) 'Blähung, Darmwind' (TL 11, 200 s. v. *ventoseté*; FEW 14, 254a; Gdf 10, 842a; AND 857a; DMF C; ATC *ventositeit*; Saye 244 *véntozité*).

בֵּנְטֵר - *VeNṬeR* (157v18, 160v1, 167r1)
בֵּינְטֵר - *VeYNṬeR* (163v6)
בֵּינְטְרְא - *VeYNṬRə'* (178v19)
***ventre***, ****venter***, *m* (1080 *ventre*; < lat. VENTREM) 'Bauch' (TL 11, 204 *ventre*; FEW 14, 248a *id.*; Gdf 10, 842b *id.*; AND 857a *id.*; DAF 614b *id.*; DFM *id.*; Kiwitt 196; Saye 244 *véntér* s. v. *véntre*). Cf. die Einleitung für das Phänomen der metathetischen Endung *-er* statt *-re* bei der Variante **venter* (1.4.2).

וֵייר - *WeYYR* (240v10)
***ver***, *m* (12. Jh.; von lat. VEREM) 'Frühjahr' (TL 11, 239; FEW 14, 272a; Gdf 8, 183b; AND 858a; DAF 615a; DMF *ver*$_2$). Fehlt Saye.

בֵּרִיוּץ - *VeRYWuẒ* (157v16)
בֵּירדגׄוּש - *VeYRDǦWuŠ* (176r4)
בֵּרְגׄוּש - *VeRǦWuŠ* (176r19)
***verjus***, ***verdjus***, *m* (1200; von *vert jus*) 'Saft unreifer Trauben' (DEAF J, 770–771 *verjus*, *vert jus* 'condiment fait de jus de raisins (blancs) restés immatures et vert, au sel'; TL 11, 283 *verjus*, *vertjus*; FEW 5, 84b frz. *verjus*; Gdf 10, 850a *vertjus*, *verjus*, *vergus*; AND 863a *vertjouse*; DMF *verjus* A; Kiwitt 196 *id.*; Saye 245 *vérjuç*). Die hebr. Transkription von *verjus*, eine Lehnübersetzung von mlat. *viridis succus* (DuC 8, 351b; cf. DEAF J, 770), weist eine alternierende Repräsentation des [ʒ] durch *-Ǧ-* oder *-Y-* auf (cf. Einleitung, 1.4). Die Variante in f. 176r4 zeigt *-DǦ-*: Entweder ist hier [ʤ] wiedergegeben, wodurch deutlich würde, dass sich *Fevres* in einer Transitionsphase des Lautwandels [ʤ] > [ʒ] befindet und der Schreiber zwischen den Stufen schwankt (cf. 1.5.2). Alternativ – und wohl wahrscheinlicher – wäre denkbar, dass hier **verd jus* ohne Auslautverhärtung des [-d] repräsentiert ist. Entsprechende moderne ostfrz. Varianten belegt FEW (5, 84b): lothr. *vard-*

*ju*, wallon. *vèrdjus*. In f. 157v16–17 wird noch weiter spezifiziert: «verjus de grapes savages», um die Art der Trauben explizit zu machen.

בֵּ֯ירְטְא - *VeYRṬə'* (102r2, 9)
וֵייְרְטְא - *WeYYRṬə'* (158r22)
**[*vert*]**, *adj.* (1080; < lat. VIRIDEM) *verte (f)* 'grün' (TL 11, 325; FEW 14, 507a; AND 862b; DAF 616b; DMF I.A; Saye 245 *vérte*). Das adj. bedeutet außerdem 'frisch' – vs. 'getrocknet' – (TL 11, 326; FEW 14, 507a; DMF I.C.3 'qui a encore de la sève, qui n'est pas sec'); cf. *mente verte* (f. 158r22), das Saye (152, *ménte vérte*) als 'spearmint' semantisiert. Ein Beleg für Letzteres ist jedoch nicht gegeben. Cf. s. v. *mente*.

בֵּ֯ירְטוֹ - *VeYRṬWu* (157r17, 165r18, 165v13, 19, 166r14, 167v14, 167v25, 168r14, 169r6, 169v11, 14, 171r3, u. v. m.)
בֵּ֯רטוּ - *VeRṬWu* (162v5)
***vertu***, *f* (980; < lat. VIRTUTEM) '(Lebens-) Kraft, Vermögen' (TL 11, 340; FEW 14, 517b; Gdf 8, 211a; AND 863b; DAF 617a; DMF; Kiwitt 196; Saye 246 *vértu*). Cf. zur Transkription von [y] durch mit Shureq punktiertes Waw 1.4.2. Die zentrale Bedeutung des Wortes ist im Romanischen – wie auch im Lateinischen – die 'einem Wesen oder Gegenstand eigentümliche Wirkungskraft' (FEW 14, 519a); hieraus leiten sich die verschiedenen weiteren Bedeutungen ab.
בֵּ֯רְטוֹ אַפֵּיטַאטִיבַ֯א - *VeRṬWu 'aPeYṬa' ṬiYVa'* (169r6)
*****vertu *apetativa***, *f* 'verlangende Kraft'. Altfrz.-mlat. Synthem. Für *vertu* cf. supra; für mlat. **apetativus*, cf. MLWB (1, 792 *appetitivus, -a, -um, adj.*); Saye ($34_2$ *(vértu) apétativa* 'that which tends twoard [*sic*] the satisfaction of a need'). Die Vokalisierung des ersten Tet mit Patach (*-Ṭa-*) in **apetativus* scheint fehlerhaft. Die Hinzufügung von «de manger» («vertu apetativa de manger», f. 169r6–7) kann als *calque* der hebr. Textvorlage in Va (f. 17v38) interpretiert werden, wo wir an entsprechender Stelle lesen: כח החפץ לאכול, 'Kraft des Verlangens zu verarbeiten' (cf. 1.2.2.3; s. v. *manger*). Cf. Ps.-Arist. (*interpr.* 383): «Maior mundus creatus est ex quatuor virtutibus naturalibus ..., quarum prima est appetitiva, secunda digestiva, tertia attractiva seu retentiva, quarta vero expulsiva» (zit. nach MLWB 1, 792). Cf. auch infra **vertu de volente*.
בֵּ֯רְטוֹ אַפֵּיטֵיטִיבְ֯א - *VeRṬWu 'aPeYṬeYṬiYVə'* (169v14)
***vertu *apetetive***, *f* (nach mlat. *virtus appetitivus*) 'verlangende Kraft'. Für *vertu* cf. supra; für altfrz. **apetetif*, 'verlangend', cf. TL (1, 450 *apetitif*); DMF *appetitif*; Saye ($34_2$ *apétative*, cf. supra). TL zitiert Brun. Lat. (109): «la premiere (*vertuz*) est apetitive» (TL 1, 450). Der Terminus ist ein *calque* des mlat. *virtus appetitiva*, 'appetitive, verlangende Kraft' (MLWB 1, 792). Cf. auch infra **vertu de volente*. Fehlt FEW, Gdf, AND und DAF.

בֵּירְטוּ דִיאֶשְׁטִיבָא - *VeYRṬWu DiY'eŠṬiYVa'* (101v10)
***vertu digestiva,*** *f* 'verarbeitende, zersetzende Kraft'. Altfrz.-mlat. Synthem. Für *vertu* cf. supra; für mlat. *digestivus, adj.* cf. MLWB (3, 628 'verdauend, reinigend'); Saye (67 *diéstiva*, 'that which aids digestion'). MLWB (3, 628) belegt «per virtutem digestivam» (*Gloss. med.*) und *digestiva, f* (sc. *virtus*) 'Verdauungskraft'. Die Erweiterung der Bedeutung von *digestivus* auf generell 'durch Stoffwechsel verarbeitend' ist in den Lexika zu ergänzen.

בֵּרטוּ דִיאֶשְׁטִיבְא - *VeRṬWu DiY'eŠṬiYVə'* (166v19)
***vertu digestive,*** *f* (13. Jh.; nach mlat. *virtus digestiva*), 'verarbeitende, zersetzende Kraft' (TL 2, 1926 s. v. *digestif* 'die Verdauung fördernd'; Gdf 9, 381c s. v. *digestif* 'qui facilite la digestion'); AND2 OE *vertu digestive* s. v. *digestif*. Das altfrz. adj. *digestif* (auch FEW 3, 75a, 'qui sert ou facilite la digestion'; DMF *digestif* B 'qui facilite la digestion'; Saye 67 *diéstive*, cf. supra) ist in den Lexika um die angegebene Bedeutung zu ergänzen. Fehlt DAF.

בֵּירְטוּ פוֹלְשַׁאטִיבָא - *VeYRṬWu PWoLŠa' ṬiYVa'* (165v19)
***vertu *polsativa,*** *f* 'austreibende Kraft'. Altfrz.-mlat. Synthem. Für *vertu* cf. supra. **Polsativa* steht für mlat. *explusiva*, 'ausscheidend, abführend' (MLWB 3, 1676 *expulsivus, -a, -um, adj.*); cf. die entsprechende Stelle im *Lib. febrium* (L, f. CCXIIIv, col. A): «virtutis expulsive», ferner Alfan. (*premn. phys.* 23,1, 43),[463] «nutribilis ... naturales virtutes sunt IIII: attractiva, contentativa, immutativa, expulsiva» (zit. nach MLWB 3, 1676). Die Interpretation Sayes (187 *polsativa*, 'violent, strong') ist zu korrigieren.

פוֹלְשַׁאטִיבָא בֵּירְטוּ - *VeRṬWu PWoLŠa' ṬiYVə'* (167v14–15, 168v8)
***vertu *polsative,*** *f* (13. Jh. *vertu expulsive*; nach mlat. *virtus expulsiva*) 'austreibende Kraft' (TL 3, 1539 *vertu expulsive* s. v. *expulsif* 'heraustreibend'; AND2 OE *vertu expulsive s. v. expulsif;* Gdf 9, 585c *id.*, 'qui a la vertu d'expulser'). Cf. Brun. Lat. (109): «La quarte (*vertuz* [...]) est expulsive» (zit. nach TL 3, 1539). Cf. weiterhin FEW (3, 314b) *expulsif, adj.*, 'qui sert à expulser', «seit 14. Jh.». Fehlt DAF.

בֵּירְטוּ רֵיטֵינְטִיבָא - *VeYRṬWu RəYṬeNṬiYVə'* (101r16, 157r17)
***vertu retentive,*** *f* 'zurückhaltende Kraft'. Das Synthem ist als Terminus in FEW (10, 336a 'faculté de retenir'); AND 648b und Gdf (7, 142a s. v. *retentif*, 'qui retient') nachgewiesen, jedoch nicht in explizit humoralpathologischen Kontexten (cf. etwa Brun. Lat., *Tres* 109: « Et la terre qui est froide et seche fait la vertu retentive, ce est qui retient la viande», zit. nach Gdf 7, 142a); für weiterführende Diskussion und Referenzen cf. Kiwitt (122). Der entspre-

463 Alfanus I., archiep. et magister Salernitanus, *Premnon physicon liber* (11. Jh.).

chende lat. Terminus lautet bei Constant. Afric. *virtus contentivus*[464] (*Lib. febrium*, L, f. CCXVr, col. A). *Retentive, adj.* (von mlat. *retentivus*), 'zurückhaltend', belegt TL (8, 1126); DAF (525a s. v. *retenir*).

בֵּרְטוֹ דְאבוֹלֵינְטְא – *VeYRṬWu Də'VWoLeYNṬə'* (166r14)
***vertu de volente**, f* 'verlangende Kraft'. Der Gesamtterminus ist in keinem der konsultierten Lexika verzeichnet; es handelt sich um eine spontane Lehnübersetzung des lat. Terminus *virtus appetitiva*, der ebenso wie **vertu *apetativa* und *vertu *apetetive* (cf. supra) verwendet wird: «vertu de volente de manger» (f. 166r14–15). Für *vertu* cf. supra, für **volente*, 'Verlangen', cf. TL (11, 710 *volenté*); FEW (14, 615a *id.*); AND 879a *id.*; DMF *volonté*. Die Variante **volente* mit finalem *-Ṭə'* für [-tə] anstelle von [-te] scheint fehlerhaft. Cf. auch Kiwitt (197 *volenté*, 'Wille').

בֵּישֵׁייל – *VeYŠeYYL* (178v17)
***vesel**, m* (12. Jh.; < lat. VASCELLUM) 'Gefäß' (TL 11, 99 *vaissel, vessel*; FEW 14, 190a *id.*; Gdf 8, 137b *vasel, vessel*, u. a. s. v. *vaissel*; AND 864b; DAF 610a *vaissel*; DMF *vaisseau* I; Saye 246 *vésél*).

בֵּישְׁפֵר – *VeYŠPeR* (158v4)
בֵּישְׁפְרֵייש – *VeYŠPReYYŠ* (158v24)
***vespre, *vesper**, m* (1080; < lat. VESPERUM) *vespres (pl.)* 'Abend' (TL 11, 353 *vespre*; FEW 14, 345b *id.*; AND 864a; DAF 617b *id.*; DMF *id.* A; Kiwitt 197 *id.*; ATC 307a *id.*; Saye 246 *véspér, vesprés*). Zur metathetischen Auslautung *-er* statt *-re* cf. die Einleitung, 1.4.2.

וֵישִׁיאְה – *WeYŠiY'əH* (163r11)
***vesie**, f* (1190; < vlat. **vessicam*) 'Harnblase' (TL 11, 358 *vessie*; FEW 14, 341a *vessie, vecie*; Gdf 10, 851a *vesie, vecie* s. v. *vessie*; AND 865a; DAF 617b *vessie*; DMF $vessie_1$ A; ATC 307a *id.*; Saye 246 *vésie*). Der Terminus ist auch in DB (1057) u. a. als וושיאה belegt und wird dort als *ves[s]ie* interpretiert.

בִּיאַנְדֵיץ – *ViY'aNDeYẒ* (169v22)
בִּיאַנְדֵייץ – *ViY'aNDeYYẒ* (170r2)
וִיאַנְדֵייץ – *WiY'aNDeYYẒ* (239v2)
**[viande]**, *f* (11. Jh.; < vlat. *vivandam*) *viandes (pl.)* 'Nahrung, Speise' (TL 11, 386 *vïande*; FEW 14, 575b *viande* 'ensemble des aliments, de la nourriture'; Gdf 10, 853b; AND 867a; DAF 619a; DMF A.1; ATC 307a; Kiwitt 197; Saye 247).

464 Mlat. *virtus contentiva*, 'zurückhaltende Kraft' (MLWB 2, 1701); cf. das mlat. Zitat s. v. **vertu *polsativa*.

וְיֵיל - *WYeYL* (172v2)
***viel**, adj.* (11. Jh.; < vlat. *vetulum*) 'alt, betagt' (TL 11, 240 s. v. *vieil*; FEW 14, 360a *vieil*; Gdf 10, 855b; AND 868b; DAF 619b; Saye 243 *vél*).

בִּינְא - *ViYNə'* (157r2, 157v20)
***vigne*** → siehe s. v. *fleur de vigne*

בִּין - *ViYN* (157r20, 170r5, 174v1, 22)
בֵּיין - *VeYYN* (160v15)
וִין - *WYiN* (162r2)
בִּיין - *ViYYN* (162v15, 163r21, 174v7)
***vin, *ven**, m* (980; < lat. VINUM) 'Wein' (TL 11, 500 *vin*; FEW 14, 478a *id.*; AND 872a *id.*; DAF 621a *id.*; DMF *id.* A; Kiwitt 197 *id.*; Saye 247 *vin*, 243 *vén*). Die Graphie *-eYYN* (f. 160v15) repräsentiert hier den Nasal [ɛ̃n]; cf. sonst zur Nasaltranskription die Einleitung, 1.4.2.
בִּיין בְּלַנְקָא - *ViYYN BLaNČə'* (175v24)
בִּין בְּלַנְק - *VYiN BLaNQ* (178r16)
***vin blanc**, m* (1300 *blanc vin*) **vin blanche* 'Weißwein' (TL 11, 504 *vin blanc* s. v. *vin*; AND 872a *vin blank* s. v. *vin*; DMF *vin blanc* s. v. *vin* A.2). *Vin* ist gemäß den Lexika maskulinum; **vin blanche* suggeriert feminines Genus. Fehlt FEW, Gdf, DAF und Saye.

בִּנֵיגְרְא - *ViNeYGRə'* (160v5, 170r1, 170v10, 12)
וִינֵייגְרְא - *WYiNeYYGRə'* (163r16)
בִּינֵייגְרְא - *ViYNeYYGRə'* (172v16)
וִינֵיגְרְא - *WiYNeYGRə'* (173v8, 174r16, 179r11)
בִּינֵיגְרְא - *ViYNeYGRə'* (176r4, 176r20, 178v14)
***vinegre**, m* (1200 *vinaigre*; von *vin* und *aigre*[465]) 'Essig' (TL 11, 507 *vinaigre*; FEW 14, 481a *id.*; AND 872b; DMF *vinaigre*; Kiwitt 197; Saye 247 *vinégre*). Fehlt DAF.

וִיאוֹלֵייש - *WiY'WoLeYYŠ* (170v5, 171r9, 176r10, 19)
וִאוֹלֵייש - *Wi'WoLeYYŠ* (179v3)
**[*viole*]**, *f* (11. Jh.; < lat. VIOLAM) *violes (pl.)* 'Veilchen (Viola L.)' (TL 11, 515; FEW 14, 483; Gdf 8, 253c; AND 873a; Saye 248 *violés*). *Viole* ist auch in den Rashi-Glossen belegt (וואיילא u. a., DB 1060). Die genaue Spezies ist nicht ganz klar; wahrscheinlich ist jedoch die Viola odorata L. anzunehmen, die vornehmlich im Mittelmeergebiet beheimatet ist und traditionell in der

465 Erst im 14. Jh. etabliert sich altfrz. *vinaigre*; zuvor ist die Wortstellung noch frei bzw. das von ACETUM abgeleitete *aisil*, 'Essig', war zunächst gebräuchlicher (cf. FEW 14, 483, Fn. 19).

Heilkunde Verwendung findet (cf. LAD 2, 393). Cf. auch unter *ule*. Fehlt DAF, DMF.

וִיאוֹלֵייש שַׁאבַּאגֵייש – *WiY' WoLeYYŠ Ša' Va' ĞeYYŠ* (157r14)
**[*viole *savage*]**, *f violes savages (pl.)* 'wildes Veilchen'. Cf. supra für *viole* und s. v. *grape* für **savage*.

וִיאוֹלֵיטְא – *WiY' WoLeYṬə'* (176r8)
***violete***, *f* (12. Jh.; von *viole*, cf. s. v.) 'Veilchen (Viola odorata L.)' (TL 11, 529 *vïolete*; FEW 14, 484a *violette*; Gdf 10, 860b s. v. *violette*; AND 873a s. v. *violet*; DMF *violette* A). Fehlt DAF und Saye (nur *violét, adj.*, Saye 248).

בִּיזִיאוֹן – *ViYZiY' WoN* (164r19, 165r15, 166r3, 167r12)
בֵּיזֵיאוֹן – *VeYZeY' WoN* (165r5)
***vision***, ****veseon***, *f* (13. Jh; < lat. VISIONEM) 'äußere Erscheinung, Ausprägung' (TL 11, 562 *visïon* 'Sehen, Anblick (z. B. des Feindes)'; FEW 14, 526a fr. 'action de voir', «judfr.» 'aspect, apparence, extérieur' = RLJ 812;[466] Gdf 8, 266b, 'vue, présence', 10, 862b 'fonction du sens de la vue'; AND 875a s. v. *visiun* 'dream, vision'; DAF 622b id.; DMF A.2 'ce que l'on voit, impression visuelle'; Saye 249 *vizion* 'vision, appearance'). Der Bedeutungsaspekt, der laut FEW speziell dem «judfr.» Lexem zueigen ist, entspricht auch dem, der in *Fevres* anzunehmen ist; cf. ebenso Blondheim (1923b, 565 «*vizion*,[467] 'apparence, extérieur'»); Blondheim (1925, 131, Nr. 161: id.). Zur Oszillation zwischen *-e-* und *-i-* cf. die Einleitung, 1.4.2.

וִישְׁקוּזֵייש – *WiYŠQWuZeYYŠ* (166r22)
**[*visqueux*]**, *adj.* (1256; von mlat. *viscosum*) *visqueuse (f)* 'zähflüssig (von humoralpathologischen Körperflüssigkeiten)' (TL 11, 551 *viscos, visceus*; FEW 14, 524a *visqueux* 'gluant, collant'; Gdf 10, 862c *id.*; AND 874b *visquous* s. v. *viscos*; DMF A; ATC 308a *viscouses*; Saye 248 *viskuze* s. v. *viskoza*). Das adj. spezifiziert hier **flema*; in derselben humoralpathologischen Bedeutung zitiert auch TL aus Brun. Lat. (*Carm.* I, 125,7): «Euue de mer est forz sause et trenchans et poignans, et por ce mondefie le ventre de flegme grosse et viscouse». Fehlt DAF (622b) in dieser Bedeutung s. v. *visqueus*.

בּוֹייְאָה – *VWoYY' əH* (165v3, 166v8, 10, 169r1)
***voie***, *f* (Bedeutungserstbeleg, 11. Jh. *veie*, 12. Jh. *voie* 'Weg' < lat. VIAM) 'Kanal, Gefäß, Verbindung zwischen Organen im Körper (anatomaisch)' (TL 11, 632 *voie de l'air, ... de l'orine, ... de air*; FEW 14, 372a *voies* 'canaux dans le

466 Beleg ohne hebr. Transkription.
467 Beleg ohne hebr. Transkription.

corps humain'; Gdf 10, 833b 'conduit naturel'; DAF 624a 'route, chemin'; DMF C.1 'canal, conduit dans le corps'; AND 847b s. v. *veie* 'way road'; Saye 249 'way'). Die medizinische Bedeutung ist laut TL, FEW und Gdf seit HMond (14. Jh.) in den bei TL zitierten Verbindungen dokumentiert; die *Fevres*-Belege sind früher anzusiedeln.

בֿוֹיינֵייץ – *VWoYYNeYYẒ* (174v12)
**[voine]**, *f* (1165 *veine*, 1210 *voine*; < lat. VENAM) *voines (pl.)* 'Ader' (TL 11, 139 *veine, voine* 'Ader'; FEW 14, 226a *id.* 'vaisseau qui ramène le sang au cœur'; Gdf 10, 835b *veine* 'veine ou artère'; AND 849b; DAF 612b *id.* 'veine'; DMF *veine*$_1$ A.1 'vaisseau sanguin, veine (ou artère)'; Saye 250). Die Variante *voine* ist zuerst bei dem champagn. Autor Herbert de Duc de Dammartin belegt (cf. FEW 14, 226a).

לַאבֿוֹיְינְא דְאבַֿאזִילִיקַא – *VWoYəYNə' Də'Ba'ZiYLiYQa'* (171r2)
***voine de basilica**, f*, 'Basilarvene'. Altfrz.-mlat. Synthem aus altfrz. **voene*, 'Ader' (cf. supra sowie die Einleitung für die Repräsentation von [wa], 1.4.2) und mlat. *basilica* (von arab. *bāsilīq*), 'äußere Armvene' (MLWB 1, 1386). Zur Identifikation cf. Maurus, *phleb.* (S. 9[a]): «Tertia vena in plicatura bracchii existens dicitur epatica, id est basilica» (zit. nach MLWB 1, 1386). Im Altfrz. bestand seit ca. 1270 *basilique*, 'Basilarvene' (TL 1, 858 *voigne ... baselique*; Gdf 8, 298c *veine basilique* 'veine hépatique'; AND2 OE *basilica*; DMF *veine basilique* s. v. *veine*$_1$ A.1; ATC 220a *(veine) basilique*). Der einzige Beleg aus TL stammt aus einem lothr. Text des ausgehenden 14. Jh.s; der Erstbeleg bei Gdf aus Paré (16. Jh.). Saye (44): *(véne) bazélika adj.*: «applied to a vein the arm, formed by the union of the cubital veins and the vein of the fore-arm». Fehlt FEW, FEWAdd und DAF.

בֵֿייְנְא דְא אֵיפַּאטִיקַא – *VeYYNə' Də' 'eYPa'ṬiYQa'* (175v13–14)
***veine de epatica**, f* 'Basilarvene des rechten Arms'. Altfrz.-mlat. Synthem aus altfrz. *veine*, 'Ader' (cf. supra) und mlat. *epatica*, 'rechte Basilarvene' (MLWB s. v. *epatica*) (cf. Zitat aus MLWB s. v. **voene de basilica*). Für altfrz. *epatique* cf. TL (3, 740 *veine epatique* 'Hauptader am rechten Arm'); AND2 OE *veine epatike* s. v. *epatik*; DMF *(veine) hepatique* s. v. *veine*$_1$ A.1; Saye (84 *(véne de) épatika*, 'the right basilic vein'). Zur Spezifizierung der Vene cf. HMond *chir.* (285): «L'un rain tent sous aissele duc' a la plieure du coude, et la apert apertement, et est appellee la vaine epatique ou basilique»; im Kommentar: «vena basilica seu vena epatica, veine basilique du bras droit, parce que es anciens croyaient que la basilique était en rapport avec la foie» (zit. nach TL 3, 740). N.B.: **Veine de epatica* ist also nicht mit der modernen Vena hepatica, der Lebervene, zu verwechseln, sondern bezeichnet die Vena basilica am rechten Arm (cf. «la veine de epatica do bras dester», f. 175v13–14). Fehlt FEW, Gdf und DAF.

בּוֹלֵינְטְא - *VWoLeYNṬə'* (166r14)
***volente***, *f* → siehe s. v. *vertu*

בַּאמִיט - *Va'MiYṬ* (174r12)
בּוֹמִיר - *VWoMiYR* (177v2)
***vomir***, **[*vamir]**, *v. tr.* (12. Jh.; < lat. VOMERE) *vamit (3. sg.)* 'erbrechen' (TL 11, 764 *vomir*, 11, 765 *wamir*; FEW 14, 628b fr. *vomir*, altwallon. *wamir*; AND 883a *vomir*; DAF 627a *vomir*; DMF *vomir* A; Kiwitt 195 *vamir*; Saye 242 *vamir*, 251 *vomir*). Eine Variante mit Stammvokal *-a-* ist für das Altwallon. belegt.

בַּאמִיטְא - *Va'MiYṬə'* (160v20, 239v18)
בּוֹמִיטְא - *VWoMiYṬə'* (174r10)
***vomite***, ****vamite***, *f* (1204 < lat. VOMITUM) 'Erbrechen; Brechmittel' (TL 11, 766 *vomite* s. v. *vomit* 'Erbrechen', 11, 767 'Brechmittel'; FEW 14, 631a *vomite* 'vomissement', altfrz., judfr. 'vomitif'; AND 883b *vomite*; DAF 627a *vomite* 'vomissement' s. v. *vomir*; DMF *vomite* A 'fait de rejeter par la bouche le contenu de l'estomac, vomissement', C 'vomitif'; DB 166bis 'בומיט 'vomitif'; Kiwitt 196 *vamite*; Saye 242 *id.*). Die Variante **vamite* (f. 160v20) ist in den konsultierten Lexika nicht belegt; cf. jedoch altwallon. *vamir* (s. v. *vomir*). In f. 239v1118 nimmt **vamite* die Bedeutung 'Brechmittel' an.

בְּרֵימֵינְט - *VReYMeYNṬ* (175r9)
***verement***, *adv.* (1119 *veraiement*; von *verai* < vlat. *veracum*) 'wirklich' (TL 11, 246 *v(e)raiement*, *verrement*; FEW 14, 274a *v(e)raiement*, *vrament*; AND 851a *verement* s. v. *veirement*; DMF *vraiment* B; Saye 252 *vraimént*). Fehlt DAF s. v. *verai*.

## 3.3 Lateinisches und griechisches Glossar

### A

אַכַסְיאַם - *'aKaSiY'aM* (158v20)
אַכַסְיאַה - *'aKaSiY'aH* (158v21)
אַכַסְיאֵי - *'aKaSiY'eY* (159r10, 159v6)
אַקַסְיאֵי - *'aQaSiY'eY* (161r21, 163r17)
***acacia***, *f* (von gr. ἀκακία) *acaciam (acc. sg.), acacie (gen. sg.; nom. pl.)* 'Akazie (Acacia Willd.); Schlehdorn (Prunus spinosa L.); Saft der Akazienschoten; Saft unreifer Schlehenbeeren' (MLWB 1, 71; DuC 1, 39a 'succus prunellarum agrestium'; GGA 331 *acatia*; Sin 221a *acaçia*; NPRA 2 Acacia Willd., 'suc d'acacia'; GH 1, 47 'Akazie; Akaziensaft, -gummi'; Saye 25 *akasia* 'a thick

brownish juice, extracted from the husks of Egyptian acacia'). In der lat. Medizinliteratur bezeichnete *acacia* ursprünglich den Saft der Schoten der Acacia; cf. GGA (331): «el término *acatia* o *acacia* define el 'jugo de la acacia', es decir, un preparado obtenido por la presión del fruto verde de la acacia, utilizado en medicina». Da diese Substanz im europäischen Mittelalter kostbar[468] war, wurde der Saft der Akazienschote durch den unreifer Schlehen (Früchte der Prunus spinosa L.) oder anderer Früchte ersetzt (cf. RFlor 5, 404; ShS-1, 107; GGA 331). Letztgenannte Bedeutung ist auch in der *Alphita* (A40) vertreten: «acatia, succus prunellarum immaturarum» (zit. nach GGA 145). Das Mfrz. hat *acac(i)e*, 'suc de prunelles vertes' im 15. Jh. entlehnt (cf. FEW 24, 64a). Cf. auch s. v. *gumi*.

אַשִׁיטוֹזַא - *'aŠiYṬWoZa'* (156v11–12, 158r8)
אַצִיטוֹזַא - *'aẒiYṬWoZa'* (157v2)
אַשִׁיטוֹזְוּשׁ - *'aŠiYṬWoZWuŠ* (176r23)
***acitosus*** → siehe s. v. **erba acitosa* sowie s. v. **erbe acitosa*, **sirop acitosus* im *Altfranzösischen Glossar* (3.2)

אַדִיאַנְטוֹשׁ - *'aDiY'aNṬWoŠ* (179v2)
***adiantos***, *m* (von gr. ἀδίαντον[469]) 'Frauenhaarfarn, Venushaar (Adiantum capillus Veneris L.)' (MLWB 1, 183; GGA 335; NPRA 5; GH 1, 120 nur *adiantum;* Kiwitt 126 *adiantum*; Saye 22). Cf. *Alphita* (A55): «Adiantos, politricum, capillus veneris, secundum Alexandrum» (zit. nach GGA 147). Laut NPRA wurden mit lat. *adiantos*, Variante von *adiantum*, neben o. g. noch weitere Pflanzen bezeichnet: Asplenium trichomanes L., Asplenium adiantum nigrum L., Pimpinella saxifraga L., Stachys officinalis L.; zu ähnlichen Semantisierungen kommt auch Kiwitt. Gemäß MLWB (1, 183) erweiterte sich im Mlat. das Bedeutungsspektrum noch zusätzlich um 'Brennessel (Urtica dioica L.)'. Die erste und verbreitetste Bedeutung war jedoch gemäß genannter Lexika Adiantum capillus Veneris. Auf *adiantos* folgt in ff. 179v2–3 direkt lat. *capile veneris*; der Autor gibt hier also eine Synonymie an. Cf. auch s. v. **capila veneris*.

אַגַפִּישׁ - *'aGaPiYŠ* (159v3)
***agapis*** → siehe s. v. *lapis*

---

468 Gemäß FEW (14, 64b) wurde der Akaziensaft aufgrund seiner stark ätzenden Eigenschaft durch den von «wilden, noch nicht ausgereiften pflaumen» ersetzt.
469 «Proprement 'non-mouillé', les capillaires restant secs sous la pluie ou quand on les trempe dans l'eau» (NPRA 4).

אַלְבִּי – *'aLBiY* (158v15, 159r11, 159v2, 170r15)
אַלְבּוֹ – *'aLBWo* (176r16)
***albus***, *adj.* → siehe s. v. *corallum, papaver, sandalus.*

אַלְטֵיאַה – *'aLṬeY'aH* (173v12)
***altea***, *f* (von gr. ἀλθαία) 'Echter Eibisch, wilde Malve (Althaea officinalis L.)' (MLWB 1, 516 *alt(h)ea*; DuC 1, 206a; GGA 341–342; NPRA 12 *alt(ha)ea*; GH 1, 334 *alth(a)ea*; Saye 28 *altia*). Cf. *Alphita* (A42): «Altea, bismalva, enfeos, eviscus, malvaviscus, ibiscus idem» (zit. nach GGA 145).

אַמַטִישִׁיש – *'aMaṬiYŠiYŠ* (159v5)
***amatisis*** → siehe s. v. *lapis *amatisis*

אַמִּידוֹם – *'aMiYDWoM* (156v9, 157v3, 159v3, 160v23)
***amidum***, *n* (von gr. ἄμυλον) 'feines (Weizen-)mehl' (MLWB 1, 602 'flos farinae (triticeae)'; DuC 1, 224c; GGA 344; Sin 173b; Saye 30). Cf. *Alphita* (A75): «amidum, amilus idem; quod interpretatur sine mola fractum, et fit de tritico» (zit. nach GGA 149). Cf. die Einleitung (1.4.2) zur Repräsentation von lat. *-um*. Das Wort ist erst seit dem Mlat. belegt und fehlt daher GH.

אַנָא – *'aNa'* (157r19, 158r21, -23, 158v2, -9, -19, 159r11, 13, 161r1, 161v2, u. v. m.)
***ana***, *adv.* (gr. ἀνά) 'zu (gleichenTeilen), 'je' (MLWB 1, 603; DuC 1, 236a; GH 1, 410; Kiwitt 126; Saye 31).

אַנִישִׁי – *'aNiYŠiY* (171r20)
אַנִיזִי – *'aNiYZiY* (171v7)
[***anisum***], *n* (von gr. ἄνισ(σ)ον) *anisi (gen. sg.)* 'Anis (Pimpinella anisum L.)' (MLWB 1, 229; GGA 349; NPRA 17 s. v. *anesum*; GH 1, 444; Kiwitt 127; Saye 32 *aniç* 'dill seed'). Cf. *Alphita* (A33): «anisum, ciminum dulce idem» (zit. nach GGA 144). Fehlt DuC.

אַפֵּיטַאטִיבַא – *'aPeYṬa'ṬiYVa'* (169r6)
*****apetativus*** → siehe unter *vertu* im *Altfranzösischen Glossar* (3.2)

אַפִּי – *'aPiY* (163r19, 171v18, 177r13)
אַפֵּיאִי – *'aPeY'iY* (177r12)
[***apium***, ****apeum***], *n*, *api*, **apei (gen. sg.)* 'Sellerie (Apium graveolens L.)' (MLWB 1, 747 *apium*; DuC 1, 312a *id.*; NPRA 20 *id.*; GH 1, 495 *id*; Kiwitt 127 *id.*; Saye 34 *apéi*). Cf. die Einleitung (1.4.2) für die Alternation zwischen *-e-* und *-i-*.

אַפּוֹזִימַא – *'aPWoZiYMa'* (170r7, 15, 173r7)
***apocima***, *f* (von gr. ἀπόζεμα) 'Absud, Dekokt' (MLWB 1, 770 s. v. *apozema*; DuC 1, 322a s. v. *apozimare*: «*Apozema*, seu decoctum medicamentum in-

fundere»; GGA 355 *apozima*; Sin 176b *id.*; GH 1, 502 *id.*; Kiwitt 128 *aposima* 'Absud, Abkochung'; Saye $34_2$ *apozima* 'a decoction of herbs to which is added sugar or honey').

אַפְּשֵׁינֵצִיאוֹם - *'aPŠeYNeẒiY'WoM* (171r10)
אַפְּצֵינְטִיאוֹם - *'aPẒeYNṬiY'WoM* (171v6, 172v8, 177r15)
אַפְּצֵינְצִיאוֹם - *'aPẒeYNẒiY'WoM* (171v17, 172v20, 173r10)
אַפְּצִינְטִיאוֹם - *'aPẒiYNṬiY'WoM* (177r13)
***apsintium*, ****apsentium***, *n* (von gr. ἀψίνθιον) 'Wermut, Absinth (Artemisia absinthium L.)' (MLWB 1, 48 *absintium, absentium*; GGA 442 *absintium*; NPRA 1 *absint(h)ium, absentium*; Kiwitt 12 *apsentium*; Saye 22 *apsénçiom, apsunsiom*, u. a. s. v. *absénçiom*). Cf. *Alphita* (H17): «Herba fortis, absintium idem» (zit. nach GGA 228). Cf. zur Repräsentation der lat. Endung *-um* die Einleitung, 1.4.2. *Ap-* statt *ab-* ist auf Einfluss des gr. Wortes zurückzuführen.

אַפְּסֶנְטִיאוֹן - *'aPSeNṬiY'WoN* (240r11)
***ἀψένθιον**, *n* 'Wermut, Absinth (Artemisia absinthium L.)' (LS 299a ἀψίνθιον). *ἀψένθιον ist eine im klassischen Gr. unbelegte Variante mit -ε- statt -ί- in der zweiten Silbe; cf. zur Oszillation zwischen [-e-] und [-i-] die Einleitung, 1.4.2.

אַרְנוֹגְלוֹזָא - *'aRNWoGLWoZa'* (156v24)
***arnoglosa***, *f* (von gr. ἀρνόγωσσον) 'Breitwegerich (Plantago maior L.)' (MLWB 1, 970; DuC 1, 397c *arnoglossus*; GGA 358; NPRA 26 s. v. *arnoglossos*; GH 1, 583 *id.* s. v. *arnoglosson;* Kiwitt 128 *id.*; Saye 37 *arnoglosa*). Cf. *Alphita* (A50): «Arnoglossa, lingua agni, plantago maior, lingua arietis idem. Item plantago minor et quinquenervia et lanceolata idem» (zit. nach GGA 146). Als weitere Bedeutung gibt MLWB (1, 970) 'Spitzwegerich (Plantago minor L., P. lanceolata L.)' an.

אַשַׁארִי - *'aŠa'RiY* (173r1)
[***asarum***], *n* (von gr. ἄσαρον) *asari (gen. sg.)* 'Haselwurz (Asarum europaeum L.)' (MLWB 1, 1013; GGA 360; NPRA 27; Saye 38 *asari*). Cf. auch Kiwitt (128) *asera bacra* für *asara baccara* in derselben Bedeutung (*Alphita*, A91: «asarus, asara baccara, vulgago, gariofilus agrestis idem», zit. nach GGA 150; *asarus* ist ein Variante von *asarum*, cf. MLBW 1, 1013).

אַסֵידִי - *'aSeYDiY* (158v18, 160v4, -21, 161a17)
[****asedum?***], *n asedi (gen. sg.)*, eventuell für *sedum*, 'Hauswurz (Sempervivum tectorum L.)' (NPRA 233; GH 2, 2574)? Saye (38 *asédi* s. v. *aséti*) interpretiert den Terminus als 'vinegar'. Der Kontext («semen asedi» an allen Stellen) legt jedoch vielmehr eine Pflanze nahe. Die Abschnitte 158r9 bis 162r10,

worunter alle sind eine Hinzufügung der Autors aus unbekannter Quelle und stehen außerhalb der Tradition des *Librum febrium*. Fehlt MLWB, ThLL, DuC, OLD.

אַזֻוְשְׁטִיאוֹנֵם – *'aZuWŠṬiY'WoNeM* (174r19)
[***asustio**], *f asustionem (acc. sg.)* 'Überhitzung (von Körpersäften in der Humoralpathologie)' (MLWB 1, 281 *adustio* 'Verbrennung, Entzündung'; ThLL 1, 901 *id.*; GH 1, 154 *id.* 'Verbrennen'). Die durch Assimilation entstandene Variante **asustio* für **adustio* ist in den konsultierten Lexika nicht dokumentiert. ThLL belegt das Wort mehrfach in medizinischen Zusammenhängen (z. B. Cass. Fel. 64, S. 154: «*frenesis* efficitur maxime ex nimia adustione, quod ex encauseos dicunt, aut ex vinolentia»).

***atriplex*** → siehe s. v. **triplex*

## B

בַּאקַש לַאוֹרִי – *Ba'QaŠ La'WoRiY* (174r13)
[***baca lauri***], *f bacas lauri (acc. pl.)* 'Lorbeerbeere, Beere des Laurus nobilis L.' (MLWB 1, 1302 s. v. *baca*; ThLL 2, 1657 *lauri bacas* (*acc. pl.*) s. v. *baca;* GGA 346 *bacce lauri*; Saye 43 *bakas laori*). Cf. *Alphita* (A235): «Anacochi, bacce lauri idem» (zit. nach GGA 165) sowie «[...] dampnecoche, id est, bacce lauri» (D7, zit. nach GGA 197). Die Form *bacas lauri* ist als lat. acc. pl. in einem frz. Satz («Prenez mastic un once cimini un once et demie bacas lauri pen roti et pilez totes ces choses [...]», f. 174r12–14) zu interpretieren. Fehlt GH.

בַּאלַאוֹשְׁטִיאַש – *Ba'La'WoŠṬiY'aŠ* (158v17, 159r22, 161v8, 163r18)
בַּלאַוֹשְׁטִיאַש – *BaL'aWoŠṬiY'aŠ* (160v22, 161r16)
[***balaustia***], *f* (von gr. βαλαύστιον) *balaustias (acc. pl.)* 'Blüte des (wilden) Granatapfelbaums (Punica granatum L.)' (MLWB 1, 1318; DuC 1, 532c *balaustium*; GGA 365; ThLL 2, 1692 s. v. *balaustium*; GH 1, 780 *balaustium*; Saye 43 *balaostias*). Cf. *Alphita* (B3): «Balaustia est flos caducus maligranati vel fructus cuiusdam arboris ad modum maligranati» (zit. nach GGA 166). In den bearbeiteten Passagen tritt grundsätzlich die Form *balaustias* auf. Ursprüngliches lat. *balaustium* ging, analog zu lat. *prunum* > *pruna*, aufgrund der häufiger verwendeten Pluralform in die 1. Deklination über, so bereits in einer Galen-Handschrift: «balaustia flus est silvatici mali granati» (Galen. *alfab.* 41, zit. nach ThLL 2, 1692). Eine frz. Variante, die *balausties* lauten müsste, kann ausgeschlossen werden (cf. FEW 1, 210a).

בֵּילִירִיצִי מַארִינִי – *BeYLiYRiYẒiY Ma'RiYNiY* (f. 159r12)

***belirici marini**, *m pl.* 'Umbilici marini, Meernabel (Verschlussdeckel der Meeresschnecke Astraea rugosa L.)' (MLWB 1, 1412 *bellerici marini* s. v. *belliculus*, 'Steinchen'; GGA 370 *belliculi marini*; Sin 181b *id.*, 85,20 *beliculy maryni*; Saye 45 *bélirіçi marini* 'a kind of sea-snail'). Die *Alphita* (B35) erklärt den Terminus wie folgt: «Belliculi marini lapide sunt parvi et albi, in rupibus marinis inveniuntur coherentes» (zit. nach GGA 169); cf. zur Erläuterung GGA (370): «Se trata de unas pedrecillas blancas, en forma de ombligo, que se encontraban en la orilla del mar unidas entre sí». Zur Beschreibung der Schneckenart cf. Ebermann & Kartnig (2007, 142f): «Die marinen Turbanschnecken weisen ein namensgebendes kreiselförmiges Gehäuse auf. [...] Die gebrannten und pulversisierten Opercula dienten in der Antike zum Trocknen nässender Geschwüre. [...] In der Volksmedizin des Mittelalters wurde die Droge bei Koliken und Magenbeschwerden (Hperacidität) verwendet». Cf. zur Oszillation zwischen *-e-* und *-i-* die Einleitung, 1.4.2.

בֶּרבֵּירִייש – *BeRBeYRiYŠ* (156v8, 157r19)
בֶּרבֶּרִיש – *BeRBeRiŠ* (157r12, 157v1, 160v3)

**berberis**, *m* (von arab. *barbārīs*) 'Sauerdorn, Berberitze (Berberis vulgaris L.)' (MLWB 1, 1450; GGA 500; Sin 87,14, u. a.; Saye 45 *bérbéris*). Cf. *Alphita* (O16): «Oxicantum, berberis idem» (zit. nach GGA 261). Der Terminus wurde erst in Mlat. aus dem Arab. entlehnt und fehlt daher ThLL, GH, NPRA (cf. FEW 19, 23a). Für das Frz. ist *berbéris* erst seit dem 16. Jh. dokumentiert, konnte sich aber «gegenüber der einheimischen schöpfung *épinevinette* [...] nicht durchsetzen» (FEW 19, 23a).

בוֹלִיאֵירֵי – *BWoLiY'eYReY* (158v19)

***boliere**, *v. tr.* 'kochen' (Saye 47 *boliéré* «Lat. of our author»). Die Form sollte aufgrund ihrer Einbettung in einen lat. Satz, der im Text direkt danach auf Afric. übersetzt wird, als lat. interpretiert werden («fac boliere rosas...», f. 158v19). **Boliere* steht für *bollire*, Nebenform von *bullire* (MLWB 1, 1611; ThLL 2, 2243 *bullire*). Die Bedeutung 'kochen' belegen MLWB (1, 1612) und ThLL in mehreren medizinischen Rezepttexten; sie ist erst ab dem ausgehenden 2. Jh. n. Chr. belegt (ThLL 2, 2243; cf. ferner GH 1, 876 *bullire* 'Blasen werfen, sprudeln').

בוֹלוּש – *BWoLWuŠ* (156v23, 161r21)

**bolus**, *m* (< gr. βῶλος, 'Erdkloß, -scholle', GDHW 1, 468) 'Bolus armenicus, Ton-, Heilerde' (MLWB 1, 1512; ThLL 2, 2068; Saye 48). Über mlat. *bolus* sagt die *Alphita* (B51): «Bolus, quando simpliciter ponitur, armenicus intellegitur»; GGA (373) identifiziert *bolus* in der *Alphita* als «‹bolo arménico›, una arcilla de Armenia que se empleaba en medicina y en pintura». Die lat. Form ist laut FEW (1, 428b–429a) auch in französischen Texten belegt. Cf. auch *bol* im *Altfranzösischen Glossar* (3.2). Fehlt DuC und GH; OLD (237b) gibt als Bedeutung 'a kind of precious stone' an.

בּוֹלִי אַרְמִינִיסִי – *BWoLiY 'aRMYNiYSiY* (158v15)
**[bolus armenicus]**, *m*, *boli armenici* 'Bolus armenicus, Tonerde' (MLWB 1, 1512; Saye 48 *boli arminisi*). *BWoLiY 'aRMYNiYSiY* steht als Zutat in einem lateinischen Rezept neben anderen Genitiven; *-SiY* repräsentiert die mittelalterliche Aussprache [-si] von <-ci> (cf. FEW 25-1, 272b). Eine ähnliche Form attestiert FEW (25-1, 271b) für das Altokzit.: *bol Arminisi*. Matthaeus Platearius (gloss. p. 372[A]) erklärt die Bezeichnung der Tonerde folgendermaßen: «[Bolus] terra est, quae in Armenia reperitur, unde bolus Armenicus dicitur» (zit. nach MLWB 1, 1512); cf. auch *bol armenicum* im *Altfranzösischen Glossar* (3.2).

## C

קַאקַאבְּרִי – *Qa'Qa'BRiY* (158v19, 161r21)
**[cacabrum]**, *n* (von arab. *kahrabā*) *cacabri (gen. sg.)* 'Bernstein' (MLWB 2, 7 *cacabre*; GGA 377 *id.*; Sin 71, Fn. 285 *cacabrum*, 237b *cacabre*; Saye 117 *kakabri*). Cf. *Alphita* (C122): «Cacabre sive carabre, vulgo dicitur lambra, et est gumma cum videatur esse lapis» (zit. nach GGA 184). Der Terminus wurde im Mlat. als *cacabre* aus dem Arab. im 13. Jh. entlehnt (cf. FEW 19, 78a). Die Nebenform auf *-um*, auf die unser *cacabri* (gen. sg.) zurückzugehen scheint, ist in Sin belegt (cf. supra). Cf. auch s. v. *lapis cacabrum*.

קַנְפוֹרַא – *QaNFWoRa'* (157r3)
כַנְפוֹרַא – *KaNFWoRa'* (170r16, 173r21, 175r7)
קַאנְפוֹרַא – *Qa'NFWoRa'* (170v7)
כַאנְפוֹרַא – *Ka'NFWoRa'* (174v16)
***canfora***, *m* (< arab. *kāfūr*) 'Harz des Kampferbaums (Cinnamomum camphora Nees vel Dryobalanops aromatica Gaertn.), Kampfer' (MLWB 2, 131 s. v. *camphora*; DuC 2, 86c; Saye 118 *kanfora*). *Canfora* ist eine graphische Variante von mlat. *camphora/camfora* (MLWB 2, 131). Den Kampfer beschreibt Constant. Afric. (*grad.* p. 370, 1): «Camphora gummi est cuiusdam arboris in montanis Indie nascentis» (zit. nach MLWB 2, 131). Fehlt NPRA, GH und OLD. Cf. auch im *Altfranzösischen Glossar* (3.2) s. v. *canfor*, **chaonver*.

קַאפִּילְלֵי וִינְרִיש - *Qa'PiYLLeY WiYNRiYŠ* (176v5, 176v18–19)
קַפִּילֵי וֵנְרִיש - *QaPiYLeY WeNRiYŠ* (179v3)
[***capil(l)a veneris/vin-**], *f capil(l)e veneris/vin- (gen. sg., nom. pl.)* 'Frauenhaarfarn (Adiantum capillus Veneris L.)' (MLWB 2, 241 *capillus Veneris*; ThLL 3, 317 *id.*; GGA 335 *id.*; GH 1, 974 *id.* s. v. *capillus*; NPRA 48 *id.*; Kiwitt 132 *capillae veneris*; Saye 119 *kapilé vênris*). Weitere durch NPRA belegte Bedeutungen sind: Asplenium adiantum nigrum L. und weitere Farne, Pimpinella saxifraga L., Thymus serpyllum L., Veratrum album L., Allium porrum L. Die Form *capille* legt ein Femininum nahe (gen. sg. von **capilla*), das durch die Lexika nicht belegt ist. **Vineris* zeigt die häufige Oszillation zwischen *-e-* und *-i-* (cf. Einleitung, 1.4.2). Cf. zur Synonymie mit *adiantos* durch die *Alphita* s. v. *adiantos.*

קַרְנִיש מַרִינִי - *QaRNiYŠ MaRiYNiY* (159r12)
[***caro marinus**], *m carnis marini (gen. sg.)* 'Salzauswitterung (an Wasserpflanzen)' (MLWB 2, 299 *caro marina*; GGA 385 *id*; Saye 120 *karnis marini* 'rosemary'). *Caro marina*, in *Fevres* offensichtlich maskulinum, wurde in der *Alphita*-Tradition mit *alcionum* (cf. *Alphita* A22: «Alcionium, adarcis, caro marina idem, ut nos accipimus; vel plumbum ustum, ut alii; vel avis quedam marina vel quedam superfluitas arboris crescentis in mari, ut quidam alii dicunt,» zit. nach GGA 143) und *adarcis* gleichgesetzt (A222: «Adarcis, id est, caro marina,» zit. nach GGA 163). Der Kommentar des GGA (335) erläutert lat. *adarcis* als «un elemento mineral, un salitre o costra salina que las aguas del mar forman en los abjetos que mojan;» cf. weiter Sin 170a zu *adarcis* 'florescensia de sal en plantas de agua'. Cf. ferner Sin (62, Fn. 41, 70,5): altsp. *carrne maryna*. Die Semantisierung 'rosemary' durch Saye ist zu korrigieren. Fehlt ThLL, DuC.

קַשְׁיאַ פִּישְׁטוֹלַא - *Qa'Šə'a FiYŠṬWoLa'* (171r8–9)
***casea fistola**, *f* 'Röhren-, Purgierkassie (Cassia fistula L.)' (MLWB 2, 327; GGA 386 *cassia fistula*; GH 1, 2775 *casia fistula* s. v. *fistula*; Kiwitt 132 id.; Saye 98 *kasia fistula*). Den Unterschied zu einfachem *cassia* bzw. *cassia lignea*, i.e., dem Cinnamomum aromaticum Nees, unterstreicht die *Alphita* (C66): «Cassia siringa, id est, cassia fistula; et est alia cassia que dicitur cassia lignea vel *xilocassia, xilos enim lignum dicitur, et* quando cassia simpliciter ponitur, de lignea intellegitur» (zit. nach GGA 179). Cf. auch *casia fistole* im *Altfranzösischen Glossar* (3.2.). Fehlt DuC, NPRA.

צֵירֻוקַא - *ẒeYRuWQa'* (159v3)
צֵירְוזַא - *ẒeYRWuZa'* (161r22)
***cerusa*, *ceruca***, *f* 'Bleiweiß' (MLWB 2, 500 *cerusa, ceruca* s. v. *cerussa*; DuC 2, 277c *cerussa*; GGA 391 *cerusa*; OLD 1, 306a *cerussa*; GH 1, 1098 *id.*; Saye 51

*çéruza*). Cf. *Alphita* (C34): «Cerusa, album plumbum, psinicium idem» (zit. nach GGA 176).

שִׁיקוֹרֵיאַה - *ŠiQWoReY'aH* (175v18)
צִיקוֹרֵיאַה - *ẒiYQWoReY'aH* (178r14)
***cicorea***, *f* 'Zichorie, Chicorée (Cichorium intybus L.)' oder 'Acker-Gauchheil (Anagallis arvensis L.)' (MLWB 2, 571; GGA 453; NPRA 65; Saye 54 *çikoréa*). Die *Alphita* (I1) identifiziert die Pflanze wie folgt: «Intiba, solsequium, cicorea sponsaque solis idem, eliotropia, cuius flos est dionisia, eadem dicitur» (zit. nach GGA 230). Cf. auch s. v. *scariola* und *endive* im *Altfranzösischen Glossar* (3.2). Fehlt DuC.

צִימִינִי - *ẒiYMiYNiY* (174r13)
**[*ciminum*]**, *n cimini (gen. sg.)* 'Kreuzkümmel (Cuminum cyminum L.)' (MLWB 2, 2103 s. v. *cuminum*; DuC 2, 329a; NPRA 81 *cuminum*; Saye 54 *çimini* 'cumin') oder 'Berg-Laserkraut, Bergkümmel (Laserpitium siler L.)' (GGA 513; cf. *Alphita,* P32: «Platociminum, id est siler montanum; platos enim latum, quasi latum ciminum dicitur, etiam cininum rusticorum [...]», zit. nach GGA 271). Cf. ferner GH (1, 1801 *cuminum* 'Echter Kümmel' – Carum carvi L.).

סִינַאמוֹמִי - *SiYNa'MWoMiY* (158v17)
**[*cinamomum*]**, *n* (von gr. κιν(ν)άμωμον) *cinamomi (gen. sg.)* 'Zimt (Cinnamomum aromaticum Nees)' (MLWB 2, 585; DuC 2, 329c; GGA 393–394; NPRA 67 *cinnamomum*; GH 1, 1138 *id.*; Saye 218 *sinamomi*). Laut NPRA (67) bezeichnet der Terminus «l'arbre et son produit», genauer «plerumque de cortice vel de pulvere ex eo confecto; de fructice toto» (MLWB 2, 585). Cf. auch *Alphita* (C133): «Cinamomum, quidam intelligunt spissiores cortices illius arboris, sed cinamomum subtiliores, *quidam e contrario* [...]» (zit. nach GGA 185).

שִׁיטְרוֹלְלִי - *ŠiYṬRWoLLiY* (175v22)
שִׁיטְרוֹלִי - *ŠiYṬRWoLiY* (176v4)
**[*citrol(l)us*]**, *mcitrol(l)i (gen. sg.)* 'Wassermelone (Citrullus vulgaris Schrad.)' (MLWB 2, 653 *citrolus, citrullus*) oder 'Koloquintenkürbis (Citrullus colocynthis Schrad.)' (MLWB 2, 653; DuC *citrolus, citrullus* 'citrouille'). Cf. ferner Sin (64, Fn. 102 *citrulus*); Saye (51 *çétroli*, 55 *çitroli* 'bitter apple'). Das Wort ist erst ab dem Mlat. belegt und fehlt ThLL, GH, NPRA.

קְלֵישְׁטֵר - *QLeYŠṬeR* (158r13, u. v. m.)
***clester*** → siehe s. v. *clyster*.

קְלִישְׂטֵר - *QLiYŠṬeR* (156v18, 162r3)
קְלֵישְׂטֵר - *QLeYŠṬeR* (158r13, 161r13, 161v3, 161v17, 20, 162r5, 9, 162v12, 163r7, 10, 14, 23)

***clyster, *clester,*** *m* (von gr. κλυστήρ) 'Einlauf, Klistier' (MLWB 2, 734 *clyster, clister*; GH 1, 1216 *id.*; Saye 123 *klistér, klêstér*). Zur Alternation zwischen *-e-* und *-i-* (<*-y-*>) cf. die Einleitung (1.4.2). Die Lesart eines altfrz. Terminus kann ausgeschlossen werden, da finales [ə], das die belegten frz. Formen stets aufweisen (cf. TL 2, 486 *clistere*; FEW 2–1, 801b *id.*), in keiner der Varianten in *Fevres* repräsentiert ist.

קוֹקְלִינַא מַארִינַא - *QWoQLiYNa' Ma'RiYNa'* (159v6)

****coclina marina,*** *f* '(kleine) Meeresschnecke' (Saye 124 *koklina marina* 'sea-snail'). **Coclina* ist in den konsultierten Lexika nicht verzeichnet; eventuell handelt sich um ein zu *cochlea*, 'Schnecke; Schneckenhaus' (MLWB 2, 762; ThLL 3, 1396; GH 1, 1224; OLD 341a; fehlt DuC), gebildetes Diminutiv. Cf. Ps. Odo Magd., *herb.* 402: «harum terrenae quaedam quaedamque marinae» (zit. nach MLWB 2, 762); ThLL (3, 1396) belegt «marinas cocleas» (*acc. pl.*).

קוֹקוֹמְרִיש - *QWoQWoMRiYŠ* (171r18, 175v22)

**[*cocomis]**, *m cocomeris (gen. sg.)* 'Gurke (Cucumis sativus L.); Eselsgurke (Ecballium elaterium Rich.) oder Koloquintenkürbis (Citrullus colocynthus Schrad.)' (MLWB 2, 2065 *cucumis, cocumis*; ThLL 4, 1282 *id.;* GH 1, 1785 *cucumis;* NPRA 80 *id;* Saye 124 *kokomeris* 'cucumber'). Eine Variante mit *-co-* ist sonst nicht belegt.

קוֹקוֹרְבִיטֵי - *QWoQWoRBiYṬeY* (170r6, 170r11, 171r19, 175v22, 176v4)

**[*cocorbita]**, *f cocorbite (gen. sg.)* '(Flaschen-)kürbis (Cucurbita lagenaria L.)' (MLWB 2, 2066 *cucurbita, cocurbita;* ThLL 4, 1283 *id.;* Sin 96, n.150, u. a. *cucurbita;* Saye 124 *kokorbita*). Unterarten der *cucurbita* dokumentiert GGA aus der *Alphita: cucurbita agrestis,* Brionia alba L. (GGA 375), *cucurbita alexandrina,* Citrullus colocynthis L. (GGA 399). Eine Variante mit *-cor-* ist sonst nicht belegt.

קוֹלִיאַנְדְרִי - *QWoLiY'aNDRiY* (157r19, 160v5, 161r5, 170v10)

**[coliandrum]**, *n* (von gr. κολίανδρον, Nebenform von κορίανδρον, GH 1, 1693) *coliandri (gen. sg.)* 'Koriander (Coriandrum sativum L.)' (MLWB 2, 1889 s. v. *coriandrum;* DuC 2, 565b *coriandus;* NPRA 75 s. v. *coriandrum;* GH 1, 1693 s. v. *coriandrum*; Kiwitt 134 *coriandrum;* Saye 125 *koliandri*). Cf. auch *coliandre* im *Altokzitanischen Glossar* (3.4.1).

קוֹלִירִישִׁיש – *QWoLiYRiYŠiYŠ* (175r17)
[**coliricus***], *m* (von gr. χολερικός) **coliricis (dat. pl.)* ‘Colericus, eine durch Galle hervorgerufene Krankheit (?)’ (MLWB 2, 542 *colericus, m* s. v. *cholericus, adj.* ‘fort. i.q. morbus quidam bile effectus’; Saye 125 *kolirisis* ‘condition of the bile’). Bei *coliricis* (zu **coliricus*) handelt es sich um eine Wortbildung aus dem adj. *cholericus*, ‘ad bilem vel ad morbum choleram pertinens’ (MLWB 2, 542; ThLL 3, 1015; GH 1, 1117); für die Oszillation zwischen *-e-* und *-i-* cf. die Einleitung, 1.4.2. Der Terminus bezeichnet also eine nicht identifizierte Krankheit der Galle (cf. MLWB 2, 542: «rex colerico vexatus», Richer. Rem. *hist.* 2,99; cf. zu *cholera*, ‘Galle’, infra s. v. **colra*); hier im Kontext: «Ictiricia et à coliricis prenez rasure eboris...» (f. 175r17–18).

קוֹלֵירַא – *QWoLeYRa’* (102r5)
קוֹלְרַא – *QWoLRa’* (102r9, 164r3, 164v15, 20, 165r4, 15, 20, 165v11, 14, 15, u. v. m.)
קוֹלְרַם – *QWoLRaM* (174r18)
***colera***, *f* (von gr. χολέρα) *coleram (acc. sg.)* ‘Galle; speziell gelbe Galle als einer der vier Körpersäfte der Humoralpathologie’ (MLWB 2, 541 *colera* s. v. *cholera*; DuC 2, 312a *cholera*; GH 1, 1117 *id.*; Kiwitt 133 *id.*; Saye 125 *kolera*). Mildenberger (1, 332): «Galle als natürlicher bzw. überschüssiger oder pathologisch veränderter Lebensaft (‹humor›) mit den Primärqualitäten ‹heiß› und ‹trocken›».

קוֹנְפֵּיקְשִׁיאוֹ – *QWoNFeYQŠiY’Wo* (173r17)
***confectio***, *f* ‘Zubereitung, Medikament’ (MLWB 2, 1290; DuC 2, 494a; ThLL 4, 171 ‘res confecta, medicamentum’; GH 1, 1436; Saye 127 *konféksio*).

קוֹנְשׁוֹלִידַא ... מַאיוֹר – *QWoNŠWoLiYDa’* ... *Ma’YWoR* (159v10)
***consolida maior***, *f* ‘Echter Beinwell (Symphytum officinale, L.)’ (MLWB 2, 1597; GGA 401; ThLL 4, 478; NPRA 74). Cf. *Alphita* (C43): «Consolida maior, anagallicum, anagallis, simphitum idem» (zit. nach GGA 177). Die Spezifizierung fehlt GH (1, 1539) s. v. *consolida*, ‘gemeine Schwarzwurz, offizineller Beinwell (Symphytum officinale, L.)’ und Saye (129) s. v. *konsode, konsolida*; fehlt DuC. Cf. auch **consolida la grande* im *Altfranzösischen Glossar* (3.2).

קוֹנְשׁוֹלִידַא ... מִינוֹר – *QWoNŠWoLiYDa’* ... *MiYNWoR* (159v10)
***consolida minor***, *f* ‘Kleine Braunelle (Prunella vulgaris L.)’ oder ‘Gänseblümchen (Bellis perennis L.)’ (MLWB 2, 1597). In Sin (100, Fn. 267) findet sich weiterhin die Synonymie «consolida minor, uicetaxicon, herba uenti idem» (Zit. aus Mow 47,10), also eine Identifikation mit der Schwalbenwurz (Vincetoxicum officinale Moench). Die Spezifizierung der *consolida* fehlt ThLL (4, 478), NPRA (74), GH (1, 1539) s. v. *consolida*, ‘gemeine Schwarzwurz, offizineller Beinwell (Symphytum officinale, L.)’ und Saye (129) s. v. *konsode, konsolida*; fehlt DuC. Cf. auch **consolida la petite* im *Altfranzösischen Glossar* (3.2).

קוֹרַאלִ֗י - *QWoRa'LiY* (158v16)

[**coralum*], *n* (von gr. κοράλλ(ι)ον) *corali (gen. sg.)* '(rote) Koralle' (MLWB 2, 1883 *corallum*; GGA 401 *corallus*; ThLL 4, 942 *corallum, coralium* s. v. *corallium*; GH 1, 1690 *corallum* s. v. *corallium*. 'rote Koralle'; Saye 131 *korali*). Cf. *Alphita* (C124): «Corallus, huius due sunt species: albus et rubeus; quando simpliciter ponitur, rubeus intellegitur» (zit. nach GGA 185). Fehlt DuC (2, 559b nur *corallum* 'interior pars'; 'caroles').

קוראלי רֻובִי - *QWR'LY RuWBiY* (159v1)

[**coralum rubeum*], *n corali rubei (gen. sg.)* 'rote Koralle' (MLWB 2, 1883 *corallus rubeus* s. v. *corallum*; GGA 401 *corallus ... rubeus*; ThLL 4, 942 *corallia rubra* s. v. *corallium*). Cf. das *Alphita*-Zitat s. v. *coralum* und Matth. Platear. *gloss.*, p. 368[B]: «coralli alii albi, alii rubei» (zit. nach MLWB 2, 1883). Fehlt Saye (131) s. v. *koral, korali*.

קוֹשְקֻוטֵי - *QWoŠQuWṬeY* (170v4)

קוֹשְקוֹטֵי - *QWoŠQWoṬeY* (170v16, 174r18, 20)

קוֹשְקוּטֵי - *QWoŠQWuṬeY* (171r10, 171v6, 19)

[*coscuta*, **cosco-*], *f coscute, coscote (gen. sg.)* (von arab. *kašūt* oder *kušūt, kušūtā*) 'Flachsseide, Teufelszwirn (Cuscuta europaea L., C. epilinum Weihe)' (GGA 406a *cuscute*; MLWB 2, 2164 *cuscuta, cos-*; Sin 86,34 u. a. *id.*, 91,2 u. a. *coscute*; Kiwitt 134; Saye 132 *koskuté*). Die Schmarotzerpflanze des Lein wird in der *Alphita* (C3) wie folgt identifiziert: «Cuscute, rasca lini sive podagra lini; bruncus, gruncus idem» (zit. nach GGA 173). Für weitere Referenzen cf. Kiwitt (134–135).

קְרִישוֹלוֹקאנַא - *QRiYŠWoLWoQa'Na'* (172v12)

***crisolocana***, *f* (von gr. χρυσολάχανον) 'Gartenmelde (Atriplex hortensis L.)' (MLWB 2, 561 s. v. *chrysolochana*; GGA 404 *crisolocanna*; Sin 188b *crisolacana*; ThLL 3, 1031 *chrysolachanum*; NPRA 64 *id.*; Saye 134 *krisolokana*). Cf. Bernh. Prov. *comm.* 5,5, p. 289,15: «Atriplex, id est crisolocanna» (zit. nach MLWB 2, 561); *Alphita* (C226): «Crisolocanna sive cato, atriplex idem» (zit nach GGA 194). Fehlt DuC.

קְרוֹקוֹם - *QRWoQWoM* (161r1)

קְרוֹקוֹ - *QRWoQWo* (170r16, 170v17, 173r14, 20)

קְרוֹצִי - *QRWoẒiY* (173r2)

***crocum***, *n* (von gr. κρόκος) *croci (gen. sg.)* 'Safran (Crocus sativus, L.)' (MLWB 2, 2031; GGA 404; ThLL 4, 1215; NPRA 79; GH 1, 1767; Kiwitt 135 *crocus*; Saye 135 *krokom* s. v. *krokus*). Cf. die Einleitung für die fehlende Repräsentation des lat. finalen *-m* (*QRWoQWo*) sowie für die Darstellung von lat. *-um* (1.4.2). Fehlt DuC.

## D

דַאוֵיקוֹם - *Da'WeYQWoM* (171v19, 172r1)

***davecum**, *n* (für *daucum*, von gr. δαῦκον) ‘Wilde Möhre (Daucus carota L. var. silvestris/var. sativa)’ oder ‘Augenwurz (Athamanta cretensis L.)’ (MLWB 3, 30 *daucus*; GGA 406 *daucus*; ThLL 5-1, 42 *daucus, daucum*; NPRA 87 *id.*; Saye 55 *davékom*). Die Variante **davecum* ist außerhalb von *Fevres* nicht belegt. Cf. zur Identifikation die *Alphita* (D2): «Daucus: huius sunt species agrestis et creticus. Nomen tamen dauci quandoque sumitur pro pastinaca. Daucus, quando simpliciter ponitur, creticus intellegitur, et dicitur etiam daucus asinius» (zit. nach GGA 196).

דֵיפִינִיסִיאוֹ - *DeYFiYNiYSiY'Wo* (163v13, 15, 17, 21)
דְאפִינִיצִיאוֹ - *Də'FiYNiYẒiY'Wo* (163v23)

***definitio***, *f* ‘Begriffsbestimmung, Definition’ (MLWB 3, 191; ThLL 5-1, 350; GH 1, 1974; Saye 57 *définiçio* und *définisio* s. v. *définiçion*). Die Graphien *-SiY-* und *-ẒiY-* sind als als Transkription von [-tsj-] bei der mlat. Aussprache von <-ti-> vor Vokal zu interpretieren. Fehlt DuC in dieser Bedeutung.

דֵישֵׁנְטִירִיאַם - *DeYŠeNṬiYRiY'aM* (158r20)
דֵישֵׁנְטִירִיאַ - *DeYŠeNṬiYRiY'a* (158v6)
דֵישֵׁנְטְרִיאַה - *DeYSeNṬiRiY'aH* (161v13)
דְאשֵׁנְטִירִיאַה - *Də'ŠeNṬiYRiY'aH* (163v2, 6)

***desentiria**, *f* (von gr. δυσεντερία) **desentiriam (acc. sg.)* ‘Durchfallerkrankung, Ruhr’ (MLWB 3, 1070 *desenteria* s. v. *dysenteria* ‘Darmkolik, Bauchfluss’; Sin 101, Fn. 21 *dissenteria*; ThLL 5-1, 2331 *dysenteria* ‘solutio ventris morbosa’; GH 1, 2324 *id.*; Kiwitt 135; Saye 61 *déséntiréa, déséntiriam*). In Sin (101, 32–33) wird die Krankheit wie folgt beschrieben: «Diassinteria, i. destrutio intestinorum per magnum fluxum». Zur modernen Identifizierung cf. Mildenberger (1997, 1, 505): «‘schleimig-blutiger Durchfall bei heftiger Darmentzündung (Enterokolitis)’; ‘(bazilläre Dysenterie (Bakterienruhr bzw. Typhus oder Paratyphus)’ (auch bei Tuberkulose und anderen Erkrankungen auftretend), vielleicht auch ‘Amöbiasis’, ‘(akute) Amöbenruhr’ (meist schleichender Beginn ohne Fieber)». Für weitere Referenzen cf. Kiwitt (135).

דִיאַלְטֵיאַה - *DiY'aLṬeY'aH* (173v16)

***dialtea***, *f* (auf der Basis von gr. διά) ‘Eibischsalbe’ (MLWB 3, 546 s. v. *dia*; Saye 66 *dialtéa, dialtéi*); cf. den Kontext «ogements molificatif si com dialtei et bure et ule de camomile ...» (f. 173v15–17). Lat. *dia* (entspricht gr. διά, ‘durch, vermittelst’, GDHW 1, 570) war produktives Präfix (eigentlich praep.) zur Bildung von Medikamentenbezeichnungen, cf. die Erläuterung des ThLL (5-1, 939): «graeca praep. cum genet. specierum a medicis ad compositionem medicamentorum indicandam adhibita». Andere in ThLL aufgeführte Bspe. sind *diacantharida* (ThLL 5-1, 942) oder – mit Elision des *-a* vor Vokal, wie bei *dialtea* – *diaristolochia* (ThLL 5-1, 951). Saye (65) listet andere in *Fevres* vorkommende Medikamentenbezeichnungen auf der Basis von *dia-* auf: *diaçiminon* 'mixture prepared with cinnamon', *diadragantom* 'mixture prepared with tragacanth', *diagelanga* 'mixture prepared with galingale', u. v. m. Cf. zu *dialtea* Trotula (18, S. 90,10): «Cum dialtea ita composita, ut sint duae partes dialteae et tertia de oleo laurino» (zit. nach MLWB 3, 546).

דִיאַרִיאַה - *DiY'aRiY'aH* (158r16, 160v2)
דִיאַרִיאַ - *DiY'aRiY'a* (160v12)
***diaria**, *f* (von gr. διάρροια) 'Durchfall, Diarrhöe' (MLWB 3, 574 *diarria*; ThLL 5-1, 955 *diarrhoea* 'defluxio, solutio ventris'; GH 1, 2130 *id.*; Saye 66 *diaria*). Fehlt DuC.

דְרַכְמַם - *DRaKMaM* (158v2)
דְרַככמַש - *DRaKKMaŠ* (158v3)
דְרַכְמַש - *DRaKMaŠ* (158v9, 159r11, 171r16, 171v5, $7_{2x}$, 171v18, 19, 172v21, 22, 173r20)
דְרַכמַאם - *DRaKMa'M* (158v19)
דְרַכְמַ̇ - *DRaKMa`* (171v17)
***drachma***, *f* (von gr. δραχμή) *drachmam (acc. sg.), drachmas (acc. pl.)* 'Drachme (1/8 Unze; ca. 3,7 g)' (GH 1, 2293; OLD 1, 547b; Kiwitt 135; Saye 71 *drachmam, dracmas*, listet frz. und lat. Formen ohne Kennzeichnung in einem Eintrag). Cf. zur Repräsentation des Guttural die Einleitung, 1.4.2. Fehlt DuC.

## E

אֵיבוֹרִייש - *'eYBWoRiYŠ* (158v8, 175r18)
***ebor*** → siehe s. v. *rasura eboris.*

אֵיבוּלִי - *'eYBWuLiY* (177v7)
**[*ebulus*]**, *f ebuli (gen. sg.)* 'Zwergholunder, Attich (Sambucus ebulus L.)' (MLWB 3, 1079; GGA 380; ThLL 5-2, 18 *ebulum, ebulus*; NPRA 92; Kiwitt 136; Saye 72 *ébuli*). Cf. *Alphita* (C31): «Cameactus interpretatur humilis sambucus, id est, ebulus; actis enim ebulus interpretatur» (zit. nach GGA 176; cf. auch Sin 92, Fn. 49). Für weitere Referenzen cf. Kiwitt (136). Fehlt DuC.

אֶקְטִירִיצִיאַה - *'eQṬiYRiYẒiY'aH* (164r25)
***ectiricia*** → siehe s. v. *ictiricia.*

אֵיפוֹרְבִי - *'eYFWoRBiY* (177r18)
[**eforbium*], *n* (von gr. εὐφόρβιον) *eforbi (gen. sg.)* 'Wolfsmilch (Euphorbia L. mit Var.)' (MLWB 3, 1449 *euphorbium*; GGA 421 *euforbium*; ThLL 5-2, 1075 *id.*; GH 1, 2477 *euphorbia*; NPRA 99 *euphorbeum*; Kiwitt 139 *euforbium*; Saye 73 *éforbi*). Die Wolfsmilch ist in zahlreichen Arten verbreitet, in der Antike und im Mittelalter wurde insbesondere die aus Nordafrika stammende Euphorbia resinifera Berg. verwendet (cf. GH 1, 2477; NPRA 99; GGA 421). Cf. Kiwitt (139) für weitere Referenzen. Eine Variante mit *e-* statt *eu-* ist in den konsultierten Quellen nicht belegt.

אֵילֵיקְטְוּוַרִיאוֹם - *'eYLeYQṬWWaRiY'WoM* (171r13)
***electuarium***, *n* (von gr. ἐλεικτόν) 'Latwerge, Arznei' (MLWB 3, 1163; GGA 412; ThLL 5-2, 327 s. v. *electarium*; GH 1, 2377 *id.*; Saye 77 *élektuariom, éléktvariom*). Cf. zur Repräsentation von lat. *-um* durch *-WoM* die Einleitung, 1.4.2. Die *Alphita* (E65) identifiziert den Terminus wie folgt: «Electuarium dicitur quod de electis fit specibus» (zit. nach GGA 208); im Kommentar wird *electuarium* als «medicamento de consistencia líquida compuesto de varios ingrdientes» beschrieben.

אֵימַאטִיצִיש - *'eMa'ṬiYẒiYŠ* (158v18)
*****ematicis***, *m* (von gr. αἱματίτης) 'Hämathit, Blutstein' (GGA 461 *emathites*; Sin 109,5 *ematetis*; GH 1, 3003 *haematites*; Saye 148 *matiçis, matitis*). In der *Alphita*-Edition von Mowat (1887, 55,29) wird erläutert: «Emathites lapis est quod in orienta[l]i et occidentali parte recipitur, habet virtutem stringendi fluxum sanguinis, et dicitur ab emath quod est sanguis et tesis posicio quasi i. cistens sanguinem». Mlat. Varianten mit *-c-* sind durch die Lexika nicht erfasst. Fehlt DuC. Cf. auch s. v. *lapis *ematitis*.

אֵימְפְּלַשְׁטְרוֹם - *'eYMPLaŠṬRWoM* (157r1)
אֵפְּלַשְׁטְרוֹם - *'ePLaŠṬRWoM* (174r10)
***emplastrum***, *n* 'Wickel, Umschlag' (MLWB 3, 1251; DuC 3, 260b; GGA 513; ThLL 5-2, 533; GH 1, 2412; Saye 77 *émplastrom* s. v. *émplaster*). Die Repräsentation des Nasalkonsonanten fehlt in der Form *'ePLaŠṬRWoM* (f. 174r10); cf. hierzu sowie zur Transkription von lat. *-um* die Einleitung (1.4.2). Cf. die Erläuterung durch die *Alphita* (P113): «Plasma, forma idem; inde cataplasma, id est, emplastrum» (zit. nach GGA 279).

אֵינְטֵרפּוֹלַטַא - *'eYNṬeRPWoLaṬa'* (239r13)
*****enterpolata***, *f* 'intermittierendes Fieber' (DuC 4, 394c *interpolatus* 'interruptus, non continuus'; Saye 83 *éntérpolata* 'intermittent'). Für den mlat. Terminus cf. die Parallelstelle im *Lib. febr.*, zit. s. v. **fevre ague*; weiterhin Matth. Platear. (*gloss.* p. 381[E]): «Detur electuarium ... febricantibus tam

continuis quam interpolatis» (zit. nach MLWB 2, 1741 s. v. *continua*). Der Beleg in DuC ist nicht medizinisch. Frz. **fevres enterpolates* (*Fevres*, f. 19v) bespricht Kiwitt (109–110): *enterpolate* 'fièvre intermittente' mit weiteren Referenzen, etwa Gdf (4, 600c): *interpolé* 'interrompu (vom Fieber)'; cf. weiterhin AND2 OE *enterpollaté s. v. entrepolaté* 'intermittent'.

אֵיפַּאטִיצֵי - *'eYPa'ṬiYẒeY* (176v5)
אֵיפַּאטִיקָא - *'eYPa'ṬiYQa'* (176v18, 178r13)
***epatica***, *f* (basierend auf gr. ἡπατικός) *epatice (gen. sg.)* 'Leberkraut (Marchantia polymorpha L.)' (GGA 417; Sin 191b; Kiwitt 137). Über die *epatica* sagt die *Alphita* (E1) nur «herba est» (zit. nach GGA 202); die Pflanze wurde durch die Kommentatoren mittelalterlicher botanischer Literatur als Marchantia polymorpha L. identifiziert (cf. supra). Die Semantisierung Sayes (84) von épatik als 'hepatic' ist zu korrigieren; in GH (1, 3030, s. v. *hepaticus*, 'die Leber betreffend') und ThLL (6-3, 2610, s. v. *id.*, 'ad iecur pertinens') ist die Bedeutung zu ergänzen.

אֵיפִּיטִימַא - *'eYPiYṬiYMa'* (173v11, 12)
אִיפִּיטִימַא - *'iYPiYṬiYMa'* (176r12, 15)
***epitima, *ip-***, *f* (von gr. ἐπίθημα) 'Umschlag, Packung' (MLWB 3, 1328 s. v. *epithema*; GGA 418 *epithima*; ThLL 5-2, 689 s. v. *epithema*; GH 1, 2439 *epithema*; Saye 86 *épitima*). Cf. die *Alphita* (E64): «Epithima est molle emplastrum et interpretatur suprapositum» (zit. nach GGA 208). Eine Variante mit *i-* ist nicht belegt; zur Oszillation zwischen *-e-* und *-i-* cf. die Einleitung, 1.4.2.

אֵיפּוֹקְוִיִשְׁטִידוֹש - *'eYPWoQWYiŠṬiYDWoŠ* (158v17, -20, -21, 159r12, 159v6, 160v4)
**[*epoquistis*]**, *f* (von gr. ὑποκιστίς) **epoquistidos (gen. sg.)* (Gräzismus) 'Schmarotzerpflanze auf der Cistusstaude (Cythinus hypocistis L.)' (ThLL 6-3, 3154 s. v. *hypocistis*; NPRA 128 *hypocistis, hypocistidus*; OLD 1, 812a *hypocistis*; GH 1, 3105 *id.*; Saye 86 *épokvistidos*). Die Variante *epoquistis* belegt ThLL (6-3, 3154) bei dem splat. Autor Marcellus. Fehlt DuC.

אֵרְבַא אַשִׁיטוֹזַא - *'eRBa' 'aŠiYṬWoZa'* (156v11–12, 158r8)
אֵרְבַא אַצִיטוֹזַא - *'eRBa' 'aẒiYṬWoZa'* (157v2)
***erba *acitosa***, *f* 'Sauerampfer (Rumex acetosa L.)' (MLWB 1, 114 *herba acetosa* s. v. *acetosus, adj.*). In der *Alphita II* (p. 2,23) findet sich die Synonymie «acedula, ribes, herba acetosa idem» (zit. nach MLWB 1, 114). *Erba* statt *herba* ist eine graphische Variante und gibt die mlat. Aussprache wieder, in der [h-] geschwunden ist. Zur Alternation von *-e-* und *-i-* (in **acitosa*) cf. die Einleitung, 1.4.2. Die elliptische Variante *acetosa* war in mlat. Texten verbreiteter; cf. DuC (1, 54a) *acetosa*, mit Verweis auf *acedula*: «Oxalidem

ego, Gall. *oseille*, quae in quibusdam provinciis etiam num *Surelle* appellatur, esse opinior» (DuC 1, 52b); *Gloss. Roger.* (I A 1,24, p. 559,9): «Acedula id est acetosa» (zit. nach MLWB 1, 114); Sin (76, Fn. 456): «Azarehe, azederas, acetosa, idem sunt». Fehlt OLD, GH und NPRA sowie Saye (nur *érba*, 'grass', 87, und *açetoza*, 22, *asetozus*, 38, 'sour').

אֵיפַּאוֹרִי – *'eYPa'WoRiY* (171r17, 171v6, 19, 240r12)
אֻופַּטוֹרִיאוֹם – *'uWPaṬWoRiY'WoM* (172v8, 172v20)
אֻופַּאטוֹרִיאוֹם – *'uWPa'ṬWoRiY'WoM* (172v20, 173r11)
***eupatorium*, [*epa-*]**, *n* (von gr. εὐπατόριον) *epatori (gen. sg.)* 'Salbei (Salvia officinalis L.)'; 'Odermennig (Agrimonia eupatoria L.)'; 'Wasserhanf (Eupatorium cannabiunum L.)' (MLWB 3, 1447 *eupatorium, epatorium*; GGA 422 *eupatorium*; ThLL 5-2, 1073 *eupatorium* s. v. *eupatoria*; GH 1, 2477 *id.*; NPRA 99 *eupatorium*; Kiwitt 139 *id.*; Saye 84 *épatori*, 240 *upatorium*). Cf. *Alphita* (E4): «Eupatorium, genus salvie agrestis idem» (zit. nach GGA 202). Die Varianten mit *'uW-* sind wahrscheinlich *eupatorium* zu lesen (cf. 1.4.2); zur Repräsentation von lat. *-um* cf. 1.4.2. Cf. Kiwitt (139) für weitere Referenzen.

## F

פַּאק – *Fa'Q* (158v19)
**[*facere*]**, *v.tr.*, *fac (2. sg. imp.)* 'machen, veranlassen' (MLWB 4, 19; ThLL 6-1, 82; GH 1, 2661; Kiwitt 178; Saye 93 *fak*).

פַּארִינַא אוֹרְדֵיאִי – *Fa'RiYNa' 'WoRDeY'iY* (170r16)
***farina ordei***, *f* 'Gerstenmehl' (GGA 341; ThLL 6-3, 2969 *farina hordei* s. v. *hordeum*); ferner GH (1, 2689 *farina hordeacea* s. v. *farina*). Für *farina, -ae, f,* 'Mehl', cf. MLWB (4, 84); ThLL (6-1, 82); Saye (94); für *ordeum, -i, n* 'Gerste (Hordeum vulgare L.)' cf. GH (1, 3076 s. v. *hordeum*); ThLL (6-3, 2966 *ordeum* s. v. *hordeum*); NPRA (126 *hordeum*); Saye (172 *ordéi*). Cf. Plin. *nat.* (18,78): «Hordei farina ad medendem utuntur» (zit. nach ThLL 6-3, 2969); *Alphita* (A1): «Alphita, farina ordei idem» (zit. nach GGA 141). Cf. auch *farine d'orge* im *Altfranzösischen Glossar* (3.2).

פֵּינִיקוּלִי – *FeYNiYQWuLiY* (177r12)
**[*feniculum*]**, *n feniculi (gen. sg.)* 'Fenchel (Foeniculum vulgare Gaertn.)' (MLWB 4, 131; GH 1, 2718; NPRA 103; Kiwitt 139; Saye 95 *fénikuli*). Cf. Kiwitt für weitere Referenzen. Fehlt DuC.

פֵּינוֹגְרֵיצִי – *FeYNWoGReYẒiY* (173v13)
**[**fenogrecum*]**, *n fenogreci (gen. sg.)* 'Bockshornklee (Trigonella fenum graecum L.)' (MLWB 4, 133 *fenograecum* s. v. *fenum graecum*; GGA 425 *fenugre-*

*cum*; GH 1, 2719 *feno-*, *fenumgraecum*; NPRA 103 *fenum grecum*, *fenugrecum*; Saye 95 *fénogrékom*). Fehlt DuC.

פִּֿישְׁטוֹלַא – *FiYŠṬWoLa'* (159b25, 160r4)
***fistola***, *f* 'Geschwür, Fistel' (MLWB 4, 288 *fistula*; DuC 3, 514b *id.*; ThLL 6-1, 828 *id.*; GH 1, 2775 *id.*; Saye 97). In *Fevres* ist durchgängig die sonst unbelegte Variante mit *-o-* *(fistola)* statt mit *-u-* anzutreffen. Cf. zur Erläuterung des Terminus durch Cass. Fel. (20): «Fistolas Graeci syringas appellant. et sunt ulcera pendiginosa et intrinsecus callosa neque in cicatricem venientia» (zit. nach ThLL 6-1, 828).

פְֿלֻומַא – *FLWuMa'* (166r22)
***fleuma***, *f* (von gr. φλέγμα) 'Phlegma, Schleim (als einer der vier Körpersäfte mit den Primärqualitäten kalt und feucht)' (DuC 3, 523c; GGA 429 *flegma*; ThLL 10-1, 2042 s. v. *phlegma*; Saye 99 *fluma*). Cf. zur Repräsentation von <-eu-> durch *-Wu-* die Einleitung, 1.4.2. Die Variante *fleuma* ist bereits in splat. Texten häufig vertreten (cf. ThLL 10-1, 2042); cf. zur Form auch DuC (3, 523c): «Fleuma pro Flegma». Zu den Unterarten des Körpersaftes *phlegma* cf. Ioann. (I 6): «Phlegmatis autem quinque sunt modi. Est autem phlegma salsum ... Et est phlegma dulce ... Est et acre ... Est etiam phlegma vitreum ... Et est aliud frigidum et humidum» (zit. nach GGA 429).

פֿוֹמֻושְׁטֵירֵי – *FWoMuWŠṬeYReY* (171v5)
[****fomustera***], *f fomustere (gen. sg.)* 'Erdrauch (Fumaria officinalis L.)' (MLWB 4, 551 *fumus terrae*; GGA 431 *fumus terre*; Saye 100 *fomustéré*).

## G

גֻומי – *GuWMY* (157v1)
גֻומִי – *GuWMiY* (158r7, 158v18, 161r5, 163r17)
***gumi***, *n indecl.* (von gr. κόμμι) 'Kautschuk, Gummi' (Sin 86,9, 105,8 u. v. m.; ThLL 4, 1379 *gummi* s. v. *cummi*; OLD 1, 470b *id.*; GH 1, 1801 *id.*), bes. 'Gummi arabicum' (GGA 442; Sin 114,31). Cf. zur Identifikation die *Alphita* (G35): «Gummi, quando simpliciter ponitur, arabicum intellegitur» (zit. nach GGA 223) sowie Sin (114,31): «Gumi, i. goma arauica». Im Kommentar zur *Alphita* wird *gummi arabicum* erklärt als «una sustancia que producen ciertas acacias, como la *Acacia gummifera* Willd., muy abondantes en Arabia, amarillenta y de fractura vítrea casi transparente» (GGA 442). *Gummi* bezeichnete in der Antike und im Mittelalter allgemein den Milchsaft von bestimmten Bäumen; da Kautschuk der Acacia gummifera am verbreitetsten war, verstand man im Mittelalter unter *gummi* in erster Linie den Kautschuk dieses

Baumes; cf. auch f. 163r17: «acacie gumi» (zu *acacia* siehe supra s. v.). In f. 158v18 schreibt unser Autor «gumi masticis»; cf. hierzu s. v. *mastix*. Fehlt DuC, Saye.

גֻּומִי אֲרַאבִּיצִי – *GuWMiY 'aRa'BiYẒY* (160v23)

**[gumi arabicum]**, *n gumi arabici (gen. sg.)* ‘Gummiharz der Acacia gummifera Willd., Gummi arabicum’ (GGA 442 *gummi arabicum*; Sin 114,31). Cf. sonst zu *gumi* supra; zu *arabicus, -a, -um, adj.* ‘arabisch’ (ThLL 2, 391; OLD 1, 159a, GH 1, 531). Fehlt Saye. Cf. auch **gume arabic* im *Altfranzösischen Glossar* (3.2).

גֻּומִי טֻּורִיש – *GuWMiY ṬuWRiYŠ* (160v4)

***gumi turis**, *n* ‘Harz des Weihrauchbaumes (Boswellia carterii Birdw. oder B. sacra Flückinger)’; für *gumi* cf. supra und für die Identifikation mit ‘Harz’[470] cf. Sin (143,43): «Resina quodcumque gumi dicitur» sowie die *Alphita* (R35): «Resina potest vocari omnis gumma, [...]. Dicitur autem resina frixa, quedam resina sicca est, de qua sophiticatur thus» (zit. nach GGA 286); für *tus*, das bereits allein das Harz bezeichnet, cf. infra s. v. Das Synthem *gumi turis* ist sonst nicht belegt. Fehlt Saye.

## I

אִיקְטִירִיצִיאָה-- *'iYQṬiYRiYẒiY'aH* (163v9)

אִיקְטִירִיצִיאַה – *'iYQṬiYRiYẒiY'aH* (163v11, 14, 19, 24, 164r3, 164v23, 165r5, 8, 17, u. v. m.)

אֵקְטִירִיצִיאַה – *'eQṬiYRiYẒiY'aH* (164r25, 167v11, 168r20)

***ictiricia**, ***ec-**, *f* (von *ictericus*, *adj*. bzw. gr. ἰκτερικός) ‘Gelbsucht’ (ThLL 7-1, 162 *ictericia*; Mildenberger 2, 880 *icteritia*; Kiwitt 141; Saye 76 *écteriçia*, 110 *iktiriçia*) Zur Alternation zwischen [e] und [i] cf. die Einleitung, 1.4.2. ThLL (7-1, 162) dokumentiert den Terminus mit nur einem Beleg: «Te ipsam ab ictericia, quam croceus in te color denotat, sanare non potes» (Avian. *fab. apol.* 6). Fehlt DuC, OLD und GH. Cf. ferner ThLL (7-1, 162) und GH (2, 21): *ictericus*, ‘mit Gelbsucht behaftet’.

אִיפִּיטִימַא – *'iYPiYṬiYMa'* (176r12, 15)

***ipitima*** → siehe s. v. *epitima*

470 Dagegen jedoch GH (1, 1801): «Gummi (nicht Harz)». Die Zurückweisung der Bedeutung ‘Harz’ bezieht sich evtl. nur auf die Antike.

אִיפּוֹזַאְרְקָא - *'iYPWoZa'RQa'* (168v1, 6)

***iposarca**, *f* (von gr. ὑπὸ σάρκα) 'Hyposarca, Art der Wassersucht' (ThLL 4-3, 3159 *hyposarca*; DuC 4, 273b *hyposarcha, hyposacra*; Saye 111 *ipozarka*). Cf. zur Einordnung der Krankheit Celsus (3,21,1): «primum *genus hydropis* τυμπανείτην, secundum λευκοφλεγματίαν vel ὑπὸ σάρκα [...]» (zit. nach ThLL 4-3, 3159). An den parallelen Textstellen im *Lib. febrium* (IV,17) schreibt Constant. Afric. *hyposarcam bzw. hyposarce* (L, f. CCXVIIIv, col. A). Fehlt GH.

## K

קִיבֻּולִי - *QiYBuWLiY* (171v5)

***kibuli*** → siehe s. v. unter *mirablana kibuli.*

## L

לַאקָא - *La'Qa'* (170v8, 171r16, 171v7, 20, 172v8, 173r2, 11, 173r19, 174v16)

לַאקְקָא - *La'QQa'* (175r6)

***lac(c)a***, *f* (von gr. λακχά) 'Gummilack, Schellack (Resina lacca, Gummi lacca), verhärtete Ausscheidung der Lackschildlaus der Gattung Kerria (Kerria lacca)' (DuC 5, 6a *laca, lacca* 'species resinae'; GGA 459 *lacca* 'laca'; Sin 123,41; NPRA 135 *lacca* 'laque (résine rouge-brun)'). Cf. zur Identifikation die *Alphita* (L28): «Lacca, ororbo, orobonis alio nomine, gumma est de qua et urina humana fit carminium» (zit. nach GGA 236); Sin (123,41): «Laca, i. vna goma». FEW (19, 105b) führt die lat. Bezeichnung auf gr. λακχά zurück, das seinerseits über das pers. *lāk* aus dem sanskr. *lākšā* ('hunderttausend'[471]) entlehnt wurde. *L'KH/L'K'* erscheint in ṢhD (Eintrag Lamed 3) für lat. oder rom. *lac(c)a*, id. Die Interpretation von Saye (138) von *laka* als «probably Lat. *aqua* when followed by ‹rozés› to mean rose-water» kann für die hier aufgeführten Stellen, die der Autor aus unbekannten Quellen übernimmt, nicht überprüft werden (in f. 170v8: *roses de laca*; 174v15: *rosas laca*; 175r6: *roses tres lacca dracme* sind *laca* und *roses/rosas* eventuell

471 Dies aufgrund des zahlreichen Auftretens der Lackschildlaus (cf. FEW 19, 105b; LAD 1, 449). Ebermann & Kartnig (2007, 145) beschreiben: Die Spezies Kerria lacca «ist in Süd- und Südostasien verbreitet und lebt auf über 90 Wirtspflanzen ganz unterschiedlicher systematischer Zugehörigkeit [...]. Die Weibchen entziehen dem Pflanzengewebe durch Saugen große Flüssigkeitsmengen, dich sich während der Verdauung zu wachsartigen Substanzen umwandeln. [...] Die Tiere werden allmählich im Stocklack [...] eingeschlossen und sterben ab».

isoliert zu lesen; an den anderen Stellen steht *lac(c)a* ohne eine Form von *rose/rosa*).

לַקְטוֹצֵי – *LaQṬWuẒeY* (174v5, 20)
לַאקְטֻקַא – *La'QṬWuQa'* (175v17)
***lactuca***, *f*, *lactuce (gen. sg.)* 'Gartensalat' (Lactuca sativa L.) (GGA 459; Sin 123, Fn. 28; ThLL 7-2, 856; GH 2, 535; NPRA 136; Saye 138 *laktuka*). Cf. Sin (123): «Lactuca huius due sunt species, s. domestica et agrestis, quando simpliciter ponitur, domestica intellegitur». Fehlt DuC.

לַאקְטֻצֵילְלֵי – *La'QTWuẒeYLLeY* (174v21)
[***lactucella***], *f*, *lactucelle (gen. sg.)* 'junger Gartensalat (Lactuca sativa L.)' (DuC 5, 8b 'lactuca tenerior'; ThLL 7-2, 856 *lactucula*; GH 2, 535 *id.*; NPRA 136 *id.*). Die Diminutivform von *lactuca* (cf. s. v. *lactuca*) liegt hier mit Dissimilation vor. Fehlt Saye.

לַאפַּאצִּיאוֹם – *La'Pa'ẒiY'WoM* (159v9)
***lapatium***, *n* (von gr. λάπαθον) 'Ampfer (Genus Rumex L.)' (DuC 5, 27b *lapathium* s. v. *lapa* 'cardui species'; GGA 460 *lapacium*; GH 2, 558 *lapathium* 'Sauerampfer'; OLD 1, 1001a *lapathium* s. v. *lapathum* 'sorrel'; NPRA 137 s. v. *lapathum*; Kiwitt 143 *lapatium acutum* 'wahrsch. Sauerampfer'; Saye 138 *lapaciom*). Cf. *Alphita* (L19): «Lapacium, rumex idem, vulgari appellatione dicitur paratella, huius due sunt species, scilicet, acutum et rotundum; quando simpliciter ponitur, acutum intellegitur» (zit. nach GGA 235). Gemäß dieses *Alphita*-Eintrages wäre also hier *lapatium acutum* gemeint, i.e., der Krause Ampfer (Rumex crispus L.), cf. NPRA (138); GGA (460).

לַאפִּיש – *La'PiYŠ*
***lapis***, *m* 'Stein' (DuC 5, 28b; GH 2, 560; Saye 138). Cf. infra für die einzelnen Steinarten. Cf. ferner Kiwitt (143): *lapis ermonici, lapis lazuli*. Cf. im *Altfranzösischen Glossar* (3.2) für **lapis jaspe*.
לַאפִּיש אַגַפִּיש – *La'PiYŠ 'aGaPiYŠ* (159v3)
***lapis agapis***, *m* 'Achat' (MLWB 1, 371 *lapis agapis* s. v. *agapis*; DuC 1, 137a *agaris* 'lapis ex quo excutitur ignis'; GGA 460). In der *Alphita* (L35) wird *lapis agapis* mit *lapis iudaicus* gleichgesetzt (GGA 460; Sin 124,18); eine andere Synonymie ist «lapis agapis, lapis lazuli» (Sin 124, Fn. 42). Fehlt GH, OLD und Saye.
לַאפִּיש אַמַטִישִׁיש – *La'PiYŠ 'aMaṬiYŠiYŠ* (159v5)
***lapis *amatisis***, *m* (von gr. ἀμέθυστος) 'Amethyst(?)' (ThLL 1, 1887 *amethystos*; GH 1, 377 *amethystus*; Saye 29 *(lapis) amatisis*). Für lat. *lapis* cf. supra. Ob mit **amatisis* tatsächlich der Amethyst gemeint ist (mit von *-a-* zu *-e-* reduziertem Vokal und fehlender Transkription von *-t-* in *-st-*), ist nicht

ganz klar. Die in Blondheim (1925, 22, Nr. 14) angeführten «judenfranzösischen» Varianten sind *amastite, amastitre, ametitre, mastire*; sie scheiden als mögliche Lesart für unsere Variante aus. Alternativ wäre verschriebenes *ematites*, 'Hämathit' (cf. infra *lapis ematitis*) anzunehmen. Für die betroffene *Fevres*-Stelle konnte bisher noch keine Quelle identifiziert werden.

לַאפִּיש קַאקַאבְּרִי – *La'PiYŠ Qa'Qa'BRiY* (159v2)

**[*lapis cacabrum*]**, *n lapis cacabri (gen. sg.)* 'Bernstein' (MLWB 2, 7 *kacabre lapis* s. v. *cacabre*; für weitere Referenzen siehe s. v. *cacabrum*). Für *lapis* cf. supra. Formen von *cacbrum* stehen in *Fevres* sowohl mit als auch ohne vorangehendes *lapis*, cf. s. v. *cacabrum*.

לַאפִּיש קוֹרַאלִי – *La'PiYŠ QWoRa'LiY* (159v1)

**[*lapis *coralum*]**, *n* (von gr. κοράλλ(ι)ον) *lapis corali (gen. sg.)* '(rote) Koralle' (MLWB 2, 1883 *corallum*; GGA 401 *corallus*; ThLL 4, 942 *corallum, coralium* s. v. *corallium*; GH 1, 1690 *corallum* s. v. *corallium*. 'rote Koralle'; Saye 131 *korali*). Cf. *Alphita* (C124): «Corallus, huius due sunt species: albus et rubeus; quando simpliciter ponitur, rubeus intellegitur» (zit. nach GGA 185). Fehlt DuC (2, 559b nur *corallum* 'interior pars'; 'caroles').

לַפִּיש אֵימַאטִיטִיש – *LaPiYŠ 'eYMa'ṬiYṬiYŠ* (158v2)

***lapis *ematitis***, *m* 'Hämathit, Blutstein'. Für *lapis* cf. supra, für **ematitis* s. v. **ematicis*. Belegt sind die lat. Varianten *haematites, emathites, ematetis* (für Referenzen cf. s. v. **ematicis*; cf. ferner den altsp. Beleg der Variante *ematitis* durch DETEMA (1, 811c).

לַאפִּיש שְׁמַארַאקְלִי – *La'PiYŠ ŠMa'Ra'QLiY* (159r1)

***lapis *smarakeli*** → siehe s. v. im *Mittelhochdeutschen Glossar* (3.4.2).

לִיבְרַם – *LiYBRaM* (158v11)

**[*libra*]**, *f libram (acc. sg.)* '(röm.) Pfund (ca. 327,45g)' (DuC 5, 95b; ThLL 7-2, 1342; GH 2, 643; Saye 141 *libram*).

לִיאֵנטִירִיאַה – *LiY'eNṬiYRiY'aH* (158r16, 160v3, 163v2)

**[**lientiria*]**, *f* (von gr. λειεντερία) 'Magenruhr' (DuC 5, 102b *lienteria* 'laevitas intestinorum, coeliaca passio, dysentaria'; ThLL 7-2, 1378 *id.*; OLD 2, 1029b *id.* 'a form of diarrhoea in which undigested food is passed, lientery'; GH 2, 652 *lienteria* 'Magenruhr, eine Art des Durchfalls, wobei die Speise unverdaut weggeht'; Saye 142 *liéntiria*). Zur Oszillation zwischen *-i-* und *-e-* cf. die Einleitung, 1.4.2.

לִינִי – *LiYNiY* (173v12)

**[*linum*]**, *n* (von gr. λίνον) *lini (gen. sg.)* 'Lein, Flachs (Linum usitatissimum L.)' (ThLL 7-2, 1469; GH 2, 669; NPRA 147; Saye 143). Fehlt DuC in dieser Bedeutung.

לִיוִישְׁקְלִי – *LiYWiYŠQLiY* (159v8)

**[*livisclum]**, *n liviscli (gen. sg.)* ‘Liebstöckel (Levisticum officinale Koch)’ (Sin 122, Fn. 1 *levisticum*; GH 2, 627 *id.* mit Verweis auf 2, 656 *ligusticum* s. v. *Ligures*; NPRA 144 *leuisticum*; Saye 134 *liviskli*, «perh. Fr. *liveche*»). Die mlat. Variante **livisclum* ist durch die konsultierten lat. und romanischen Lexika nicht erfasst. Zwar interpretiert Saye den Terminus als frz.; die Endung auf *-i* und die Verbindung *semen liviscli* (f. 159v8) machen dies jedoch weniger wahrscheinlich. Dennoch könnte die Variante im Hinblick auf den Nexus *-cl-* durch eine volkssprachliche Form beeinflusst sein, cf. etwa altokzit. *leutiscle* (CB 294). Cf. ferner altflandr. *luveske* (FEW 5, 334); altfrz. *luvesche* (TL 7, 742). Zur Alternation zwischen *-e-* und *-i-* cf. die Einleitung, 1.4.2.

לוֹפּוֹלִי – *LWoPWoLiY* (170v4, 171v1)

**[*lopolus]**, *m lopoli (gen. sg.)* ‘Hopfen (Humulus lupulus L.)’ (DuC 5, 155b *lupulus*; GGA 470 *id.*; Sin 124,37 *id.*; ThLL 7-2, 1851 *id.*; Saye 144 *lopoli*). Zur Identifikation cf. die *Alphita* (L54): «Lupulus multum assimilatur rumici ferenti mora, sed spinis caret» (zit. nach GGA 238). Der Terminus erscheint hier mit *-o-* statt mit *-u-*. Im klassischen Lat. lautete die Bezeichnung des Hopfens *lupus (salictarius)*,[472] siehe ThLL (7-2, 1858–1859) *lupus salicatarius*; NPRA (148) *id.*; GH (2, 729) *lupus*.

## M

מַלְווַא – *MaLWWa’* (159v8)
מַלְבַּא – *MaLVa’* (173v12)

***malva***, *f* (cf. gr. μαλάχη) ‘Malve (Malva L.)’ (GGA 473; Sin 88,14, u. a.; OLD 2, 1068c; GH 2, 787; NPRA 152; Saye 148). Cf. die *Alphita* (M10): «Malva: huius due sunt species: ortensis, que dicitur molochia, et alia agrestis minor» (zit. nach GGA 244). Die medizinische Verwendung der Pflanze nennt GH (2, 787): «Bei den Alten offizinell als gelindes Abführmittel». Fehlt DuC. Cf. auch im *Altfranzösischen Glossar* (3.2) s. v. *malve*.

מַנַא – *MaNa’* (170v5, 171v10, 173r14)
מַאְננֵי – *Ma’NNeY* (176v8)

***man(n)a***, *f* (von gr. μάννα) *manne (gen. sg.)* ‘Manna, i.e., getrockneter Saft der Manna-Esche (Fraxinus ornus L.)’ (GGA 474; Sin 123, Fn. 12; Saye 146). Cf. zur Identifikation des Terminus im Mittelalter die *Alphita* (M6): «Manna est

---

472 Wegen der Ähnlichkeit der Fruchtstände des Hopfens mit einem Wolfsgebiss (cf. GH 2, 729).

quoddam dulce quod fit de rore celi cadente super quasdam herbas vel arbores certis temporibus» (zit. nach GGA 244); im Kommentar dazu wird erläutert: «un líquido azucarado, ligeramente purgante, que fluye de forma espontánea o por incisión de diversos vegetales, es especial del 'orno', la oleácea *Fraxinus ornus* L.» (GGA 474). In der Antike bezeichnete *manna* allgemein 'Körnchen, der zu Körnern verhärtete vegetabilische Saft' und speziell das Manna des Weihrauch (*manna turis*) (GH 2, 799; NPRA 154); in der *Alphita* (M29) wird Letzteres als «Mannis, id est, thus minutum» (zit. nach GGA 246) aufgenommen. Fehlt DuC in dieser Bedeutung.

מַנְדְרַאגוֹרֵי - *MaNDRa'GWoReY* (176r10)
***mandragora*** → siehe s. v. *ule* im *Altfranzösischen Glossar* (3.2).

מַארַאטְרִי - *Ma'Ra'ṬRiY* (170v16, 171r19, 171v2, 6, 172v4, 173r16)
מַרַאטְרִי - *MaRa'ṬRiY* (171v18, 173r11)
[***maratrum***], *n* (von gr. μάραθρον) *maratri (gen. sg.)* 'Fenchel (Foeniculum vulgare L.)' (DuC 5, 214a; GGA 474; Sin 85, Fn. 32, u. a.; ThLL 6-1, 164 s. v. *f(a)eniculum*; GH 2, 810 *marathrum*; NPRA 154 s. v. *marathrum*; Kiwitt 145; Saye 147 *maratri*). Cf. die *Alphita* (M30): «Maratrum, feniculus idem, tam semen quam herba. Quidam tamen dicunt quod maratrum est semen feniculi tantum» (zit. nach GGA 246).

מַרִינִי - *MaRiYNiY* (159r12$_{2x}$)
מַארִינַא - *Ma'RiYNa'* (159v6)
***marinus*** → siehe s. v. **belirici marini*, **caro marinus*, **coclina marina*.

מַשְטִיצִיש - *MaŠṬiYẒiYŠ* (158v1, 18)
מַשְטִיק - *MaŠṬiYQ* (174r12)
***mastix***, *f* (von gr. μάστιξ) *masticis (gen. sg.)* 'Mastix, Harz der Wilden Pistazie (Pistacia lentiscus L.)' (DuC 5, 300c; GGA 476; Sin 95,37; ThLL 8, 432 s. v. *mastic(h)e*; GH 2, 824 s. v. *mastiche*; NPRA *id.*; Saye 148 *mastik*). Zur Transkription des lat. finalen *-x* durch Qof cf. die Einleitung, 1.4.2. Zur Identifikation des Harzes cf. die *Alphita* (M12): «Mastix gumma est, cuiusdam arboris vel fruticisque dicitur lentiscus» (zit. nach GGA 245).

מֵילוֹנִיש - *MeYLWoNiYŠ* (171r18, 175v21, 176v3)
[***melo***], *m*, *melonis (gen. sg.)* 'Zuckermelone (Cucumis melo L.)' (ThLL 8, 623; GH 2, 861 mit Verweis auf 2, 862 *melopepo* 'Apfelpfebe, eine apfelförmige Melone, die erst vollreif genossen wird'; NPRA 158 *melo* als «forme abrégée de melopepo, [...] *Cucumis melo* L.»; Saye 151 *mélonis* s. v. *mélon*). Cf. auch die *Alphita* (P44): «Pepones sunt quaedam species melonum» (zit. nach GGA 272). Fehlt DuC.

מֵירְטִילְלוֹרוֹם – *MeRṬiYLLWoRWoM* (158r21)
**[*mertillus]**, *m* (Diminutiv von *myrtus*, dies von gr. μύρτος, NPRA 165 s. v. *murtus*, 'Myrte') **mertillorum (gen. pl.)* 'Myrtenbeere, Beere des Mirtus communis L.' (GGA 483 *mirtillus*; Sin 202b *id.*; Saye 153 *mértillorom* s. v. *mértile*, 'myrtle'; cf. ferner FEW 6-3, 317b *myrtilli*). Cf. *Alphita* (M1): «Mirtus sive mirta idem, cuius semen est mirtillus, inde vinum et oleum mirtinum, [...]» (zit. nach GGA 244). Der Terminus *mirtillus*, *myrtillus* ist erst ab dem Mlat. belegt; Plinius umschreibt mit *bacae myrti* (cf. Plin. *nat. hist.* XV,38); cf. auch unter *mertile* im *Altfranzösischen Glossar* (3.2). Fehlt DuC.

מֵרְטִינִי – *MeRṬiYNiY* (158r10)
***mertinus***, *adj.* → siehe s. v. *sirop* im *Altfranzösischen Glossar* (3.2).

מִירַאבְלַנוֹרוֹם סִיטְרִינוֹרוֹם – *MiYRa'BLaNWoRWoM SiYṬRiYNWoRWoM* (176v8–9)
**[*mirabelanum citrinum]**, *n* (von gr. μυροβάλανος, aus μύρον 'Parfum' und βάλανος 'Eichel, Nuss') *mirablanorum citrinorum (gen. pl.)* '(Frucht der) Gelben Myrobalane (Terminalia citrina Roxb. = Myrobalanus citrina Gaertn.)' (GGA 482 *mirabolan[us] citrinus*; CA 670 *id.*; Kiwitt 133 *mirablanum cetrinum* s. v. *cetrinus*, 145 *mirablanum* 'Myrobalane, Behennuß'). Die im Mittelalter bekannten fünf Arten der Myrabolanen erklärt die *Alphita* (M4): «Mirabolanorum species sunt quinque bonorum: citrinus, kebulus, belliricus, emblicus, indus» (zit. nach GGA 244); cf. ferner Heyd (1885–1886, 640s.). Laut GGA (481s.) wurden im Mittelalter mit den Arten der Myrabolane verschiedene Spezies der Gattung Terminalia bezeichnet; ebenso Sin (268a) für asp. *mirabolano*, 'fruto de varias especies de plantas pertenecientes al género Terminalia', wobei «las grafías de este término pueden ser muchas: *m(i/y)r(o/a)b(o/a)lani*» (GGA 481). Für die Antike sind unspezifisches *myrobalanum, -i, n* und *myrobalanus, -i, f* mit den Varianten *mir-*, *mer-*, *-lin-*, *-rabol-* belegt (ThLL 8, 1745 'nomen nucis medicamentis vel unguentis aptae'; GH 2, 1081 'Frucht der arabischen Behennuss'; NPRA 167 'noix de Ben, fruit de Moringa (Moringa arabica Pers.)'); in dieser Bedeutung auch DuC (5, 405c *mirabolanus, myrabolanum*): 'glans unguentaria Medicis nota'; Saye führt *mirablanorum s. v. mirabelana* (Saye 156) und *sitrinis, adj.* (zu lat. *citrinus*) 'yellow' (219) auf, interpretiert jedoch *sitrinorum* in f. 176v9 als zum lat. subst. der Bedeutung 'citron' gehörig an (Saye 219); dies ist zu korrigieren. Cf. im *Altfranzösischen Glossar* (3.2) *mirabelana citrin* s. v. **mirabelane*. Fehlt DuC.
מֵירַאבְלַאנַש ... קִיבֻולִי – *MeYRa'BLa'NaŠ ... QiYBuWLiY* (171v4–5)
מִירַא בְלַאנַש קִיבֻולִי – *MiYRa' BLa'NaŠ QiYBuWLiY* (171v17)
**[*mirabelana kibuli, *mera-]**, *f* (zur Herkunft von **mirabelana* cf. s. v. **mirabelanum citrinum*; arab. *kābulī*, 'aus Kabul') **mirabelanas kibuli (acc. pl.)*

'(Frucht der) Chebulischen Myrobalane (Terminalia kebula Retz.)' (GGA 482 *mirabolan[us] kebulus*; CA 670 *id.*; Kiwitt 143 *kebulus, adj.*; Saye 11 *kibuli* s. v. arab. *kèbuli, m* und Saye 121 lat.(?) *kébuli*). Die hier vorliegende Form wird als acc. pl. einer nicht belegten Variante **mirablana, -ae, f* (entstanden aus dem pl. des neutr. **mirablanum* mit Genuswechsel) interpretiert. Zur Identifikation und den variierenden Graphien von **mirablanum* cf. supra s. v. **mirablanum citrinum*. Kiwitt (143) bemerkt zur Transkription von *kebulus* (hier: **kibuli*) in *Fevres*: «Die hebr. Graphie (mit Qof statt Kaf, [...] und <ū> für <u>) zeigt, daß das Wort vom Schreiber nicht als arab., sondern als lat. aufgefasst wurde». Fehlt DuC.

מוֹמִיַא – *MWoMiYa'* (159r22)
***momia***, *f* (von arab. *mūmiyā*) 'Erdpech, Mumia' (GGA 484 *mummia* 'especie de alquitrán de Persia'; Sin 269a splat. *mum(m)ia* s. v. altsp. *momia*, id.). DuC (5, 543c *momia* s. v. *mumia*) gibt folgende Definition: «Mumia [...] est illud quod invenitur in sepulcris balsamatorum, in quibus humor mortui cum aloe et myrrha resolvitur;» so auch Saye (158 *momia* s. v. *momi*): 'mommy (used as part of the materia medica)'. Die in den Körperhöhlen von Mumien gefundene Substanz wurde im Orient als Heilmittel verwendet; im Okzident wurde sie durch Bitumen ersetzt (für Referenzen und weitere Erläuterungen cf. s. v. *momie* im *Altfranzösischen Glossar* (3.2)). Das Wort ist erst ab dem Mlat. belegt und fehlt ThLL, OLD und GH.

מוֹרֵילְלַא – *MWoReYLLa'* (178r14)
***morella***, *f* 'Schwarzer Nachtschatten (Solanum nigrum L.)' (DuC 5, 519a; GGA 484; Sin 202b; ThLL 8, 1488; NPRA s. v. *maurella*; Kiwitt 146; Saye 159 *moréla*). Cf. *Alphita* (M51): «Morella, solatrum, uva lupina, stignum idem, huius quedam species dicitur solatrum mortale, cuius flos est niger et fructus rubeus, et est aliud solatrum ventaticum» (zit. nach GGA 248). Cf. auch s. v. *solatrum*. Fehlt GH.

## N

נִיגֵֿילַא – *NiYĞeYLa'* (173v7)
***nigela***, *f* 'Schwarzkümmel (Nigella sativa L.)' (DuC 5, 592a *nigella*; GGA 477 *id.*; Sin 63,10; GH 2, 1156 *nigella*; NPRA 172 *id.*; Saye 165 *nijéla* 'common fennel flower'). Cf. zur Identifikation den *Alphita*-Eintrag (M34): «Melancium, id est, ciminum ethiopicum vel nigella» (zit. nach GGA 246). Die Semantisierung durch Saye bleibt unklar; der Quelltext ist für diese Stelle nicht bekannt.

נִיטְרוֹם - *NiYṬRWoM* (175r12)
***nitrum*** → siehe s. v. *sal nitrum*

## O

אוֹנְצִיאַם - *'WoNẒiY'aM* (158r21, 23)
**[*oncia]**, *f *onciam (acc. sg.)* 'Unze (ca. 30g)' (DuC 8, 366b *uncia*; GH 2, 3296 *id.*; Kiwitt 157 *id.*; Saye 170 *onçiam*).

אוֹפִּיאִי - *'WoPiY'iY* (158v19)
אוֹפִּיוֹם- *'WoPiYWoM* (159v5)
***opium***, *n* (von gr. ὄπιον) *opii (gen. sg.)* 'Opium, Saft des Papaver somniferum L.' (GGA 496; Sin 134,4 *opiun*, 134,7 *opium*; OLD 2, 1254c; GH 1, 1364; NPRA 179; Kiwitt 147; Saye 171 *opiom*). In der *Alphita* werden drei Arten des Opium unterschieden (O6): «Opii tres sunt species, scilicet, thebaicum, tranense et opium miconis. Opium, quando simpliciter ponitur, thebaicum intellegitur, [...]» (zit. nach GGA 260). Fehlt DuC.

אוֹרְדֵיאִי - *'WoRDeY'iY* (170r16)
***ordeum*** → siehe s. v. *farina ordei*

אוֹבוֹרוֹם- *'WoVWoRWoM* (159r13)
***ovum*** → siehe s. v. *testa ovorum*

אוֹקְשִׁי פְּנִיסִיאַה - *'WoQŠiY FNiYSiY'aH* (170r4, 173v2)
אוֹקְשֵׁי פְּאַנִיצִיאַה - *'WoQŠiY Fə'NiYẒiY'aH* (171r11)
***oxifenicia***, *f* (von gr. ὀξύ und φοινίκια) 'Sauerdattel, Frucht der Tamarindus indica L.' (GGA 500; Sin 205a–b *oxifeniçia*; Saye 95 *oksi fenisia* 'tamarisk'). Cf. zur Beschreibung des Terminus die *Alphita* (O51): «[...] oxifenicia, quod interpretatur dactilus acetosus, id est, tamarindus, qui sic dicitur quia, sicut testantur, nascitur in forma dactili, cortex abicitur, sed medulla, que nigra est et acetosa, ad nos affertur» (zit. nach GGA 264). Im Lat. war *phoenix* in derselben Bedeutung bekannt (NPRA 197). Fehlt DuC.

אוֹקְשִׁימֵל שְׁקְוִילִיטִיקוֹם - *'WoQŠiYMeYL ŠQWYiLiYṬiYQWoM* (177r21)
***oximel squiliticum***, *n* 'Sauerhonig mit Meereszwiebeln (Scilla maritima L.)' (ThLL 9-2, 1210 *oxymelle scilitticu* s. v. *oxymeli*; AphHipp. 93 *oxymel [...] squillitium*; Mildenberger 3, 1393 *oxymel squiliticum*; Saye 169 *oksimel*, 220 *skvilitikum* 'of or pertaining to squills'). Unspezifisches lat. oder frz. *oximel* ist ein in der mittelalterlichen Medizinliteratur häufig belegter Terminus, der ein Kompositum aus Honig und Essig bezeichnet (GGA 500; Sin 205b;

ThLL 9-2, 1209 *oxymel*); cf. auch im *Altfranzösischen Glossar* (3.2) unter *oximel*. Die Anreicherung des Gemisches mit diversen Pflanzen belegt ThLL (9-2, 1210), darunter mit *scilla*, Scilla maritima L. (NPRA 229), etwa bei Oribas. *syn.* 4,16,1 (s. o.) oder Plin. *nat. hist.* 2,12,4: «Scillae pusillum tritum cum oxymeli bibitur» (zit. nach ThLL 9-2, 1210). Cf. auch Kiwitt (148): *oxi squiliticum*, 'Meerzwiebelessig'. Fehlt DuC.

אוֹקְשִׁי זַאקְרַא - *'WoQŠiY Za'QRa'* (170r8, 170v9, 171v2, 13–14, 15, 172r4–5, 172r8, 172v5, 11, 173r6, u. v. m.)

***oxizacra***, *f* (aus gr. ὀξυσάκχαρον, ThGL 5, 2069D) 'Oxizacra, essigsaurer Granatapfelsirup' (Sin 205b *oxizacra*; Saye 169 *oksi zakra*: 'a syrup of pomegranate juice and vinegar'). Sin (159,6–7) erläutert: «Xisacra [oxizacra] i. axarope de vinagre e de vino de granadas», cf. auch die in Sin (205b) zitierte Synonymenliste Ruyzes: «Oxisacharum, y oxizacarum, jarabe de granadas;» dagegen sagt die dem *Antidotarium Nicolai* angehängte *Sinonima*: «Oxizacara. i. acetum cum zucaro» (AntNic. 63v). Fehlt DuC.

## P

פַּאפַּבְרִיש אַלְבִי - *Pa'PaVRiYŠ 'aLBiY* (158v14–15)

**[*papaver album*]**, *n papaveris albi (gen. sg.)* 'Mohn (Papaver somniferum L. var. album)' (GGA 348; Sin 99,2; NPRA 188; OLD 2, 1291b; Saye 175 *papaveris*, 27 *albi*). Sowohl *papaver album* als auch *p. nigrum* (siehe infra) sind Bezeichnungen des Papaver somniferum L., der gemäß der Farbe seiner Samenkörner in genannte zwei Unterarten gegliedert wird (cf. NPRA 188). In der *Alphita* (A25) wird *p. album* auch mit *anemon*, Papaver rhoeas L. (GGA 348) synonym gesetzt: «Anemon, papaver rubeum vel rufum; quando simpliciter ponitur, papaver album intellegitur» (zit. nach GGA 144) sowie mit *miconium*, dem Saft des P. somniferum (GGA 480): «Miconium [...], codium, papaver album idem; [...]» (zit. nach GGA 247). Cf. auch GH (2, 1463) *papaver candidum*, id.; DuC (6, 145a) zitiert nur Stellen mit unspezifischem *papaver*. Fehlt DuC.

פַּאפַּבְרִיש ... נִיגְרִי - *Pa'PaVRiYŠ ... NiYGRiY* (158v14–15)

**[*papaver nigrum*]**, *n papaveris nigri (gen. sg.)* 'Mohn (Papaver somniferum L. var. nigrum)' (GGA 496; NPRA 188; OLD 2, 1291b; GH 2, 1463; Saye 175 *papaveris*, 165 *nigri*). Cf. zu den zwei Unterarten des Papaver somniferum L. s. v. *papaver album*. In der *Alphita* (O6) wird die Milch der Pflanze als Ausgangsprodukt für *opium* genannt: «[...] Opium, [...] est forcius narcoticum et fit de lacte papaveris nigri» (zit. nach GGA 260). Für DuC siehe s. v. *papaver album*. Fehlt DuC.

פִּילֻולֵי - *PiYLuWLeY* (171r13)
**[pilula]**, *f pilule (nom. pl.?)* 'Pille' (DuC 6, 324b; GH 2, 1708; Kiwitt 149; Saye 182 *pilule*).

פִּיפֵייר - *PiYPeYYR* (175r19)
***piper**, n (von gr.* πέπερι) 'Pfefferkorn (Piper nigrum L.)' (DuC 6, 329c; NPRA 200; GH 2, 1714; Saye 183 *pipér*). Cf. auch die *Alphita* (L78) für *leucopiper, album piper* (GGA 464) und Sin (110, Fn. 15): «Faufer, i. melano piper». *Piper album* und *p. nigrum* bezeichnen das geschälte bzw. nicht geschälte Pfefferkorn, wohingegen früher geglaubt wurde, dass der *p. album* das noch nicht reife Samenkorn sei (cf. NPRA 200). Cf. auch Kiwitt (148) für *piper longum*, Piper longum L.

פְּלַאנְטַאגִ׳ינִיש - *PLa'NṬa'ĞiYNiYŠ* (158v18, 159r20)
פְּלאַנְטַאגִ׳ינִיש - *PL'aNṬa'ĞiYNiYŠ* (174r21)
**[plantago]**, *f plantaginis (gen. sg.)* 'Wegerich (Genus Plantago L., meist Plantago maior L.)' (NPRA 202; OLD 2, 1387c; GH 2, 1730; Kiwitt 149; Saye 183 *plantajinis*). In der Alphita (A50) wird *plantago maior* mit *arnoglossa, lingua agni* und *lingua arietis*, Plantago maior L. (GGA 358), gleichgesetzt; *plantago minor* mit *quinquenervia* und *lanceolata*, Plantago lanceolata L. (GGA 521). Cf. auch im *Altfranzösischen Glossar* (3.2) s. v. *planten(e)*. Fehlt DuC.

פוֹלִיטְרִיקוֹן - *PWoLiYṬRiYQWoN* (179v2)
***politricon**, n* (gr. πολύτριχον) 'Frauenhaarfarn (Adiantum capillum Veneris L.)' (GGA 516 *politricum*; Sin 207b *id.*; NPRA 205 *polytrichon*; ThLL 1, 665 *id.* s. v. *adianton*; GH 2, 1765 *id.*; Saye 187 *politrikon* 'spleenwort, waterwort'). Gräzismus. Die Identifizierung der Pflanze mit Adiantum bezeugt die *Alphita* (P45): «Politricum, secundum quosdam adyanthos» (zit. nach GGA 272). Latinisiertes *politricum* erscheint auch in altfrz. Texten, etwa im *Rég. du corps* (51,11) (TL 7, 1380). Die weitere Bedeutung Asplenium trichomanes L. gibt NPRA (205) an. Fehlt DuC.

פוֹלִי - *PWoLiY* (173r1)
**[polium]**, *n* (von gr. πόλιον) *poli (gen. sg.)* 'Poleigamander (Teucrium polium L.)', 'Kretischer Gamander (Teucrium creticum L.)' (GGA 516; NPRA 203; ThLL 10-1, 2536; Saye 187 *poli* 'penny-royal', i.e., 'Flöhkraut', Mentha pulegium L.). Die Semantisierung durch Saye ist höchstwahrscheinlich zu korrigieren; er führt die Form *poli* auf *puleium*, Mentha pulegium L. (NPRA 210; ThLL 10-2, 2576) zurück. Fehlt DuC.

פוֹלְשַׁאטִיבָא - *PWoLŠa'ṬiYVa'* (165v19)
***polsativus**, adj.* → siehe s. v. *vertu polsativa* im *Altfranzösischen Glossar* (3.2).

פוֹרְטֻולַצִי - *PWoRṬuWLaẒiY* (156v10)
פוֹרְטֻלַאקַא - *PWoRṬuLa'Qa'* (156v19, 157v16, 158r14, 160v23, 172v12)
פוֹרְטֻלַצֵי - *PWoRṬuLaẒeY* (158r9)
פוֹרְטוּלַאקַא - *PWoRṬWuLa'Qa'* (170r17)
פוֹרְטֻולַאקַא - *PWoRṬWuLa'Qa'* (171r17)
פֻּורְטֻולַצֵי - *PuWRṬuWLa'ẒeY* (173r12)
פוֹרְטֻולַאצֵי - *PWoRṬWuLa'ẒeY* (174v21, 175v17)
***portulaca***, ****pur-***, *f portulace, *purtulace (gen. sg.)* 'Portulak (Portulaca oleracea, L.)' (GGA 517 *portulaca*; Sin 63,18 *id.*; NPRA 206 *id.*; OLD 2, 1408c *id.*; GH 2, 1794 *id.*; Kiwitt 150 *id.*; Saye 190 *portulaka*). Die Variante **purtulace* (f. 173r12) mit Vokalhebung ist sonst nicht belegt. Fehlt DuC.

פְּרֻונַא - *PRWuNa'* (158v10)
פְּרֻונוֹרוֹם - *PRWuNWoRWoM* (176v5)
[***prunum***], *n* (von gr. προῦμνον) *pruna (acc. pl.), prunorum (gen. pl.)* 'Pflaume (Frucht der Prunus domestica L.)' (DuC 6, 549b; GGA 519 *pruna*; ThLL 10-2, 2388; GH 2, 2052; Kiwitt 150; Saye 193 *pruna*). Ab dem Splat. wurde auch *pruna* (aus dem pl. des neutr.) als nom. sg. f gebraucht (cf. ThLL 10-2, 2388; DuC 6, 549b); *pruna* ist in f. 158v10 jedoch als acc. pl. zu lesen («pruna doze»).

שִׁילִיאוֹם - *ŠiYLiY'WoM* (158r8, 159r19)
***psilium***, *n* (von gr. ψύλλιον) 'Flohsamen-Wegerich (Plantago psyllium L. = P. afra L.)' (GGA 519 *psillium*; Sin 137,7 *psilium*, 85, Fn. 31 *psillium*; NPRA 210 *psyllium*; Saye 218 *siliom*). Lat. *ps-* (gr. ψ-) wird durch Shin transkribiert; cf. 1.4.2. Die *Alphita* (P4) erläutert: «Psillium herba est, policaris dicitur, secundum Oribasium et Alexandrum» (zit. nach GGA 268). Fehlt DuC.

## Qu

קֻוַאטֻואוֹר - *QWWaṬuW'WoR* (158v10)
***quatuor***, *num. indecl.* 'vier' (OLD 2, 1545a; GH 2, 2145; Kiwitt 190; Saye 135 *kuatuor*). Fehlt DuC.

## R

רַאפַאנִי - *Ra'Fa'NiY* (177r23)
[***rafanum***], *m* (von gr. ῥάφανος) *rafani (gen. sg.)* 'Meerrettich (Raphanus sativus L.)' (GGA 522; Sin 89 Fn. 141, 143 Fn. 4 *raphanum*; NPRA 215 *raphanus*; GH 2, 2193 *id.*; Saye 196 *rafani*). Eine weitere Bedeutung des Terminus sim-

plex ist laut NPRA (216) und GH (2, 2193) ‘Kohl (Brassica oleracea L. und Var.)’, die in der Antike «bei den Attikern» (GH 2, 2193) neben o. g. bestand und auch bei Plinius belegt ist. Zur Beschreibung des mittelalterlichen Terminus cf. die *Alphita* (R6): «Rafanum, acutum, quando simpliciter ponitur; est et aliud quod comeditur ususaliter» (zit. nach GGA 283). Fehlt DuC.

רַאזוֻרֵי אֵיבוֹרִיש – *Ra’ZWuReY ’eYBWoRiYŠ* (158v8, 175r18)
[***rasura eboris***], *f rasure eboris (gen. sg., nom. pl.)* ‘Elfenbeinspäne’ (ThLL 5-2, 21 s. v. *ebur*; GH 2, 2202 s. v. *rasura*). Das mlat. Synthem ist u. a. in *Veget. mul.* (1,10,6) und Pelagon. (5, *rasurae eboris*) belegt (cf. ThLL 5-2, 21). Cf. sonst zu *rasura* ‘das Abgeschabte, Späne’, DuC (7, 23a); Saye (196 *razuré*); zu *ebur, n* ‘Elfenbein’ DuC (3, 222b *ebor*); ThLL (5-2, 19); GH (1, 2327); Saye (72 *eboris*). Cf. auch im *Altfranzösischen Glossar* (3.2) s. v. *rasure*.

רֻובַרְבַרִי – *RuWBaRBaRiY* (171r20, 175r4, 176v22)
רֻבַרבַרִי – *RuBaRBaRiY* (173r2, 11, 20)
רֵיבַרְבְרִי – *ReYBaRBRiY* (174v14)
רוֻבַרְבַרִי – *RWuBaRBaRiY* (176v9, 10)
[***reubarbarum, *rebarberum***], *n*, (von gr. ῥῆον βαρβαρικόν) *reubarbari, *rebarberi (gen. sg.)* ‘Rhabarber (Rheum rhabarbarum L.)’ (GGA 524 *reubarbarum*; GH 2, 2372 *id.*; NPRA 216 *id.*; Saye 196 *rébarbari*, 205 *rubarbari*). Die Graphie der ersten Silbe <*Ru(W)-/RWu-*> repräsentiert wahrscheinlich die – dem Frz. adaptierte – Aussprache [rœ-]; der Laut [œ] wird auch in französischen Wörtern so transkribiert (cf. die Einleitung, 1.4.2). Eine Variante mit *ru-* ist sonst nicht belegt. Unbelegt ist zudem **rebarberi* in f. 174v14; Varianten mit *re-* erscheinen jedoch auch noch an anderen Stellen in *Fevres* (cf. Saye 196). Cf. auch die lat. Variante ראיברברום (*R’YBRBRWM*), id., in ShŠ-1, Tav 19. Fehlt DuC.

רוֹזַש – *RWoZaŠ* (158v10, 174v15)
רוֹזַארוֹם – *RWoZa’RWoM* (158v14)
[***rosa***], *f rosarum (gen. pl.), rosas (acc. pl.)* ‘Rote Rose (Rosa gallia L.)’ (DuC 7, 214c; GGA 527; Sin 143,4; GH 2, 2409; NPRA 219; Saye 204 *rozarum* s. v. *rozéç*). Cf. zur genauen Spezifizierung die *Alphita* (R1): «Rosa duplex est, scilicet alba et rubea, sed, quando simpliciter ponitur, rubea intellegitur [...]» (zit. nach GGA 283).

רֻובִי - *RuWBiY* (157v19, 159v1, 170r15)
רֻובֵיאִי – *RuWBeY’iY* (159r11)
רֻובֵיאוֹ – *RuWBeY’Wo* (176r16)
***rubeus, rubius*** *adj.* → siehe s. v. *coralum, sandalum*

## S

שַׁל... נִיטְרוֹם - *ŠaL ... NiYṬRWoM* (175r11–12)
***sal nitrum***, *n* (von gr. νίτρον) 'natürliche Soda, Natron' (DuC 5, 594c *nitrum*; GGA 528 *sal nitrum*, 489 *nitrum*; Sin 145, Fn. 23; GH 2, 2462 mit Verweis auf 2, 1170 *nitrum*; Saye 165 *nitrom*, 206 *salniterom*). In der *Alphita* ist Folgendes zu lesen (S31): «Salis multe sunt species, scilicet, sal nitrum, sal armoniacum, sal gemma, [...]» (zit. nach GGA 289) und (N22): «Nitrum genus est salis, alexandrinum dicitur quia affertur ab Alexandria» (zit. nach GGA 258).

שַׁנְבוּצִי - *ŠaNBWuẒiY* (177v6, 8)
**[*sanbucus*]**, *f sanbuci (gen. sg.)* 'Schwarzer Holunder (Sambucus nigra L.); Zwergholunder, Attich (Sambucus ebulus L.)' (GGA 530 *sambucus*; Sin 146,2 *sanbucus*, 92, Fn. 49 *sambucus*; GH 2, 2473 *sambucus*; NPRA 225 *sambucus*; Kiwitt 151 *sanbocus*; Saye 206 *sanbuçi* s. v. *sambok*). Cf. zur Oszillation von Nasalkonsonanten vor bilabialen Lauten die Einleitung, 1.4.2. Cf. zur Synonymie «Sambucus, actis idem» die *Alphita* (S40, zit. nach GGA 290), wobei *actis* (für *actes*) ebenfalls die Arten Sambucus nigra L. und S. ebulus L. bezeichnen kann (cf. NPRA 4). Fehlt DuC.

סַנְדַלִי - *SaNDaLiY* (158v8, 170v7, 176r17, 179v5)
**[*sandalus*]**, *m* (von arab. *ṣandal*) *sandali (gen. sg.)* 'Sandelholzbaum (Santalus L.)' (DuC 7, 301c *sandalum* s. v. *sandalis*; GGA 530; Sin 146, Fn. 41; Kiwitt 151 *sandalum*; Saye 206 *sandali*). Im Mittelalter waren drei Arten des Sandelholzes bekannt, die in der Medizin verwendet wurden: das weiße (*sandalus albus*, Holz von Santalum album L.), das rote (*sandalus rubeus*, Holz von Pterocarpus santalinus L.) und das gelbe Sandelholz (*sandalus citrinus*), das eine Unterart des weißen (cf. GGA 530–531) oder «durch Lagerung gelblich gewordenes Holz von Santalum album L.» (Kiwitt 151) ist. Die *Alphita* (S56) sagt: «Sandalus: huius tres sunt species, scilicet, albus, rubeus et citrinus, quando simpliciter ponitur citrinus intellegitur, sed apotecarii ponunt rubeum» (zit. nach GGA 291). «Les tres sandali» in f. 158v8 spielt auf diese drei Arten an; explizit werden in *Fevres* in den edierten Textabschnitten nur *sandalus albus* und *sandalus rubeus* (cf. infra) genannt. Die Verwendung der Hölzer gegen Gelbsucht erwähnt auch die *Practica Brevis* des Platear. (ed. Hunt 1994, 326): «Triasandali dicitur a tribus generibus sandalorum [...]. Datur proprie contra calorem epatis et stomachi ptisicis et yctericis». Fehlt OLD und GH.

סַנְדַלִי אַלְבִּי – *SaNDaLiY 'aLBiY* (159r11, 170r15)
סַנְדַלִי אַלְבּוֹ – *SaNDaLiY 'aLBWo* (176r16)
[***sandalus albus***], *m sandali albi (gen. sg.), sandali albo (?)* 'weißes Sandelholz (von Santalinum album L.)' (GGA 530; Kiwitt 151 «sandalum ... album», f. 219r). Cf. supra zur Abgrenzung zu den anderen Sandelholzarten; ferner zum adj. *albus*, 'weiß', MLWB (1, 431); DuC (1, 169a); Kiwitt (126); Saye (27 *alba*).

סַנְדַלִי רֻובִּי – *SaNDaLiY RuWBiY* (157v19, 170r15)
סַנְדַלִי ... רֻובֵּיאִי – *SaNDaLiY ... RuWBeY'iY* (159r11)
סַנְדַלִי ... רֻובֵּיאוֹ – *SaNDaLiY ... RuWBeY'Wo* (176r16)
[***sandalus rubius***], *m sandali rub(e)i (gen. sg.), sandali rubeo (?)* 'rotes Sandelholz (von Pterocarpus santalinus L.) (GGA 530; Kiwitt 151 «sandalum rubi», f. 219r). Cf. zur Abgrenzung zu den anderen Sandelholzarten supra; ferner zum adj. *rubeus*, 'rot', OLD (2, 1657b s. v. *robeus*); GH (2, 2415) und zur Variante *rubius* DuC (7, 229b); GH (2, 2414 s. v. *ruber*); Kiwitt (151); Saye (205) listet die Form *ruba* als Lemma.

שַׁגְוִינִּיש דְרַאקוֹנִּיש – *ŠaNGWuYNiYŠ DRa'QWoNiYŠ* (158v1–2)
שַׁנְגְוִיִּש דְרַאקוֹנִּיש – *ŠaNGWYiŠ DRa'QWoNiYŠ* (158v15–16)
שַׁנְגְוִייש דְרַאקוֹנִּיש – *ŠaNGWuYŠ DRa'QWoNiYŠ* (159r10, 159v3)
***sanguis draconis***, *m sanguinis draconis (gen. sg.)* 'Harz des Drachenbaumes (Dracena draco L.)' (DuC 7, 303c s. v. [4]*sanguis* 'cinnabaris, vel resinae species'; GGA 531; Sin 145,8 *sanguis dracois*, Sin 283a *sangre de drago(n)*; Sin. Barth. 37; Saye 207 *sangvis drakonis*). Cf. zur mittelalterlichen Identifikation Sin (145,8–10): «Sanguis dracois, i. succus cuiusdam herbe ita coagulatus et confecta» und die *Alphita* (S5): «Sanguis draconis succus est cuiusdam herbe, non sanguis, ut quidam mentiuntur» (zit. nach GGA 287); zur modernen kontroversen Bestimmung siehe Sin (145,8). Fehlt OLD und GH.

שְׁקַרִיאוֹלֵי – *ŠQaRiY'WoLeY* (174v18, 21, 175r8, 175v17, 176v15)
שְׁקַארִיאוֹלֵי – *ŠQa'RiY'WoLeY* (176v20)
שְׁקַרִיוֹלֵי – *ŠQaRiYWoLeY* (179v15)
[***scariola***], *f scariole (gen. sg.)* 'Endivie (Cichorium endivia L.)'; 'Wilder Lattich (Lactuca serriola L.)' (GGA 533 Cichorium endivia L.; Sin 112, Fn. 65, 250b *escariola*; NPRA s. v. *escariola,* Cichorium intybus L., Lactuca sativa L.; Kiwitt 152 Lactuca serriola L.; Saye 220 *skariolé*). Cf. die *Alphita* (S205): «Scariola, endivia, troxima, idem» (zit. nach GGA 303). Die Identifizierung von Kiwitt geht auf Genaust (1976, 333b) und Mildenberger (4, 1686) zurück. Fehlt DuC und GH.

שֶׁמֶן – *ŠeMeN* (156v11, 157r22, 23, 157v1, 158r8$_{2x}$, 9, 158b14, 17, 159r20, u. v. m.)
שֶׁמֵינֵי – *ŠeMeNeY* (173v12)

שַׁאמֵיין - *Ša'MeYYN* (179v18)

**[semen]**, ***sa-**, *n *semene (abl. sg.?)* 'Samen' (GGA 440; Sin 91, Fn. 12 u. v. m.; OLD 2, 1729b; GH 2, 2582; Saye 211 *sémén*). Die Form **semene* in f. 173v12 ist eventuell als abl. sg. (für *semine*; für die Alternation zwischen zwischen *-e-* und *-i-* cf. die Einleitung, 1.4.2) zu deuten, parallel zu *malva* und *altea* in «epitima malva altea semene lini fenogreci [...]» (f. 173v12–13), d.h, 'Umschlag aus Eibisch, Malve, Lein- und Bockshornkleesamen, [...]'). Fehlt DuC.

שִׁימִינוֹם פְֿרֵיידוֹרוֹם - *ŠiYMiYNWoM FReYYDWoRWoM* (158v11)

**[*simina freda]**, *n pl. *siminum fredorum (gen. pl.)* 'Samen mit kalten Eigenschaften' (Mildenberger 4, 1736 *semen frigidum*; Trommsdorf 3, 777; Kiwitt 153 'Samensorten mit im Sinne der Qualitätenpathologie *kalten* Eigenschaften'). *Semina frigida* sind laut Mildenberger und Trommsdorff (3, 777) die Samen von Wassermelonen, Kürbissen, Gurken bzw. Kukumern und Melonen (= *semina frigida maiora*) sowie von Wegwarte, Endivie, Lattich und Portulak (= *semina frigida minora*). Cf. ferner für lat. 'Samen' GH (2, 2582 *semen*); Saye (218 *siminom*) sowie für lat. 'kalt' GH (1, 2847 *frigidus*); Saye (101 *frédorum*). Die unbelegte lat. Form **fredorum* scheint eine Verschmelzung des frz. Stamm des adj. *fre(i)t, -de,* 'kalt' (seit 1080; cf. FEW 3, 797a) und der lat. Endung für den gen. pl. zu sein. **Siminum* steht für *seminum* (Oszillation zwischen *-e-* und *-i-:* cf. die Einleitung, 1.4.2) und ist ebenfalls gen. pl. Fehlt DuC.

שֵׁימִישִׁי - *ŠeMiYŠY* (158r22)
שֵׁימִיש - *ŠeYMiYŠ* (158r23)
שֵׁימֵיש - *ŠeYMeYŠ* (159v11)

**semis**, ***semes**, *adj. *semisi (abl. sg.?)* 'halb' (DuC 7, 409a *semissis*; GH 2, 2591; Kiwitt 153). **Semes* steht für *semis* (zur Alternation zwischen *-e-* und *-i-* cf. die Einleitung, 1.4.2). Die Interpretation durch Saye (211) von *sémis* als 'seed' ist zu korrigieren.

שִׁינוֹכָא - *ŠiYNWoḴa'* (158v6, 159r2, 6, 163r4)
שֵׁינוֹכָא - *ŠeYNWoḴa'* (163r8, 164v5)

***sinocha***, ***senocha**, *f* (von gr. συνοχή) 'Synocha (ein akutes Faulfieber)' (DuC 7, 691b *synoca*; LS 2, 1724a συνοχή 'continuity'; Kiwitt 153 *sinocha*; Saye 218 *sinoka, sénocha, sinocha).* Cf. zur Beschreibung der Fieberart Tract. Petri de Alaman., *De Febribus* (ann. 1451, Cod. reg. 6983. fol. 116. v°): «Febris sanguinea sive de sanguine, dicitur febris ebulitionis et fervea, sive ignea, propter multitudinem sui caloris. Dicitur etiam Synoca sive Synocus» (zit. nach DuC 7, 691b) **Senocha* steht für für *sinocha*. Für weitere Erläuterungen cf. Goltz (1976, 125). Fehlt OLD und GH.

שְׁמֲארַאקְלִי – *ŠMa'Ra'QLiY* (159r1)
***smarakli***, *m* → siehe s. v. *lapis *smarakeli* im *Mittelhochdeutschen Glossar* (3.4.2)

שוֹלַאטְרִי – *ŠWoLa'ṬRiY* (156v20, 170r17, 170v4, 170v16, 172v3, 173r15, 174r21, 175v17, 176r14)
שוֹלַטְרִי – *ŠWoLaṬRiY* (176v15)
[***solatrum***], *n solatri (gen. sg.)* '(Schwarzer) Nachtschatten (Solanum nigrum L.)' (GGA 484; Sin 112,5, u. a.; Saye 222 *solatri*). Die Bezeichnung *solatrum* ist splat. für *solanum*, id. (NPRA 242; GH 2, 2706); sie ist u. a. auch bei Albertus Magnus (6,442) und Hildegard von Bingen (I,121) belegt (cf. Fischer-Benzon 1894, 144). Die Identifikation mit *morella* belegt die *Alphita* (M51); cf. hierzu s. v. *morella*. Die Anwendung des Saftes des schwarzen Beeren aufgrund seiner entzündungshemmenden Wirkung ist in antiker und mittelalterlicher Medizinliteratur mehrfach belegt (cf. NPRA 242; GH 2, 2706). Fehlt DuC.

שְׁפִיצֵי נַארְדִי – *ŠPiYẒeY Na'RDiY* (158v10)
שְׁפִיקַם – *ŠPiYQaM* (175r19)
[***spica (nardi)***], *f spicam (acc. sg.), spice nardi (abl. sg.)* 'Indische Narde, Nardenähre (Nardostachys jatamansi DuC)' (DuC 7, 554b *spicus* 'nardus'; GGA 487; Sin 132, Fn. 4; OLD 2, 1804c *nardi spica* s. v. *spica*; GH 2, 2760 'Spiekenard, d. i. Lavendel' s. v. *spica* 'Ähre', 2, 1091 s. v. *nardus* 'Narde'; NPRA *nardum, nardus*; Kiwitt 154 *spic anardi*; Saye 162 *nard* 'nard, spikenard', 225 *spiçé, spikam* 'spice'). Isoliertes *spica* bezeichnete im Mlat. ebenfalls Nardostachys jatamansi, cf. die *Alphita* (N5): «Nardostachium, spica nardi idem; nardus indica, nardus vel spica; quando simpliciter ponitur, spica nardi intellegitur» (zit. nach GGA 256).

שְׁפוֹדֵיאִי – *ŠPWoDeY'iY* (158v16, 159r10)
שְׁפוֹדִיאוֹם – *ŠPWoDiY'WoM* (158v23)
סְפוֹדִיאוֹם – *SPWoDiY'WoM* (159v9)
שְׁפוֹדִי – *ŠPWoDiY* (179r8)
***spodium***, ****-de-***, *n* (von gr. σπόδιον) *spodi, spodei (gen. sg.)* 'Metallasche, Ofenbruch (Metalloxyde, die beim Schmelzen von Metallen durch Sauerstoffaufnahme entstehen, insbesondere von Zink), Zinkoxyd' oder 'gebranntes Elfenbein' (GGA 547; DuC 7, 560a *spodium* 'aerug[o] aeris'; OLD 2, 1808b *spodium* 'metallic oxide produced by calcination'; GH 2, 2769 *spodium* 'Metallasche, Ofenbruch'; LS 1629a σπόδιον 'oxide of certain metals'; Kiwitt 154 *spodeum* «wahrsch. gebranntes Elfenbein»; Saye 225 *spodiom* mit Verweis auf 89 *éspodi*, 'kind of spice'; 'ashes of certain burnt roots'). Cf. zur Diskussion um die Bedeutung s. v. *espodi* im *Altfranzösischen Glossar* (3.2).

שְׁקֻוִילִיטִיקוֹם - *ŠQWYiLiYṬiYQWoM* (177r21)
***squiliticum*** → siehe s. v. *oximel squiliticum*

שְׁקֻוִינַנטִי - *ŠQWYiNaNṬiY* (158v9)
**[*squinantum*]**, *n* (von gr. σχοίνανθος) *squinanti (gen. sg.)* 'Kamelheu (Cymbopogon schoenanthus Spreng. oder Andropogon schoenanthus L.)' (GGA 548; Sin 145, 11; GH 2, 2525 *squinant(h)us, squinantium* s. v. *schoinuanthos*; NPRA 229 *squinanthos* s. v. *schoenanthus*; Kiwitt 155 *squinantium*; Saye 220 *skvinanti*). Die *Alphita* (S7) erläutert: «Squinantum, palea camelorum idem» (zit. nach GGA 287). Cf. auch im *Altfranzösischen Glossar* (3.2) s. v. *esquinant*. Fehlt DuC und OLD.

סֻוכְרוֹ - *SuWKRWo* (158v11)
זֻוקְרִי - *ZuWQRiY* (158r23)
זַקְרַא - *ZaQRa'* (170v5)
**[*sucrum*]**, ****sacra***, *n* (von arab. *sukkar*) *sucro (abgl. sg.), sucri (gen. sg.)* 'Zucker' (DuC 7, 646a; GGA 574 *zuccara, zaccara, zuccarum, zaccarum*; GH 2, 2439 *succarum* s. v. *saccharon* 'Zuckersaft'; Saye 252 *zakra* 'sweetened'). Die elliptische Variante **sacra* (cf. *zaccara* in der *Alphita* (Z8), zitiert nach GGA 574), ist außerhalb von *Fevres* bisher nicht belegt. Die Interpretation von Saye für *zakra* als 'sweetened' muss verworfen werden: Constant. Afric. schreibt an der lat. Vergleichsstelle im *Lib. febr.* (L, f. CCXVIIIv, col. A): «cuscute lupini solatri casiefist. manna viola: et zuccara»; cf. parallel «coscute lopoli solatri casia fistole mana violes sacra» in *Fevres* (f. 170v4–5). *Sucrum* ist erst für das Mlat. belegt (cf. GH 2, 2439 *saccharon* 'Zuckersaft') und fehlt daher OLD und GH.

צֻוקוֹ - *ẒuWQWo* (158r17)
שוקו - *ŠWQW* (170r6)
שֻוקוֹ - *ŠuWQWo* (170r17)
שֻוקְקוֹ - *ŠuWQQWo* (173v6)
שוֻקוֹ - *ŠWuQWo* (176v15)
**[*suc(c)us*]**, *m suc(c)o (abl. sg.)* 'Pressaft (aus Pflanzen und Früchten); Saft als Arznei' (GGA 497 *succus*; Sin 145, 8 *id.*, u. a.; OLD 2, 1859a *sucus*; GH 2, 2901 *id.* («*nicht* succus»); Kiwitt 155 *succus*; Saye 226 *sukus*). Geminiertes -c- tritt laut Beleglage der Lexika erst ab dem Mitttelalter auf. Fehlt DuC.

T

תַמַר אִינְדִי – *TaMaR 'iYNDiY* (173v2–3)
תַאמַארִינְדוֹרוֹם – *Ta'Ma'RiYNDWoRWoM* (176v7)
תַמַרִינְדִי – *TaMaRiYNDiY* (179v12)
**[tamarindus]**, *f* (von arab. *tamār hindi*) *tamarindi (gen. sg.), tamarindorum (gen. pl.)* 'Frucht der Tamarinde (Tamarindus indica L.)' (GGA 500; Saye 11 *tamaréndi*, 228 *tamarindorum* s. v. *tamaréndi*). Zur Bescheibung der Tamarinde cf. das Zitat aus der *Alphita* (O51) s. v. *oxifenicia*. Cf. ferner Sin (103, Fn. 65) für altsp. *tamarindos*, id., und NPRA (255) für lat. *tamarinda* 'tamarin, pâte obtenue avec le fruit du Tamarinier'. Fehlt GH und DuC.

טֵישְׁטַארוֹם אוֹבֿוֹרוֹם – *ṬeYŠTa'RWoM 'WoVWoRWoM* (159r13)
**[testa ovorum]**, *f testarum ovorum (gen. pl.)* 'Eierschale'. Für *testa*, 'Schale', cf. OLD (2, 1931b); GH (2, 3086); Saye (232 *téstarum* 'egg-shell'); für *ovum*, 'Ei', cf. OLD (2, 1278c); GH (2, 1426); Saye 173 *ovorom*). Die Interpretation von Saye von einfachem *testa* als 'Eierschale' muss korrigiert werden. Beide Lexeme fehlen DuC in der entsprechenden Bedeutung.

טְרֵיפֿוֹלְיאוֹם – *ṬReYFWoLiY'WoM* (177v8)
***trefolium**, *n* 'Klee (Genus Trifolium L.)' (Sin 101, Fn. 15 *trifolium*; GH 2, 3218 *id.*; NPRA 264 *id.*). Weitere Bedeutungen laut NPRA (264) sind: 'Asphaltklee (Psoralea bituminosa L.)', 'Steinklee, Honigklee (Melilotus Adans.)'. Zur Oszillation zwischen *-e-* und *-i-* cf. die Einleitung (1.4.2). Cf. auch im *Mittelhochdeutschen Glossar* (3.4.2) s. v. *kle blat*. Fehlt Saye.

טְרִיפְֿרַא צַארַאזִינְקַא – *ṬRiYFRa' Ẓa'Ra'ZiYNQa'* (176v13–14)
***trifera saracinca**, *f* 'Tryphera saracenica (ein Electuarium)' (GGA 562 *trifera sarracenica*; Mildenberger 4, 1990 *trifera saracenica*; Kiwitt 157 *trifra* (*sarasinica*); Saye 237 *trifera çarazinika:* trisanet sarrasin, «mit Zucker gemischtes Gewürzpulver»). In der *Alphita* (T35) ist zu lesen: «Triferon interpretatur iuvenile sive delicatum; inde trifera sarracenica [...]» (zit. nach GGA 306); GGA (562) erläutert: «[...] tipo preparado médico de virtud calmante». Die Interpretation von Saye ist zu korrigieren. Für weitere Referenzen cf. Kiwitt (157).

טְרִיפְּלִיצִיבוּש – *ṬRiYPLiYẒiYBWuẒ* (170r12)
טְרִיפְּלִיצִי – *ṬRiYPLiYẒiY* (171v20)
**[*triplex]**, *m* (von gr. ἀτράφαξυς) **triplici (abl. sg.), *triplicibus (abl. pl.)* 'Gartenmelde (Atriplex hortensis L.)' (MLWB 1, 1133 *atriplex*; GGA 404 *id.*; Sin 71, 23, u. a. *id.*; ThLL 2, 1100 *id.*; GH 1, 681 *id.*; NPRA 30 *id.*; Saye 237 *tripliçi*' «L. tribulus», 'water caltrops'). Die Interpretation von Saye muss korrigiert werden: An der f. 171v20 entsprechenden Stelle im *Lib. febrium* schreibt

Constantin *atriplicis* (f. CCXVIIIv, col. B); **triplex* ist daher als aphäretische Variante von *atriplex* zu deuten, und ist nicht *tribulus* zuzuordnen. Cf. zur Identifikation mit *crisolocana* den *Alphita*-Eintrag C226, zitiert s. v. *id.* Fehlt DuC.

טְרוֹצִיצִי – *ṬRWoẒiYẒiY* (156v8, 13, 157r26, 159r16, 159v15, 21, 23, 160r2, 22, 160v9, u. v. m.).

**[*trociscus*]**, *m* (von gr. τροχίσκος) *trocisci (nom. pl.)* 'Trochiske, eine Art Pastille' (DuC 8, 191b; GGA 404; Sin 156,1 *troscici*; GH 2, 3236 s. v. *trochisus*; Kiwitt 157; Saye 238 *troçiçi*). Goltz (1976, 175) beschreibt die Arzneiform wie folgt: «Es handelt sich bei diesen Präparaten um die Formung eingedickter Drogenextrakte [...] zu runden ‹Pastillen›, die dann getrocknet und bis zum Gebrauch weggestellt wurden. Diese ‹Pastillen› [...] stellten eine Konservierungsform dar. Wenn von ihnen Gebrauch gemacht werden sollte, wurden sie in einer Flüssigkeit aufgeschwemmt und äußerlich zur Wundheilung angewandt». Die Trochisken konnten jedoch auch für den inneren Gebrauch herangezogen werden, indem man sie zu einem Trank verarbeitete (cf. Goltz 1976, 277). Cf. auch *trocisci de arsenic, t. de arsenicas cetrin, t. ... roge* im *Altfranzösischen Glossar* (3.2).

טֻורִיש – *ṬuWRiYŠ* (158v1)

**[*tus*]**, *n* (von gr. θύος) *turis (gen. sg.)* 'Harz des Weihrauchbaumes (Boswellia carterii Birdw. oder B. sacra Flueck.)' (GGA 494 *thus*; DuC 8, 104a *thus;* Sin 154,2; OLD 2, 1995a *thus masculum* 'frankincense exuded in globular drops'; GH 2, 3267; NPRA 266). Das durch den auf der arabischen Halbinsel, im Sudan und in Somalia wachsenden Weihrauchbaum produzierte Harz (cf. GGA 494) wird in der *Alphita* (O11) wie folgt identifiziert: «Olibanum, libanum, thus, libanotide idem; [...]» (zit. nach GGA 261); cf. ferner *Alphita* (R35): «[...] Dicitur autem resina frixa, quedam resina sicca est, de qua sophiticatur thus» (zit. nach GGA 286). Die Interpretation durch Saye (239) von *turis* als Form von *taurus*, 'root of a tree' ist zu korrigieren. Cf. auch s. v. *gumi turis*.

## U V

***uncia*** → siehe s. v. **oncia*

אֻונַם – *'uWNaM* (158v2, 10, 12)

אֻונַם – *'WuNaM* (158v19)

**[*unus*]**, *adj. num. unam (acc. sg.)* 'ein' (OLD 2, 2094c; GH 2, 3309; Saye 240 *una*). Fehlt DuC in dieser Bedeutung.

אֻופַּטוֹרְיאוֹם - *'uWPaṬWoRiY'WoM* (172v8)
***upatorium*** → siehe *epatorium.*

אֻובָּא פַּאסָא - *'uWVa' Pa'Sa'* (171v7–8)
***uva passa***, *f* (wörtl. ‘zum Trocknen ausgebreitete Weinbeere’) ‘Rosine’ (GGA 504; Sin 137, Fn. 16; CA 792; GH 2, 1456 s. v. *pando*$_2$; Saye 240 *uva pasa* mit Verweis auf 173 *ova passa* ‘dry grapes’). Das *Circa instans* (207ra) beschreibt: «[...] dicuntur uve passe, quidam dimittunt uvas dessicari in arbore et post desiccant ad solem [...]» (zit. nach GGA 504). Fehlt DuC.

וְיאוֹלִיש - *WiY'WoLiYŠ* (158v9)
וְיאוֹלַארוֹם - *WiY'WoLa'RWoM* (176v4)
[***viola***], *f, violarum (gen. pl.), violis (abl. pl.)* ‘Veilchen (Viola L.), meist Viola odorata L.’ (GGA 567; Sin 162, Fn. 79; GH 2, 3501; NPRA 272; Kiwitt 157; Saye 248 *violarum*). Die Form *violis* ist wahrscheinlich als abl. pl. nach einer Mengenangabe zu lesen (cf. «Prenez les tres sandali, sumac ninofar rasure eboris violis ana drachmas dues», f. 158v8–9). Kiwitt (157) zitiert dieselbe Form *violis* in einem syntaktisch vergleichbaren Satz («violis, [boragin]is ana uncias duas», f. 217v). Fehlt DuC.

וְיאוֹלַאשִׁיוֹם - *WiY'WoLaŠiYWoM* (176v13)
***violacium*** → cf. s. v. **sirop violacium* im *Altfranzösischen Glossar* (3.2).

## Y

יֵירַא פִּיגְרַא - *YeYRa' PiYGRa'* (171v12, 172v20)
***yerapigra***, *f* (von gr. ἱερὰ πικρά, siehe LS 820b) ‘Yerapigra, ein Elektuarium’ (GGA 450; Sin 218; Saye 115 *jérapigra* ‘an electuary made out of cinnamon, macis, asarum, saffron, and aloes’). Zur Bezeichnung *yerapigra* sagt die *Alphita* (Y10): «Yera interpretatur sacrum; inde yerapigra, id est sacrum amarum, [...]» (zit. nach GGA 317). Zur Komposition des Heilmittels cf. Blancardus (244): «Hiera Picra est electuarium ex aloe, ligno aloës radicibus asari, spica indica, croco, mastiche & melle paratum» (zit. nach Sin 218). Die Verwendung beschreibt der Kommentar zur *Alphita*: *Yerapigra* bezeichne «un preparado en polvo que se administra en forma de electuario y se usa sobre todo como purgante» (GGA 450).

## 3.4 Glossare anderer Sprachen

### 3.4.1 Altokzitanisches Glossar

אַשִׁיטוֹץ - *'aŠiYṬWoẒ* (157r22)
****acitos***, *f* (14. Jh.; von lat. ACETUM) 'sauer' (FEW 24, 101b *acetos*; Saye 22 *açitos*). Die Bedeutung 'sauer', die hier aufgrund des Textvergleichs mit der vermutlichen Quelle anzunehmen ist, legitimiert die Interpretation des adj. als altokzit. Im Frz. nimmt das Wort die Bedeutung 'aus Essig' an (FEW 24, 101b altfrz. *acetos* (hap. leg.), 'de vinaigre', mfrz. *acetoux*, 'qui a le goût de vinaigre'; Gdf 1, 50c *id.*; AND2 OE *id.* s. v. *acetus*). Für die Alternation zwischen *-e-* und *-i-* cf. 1.4.2.

בְּלֵידַא - *BLeYDa'* (172v13)
***bleda***, *f* (von splat. *bleta* < lat. BETA, beeinflusst durch BLITUM) 'Rübe (Beta vulgaris vulgaris)', besonders 'Mangold (Beta vulgaris vulgaris *var.* vulgaris)' (FEW 1, 344a; RL 1, 227a; DB 113 בלדש *bledas*; ShS-1, Tav 4 בלידש *bledas*; CB 135, 259; Saye 46 *bléda*, «Languedoc for beet»). *Bleda* ist die altokzit. Variante (cf. auch moderne okzit. dialektale Bezeichnungen wie languedoc. *blédo*, prov. *bleda*, FEW 1, 344a) entsprechend altfrz. *blete* (siehe s. v. *blete* in 3.2). Durch das intervokalische [d] und insbesondere finales [a] ist die Lesart einer frz. Variante ausgeschlossen. Der als «prov.» gekennzeichnete Terminus liegt auch in den Rashi-Glossen vor (cf. supra, DB). Während im Mittelalter im Bereich der *langue d'oïl* v. a. Varianten des Typus *bete* (cf. s. v. im *Altfranzösischen Glossar*, 3.2) verbreitet waren, scheinen im Süden die von *blitum* beeinflussten Varianten vorherrschend.

קוֹלִיאַנְדְרְא - *QWoLiY'aNDRə'* (170v13)
***coliandre***, *m* (14. Jh.; von splat. *coliandrum*) 'Koriander (Coriandrum sativum L.)' (FEW 2-2, 1184a altokzit. *coliandre*, «judfr.» *id.* = RLJ 238; CB 201, u. a.; Saye 125 *koliandre*). Im Lat. tritt seit dem 5. Jh. die dissimilierte Nebenform *coliandrum* auf; sie setzt sich in der Galloromania lediglich im Okzit. (neben *coriandre*, LR 1, 485a; CB 391) fort (cf. FEW 2-2, 1184b). Die in FEW als «judfr.» gekennzeichnete Variante entstammt altokzit. Glossen in hebr. Graphie (in Blondheim 1923, 38; Blondheim 1925, 38, Nr. 39) um 1200 und ist somit nicht frz. Im Frz. ist hingegen *coriandre* die übliche Variante (cf. TL 2, 861; FEW 2-2, 1184a fr. *coriandre*, mfr. *coliandre*; AND2 OE *coriandre*, *coliandre*). Cf. auch *coliandrum* im *Lateinischen Glossar* (3.3).

אֵיקְרַאקַֿאץ - *'eYQRa'Ča'Ẓ* (100v13)
אֵקְרַאקַֿץ - *'eQRa'ČaẒ* (100v14, 101r15)

לֶקְרַאקָֿאץ – *LeQRa'Ča'Z̧* (101r11)
לֵיקְרַאקָֿאץ – *LeYQRa'ČaZ̧* (101r19, 101v5, 102r1, 4, 8, 11)
***ecrachaz**, m* (< **krakk-*?) 'Auswurf, Sputum' (FEW 2-2, 1268a Dauphiné/Piemont/Hérault *eskratš* 'crachat'; Kiwitt 108 *ecrachat*; Saye 75 *ékrachaç*; TL 3, 992 *escrachaz, escrachat* = RLJ = 335 (*écrachat*) = Oesterreicher 1896, 5; FEW 2-2, 1268a «judfr.» *id.* = RLJ 335; RLJ 331 *éclachat* = Saye 74). **Ecrachaz* ist wahrscheinlich als *Plurale tantum* aus *ecrachat* zu interpretieren (cf. Kiwitt 108, der bei *ecrachaz* in der Edition *ecrachat* im Glossar lemmatisiert). In TL (3, 992) fehlt der Hinweis auf die Herkunft der Variante *escrachaz* (nicht RLJ). Im Hinblick auf die Hypothese, beim «Judenfranzösischen» handle es sich oftmals um okzit. Lexeme (cf. 1.1.3.3), ist zu betonen, dass alle (modernen) Varianten mit *e(s)-* laut FEW (2-2, 1268a) dem okzit. und vereinzelt dem frpr. (z. B. *eycrachat*, Grenoble) Sprachraum zuzuordnen sind. Cf. ferner für französisches *crachaz* TL (2, 1008 *crachaz, crachat* 'Auswurf, Speichel, Sputum); Gdf (9, 238a *crachat*); AND2 OE *crachet*). Cf. auch *escrachement* im *Altfranzösischen Glossar* (3.2).

### 3.4.2 Mittelhochdeutsches Glossar

אַדֵייק – *'aDeYYQ* (177v7)
****adec**, m* 'Attich (Sambucus ebulus L.)' (Lexer 1, 103 *atich, atech*; Saye 10, 22). Cf. auch im *Lateinischen Glossar* (3.3) s. v. *ebulus* und *sanbucus*.

בְּלַאוֹ – *BLa'Wo* (102r14)
**blao**, *adj.* 'blau' (Lexer 1, 294 *blâ*; Köbler 123b *blao*; Saye 10, 46 *blao*). Die Variante *blao* ist ahd.; mhd. ist *blâ* (cf. Lexer 1, 294).

הוֹלֵינְדֵר – *HWoLeYNDeR* (177v8)
****holender**, m* 'Holunder (Sambucus L.)' (Lexer 1, 1328 *holunder, holenter*; Saye 10 *holendere*, 110). Cf. im *Lateinischen Glossar* (3.3) s. v. *ebulus* und *sanbucus*.

קְלֵי בְּלַאט – *QLeY BLa'Ṭ* (177v9)
***kle blat**, n* 'Klee (Trifolium L.)' (Lexer 1, 1609 *klê* 'Klee', 1, 298 *blat* 'Blatt'; Saye 10, 123). Cf. im *Lateinischen Glossar* (3.3) s. v. *trefolium*.

לַאפִּיש שְׁמַארַאקְלִי – *La'PiYŠ ŠMa'Ra'QLiY* (159r1)
***lapis *smarakeli**(?), m* (cf. lat. *smaragdus* und gr. σμάραγδος) 'kleiner Smaragd' (Lexer 2, 1002 *smarackelîn, smarackel*, 'kleiner smaragd'; Blondheim 1925, LXXV *smarakel*[473]; Saye 220 «Ger.» *smarakli*). Lat.-mhd. Hybrid. Der

473 Ohne hebräische Transkription.

Beleg Blondheims stammt aus einem Manuskript deutscher Herkunft aus dem ausgehenden 14. Jh. Alternativ wäre eine rein lat. Lesart denkbar (zu *lapis *smaraclus*); Varianten des Typus **smaraclus* (für *smaragdus*) mit stimmlosem Velar und *-l-* statt *-d-* sind jedoch durch die Lexika nicht belegt (cf. DuC 7, 501c *smaragdus*; OLD 2, 1776c *id.*; GH 2, 2698 *id.*). Die Konstruktion *lapis* + gen. tritt auch bei den Bezeichnungen anderer Steine auf (cf. im *Lateinischen Glossar*, 3.3, s. v. *lapis*) und wäre damit zunächst kein Gegenargument. Dennoch erscheint aus phonologischen Gründen die mhd. Interpretation plausibler.

### 3.4.3 Hebräisches Glossar

זרע – *ZR'* (171v19)
***ZR'***, *m* 'Korn, Samen' (KB 282; J 414; Saye 17).

לתקופת ניסן – *LTQWPT NYSN* (240v10)
***LTQWPT NYSN***, *m* 'Wendepunkt des Monats Nisan', d. h. 'Tagundnachtgleiche um den 20. März, Frühlingsäquinoktium' (KB 696, 1784; J 1690; Saye 15 *Nisan* 'first month in Jewish calendar'). *LTQWPT* fehlt Saye.

פְּלוֹנִי – *PLWoNiY* (179v21)
***PLWoNiY***, *pron. indef.* 'jemand' (KB 934; J 1178; Saye 15).

## 3.5 Register der häufig vorkommenden Wörter und Wortformen

Im Folgenden erscheinen diejenigen Wörter, die aufgrund ihrer generellen Häufigkeit nicht in das Wortregister aufgenommen wurden. Es handelt sich hierbei um Artikel, Pronomina, Partikeln, häufige Adverbien, Numeralia, Verben, Präpositionen und Konjunktionen. Sie sind nach den angegebenen Kriterien geordnet und werden weder in hebräischer Transkription, ihrer Transliteration dargestellt noch mit Stellenangaben belegt, noch mit Wörterbuchreferenzen versehen.

#### a) Artikel

***Bestimmter Artikel:*** le, li, la, li, les
***Unbestimmter Artikel:*** un, une, des
***Artikel + Präposition:*** au, as, do

## b) Pronomina

***Personalpronomina:*** je, me, tu, il, ele, li, lies, nos, vos, ils, eux
***Possessivpronomina:*** sa, ses, notre, lur
***Demonstrativpronomina:*** cet, cete, ceti (für *cestui*), ce, ces, ceci, celi (für *celui*), lecele
***Relativ- bzw. Interrogativpronomina:*** qui, que, quel, quele, quoi, dont
***Indefinitpronomina:*** acun, acune, acuns, atant, autre, autres, che(s)cun, itel, itele, meimes, nul, nule, tant, tele, tot, tote, toz, totes

## c) Numeralia

***Cardinalia:*** un, une, dus, dues, tres, quatre, cinc, siz, set, uit, neuf, diz, doze, trente tres
***Ordinalia:*** prins, primer, prumer, segonde, terze, quart, quarte, cinqueme, seteme, neuveme, onzeme, quatorzeme, diseteme, vinteme

## d) Negationspartikeln

jemes, mie, ne, ni, point

## e) Konjunktionen

adonc, car, come, coment, et, joc, mes, o, ou, par (ce) que, pa(r) quoi, quant, que, se

## f) Adjektive

bon, bone, bons, bones

## g) Adverbien

amont, arere, asez, atant, coment(e), dedens, dehors, desoz, desuz, en haut, ensenble, ensi, environ, hors de, ici, jemes, là, me(n)tenant, mes, meus, plus, po, pu(e)s, si, sovent, trop, tot, y

**h) Verben**[474]

***aler:*** vois, veit, alée
***avoir:*** ai, avons, avont, avent, ont, eie, eiet (*subj.*), avoit, avrez, ot (*passé simple*)
***devenir:*** devent, devenroit
***devoir:*** doit, deens (*1. pl.*), devez
***dire:*** dis, dit, dites, dirai
***doner:*** donez, donerons/ doneroms, done (*subj.*)
***estre:*** est, etes, sont, soit, etoie, etoit, sera, seront, seroit, fut, eté
***falloir:*** faot
***fere:*** fetez, feit, fera, ferez, feromes, fase, fit, fet, fete
***metre/meter:*** metrons, metez, metent, mit, mis, met
***poeir:*** peut/poet, poöns, poez, puse, poret, porons, poroit
***prendre:*** prent, prenez, prendent, prenra, pren, prene/preneie
***remetre:*** remetez
***revenir:*** revenoit, revene
***savoir:*** sachez, savrez
***tenir:*** tent
***venir:*** vien, ven, ve(n)t, venent, venat, venu, venue, venus
***veoir:*** vois, veez, vis, vu, voisent (*part. praes.*)
***voloir:*** vuel, veuil, vuet, volons, volez, voroit

**i) Präpositionen**

a, apres, avant, aveque(s), com(e), contre, de, dehors, des, devant, en, enconter/encontre, enter, par, parmi, per, pro, sant, sanz, sur

474 Die Verbformen können bei Buridant (2000, 280 ff) eingesehen werden.

## 3.6 Eigennamen-, Ortsnamen- und Werkverzeichnis

| | |
|---|---|
| Afrismus (Aphorismen des Hippokrates) | f. 164v4 |
| Galien | ff. 162r10, 162v25 |
| Ipocras | f. 164v3 |
| Isac | f. 239r5 |
| Johanus de Sent Paul | f. 160v11–12 |
| Johanes Damasinus (Johannes von Damaskus) | f. 173r17 |
| Platiarius | f. 175v5 |
| Rome | ff. 162r12, 14, 21, 163r1 |

# 4 Bibliographie

## 4.1 Quellen

### 4.1.1 Handschriften und frühe Drucke

E = Erfurt, Bibliotheca Ampolonia Ms. Q. 187. Spätes 13./frühes 14. Jahrhundert, evtl. Frankreich.

*Fevres* = Berlin, SBPK Ms. or. oct. 512. Frühes 14. Jahrhundert, Ostfrankreich (Lothringen/Champagne/Burgund).

Damascenus, Joannes, *Hysagoge Joannitii*, in: *Articella* (In hoc volumine paruo in quantitate: maximo in virtute continentur infrascripti codices. Liber hysagoge Joannitii. Liber Phylareti de pulsibus. Liber Theophili de urinis et al.), Pavia, Giacomo Pocatela, 1506.

L = Israeli, Isaac ben Salomon/Constantinus Africanus (trad.)/Turini, Andrea (ed.), *[Liber febrium] Liber de febribus*, in: dies., *Omnia opera Ysaac*. Lyon, 1515.

Jenson, Nicolaus (ed.), *Incipit antidotarium Nicolai*, Venedig, 1471.

P = Paris, Bibliothèque nationale de France Ms. hébr. 1127.

Va = Vatikan, Biblioteca Apostolica Vaticana Ms. ebr. 363.

Ven = Vendôme, Bibliothèque municipale Ms. 174. Spätes 12. Jahrhundert, Südfrankreich.

### 4.1.2 Textausgaben und Kommentare

Ahrend, Moshé M., *Le commentaire sur Job de Rabbi Yospéph Qara'. Études des méthodes philologiques et exégétiques avec une étude des «le'azim» par Mochè Catane*, Hildesheim, Gerstenberg, 1978.

Aslanov, Cyril, *The Judeo-Greek and Ladino Columns in the Constantinople Edition of the Pentateuch (1547): A Linguistic Commentary on Gn 1:1–5*, Revue des Études Juives 158 (1999), 385–397.

Aslanov, Cyril, *Le français de Rabbi Joseph Kara et de Rabbi Élézier de Beaugency d'après leurs commentaires sur Ézéchiel*, Revue des Études Juives 159 (2000), 425–446.

ATC = Trotter, David (ed.), *Traitier de cyrurgie. Édition de la traduction en ancien français de la Chirurgie d'Abū'l Qāsim Halaf Ibn 'Abbās al-Zahrāwī du manuscrit BNF, français 1318*, Tübingen, Niemeyer, 2005.

Banitt, Menahem (ed.), *Rashi – Interpreter of the Biblical Letter*. Tel Aviv, Chaim Rosenberg School of Jewish Studies, 1985.

Banitt, Menahem (ed.), *Le Glossaire de Leipzig*, 4 vol., (= Corpus Glossariorum Biblicorum Hebraico-Gallicorum Medii Aevi II), Jerusalem, The Israel Academy of Sciences and Humanities, 1995–2005.

Barbazan, Etienne (ed.), *Fabliaux et contes des poètes françois des XI$^{e}$, XII$^{e}$, XIII$^{e}$, XIV$^{e}$ et XV$^{e}$ siècles*, 4 vol. Paris, 1808 (Nachdruck Genf, Slatkine, 1976).

Barkai, Ron, *A History of Jewish Gynecological Texts in the Middle Ages*, Leiden u. a., Brill, 1998.

Blondheim, David Simon, *Contribution à l'étude de la poésie judéo-française*, Revue des Études Juives 82 (1926), 379–393.

https://doi.org/10.1515/9783110490039-004

Blondheim, David Simon, *Poèmes judéo-français du Moyen Age*, Paris, Champion, 1927.
Bos, Gerrit (ed.), *Ibn al-Jazzar on Sexual Diseases and their Treatment. A Critical Edition, English Translation and Introduction of «Zād al-musāfir wa-qūt al-ḥāḍir» (Provisions for the Traveller and Nourishment for the Sedentary), Book 6. The Original Arabic Text with an English Translation, Introduction and Commentary*, London, Kegan Paul, 1997.
Bos, Gerrit (ed.), *Ibn al-Jazzar on Fevers. Critical Edition, English Translation and Introduction of Book 7, Chs. 1–6 of «Zād al-musāfir wa-qūt al-ḥāḍir»*, London, Kegan Paul, 2000.
Bos, Gerrit (ed.), *Maimonides, On Asthma. A Parallel Arabic-English Edition Edited, Translated, and Annotated*, Provo, Brigham University Press, 2002.
Bos, Gerrit (ed.), *Maimonides, Medical Aphorisms. Treatises 1–5. A Parallel Arabic-English Edition Edited, Translated, and Annotated*, Provo, Brigham University Press, 2004.
Bos, Gerrit (ed.), *Maimonides, Medical Aphorisms. Treatises 6–9. A Parallel Arabic-English Edition Edited, Translated, and Annotated*, Provo, Brigham University Press, 2007.
Bos, Gerrit (ed.), *Maimonides, Medical Aphorisms. Treatises 10–15. A Parallel Arabic-English Edition Edited, Translated, and Annotated*, Provo, Brigham University Press, 2010.
Bos, Gerrit (ed.), *Maimonides, Medical Aphorisms, Treatises 16–21. A parallel Arabic-English Edition Edited, Translated, and Annotated.* Provo, Brigham University Press, 2015 (= 2015a).
Bos, Gerrit (ed.), *Ibn al-Jazzar's «Zād al-musāfir wa-qūt al-ḥāḍir», Provisions for the Traveller and Nourishment for the Sedentary, Book 7 (7–30). Critical Edition of the Arabic Text with English Translation, and Critical Edition of Moses ibn Tibbon's Hebrew Translation («Ṣedat ha-Derakhim»)*, Leiden, Brill, 2015 (= 2015b).
Bos, Gerrit (ed.), *Maimonides, Medical Aphorisms. Medieval Hebrew Translations by Nathan ha-Me'ati and Zerahyah Ḥen*, in Vorb.
Bos, Gerrit/Langermann, Tzvi (edd.), *Maimonides, On Rules Regarding the Practical Part of the Medical Art. A Parallel Arabic-English Translation*, Provo, Brigham University Press, 2014.
Bos, Gerrit/McVaugh, Michael R. (edd.), *Maimonides, On Asthma.* Vol. 2: *Critical Editions of Medieval Hebrew and Latin Translations*, Provo, Brigham University Press, 2008.
Bos, Gerrit/McVaugh, Michael R. (edd.), *Maimonides, On Poisons and the Protection against Lethal Drugs. A New Parallel Arabic-English Translation. With Critical Editions of Medieval Hebrew Translations and Medieval Latin Translations*, Provo, Brigham University Press, 2009.
Bos, Gerrit/McVaugh, Michael R. (edd.), *Maimonides, On Hemorrhoids. A New Parallel Arabic-English Translation. With Critical Editions of Medieval Hebrew Translations and Latin Translations*, Provo, Brigham University Press, 2012.
Bos, Gerrit/Mensching, Guido, *The Black Death in Hebrew Literature: Abraham Ben Solomon Ḥen's «Tractalulus de pestilentia». Edition of the Hebrew Text with Introduction, English Translation and Supplement on the Romance Terminology*, Jewish Quarterly Review 18 (2011), 32–63.
Bos, Gerrit/Mensching, Guido/Zwink, Julia, *A Late Medieval Hebrew-French Glossary of Biblical Animal Names*, *Romance Philology* 63 (2009), 71–94.
Bos, Gerrit/Zwink, Julia (edd.), *Berakhyah Ben Natronai ha-Nakdan, «Sefer Ko'aḥ ha-Avanim» (On the Virtue of the Stones). Hebrew Text and English Translation. With a Lexicological Analysis of the Romance Terminology and Source Study*, Leiden/Boston, Brill, 2010.
Brandin, Louis, *Les gloses françaises (loazim) de Gerschom de Metz*, Revue des Études Juives 42 (1901), 48–75 (= 1901a).

Brandin, Louis, *Les gloses françaises (loazim) de Gerschom de Metz*, Revue des Études Juives 42 (1901), 237–252 (= 1901b).

Brandin, Louis, *Les gloses françaises (loazim) de Gerschom de Metz*, Revue des Études Juives 43 (1901), 72–100 (= 1901c).

CA = Creutz, Rudolf (ed.), *Das mittelalterliche medizinisch-botanische Vokabularium «Alphita»*, in: Diepgen, Paul/Ruska, Julius (edd.): *Quellen und Studien zur Geschichte der Naturwissenschaften und Medizin*, vol. 7,4–5. Berlin, Springer, 1940.

CB = Corradini Bozzi, Maria Sofia (ed.), *Ricettari Medico-Farmaceutici Medievali nella Francia Meridionale*, Florenz, Olschki, 1997.

CGL = Goertz, G. (ed.), *Corpus Glossariorum Latinorum*, Leipzig, Teubner, 1888–1923.

Cottin-Bizonne, Shannon Hogan (ed.), *Une nouvelle édition du Bestiaire de Philippe de Thaon. Diplôme d'archiviste paléographe*, Paris, École nationale des chartes, 2005.

Darmesteter, Arsène, *Deux Élégies du Vatican*, Romania 3 (1874), 443–486.

Darmesteter, Arsène, *L'Autodafé de Troyes*, Revue des Études Juives 2 (1881), 199–233.

Darmesteter, Arsène (ed.), *Les gloses françaises de Raschi dans la Bible*, Paris, Durlacher, 1909.

DB = Darmesteter, Arsène/Blondheim, David S. (edd.), *Les Gloses françaises dans les commentaires talmudiques de Raschi*, vol. 1, Paris, Champion, 1929.

Dorveaux, Paul (ed.), *L'Antidotaire Nicolas. Deux traductions françaises de* l'Antidotarium Nicolai, *l'une du XIV^e^ siècle suivie de quelques Recettes de la même époque et d'un Glossaire, l'autre du XV^e^ siècle, incomplète, publiées d'après les manuscrits français 25,327 et 14,827 de la Bibliothèque Nationale*, Paris, Welter, 1896.

Dorveaux, Paul (ed.), *Le livre des simples médecines. Traduction française du «Liber de simplici medicina dictus Circa instans» de Platearius tirée d'un manuscrit du XIII^e^ siècle (Ms. 3113 de la Bibliothèque Sainte-Geneviève de Paris)*, Paris, Publications de la Société française d'histoire de la médecine, 1913 (= 1913a).

Dorveaux Paul, *Le Livre des simples médecines, traduction française du Circa instans de Platearius*, Bulletin de la Société d'histoire de la pharmacie 1.3 (1913), 35–37 (= 1913b).

Einbinder, Susan, *The Troyes Laments. Jewish Martyrology in Hebrew and Old French*, Viator 30 (1999), 201–230.

FIE = Richards, Ruth M. (ed.) (1984), *Isaac Israelí, Tratado de las fiebres*. Escorial: M.I.28, 1984, in: Herrera, M. T./González de Fauve, M. E. (edd.), *Textos y Concordancias Electrónicos del Corpus Médico Espanol* [CD-Rom], Madison WI, Madison House, 1997.

Fudeman, Kirsten A., *The Old French Glosses in Joseph Kara's Isaiah Commentary*, Revue des Études Juives 165 (2006), 147–177 (= 2006a).

Fudeman, Kirsten A., *«They have ears but do not hear»: Gendered Access to Hebrew and the Medieval Hebrew-French Wedding Song*, Jewish Quarterly Review 96 (2006), 542–567 (= 2006b).

Fudeman, Kirsten A., *Restoring a Vernacular Jewish Voice: The Old French Elegy of Troyes*, Jewish Studies Quarterly 15 (2008), 190–221.

Galenus, Claudius, *Medicorum Graecorum Opera quae exstant*, 20 vol., ed. Kühn, Karl Gottlob, Leipzig, C. Knobloch, 1821–1833 (Nachdruck Hildesheim, Olms, 1965).

Galenus, Claudius, *De differentiis febrium*, in: *Medicorum Graecorum Opera quae exstant*, vol. 7, ed. Kühn, Karl Gottlob, Leipzig, C. Knobloch, 1828 (Nachdruck Hildesheim, Olms, 1965), 273–405.

GGA = García González, Alejandro (ed.), *Alphita. Edición crítica y commentario*, Florenz, Sismel, 2007.

GlBâleA = Banitt, Menahem, *Le Glossaire de Bâle*, vol. 1: *Introduction* (Corpus Glossariorum Biblicorum Hebraico-Gallicorum Medii Aevi I), Jerusalem, The Israel Academy of Sciences and Humanities, 1972.

GlBâleB = Banitt, Menahem (ed.), *Le Glossaire de Bâle*, vol. 2: *Texte* (Corpus Glossariorum Biblicorum Hebraico-Gallicorum Medii Aevi I). Jerusalem: The Israel Academy of Sciences and Humanities, 1972.

Goltz, Dietlinde, *Mittelalterliche Pharmazie und Medizin. Dargestellt an Geschichte und Inhalt des Antidotarium Nicolai (mit einem Nachdruck der Druckfassung von 1471)*, Stuttgart, Wissenschaftliche Verlagsgesellschaft, 1976.

Hunt, Tony (ed.): *Anglo-Norman Medicine*. vol. 1: Roger Frugard's *Chirurgia*/The *Practica brevis* of *Platearius*, Cambridge, Brewer, 1994.

Jacquart, Danielle, *Hippocrate en français. Le «Livre des amphorismes» de Martin de Saint-Gille (1362–1363)*, in: dies. (ed.), *Les voies de la science grecque. Études sur la transmission des textes de l'Antiquité au dix-neuvième siècle*, Genf, Droz, 1997, 293–327.

Katzenellenbogen, Lucie (ed.), *Eine altfranzösische Abhandlung über Fieber*, Würzburg, Triltsch, 1933.

Kiwitt, Marc (ed.), *Der altfranzösische Fiebertraktat Fevres. Teiledition und sprachwissenschaftliche Untersuchung*, Würzburg, Königshausen und Neumann, 2001.

Kiwitt, Marc, *L'Elégie de Troyes: une nouvelle lecture*, Études Médiévales 5 (2003), 259–272.

Kiwitt, Marc (ed.), *Les gloses françaises du glossaire biblique B.N. hébr. 301. Édition critique partielle et étude linguistique* (Diss.), Heidelberg, Winter, 2013.

Kroemer, Georg Heinrich (ed.), *Johanns von Sancto Paulo, «Liber de simplicium medicinarum virtutibus» und ein anderer Salernitaner Traktat: «Quae medicinae pro quibus morbis donandae sunt»*, Leipzig, Noske, 1920.

Lafeuille, Germaine (ed.), «*Les amphorismes Ypocras*» *de Martin de Saint-Gille, 1362–1365*, Genf, Droz, 1954.

Landouzy, Louis/Pépin, Roger (ed.), *«Le régime du corps» de maître Aldebrandin de Sienne. Texte français du XIII$^{e}$ siècle publié pour la première fois d'après les manuscrits de la Bibliothèque nationale et de la Bibliothèque de l'Arsenal, avec variantes, glossaire et reproduction des miniatures.* Vorwort von Thomas, M. Antoine, Paris, Champion, 1911.

Llamas, P. José (ed.), *Iṣḥaq Israeli, Tratado de las fiebres. Edición de la versión castellana*, Madrid/Barcelona, CSIC, 1945.

Loeb, Isidore (ed.), *Deux livres de commerce du commencement du XIV$^{e}$ siècle*, Revue des Études Juives 8 (1884), 161–196; 9 (1884) 21–50; 187–213.

Opsomer, Carmélia, *L'art de vivre en santé. Images et recettes du Moyen âge, dargestellt am* Tacuinum Sanitatis *(Manuskript 1041 der Bibliothèque de l'Université de Liège)*, Meersen, Perron, 1991.

Penkower, Jordan, *The End of Rashis's Commentary on Job: The Manuscripts and Printed Editions (with Three Appendices)*, Jewish Studies Quarterly 10 (2003), 18–48.

Penkower, Jordan, *The French and German Glosses («le'azim») in the Pseudo-Rashi Commentary on Chronicles (12$^{th}$ Century Narbonne): The Manuscripts and the Printed Editions*, Jewish Studies Quarterly 16 (2009), 255–305.

Oesterreicher, Josef, *Beiträge zur Geschichte der jüdisch-französischen Sprache und Literatur im Mittelalter*, Czernowitz, Pardini, 1896.

Renzi, Salvatore de (ed.), Collectio Salernitana. Ossia documenti inediti, e trattati di medicina appartenenti alla scuola medica Salernitana, vol. 2, Neapel, Filiatre-Sebezio, 1853.

RMA = Bunuel, Claude (ed.), *Recettes médicales d'Avignon en ancien provençal*, Romania 90, (1959), 145–190.

Rosner, Fred (ed.), *The Medical Aphorisms of Moses Maimonides. Maimonides' Medical Writings.* (Englische Übersetzung des *Pirqe Mošeh bi-Refu'ā, Hebräische Übersetzung des arabischen Textes, Rom ca. 1277)*, Haifa, The Maimonides Research Institute, 1989.

ṢhD = Bos, Gerrit/Mensching, Guido/Zwink, Julia, *Romance Terms in Moses ibn Tibbon's «Ṣedat ha-derakhim», the Hebrew Translation of Ibn al-Jazzar's «Zād al-musāfir wa-qūt al-ḥāḍir» (Book 7, Chap. 7–30)*, in Vorb.

ShS-1 = Bos, Gerrit/Hussein, Martina/Mensching, Guido/Savelsberg, Frank (edd), *Medical Synonym Lists from Medieval Provence: Shem Tov ben Isaac of Tortosa, «Sefer ha-Shimmush», Book 29. Part 1: Edition and Commentary of List 1 (Hebrew – Arabic – Romance/Latin)*, Leiden/Boston, Brill, 2011.

Silberstein, Susan Milner (ed.), *The Provençal Esther Poem Written in Hebrew Characters c. 1327 by Crescas de Caylar. Critical Edition* (Diss.), University of Pennsylvania, 1973

Sin = Mensching, Guido (ed.), *La sinonima delos nonbres delas medeçinas griegos e latynos e arauigos*, Madrid, Arco Libros, 1994.

Sin. Barth. = Mowat, John Lancaster Gough (ed.), *Sinonima Bartholomei. A Glossary from a Fourteenth-Century Manuscript in the Library of Pembroke College Oxford,* Oxford, Clarendon Press, 1882.

Södergård, Östen (ed.), La chirurgie de l'abbe Poutrel. Texte picard de 1300 environ, Stockholm, Almqvist /Wiksell, 1980.

Zaun, Stefanie (ed.), *Teiledition des altfranzösischen Fiebertraktats «Fevres»* (Diss.), in Vorb.

## 4.2 Lexika

AddFEW = Arveiller, Raymond, *Addenda au FEW XIX (Orientalia)*, ed. Pfister, Max, Tübingen, Niemeyer, 1999.

AND = Rothwell, William, *Anglo-Norman Dictionary*, London, Publications of the Modern Humanities, 1977–1992.

AND2 OE = Trotter, David (ed.), Online Edition des AND. Phase 1 (2000–2006): A–E, Phase 2 (2006–2008): F–H, Phase 3 (2008–2012): I/Y–M, Phase 4 (2013–2014): N–O/U–P–Q, London, Arts and Humanisties Research Council, URL: http://www.anglo-norman.net/ [letzter Zugriff: 13. 07. 2015].

CAL OE = Hillers, Delbert/Fitzmyer, Joseph/Kaufman, Stephen (edd.), *Comprehensive Aramaic Lexicon*, (Online-Version), Cincinnati, Hebrew Union College, 1986–, URL: http://cal1.cn.huc.edu [letzter Zugriff: 11. 07. 2016].

Cappelli, Adriano, *Lexicon Abbreviaturarum. Wörterbuch lateinischer und italienischer Abkürzungen, wie sie in Urkunden und Handschriften besonders gebräuchlich sind.* Leipzig, Weber, $^{2}$1928.

DAF = Greimas, Algirdas Julien, *Dictionnaire de l'ancien français*. Paris: Larousse, $^{3}$2004.

DuC = Du Cange, Charles du Fresne Sieur, *Glossarium mediae et infimae latinitatis,* 10 vol. (1678, überarbeitet von Kloster St. Maur 1733–1736), editio nova, besorgt von Léopold Favre, Paris, Niort, 1883–1887 (Nachdruck Graz, Akademische Druck- und Verlagsanstalt, 1954).

DCELC = Corominas, Joan (ed.), *Diccionario crítico etimológico de la lengua castellana*, 4 vol. Bern, Francke, 1954.

DEAF = Baldinger, Kurt/Möhren, Frankwalt (edd.), *Dictionnaire étymologique de l'ancien français*, 6– vol., Québec/Tübingen/Paris, Niemeyer, 1974–.
DEAFBibl = Baldinger, Kurt/Möhren, Frankwalt (edd.), *Dictionnaire étymologique de l'ancien français, Complément bibliographique*, Québec, Presses de l'Université Laval u. a., $^{2}$2007.
DEAFBiblél = Möhren, Frankwalt (ed.), *Dictionnaire étymologique de l'ancien français, Complément bibliographique électronique*, Berlin, De Gruyter, 2010–, URL: http://www.deaf-page.de/bibl_neu.htm [letzter Zugriff: 18. 09. 2015].
DEAFplus = Möhren, Frankwalt (ed.), *Dictionnaire étymologique de l'ancien français électronique*. Digitale Version des DEAF, Berlin, De Gruyter, 2010–, URL: http://deaf-server.adw.uni-heidelberg.de/ [letzter Zugriff: 18. 09. 2015].
DEAFpré = Möhren, Frankwalt (ed.), *Dictionnaire étymologique de l'ancien français électronique*. Vorläufige digitale Edition des DEAF, Buchstaben B, L, M, N, O, P, Q, R, T, U, Berlin, De Gruyter, 2010–, URL: http://deaf-server.adw.uni-heidelberg.de/ [letzter Zugriff: 18. 09. 2015].
DECLC = Coromines, Joan (ed.), *Diccionari etimològic i complementari de la llengua catalana*, 10 vol., Barcelona, Curial, 1980–2001.
DEHF = Dubois, Jean/Mitterand, Henri/Dauzat, Albert (edd.), *Dictionnaire étymologique et historique du français*, Paris, Larousse, $^{2}$1993.
DETEMA = Herrera, Teresa (ed.), *Diccionario español de textos médicos antiguos*, 2 vol., Madrid, Arco Libros, 1996.
DMF = *Dictionnaire du Moyen Français*, version 2015 (DMF 2015), ATILF – CNRS & Université de Lorraine [URL: http://www.atilf.fr/dmf].
DMLBS = Latham, R. E./Howlett, D. R./Ashdowne, A. S. (edd.), *Dictionary of Medieval Latin from British Sources*, 17 vol., Oxford, British Academy/Oxford University Press, 1975–2013.
FEW = Wartburg, Walther von (ed.), *Französisches Etymologisches Wörterbuch. Eine Darstellung des galloromanischen Sprachschatzes*, 25 vol., Bonn/Heidelberg/Leipzig/Basel, Zbinden u. a., 1922–1996.
Gamillscheg = Gamillscheg, Ernst (ed.), *Etymologisches Wörterbuch der französischen Sprache*, 2 vol., Heidelberg, Winter, 1928.
Genaust, Helmut, *Etymologisches Wörterbuch der botanischen Pflanzennamen*, Basel/Stuttgart: Birkhäuser, 1976.
Gdf = Godefroy, Frédéric (ed.), *Dictionnaire de l'ancienne langue française et de tous ses dialectes du IX$^{e}$ au XV$^{e}$ siècle*, 10 vol., Paris, Vieweg, 1880–1902.
GDHW = Pape, Wilhelm/Sengebusch, Maximilian (edd.), *Griechisch-Deutsches Handwörterbuch*, 2 vol., Braunschweig, Vieweg, $^{3}$1880 (Nachdruck Graz, Akademische Druck- und Verlagsanstalt, 1954).
GH = Georges, Karl Ernst/Georges, Heinrich, *Ausführliches Lateinisch-Deutsches Handwörterbuch*, 2 vol., Hannover/Leipzig, Hahn, $^{8}$1913–1918.
GR = Rey, Alain (ed.), *Le grand Robert de la langue française: dictionnaire alphabétique et analogique de la langue française de Paul Robert*, 9 vol., Paris, Dictionnaires Le Robert, 1985.
GRe = Rey, Alain (ed.), *Le grand Robert de la langue française: dictionnaire alphabétique et analogique de la langue française de Paul Robert*, elektronische Ressource, Paris, Dictionnaires Le Robert, 1994.
J = Jastrow, Marcus (ed.), *Dictionary of the Targumim, the Talmud Bavli and Yerushalmi and the Midrashic Literature*, New York, Choreb, 1903 (Nachdruck London, Shapiro, Vallentine, 1926).

JE = *Jewish Encyclopedia*, Online Edition, URL: http://www.jewishencyclopedia.com/ [letzter Zugriff: 13. 07. 2015].

KB = Köhler, Ludwig/Baumgartner, Walter, *The Hebrew and Aramaic Lexicon of the Old Testament*, Leiden u. a., Brill. 2001.

Köbler = Köbler, Gerhard, *Wörterbuch des althochdeutschen Sprachschatzes*, Paderborn u. a., Schöningh, 1993.

LAD = Hiller, Karl/Melzig, Matthias F., *Lexikon der Arzneipflanzen und Drogen*, elektronische Ressource, Berlin, Directmedia 2006.

Lexer = Lexer, Matthias, *Mittelhochdeutsches Handwörterbuch*, 3 vol., Leipzig, Hirzel, 1869–1878 (Nachdruck Stuttgart, Hirzel, 1979).

Lokotsch = Lokotsch, Karl, *Etymologisches Wörterbuch der europäischen (germanischen, romanischen und slavischen) Wörter orientalischen Ursprungs*, Heidelberg, Winter, 1927.

LR = Raynouard, François-Juste-Marie, *Lexique roman: Ou dictionnaire de la langue des troubadours comparée avec les autres langues de l'Europe latine*, 6 vol., Paris, Silvestre, 1838–1844 (Nachdruck Heidelberg, Winter, 1970).

LS = Liddell, Henry George/Scott, Robert, *A Greek-English Lexicon*, Oxford, Clarendon Press, $^{9}$1996.

Mildenberger = Mildenberger, Jörg, *Anton Trutmanns Arzneibuch. Teil II: Wörterbuch* (Diss.), 5 vol., Würzburg, Königshausen und Neumann, 1997.

MLSpr = Glück, Helmut, *Metzler Lexikon Sprache*, elektronische Ressource, Berlin, Directmedia, $^{2}$2000.

MLWB = Lehmann, Paul (Begr.), *Mittellateinisches Wörterbuch bis zum ausgehenden 13. Jahrhundert*, 4– vol., München, Beck. 1959–.

NGML = Lefèvre, Yves/Monfrin, Jacques (edd.), *Novum Glossarium Mediae Latinitatis. Ab anno DCCC usque ad annum MCC*, 13– vol., Kopenhagen, Munksgaard, 1957–.

NPRA = André, Jacques, *Les noms des plantes dans la Rome antique*, Paris, Les Belles Lettres, 1985.

OLD = Glare, Peter G. W., *Oxford Latin Dictionary*, Oxford, Clarendon Press, 1996.

RFlor = Rolland, Eugène, *Flore populaire de la France ou histoire naturelle des plantes dans leurs rapports avec la linguistique et le folklore*, 11 vol. Paris, Maisonneuve et Larose, 1896–1914.

RLJ = Levy, Raphael, *Recherches lexicographiques sur d'anciennes textes français d'origine juive*, Baltimore, Johns Hopkins University Press, 1932.

Saye = Saye, Hymen, *A Linguistic Study of an Old French Medical Treatise* (Arbeit zur Erlangung des *Master of Arts*), Baltimore, Johns Hopkins Universitiy Press, 1931.

SGeMed = Sournia, Jean Charles/Poulet, Jacques/Martiny, Marcel (edd.), *Illustrierte Geschichte der Medizin*, 9 vol. Deutsche Bearbeitung von Richard Toellner, Salzburg, Andreas & Andreas, 1980–1984.

TdF = Mistral, Frédéric, *Lou trésor dóu Félibrige ou dictionnaire provençal-français. Embrassant les divers dialectes de la langue d'oc moderne*, 2 vol., Paris, Delagrave 1932 (Nachdruck Barcelona, Ruiromer, 1968).

ThGL = Estienne, Henri (ed.), *Thesaurus Graecae Linguae*, 9 vol., Paris, Didot, $^{3}$1831–1865 (Nachdruck Graz, Akademische Druck- und Verlagsanstalt, 1954).

ThLL = Wölfflin, Eduard (Begr.), *Thesaurus Linguae Latinae*, fortlaufende vol., Leipzig u. a., Teubner, 1900–.

TL = Tobler, Adolf/Lommatzsch, Erhard/Christmann, Hans Helmut (edd.), *Altfranzösisches Wörterbuch*, 11 vol., Berlin/Wiesbaden, Weidmann, 1925–2002.

TLFi = Buchi, Eva/ATILF CNRS (ed.), *Trésor de la langue française informatisé,* URL: http://www.atilf.fr/ (letzter Zugriff: 28. 09. 2015).

Trommsdorff, Johann Bartholomäu, *Die Apothekerkunst in ihrem ganzen Umfange nach alphabetischer Ordnung*, 6 vol., Erfurt, Hennig, 1806–1822.

## 4.3 Andere zitierte Literatur

Adams, Marianne, *From Old French to the Theory of Pro-Drop*, Natural Language & Linguistic Theory 5/1 (1987), 1–32.

Albrecht, Rita/Heuberger, Rachel, *Revision der DIN-Umschriftregeln für das hebräische Alphabet,* Bibliotheksdienst 39/3 (2005), 362–366.

Anschütz, Willy, *Zwei Fieberschriften des Breslauer Codex Salernitanus und die Fieberlehre der Schule von Salerno*, Borna/Leipzig, Noske, 1919.

Aslanov, Cyril, *Judeo-Greek or Greek Spoken by Jews*, in: Bonfil, Robert/Irshai, Oded/Stroumsa, Guy G./Talgam, Rina (edd.), *Jews in Byzantium: Dialectics of Minority and Majority Cultures*, Leiden/Boston, Brill, 2012, 385–398.

Aslanov, Cyril, *Latin in Hebrew Letters: The Transliteration/Transcription/Translation of a Compedium of Arnaldus de Villa Nova's Speculum Medicinae*, in: Fontaine, Resianne/Freudenthal, Gad (edd.), *Latin-into-Hebrew: Texts and Studies*, vol. 1, Leiden/Boston, Brill, 2013, 45–58 (= 2013a).

Aslanov, Cyril, *From Latin into Hebrew trough the Romance Vernaculars: the Creation of an Interlanguage Written in Hebrew Characters*, in: Fontaine, Resianne/ Freudenthal, Gad (edd.), *Latin-into-Hebrew: Texts and Studies*, vol. 1, Leiden/ Boston: Brill, 2013, 69–84 (= 2013b).

Aslanov, Cyril, *The Lament on the Martyrs of Troyes as a Monument of Judeo-French on the Verge of the Expulsions*, in: Baumgarten, Elisheva/Galinsky, Judah D. (edd.), *Jews and Christians in Thirteenth-Century France,* New York, Macmillan, 2015, 217–233.

Assion, Peter, *Altdeutsche Fachliteratur*, Berlin, Schmidt, 1973.

Banitt, Menahem, *Une langue fantôme: le judéo-français*, Revue de linguistique romane 27 (1963), 245–294.

Banitt, Menahem, *Les poterim*, Revue des études juives 125 (1966), 21–33.

Banitt, Menahem/Aslanov, Cyril, *Judeo-French*, in: Berenbaum, Michael/Skolnik, Fred (edd.), *Encyclopaedia Judaica*. 2. Ausg., vol. 11, Detroit, Macmillan, 2007, 545.

Bariéty, Maurice/Coury, Charles, *Histoire de la médecine*, Paris, Presses Universitaires de France, 1971.

Barkai, Ron, *A History of Jewish Gynecological Texts in the Middle Ages*, Leiden u. a., Brill, 1998.

Bäuml, Franz, *Übergang mündlicher zur artes-bestimmten Literatur des Mittelalters*, in: Keil, Gundolf (ed.), *Fachliteratur des Mittelalters*, Stuttgart, Metzler, 1968, 1–10.

Beit-Arie, Malachi, *Hebrew Codicologie,* Jerusalem, The Israel Academy of Sciences and Humanities, 1981.

Beit-Arié, Malachi, *The Makings of the Medieval Hebrew Book*, Studies in Palaeography and Codicology, Jerusalem, Magnes, 1993.

Benbassa, Esther, *The Jews of France*, Princeton, University Press, 1999 [Übers. von dies., *Histoire des Juifs en France*, Paris, Éditions du Seuil, 1997].

Berschin, Helmut/Felixberger, Josef/Goebl, Hans, *Französische Sprachgeschichte*, Hildesheim, Olms, $^{2}$2008 [1978].

Betz, Werner, *Lehnwörter und Lehnprägungen im Vor- und Frühdeutschen*, in: Maurer, Friedrich/Stroh, Friedrich (edd.), *Deutsche Wortgeschichte*, vol. 1. Berlin/New York, Walter de Gruyter, 1959, 1142–1178.

Bidez, Joseph/Drachmann, Anders B., *Emploi des signes critiques, disposition de l'apparat dans les éditions savantes de textes grecs et latins. Conseils et recommendations*, Brüssel, Union Académique Internationale/Paris, Les Belles Lettres, $^{2}$1938 [1932].

Birnbaum, Solomon A., *The Hebrew Scripts*. Part I: The Text, Leiden, Brill, 1971.

Birnbaum, Solomon A., *The Hebrew Scripts*. Part II: The Plates, London, Palaeographia, 1971.

Birnbaum, Solomon A., *Die jiddische Sprache*, Hamburg, Helmut Buske, $^{3}$1997.

Blau, Joshua, *The Emergence and Linguistic Background of Judeo-Arabic*, Jerusalem, Ben-Zvi Institute for the Study of Jewish Communities in the East, $^{3}$1999 [$^{1}$1965].

Blondheim, David Simon, *Contribution à la lexicographie française d'après des sources rabbiniques*, Romania 39 (1910), 129–183.

Blondheim, David Simon, *Essai d'un vocabulaire comparatif des parlers romans des juifs au Moyen âge*, Romania 49 (1923), 1–47 (= 1923a).

Blondheim, David Simon, *Essai d'un vocabulaire comparatif des parlers romans des juifs au Moyen âge*, Romania 49 (1923), 343–388 (= 1923b).

Blondheim, David Simon, *Essai d'un vocabulaire comparatif des parlers romans des juifs au Moyen âge*, Romania 49 (1923), 526–569. (= 1923c).

Blondheim, David Simon, *Les parlers judéo-romans et la Vetus latina. Les éléments communs à la tradition juive et la Vetus latina: leurs origines*, Romania 50 (1924), 541–590.

Blondheim, David Simon, *Les parlers judéo-romans et la Vetus latina. Étude sur les rapports entre les traductions bibliques en langue romane des juifs au Moyen âge et les anciennes versions*, Paris, Champion, 1925.

Blumenkranz, Bernhard/Catane, Moshe, *Alsace*, in: Berenbaum, Michael/Skolnik, Fred (edd.), *Encyclopaedia Judaica*. 2. Ausg., vol. 2, Detroit, Macmillan, 2007, 6–9.

Bork, Hans Dieter, *Die lateinisch-romanischen Zusammensetzungen Nomen + Verb und der Ursprung der romanischen Verb-Ergänzungs-Komposita*, Bonn, Romanistischer Verlag, 1990.

Bork, Hans Dieter, *Materialien, Aufgaben und Hilfmittel für den Anfängerunterricht im Altfranzösischen*, Köln, Romanisches Seminar der Universität zu Köln, $^{7}$1998.

Bos, Gerrit, *Novel Medical and General Hebrew Terminology from the 13$^{th}$ Century. Translations by Hillel Ben Samuel of Verona, Moses Ben Samuel Ibn Tibbon, Shem Tov Ben Isaac of Tortosa, and Zeraḥyah Ben Isaac Ben She'altiel Ḥen* (= Journal of Semitic Studies, Supplement Series 27), Oxford, Oxford University Press, 2011.

Bos, Gerrit, *Novel Medical and General Hebrew Terminology from the 13$^{th}$ Century*, vol. 2, (= Journal of Semitic Studies, Supplement Series 30), Oxford, Oxford University Press, 2013.

Bos, Gerrit, *Novel Medical and General Hebrew Terminology: Hippocrates' Aphorisms in the Hebrew Tradition*, Oxford, Oxford University Press, in Vorb.

Bos, Gerrit/Mensching, Guido, *The Literature of Hebrew Medical Synonyms: Romance and Latin Terms and their Identification*, Aleph 5 (2005), 169–211.

Bos, Gerrit/Mensching, Guido, *Arabic-Romance Medico-Botanical Glossaries in Hebrew Manuscripts from the Iberian Peninsula and Italy*, Aleph 15 (2015), 9–61.

Brockelmann, Carl/Fischer, August/Heffening, W./Taeschner, Franz, *Die Transliteration der arabischen Schrift in ihrer Anwendung auf die Hauptliteratursprachen der islamischen Welt.* Denkschrift, dem 19. internationalen Orientalistenkongreß in Rom vorgelegt,

Leipzig, Deutsche Morgenländische Gesellschaft in Kommission bei F. A. Brockhaus, 1935, 9–19.

Bruchhausen, Walter/Schott, Heinz, *Geschichte, Theorie und Ethik der Medizin*, Göttingen, Vandenhoeck & Ruprecht, 2008.

Brunot, Ferdinand, *Histoire de la langue française des origines à 1900*, vol. 1: *De l'époque latine à la renaissance*, Paris, Colin, 1905 (Nachdruck Paris, Colin, 1966).

Burguy, Georges-Frédéric, *Grammaire de la Langue d'Oïl*, 3 vol., Berlin/Paris, Weber, 1896 (Nachdruck Genf, Slatkine, 1977).

Buridant, Claude, *Grammaire nouvelle de l'ancien français*, Paris, Sedes, 2000.

Busse, Winfried, *Zur Problematik des Judenspanischen*, Neue Romania 12 (1991), 37–84.

Cahen, Gilbert, *Lorraine*, in: Berenbaum, Michael/Skolnik, Fred (edd.), *Encyclopaedia Judaica*, 2. Ausg., vol. 13, Detroit, Macmillan, 2007, 193–194.

Chazan, Robert, *The Jews of Medieval Western Christendom, 1000–1500*, Cambridge, University Press, 2006.

Coseriu, Eugenio, *«Historische» Sprache und «Dialekt»*, in: Göschel, Joachim (ed.): *Dialekt und Dialektologie*, Wiesbaden, Steiner, 1980, 106–122.

Dahan, Gilbert, *Les intellectuels chrétiens et les Juifs au Moyen Age*, Paris, Les Editions du Cerf, 1990.

Dalven, Rachel/Aslanov, Cyril, *Judeo-Greek*, in: Berenbaum, Michael/Skolnik, Fred (edd.), *Encyclopaedia Judaica*. 2. Ausg., vol. 11, Detroit, Macmillan, 2007, 545–546.

Darmesteter, Arsène, *Glosses et glossaires hébreux-français du Moyen âge*, Romania 1 (1872), 146–176.

Dees, Anthonij, *Atlas des formes linguistiques des textes littéraires de l'ancien français*, Tübingen, Niemeyer, 1987.

Dees, Anthonij, *Atlas des formes et des constructions des chartes françaises du 13ᵉ siècle*, Tübingen, Niemeyer, 1980.

De La Chaussée, François, *Initiation à la phonétique de l'ancien français* (Erweiterte und verbesserte Aufl.), Paris, Kliencksieck, ²1982.

Demaitre, Luke, Medieval Medicine. The Art of Healing, from Head to Toe, Santa Barbara (CA), ABC-Clio, 2013.

Depping, Georges Bernard, *Die Juden im Mittelalter. Ein historischer Versuch über ihre bürgerlichen literarischen und Handelsverhältnisse* (Deutsche (anonyme) Übersetzung aus dem Französichen), Stuttgart, Schweizerbart 1834 (Nachdruck Hildesheim, Gerstenberg, 1974).

Dieckhoff, Alain, *France*, in: Berenbaum, Michael/Skolnik, Fred (edd.), *Encyclopaedia Judaica*. 2. Ausg., vol. 7, Detroit, Macmillan, 2007, 146–170.

Ducos, Joëlle (ed.), *Sciences et langues au Moyen âge. Wissenschaften und Sprachen im Mittelalter*. Actes de l'Atelier franco-allemand, Paris 2009, Heidelberg, Winter, 2012.

Dukan, Michèle, *La réglure des manuscrits hébreux au Moyen Age*, Paris, Éditions du CNRS, 1988.

Ebermann, Ernst/Kartnig, Theodor, *Die tierischen Drogen der Pharmakognostischen Sammlung des Instituts für Pharmazeutische Wissenschaften der Karl-Franzens-Universität Graz*, Mitteilungen des naturwissenschaftlichen Vereins für Steiermark 136 (2007), 135–174.

Eckart, Wolfgang U., *Geschichte der Medizin*, Berlin u. a., Springer, ⁵2005.

Eidelberg, Shlomo/Derovan, David, *Gershom ben Judah Me'or Ha-Golah*, in: Berenbaum, Michael/Skolnik, Fred (edd.), *Encyclopaedia Judaica*. 2. Ausg., vol. 7, Detroit, Macmillan, 2007, 551–552.

Einbinder, Susan, *Recall from Exile: Literature, Memory and Medieval French Jews*, Jewish studies quarterly 15 (2008) 225–240.

Eis, Gerhard, *Mittelalterliche Fachliteratur*, Stuttgart, Metzler, ²1967.

Eis, Gerhard, *Forschungen zur Fachprosa*, Bern, Franke, 1971.

Ferre, Lola, *La terminologia médica en las versiones hebreas de textos latinos*, Miscelánea de estudios árabes y hebraicos 40 (1991), 87–107.

Ferre, Lola/José Martínez Delgado, *Arabic into Hebrew, A Case Study: Isaac Israeli's Book on Fevers*, Medieval Encounters 21 (2015), 50–80.

Ferre, Lola/Veit, Raphaela, *The Textual Traditions of Isaac Israeli's Book on Fevers in Arabic, Latin, Hebrew and Spanish*, Aleph 9 (2009), 309–334.

Fischer-Benzon, Rudolf von, *Altdeutsche Gartenflora. Untersuchungen über die Nutzpflanzen des deutschen Mittelalters, ihre Wanderung und ihre Vorgeschichte im klassischen Altertum*, Kiel/Leipzig, Lipsius & Tischer, 1894 (Nachdruck Walluf bei Wiesbaden, Sändig, 1988).

Flinzner, Katja, *Geschichte der technischen und naturwissenschaftlichen Fachsprachen in der Romania: Französisch*, in: Ernst, Gerhard/Gleßgen Martin-Dietrich/Schmitt, Christian/ Schweickard, Wolfgang (edd.), *Histoire linguistique de la Romania / Romanische Sprachgeschichte. Ein internationales Handbuch zur Geschichte der romanischen Sprachen* (= HSK 23), 2. vol., Berlin/New York, Walter de Gruyter, 2006, 2211–2225.

Fouché, Pierre, *Phonétique historique du français*, 3 vol., Paris, Klienchsieck, 1952.

Foulet, Lucien, *Petite syntaxe de l'ancien françias* (überarbeitete Auflage), Paris, Champion, ³1963.

Foulet, Alfred/Speer, Mary B., *On Editing Old French Texts*, Lawrence, The Regents Press of Kansas, 1979.

Frank, Barbara/Haye Thomas/Tophinke, Doris (edd.), *Gattungen mittelalterlicher Schriftlichkeit*, Tübingen, Narr, 1997.

Freudenthal, Gad, *Arabic and Latin Cultures as Resources for the Hebrew Translation Movement: Comparative Considerations, Both Quantitative and Qualitative*, in: ders. (ed.), *Science in Medieval Jewish Cultures*, Cambridge, Cambridge University Press, 2011, 74–105.

Freudenthal, Gad, *The Father of the Latin-into-Hebrew Translations: «Doeg the Edomite», the Twelth-Century Repentant Convert*, in: Fontaine, Resianne/Freudenthal, Gad (edd.), *Latin-into-Hebrew: Texts and Studies*, vol. 1., Leiden/Boston, Brill, 2013, 105–120.

Franzén, Torsten, *Étude sur la syntaxe des pronoms personnels sujets en ancien français*, Uppsala, Almquist & Wiksells, 1939.

Fudeman, Kirsten A., *Vernacular Voices. Language and Identity in Medieval French Jewish Communities*, Philadelphia, University Press, 2010.

Gabriel, Klaus, *Die Ausbildung von Terminologien in der Romania*, in: Ernst, Gerhard/ Gleßgen Martin-Dietrich/Schmitt, Christian/Schweickard, Wolfgang (edd.), *Histoire linguistique de la Romania / Romanische Sprachgeschichte. Ein internationales Handbuch zur Geschichte der romanischen Sprachen* (= HSK 23), 2. vol., Berlin/New York, Walter de Gruyter, 2006, 2238–2251.

Goldschmidt, Ernst Daniel, *Maḥzor Vitry*, in: Berenbaum, Michael/Skolnik, Fred (edd.), *Encyclopaedia Judaica*. 2. Ausg., vol. 13, Detroit, Macmillan, 2007, 366–367.

Gossen, Karl Theodor, *Französische Skriptastudien. Untersuchungen zu den nordfranzösischen Urkundensprachen des Mittelalters*, Wien, Böhlaus, 1967.

Grab-Kempf, Elke, *Notizen zur Etymologie von katalanisch «borratja», «borraina», 'Borretsch', 'Ochsenzunge', 'Ramonda myconi', 'Natternkopf'*, Zeitschrift für Katalanistik 13 (2000), 92–108.

Grésillon, Almuth, *Literarische Handschriften. Einführung in die critique génétique* (Übersetzung aus dem Französischen von Rother, Frauke/Günther, Wolfgang), Bern u. a., Lang, 1999.

Haage, Bernhard Dietrich, *Deutsche Arteslitertur des Mittelalters. Überblick und Forschungsbereicht*, in: Schlieben-Lange, Brigitte/Kreuzer, Helmut (edd.), *Fachsprache und Fachliteratur*, Göttingen, Vandenhoeck & Ruprecht, 1983, 185–205.

Haage, Bernhard Dietrich/Wegner, Wolfgang, *Deutsche Fachliteratur der Artes in Mittelalter und Früher Neuzeit*, Berlin, Schmidt, 2007.

Habermann, Mechthild, *Deutsche Fachtexte der frühen Neuzeit. Naturkundliche Wissensvermittlung im Spannungsfeld von Latein und Volkssprache*, Berlin/New York, De Gruyter, 2001.

Halkin, Abraham Solomon/Lazarus-Yafeh, Hava, *Judeo-Arabic Literature*, in: Berenbaum, Michael/Skolnik, Fred (edd.), *Encyclopaedia Judaica*. 2. Ausg., vol. 11, Detroit, Macmillan, 2007, 530–545.

Haugen, Einar, *The Analysis of Linguistic Borrowing*, Language 26/2 (1950), 210–231.

Heyd, Wilhelm von, *Histoire du commerce du Levant au Moyen-âge*, 2 vol., Leipzig, Harrassowitz, 1885–1886 (Nachdruck Amsterdam, Hakkert, 1967).

Honemann, Volker, *Funktionen des Buches in Mittelelter und früher Neuzeit*, in: Leonhard, Joachim-Felix et al. (edd.), *Medienwissenschaft. Ein Handbuch zur Entwicklung der Medien und Kommunikationsformen*, Berlin u. a.: de Gruyter (= HSK 15,1), 1999, 538–560.

Hurwitz, Simon, *Simḥah ben Samuel of Vitry, Maḥzor Vitry*, Berlin, T. H. Ittskovski, 1896–1897 (Nachdruck Nürnberg, Y. Bulka, für Lyon Press, Brooklyn, N.Y., 1923).

Jacquart, Danielle, *Le milieu médical en France du XII^e^ au XV^e^ siècle*, Genève, Droz, 1981.

Jacquart, Danielle, *Die scholastische Medizin*, in: Grmek, Mirko (ed.), *Die Geschichte des medizinischen Denkens*, München, C. H. Beck, 1996, 216–259.

Jankrift, Kay Peter, *Krankheit und Heilkunde im Mittelalter*, Darmstadt, Wissenschaftliche Buchgesellschaft, 2003.

Jansen, Silke, *Sprachliches Lehngut im world wide web. Neologismen in der französischen und spanischen Internetterminologie*, Tübingen, Narr, 2005.

Jensen, Frede, *Old French and Comparative Gallo-Romance Syntax*, Tübingen, Niemeyer, 1990.

Joly, Geneviève, *Précis de phonétique historique du français*, Paris, Amand Colin, 1995.

Jordan, William Ch., *Administering Expulsion in 1306*, Jewish Studies Quarterly 15 (2008), 241–250.

Kalverkämper, Hartwig, *Fachsprachen. Langues de spécialité*, in: Holtus, Günter/Metzeltin, Michael/Schmitt, Christian (edd.), *Lexikon der Romanistischen Linguistik* (= LRL), vol. 1,2, Tübingen, Niemeyer, 2001, 349–408.

Kanders, Michael/Oskamp, Jens, *Diagnosemethoden der Vier Elemente Medizin: Puls, Urin, Stuhl, basierend auf dem Kanon der Medizin nach Avicenna (Ibn Sina). Humoralmedizin – Unanimedizin – Klostermedizin*, Norderstedt, BoD, 2014.

Kearney, Jonathan, Rashi – Linguist Despite Himself. A Study of the Linguistic Dimension of Rabbi Solomon Yishaqi's Commentary on Deuteronomy, New York u. a., T&T Clark International, 2010.

Keppie, Lawrence, *Understanding Roman Inscriptions*, Baltimore, Johns Hopkins University Press, 1991.

Kiwitt, Marc (2008), *Les glossaires bibliques hébraïco-français et le transfert du savoir profane*, in: Stephen Dörr/Raymund Wilhelm (edd.), *Tranfert des savoirs au Moyen Âge*.

*Wissenstransfer im Mittelalter.* Actes de l'Atelier franco-allemand, Heidelberg, 15.–18. Januar 2008. Heidelberg, Winter, 65–80.

Kiwitt, Marc, *Les glossaires hébreu-français du XIII^e^ siècle et la culture juive en France du nord*, in: Heinz, Michaela (ed.), *Cultures et Lexicographie.* Actes des «Troisièmes Journées allemandes des dictionnaires» en l'honneur d'Alain Rey, Klingenberg, 4.–6. Juli 2008, Berlin, Frank & Timme, 2010, 113–125.

Kiwitt, Marc, *Éléments hébreux et éléments arabes dans le* Comencement de Sapience, in: Ducos, Joëlle (ed.), *Sciences et langues au Moyen Âge. Wissenschaften und Sprachen im Mittelalter.* Actes de l'Atelier franco-allemand, Paris, 27–30 janvier 2009, Heidelberg, Winter, 2012, 157–171 (= 2012a).

Kiwitt, Marc, *Hébreu, français et «judéo-français» dans les commentaires bibliques des paštanim*, in: Masse, Marie-Sophie/Pouey-Mounou, Anne-Pascale (edd.), *Langue de l'autre, langue de l'auteur. Affirmation d'une identité linguistique et littéraire au XII^e^ et XVI^e^ siècles.* Actes du colloque tenu à la Bibliothèque Louis Aragon, Amiens, du 6 au 8 juin 2007, Paris, Droz, 2012, 137–154 (= 2012b).

Kiwitt, Marc, *Le problème de la variance et l'édition des textes en ancien français rédigés en caractères hébreux*, in: Le Cornec Rochelois, Cécile/Rochebouet, Anne/Salamon, Anne (edd.), *Le texte médiéval. De la variante à la recréation*, Paris, Presses de l'Université Paris-Sorbonne, 2012, 101–112 (= 2012c).

Kiwitt, Marc, *Un fragment inédit d'un glossaire biblique hébreu-français*, in: Dörr, Stephen/Städtler. Thomas (edd.), *Ki bien voldreit raisun entendre. Mélanges en l'honneur du 70^e^ anniversaire de Frankwalt Möhren*, Strasbourg, Éditions de linguistique et de philologie, 2012, 127–146 (= 2012d).

Kiwitt, Marc, *The Problem of Judeo-French: Between Language and Cultural Dynamics*, in: Zuckermann, Ghil'ad (ed.), *Jewish Language Contact*, 2014, 25–56.

Kiwitt, Marc, *L'ancien français en caractères hébreux*, in: Trotter, David (ed.), *Manuel de la philologie de l'édition* (= Holtus, Günter/Sánchez Miret, Fernando (edd.), *Manuals of Romance Linguistics*, vol. 4), Berlin/Boston, De Gruyter, 2015, 219–236.

Klausenburger, Jurgen, *French Prosodics and Phonotactics*, Tübingen, Niemeyer, 1970.

Klemm, Tanja, *Bildphysiologie. Wahrnehmung und Körper in Mittelalter und Renaissance*, Berlin, Akademieverlag, 2013.

Koch, Peter/Oesterreicher, Wulff, *Sprache der Nähe – Sprache der Distanz: Mündlichkeit und Schriftlichkeit im Spannungsfeld von Sprachtheorie und Sprachgeschichte*, Romanistisches Jahrbuch 36 (1985), 15–43.

Koch, Peter/Wulff Oesterreicher, *Gesprochene Sprache in der Romania: Französisch, Italienisch, Spanisch*, Tübingen, Niemeyer, 1990.

Köhler, Dorothea/Mensching, Guido, *Romanische Fachterminologie in mittelalterlichen medizinisch-botanischen Glossaren und Synonymenlisten in hebräischer Schrift*, in: Sergo, Laura/Wienen, Ursula/Atayan, Vahram (edd.), *Fachsprache(n) in der Romania. Entwicklung, Verwendung, Übersetzung.* Kongressakten der gleichnamigen Sektion des XXXII. Romanistentags, Berlin, September 2011, Berlin, Frank & Timme, 2013, 61–82.

Kramer, Johannes, *Zur Sprache der Juden in der Romania*, in: Kowallik, Sabine/Kramer Johannes (edd.), *Romanojudaica* (= *Romania occidentalis*, vol. 23), Gerbrunn bei Würzburg, Lehmann, 1993, 1–10.

Kramer, Johannes/Kowallik, Sabine, *Einführung in die hebräische Schrift*, Hamburg, Buske, 1994.

Krug, Antje, *Heilkunst und Heilkult. Medizin in der Antike*, München, Beck, 1985.

Kukenheim, Louis, *Judeo-Gallica ou Gallo-Judaïca?*, Neophilologus 47 (1963), 89–111.

Leven, Karl-Heinz, *Geschichte der Medizin. Von der Antike bis zur Gegenwart*, München, C. H. Beck, 2008.

Levy, Raphael, *The plural usage in Judaeo-French*, Modern Language Notes 55 (1940) 532–534.

Levy, Raphael, *Contributions à la lexicographie française selon d'anciens textes d'origine juive*, Syracuse, Universitiy Press, 1960.

Levy, Raphael, *Trésor de la langue des Juifs au Moyen Age*, Austin/London, University of Texas Press, 1964.

Mackenzie, David, *A Manual of Manuscript Transcription for the Dictionary of the Old Spanish Language* (4. Ausg., ed. Burrus, Victoria), Madison, Hispanic Seminary of Medieval Studies, $^{4}$1986.

Matte, Edouard Joseph, *Histoire des modes phonétiques du Français*, Genf, Droz, 1982.

Mensching, Guido, *Per la terminologia medico-botanica occitana nei testi ebraici: le liste di sinonimi di Shem Tov Ben Isaac di Tortosa*, in: Corradini, Maria Sofia/Periñán, Blanca (edd.), *Giornate di Studio di Lessicografia Romanza. Il linguaggio scientifico e tecnico (medico, botanico, farmaceutico e nautico) fra Medioevo e Rinascimento*. Atti del convegno internazionale (7.–8. November 2003), Pisa, ETS, 2006, 93–108.

Mensching, Guido, *Listes de synonymes hébraïques-occitanes du domaine médico-botanique au Moyen Âge*, in: Latry, Guy (ed.), *La voix occitane*. Actes du VIIIe Congrès Internationale d'Études Occitanes, 2 vol., Bordeaux, Presses universitaires, vol. 1, 2009, 509–526.

Mensching, Guido, *Eléments lexicaux et textes occitans en caractères hébreux*, in: Trotter, David (ed.), *Manuel de la philologie de l'édition* (= Holtus, Günter/Sánchez Miret, Fernando (edd.), *Manuals of Romance Linguistics*, vol. 4). Berlin/Boston, De Gruyter, 2015, 237–264.

Mensching, Guido/Bos, Gerrit, *Une liste de synonymes médico-botaniques en caractères hébraïques avec des éléments occitans et catalans*, in: Rieger, Angelica (ed.), *L'Occitanie invitée de l'Euregio, Liège 1981 – Aix-la-Chapelle 2008, Bilan et perspectives*. Actes du IX$^{e}$ Congrès International de l'Association Internationale d'Études Occitanes, Aix-la-Chapelle, 2 vol., Aachen, Shaker, Band 1, 2011, 225–238.

Mensching, Guido/Röntgen, Karl-Heinz, *Studien zu romanischen Fachtexten aus Mittelalter und Früher Neuzeit*, Hildesheim u. a., Olms, 1995.

Mensching, Guido/Savelsberg, Frank, *Reconstrucció de la terminologia mèdica occitano-catalana del segle XIII a través de llistats de sinònims en lletres hebrees. Edició i anàlisi del vint-i-novè llibre del «Sèfer ha-Ximmuix» de Xem Tov ben Isaac de Tortosa*, in: *Actas del I congrès de l'estudi dels jueus en territori de llengua catalana*, Universitat de Barcelona, 2004, 69–81.

Mensching, Guido/Zwink, Julia, *La recherche scientifique et les langues*, in: Kremnitz, Georg (ed.), *Histoire sociale des langues de France* (= HSLF), Rennes, Presses Universitaires de Rennes, 2013, 225–231.

Mensching, Guido/Zwink, Julia, *L'ancien occitan en tant que langage scientifique de la médecine. Termes vernaculaires dans la traduction hébraique du «Zad al-musafir wa-qut al-hadir» (XIII$^{e}$)*, in: Alén Garbato, Carmen et al. (edd.), *Los que fan viure e tresluire l'occitan*. Actes du X$^{e}$ congrès de l'Association Internationale d'Études Occitanes, Béziers, 12–19 juin 2011, 2014, 226–236.

Milano, Attilio/Francesconi, Federica, *Forlì*, in: Berenbaum, Michael/Skolnik, Fred (edd.), *Encyclopaedia Judaica*. 2. Ausg., vol. 7, Detroit, Macmillan, 2007, 129–130.

Minervini, Laura, *Testi giudeospagnoli medievali (Castilia e Aragona)*, 2 vol., Neapel, Liguori, 1992.
Moignet, Gérard, *Grammaire de l'ancien français*, Paris, Klincksieck $^2$1976 (Nachdruck, ibid., 2002).
Morag, Shelomo, *Pronunciations of Hebrew*, in: Berenbaum, Michael/Skolnik, Fred (edd.), *Encyclopaedia Judaica*. 2. Ausg., vol. 16, Detroit, Macmillan, 2007, 547–562.
Moscati, Sabinato (ed.), *Introduction to the Comparative Grammar of the Semitic Languages: Phonology and Morphology*, Wiesbaden, Harrassowitz, $^3$1980 [1964].
Müller, Bodo, *Das Französische der Gegenwart*, Varietäten, Strukturen, Tendenzen, Heidelberg, Winter, 1975.
Muntner, Suesmann/Vaisrub, Samuel/Denman, Michael A./Naparstek, Yaakov/Gilon, Dan, *Medicine*, in: Berenbaum, Michael/Skolnik, Fred (edd.), *Encyclopaedia Judaica*. 2. Ausg., vol. 13, Detroit, Macmillan, 2007, 720–738.
Musall, Frederek, *Juden in den Naturwissenschaften des Mittelalters*, in: Historisches Museum der Pfalz Speyer (ed.), *Europas Juden des Mittelalters*. Katalog anlässlich der Ausstellung Europas Juden im Mittelalter im Historischen Museum der Pfalz Speyer vom 19. 11. 2004–20. 03. 2005, im Deutschen Historischen Museum Berlin vom 23. 04.–28. 08. 2005, Ostfildern-Ruit, Hatje Cantz, 2004, 91–97.
Nave, Pnina, *Die romanisch-jüdischen Literaturbeziehungen im Mittelalter*, in: Gumbrecht, Hans Ulrich (ed.), *Grundriss der romanischen Literaturen des Mittelalters*, vol. 1, Heidelberg, Winter, 1972, 216–263.
Nutton, Vivian, *The Rise of Medicine*, in: Porter, Roy (ed.), *The Cambridge Illustrated History of Medicine*, Cambridge, Cambridge University Press, 1996, 52–81.
O'Boyle, Cornelius, *The Art of Medicine. Medical Teaching at the University of Paris, 1250–1400*, Leiden, Brill, 1998.
Oksaar, Els, *Fachsprachliche Dimensionen*, Tübingen, Narr, 1988.
Ostos, Pilar/Pardo, Maria Luisa/Rodríguez, Elena E., *Vocabulario de Codicología*, Madrid, Arco Libros 1997.
Pabst, Bernhard, *Gregor von Montesacro und die geistige Kultur Süditaliens unter Friedrich II. Mit text- und quellenkritischer Erstedition der Vers-Enzyklopädie Peri ton anthropon theopiisis (De hominum deificatione)*, Stuttgart, Steiner, 2002.
Pfister, Max, *Die sprachliche Bedeutung von Paris und der Ile-de-France vor dem 13. Jahrhundert*, Vox Romanica 32 (1973), 217–253.
Pierret, Jean-Marie, *Phonétique historique du français et notions de phonétique générale*, Louvain-la-Neuve, Peeters, 1994.
Pöckel, Wolfgang, *Fachsprachen*, in: Holtus, Günter/Metzeltin, Michael/Schmitt, Christian (edd.), *Lexikon der Romanistischen Linguistik* (= LRL), vol. 5,1, Tübingen, Niemeyer, 1990, 267–282.
Pope, Mildred K., *From Latin to Modern French with especial consideration of Anglo-Norman*. Manchester, Manchester University Press, 1934 (Nachdruck, ibid., 1961).
Pormann, Peter E./Savage-Smith, Emilie, *Medieval Islamic Medicine*, Washington, Georgetown University Press, 2007.
Preuss, Julius, *Biblisch-talmudische Medizin. Beiträge zur Geschichte der Heilkunde und der Kultur überhaupt*, Berlin, Karger, $^3$1928
Preißler, Matthias, *Die SchUM-Städte am Rhein: Speyer (Schpira); Worms (Warmaisa); Mainz (Magenza)*, Regensburg, Schnell & Steiner, 2012.
Reier, Herbert, *Leben, Krankheiten und Heilungen im Mittelalter (800–1400)*, Kiel, Eigenverlag, 1987.

Reynolds, Philip Lyndon, *Food and the Body. Some Peculiar Questions in High Medieval Theology*, Leiden, Brill, 1999.

Rheinfelder, Hans, *Altfranzösische Grammatik.* Erster Teil: *Lautlehre*, München, Hueber, 1963.

Rheinfelder, Hans, *Altfranzösische Grammatik.* Zweiter Teil: *Formenlehre*, München, Hueber, 1967.

Riecke, Jörg, *Die Frühgeschichte der mittelalterlichen medizinischen Fachsprache im Deutschen*, 2 vol., Berlin u. a., de Gruyter, 2004.

Riha, Ortrun, *Grundwissen Geschichte, Theorie, Ethik der Medizin*, Bern, Hans Huber, $^{2}$2013.

Roques, Gilles, Rezension zu *Der altfranzösische Fiebertraktat Fevres: Teiledition und sprachwissenschaftliche Untersuchung von Marc KIWITT, Würzburg, Königshausen und Neumann (Würzburger medizinhistorische Forschungen, 75), 2001, 216 pages*, Revue de linguistique romane 70 (2006), 269–271.

Rohlfs, Gerhard, *Vom Vulgärlatein zum Altfranzösischen. Einführung in das Studium der altfranzösischen Sprache*, Tübingen, Niemeyer, $^{2}$1963.

Rothkoff, Aaron/Grossman Avraham/Kaddari, Menahem Zevi/Fraenkel, Jona/Ta-Shma, Israel Moses/Baskin, Judith R., *Rashi*, in: Berenbaum, Michael/Skolnik, Fred (edd.), *Encyclopaedia Judaica*. 2. Ausg., vol. 17, Detroit, Macmillan, 2007, 101–106.

Ruska, Julius, *Al-Bīrūnī als Quelle für das Leben und die Schriften al-Rāzī's*, Isis 5 (1922), 26–50.

Sala, Marius, *Die romanischen Judensprachen*, in: Holtus, Günter/Metzeltin, Michael/ Schmitt, Christian (edd.), *Lexikon der Romanistischen Linguistik* (= LRL), vol. 7, Tübingen, Niemeyer, 1998, 372–395.

Schmitt, Wolfram, *Medizinische Lebenskunst. Gesundheitslehre und Gesundheitsregimen im Mittelalter*, Münster, LIT, 2013.

Schwan, Eduard, *Grammatik des Altfranzösischen*, neu bearbeitet von Behrens, Dietrich, 2 vol., Leipzig, Reisland, $^{12}$1925 (Nachdruck Darmstadt, Wissenschaftliche Buchgesellschaft, 1963).

Schwan, Eduard, *Materialien zur Einführung in das Studium der altfranzösischen Mundarten*, neu bearbeitet von Behrens, Dietrich, Leipzig, Reisland, $^{4}$1931 (Nachdruck Darmstadt, Wissenschaftliche Buchgesellschaft, 1963).

Schwarzfuchs, Simon, *Les Juifs de France*, Paris, Albin Michel, 1975.

Séphiha, Haïm Vidal, *Problématique du judéo-espagnol*, Bulletin de la Société de Linguistique de Paris 69 (1974), 159–189.

Séphiha, Haïm Vidal, *Le ladino (judéo-espagnol calque). Structure et évolution d'une langue liturgique*, 2 vol., Paris, Association Vidas Largas, 1979.

Sergijewskij, Maksim, *Einführung in das ältere Französisch*, bearbeitet von Petersen, Uwe/ Kaufmann, Wolfgang/Kohring, Heinrich, Tübingen, Narr, 1997.

Sermoneta, Joseph Baruch, *Hillel ben Samuel*, in: Berenbaum, Michael/Skolnik, Fred (edd.), *Encyclopaedia Judaica*. 2. Ausg., vol. 9, Detroit, Macmillan, 2007, 113–115.

Sermoneta, Joseph Baruch/Aslanov, Cyril, *Judeo-Italian*, in: Berenbaum, Michael/Skolnik, Fred (edd.), *Encyclopaedia Judaica*. 2. Ausg., vol. 11, Detroit, Macmillan, 2007, 546–548.

Shatzmiller, Joseph, *Jews, Medicine, and Medieval Society*, Berkeley u. a., University of California Press, 1994.

Siraisi, Nancy G., *Avicenna in Renaissance Italy: The Canon and Medical Teaching in Italian Universities After 1500*, Princeton, University Press, 2014.

Sirat, Colette, *Hebrew Manuscripts of the Middle Ages*, Cambridge, Cambridge Univerity Press, 2002.

Steinschneider, Moritz, *Die hebraeischen Übersetzungen des Mittelalters und die Juden als Dolmetscher*, Kommissionsverlag des Bibliographischen Bureaus, Berlin 1893 (Nachdruck Graz, Akademische Druck- und Verlagsanstalt, 1956).

Steinschneider, Moritz, *Eine altfranzösische Compilation eines Juden über die Fieber in hebräischer Schrift*, Virchow's Archiv für pathologische Anatomie und Physiologie und für klinische Medizin 136 (1894), 399–402.

Steinschneider, Moritz, *Die Handschriften-Verzeichnisse der Königlichen Bibliothek zu Berlin*, vol. 2: *Verzeichniss der Hebræischen Handschriften*, Berlin, Ascher, 1897.

Taverdet, Gérard, *Französische Scriptaformen VII. Bourgogne, Bourbonnais, Champagne, Lothringen*, in: Holtus, Günter/Metzeltin, Michael/Schmitt, Christian (edd.), *Lexikon der Romanistischen Linguistik* (= LRL), vol. 2,2. Tübingen, Niemeyer, 1995, 374–389.

Thomasset, Claude, *La médecine*, in: Jauss, Hans Robert et al. (edd.), *Grundriss der romanischen Literaturen des Mittelalters*, vol. 8,1: *La littérature française au XIVᵉ et XVᵉ siècles*, Heidelberg, Winter, 1988, 310–320.

Tovar, Claude de, *Contamination, interférences et tentatives des systématisation dans la tradition manuscrite de réceptaires médicaux français: le réceptaire de Jean Sauvage*, Revue d'histoire des textes 3-1973 (1974), 115–191.

Tovar, Claude de, *Contamination, interférences et tentatives des systématisation dans la tradition manuscrite de réceptaires médicaux français: le réceptaire de Jean Sauvage (Deuxième partie)*, Revue d'histoire des textes 4-1974 (1975), 239–288.

Ullmann, Manfred, *Die Medizin im Islam* (= *Handbuch der Orientalistik*, 1. Abteilung, Ergänzungsband VI, 1. Abschnitt), Leiden/Köln, Brill, 1970.

Van Groningen, Bernhard Abraham, *Projet d'unification des systèmes de signes critiques*, Chronique d'Egypte 7 (1932), 262–269.

Veit, Raphaela, *Das Buch der Fieber des Isaac Israeli und seine Bedeutung im lateinischen Westen. Ein Beitrag zur Rezeption arabischer Wissenschaft im Abendland*, Stuttgart, Steiner, 2003.

Vossler, Karl, *Frankreichs Kultur und Sprache. Geschichte der französischen Sprache von den Anfängen bis zur Gegenwart*, Heidelberg, Winter, $^{2}$1929.

Wald, Stephen G., *Talmud, Babylonian*, in: Berenbaum, Michael/Skolnik, Fred (edd.), *Encyclopaedia Judaica*. 2. Ausg., vol. 19, Detroit, Macmillan, 2007, 470–481.

Weinreich, Max, *The Jewish Languages of Romance Stock and Their Relation to Earliest Yiddish*, Romance Philology 9 (1955), 403–428.

Weinreich, Max, *History oft he Yiddish Language*, 2 vol., Chicago, University Press, 1980 (Nachdruck ed. Paul Glassner, New Haven, Yale University Press, 2008) [= englische Übersetzung von id., *Geshikte fun der yidisher shprakh*, transl. Noble, Shlomo/ Fishman, Joshua A., 4 vol., New York, Yidisher Visnshaftlekher Institut, 1973].

Weinreich, Uriel, *Structural Dialectology*, Word 10 (1954), 388–400.

Weinreich, Uriel, *Languages in contact. Findings and problems*, Den Haag, Mouton, $^{2}$1963 (Deutsch: *Sprachen in Kontakt. Ergebnisse und Probleme der Zweisprachigkeitsforschung*. Mit einem Nachwort von A. de Vincenz, München, Beck, 1976).

Weinreich, Uriel, *Yiddish language*, in: Berenbaum, Michael/Skolnik, Fred (edd.), *Encyclopaedia Judaica*. 2. Ausg., vol. 21, Detroit, Macmillan, 2007, 332–338.

West, Martin L., *Textual Criticism and Editorial Technique*, Stuttgart, Teubner, 1973.

Wexler, Paul, *Ascertaining the Position of Judezmo within Ibero-Romance*, Vox Romanica 36 (1977), 162–195.

Wickersheimer, Ernest, *La question du judéo-arabisme à Montpellier*, Janus 21 (1927), 465–473.

Wickersheimer, Ernest, *La question du judéo-arabisme à Montpellier*, Monspeliensis Hippocrates 6 (1959), 3–7.

Wiznitzer, Manuel, *Praktisches Lehrbuch Hebräisch*, Berlin u. a., Langenscheidt, 1996.

Wolf, Norbert Richard (ed.), *Wissensorganisierende und wissensvermittelnde Literatur im Mittelalter. Perspektiven ihrer Erforschung*, Wiesbaden, Reichert, 1987.

Yardeni, Ada, *The Book of Hebrew Script, History, Paleography, Script Styles, Calligraphy and Designs*, Jerusalem, Carta, 1997.

Zaun, Stefanie, *Fieberbehandlung im Mittelalter. Edition und Analyse eines altfranzösischen Textes in hebräischer Graphie*, in: Schleicher, Regina/Wilske, Almut, *Konzepte der Nation: Eingrenzung, Ausgrenzung, Entgrenzung*, Bonn, Romanistischer Verlag, 2002 273–291 (= 2002a).

Zaun, Stefanie, *Anonymer Fiebertraktat (13. Jahrhundert)*, in: Werner, Petra (ed.), *Kitwe-Jad – Jüdische Handschriften. Restaurieren, Bewahren, Präsentieren.* Katalog zur gleichnamigen Ausstellung vom 4.7.–17. 8. 2002 in der SB Berlin, Berlin, Staatsbibliothek zu Berlin – Preußischer Kulturbesitz, 2002 (= 2002b).

Zaun, Stefanie, *Die Geschichte einer Dissertation – Auf der Suche nach Lucie Katzenellenbogen*, in: Stegemann, Ekkehard W./Wengst, Klaus, *Eine Grenze hast du gesetzt. Edna Brocke zum 60. Geburtstag*, Stuttgart, Kohlhammer, 2003, 281–290.

Zink, Gaston, *L'ancien français (XI$^{e}$–XIII$^{e}$ siècle)*, Paris, Presses Universitaires de France, $^{5}$2000.

Zwink, Julia, *Étude lexicographique du traité anonyme Fevres: une compilation médicale en ancien français, écrite en caractères hébraïques*, Panacea@ VII/24 (2006), 250–260.

Zwink, Julia, *Transfer medizinischen Wissens zwischen Orient und Okzident: die hebräische Übersetzung des «Zad al-musafir wa-qut al-hadir» mit altokzitanischen medizinischen Fachtermini*, in: del Valle, Viktoria et al. (edd.), *Repräsentationsformen von Wissen.* Kongressakten des XXVI. Forums Junge Romanistik (Bochum 26.–29. 5. 2010), München, Meidenbauer, 2011, 389–406.

Zwink, Julia, *Ausbau der medizinischen Fachsprache im Französischen. Lateinische versus altfranzösische Termini in einem mittelalterlichen Fiebertraktat in hebräischer Graphie*, in: Sergo, Laura/Wienen, Ursula/Atayan, Vahram (edd.), *Fachsprache(n) in der Romania. Entwicklung, Verwendung, Übersetzung.* Kongressakten der gleichnamigen Sektion des XXXII. Romanistentags (Berlin, September 2011). Berlin, Frank & Timme, 2013, 183–207.

## 4.4 Internetseiten

American Library Association – Library of Congress, *ALA-LC Romanization Tables* (http://www.loc.gov/catdir/cpso/roman.html) [letzter Abruf: 14. 02. 2017].

Bunin Benor, Sarah (ed.), *Jewish Language Research Website* (http://www.jewish-languages.org/judeo-french.html) [letzter Abruf: 14. 02. 2017].

Pedersen, Thomas T., *Transliteration of Non-Roman Scripts* (http://transliteration.eki.ee/) [letzter Abruf: 14. 02. 2017].

# Anhang

Abdruck ausgewählter Manuskriptseiten von Ms. or. oct. 512 der Staatsbibliothek zu Berlin, Preußischer Kulturbesitz, Orientabteilung

https://doi.org/10.1515/9783110490039-005

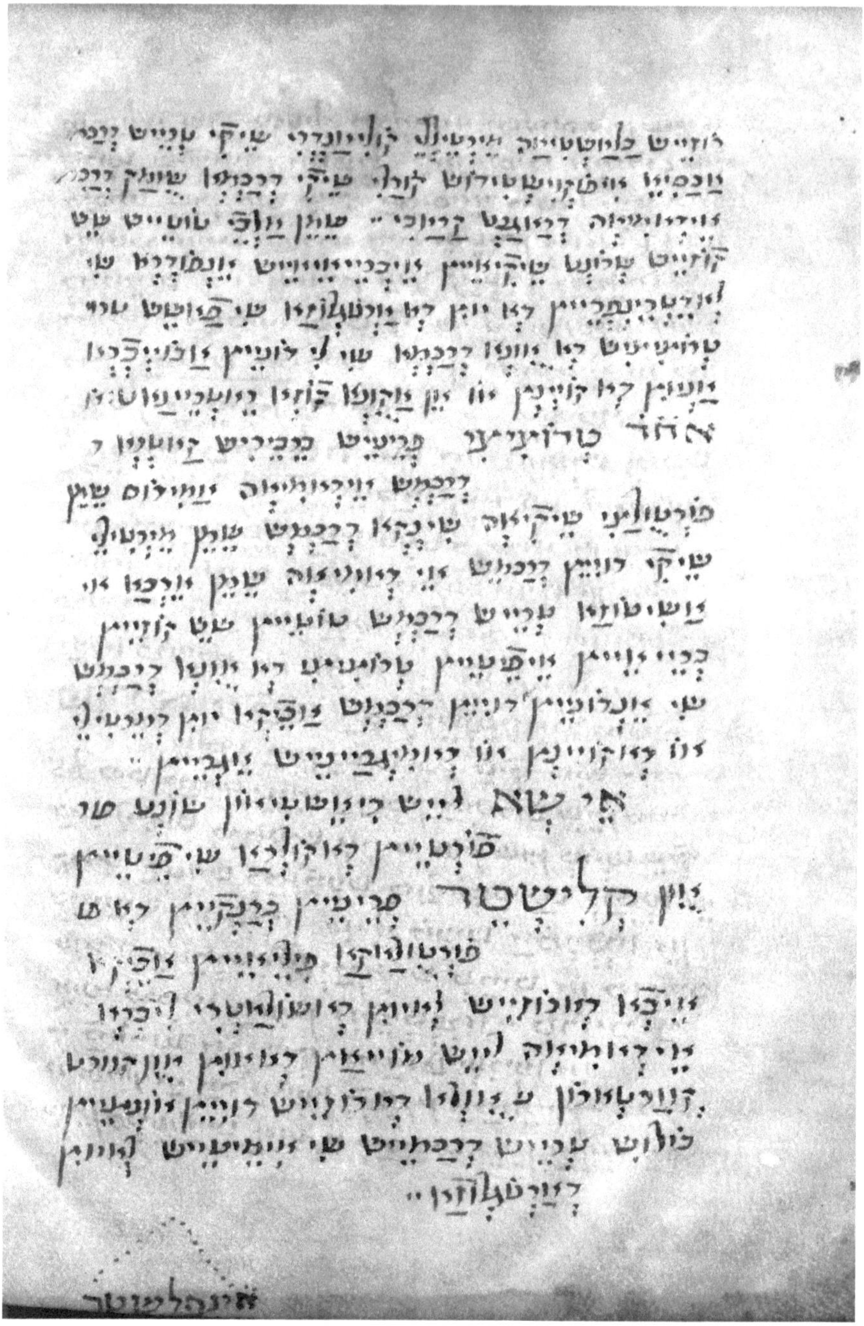

**Anhang 1:** SBPK Ms. or. oct. 512, f. 156v

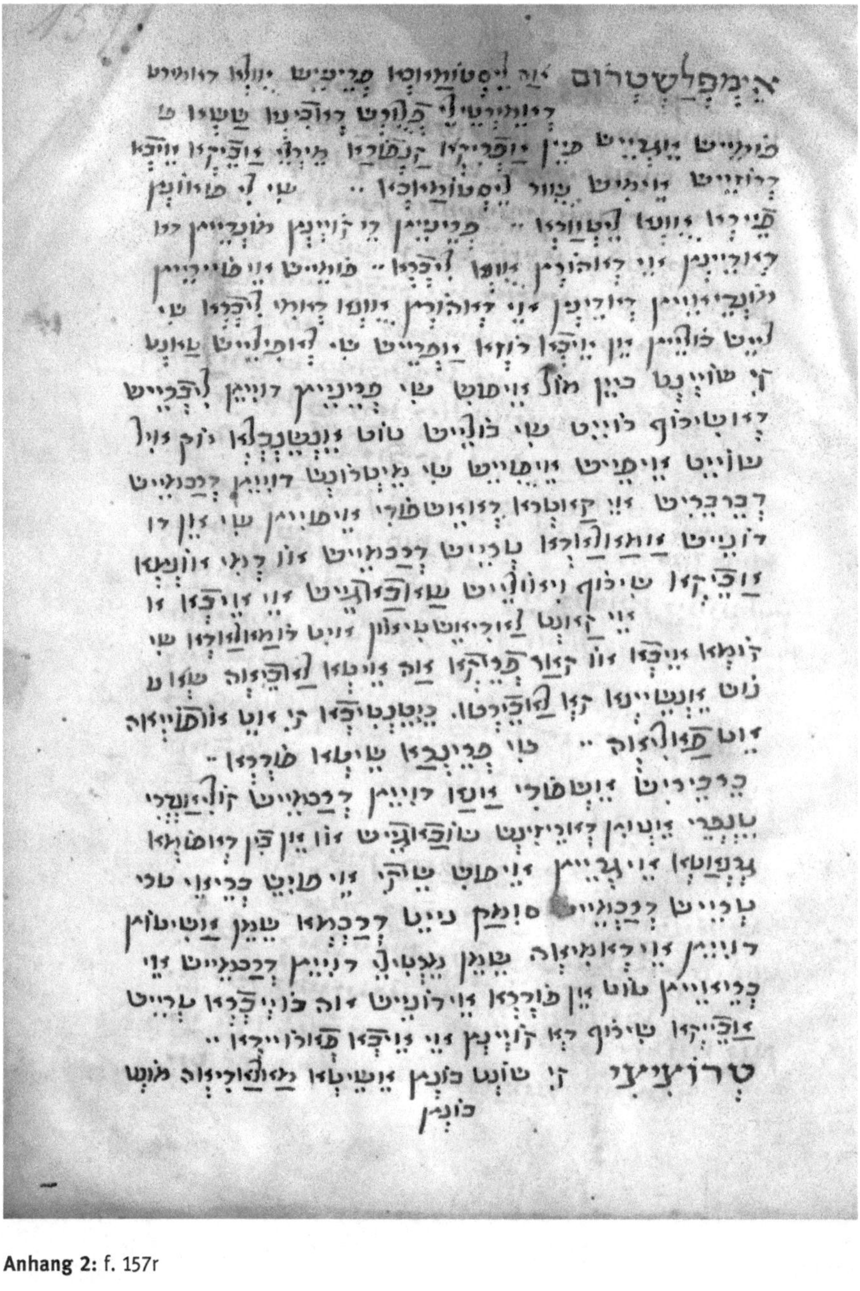

**Anhang 2:** f. 157r

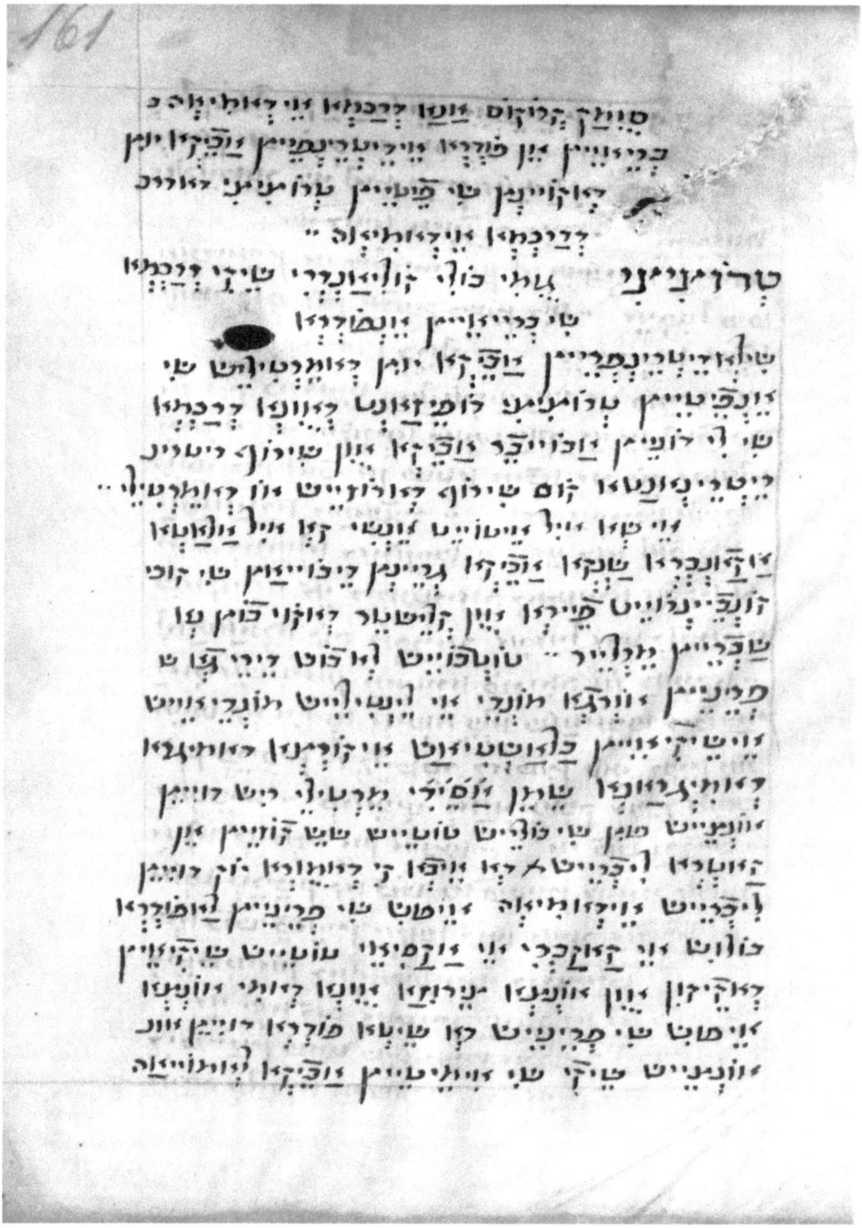

**Anhang 3:** f. 161r

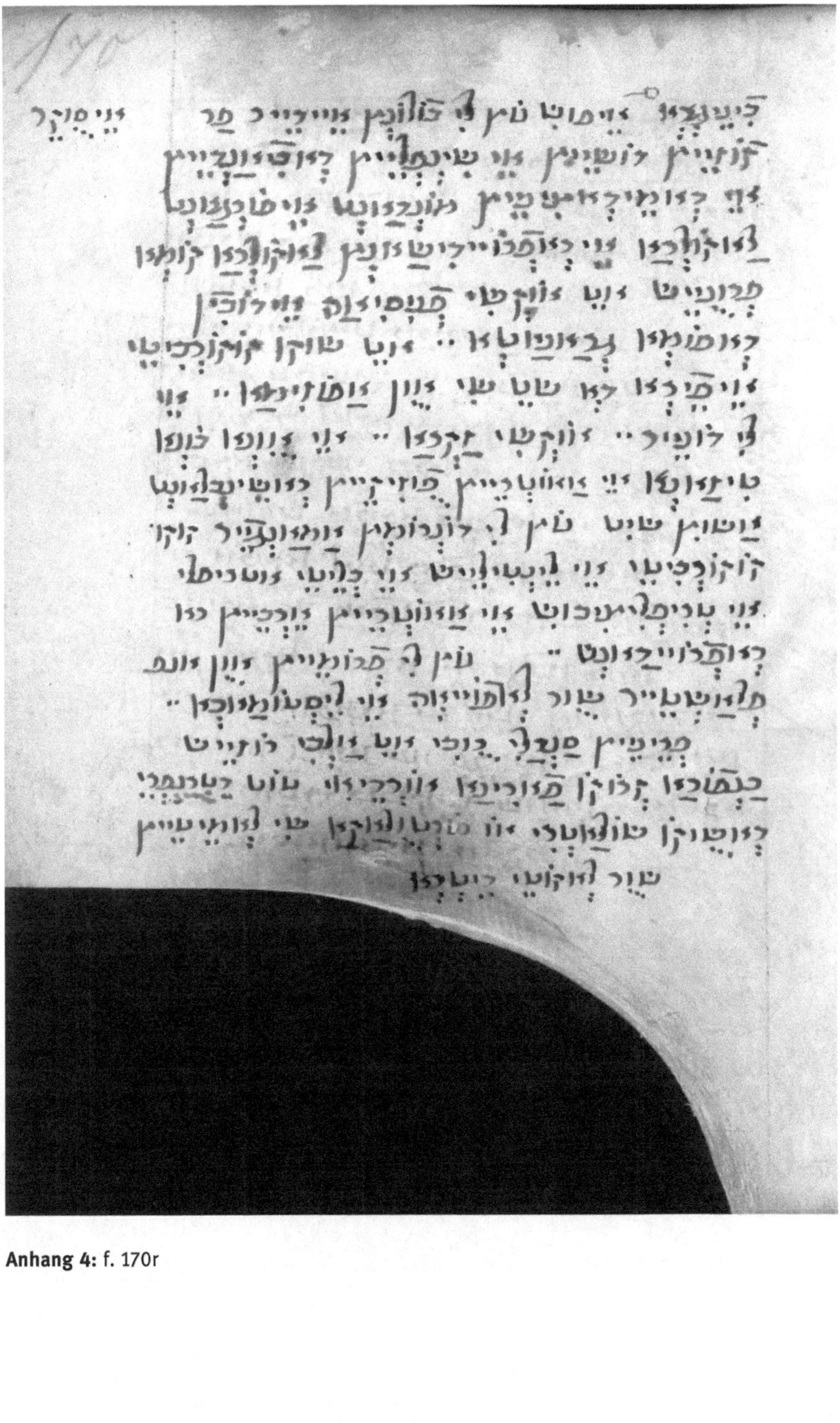

**Anhang 4:** f. 170r

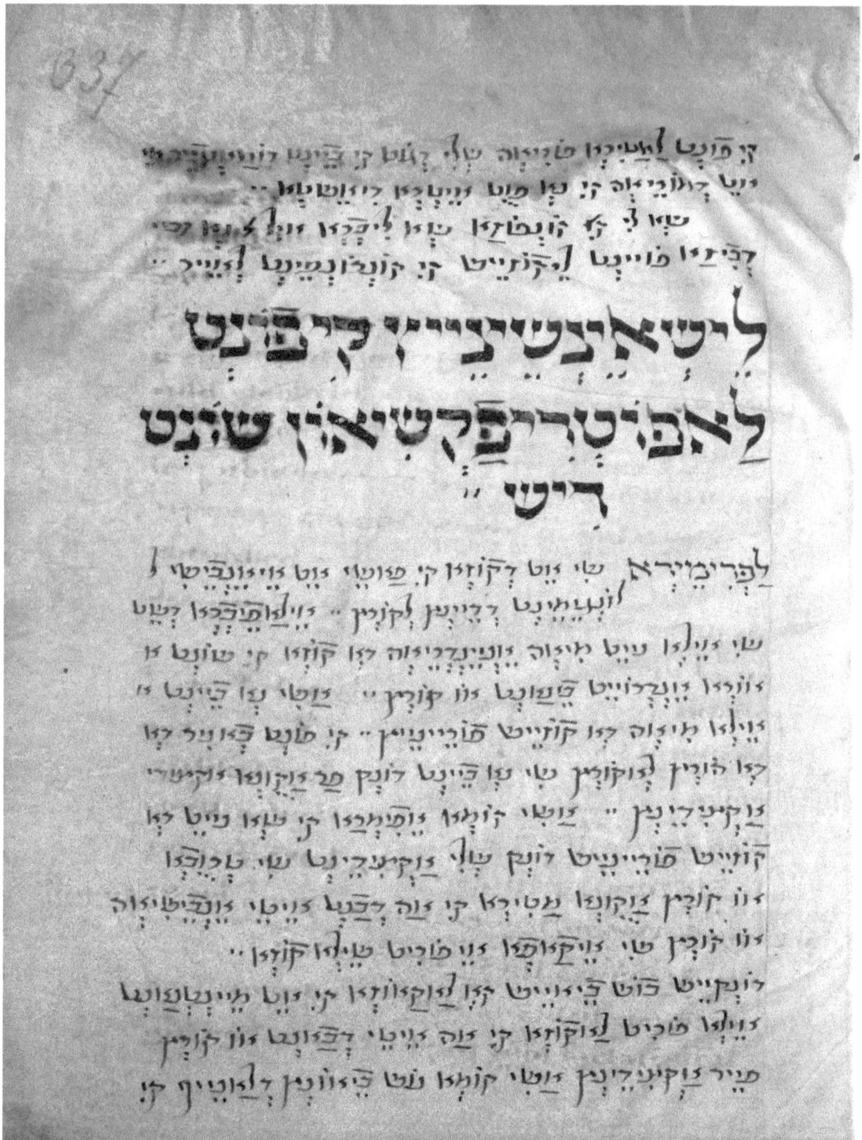

**Anhang 5:** f. 337r

FSC
www.fsc.org
MIX
Papier | Fördert gute Waldnutzung
FSC® C083411

Kolibri 360 GmbH
Ferdinand-Jühlke-Straße 7
99095 Erfurt, Deutschland
produktsicherheit@kolibri360.de